Wolfram von Eschenbach gilt als der bedeutendste Dichter der mittelhochdeutschen Klassik. Im Zentrum des Versromans *Willehalm* steht der Kampf eines christlichen Markgrafen um sein Land und seine Gemahlin gegen die Sarazenen. Mit einer revolutionären Technik der »Doppelschau«, die das Recht und das Leid beider Seiten, der Christen und der Heiden, im Blick hält, steht dieses sprachgewaltige und reich imaginierte Epos in scharfem Kontrast zur aggressiven Kreuzzugsideologie des Mittelalters und ist damit eines der großen Dokumente von Aufklärung und Menschlichkeit.

76 Handschriften des *Willehalm* sind überliefert: Damit ist der Versroman, zusammen mit dem *Parzival*, das bei weitem am besten überlieferte Werk der mittelhochdeutschen Erzählliteratur der klassischen Zeit. Die vorliegende Ausgabe bietet den Originaltext nach der ältesten vollständigen Handschrift mit Neuübertragung und Kommentar

DEUTSCHER KLASSIKER VERLAG
IM TASCHENBUCH
BAND 39

WOLFRAM VON ESCHENBACH
WILLEHALM

Herausgegeben von
Joachim Heinzle

DEUTSCHER
KLASSIKER
VERLAG

Dieser Titel entspricht Band 9, herausgegeben von Joachim Heinzle, der *Bibliothek des Mittelalters in vierundzwanzig Bänden,* Frankfurt am Main 1991

Umschlag-Abb.: Willehalm zu Pferd. Miniatur der Wiener Handschrift 1670, fol. 72r (Ausschnitt)

2. Auflage 2015

Erste Auflage 2009
Deutscher Klassiker Verlag
im Taschenbuch · Band 39

Vertrieb durch den Suhrkamp Taschenbuch Verlag
Satz: pagina GmbH, Tübingen
Druck: CPI – Ebner & Spiegel, Ulm
Printed in Germany
ISBN 978-3-618-68039-0

WOLFRAM VON ESCHENBACH
WILLEHALM

INHALT

WILLEHALM

1 Ane valsch dû reiner, S. 561a
dû drî unt doch einer,
schepfaere über alle geschaft,
âne urhap dîn staetiu kraft
5 ân ende ouch belîbet.
ob diu von mir vertrîbet
gedank*e*, die gar vlüstic sint,
sô bistû vater unt bin ich kint,
hôch edel ob aller edelkeit.
10 lâ dîner tugende wesen leit,
dâ kêre dîne erbarm*e* zuo,
swâ ich, herre, an dir missetuo!
lâz, herre, mich niht übersehen,
swaz mir saelden ist geschehen
15 und endelôser wünne!
dîn kint und dîn künne
bin ich bescheidenlîche,
ich arm und dû vil rîche:
dîn mennischeit mir sippe gît
20 dîner gotheit mich âne strît
der pâter noster nennet
z'einem kinde erkennet.
sô gît der touf mir einen trôst,
der mich zwîvels hât erlôst
25 (ich hân gelouphaften sin):
daz ich dîn genanne bin,
wîsheit ob allen listen:
dû bist Krist, sô bin ich kristen.
dîner hoehe und dîner breite,
dîner *tiefen antreite
2 *wart* nie gezilt anz ende. S. 561b
ouch loufet in dîner hende
der siben sterne gâhen,
daz si den himel wider vâhen.

1 Ohne Falschheit du Vollkommener,
in drei Personen Einer,
Schöpfer, Herr der Schöpfung,
ohne Anfang,
ohne Ende wirkt stetig Deine Kraft. 5
Wenn sie Gedanken von mir treibt,
die ins Verderben führen,
dann bist Du Vater, bin ich Kind,
von allerhöchstem Adel.
Sei betrübt in Deiner Güte, 10
zeig Erbarmen,
wo immer, Herr, ich an Dir sündige!
Laß, Herr, mich nicht vergessen,
was mir an Heil gegeben wurde
und an Freude ohne Ende! 15
Dein Kind, Dein Blutsverwandter,
bin ich ganz gewiß,
ich Armer, Du sehr Reicher:
Dein Menschentum macht mich verwandt
mit Deinem Gottestum, 20
als dessen Kind mich unbestreitbar 22
das Vaterunser anerkennt. 21
So gibt die Taufe mir die eine Zuversicht,
die mir den Gotteszweifel nahm
(Glaubens-Einsicht habe ich): 25
daß ich Dein Namensbruder bin,
Weisheit über allem Wissen:
Du bist Christus, ich bin Christ.
Deine Höhe, Deine Breite,
Deine Tiefe
2 hat keiner je ergründet.
Auch läuft in Deiner Hand
der rasche Gang der sieben Sterne,
um den Himmel abzufangen.

5 luft, wazzer, viur und erde
wont in dînem werde.
ze dînem gebot ez allez stêt,
dâ wilt unt zam mit umbe gêt.
ouch hât dîn götlîchiu maht
10 den liehten tac, die trüeben naht
gezilt und underscheiden
mit *den *sternenlouften* beiden.
niemer wirt, nie wart dîn ebenmâz.
al der steine kraft, der würze wâz
15 hâstû bekant unz an den ort.
der rehten schrift dôn und wort
dîn geist hât gesterket.
mîn sin dich kreftec merket.
swaz an den buochen stât geschriben,
20 des bin ich künstelôs beliben.
niht anders ich gelêret bin:
wan hân ich kunst, *die* gît mir sin.
*diu helfe dîner güete
sende in mîn gemüete
25 unlôsen sin sô wîse,
der in dînem namen geprîse
einen rîter, der dîn nie vergaz.
swenn er gediende dînen haz
mit sündehaften dingen,
dîn erbarm*e* kunde in bringen
3 *a*n diu werc, daz sîn manheit
dînen hulden wandels was bereit.
dîn helfe in dicke brâhte ûz nôt.
er liez en wâge iewedern tôt
5 (der sêle und des lîbes)
durh minne ein*e*s wîbes
er dicke herzenôt gewan.
lantgrâve von Düringen Herman
tet mir diz maere von im bekant.
10 er ist en franzois genant

Luft, Wasser, Feuer, Erde 5
ruhn in Deiner Herrlichkeit.
Alles steht in Deiner Herrschaft,
was den Tieren Nahrung gibt.
Auch hat Deine Gottesmacht
den hellen Tag, die dunkle Nacht 10
festgesetzt und unterschieden
mit dem Lauf der zwei Gestirne.
Nie kam, nie kommt Dir etwas gleich.
Aller Steine Kraft, der Kräuter Duft
kennst Du bis auf den Grund. 15
Wortklang, Wortsinn der Heiligen Schrift
sind stark aus Deinem Geist.
Meine Einsicht nimmt Dein Wirken wahr.
Aus den Büchern
hab ich nichts, kein Wissen und kein Können. 20
Nicht anders bin ich unterwiesen:
was ich weiß und was ich kann, das kommt mir aus der
Einsicht.

Hilfreich sende Deine Güte
in mein Herz
so ernste, weise Einsicht, 25
daß ich in Deinem Namen
einen Ritter preise, der Dich nie vergaß.
Wenn er mit Sünde 29
Deinen Zorn verdiente, 28
hat ihn Dein Erbarmen
3 zu Werken hingeführt, mit denen seine Tapferkeit
Buße tat und Deine Huld zurückerwarb.
Oft hat ihn Deine Hilfe aus Gefahr errettet.
Er wagte beide Tode
(der Seele und des Leibes) 5
aus Liebe zu einer Frau
kam er oft in Herzens-Leid.
Von Thüringen Landgraf Hermann
gab mir die Geschichte hier von ihm.
Man nennt ihn en français 10

kuns Gwillâms de *Orangis*.
ieslîch rîter sî gewis,
swer sîner helfe in angest gert,
daz er der niemer wirt entwert,
15 ern sage die selben nôt vor got*e*.
der unverzagete werde bot*e*
der erkennet rîter kumber gar.
er was selbe dicke harnaschvar.
den stric bekande wol sîn hant,
20 der den helm ûf'ez houb*e*t bant
gein sîns verhes koste.
er was ein zil der tjoste:
bî vîenden man in dicke sach.
der schilt von arde was sîn dach.
25 man hoeret in Francrîche jehen, S. 562a
swer sîn geslehte kunde spehen,
daz stüende über al ir rîche
der vürsten kraft gelîche:
sîne mâge wârn die hoehsten ie.
âne den keiser Karl*e*n nie

4 sô werder Franzoiser wart erborn:
dâ vür was und ist sîn prîs erkorn.
dû hâst und hetest werdekeit,
helfaere, dô dîn kiusche erstreit
5 mit diemüete vor der hoehsten hant,
daz si *die helfe tet erkant.
helfaere, hilf in und ouch mir,
die helfe wol getrûwent dir,
sît *daz diu wâren maere
10 sagent, daz dû vürste waere
hie n'erde – als bist ouch dort.
dîn güete enpfâhe mîniu wort,
herre sanct Willehalm,
mînes sündehaften mundes galm
15 dîn heilikeit an schrîet:
sît daz dû bist gevrîet
vor allen hellebanden,

comte Guillaume d'Orange.
Jeder Ritter sei versichert,
der um seine Hilfe in Bedrängnis bittet,
daß sie ihm nie versagt wird:
er bringt die Not vor Gott. 15
Der unverzagte, hohe Bote
kennt alle Ritter-Nöte.
Er war oft selber rostbefleckt vom Harnisch.
Den Knoten kannte seine Hand,
der den Helm am Kopf festband, 20
wenn es das Leben galt.
Er war ein Ziel für Tjoste:
man sah ihn oft am Feind.
Er war untern Schild geboren.
Man hört in Frankreich alle sagen, 25
die sein Geschlecht einschätzen konnten,
man hätte dieser Fürsten Rang im ganzen Reich
einhellig anerkannt:
seine Verwandten waren stets die Höchsten.
Nie gab es, außer Kaiser Karl,
4 einen so hochgeborenen Franzosen:
das war und ist sein Ruhm.
Du hast und hattest Ruhm und Ansehn,
Helfer, als Deine Demut
ergeben vor der Höchsten Hand erkämpfte, 5
daß sie half.
Helfer, mir und denen hilf,
die auf Deine Hilfe bauen,
denn es ist verbürgt und überliefert:
Du warst ein Fürst 10
hier auf der Erde – dort bist Du es auch.
In Deiner Güte hör mich an,
Herr Sankt Willehalm,
die Stimme meines Sünden-Munds
schreit zu Deiner Heiligkeit: 15
Du bist befreit
von allen Höllenbanden,

sô bevoget ouch mich vor schanden!
ich, Wolfram von Eschenbach,
20 swaz ich von Parzivâl *gesprach*,
des sîn âventiure mich wîste,
etslîch man daz prîste –
ir was ouch vil, die'z smaehten
unde baz ir rede waehten.
25 gan mir got sô vil der tage,
sô sag ich minne und ander klage,
der mit triuwen pflac wîp und man,
sît Jêsus in den Jordân
durh toufe wart gestôzen.
unsanfte mac genôzen
5 diutscher rede deheine
dirre, die ich nû meine,
ir letze und ir beginnen.
swer werdekeit wil minnen,
5 der lat dise âventiure
in sînem hûse ze viure:
diu vert hie mit den gesten.
Franzoiser die besten
hânt ir des die volge lân,
10 daz süezer rede wart nie getân
mit wirde *noch mit wârheit.
underswanc noch underreit
valschete dise rede nie:
des jehent si dort – nû hoert se ouch hie!

so schütz auch mich vor Sünden-Schanden!
Ich, Wolfram von Eschenbach,
was ich von Parzival erzählte, 20
wie es die Quelle mir befahl,
manch einer hat's gelobt –
es gab auch viele, die es schmähten
und ihre Dichtung schöner putzten.
Gönnt mir Gott genügend Tage, 25
erzähle ich von Liebe und von Leid,
das Mann und Frau in Treue litten,
weil Jesus in den Jordan
getaucht wurde zur Taufe.
Schwerlich kommt
5 ein deutsches Werk
diesem gleich, mit dem ich jetzt beginnen will,
seinem Ende, seinem Anfang.
Wer auf Ansehn hält,
lädt die Geschichte 5
in sein Haus ans Feuer ein:
die ist hierzulande fremd.
Die edelsten Franzosen
haben ihr das zugestanden,
daß nie ein heiligeres Werk, 10
würdig und wahr, geschaffen wurde.
Kein Zwischen-Hieb, kein Zwischen-Ritt
verfälschte die Geschichte je:
das sagen sie dort – jetzt hört sie hier!

15 5 Diz maere ist wâr, doch wunderlîch:
von Nerbôn der *grâve* Heimrîch
alle sîne süne verstiez,
daz er in bürge noch huobe liez
noch der erde dehein sîn rîcheit. S. 562b
20 ein sîn man bî im sô vil gestreit,
unz er den lîp bî im verlôs:
des kint er z'einem sune erkôs.
er het ouch den selben knaben
durh triuwe ûz der toufe erhaben.
25 er bat sîne süne kêr*en*
(und selbe ir rîcheit mêr*en*)
in diu lant, swâ si möhten.
ob si ze dienste iht töhten,
stieze in diu saelde rehtiu zil,
si erwurben rîches lônes vil.
6 »*w*elt ir urborn den lîp:
hôhen lôn hânt werdiu wîp.
ir vindet ouch etswâ den man,
der *wol* dienstes lônen kan
5 mit lêhen und mit guote.
ze wîben nâch hôhem muote
sult ir die sinne rihten
und an ir helfe pflihten.
der keiser Karl hât vil tugent:
10 iuwer starken lîbe, iuwer schoene jugent
die antwurt an sîn gebot!
des muoz in wenden hôhiu nôt,
ern rîche iuch imer mêre:
sîn hof hât iuwer êre.
15 dem sult ir diens*tes* sîn bereit.
er erkennet wol iuwer edelkeit.«
diz was sîn wille und des bat er.
sus schieden si sich von dem vater.

5 Es ist unglaublich, aber wahr: 15
Graf Heimrich von Narbonne
enterbte alle seine Söhne,
ließ ihnen weder Burg noch Zinsgut
und nichts von seinem Grund und Boden.
An seiner Seite hatte ein Vasall so lang gekämpft, 20
bis er an seiner Seite fiel:
dessen Sohn nahm er an Kindes Statt.
Er war,
als treuer Lehnsherr, auch der Pate dieses Jungen.
Seine Söhne schickte er 25
in die Welt: sie sollten,
wo sie könnten, sich selber ein Vermögen schaffen.
Wenn sie zum Kriegsdienst taugten
und das Glück sie leitete,
dann könnten sie viel reichen Lohn erwerben.
6 »Strengt euch an:
bei edlen Frauen gibt es hohen Lohn.
Auch findet ihr wohl irgendwo den Mann,
der Dienste gut vergelten kann
mit Lehen und Besitz. 5
Um Frauen – das macht hochgemut und stolz –
sollt ihr euch bemühen
und ihre Hilfe nehmen.
Der Kaiser Karl ist edel und hat Macht:
eure Kraft, die Schönheit eurer Jugend 10
stellt in seinen Dienst!
Wenn ihn nicht höhere Gewalt dran hindert,
macht er euch reich und reicher:
ihr hebt das Ansehn seines Hofes.
Dem sollt ihr dienen. 15
Er weiß, wie vornehm ihr geboren seid.«
Das war sein Wille, das befahl er.
So schieden sie vom Vater.

lât mich die helde iu nennen,
20 daz ir geruochet si erkennen:
daz eine was Willalm,
daz ander Bertram;
sus was genant sîn dritter sun:
der klâre, süeze *Buovun*;
25 Heimrîch hiez der vierde,
des tugent vil lande zierde;
Ernalt und Bernart
die muosen an die selben vart;
der sibende der hiez Gîbert,
der was ouch höf*e*sch und*e* wert.

7 *w*ie vil si sorgen dolten
und *waz's* ouch vreude erholten
und wie ir manlîchiu kunst
wîbe minne und herzen gunst
5 mit rîterschefte bejageten
und dicke alsô betageten,
daz man's in hôhem prîse sach!
selten senftekeit, grôz ungemach
wart den helden sît bekant.
10 durh prîs si wâren ûz gesant.
umb der andern dienst und umb ir varn
wil ich nû mîne rede sparn
unde grîfen an den einen, S. 563a
den diu âventiure wil meinen:
15 Willalm der selbe hiez.
ouwê, daz man den niht liez
bî sîns vater erbe!
swen der nû verderbe,
dâ lît doch mêr sünden an,
20 denne almuosens dort gewan
an sînem toten Heimrîch:
ich waene, ez wig*e*t ungelîch.
ir habt daz ê wol vernomen
(es endarf iu nû niht maere komen),
25 wie ez mit dienste sich gezôch,

Erlaubt mir, euch die Helden vorzustellen,
daß ihr sie kennt: 20
der erste war Willehalm,
der zweite Bertram;
seinen Dritten nannte man
den schönen, liebenswerten Buovun;
Heimrich hieß der vierte, 25
eine Zierde vieler Länder;
Ernalt und Bernhard
mußten auch hinaus;
der siebente hieß Gibert,
der war auch höfisch, edel.

7 Was haben sie an Not durchlitten,
was haben sie an Glück erworben
und wie hat ihre Ritterkunst
Frauenliebe, Frauen-Herzensgunst
mit Waffentaten sich erobert 5
und wie häufig haben sie
hohen Ruhm errungen!
Niemals Ruhe, große Mühsal
war seither ihr Leben.
Sie waren ausgesandt, um Ruhm zu holen. 10
Vom Dienst der andern, ihren Fahrten
will ich jetzt nicht berichten –
ich wende mich dem einen zu,
dem Helden der Geschichte:
Willehalm. 15
Ach, daß man den nicht
auf dem väterlichen Erbe ließ!
Wenn der jetzt zugrundegeht,
dann ist die Sünde größer
als das Verdienst der Nächstenliebe, 20
das Heimrich an dem Patenkind erwarb:
ich denke, das wiegt ungleich.
Ihr habt es früher schon gehört
(man muß es euch jetzt nicht erzählen),
wie Ritterdienst dazu geführt hat, 25

des manec hôhez herze vreude vlôch.
Arabeln Willalm erwarp,
dar umbe unschuldic volc erstarp.
diu minne im leiste und ê gehiez,
»Gîburc« si sich toufen liez.

8 waz her*e*s des mit tôde engalt!
ir man, der künic Tîbalt,
minnen vlust an ir klagete.
ûz vreude in sorge jagete
5 mit kraft daz herze sînen lîp.
er klagete êre und*e* wîp,
dâ zuo bürge und*e* lant.
sîn klage mit jâmer wart bekant
unz an die ûzern Indîâ.
10 Provenze her und ouch dâ
gewan sît jâmers künde.
des mer*e*s vluot der ünde
mac sô *manige* niht getragen,
als liute drumbe wart erslagen.
15 nû wuohs der sorge ir rîcheit,
*dâ vreuden urbor ê was breit:
diu wart mit rehten jâmers *sniten
alsô getret und überriten:
von gelücke si *daz* nâmen,
20 hânt vreude noch den sâmen
der Franzoiser künne.
der heidenschefte wünne
ouch von jâmers kraft verdarp.
der marcgrâve Willalm erwarp,
25 des er vür hôhe saelde jach.
swaz dâ *enzwischen* bêdenthalp geschach,
des geswîg ich von in beiden,
den getouften und den heiden,
und sage des her*e*s überkêr.
daz brâhte der künic *Terramêr*

daß Freude floh aus vielen edlen Herzen.
Willehalm hatte Arabel gewonnen,
wofür schuldlos viele starben.
Die ihm Liebe gewährt, die Ehe versprochen hatte:
»Giburg« ließ die sich taufen.

8 Heerscharen haben das bezahlt mit ihrem Leben!
Ihr Mann, der König Tibalt,
beklagte sie und mit ihr den Verlust der Liebe.
Aus Glück in Unglück jagte
ihn mit Macht sein Herz. 5
Seinen Ruf und seine Frau beklagte er,
dazu die Burgen und die Länder.
Seine Klage brachte
bis ins äußre Indien Leid.
Hinauf, hinunter lernte später die Provence, 10
was Leid bedeutet.
Soviele Wellen kann das Meer
nicht tragen,
wie Menschen drum erschlagen wurden.
Nun wuchs dem Unglück reiche Ernte zu, 15
wo früher breit das Feld des Glücks gelegen hatte:
in einer wahren Jammer-Mahd ist das
derart zerstampft und überritten worden:
kaum
haben die Franzosen 21
Saatgut für neues Glück zurückbehalten. 20
Auch das Glück der Heiden
richtete die Übermacht des Leids zugrunde.
Gewonnen hatte Markgraf Willehalm,
was für ihn das höchste Glück war. 25
Was beiderseits seither geschah,
das übergehe ich bei beiden,
den Christen und den Heiden,
und berichte von der Überfahrt des Heers.
Das führte eines Tages König Terramer

9 ûf dem mer z'einen stunden
in kielen und in treimunden,
in urssieren und in kocken.
swer sich daz an wil zocken,
5 er habe groezer her gesehen,
daz ist im selten sît geschehen.
mâge und man het er gebeten. S. 563b
sînem liebisten got Mahmeten
und andern goten sînen
10 den liez er dicke erschînen
mit opfer mange êre
und klagete in ouch vil sêre
von Arabeln, diu sich Gîburc
nande und diu mit toufe kurc
15 was manigen ougen worden
durh kristenlîchen orden.
diu edel küniginne,
durh liebes vriundes minne
und durh minne von der hoehsten hant
20 was kristen leben an ir bekant.
Terramêr was ir vat*e*r.
Arofeln, sînen bruoder, bat *e*r
und den starken Halzebier.
die zwêne manec urssier
25 in sîne helfe brâhten.
wol si des gedâhten:
Terramêr*e*s rîcheit
was kreftic, wît und breit,
und daz and*e*r künige ir krône
durh manneschaft ze lône
10 von sîner hende enpfiengen,
die dienst gein im begiengen.
die vürsten ûz sîme rîche
die vuoren krefteclîche,
5 den *er'z* gebieten wolde.
ouch streich nâch sînem solde
vil manec werlîcher man.

9 auf der See heran
in Großraumseglern, in Treimunden,
in Urssieren und in Koggen.
Seither 6
konnte keiner mehr behaupten, 4
er hätt ein größres Heer gesehen. 5
Aufgeboten hatte er Verwandte und Vasallen.
Seinen Lieblingsgott, den Mohammed,
und seine andren Götter
ließ er noch und noch 10
mit Opfern ehren
und klagte ihnen bitter
von Arabel, die sich Giburg
nannte und sich
vor vielen Augen hatte taufen lassen, 15
um der Kirche beizutreten.
Die hohe Königin –
um der Liebe eines Mannes, den sie liebte,
und der Liebe Gottes willen
war sie Christin. 20
Terramer war ihr Vater.
Arofel, seinen Bruder, bot er auf
und den starken Halzebier.
Eine große Zahl Urssiere
stellten ihm die zwei. 25
Sie wußten:
die Macht des Terramer
war groß und reichte weit,
und daß andre Könige die Krone
als Vasallen
10 aus seiner Hand empfangen hatten
und ihm dienten.
Die Fürsten seines Reiches,
die er aufgeboten hatte, 5
brachten große Heere. 4
Auch kamen, um für seinen Sold zu kämpfen,
viele tapfre Männer.

wie manec tûsent er gewan
der werden Sarrazîne!
10 die man hiez die sîne,
die prüef ich alsus mit der zal:
er bedacte berge und tal,
dô man komen sach den werden
ûz den schiffen ûf die erden
15 durh den künic *Tîbalt*,
des manec getoufter man engalt,
ze Alitschanz ûf den plân.
dâ wart sölhiu rîterschaft getân,
sol man ir geben reht*ez* wort,
20 diu mac vür wâr wol heizen mort.
swâ man sluoc od stach,
swaz ich ê dâ von gesprach,
daz wart nâher wol gelendet,
denne mit dem tôde gendet:
25 diz engiltet niht wan sterben
und an vreuden verderben.
man nam dâ wênic sicherheit,
swer den andern überstreit,
den man doch tiure het erlôst.
diz was ze bêder sîte ir trôst:
11 niht wan manlîchiu wer. S. 564a
des künic Terramêr*e*s her
und die Willalms mâge
die liezen vaste en wâge
5 beidiu vinden und*e* vlust.
dô riet sîn manlîch gelust
dem werden künige Tîbalt,
daz er reit mit gewalt
nâch minne und nâch dem lande:
10 sîne vlust und sîne schande
wold er gerne rechen.
waz mac ich mêr nû sprechen,
wan daz sîn sweher Terramêr
im brâhte manegen künec hêr,

Wieviel tausend
edle Sarazenen er gewann!
Die man die Seinen nannte, 10
deren Zahl verdeutliche ich so:
sie bedeckten Berg und Tal,
als man den hohen Mann mit seinen Leuten
für König Tibalt 15
aus den Schiffen auf das Festland kommen sah, 14
wofür viele Christen teuer zahlen mußten,
auf das Feld von Alischanz.
Da gab es einen Kampf,
den man nur
als Schlächterei bezeichnen kann. 20
Das Schlagen oder Stechen,
von dem ich früher zu berichten hatte,
das wurde billiger zum Ziel gebracht,
nicht mit dem Tod beendet:
hier bezahlt man nur mit Sterben 25
und Ruin des Glücks.
Gefangene wurden kaum gemacht,
wenn einer einen niederkämpfte –
sie verzichteten auf Lösegeld.
Auf beiden Seiten half nur eines:
11 Tapferkeit.
Das Heer des Königs Terramer
und die Verwandten Willehalms
setzten kompromißlos
auf Gewinn oder Verlust. 5
Seine Kühnheit trieb
den edlen König Tibalt,
mit Heeresmacht zu reiten,
um Land und Liebe wieder zu gewinnen:
es drängte ihn nach Rache 11
für Verlust und Schande. 10
Was kann ich jetzt noch sagen,
als daß sein Schwiegervater Terramer
ihm viele hohe Könige brachte,

15 rîche und manlîch erkant?
Mahmet und Tervagant
wurden dicke an geschrît,
ê daz ergienge dirre strît.
Terramêr unvuoget,
20 daz in des niht genuoget,
des sîne tohter dûhte vil.
bescheidenlîch ich sprechen wil,
swen mîn kint ze vriunde kür,
ungerne ich den ze vriunt verlür.
25 Willelm ehkurneis
was sô wert ein Franzeis:
des noch bedörfte wol ein wîp,
ob si alsô kürlîchen lîp
durh minne braehte in ir gebot.
sîn sweher hazzete in ân nôt.

12 ez muoz nû walzen, als ez mac:
etswen ouch hôhes muotes tac
mit vreuden kumft sît erschein.
Terramêr wart des enein:
5 ûf Alitschanz er kêrte,
dâ strît sîn her gelêrte,
des er nimmer mêr wart vrô.
wie tet der wîse man alsô?
si wâren im sippe al gelîche,
10 Willelm, der lobes rîche,
und Tîbalt, Arabeln man,
durh den er herzesêr gewan
vor jâmer nâch dem bruoder sîn
und mangen werden Sarrazîn
15 dem tôde *ergap* ze zinse.
ein herze, daz von vlinse
im donre gewahsen waere,
daz *müete disiu maere.
ûf daz velt Alischanz
20 kom manec niuwer schilt al ganz,
der dürkel wart von strîte.

mächtige und tapfere? 15
Mohammed und Tervigant
wurden unablässig angerufen,
ehe dieser Kampf begann.
Terramer tat unrecht,
daß ihm das nicht genügte, 20
was für seine Tochter viel war.
Ich sage (und das ist vernünftig):
wen meine Tochter sich als Freund aussuchte,
den würde ich als Freund nicht missen wollen.
Wilhelm au court nez 25
war ein so edler Franzose:
noch heute müßte eine Frau sich wünschen,
einen Mann von dem Format
zum Dienst für Liebe zu gewinnen.
Sein Schwiegervater war ihm grundlos feind.

12 Jetzt muß es laufen, wie es läuft:
es gab auch wieder Freudentage
und das Glück kam wieder.
Terramer hatte beschlossen,
nach Alischanz zu ziehen, 5
wo seine Truppen einen Kampf bekamen,
der ihn nie wieder froh sein ließ.
Wie konnte dieser kluge Mann so etwas tun?
Sie waren ihm gleich nah verwandt,
Wilhelm, der Hochgerühmte, 10
und Tibalt, Arabels Mann,
für den er Herzens-Leid erlitt
aus Schmerz um seinen Bruder
und viele edle Sarazenen
als Tribut dem Tod bezahlte. 15
Ein Herz aus
Donnerstein
müßt das erweichen.
Auf das Feld von Alischanz
kam eine Menge neuer, ganzer Schilde, 20
die vom Kämpfen löchrig wurden.

der breite und ouch der wîte
bedorfte Terramêr*es* her,
dô si ûz den schiffen von dem mer
25 ieslîcher reit zuo sîner schar, S. 564b
der er durh rîterschaft nam war.
ê man sluoc ode stach,
dâ was von busînen krach
und ouch von maneger tambûr.
Gîburge süeze wart in sûr,

13 den heiden und der kristenheit.
nû muoz ich guoter liute leit
künden mit der wâren sage
an ir urteillîchem tage.
5 ûf Alischanz erzeiget wart
gegen Terramêr*es* übervart,
daz man sach mit manlîcher wer
des marcgrâven Willelms her,
die hant *vol*, als er mohte hân.
10 si heten'z ungerne lân:
ein teil sînes künnes was im komen
und ouch, die heten genomen
starkiu dienst von sîner hant,
an den er niht wan triuwe vant.
15 dô reit sînem vanen bî
Witschart und Gêrart von Blavî
und der pfal*e*nzgrâve Bertram,
der nie zag*e*heit genam
under brust inz herze sîn
20 (daz wart ûf Alitschanz wol schîn) –
und der klâre Vîvîans:
ich waere immer mêr ein gans
an wizzenlîchen triuwen,
ob mich der niht solde riuwen.
25 ouwê, daz sîniu jungen jâr
âne mundes granhâr
mit tôde *nâmen* ende!
von hôher vreude ellende

Weite und Breite
brauchte Terramers Armee,
als sie aus den Schiffen von der See
ritten, jeder Mann zu seinem Trupp, 25
in dem er kämpfen sollte.
Bevor man haute oder stach,
erklang gewaltig
Trompetenschmettern, Trommelschlag.
Giburgs Süße wurde ihnen bitter,

13 den Heiden und den Christen.
Wahrheitsgemäß berichten 3
muß ich jetzt vom Leiden vortrefflicher Menschen 2
am Tag, der über sie entschied.
Auf Alischanz erwies sich, 5
daß dem Einfall Terramers
tapfer
Markgraf Wilhelms Heer entgegentrat,
die Handvoll, die er sammeln konnte.
Hilfsbereit 10
hatten einige Verwandte sich um ihn geschart
und Leute, die
ihm Heeresfolge schuldeten
und treu ergeben waren.
Unter seiner Fahne ritten 15
Witschart und Gerhard von Blaye
und der Pfalzgraf Bertram,
der in seinem Herzen 19
niemals Feigheit duldete 18
(das zeigte sich auf Alischanz) – 20
und der schöne Vivians:
ich wäre immer eine Gans
an Einsicht und an Mitleid,
wenn mich sein Tod nicht schmerzte.
Ach, daß seine Jugend, 25
bevor ihm noch der Bart wuchs,
im Tode enden mußte!
Von Glück und Freude

wart dar under sîn geslehte:
daz tâten die mit rehte.

14 *ei*, Heimrîch von Narbôn,
dînes sunes dienst jâmers lôn
durh Gîburge minne enpfie.
swaz si genâde an im begie,
5 diu wart vergolten tiure,
alsô daz diu gehiure
ouch wîplîcher sorgen pflac.
ûf erde ein vlüsteclîcher tac
und himels niuwe sunderglast
10 erschein, dô manec werder gast
mit engelen in den himel vlouc.
ir saelekeit si wênic trouc,
die durh Willelm nû striten
und die mit manlîchen siten
15 kômen. lât ir nennen mêr.
ist werdekeit von prîse hêr
und ist der prîs diu werdekeit,
*der zwei*er* ist *einez* wol sô breit,
dâ von gelücke wirdet ganz. S. 565a
20 der Burgunjois Gwigrimanz
und des marcrâven swester kint
Mîle, die zwêne vürsten sint
ze Oransch*e* komen în.
der werden sol dâ mêr noch sîn:
25 ich meine den klâren Jozzeranz
und Hûwesen von Meilanz.
die viere het*e*n hie den prîs
und sint nû dort in dem pardîs.
ei, Gîburc, süeze wîp,
mit schaden erarnet wart dîn lîp!

15 *Gaudîns*, der brûne, kom ouch dar
und Giblîns mit dem blanken hâr
und ouch von Tolûs *Gaudiers*

nahm seine Sippe darauf Abschied:
sie taten es mit Recht.
14 Ach, Heimrich von Narbonne,
Leid war der Lohn für deines Sohnes
Minnedienst um Giburg.
Das Heil, das sie ihm schenkte,
wurde schwer bezahlt, 5
so, daß auch die Edle, Gute
Frauenkummer leiden mußte.
Ein Verlusttag auf der Erde
und unerhörter Glanz im Himmel
ging auf, als Scharen edler Gäste 10
mit Engeln in den Himmel flogen.
Deren Seelenheil war sicher,
die für Wilhelm kämpften
und mannhaft
hergekommen waren. Laßt mich weitre Namen nennen. 15
Wird das Ansehn eines Mannes durch Kampfesruhm erhöht,
ja macht der Ruhm das Ansehn aus,
dann ist von beiden eines schon so groß,
daß es das Glück vollkommen macht.
Der Burgunder Gwigrimanz 20
und des Markgrafen Schwestersohn
Mile, die zwei Fürsten sind
nach Orange hineingekommen.
Noch mehr Edle sind da:
ich mein den schönen Josseranz 25
und Huwes von Mailand.
Die vier hatten hier den Ruhm
und sind jetzt dort im Paradies.
Ach, Giburg, Schöne, Liebenswerte,
teuer wurdest du erkauft!
15 Der braune Gaudins
und der blonde Giblins kamen auch dorthin,
weiter Gaudiers von Toulouse

und Hûnas von *Sanctis. ob ir mir's*
5 geloubet, sô wil ich zieren
diz maere mit den vieren.
die heten ob dem wunsches zil
der hôhen werdekeit sô vil:
swer prîses dâ daz minn*er* truoc
10 under in, es het iedoch genuoc
von drîn landen al diu diet.
der tac diu wîp von vreuden schiet,
ob si minne erkanden –
ich meine, die dar sanden
15 ir vreuden schilt vür riuwe.
ist minne wâriu triuwe,
sô erwarp dâ manges heldes tôt
den wîben dâ heime jâmers nôt.
ich enmac niht gar benennen sie,
20 die dem marcrâven hie
kômen werlîche.
der arme und der rîche
sint bêde in die zal benant:
vür zweinzec tûsent si bekant
25 wâren, dô si sich scharten,
die heiden wênic sparten.
Provenzâl und Burgunjois
und der rehten Franzois
het er gehab*e*t gerne mêr,
dô reit der schad*e*haften kêr

16 der marcgrâve unverzag*e*t.
sus wart mir von im gesag*e*t.
wie er die heiden ligen sach?
under manegem samîtes dach,
5 under manegem pfelle lieht gemâl.
innerhalp von zindâl
wâren ir hütte und ir gezelt,
ze Alitschanz ûf daz velt
geslagen mit seilen sîdîn.
10 ir banier gâben schîn

und Hunas von Saintes. Wenn ihr mir's
glaubt, dann will ich 5
die Geschichte mit den vieren schmücken.
Die hatten über alles Maß
so hohes Ansehn:
was der am wenigsten berühmte
unter ihnen Ruhm besaß, daran hätten 10
alle Menschen in drei Ländern noch genug.
Der Tag benahm den Frauen ihre Freude,
wenn sie liebten –
ich meine jene, die dorthin den Schild gesandt
hatten, der ihr Glück vor Leid beschützte. 15
Ist Liebe echte Treue,
dann hat da manches Helden Tod
daheim den Frauen Leid gebracht.
Ich kann nicht alle nennen,
die wehrhaft hier dem Markgrafen 20
zu Hilfe kamen.
Arm und Reich
umfaßt die Zahl:
zwanzigtausend waren es,
als sie sich sammelten, 25
die die Heiden nicht verschonten.
Provenzalen und Burgunder
und Franzosen aus dem Herzogtum
hätt er gerne mehr gehabt,
16 als der tapfre Markgraf 1
den ruinösen Feldzug antrat. 30
So wurde mir von ihm berichtet.
Wie er die Heiden lagern sah?
Unter Dächerfluchten aus Brokat,
unter Wolken bunter Seide. 5
Im Inneren mit Taft bespannt
waren die kleinen und die großen Zelte,
auf dem Feld zu Alischanz
mit Seidenseilen aufgeschlagen.
Ihre Banner leuchteten 10

von tiuren vremdeclîchen sniten
nâch der gamânje siten,
der *steine, dâ sölh wunder S. 565b
an *wahsen* kan besunder.
15 mit zal *ich iuch bereite:
ûf des veldes breite
ir gezelt, swenne ich diu prüeven wil,
man mac der sterne niht sô vil
gekiesen durh die lüfte.
20 niht anders ich mich güfte,
wan des mich diu âventiure mant.
nû wart der heidenschaft bekant,
daz koemen die getouften,
die stuol ze himel kouften.
25 der marcgrâve ellens rîche
mante unverzagetlîche
*vil manheit sîn geslehte
durh got und durhz rehte
und ir *werlîchen* sinne
durh der zwei*er* slahte minne:
17 ûf erde hie durh wîbe lôn
und ze himel durh der engel dôn.
»helde, ir sult gedenken
und lât uns niht verkrenken
5 die heiden unsern gelouben,
die uns des toufes rouben
wolden, ob si möhten.
nû sehet, war zuo wir töhten,
ob wir liezen den selben segen,
10 des wir mit dem kriuze pflegen.
wan sît sich kriuzes wîs erbôt
Jêsus von Nazarêth – dîn tôt,
dâ von hânt vlühteclîchen kêr
die boesen geiste immer mêr.
15 helde, ir sult des nemen war:
ir traget sînes tôdes wâpen gar,
der uns von helle erlôste:

von kostbar-fremden Bildern
wie Kameen,
jene Steine, auf denen solche Wunderdinge
wachsen.
Ich nenn euch eine Zahl: 15
wenn ich die Summe ihrer Zelte 17
auf dem weiten Feld beziffern will, 16
ergibt sich, daß man nicht soviele Sterne
am Himmel sieht.
Ich übertreibe nicht: 20
es steht in meiner Quelle.
Die Heiden hörten,
daß die Christen kämen,
die sich einen Himmelsplatz verdienten.
Der Markgraf, mutig, wie er war, 25
hielt
seine Sippe unverzagt zu großer Tapferkeit
für Gott und für das Recht an
und appellierte an ihr Ritterherz
um beider Arten Liebe willen:

17 Frauenlohn auf Erden hier
und Engelsang im Himmel.
»Helden, denkt daran
und laßt nicht zu,
daß die Heiden unsern Glauben 5
schänden, die das Christentum uns rauben
würden, wenn sie könnten.
Stellt euch vor Augen, was wir noch vermöchten,
wenn wir uns
mit dem Kreuzeszeichen nicht mehr segnen würden. 10
Denn: seit sich am Kreuz hingab
Jesus von Nazareth – Dein Tod,
vor dem fliehen
allezeit die bösen Geister.
Helden, seht: 15
ihr alle tragt sein Todeswappen,
der uns erlöst hat von der Hölle:

der kumt uns wol ze trôste.
nû wer*e*t êre und*e* lant,
20 daz Apollo und Tervigant
und der trüg*e*hafte Mahmet
uns den touf iht under tret.«
der marcgrâve Willalm
und die getouften hôrten galm
25 von maneger busînen.
nû was mit al den sînen
*ze orsen komen, swie'z drumbe ergê,
der künic von Valfundê,
der starke, küene Halzebier.
manigen stolzen soldier
18 unt manigen edelen *amazzûr*
er vuorte. die nam *untûr* –
sît si vürsten hiezen,
sô wolden si geniezen
5 ir kraft und ir edelkeit,
daz in der prîs waere bereit
vor ander her*e*s vluot. S. 566a
manec vürste hôch gemuot
kom dâ mit schar*e*n zuo geriten,
10 die durh Halzebieren striten.
in *sîn* helfe was benant
drîzec tûsent werlîch erkant,
sarjande und*e* rîterschaft.
Halzebier kom mit kraft.
15 an der selben zîte
des hebens an'me strîte
sîne turkopel pflâgen,
die dâ gestreu*e*t lâgen.
swie si heten în gezogen
20 mit künste manegen starken bogen,
ir lâzen und ir ziehen,
ir wenken und ir vliehen
wart in gar vergolten,

er wird uns sicher helfen.
Verteidigt also Land und Ehre,
daß Apoll und Tervigant 20
und der Betrüger Mohammed
uns das Christentum nicht niedertreten.«
Markgraf Willehalm
und die Getauften hörten
mächtigen Trompetenschall. 25
Nun war mit all den Seinen
aufgesessen – egal, was daraus würde –
der König von Valfundé,
der starke, kühne Halzebier.
Viele stolze Söldner
18 und viele Almansure von Geblüt
führte er an. Die hätte es verdrossen,
wenn sie nicht als Fürsten
von ihrer Macht und ihrem Adel 5
profitiert 4
und die Chance bekommen hätten, vor der Flut der andern Kämpfer 7
den Preis davonzutragen. 6
Viele stolze, hochgemute Fürsten 8
ritten da heran mit Truppen,
die für Halzebier antraten. 10
Zu seiner Unterstützung waren
dreißigtausend kampferprobte Männer kommandiert,
Serjants und Ritter.
Halzebier rückte mächtig an.
Da 15
eröffneten mit ihren Bogen
seine Turkopolen das Gefecht,
die übers Feld verteilt in Stellung waren.
Indessen: wie
gekonnt sie auch die vielen starken Bogen spannten, 20
ihr Schnellenlassen und ihr Ziehen,
ihr Weichen und ihr Fliehen
wurde ihnen voll vergolten,

sît muosen unde solten
25 die getouften were bieten.
die heiden sich berieten,
ir herzeichen wart benant:
si schrîten alle »Tervigant«.
daz was ein ir werder got.
si leisten gerne sîn gebot.

19 *»Monschoi«* was der getouften ruof,
die got ze dienste dar geschuof.
hie der stich, dort der slac:
jener saz, dirre lac.
5 die ze bêder sîte dâ tohten
gein strîte, die wâren gevlohten
in ein ander sêre.
dô gienc ez an die rêre
von den orsen ûf die erden.
10 heiden, der werden,
lac dâ manec hundert tôt.
die getouften dolten nôt,
ê si die schar durhbrâchen.
die heiden sich des râchen
15 manlîch und unverzaget,
daz *ez* mit jâmer wart beklaget
von den gotes soldieren.
sold ich si zimieren
von rîcher koste, als si riten,
20 die mit den getouften striten,
sô mües ich nennen mangiu lant –
tiure pfelle drûz gesant
von wîben durh minne
mit spaehlîchem sinne.
25 die heiden heten kursît,
als noch manec vriundinne gît
durh gezierde ir amîse.
nâch dem êweclîchem prîse
die getouften strebeten:
die wîle daz si lebeten,

da die Christen sich
zu wehren wußten. 25
Die Heiden hielten Rat,
ihr Schlachtruf wurde festgesetzt:
sie riefen alle »Tervigant«.
Das war einer ihrer hohen Götter.
Sie hielten eifrig sein Gebot.

19 »Monschoi« war der Ruf der Christen,
die Gott sich dort zum Dienst versammelt hatte.
Hier ein Stich, dort ein Schlag:
jener blieb im Sattel, der lag auf der Erde.
Die Truppen beider Seiten, die 5
noch kämpfen konnten, waren
jetzt eng verflochten.
Da ging's an ein Stürzen
von den Pferden auf die Erde.
Von den edlen Heiden 10
blieben viele hundert auf dem Feld.
Die Christen litten viel,
bis sie das Heer durchbrochen hatten.
Die Heiden rächten sich dafür,
mutig und unerschrocken, 15
daß es
die Gottesstreiter schmerzlich zu beklagen hatten.
Sollte ich beschreiben, wie die gerüstet waren
in ihrem Prunk- und Prachtaufzug,
die mit den Christen kämpften, 20
dann müßt ich viele Länder nennen –
das heißt: teure Seidenstoffe, die von dorther stammten,
von liebender Frauenhand
geschmackvoll ausgewählt.
Die Heiden hatten Kursits, 25
wie sie noch heute die Geliebten
zum Schmuck an ihre amis schenken.
Um die ewige Seligkeit
rangen die Getauften:
solang sie noch am Leben waren,

20 die heiden schaden dolten S. 566b
und die getouften holten
vlust und*e* kummer.
man gesach den liehten summer
5 in sô maniger varwe nie,
swie vil der meie uns brâhte ie
vremder bluomen underscheit:
manec storje dort geblüemet reit,
gelîch gevar der heide.
10 nû gedenke ich mir leide,
sol ir got Tervigant
si ze helle hân benant.
si mohten und*e*r hundert man
einen kûme ze îser hân.
15 des wart ir lieht anschouwen
ungevuoge verhouwen.
si wâren ir lebens milte:
swâ man's âne schilte
traf, dâ spürte man diu swert
20 sô, daz manec heiden wert
dâ der orse teppech wart.
mit swerten was vil ungespart
ir hôch gebende snêvar.
drunde âne harnasch gar
25 was manec edel houbet,
daz mit tôde wart betoubet.
ouch vrumten si mit kiulen
durh die helme alsölhe biulen,
des under der getouften diet
vil maniger von dem leben schiet.

21 *P*înel, fiz Kâtor,
der ze allen zîten was dâ vor,
dâ man die poinder stôrte,
von sîner hant man hôrte
5 manigen ellenthaften slac,
ê daz der helt tôt belac
von des marcgrâven hant,

20 gab es Schaden für die Heiden,
und die Getauften holten ihrerseits
Verlust und Leid.
Nie hat man den leuchtend-schönen Sommer
in solcher Farbenpracht gesehen, 5
was uns der Mai auch je
an Vielfalt wunderbarer Blumen brachte:
manche Schar ritt dort beblümt
wie eine Wiese.
Mich peinigt der Gedanke, 10
daß sie Tervigant, ihr Gott,
in die Hölle bringen wird.
Unter hundert Kämpfern
hatten sie kaum einen, der eine Eisenrüstung trug.
So kam es, daß ihr Glanz 15
fürchterlich zerhauen wurde.
Freigebig waren sie mit ihrem Leben:
wo man sie ohne Schilde
traf, spürten sie die Schwerter
so, daß viele edle Heiden 20
zum Teppich für die Pferde wurden.
Die Schwerter schonten
nicht die hohen, schneeweißen Turbane.
Unter denen waren ohne jeden Schutz
viele Fürstenköpfe, 25
die es tödlich traf.
Sie schlugen ihrerseits mit Keulen
durch die Helme solche Beulen,
daß von den Getauften
viele aus dem Leben schieden.

21 Pinel, le fils de Kator,
der immer vorne war,
wo man die Attacken abschlug –
von dessen Hand hörte
man viele tapfre Schläge, 5
bis der Held den Tod fand
von des Markgrafen Hand,

15 strîtes noch rîterlîcher tât.
sîn werdekeit noch volge hât,
daz er warp um rîterlîchen prîs:
der hiez Nouppatrîs.
er het ouch jugent und liehten schîn.
20 ze Orast*e* Gentesîn
truoc er krône: ez was sîn lant.
dar verjagt und dar gesant
het in der wîbe minne.
sîn herze und des sinne
25 ranc nâch wîbe lône.
von rubîn ein krône
ûf sînem liehten helme was.
lûter als ein spiegelglas
was der helme, unverdecket glanz.
gein dem kom Vîvîanz,

23 des marcgrâven swester sun:
der kunde ouch werdekeit wol tuon.
sus was bewart sîn klâriu jugent:
dehein ort an sîner tugent
5 was ninder mosec noch murc,
wand *in* diu künegîn Gîburc
von kinde zôch und im sô riet,
daz sîn herze nie geschiet
von durhliuhtigem prîse.
10 der junge und der wîse
sach gein im stolzlîche kom*e*n,
von des tjost wart *genom*e*n
jâmer und*e* herzen nôt.
si wurben bêde umb den tôt.
15 ich bin noch einer, swâ man'z sag*e*t,
der ir tôt mit triuwen klag*e*t:
disen durh prîs und durh den touf
und jenen durh den tiuren kouf,
daz er ouch prîses gerte. S. 567b
20 sîn manheit in werte

Kampf oder Rittertaten scheute. 15
Er steht noch heut in hohem Ansehn
für seine Art, nach Ritter-Ruhm zu streben:
sein Name war Naupatris.
Er war auch jung und strahlend schön.
In Oraste Gentesin 20
trug er die Krone, seinem Land.
Hierher gejagt, hierher gesandt
hatte ihn die Frauenliebe.
Mit jeder Faser seines Herzens
rang er um den Lohn der Frauen. 25
Eine Krone aus Rubin
saß auf seinem schimmernden Helm.
Spiegelblank
war der in ungetrübtem Glanz.
Auf den traf Vivianz,

23 des Markgrafen Schwestersohn:
der verstand sich auch aufs Ruhm-Erwerben.
In seiner Jugend, seiner Schönheit war er so vollkommen:
kein Fleckchen war an seiner Tüchtigkeit
faul oder morsch, 5
denn Giburg hatte ihn, die Königin,
von Kindheit an erzogen und so unterwiesen,
daß sein Herz niemals
vom Pfad glanzvollsten Ruhmes abwich.
Der Junge, Kluge 10
sah, wie jener prächtig auf ihn zuritt,
dessen Tjost
Leid und Jammer bringen sollte.
Sie zielten beide auf den Tod.
Wo die Rede darauf kommt, gehöre ich zu denen, 15
die ehrlich ihren Tod beklagen:
den einen, weil er ruhmreich und getauft war,
und den andern, weil er Kostbares erworben hatte –
nämlich Ruhm auch er.
Seine Tapferkeit erfüllte ihm 20

maniger rîterlîchen ger.
sîn schaft was roerîn ime sper
und daz îsen scharpf und breit.
mit volleclîchem poind*e*r reit
25 der heiden vor den sînen.
und*e*r al den Sarrazînen
was niender banier alsô guot,
als die der künec hôch gemuot
in sîner hende vuorte.
daz ors mit sporn er ruorte,

24 als er tjostieren wolde.
von gesteine und von golde
was rîchiu kost niht vermiten.
in die banier was gesniten
5 Amor der *minnen* z'êr*e*
mit einem tiuwerem gêr*e*
durh daz, wan er nâch minnen ranc.
daz ors von rabîn*e* spranc
gein dem jungen Franzois,
10 der ouch manlîch und kurtois
was und dar zuo hôch gemuot,
als noch der prîs gerende tuot.
in het durh sippe minne
Gîburc, diu küneginne,
15 ouch wol gezimieret.
si kômen gehurtieret,
mit snellem poinder dar getriben.
ob diu sper ganz beliben?
nein, ir tjost wart sô getân:
20 durh die schilde und durh bêde man.
ietwederm von des andern hant
wart harnasch und*e* verh zetrant
und beidiu sper enzwei geriten,
ietweders kraft alsô *versniten*,
25 daz es der tôt sîn bürg*e* wart.
Vîvîanz vast ungespart
sluoc den künic durh den gekrônten helm,

jeden Ritterwunsch.
Sein Speerschaft war ein Rohr,
die Eisenspitze scharf und breit.
In vollem Ansturm
ritt der Heide vor den Seinen. 25
Im ganzen Heer der Sarazenen
gab's sonst kein so schönes Banner
wie dieses, das der stolze, hochgemute König
in der Hand hielt.
Er gab dem Pferd die Sporen,
24 ritt zur Tjoste.
Mit Gold und Edelsteinen
war er kostbar ausstaffiert.
Auf dem Banner war
zum Ruhm der Liebe Amor abgebildet, 5
der einen goldnen Wurfspeer trug,
denn all sein Streben galt der Liebe.
In Karriere flog das Pferd
auf den jungen Franzosen zu,
der auch mutig und courtois, 10
stolz und hochgemut war
wie noch heute jeder, den's nach Ruhm gelüstet.
Aus verwandtschaftlicher Liebe
hatte Giburg ihn, die Königin,
auch prächtig ausgestattet. 15
Sie kamen angestürmt,
in schnellem Lauf herangesprengt.
Ob die Speere ganz geblieben?
Nein, ihre Tjost ging so:
durch die Schilde und durch beide Männer. 20
Jedem wurde von der Hand des andern
der Harnisch und der Leib zerrissen
und beide Speere zu Bruch geritten,
jedem die Kraft so abgeschnitten,
daß der Tod ihm dafür bürgte. 25
Hart und präzis schlug Vivianz
den König durch den Kronenhelm,

daz beidiu gras und der melm
under im wart von bluote naz.
der heiden lebens dô vergaz.
25 dâ ergie ein schedelîch geschiht
und ein jaemerlîchiu angesiht
von den sînen, die daz sâhen.
si wolten helfe gâhen –
5 ir helfe was ze spâte komen.
ungesehen und unvernomen
was manigem heiden dâ sîn tôt,
der doch sîn verh en wâge bôt
durh prîs und durh der wîbe *lôn*.
10 Witschart und *Sansôn*,
*die gebruoder von Blavî,
die hurten Vîvîanse bî
und hulfen im. doch *leit er* nôt: S. 568a
Amor, der minnen got,
15 und des bühse und sîn gêr
heten durhvartlîchen kêr
in der baniere
durh in genomen schiere,
daz man si rückeshalp sach,
20 von's küniges hant, der si dâ stach
Vîvîans durh den lîp
(des *manec* man und manec wîp
gewunnen jâmers leide),
sô daz im'z geweide
25 ûz der tjoste übern satel hienc.
der helt die banier dô gevienc
und gurt'ez geweide wider în,
als ob in ninder âder sîn
von deheinem strîte swaere.
der junge, lobesbaere
26 hurte vürbaz in den strît.
Tîbaldes râche und des nît
ist alrêrste um den wurf gespilt.
swen noch des schaden niht bevilt,

daß unter ihm Gras und Sand
mit Blut begossen wurden.
Der Heide dachte nicht länger dran zu leben.
25 Schmerzliches begab sich da,
ein Leidens-Anblick
für die Seinen, die es sahen.
Sie wollten ihm zu Hilfe eilen –
ihre Hilfe kam zu spät. 5
Nichts sahen und nichts hörten
die andern Heiden von seinem Tod:
er hatte doch sein Leben
für Ruhm und Frauenlohn gewagt.
Witschart und Sanson, 10
die Brüder von Blaye,
sprengten hin zu Vivianz
und halfen ihm. Doch litt er sehr:
Amor, der Gott der Liebe
und seine Salbenbüchse und sein Wurfspeer 15
waren
auf dem Banner
durch ihn hindurchgefahren,
daß man sie am Rücken sah,
getrieben von der Hand des Königs, der sie 20
Vivianz durch den Leib gestochen hatte
(was vielen Männern, vielen Frauen
Leid und Jammer brachte),
so, daß ihm die Därme
vom Speerstoß über den Sattel hingen. 25
Das Banner nahm der Held
und gürtete damit die Därme wieder ein,
als ob ihn kein Äderchen
von irgendeinem Kampfe schmerzte.
Der Junge, Hochgerühmte
26 sprengte weiter in den Kampf.
Jetzt ist bei Tibalts Haß- und Rache-Spiel
erst darum gewürfelt, wer beginnen darf.
Wem der Verlust noch nicht zu groß ist,

5 der mac in vürbaz vernemen.
des guotiu wîp niht darf zemen,
sô sterbenlîcher maere
umb ir dienaere.
daz was almeistic der minnen her,
10 die manlîch ûf'es lîbes zer
wâren benant vür tjostiure.
manec heiden vil gehiure
was dâ ze vorvlüge kom*en*.
ir aller nam wirt unvernom*en*
15 (die brâht ouch Nouppatrîs),
iedoch die den hoehisten prîs
heten mit krefte und mit art
an der tjost*e* vürvart,
die nenne ich iu vür unbetrogen,
20 künege und herzogen
und etlîchen amazzûr.
ich hân mangen nâchgebûr,
der si niht gar bekande,
ob *ich im's zwirent nande.
25 von Sêr*e*s Eskelabôn,
der dicke tougenlîchen lôn
von werder vriundinne enpfie
(swelhiu genâde an im begie,
der was nâch sîner minne wê),
sîn bruoder Galafrê

27 (der was noch wîzer denne ein swan) –
ob mich diu âventiure des man,
daz ich si *muoz prîsen,
daz envelschen niht die wîsen.
5 die truogen bêde krône.
wir sulen ouch Glôrîône
und dem stolzen *Faussabrê* S. 568b
und dem künige *Tampastê*
und dem herzogen *Rûbîant
10 benennen, daz der sehser hant
vil rîterlîcher tjost*e* reit.

der kann mehr davon vernehmen. 5
Doch kann das edlen Frauen nicht gefallen,
solche tödlichen Geschichten
über ihre Diener.
Fast alle waren Minneritter,
die, mit der Pflicht, ihr Leben tapfer hinzugeben, 10
als Tjosteure abgeordnet waren.
Zum Vorkampf waren edle Heiden
noch und noch herangestürmt.
Nicht alle kann ich nennen
(auch sie hat Naupatris gebracht), 15
doch jene, die den höchsten Ruhm
zufolge ihrer Kraft und Abkunft
beim Tjost-Angriff erworben hatten,
die nenne ich euch zuverlässig,
Könige und Herzöge 20
und manchen Almansur.
Ich kenne viele Leute,
die diese Namen nicht behalten könnten,
wenn ich sie ihnen zweimal sagte.
Von Seres Eskelabon, 25
der oft heimlichen Lohn
von edlen Freundinnen empfing
(hatte eine ihn erhört,
war ihr nach seiner Liebe weh),
sein Bruder Galafré
27 (der war noch weißer als ein Schwan) –
wenn die Geschichte von mir fordert,
sie zu rühmen,
dann mögen das die Kenner nicht für falsch erklären.
Sie waren beide Könige. 5
Wir müssen auch Glorion
und den stolzen Faussabré
und den König Tampasté
und den Herzog Rubiant
nennen und von den sechsen sagen, daß sie 10
unermüdlich vorzügliche Tjoste ritten.

der rîche Rûbîûn dâ streit
und der künic Sînagûn,
Halz*e*bier*e*s swester sun,
15 des diu heidenschaft het êre.
der hôhen was niht mêre
dennoch an die rîter kom*e*n.
nû het ouch Halz*e*bier genom*e*n
tschumpfentiure von strîtes nôt:
20 sîner drîzec tûsent was dâ tôt
wol diu zwei teil belegen.
die getouften muosen pflegen,
daz si begunden niuwer wer
gein Nouppatrîs*es* her,
25 der selbe sehste künege was.
durh minne unminne in ûf ez gras
valt, ein tjost und ein slac:
vor Vîvîanz er tôt belac,
dem jungen *Franzeise*.
dô breite sich diu reise –

28 niht von vlühteclîcher jage!
zwêne wartman mit sage
brâhten Terramêren diu maere,
daz entschumpfieret waere
5 Halzebier von strîtes nôt
und daz belegen waere tôt
Nouppatrîs, der milte,
und daz der strît sich zilte
gein dem her mit manger hurte.
10 die der marcgrâve vuorte,
die möht ein huot verdecken:
»wir solt*e*n's umbestecken
mit dem zehenden unser*e*r pfîle.
si mugen deheine wîle
15 vor dem her getûren.«
emeraln und amazûren
und 'en künegen, die dâ houbtman
wâren, den wart dô kunt getân,

Da kämpfte der mächtige Rubiun
und der König Sinagun,
Halzebiers Schwestersohn,
zum Ruhm der Heidenschaft. 15
Mehr waren von den Herren
noch nicht auf den Feind gestoßen.
Nun war aber Halzebier
unterlegen in dem harten Kampf:
von seinen Dreißigtausend waren 20
gut zwei Drittel umgekommen.
Die Christen mußten sich
zu neuem Kampf formieren
gegen Naupatrises Heer,
der mit fünf andern Königen kam. 25
Für Liebe fällte Haß ihn auf das Gras,
ein Speerstoß und ein Schlag:
Vivianz gab ihm den Tod,
der junge Franzose.
Da griff die Schlacht weit aus –
28 nicht weil man flüchtend auseinanderjagte!
Zwei Späher brachten
Terramer die Nachricht,
daß Halzebier im harten Kampf 5
unterlegen 4
und daß der freigebige Naupatris 7
gefallen war 6
und der Kampf sich
Stoß um Stoß dem Hauptheer näherte.
Des Markgrafen Truppe 10
hätt ein Hut bedecken können:
»Wir könnten sie umzäunen
mit einem Zehntel unsrer Pfeile.
Sie können keinen Augenblick
dem Hauptheer widerstehen.« 15
Den Emiren und den Almansuren
und den Königen, die Truppenführer
waren, wurde mitgeteilt,

man begunde jungen und alten sagen,
20 daz selbe wâpen wolde tragen
Terramêr, der zornic gemuot.
dô regete sich diu heres vluot.
von Arâbî und von Todjerne
die künige dô gâhten gerne,
25 Tîbalt und Ehmereiz, sîn sun,
und der künic Turpîûn
(des lant hiez Valturmîe).
die kômen dô *an der tremîe
ê der künec Poufameiz
ode von Amatiste Josweiz
29 *oder* künec Erfiklant S. 569a
und des bruoder Turkant
(der lant hiez Turkânîe).
ir kunft mange amîe
5 in Francrîche *machete *weinde*,
diu klagende ir triuwe erscheinde.
*nû ein künec was bereit,
innen des der and*e*r streit.
manec sund*e*r rinc mit grôzem her
10 und die mit manlîcher wer
*wâren, die ich iu nante nû –
allrêrst ich nennens grîfe zuo.
Arofel, *dem Persân,
dem was ze sînen handen lân
15 prîs ze muoten und zer tjost.
er het ouch dâ die hoehest*e*n kost
von soldieren und von mâgen.
an sîme ringe *lâgen*
zehen künege, sînes bruod*e*r kint.
20 der heiden rîterschaft ein wint
was, wan die er vuorte.
waz man tambûren ruorte
und busîn erklancte!
mit maneger rotte swancte
25 Terramêr*e*s bruoder her,

man sagte es den Jungen und den Alten,
es wolle Terramer in seinem Zorn 21
höchstpersönlich zu den Waffen greifen. 20
Da regte sich die Flut des Heeres.
Die Könige von Arabi und von Todjerne
eilten voller Kampfesgier heran,
Tibalt und Emereiß, sein Sohn, 25
und der König Turpiun
(Valturmié hieß dessen Land).
Die kamen da im Schlachtgewühl
vor dem König Paufameiß
oder Josweiß von Amatiste
29 oder König Erfiklant
und dessen Bruder Turkant
(deren Land hieß Turkanie).
Ihr Kommen ließ manche amie
in Frankreich weinen, 5
die klagend ihre Treue zeigte.
Es kämpfte immer nur ein König, 8
indes der nächste sich bereithielt. 7
Viele separate Lager mit ihren großen Heeren
und die tapferen Kämpfer, 10
die ich euch eben nannte –
jetzt erst geht's ans Nennen.
Arofel, der Perser,
hatte
Ruhm in jeder Art von Lanzenkampf erworben. 15
Er hatte auch die meisten
Söldner und Verwandten aufgeboten.
In seinem Lager waren
zehn Könige, Söhne seines Bruders.
Das ganze Heidenheer war nur ein Lüftchen 20
im Vergleich mit seinen Leuten.
Was man da an Trommeln schlug
und Trompeten schmettern ließ!
Scharen über Scharen wogten
mit dem Bruder Terramers heran, 25

Arofel, durh strîtes ger.
dô kôs man *ûf* dem gevilde
manec zimier wilde,
der diu rîterschaft erdâhte,
die Arofel brâhte.
30 daz was des schult: er moht ez hân.
Terramêr het verlân
der jungen hôch gemuoten diet –
ich meine, daz er in underschiet
5 sunder rîcheit: sunder lant
sînen zehen sünen was benant,
dâ ieslîcher krône
vor *sînen* vürsten schône
truoc mit kreft*e* und mit art.
10 ieslîcher ûf der hervart
selband*er* rîcher künege reit.
seht, ob ir her iht waere breit,
die in ir dienste wâren geriten!
ouch dienden si mit zühte siten
15 ir veteren und leisten sîn gebot.
er lac ouch in ir dienste tôt,
Arofel von *Persîâ*,
in des dienste si dâ
wâren und ouch er durh sie.
20 der milte enpfiel sölh helfe nie.
Arabele-Gîburc, ein wîp
zwir genant, minne und dîn lîp
sich nû mit jâmer vlihtet.
dû hâst zem schaden gepflihtet:
25 dîn minne den touf versnîdet; S. 569b
des toufes wer ouch niht mîdet,
sine snîde die, von den dû bist erborn.
ir wirt ouch drumbe vil verlorn,
ez enwende der in diu herze siht.
mîn herze dir ungünste giht.

Arofel, der vor Kampfgier brannte.
Da sah man auf dem Schlachtfeld
viele seltsame Zimiere,
die Arofels 30
Ritter sich entworfen hatten. 29

30 Sein Reichtum machte ihm ein solches Aufgebot
zur Pflicht.
Terramer hatte
den jungen, stolzen Leuten überlassen –
ich meine, daß er ihnen
eigne Macht gegeben hatte: eigne Länder 5
waren den zehn Söhnen übertragen worden,
wo als König jeder
an der Spitze seiner Fürsten herrschte
im Glanze seiner Macht und Abkunft.
Jedem war auf diesem Feldzug 10
ein mächtiger König attachiert.
Seht, ob deren Heer nicht breit war,
die in ihren Diensten hergeritten waren!
Sie dienten ihrerseits ergeben
ihrem Onkel und folgten seiner Führung. 15
In ihrem Dienst fand er den Tod,
Arofel von Persien,
für den sie hier
waren und er für sie.
Freigebigkeit hat niemals einen solchen Helfer 20
eingebüßt.
Arabel-Giburg, Frau
mit den zwei Namen, deine Liebe und dein Leben
verflicht sich jetzt mit Leid.
Du kannst nur verlieren:
deine Liebe bringt den Christen Tod; 25
und diese müssen
deine Verwandten töten.
So fahren die in großer Zahl zur Hölle,
wenn es nicht der verhindert, der in die Herzen sieht.
Mein Herz entzieht dir seine Gunst.

31 *war* umbe? ich solte ê sprechen,
waz ich wolde rechen –
oder war tuon ich mînen sin?
unschuldic was diu künegîn,
5 diu eteswenne Arabel hiez
und den namen ime toufe liez
durh den, der von dem worte wart.
daz wort vil krefteclîche vart
zer magde vuor (diu ist immer mag*e*t),
10 diu den gebar, der unverzag*e*t
sîn verh *durh uns gap in den* tôt.
swer sich vinden lât durh in in nôt,
der enpfâhet unendelôsen solt:
dem sint die singaere holt,
15 der dôn sô hell erklinget.
wol im, der'z dar zuo bringet,
daz er sô nâhen muoz gestên,
daz in der dôn niht sol vergên!
ich meine ze himele der engel klanc:
20 der ist süezer denne süezer sanc.
man moht an Willelms schar
grôz*e*s jâmers nemen war.
sîne helfaere heten niht vermiten,
beidiu geslagen und gesniten
25 ûf ir wâpenlîchiu kleit
was Kristes tôt, den dâ versneit
diu heidenisch ungeloubic diet.
sîn tôt daz kriuze uns sus beschiet:
ez ist sîn verh und unser segen.
wir *sulen's* ouch gelouphaften pflegen,
32 sam tâten die getouften dort.
diu heidenschaft in *über bort*
an allen orten *ündet* în.
manec rotte in brâhte sölhen pîn,
5 daz si bedörften niuwer lide.
des lîbes tôt, der sêle vride
erwurben Franzoisaere dâ.

31 Wie das? Ich sollte erst erklären,
was ich tadeln wollte –
wo bleibt mein Verstand?
Schuldlos war die Königin,
die ehedem Arabel hieß 5
und diesen Namen in der Taufe abtat
für den, der aus dem Wort geworden ist.
Das Wort fuhr mächtig
zu der Jungfrau (die ist immer Jungfrau),
die den gebar, der ohne Zagen 10
für uns sein Leben hingab.
Wer Leiden auf sich nimmt um seinetwillen,
ewiger Lohn wird dem zuteil:
dem schenken jene Sänger ihre Gunst,
deren Gesang so hell erklingt. 15
Wohl dem, der's dazu bringt,
daß er so nah dabei sein darf,
daß er den Gesang vernimmt!
Ich mein den Himmelsklang der Engel:
das ist der süßeste Gesang. 20
Wilhelms Truppe
war von Leid gezeichnet.
Seine Helfer hatten
auf ihre Kampfgewänder 25
das Todeszeichen Christi 26
genietet und genäht, 24
das da das glaubenlose Heidenvolk zerschlug.
Sein Tod verlieh dem Kreuz für uns den Sinn:
es ist sein Leib und unser Heil und Segenszeichen.
Auch wir sind aufgerufen, es gläubig zu bewahren,
32 wie es dort die Christen taten.
An allen Seiten überschwemmte 3
das Heidenheer das Christenschiff. 2
Scharen über Scharen setzten ihnen derart zu,
daß sie neue Glieder hätten brauchen können. 5
Den Tod des Leibes, Frieden für die Seele
holten die Franzosen da.

Arofel von Persîâ,
sînes bruoder kint noch umbenant
10 sint, die man dâ komende vant
mit rîterlîchem kalopeiz:
Fâbors und Passigweiz,
Mâlarz und *Malatras*,
Karrîax daz vümfte was,
15 *Glôrîax und Utreiz*,
*Merabias und Matreiz,
dô was daz zehende Morgowanz,
des prîs mit werdekeit was ganz.
von rabînes *poinderkeit* S. 570a
20 durh den stoup inz gedrenge reit
gein strîte ieslîchez her
der künege von über mer.
dâ striten *Terramêres* kint,
sô daz die getouften sint
25 umbehabt an allen sîten.
manlîch was doch ir strîten.
immer gein einer *getouften* hant
was hundert dâ ze were benant
von rîterschaft, der maeren,
und von bogeziehaeren.

33 dô kom in kurzer vrist*e*
der künec von Amatist*e*,
der hôch gemuot*e* Josweiz.
sîn her dâ bluotigen sweiz
5 vor *den* Franzoisaeren rêrte.
in den strît er dô kêrte
selbe vümfte sîner genôze.
mange *rotte* grôze
Matusales, sîn vat*e*r, dar
10 im sande, daz si naemen war
sîn, swenne er nâch prîse strite.
im erzeigeten dienstlîchen site
vier künege und rîterlîch gelâz,
Bohereiz und Korsâz,

Arofel von Persien –
die Söhne seines Bruders sind noch nicht genannt,
die man da 10
in ritterlichem Glanz angaloppieren sah:
Fabors und Passigweiß,
Malarz und Malatras,
der fünfte war Karriax,
Gloriax und Utreiß, 15
Merabias und Matreiß,
der zehnte war Morgowanz,
makellos an Ruhm und Ansehn.
In rasendem Galopp
stürmten durch das Staubgewirbel 20
ins Kampfgewühl die Heere
der Könige aus Übersee.
So kämpften da die Söhne Terramers,
daß die Christen
an allen Seiten eingeschlossen sind. 25
Doch wehrten sie sich tapfer.
Gegen einen Christen waren
jeweils hundert
der berühmten Ritter
und der Bogenschützen aufgestellt.

33 Alsbald kam
der König von Amatist heran,
der stolze, hochgemute Josweiß.
Ströme von Blut
vergoß sein Heer durch die Attacken der Franzosen. 5
Mit vier andern Königen 7
griff er in die Schlacht ein. 6
Viele große Kampfverbände
hatte ihm Matusales, sein Vater,
hergeschickt, damit sie ihn beschützten, 10
wenn er kämpfte, um sich Ruhm zu holen.
Ihm dienten vornehm-höfisch
vier Könige,
Bohereiß und Korsaß,

15 Talimôn und Rûbûâl.
mangen pfelle lieht gemâl
ir ors truogen ze kleiden.
liuten und an orsen beiden
kôs man pfelle tiure.
20 dem vanken in dem viure
sölher gelpfeit ie gebrast.
dâ kom der sunnen widerglast
an mangem wâppenrocke.
mîner tohter tocke
25 ist unnâch sô schoene
(dâ mit ich si niht hoene).
diu Josweiz*e*s heres kraft
und Arofels rîterschaft
und Halzebier*e*s kobern
moht*e* dô niht gobern

34 die getouften an der zît.
von ein ander si der strît
mit maniger hurte klôzte.
der heiden her dô grôzte
5 von emeraln und von amazzûren.
vil *pûken*, vil tambûren,
busînen und floitieren:
nû wold ouch punieren
Terramêr mit krache
10 den getouften z'ungemache,
dâ *niun* krône rîcheit lac
und dâ manic edel vürste pflac,
daz si dienden Terramêr*e*s hant. S. 570b
ân and*e*r sîniu zinslant
15 diende im Happe und Suntîn,
*Gorgosangi und Lumpîn;
sîn beste lant was Kordes
(diu zal sînes hordes
was endes mit der schrift*e* *vrî*);
20 Poie und *Tenabrî*,
Semblîe und Muntespîr.

Talimon und Rubual. 15
Viel leuchtend-bunte Seide
bedeckte ihre Pferde.
An Leuten und an Pferden
sah man teure Seide.
Kein Feuerfunke 20
blitzte je so grell.
Im Licht der Sonne
gleißten viele Waffenröcke.
Die Puppe meiner Tochter
ist bei weitem nicht so schön 25
(womit ich sie nicht kränken will).
Josweiß' geballte Heeresmacht
und Arofels Ritterschaft
und neue Truppen Halzebiers
konnten da
34 die Christen nicht bezwingen.
Ansturm auf Ansturm riß 3
sie auseinander. 2
Das Heer der Heiden wurde mehr und mehr verstärkt
durch Emire und durch Almansure. 5
Paukenschlagen, Trommelwirbeln,
Trompetenschmettern, Flötenblasen:
nun wollte
Terramer mit Schall
zum Unheil der Getauften kämpfen, 10
wo sich neunfache Königsmacht versammelt hatte
und viele hohe Fürsten
Terramer zu Diensten waren.
Neben andern Ländern, von denen er Tribut bezog,
dienten ihm Aleppo und Suntin, 15
Gorgosangi und Lumpin;
sein bestes Land war Córdoba
(die Fülle seiner Schätze
war nicht aufzuschreiben);
Poie und Tenabri, 20
Semblie und Muntespir.

manec amazzûr und eskelîr
ûz den niun landen vuor,
dâ man ûf ir goten swuor
25 Terramêr*e*s hervart.
wie sîn schar sî bewart?
lât iu benennen sîne kraft.
diu wîte gesellescha ft
reit an Terramêr*e*s schar:
manec swarzer môr, doch lieht gevar,
35 die sich wol zimierten,
ê daz si pungierten.
der künec Margot von Bozzidant,
Orkeise hiez sîn and*er* lant,
5 daz sô *nâhen* der erden ort liget,
dâ nieman vürbaz bûwes pfliget
und dâ der tag*e*sterne ûf gêt
sô nâhe: swer dâ ze vuoze stêt,
in dunket, daz er wol reichte dran.
10 der künec Margot, der rîche man,
vuort ouch den künec Gorhant.
bî der *Ganjas* was des lant.
des volc was vorn und hinden horn,
âne menneschlîch stimme erkorn:
15 der dôn von ir munde
gal sam die leithunde
oder als ein kelber muoter lüet.
von ir strîte wart gemüet
vil der kristenlîchen wer.
20 des künec Gorhandes her
mit stehlînen kolben streit
ze vuoz. ir deheiner reit,
si wâren aber sus sô snel,
die mit dem hürnînen vel,
25 si gevolgeten wilde und orsen wol.
ob ich sô von in sprechen sol:
niht in enpfliehen mohte,

Viele Almansure, viele Eskelire
sind aus den neun Ländern hergekommen,
wo man bei ihren Götterbildern
sich zum Kriegszug Terramers verpflichtet hatte. 25
Wer ihm Geleitschutz gab?
Laßt euch sagen, wie gewaltig seine Truppen waren.
Gesellschaft aus den fernsten Ländern
ritt in Terramers Abteilung:
viele Mohren, schwarz und doch hell leuchtend,
35 die sich prächtig
für den Kampf gerüstet hatten.
König Margot von Bossidant –
Orkeise hieß sein zweites Land,
das so nah am Erdrand liegt, 5
daß hinter ihm kein Feld mehr zu bestellen ist,
und wo in solcher Nähe der Morgenstern aufgeht,
daß einer, der dort steht,
meint, er könne ihn berühren.
König Margot, der Mächtige, 10
brachte den König Gorhant mit.
Dessen Land erstreckte sich am Ganges.
Seine Leute hatten eine Haut aus Horn
und keine Menschenstimme:
der Ton aus ihrem Mund 15
war gellend – so bellt der Leithund
oder brüllt die Kälbermutter.
Ihr Angriff machte
vielen Christenkämpfern schwer zu schaffen.
König Gorhants Heer 20
kämpfte zu Fuß mit Eisenkeulen.
Keiner war beritten,
trotzdem waren sie so schnell,
die Leute mit der Haut aus Horn,
daß sie leicht den wilden Tieren und den Pferden 25
folgen konnten.
Wenn ich so sagen darf:
entkommen konnte ihnen keiner,

wan dem ze vliegen tohte.
dem künege Margotte
man jach, daz manec sîn rotte
36 wol striten: ze ors*e* und ze vuoz
wurben's umbe *wîbe* gruoz
oder sus nâch anderem prîse.
daz tuot ouch noch der wîse.
5 noch was des her*e*s kraft ein wint,
wan die *Terramêres* tohter kint
vuort*e* ûf dem *plâne*, S. 571a
Poidjus von *Griffâne*.
Trîand und Koukesas
10 ouch des selben küneges was.
der vuorte ûf *den* pungeiz
den rîchen künec Tes*e*reiz.
der was vür hôhen prîs erkant.
Kolânje was sîn lant.
15 der vuort *die* Arbeise
und die Sezileise
und die von Grikulânje
durh die wilden muntânje,
die von Sott*e*rs unt die von Latriset*e*.
20 umbe wîbe gruoz *sîner bet*e*
und nâch ir hôhen minne
stuonden Tesereizes sinne.
dennoch reit Terramêr*e* bî
Poidwîz. des vater Ankî
25 het in mit kreften dar gesant.
dem dienden ouch sô wîtiu lant,
daz er mit manger storje reit.
was Alischanz, daz velt, iht breit,
des bedorften wol die sîne:
gedranc si lêrte pîne.
37 mit alsô wît gesamenten scharn
Terramêr kom gevarn.
wir hoeren von *sînem* *pund*e*r sagen,
es möhten starke *velse wagen*,

der nicht Flügel hatte.
Man mußte es dem König Margot
lassen, daß viele seiner Scharen
36 tapfer kämpften: zu Pferde und zu Fuß
rangen sie um Frauengunst
oder andern Ruhm.
Wer Verstand hat, macht es heut noch so.
Noch war die Heeresmacht ein Lüftchen 5
im Vergleich mit der, die Terramers Tochtersohn
auf dem Feld herführte,
Poidjus von Griffane.
Triand und der Hindukusch
gehörten diesem König auch. 10
Er brachte ins Gefecht
den mächtigen König Tesereiß.
Der war hochberühmt.
Kolanje war sein Land.
Der hatte die Araber 15
und die Sizilianer
und die Grikuljaner
durchs wilde Bergland hergeführt
und die Syrer und die Latriseter.
Nach Frauen-Gunst, um die er bat, 20
und ihrer hohen Liebe
strebte Tesereiß mit ganzem Herzen.
Weiter ritt noch Terramer zur Seite
Poidwiß. Dessen Vater Anki
hatte ihn mit Heeresmacht hierher gesandt. 25
Dem waren auch so große Länder untertan,
daß viele Reiterscharen ihn umgaben.
War Alischanz, die Ebene, breit,
das brauchten seine Leute:
qualvoll war das Gedränge.
37 Mit Scharen aus so fernen Ländern
kam Terramer herangerückt.
Man sagt uns, daß von seinem Ansturm
mächtige Felsen hätten beben können

5 dar zuo die würze und der walt.
sînes *wuochers wart vil dâ tôt gevalt
von dem marcgrâven snel.
des helm was ze Tôtel
geworht, hert*e* und*e* wert.
10 Schoiûse hiez sîn swert
und sîn ors daz hiez Puzzât,
dâ manic rîterlîchiu *getât
ûf wart begangen.
Terramêr enpfangen
15 wart sus von der getouften diet:
si buten *strîtes gegenbiet*,
ê daz si überkraft betwanc.
des manger sêle wol gelanc,
dô die getouften sturben,
20 die mit hôhem prîse erwurben
den solt des êwigen lebens.
er pfligt noch sölhes gebens,
der mennisch ist und wâr*er* got
und der wol vreude und nôt
25 enpfüeret und *sendet*.
immer unverendet
ist sîn helfe wider sie,
die *im* getrûwent als die,
die durh Willelm striten,
der sêle sig*e*nunft erbiten
38 ûf dem velde Alitschans. S. 571b
ei tievel, wie d'uns des verbans
und wie dû gein uns vihtest
und *unsern schaden* tihtest!
5 wie selten dich der gast verbirt!
dû bist iedoch ein smaeher wirt,
ze allen zîten *geste* rîch.
swenne ich sô grimmeclîch
einen wirt sô sitzen vunde,
10 ob mir's diu reise gunde,
ich kêrte gerne vürbaz.

mit allen Pflanzen und dem Wald. 5
Von dessen Leuten brachte da
der tapfre Markgraf viele um.
Sein Helm war in Tudela
geschmiedet worden, hart und kostbar.
Schoiuse hieß sein Schwert, 10
sein Pferd Pussat,
auf dessen Rücken manche Heldentat
begangen wurde.
So wurde Terramer
vom Christenheer empfangen: 15
sie setzten sich zur Wehr,
bis sie die Übermacht bezwang.
Das brachte vielen Seelen Heil,
als die Getauften starben,
die mit großen Ruhmestaten 20
den Lohn ewigen Lebens holten.
Noch heute schenkt er diesen Lohn,
der wahrer Mensch und wahrer Gott ist
und Glück und Unglück
nimmt und gibt. 25
Ohne Maß und Grenze
hilft er denen,
die gläubig ihm vertrauen so wie jene,
die für Wilhelm kämpften
und dem Triumph der Seele

38 auf Alischanz entgegensahen.
Ach Teufel, wie du uns das neidest
und wie du uns bekämpfst
und auf unser Unglück sinnst!
Wie selten meidet dich ein Gast! 5
Du bist ein derart übler Wirt
und hast doch immer viele Gäste.
Wenn ich
einen Wirt so schrecklich sitzen sähe,
ich ginge schleunigst weiter, 11
wenn meine Reise es erlaubte. 10

der in der meide wambe saz,
der wîse mich an bezzer stat,
daz ich den hellechlîchen pfat
15 iht ze lange dürfe bern:
des müeze mich sîn güete wern.
daz ruowen mit der bîte
und den wehsel ame strîte
gap Terramêr von Kordes.
20 der sêle riuwe hord*e*s
vil ûf ein and*e*r leiten,
himels *doene* si weiten,
daz vil der engel sungen,
swenne in diu swert erklungen.
25 ouch vrumte der getouften wîc,
daz gein der helle manec stîc
wart en strâze wîs gebant.
diu heidenschaft wart des ermant,
dâ von diu helle wart gevreut:
ir lac manec tûsent dâ gestreut.

39 *werlîch* man die getouften vant:
ê daz in kraft verswant
von überlast der heiden
wurden si gescheiden
5 und*e*r mange unkunde sprâche.
die Tîbaldes râche
der marcgrâve mit schaden sach.
riuweclîche er dô sprach:
»mîner mâge kraft nû sîget,
10 sît sus ist geswîget
Monschoi, unser krîe.
ei Gîburc, süeze amîe,
wie tiuwer ich dich vergolten hân!
solt ez Tîbalt hân getân
15 âne Terramêr*e*s kraft,
unser minneclîch gesellechaft
möht noch lenger wern.
nû wil ich niht wan tôdes gern,

Der im Leib der Jungfrau saß,
der führe mich an einen bessern Ort,
daß ich auf dem Höllenweg
nicht allzu lange gehen muß: 15
das gewähr mir seine Güte.
Wer ruhig warten,
wer sich im Kampf abwechseln sollte,
bestimmte Terramer von Córdoba.
Seelenleid 20
häuften sie sich an
und Himmelstöne brachten sie zum Klingen,
daß viele Engel sangen,
wenn ihre Schwerter klangen.
Der Kampf der Christen andrerseits 25
bewirkte, daß mancher Steig zur Hölle
sich zur Straße weitete.
Den Heiden wurde dieser Weg gewiesen,
was die Hölle freute:
zu vielen tausend lagen sie verstreut.

39 Tapfer kämpften die Getauften:
eh ihre Kraft verging
vom übermächtigen Druck der Heiden,
sprengte der sie auseinander
unter viele fremde Völker. 5
Schrecklich kam die Rache Tibalts
über den Markgrafen.
Der sagte voller Schmerz:
»Die Kräfte meiner Sippe schwinden,
da 10
Munschoi, unser Ruf, nicht mehr erklingt.
Ach Giburg, Liebste,
wie teuer hab ich dich bezahlt!
Wenn Tibalt das alleine unternommen hätte
ohne Terramers gewaltige Armee, 15
dann könnten wir noch länger 17
in unsrer Liebe beieinander bleiben. 16
Jetzt will ich nur noch sterben,

und ist daz mîn ander tôt,
20 daz ich dich lâze in sölher nôt.«
er klagete daz minneclîche wîp
noch mêre danne sîn selbes lîp
und danne die vlust sînes künnes.
»got, sît dû verbünnes
25 Gîburge minne mir«, S. 572a
sprach er, »sô nim den trôst ze dir,
swaz der getouften hie bestê,
daz der dinc vor dir ergê
âne urtellîchen kumber.
des ger ich armer tumber.«

40 von manger hurte stôze
und von busînen dôze,
pûken, tambûren schal,
und der heiden ruof sô lût erhal,
5 *es* möhten lewen welf genesen
(der geburt ir tôt ie muose wesen:
daz leben in gît ir vater galm).
der marcgrâve Willalm,
ob ich sô von dem sprechen mac:
10 gesâht ir ie den nebeltac,
wie den *der liehte sunne sneit?
als durhliuhteclîch er streit
mit der suoche nâch sînem künne.
an der dicke er'z machte dünne
15 und rûm ame gedrenge
und wît, swenne er'z vant enge.
sîn swert Schoiûse, daz er truoc,
dâ mit er sölhe *gazze sluoc,
des manc storje wart entrant.
20 gein dem wazzer Larkant
von dem velde Alischans
wart der vürste Vîvîans
gehurt in diu rivier.
nû was diu tiuwer banier

und ein zweiter Tod ist es für mich,
dich in solcher Not zurückzulassen.« 20
Er beklagte die teure Frau
mehr als sich selbst
und den Verlust der Sippe.
»Gott, willst Du mir nicht
die Liebe Giburgs lassen«, 25
sagte er, »gib mir den Trost,
daß die gefallenen Christen
vor Deinem Richtstuhl
Gnade finden.
Darum fleh ich Dich an, ich armer, einfältiger
Mensch.«

40 Vom Zusammenstoß der Kämpfer
und vom Schmettern der Trompeten,
vom Lärm der Pauken und der Trommeln –
und das Kampfgeschrei der Heiden war so laut,
Löwenjunge hätten davon lebendig werden können 5
(die werden tot geboren:
zum Leben bringt sie das Gebrüll des Vaters).
Markgraf Willehalm –
wenn ich von ihm so sprechen darf:
Habt ihr je einen Nebeltag gesehen, 10
wie ihn das Sonnenlicht durchschnitt?
So glänzend kämpfte er,
seine Verwandten suchend.
Wo's dicht war, machte er es licht,
geräumig im Gedränge 15
und weit in der Enge.
Sein Schwert Schoiuse, das er führte,
mit dem schlug er eine Gasse,
daß es viele Trupps zertrennte.
Zum Ufer des Larkant 20
war, weg von Alischanz,
Fürst Vivianz
getrieben worden.
Das teure Banner war

25 gerucket von den wunden,
diu dar über was gebunden.
daz kreft*e*lôste'n sêre,
wan daz er durh sîn êre
und ouch durh manges heidens tôt
dennoch manlîch were bôt.

41 sîn halden was dâ niht ze lanc.
ouch hete mangen ahganc
Larkant, daz snellîchen vlôz.
Vîvîans hôrt einen dôz
5 und sach daz her Gorhandes komen,
von den sölh stimme *was vernomen,
es möhte biben des mer*es* wâc.
Margot, Terramêr*es* mâc,
brâht im diz volc hürnîn.
10 den Gîburc, diu künegîn,
ze *Termis* und ze Oransche zôch,
Vîvîans ungerne vlôch.
des marcgrâven swester kint
hurte, als ob in vuorte ein wint
15 in daz her des künec Gorhant,
daz dâ kom von *Indîant.
daz was den hürnînen zorn,
daz bêde ir verh und ir horn
von sîner hende wart versniten. S. 572b
20 werlîchen kom geriten
der pfallenzgrâve Bertram,
dâ er den sûwern dôn vernam.
er wold*e* wider wenden,
wan er vorhte, ez solde schenden
25 al die Franzois*e*.
dô gehört*e* *der* kurtois*e*
»Monschoi« kreieren
in den rivieren
und sach ouch Vîvîansen streben
nâch tôde, als er niht wold leben.

von der Wunde, 25
die es verbunden hatte, abgerutscht.
Das schwächte ihn beträchtlich,
doch um seiner Ehre willen
und weil er viele Heiden töten wollte
kämpfte er unverdrossen weiter.

41 Nicht lange hielt er dort.
Auch hatte viele Seitenarme
der reißende Larkant.
Vivianz hörte ein Getöse
und sah Gorhants Truppe kommen, 5
von deren Brüllen hätte
das Meer erbeben können.
Margot, Terramers Verwandter,
hatte ihm das Hornvolk zugeführt.
Den Giburg, die Königin, 10
in Termis und Orange erzogen hatte,
Vivianz, der dachte nicht daran zu fliehen.
Des Markgrafen Schwestersohn
stieß, wie vom Sturm getrieben,
in das Heer des Königs Gorhant, 15
das aus Indien gekommen war.
Die Hornleute waren wütend,
daß ihre Hornhaut und ihr Fleisch
von ihm zerhauen wurden.
Bereit zum Kampf, 20
ritt Pfalzgraf Bertram
dem grauenhaften Brüllen nach.
Er wäre umgekehrt,
hätt er nicht gefürchtet, daß er damit
den Franzosen Schande machen würde. 25
Da hörte der courtois
in den Uferstreifen 28
»Monschoi« rufen 27
und sah auch Vivianz dem Tod entgegenstreben,
als wollte er nicht länger leben.

42 Bertram dô strîtes ernande.
seht, ob in des mande
Munschoi, diu *krîe*!
oder *twanc's in* amîe?
5 oder müet in Vîvîans*es* nôt?
oder ob sîn manheit gebôt,
daz er prîs hât bejaget?
hât *mir'z* diu âventiure gesaget,
sô sag ich iu, durh wen er leit,
10 daz er gein Gorhanden streit
und Vîvîansen lôste dan.
der Franzoisaere vümf man
(daz wâren grâven rîche)
die kômen rîterlîche.
15 die siben muosen kumber tragen.
dem pfallenzgrâven wart erslagen
sîn wol gewâppent kastelân,
dar ûf er'z hete alsô getân,
des man im jach ze prîse.
20 Vîvîans, der wîse,
ein *türkisch* ors *im brâhte*.
mir ist liep, daz *er's* gedâhte,
want im nie ors*es* dürfter wart.
Giblîn und Witschart
25 kômen in ze helfe dar *gehurt*.
in Larkant ûf einem *vurt*
Franzoisaere wâren niune dô
und wol ze sehen ein and*er* vrô.
der strît gedêch wider ûf den plân.
dâ wart ez von in guot getân.

43 *a*n die heiden rief ein emeral,
alsô tet der künec Rûbûâl:
»helfet unseren goten ir rehtes,
daz des *Heimrîches* geslehtes
5 immer iht mege beklîben!
si wolten gar vertrîben
unsern prîs mit gewalt.

42 Bertram faßte Mut zu kämpfen.
Schaut, ob ihn
Munschoi, der Schlachtruf, dazu brachte!
Oder zwang ihn eine amie?
Oder war ihm Vivianz' Not nicht mehr erträglich? 5
Oder hat ihn seine Tapferkeit getrieben,
Ruhm zu holen?
Wenn die Geschichte mir's verrät,
dann sag ich euch, für wen er's auf sich nahm,
daß er mit Gorhant kämpfte 10
und Vivianz befreite.
Fünf Franzosen
(reiche Grafen)
kamen tapfer kämpfend angeritten.
Die sieben hatten viel zu leiden. 15
Dem Pfalzgrafen wurde
sein Kastilianer, der schwer gepanzerte, getötet,
auf dessen Rücken er
ruhmreich gefochten hatte.
Vivianz, der Kluge, 20
brachte ihm ein türkisches Pferd.
Ich bin froh, daß ihm das einfiel:
er hatte niemals dringender ein Pferd gebraucht.
Giblin und Witschart
kamen angesprengt, um ihnen beizustehen. 25
Da standen im Larkant in einer Furt
neun Franzosen
und waren glücklich, sich zu sehen.
Der Kampf zog sich von neuem auf das Feld.
Dort machten sie ihre Sache gut.

43 Den Heiden rief ein Emir zu
und König Rubual schloß sich an:
»Schafft unsern Göttern so ihr Recht,
daß von Heimrichs Geschlecht
keiner übrig bleibt! 5
Sie wollten
unsern Ruhm mit Gewalt vernichten.

nû mac der künic Tîbalt
al sînen goten danken wol:
10 die Franzois uns gebent zol,
den si ungerne möhten lân.
swaz der marcgrâve hât getân
mit Arabelen, der künegîn, S. 573a
was daz ir vreudehaft gewin,
15 daz möht ein trûren undervarn.
nû sulen wir niht langer sparn
die kriegen vruht von Narbôn.
Heimrîches toten lôn,
sol den verzinsen unser lant?
20 sô manec werlîchiu hant
ist komen mit Terramêre:
si *megen's* uns jehen z'unêre,
komen si's hin genozzen.
nein, si sint vervlozzen
25 unser *marc* unz in den ort.
nû waenent die Franzoisaere dort,
daz uns der marcgrâve hie
twinge, als er uns twanc noch *ie*.
sîn ses hât kûme ein esse nû:
wir sîn in komen alze vruo.«

44 *T*erramêr mit gelpfe sprach,
dô er gein maneger storje sach
die von Francrîche
gerîten rîterlîche:
5 »die helde von der heidenschaft,
nû *rechet unser alte kraft,
die wir heten von den goten!
daz sô verre ûz ir geboten
Arabel, diu vervluochet, ist kom*e*n!
10 mir und den goten ist benom*e*n,
der ich ê jach ze kinde.
von taverne ingesinde,
von salsen *suppierren*

Jetzt kann König Tibalt
mit Recht all seinen Göttern danken:
die Franzosen zahlen einen Zoll an uns, 10
der ihnen leid sein dürfte.
Was der Markgraf
mit Königin Arabel tat,
war das Gewinn an Glück für beide,
dann dürfte es in Trauer enden. 15
Schonen wir nicht länger
den mörderischen Sprößling von Narbonne!
Sollen wir die Patengabe Heimrichs
mit unserm Land bezahlen?
Soviele tapfre Krieger 20
sind mit Terramer gekommen:
die Christen werden uns verhöhnen,
wenn sie sich retten können.
Nein, weggeschwemmt sind sie
noch aus dem letzten Winkel unsrer Mark. 25
Die Franzosen meinen dort,
daß uns der Markgraf hier
bezwingt, wie er uns stets bezwungen hat.
Doch hat er jetzt statt einer Sechs kaum eine Eins
gewürfelt:
wir haben sie gepackt.«

44 In Trotz und Zorn schrie Terramer,
als er sah,
wie die Franzosen
tapfer gegen Scharen über Scharen ritten:
»Ihr Helden aus der Heidenschaft, 5
holt unsre alte Kraft zusammen,
die wir von den Göttern hatten!
Daß sich
Arabel, die Verfluchte, so von ihnen losgesagt hat!
Mir und den Göttern ist genommen, 10
die ich einst meine Tochter nannte.
Wegen Wirtshaushockern,
Brühenschlürfern

sich Tîbalt muose *vierren*
15 von sînem wîbe und alle ir kint,
die hie durh rehte râche sint.
daz uns die luod*e*raere
alsô smaehiu maere
getorsten ie gesenden!
20 held, ir sult ernenden:
êret die got und dar nâch mich,
daz Tîbalt und des gerich
noch hiut*e* ein sölh pfant hie nem*e*,
daz Arabeln des gezem*e*,
25 ob es geruochet Tervigant,
daz si diu kristenlîchen bant
und den touf unêre!
ê si zuo Jêsuse kêre,
ich *sol's* ûf einer hürde ê sehen
verbrennen gar: daz müeze geschehen.«

45 der kreft*e*lôse Vîvîans
und der grâve Jozzerans,
Sansôn und Gêrhart,
Giblîn und Witschart,
5 Berhtram, Gaudîn und Gaudiers,
die niune striten, dâ Halzibiers
her sich samelierte*e*, S. 573b
daz von êrste entschumpfierte*e*
Willalm ehkurneis,
10 *dâ* Pînel, der kurteis,
der sun des künec *Kâtor*,
den lîp verlôs, des prîs embor
noch hiut in hôher wirde swebe*t*
denne manges künges, der nû lebe*t*.
15 âne *Feirefîz* Anschevîn
unt der bâruc *Akkarîn*
(ob der wâpen solde tragen)
von heiden hôrt ich nie gesagen,
der prîs sô wîten waere hel.
20 daz dritte was Pînel.

mußte Tibalt
seine Frau hergeben, und mit ihm alle ihre Kinder, 15
die zu gerechter Rache hier sind.
Daß uns die schlappen Prasser
solche Schande
antun konnten!
Ihr Helden, rafft euch auf: 20
ehrt die Götter und ehrt mich,
daß Tibalt mit seiner Rache
noch heut ein solches Pfand hier nimmt,
daß Arabel,
so Tervigant es will, 25
Christentum
und Taufe durch ihren Abfall schmäht!
Bevor sie sich an Jesus hält,
laß ich sie auf dem Scheiterhaufen
zu Staub verbrennen: so soll's sein.«

45 Der kraftlose Vivianz
und Graf Josserans,
Sanson und Gerhard,
Giblin und Witschart,
Bertram, Gaudin und Gaudiers, 5
die neune kämpften, wo sich Halzebiers
Heer wieder sammelte,
das
Wilhelm au court nez zuerst geschlagen hatte,
wo Pinel, le courtois, 10
König Kators Sohn,
den Tod gefunden hatte, dessen Ruhm
noch heute höher steigt
als der so mancher Könige unsrer Zeit.
Abgesehn von Feirefiß d'Anjou 15
und vom Baruch Akarin
(wenn der selber Waffen trug),
hörte ich von keinem Heiden,
dessen Ruhm so weit erklungen war.
Der dritte war Pinel. 20

der drîer tât was sô benant,
ob heid*e*nischer wirde erkant.
nû nâht der kristen ungeval.
die heiden berge und*e* tal
25 mit here *gedacten schiere.
man hôrt an Halzibiere,
swaz iemen tet, er wold et klagen
Pînel, der dâ was erslagen.
dem künege von Valfundê
tet sînes neven sterben wê.

46 Halzibier, der klâre,
mit reitbrûnem hâre
und spanne breit zwischen brân,
swaz sterke heten sehs man,
5 die truoc von Valfundê der künec.
der was al sîner lide vrümec
und manlîches herzen,
zer zeswen und zer lerzen
gereht, ze bêden handen.
10 sîn hôher prîs vor schanden
was mit werdekeit behuot:
in wîbe dienste het er muot.
nû wart gerochen Pînel
von Halzibiere, dem künge snel,
15 dô er an Vîvîans ersach,
daz er die schar mit hurte brach
und daz er sluoc Libilun,
Arofels swester sun,
Eskelabôn und Galafrê,
20 Rûbîûn und *Tampastê*,
Glôrîôn und *Morhant.
die siben künege sâ zehant
lâgen vor Vîvîans*e* tôt.
Halzebier die grôzen nôt
25 mit einem swertes swank*e* galt,
daz Vîvîans wart gevalt
hinderz ors ûf die erde.

Die Taten dieser drei
überstrahlten allen Ruhm der andern Heiden.
Jetzt naht das Ende für die Christen.
Die Heiden hatten Berg und Tal
in kurzer Zeit bedeckt mit ihrem Heer. 25
Halzibier erklärte,
es sei ihm alles gleich, er wolle nur noch
Pinel beklagen, der da gefallen war.
Den König von Valfundé
schmerzte seines Neffen Tod.

46 Halzibier, der Schöne,
braungelockt,
die Augenbrauen eine Spanne auseinander –
die Stärke von sechs Männern
hatte der König von Valfundé, 5
starke Glieder
und ein männlich-tapferes Herz;
mit der Rechten und der Linken
war er gleich geschickt, mit beiden Händen.
Vor jedem Makel war sein hohes Ansehn 10
ruhmvoll bewahrt.
Leidenschaftlich diente er den Frauen.
Pinel wurde nun gerächt
von Halzibier, dem kampferprobten König,
als dieser sah, daß Vivianz 15
die Schar durchbrach
und Libilun erschlug,
Arofels Schwestersohn,
Eskelabon und Galafré,
Rubiun und Tampasté, 20
Glorion und Morhant.
Im Handumdrehen
hatte Vivianz die sieben Könige getötet.
Halzebier vergalt das große Leid
mit einem Schwerthieb so, 25
daß es Vivianz
hinters Pferd zu Boden fällte.

unversunnen lac der werde,
der ê was heidenschaft ein schûr
(des jach dâ manec amazzûr).

47 *d*ô ez Vîvîanz sus ergienc, S. 574a
Halzebier dise aht vürsten vienc:
Bertram und Gaudîn,
Gaudiers und Giblîn,
5 Hûnas und Gêrart,
Sansôn und Witschart.
die erkande sîn manlîchiu kraft
wol bî ir guoten rîterschaft.
in dûhte an ir gebaeren,
10 daz si ze mâge waeren
von art dem marcgrâven benant
und daz er hete gaebiu pfant
vür Arabeln, die künegîn.
er hiez dise ehte vüeren hin.
15 manec storje dar zuo gâhte,
der sêre daz versmâhte,
durh waz si wâren ze orse kom*e*n.
von wem der schal dâ waere vernom*e*n,
des begunde vrâgen manec man:
20 dien westen niht, von wem gewan
Terramêr sô grôzen schaden,
daz sîn herze in jâmer muose baden.
manec storje durh die and*e*r storje brach.
von treten niht ze guot gemach
25 der klâre Vîvîans gewan.
bî einer wîle er sich versan,
dô's alle enwec kômen gevarn.
des marcgrâven swester barn
sach ein wundez ors dâ stên.
al kreftelôs begund er gên,

48 *m*it unstaten drûf er saz.
sînes schildes er dâ niht vergaz:
den begund er dan mit im tragen.
hulf iz iht, nû sold ich klagen

Bewußtlos lag der Edle,
der zuvor den Heiden ein Hagelsturm gewesen war
(so sagten viele Almansure).

47 Nachdem es Vivianz so ergangen war,
nahm Halzebier acht Fürsten fest:
Bertram und Gaudin,
Gaudiers und Giblin,
Hunas und Gerhard, 5
Sanson und Witschart.
Selber stark und voller Mut, erkannte er
an ihrem exzellenten Kämpfen, wer sie waren.
Ihr Verhalten ließ ihn schließen,
daß sie Verwandte 10
des Markgrafen wären
und daß er gute Pfänder
für Königin Arabel hätte.
Abführen ließ er diese acht.
Viele Scharen sprengten an, 15
die zutiefst verachteten,
weshalb sie aufgesessen waren.
Von wem der Lärm, den man da hörte?
fragten viele:
die wußten nicht, von wem 20
Terramer so riesigen Verlust erlitten hatte,
daß sein Herz in Leid versank.
Schar brach durch Schar.
Huftritte setzten
dem schönen Vivianz übel zu. 25
Nach einer Weile kam er zu sich,
als alle abgeritten waren.
Des Markgrafen Schwestersohn
sah ein verletztes Pferd da stehn.
Er schleppte sich

48 und saß mit Mühe auf.
Seinen Schild vergaß er nicht:
er nahm ihn mit.
Wenn's etwas brächte, würd ich

5 *Heimrîches* tohter sun.
ob ich der triuwe ir reht wil tuon
und rîterlîchem prîse
und ist mîn munt sô wîse,
ich sag diz maere *unervorhtlîch,
10 wie Vîvîans, der lobes rîch,
sich selben verkouft umb unseren segen
und wie sîn hant ist tôt belegen,
diu den gelouben werte,
unz er sîn verh verzerte.
15 der uns ime toufe wart
und Jêsus an der süezen vart
ime Jordâne wart genennet: »Krist«,
der nam uns noch bevolhen ist,
den, die der touf verdecket hât.
20 ein wîs man nimmer lât,
er endenke an sîne kristenheit.
dar umbe ouch Vîvîans sô streit,
unz im der tôt nam sîne jugent.
sîn verh was wurzel sîner tugent:
25 waere daz gewahsen hôch sam sîn prîs, S. 574b
sône möhte er deheine wîs
mit swerten niht erlanget sîn.
mich jâmert durh die saelde mîn
und vreu mich doch, wie er restarp:
der sêle werdekeit er rewarp.

49 *d*er junge helt vor got erkant
reit gein dem wazzer Larkant.
niht der sêle veige,
er reit nâch des *engels* zeige
5 unkreftic von dem *plâne*
gein *der *funtâne*.
and*er* boume und albernach
und eine linden er dâ sach.
durh den schat*e* kêrt er dar.
10 vor dem tievel nam der sêle war
der erzengel Kerubîn.

Heimrichs Tochtersohn beklagen. 5
Will ich meine Pflichten gegen Treue
und Ritter-Ruhm erfüllen
und finde ich die rechten Worte,
dann erzähl ich ohne Furcht,
wie Vivianz, der Vielgerühmte, 10
sich für unser Heil und dessen Zeichen opferte
und seine Hand im Tode sank,
die das Christentum verteidigte,
bis er sich aufgerieben hatte.
Den man uns in der Taufe gab, 15
mit dem auf seinem Heilsweg Jesus
im Jordan ausgezeichnet wurde: »Christ«,
der Name ist auch uns noch anbefohlen,
denen, die man in der Taufe untertauchte.
Der weise Mann 20
denkt immer an sein Christentum.
Deshalb hat Vivianz so gekämpft,
bis ihm der Tod sein junges Leben nahm.
Sein Leib und Leben war die Wurzel seiner Heiligkeit:
wär der Leib so hoch gewachsen wie sein Ruhm, 25
dann hätt man ihn auf keine Weise
mit dem Schwert erreichen können.
Mein Seelenheil verlangt, daß es mich schmerzt,
und doch erfüllt mich Freude, wie er starb:
höchstes Glück erwarb er seiner Seele.

49 Der junge, gotterwählte Held
ritt zum Larkant.
Gerettet an der Seele,
ritt er, wie ihn der Engel wies,
erschöpft vom Schlachtfeld 5
zu der Quelle.
Ein Gehölz mit Pappeln
und eine Linde sah er da.
Des Schattens wegen ritt er hin.
Vor dem Teufel schützte seine Seele 10
der Erzengel Cherubin.

Vîvîans, der marter dîn
mac ieslîch rîter manen got,
swenn er sich selben siht in nôt.
15 der junge ûz süezem munde sprach:
»tugenthafter got, mîn ungemach
sî dîner hôhen kraft gegeben,
daz dû mich sô lange lâzest leben,
unz ich mînen oeheim gesehe
20 und daz ich des vor im verjehe,
ob ich ie zuht gein im gebrach,
ob mir sölh untât geschach.«
Kerubîn, der engel lieht,
sprach: »nûn hab des zwîvel niht,
25 daz vor dînem tôde dich
dîn oeheim siht: des wart an mich!«
der engel sâ vor im verswant.
Vîvîans sich sâ zehant
stracte, sô der tôt liget.
unkraft het im an gesiget.

50 *d*er siuftebaere *Franzeis*,
Willelm ehkurneis,
mac nû dise *vlust* erkennen
und sich selben nennen
5 zem aller schadhaftestem man,
der schiltes *ambet* ie gewan
und der ie rîterschaft pflac.
sîn beste helfe tôt dâ lac
unz an ehte, die sint gevangen.
10 der strît was sô ergangen:
Munschoi, der krîe, was geswigen;
sîniu zweinzec tûsent wâren gedigen
unz an vierzehen der sîne,
die werlîche pîne
15 bî ir herren dolten
und niht von im enwolten,
wan daz si ir verh vür in buten.
in bluote und in sweize suten

Vivianz, auf dein Martyrium
kann jeder Ritter sich vor Gott berufen,
wenn er in Bedrängnis ist.
Der Junge betete aus frommem, reinem Mund: 15
»Allmächtiger, gnadenreicher Gott, mein Leiden
befehl ich Deiner hohen Macht,
daß Du mich solang leben läßt,
bis ich meinen Onkel sehe
und ihm zur Rede stehen kann, 20
wenn ich mich gegen ihn verging,
wenn ich je so Übles tat.«
Der Engel Cherubin im Strahlenglanz
sagte: »Zweifle nicht,
daß dich vor deinem Tod 25
dein Onkel sieht: vertrau auf mich!«
Darauf verschwand vor ihm der Engel.
Da streckte sich Vivianz
im Todeskampf.
Das Bewußtsein schwand ihm.

50 Jetzt kann der schmerzbeladene Franzose,
Wilhelm au court nez,
sehn, was er verloren hat,
und sich selber
den Geschlagensten von allen nennen, 5
die je Ritter wurden
und als Ritter kämpften.
Die besten seiner Freunde waren tot
bis auf die acht, die man gefangen hatte.
Das war das Ende dieser Schlacht: 10
Munschoi, der Schlachtruf, war verstummt;
seine zwanzigtausend waren
auf vierzehn Mann dahingeschmolzen,
die in der Not des Kampfes
an der Seite ihres Herrn ausharrten 15
und nicht von ihm wollten,
vielmehr ihr Leben für ihn wagten.
Die starke Hitze sott die Helden 19

die helde von der hitze starc. S. 575a
20 in eime stoube er sich verbarc,
dâ niuwe storje von dem her
mit poinder kom: ûz dem mit wer
selb vünfzehende der markîs
reit, die mit swerten prîs
25 heten dâ erhouwen.
zelen und*e* schouwen
si sich dô begunden.
an den selben stunden
si marcten rehte, *waz* ir was,
ûzerhalp des hers an eime gras.

51 *d*er ie vor schanden was behuot,
sprach: »vreude und*e* hôher muot,
ir beidiu sîget mir ze tal.
wie wênec ist mîn *an der* zal!
5 sint mîne mâge tôt belegen,
mit wem sol ich nû vreude pflegen,
dar zuo mîn ellenthafte man?
sô grôzen schaden nie gewan
dehein vürste mîn genôz.
10 nû stên ich vreude und helfe blôz.
ein dinc ich wol sprechen wil:
dem keiser Karel *waere* ze vil
dirre vlüste z'einem mâle.
die er tet ze Runzevâle
15 und in anderen stürmen sînen,
diene möhten gein den mînen
ame schaden niht gewegen.
des muoz ich immer jâmers pflegen,
ob ich hân manlîchen sin.
20 ei Gîburc, süeziu künegîn,
wie nû mîn herze gît den zins
nâch dîner minne! wan ich bin's
mit jâmers laste vast überladen,
daz ich den *vlüsteclîchen* schaden
25 *von dir nû muoz enpfâhen.

in Blut und Schweiß. 18
Er deckte sich in einem Staubgewirbel,
als er auf neue Kampfverbände stieß, die aus dem Heer
anstürmten: aus dem Staub ritt, tapfer kämpfend,
der Marquis mit seinen vierzehn Mann,
die da mit Schwertern Ruhm
erfochten hatten. 25
Sie sahen sich nacheinander um und zählten
sich.
Da erst
erkannten sie, wie wenige sie waren,
abseits vom Heer auf einem Wiesenstück.

51 Der immer ohne Fehl war,
sagte: »Freude und hochgemuter Stolz,
ihr sinkt mir hin.
Wie wenig Leute hab ich noch!
Wenn meine Verwandten gefallen sind 5
und meine tapferen Vasallen, 7
mit wem soll ich noch froh sein? 6
Solche Verluste
hat ein Fürst wie ich noch nie erlitten.
Entblößt von aller Freude, aller Hilfe steh ich da. 10
Ich kann wohl sagen:
selbst Kaiser Karl wär nicht imstande,
die Verluste auf einmal zu verkraften.
Die er in Roncesvals erlitt
und in seinen andern Kämpfen, 15
die waren
nicht so ruinös wie meine.
Darüber muß ich immer klagen,
wenn ich ein Männerherz hab.
Ach Giburg, süße Königin, 20
wie jetzt mein Herz bezahlen muß
für deine Liebe! Denn
mich erdrückt die Last des Leids,
daß ich den Verlust
durch dich erlitten habe. 25

swem daz niht wil versmâhen,
der jehe mir mêre noch vlüste,
denne herze und*er* brüste
ie getruoc ze heiner zît,
sît Abel starp durh bruoders nît.«

52 sînen jâmer sult ir prîsen.
er beriet sich mit den wîsen
und mit den unverzageten,
die sêre mit im klageten,
5 der den vater, der den bruoder.
in wâren ir strîtes muoder
mit swerten alze wît gesniten.
und doch mit manlîchen siten
und ouch unverzagetlîche
10 die helde ellens rîche
gâben sus ir herren rât:
»ir sehet wol, waz ir helfe hât.
nû welt *der* zwei*er* einez S. 575b
(der gît uns trôst deheinez):
15 daz wir kêren wider in den tôt
oder wir vliehen ûz der nôt.
Gîburc, diu küneginne,
diu mit helflîcher minne
uns dicke hât gerîchet,
20 swelh tugent sich ir gelîchet,
der waere gehêret drîzec lant.
dehein werlîchiu hant
ûf Oransch*e* nû beleip:
iuwer tugende uns danne treip
25 und iuwer milte unzallîch.
nû tuot schiere dem gelîch.
sweder vart ir kêren welt,
wir sîn ’me schaden doch verselt.
sulen uns die heiden niezen,
des mac uns wol verdriezen.«

Wer ehrlich ist,
muß sagen: größeren Verlust
hat nie ein Herz in einer Brust
getragen,
seit Abel durch den Haß des Bruders starb.«

52 Seine Klage sollt ihr loben.
Er beriet sich mit den Klugen,
Unverzagten,
die heftig mit ihm klagten,
dieser um den Vater, jener um den Bruder. 5
Die Kettenhemden waren ihnen
mit Schwertern allzuweit geschnitten.
Männlich tapfer,
unverzagt
gaben diese kühnen Helden 10
dennoch ihrem Herrn den Rat:
»Ihr seht, was ihr an Leuten habt.
Entscheidet euch für eins von beiden
(hoffnungslos das eine wie das andre):
wir gehn zurück und kämpfen bis zum Tod 15
oder wir fliehen aus dieser Not.
Giburg, die Königin,
die uns in ihrer Liebe, ihrer Hilfsbereitschaft,
oft reich gemacht hat,
Vortrefflichkeit wie ihre 20
würde dreißig Länder adeln.
Kein wehrhafter Mann
ist in Orange geblieben:
eure Vortrefflichkeit hat uns hinausgetrieben
und euer schrankenloses Schenken. 25
Nun handelt rasch in diesem Sinn.
Welchen Weg ihr wählt,
wir werden nichts gewinnen.
Daß die Heiden von uns profitieren,
das lassen wir nicht zu.«

53 *d*en marcgrâven von hôher art
begunde jâmern dirre vart,
ob er *sich* solte scheiden
von mâgen und von mannen beiden,
5 die dâ tôt wâren belegen.
bî liehter sunne gâb*e*n regen
und âne wolkenlîchen wint
sîniu ougen, als ob sîniu kint
waeren al die getouften,
10 die sîn herze in jâmer souften.
waere im niht wan Vîvîanz
ûf dem velde Alischanz
beliben, er möhte *dô wol klagen.
dô kêrt er dan (sus hôrt ich sagen)
15 nâch sîner manne râte
gein Oransch*e* drâte
bî dem her*e* allez hin.
nâch schaden dûhte si gewin,
daz in dâ niemen nâch enreit.
20 *vorstrît* *dâ niemen mit in streit.
*dô wânde er dô sîn *der* vrîe.
der künec Poufameiz von Ingulîe
was mit eime geruowetem here
aller êrst dô komen von dem mere,
25 *der heiner* vîent nie gesach
bî dem tage. groezer ungemach
der marcgrâve von den gewan.
die selben ranten in dô an
ûf mangem schoenem kastelân.
die getouften riefen sân
54 »*M*onschoi« und kêrten dar.
der marcgrâve unverzaget nam war,
wâ der künec selbe reit.
des schar was lanc und breit.
5 bestecket in ein ander
mange and*e*r schar dâ vand er,
der ieslîch bî dem tage S. 576a

53 Dem Markgrafen aus hohem Adel
war es schmerzlich wegzureiten,
sich zu trennen
von Verwandten und Vasallen,
die da gefallen waren. 5
Regen fiel, obwohl die Sonne schien
und auch kein Wind mit Wolken kam –
aus seinen Augen, so, als ob
alle Christen,
die sein Herz in Leid ertränkten, seine Kinder wären. 10
Hätte er nur Vivianz
auf Alischanz
verloren, er hätte Grund gehabt zu klagen.
Da ritt er (hat man mir gesagt)
nach dem Rat seiner Vasallen 15
eilends nach Orange,
immer am Heidenheer entlang.
Nach den Verlusten hielten sie es für Gewinn,
daß ihnen keiner nachritt.
Auch griff von vorne niemand an. 20
Da meinte er, er sei entronnen.
Jetzt erst war König Paufameiß von Ingulie
mit frischen Truppen
her vom Meer gekommen,
die an diesem Tag noch keinen Feind gesehen hatten. 25
Der Markgraf kam durch sie 27
in größere Bedrängnis. 26
Sie attackierten ihn
auf vielen schönen Kastilianern.
Die Christen riefen gleich
54 »Monschoi« und ritten zu ihm hin.
Unerschrocken spähte der Markgraf
nach dem König selbst.
Dessen Schar war lang und breit.
Miteinander eng verzahnt 5
sah er noch viele andre Scharen,
die alle an dem Tag

was dennoch vrî vor swert*es* slage.
hurtâ, wie dâ gehurtet wart!
10 an der engen durhvart
des marcgrâven geverten
mit scharfen swerten *herten*
muosen rûm erhouwen.
die heiden mohten schouwen
15 ir schar dâ durhbrechen.
der marcgrâve rechen
kunde alsô die sînen nôt:
ir lac vil manger vor im tôt,
emeral und amazzûr*e*.
20 als durh die dicken mûr*e*
brichet der bickel
und der zimberman den zwickel
bliuwet durh den herten nagel,
Schoiûse, sîn swert, der heiden *hagel*,
25 in den ungelouben *weiz
unz ûf den künec Poufameiz.
dem nam sîn zimierde den lîp.
swaz kost ûf man geleit ie wîp,
diu moht ûf Poufameize sîn
(âne Feirafîz Anсh*e*vîn,

55 des diu küneginne Sekundille pflac,
an dem sölh zimierde lac,
daz der künec Poufameiz,
Noupatrîs noch Tesereiz
5 im niht gelîchen kunden,
swie vil si kost begunden).
den künec von Ingulîe
ein sîn amîe
gevrumet het ûf Alischans
10 (âventiure, als dû mich mans),
des diu minne sol geprîset sîn.
getouft wîp noch heidenîn
gebent nû selher koste niht,

noch keinen Schwerthieb abbekommen hatten.
Hei, wie man da stürmte!
An dem engen Durchlaß mußten 10
die Gefährten des Markgrafen
mit scharfen, harten Schwertern
Raum freihauen.
Die Heiden mußten sehen,
daß ihre Schar durchbrochen wurde. 15
Der Markgraf
rächte so sein Unglück:
von seiner Hand starben viele
Almansure und Emire.
Wie durch die dicke Mauer 20
der Pickel bricht
und der Zimmermann den Keil
durch das harte Astholz schlägt,
so ließ sein Schwert Schoius, der Heiden Hagel,
sie ihr Heidentum entgelten 25
bis hin zum König Paufameiß.
Den kostete sein Schmuck das Leben.
Was je an Kostbarkeiten eine Frau auf einen Mann
gehäuft hat,
das lag auf Paufameiß
(ausgenommen Feirafiß d'Anjou,
55 den Königin Sekundille ausgestattet hatte
und der so reich geschmückt war,
daß weder König Paufameiß
noch Naupatris noch Tesereiß
sich mit ihm vergleichen konnten, 5
wieviel Aufwand sie auch trieben).
Den König von Ingulie
hatte seine amie
so nach Alischanz geschickt
(wie du, Erzählung, mir versicherst), 10
daß man die Liebe dafür preisen muß.
Keine Christenfrau und keine Heidin
schenkt heut noch solche Kostbarkeiten,

swie vil man *wîben dienen* siht.
15 der junge, klâre, süeze gast,
sîn zimierde gap den glast,
*daz dem marcgrâven diu ougen sneit,
innen des er mit im streit,
als *ez* diu sunne taete,
20 sîn wâpenlîch gewaete
was gehêrt mit edelen steinen.
der heidenschefte weinen
wuohs an den selben zîten
von ir zwei*er* strîten:
25 der marcrâve im nam daz leben.
sus kund er râche geben
umb sînen schaden, den er kôs.
in dem strîte er gar verlôs
sîne vierzehen man.
dô wart er gehurt*et* dan

56 *w*ider under daz *êrste* her S. 576b
von den komenden von dem mer.
dâ bestuont in Erfiklant
von Turkenîe *und* Turkant,
5 die gebruoder beide.
der heidenschefte leide
mit jâmers gesellekeit
der marcrâve ab in erstreit:
die jungen künege er bêde sluoc.
10 mit maneger wunden von in truoc
in sîn ors Puzzât.
ez waere wisen oder sât,
der wart dâ vil nâch im *getret*,
sîn ors durh mannen bluot *gewet*:
15 der lac dâ vil ûf sîner slâ.
sus streit *er* her und dâ
werlîch ûf dem plân.
der künec Talimôn von Boctân
und der künec Turpîûn,
20 mit *dem muos er dô strîten tuon.

wie sehr man auch den Frauen dient.
Der junge, schöne, wunderbare Fremde – 15
sein Waffenschmuck gab solchen Glanz,
daß dem Markgrafen
im Kampf mit ihm,
als wär's die Sonne,
seine Waffenkleider in den Augen stachen, 20
prachtvoll besetzt mit Edelsteinen.
Das Weinen der Heiden
schwoll an
vom Kampf der beiden:
der Markgraf nahm ihm das Leben. 25
So rächte er sich
für die eigenen Verluste.
In dem Kampf verlor er
alle seine vierzehn Mann.
Da wurde er
56 zurück ins erste Heer getrieben
von denen, die vom Meer herkamen.
Dort griffen Erfiklant
von Turkenie und Turkant ihn an,
die beiden Brüder. 5
Leid für die Heidenschaft
und Klage
rang der Markgraf ihnen ab:
die jungen Könige schlug er beide tot.
Schwer verletzt trug ihn 10
sein Pferd Pussat von ihnen fort.
Viele Wiesen, viele Äcker
wurden hinter ihm her zertreten,
sein Pferd getrieben durch das Blut von Männern:
viele lagen da auf seinem Weg. 15
So kämpfte er
tapfer auf dem ganzen Schlachtfeld.
Der König Talimon von Boctan
und der König Turpiun –
mit denen mußte er da kämpfen. 20

der rîche von Valturmîê,
wie des dinc gein im gestê?
als Pînels, *fîz Kâtor*,
den er ze tôde ouch sluoc dâ vor.
25 mit grôzer poind*e*rs hardiez
ûf *einem* orse, hiez Marschibiez,
Talimôn kom gevarn
verre von sînen aht scharn.
der stach ze volge ein sper enzwei
ûf den marcrâven, der dennoch schrei

57 »Monschoi« werlîch.
er tet der *wer* ouch dâ gelîch:
er warf sich gein dem poinder wider,
Talimôn sluoc er tôt d*e*rnider.
5 Marschibiez, daz ors, er nam,
daz künege wol ze rîten zam;
an sîner hende er'z dannen zôch.
unverzagetlîch er vlôch
vor manegem grôzen tropel.
10 diu sper mit krache wâr*e*n hel
ûf in, ze volge und engegen.
er wart mit stichen und mit slegen
galûnet an allen sîten.
sus muos er strîten.
15 daz gewunnen ors er lie durh nôt:
hindern büegen stach er'z tôt.
er engund es der heidenschefte niht,
als noch en vîentscheft geschiht.
sus vuorten s'in in einen stoup.
20 sîn manheit im urloup
gap, daz er sich entsagete
ieslîchem, der in jagete.
dô kêrt er gein den bergen.
den wilden getwergen
25 waere ze stîgen dâ genuoc, S. 577a
26 dâ in sîn ors über truoc.

Der Mächtige von Valturmié –
wie dessen Sache gegen ihn steht?
Wie jene von Pinel, le fils Kator,
den er zuvor auch totgeschlagen hatte.
Kühn und gewaltig kam 25
auf einem Pferd mit Namen Marschibieß
Talimon herangestürmt,
weit vor seinen acht Schwadronen.
Der stach von hinten einen Speer
auf dem Markgrafen entzwei, der noch immer
57 tapfer »Monschoi« rief.
Er wehrte sich entsprechend:
riß das Pferd herum, hinein in die Attacke
und schlug Talimon tot zu Boden.
Er faßte Marschibieß, das Pferd, 5
das eines Königs würdig war,
und zog es mit an seiner Hand.
Er floh – doch war das keine Feigheit –
vor vielen großen Scharen.
Laut krachten 10
von hinten und von vorn die Lanzen auf ihn.
Mit Stichen und mit Schlägen
wurde er überall gegerbt.
So mußte er denn kämpfen.
Das Pferd, das er erbeutet hatte, gab er notgedrungen 15
auf:
hinter den Bügen stach er's tot.
Er gönnte es den Heiden nicht:
so macht man es ja heute noch im Krieg.
So trieben sie ihn in ein Staubgewirbel.
Seine Tapferkeit erlaubte es ihm jetzt, 20
sich
den Verfolgern zu entziehen.
Da ritt er zu den Bergen.
Selbst den wilden Zwergen
wär der Aufstieg sauer, 25
wo ihn sein Pferd hinübertrug. 26

26a . . .

26b . . .

27 seht, ob ir deheiner sî versniten!

der marcrâve ist in entriten.

. . . 26a

. . . 26b

Schaut, ob von denen einer umkam! 27
Der Markgraf ist ihnen weggeritten.

58 Er enthielt dem orse und sach sich wider,
dez lant ûf und nider.
nû was verdecket berc und tal
und Alischanz über al
5 mit heidenscheft*e* *unbezalt,
als ob ûf einen grôzen walt
niht wan banier blüeten.
die rotte ein and*er* müeten:
die kômen her und dar gehurt
10 ûf acker und in mangem vurt,
dâ Larkant, daz wazzer, vlôz.
den marcrâven dûhte grôz
ir kraft, und er si reht ersach.
in sîme zorne er dô sprach:
15 »ir gunêrten Sarrazîn,
ob bêdiu hunde und swîn
iuch trüegen und dâ zuo diu wîp,
sus manegen werlîchen lîp,
vür wâr möht ich wol sprechen doch,
20 daz iuwer ze vil waere dannoch.
ouwê«, sprach er, »Puzzât,
kundestû nû geben rât,
war ich kêren möhte!
wie mir dîn kraft getöhte,
25 waere wir an disen stunden
gesunt und âne wunden,
wolden mich die heiden jagen,
ez möhte etslîches mâc beklagen!
nû sî wir bêde unvarende
und ich die vreude sparende.
59 *d*û maht des wesen sicher:
wicken, habern, kicher,
gersten und*e* lindez heu,
daz ich dich dâ bî wol gevreu,

58 Er hielt das Pferd an, sah zurück,
landauf, landab.
Da waren Berg und Tal
und Alischanz nach allen Seiten
von Heiden ohne Zahl bedeckt, 5
als wär ein ungeheurer Wald
aus nichts als Bannern aufgeschossen.
Die Scharen drängten sich:
sie stürmten kreuz und quer daher,
auf Äckern und in vielen Furten, 10
wo der Larkant floß.
Gewaltig schien ihm ihre Macht,
als der Markgraf sie gemustert hatte.
Zornig stieß er aus:
»Ihr verdammten Sarazenen, 15
ihr seid wahrlich 19
mehr, als alle Frauen, 17
Hündinnen und Sauen 16
dieser Welt gebären könnten, 20
soviele starke Männer. 18
Ach«, sagte er, »Pussat, 21
wüßtest du mir einen Rat,
wohin ich mich wenden könnte!
Wie deine Kraft mir helfen würde,
wenn wir jetzt 25
gesund und ohne Wunden wären,
wollten die Heiden mich dann jagen,
ihre Verwandten müßten das beklagen!
Doch können wir beide nicht mehr weiter,
und mir ist all mein Glück genommen.

59 Glaub mir:
Wicken, Hafer, Erbsen,
Gerste und zartes Heu,
damit verwöhn ich dich,

5 ob wir wider ze Oransch*e* komen,
hânt mir'z die heiden niht benomen. S. 577b
ich enhân hie trôstes mêr wan dich:
dîn snelheit müeze troesten mich.«
sîn hâr was im brûn gevar,
10 von wîzem schûme drûfe gar,
als ez eines winders waere besnît.
der vürste nam sîn kursît,
einen pfelle, brâht von Trîant:
swaz er sweizes ûf dem orse vant,
15 den kund er drabe wol strîchen.
dô begunde im müede entwîchen:
ez dreste und*e* grâzte.
von *dem* kunreiz ez sich mâzte
vil unkrefte, die ez truoc.
20 nû was gebiten dâ genuoc.
der marcrâve zôch zehant
gein dem wazzer Larkant
daz ors an sîner hende
bî maneger steinwende
25 unz in des wazzers ahganc.
einen kurzen wec, niht ze lanc,
reit er durh daz stûdach,
unz er vor im ligen sach
des werden Vîvîans*es* schilt.
ûf dem was strîtes sus gespilt:
60 hâtschen, kiulen, bogen, swert,
mit spern gein dem man tjost*e* gert
zevüeret an allen orten.
der marcrâve *den borten
5 erkande, als er geriemet was:
smaragde und adamas,
rubîn und krisolte
drûf verwieret, als si wolte,
Gîburc, diu wîse,
10 diu mit kostlîchem prîse
sande den jungen Vîvîanz

kommen wir nach Orange zurück 5
und haben mir die Heiden die Stadt nicht abgenommen.
Du allein bist meine Hoffnung hier:
retten soll mich deine Schnelligkeit.«
Sein Fell war braun,
mit weißem Schaum bedeckt, 10
als hätt's im Winter drauf geschneit.
Der Fürst nahm sein Kursit
aus Triantiner Seide:
was er auf dem Pferd an Schweiß bemerkte,
rieb er ihm sorgsam ab. 15
Dessen Müdigkeit verflog:
es schnaubte, wieherte und stampfte.
Die Pflege
nahm ihm seine Schwäche.
Da war genug gerastet. 20
Der Markgraf zog das Pferd alsbald
am Zügel
zum Larkant,
durch viele Schluchten
bis ins Flußbett. 25
Eine kurze Strecke
ritt er durchs Gestrüpp,
da sah er vor sich liegen
den Schild des edlen Vivianz.
Ein Kampf-Spielbrett war der gewesen:
60 mit Äxten, Keulen, Bogen, Schwertern,
Speeren war er dort, wohin man bei der Tjoste zielt,
überall zerhackt.
Der Markgraf erkannte das Band,
den Riemen am Schild: 5
Smaragde, Diamanten,
Rubine, Chrysolithe,
hineingewebt auf Giburgs Wunsch,
die sich darauf verstand:
kostbar ausstaffiert hatte sie 10
den jungen Vivianz

ûf daz velt Alischanz,
des tôt ir herzen ungemach
gap. der marcrâve ersach,
15 daz ein brunne und ein linde
ob sîner swester kinde
stuont, dâ er Vîvîanzen vant.
in sîme herzen gar verswant,
swaz im ze vreuden ie geschach.
20 mit nazzen ougen er dô sprach:
»ei, vürsten art, reiniu vruht,
mîn herze muoz die jâmers suht
âne vreude *erzenîe* tragen.
waere ich doch mit dir erslagen!
25 sô taete ich gein der ruowe kêre.
jâmer, ich muoz immer mêre
wesen dînes gesindes.
daz dû mich niht verslindes
(ich meine dich, breitiu erde),
daz ich bezîte werde S. 578a

61 dir gelîch! ich kom von dir.
tôt, nû nim dîn teil an mir!
swaz ich mit kumber ie geranc
und swaz mich sorge ie getwanc,
5 dâ râmt ich jâmers lêre:
nû hân ich sorgen mêre,
den mir in herzen ie gewuohs.
kund ich nû sliefen sô der vuhs,
daz mich belûhte nimmer tac!
10 swaz vreude in mînem herzen lac,
diu ist mit tôde drûz gevarn.
tôt, daz dû mich nû kanst sparn!
ich lebe noch und bin doch tôt.
daz sus ungevüegiu nôt
15 in mînem herzen kan gewern!
und daz mit swerten und mit spern
mich tôte niht diu heidenschaft!«
von jâmer liez in al sîn kraft:

auf das Feld von Alischanz
gesandt: sein Tod gab ihrem Herzen
Pein. Der Markgraf sah
einen Quell und eine Linde 15
bei seinem Schwesterkinde,
wo er Vivianz fand.
Aus seinem Herzen schwand
all sein Glück.
Mit nassen Augen sagte er: 20
»Ach, Fürstenkind, du reine Frucht,
an Jammer siecht mein Herz dahin
und die Arznei der Freude hilft ihm nicht.
Wär ich doch mit dir erschlagen!
Ruhe hätt ich dann gefunden. 25
Leid, ich muß für immer
dein Gefolgsmann sein.
Daß du mich nicht verschlingst
(ich mein dich, weite Erde),
daß ich beizeiten werde
61 dir gleich! Ich komm von dir.
Tod, nun nimm dein Teil an mir!
Was ich mit Kummer je zu kämpfen hatte
und was mich je an Sorgen quälte,
lehrte mich, was Jammer ist: 5
jetzt habe ich mehr Leid,
als mir je im Herzen wuchs.
Könnt ich entschlüpfen wie der Fuchs,
daß mich der Tag nie mehr beschiene!
Was an Glück in meinem Herzen war, 10
das ist hinausgestorben.
Tod, daß du mich jetzt verschmähst!
Ich lebe noch und bin doch tot.
Daß mein Herz so ungeheures Leid
ertragen kann! 15
Und daß mit Schwertern und mit Speeren
die Heiden mich nicht töteten!«
Vor Schmerz verließ ihn alle Kraft:

unversunnen underz ors er seic,
20 sîner klage er gar gesweic.
bî einer wîle er sich versan.
dô huop sich niuwer jâmer an.
über Vîvîanzen kniet er dô.
ich geloube des, daz er unvrô
25 der angesihte waere
und aller vreuden laere.
den verhouwen helm er von im bant,
daz wunde houbet er zehant
legt al weinende in *sîn schôz
und sprach alsus mit jâmer grôz:

62 »dîn verh was mir sippe.
sît Adâmes rippe
wart gemachet ze einer mag*e*t,
swaz man von dem sâmen sag*e*t,
5 dâ *von* Eve vrühtic wart:
ir aller tugende an dich *gespart*
was, die sider sint erborn.
dîn edel herze ûz erkorn
was lûter als der sunnen glast.
10 hôher prîs wart nie dîn gast.
sölh süeze an dîme lîbe lac:
des breiten mer*e*s salzes smac
müese al zukermaezic sîn,
der dîn eine zêhen würfe drîn.
15 daz muoz mir geben jâmer:
als pigment und âmer
dîne süeze wunden smeckent,
die mir daz herze erstreckent,
daz ez nâch jâmer swillet.
20 immer ungestillet
ist nâch dir mîn siuftic klage
unz an den ort al mîner tage.
ouwê«, sprach er, »Vîvîans,
waz dû nû staeter sorgen gans S. 578b
25 Gîburge, der künegîn!

bewußtlos sackte er vom Pferd,
hörte auf zu klagen. 20
Nach einer Weile kam er zu sich.
Da erhob sich neuer Jammer.
Er kniete hin zu Vivianz und sah ihn an.
Ich glaub, daß ihm
der Anblick schrecklich war 25
und daß ihm alle Freude schwand.
Den zerhauenen Helm band er ihm ab,
den zerschundenen Kopf
legte er weinend in den Schoß
und sagte voller Schmerz:

62 »Du warst mein Fleisch und Blut.
Seit Adams Rippe
zu einer Frau gebildet wurde –
was man von dem Samen sagt,
von dem Eva schwanger wurde: 5
das Gute aller Menschen war in dir versammelt,
die seither geboren sind.
Dein Herz, das edle, einzige,
war lauter wie der Glanz der Sonne.
Nie hat dir hoher Ruhm gefehlt. 10
Solche Süße war an dir:
der Salzgeschmack des weiten Meeres
wäre zuckersüß geworden,
durch einen einzigen Zeh von dir.
Das jammert mich: 15
wie Gewürz und Ambra
duften deine süßen Wunden,
die mir das Herz auftreiben,
daß es voll Jammer schwillt.
Immer ungestillt 20
bleibt mein Seufzen, mein Klagen um dich
bis ans Ende meiner Tage.
Ach«, sagte er, »Vivianz,
endlosen Schmerz bereitest du
Giburg, der Königin! 25

als ein vogel sîn vogelîn
*aezet unde brüet*et*,
alsô het si dich behüet*et*,
almeistic an ir arme erzogen.
nû wirt jâmers umbetrogen

63 *n*âch dir daz vil getriuwe wîp.
mir wart dîn tugenthafter lîp
ze vreude an dise werlt erborn:
nû hân ich siuften vür erkorn.
5 hei, Termis, mîn palas,
wie der von dir geher*e*t was!
mich dûhte dîn hôher prîs sô wert:
ich gap hundert knappen swert
durh dich – des muoz ich volge hân –,
10 ich gap zwei hundert kastelân
hundert den gesellen dîn
mit harnasch. und diu künegîn
ieslîchem drîer hande kleit
ûz ir sunder kamern sneit,
15 daz ich der kost*e* nie bevant:
von Tasmê und von Trîant
und ouch von Ganfassâsche brâht,
manec tiuwer pfelle, des erdâht
was dîner massenîe
20 (Gîburc, mîn amîe,
het dich baz denne ir *selber* kint);
brûnez scharlach, brâht von Gint,
daz man heizet brûtlach*e*n,
daz hiez's iu allen mach*e*n;
25 daz dritte kleit scharlachen rôt.
in dirre wirde bistû tôt.
wie was dîn schilt gehêret,
ir milte dran gemêret,
diu gein dir tugende nie verbarc!
der kost*e* vünf hundert marc!

Wie ein Vogel sein Junges
atzt und bebrütet,
so hat sie dich behütet,
immer auf dem Arm getragen.
Jetzt wird an Leid
63 um dich die Getreue nicht betrogen.
Du Edler, Guter
warst mir zur Freude in die Welt geboren:
jetzt hab ich Seufzen dafür eingetauscht.
Ach, Termis, mein Palas, 5
wie der von dir geplündert wurde!
Mir schien dein hoher Ruhm so wert:
hundert Knappen gab ich das Schwert
um deinetwillen – dafür muß man mich loben –,
zweihundert Kastilianer gab ich 10
deinen hundert Kameraden
mit der Rüstung. Und die Königin
ließ jedem drei verschiedene Gewänder
aus ihrem eignen Vorrat schneidern,
so daß ich nie den Preis erfuhr: 15
viel teure Pfellelseide 18
aus Tasmé und aus Triant 16
und auch aus Ganfassasche 17
nahm man für die Ausstaffierung deiner Leute
(Giburg, meine amie, 20
hielt dich besser als ihr eignes Kind);
braunes Scharlachtuch aus Gent,
das man Brauttuch nennt,
Gewänder für euch alle ließ sie daraus machen;
das dritte Kleid aus rotem Scharlachtuch. 25
In all der Pracht bist du nun tot.
Wie herrlich war dein Schild geschmückt:
großzügiger als je ist sie gewesen,
die ihre Güte dir nie vorenthielt!
Der kostete fünfhundert Mark!

64 *a*l diu zimierde dîn
was sô: swelh rîcher Sarrazîn
dir des gelîchen möhte,
der wîbe lôn im töhte.
5 sît man sô tiuwer gelten muoz
hôhe minne und den werden gruoz,
nû *waz* hât diu minne an dir verlorn!
dû waere in Francrîche erkorn,
swâ dich wîbes ougen sâhen,
10 herzen und ir munde jâhen,
dîn blic waere ein meien zît
und dîner klârheit âne strît
möhte wünschen ieslîch vrouwe.
in lufte noch bî touwe
15 nie gewuohs noch von muot*e*r brust
wart genomen, dran sô strengiu vlust
der minne enzucket waere.
sô nû daz sûre maere S. 579a
vreischet mîn geslehte,
20 daz hôhen muot von rehte
trüege (wir wârn geprîset),
sô werdent si gewîset
in die jâmerbaeren nôt:
des hilfet in dîn junger tôt.
25 waz touc ich nû lebende?
der jâmer ist mir gebende
mit kraft *alselbe* riuwe,
diu z'aller zît ist niuwe,
swaz nû mîn lîp gewer*e*n mac,
beidiu naht und den tac.«

65 mit jâmer er sus panste.
dô *heschete* und ranste
der wunde lîp in sîner schôz.
des herze tet vil manegen stôz,
5 wan er mit dem tôde ranc.
diu liehten ougen ûf dô swanc
Vîvîanz und sach den oeheim sîn,

64 Dein ganzer Waffenschmuck
war so: wenn es ein reicher Sarazene
dir darin gleichtun könnte,
der müßte Frauenlohn erhalten haben.
Da man so schwer bezahlen muß 5
hohe Liebe und den teuren Gruß,
was hat die Liebe an dir verloren!
In Frankreich gab man dir den Preis:
wo dich die Frauen sahen,
da sagten sie mit Herz und Mund, 10
dein Anblick sei ein Tag im Mai
und deine Schönheit könnte unbestritten
jede Frau sich wünschen.
In Luft und Tau
wuchs nie heran noch ist von einer Mutterbrust 15
genommen worden, woran
die Liebe so verloren hat.
Wenn die Unglücksbotschaft jetzt
zu meiner Sippe kommt,
die hochgemut und stolz, mit Recht, 20
gewesen ist (wir waren angesehen),
dann stürzt sie das
in tiefes Leid:
dazu bringt sie dein früher Tod.
Was hilft es, wenn ich weiterlebe? 25
Der Jammer überwältigt mich
mit einem Schmerz,
der niemals nachläßt,
so lang ich leben werde,
Tag und Nacht.«

65 So dachte er voll Jammer.
Da röchelte und streckte sich
der Verwundete in seinem Schoß.
Sein Herz schlug hart und schnell:
er kämpfte mit dem Tod. 5
Die hellen Augen schlug
Vivianz auf und sah den Onkel,

als in der engel Kêrubîn
trôste an der selben stat.
10 der marcrâve in sprechen bat
und vrâgt in: »hâstû noch genom*e*n,
dâ mit diu sêle dîn sol kom*e*n
mit vreuden vür die Trînitât?
spraeche dû bîhte? gap dir rât
15 ind*e*r dehein getoufter man,
sît ich die vlust an dir gewan?«
mit unkreften Vîvîanz
sprach: »sît ich von Alischanz
schiet, ich enhôrte niht noch sach,
20 wan Kêrubîn, der engel, sprach,
ich solde dich ob mir noch gesehen.
herre und oeheim, ich wil jehen
ûf die vart, dar ich kêren muoz.
ich hân mit sünden maneg*e*n gruoz
25 und hôhe wirde enpfangen.
ez ist alsus ergangen,
daz diu küneginne ir prîs
an mir erzeiget und ich sô wîs
noch nie wart gein iu beiden,
daz ich kunde ûz gescheiden
66 *d*ienst, der dâ engeg*e*n töhte.
ich enkunde ouch noch enmöhte,
ob mîn tûsent waeren.
mîn wille in den gebaeren
5 was, daz ich triuwe gein iu hielt,
die nie dehein wanc von mir gespielt.
dô ich ze Termis wart ein man
mit iuwer*e*r helfe und ich gewan
schildes ampt und die gesellen mîn,
10 waz koste ich dô die künegîn!
des waere den keiseren gar genuoc,
swaz ir ie krône noch getruoc. S. 579b
der küneginne Gîburc
ir helfe an mir was wol sô kurc,

wie es der Engel Cherubin
ihm hier verheißen hatte.
Der Markgraf forderte ihn auf zu sprechen 10
und fragte: »Hast du auch empfangen,
womit deine Seele
freudig vor den Drei-Einen treten soll?
Hast du gebeichtet? Stand
ein Christ dir bei, 15
seit ich dich verloren habe?«
Kraftlos sagte Vivianz:
»Seit ich Alischanz
verließ, hörte und sah ich nichts,
nur Cherubin, der Engel, sagte, 20
ich würde dich noch bei mir sehen.
Herr und Onkel, ich will beichten
vor der Fahrt, auf die ich muß.
Mit Sünde habe ich viel Gunst
und große Ehre angenommen. 25
Es ist so gekommen,
daß die Königin ihre Güte
an mir bewiesen hat und ich
es nicht verstand,
einen Dank zu finden,
66 der euch beiden das vergolten hätte.
Ich hätte es auch nicht vermocht,
wenn ich nicht einer, sondern tausend wäre.
Treue wollte ich
euch halten, 5
ohne je zu wanken.
Als ich in Termis Ritter wurde
durch eure Hilfe und
das Schildesamt erhielt mit meinen Kameraden,
was hab ich da die Königin gekostet! 10
Das hätte alle Kaiser überfordert,
die je die Krone trugen.
Was Königin Giburg
für mich getan hat, war so offenbar,

15 die man erkennen mohte,
diu baz ir wirde tohte
denne mînem armen prîse.
ich weiz wol: ist got wîse,
er lônet es ir mit güete,
20 hât er sîn alt gemüete.
oeheim, nû getrûwe ich dir
durh sippe, die dû hâst ze mir,
dû habst si durh mich deste baz.
nû wirt des willen nimmer laz
25 und denke, waz ich ze Termis sprach,
daz ez bêdiu hôrte und*e* sach
manec hundert rîter werd*e*r diet,
als mir mîn hôher muot geriet:
ich envlühe nimmer Sarrazîn.
habe ich mit sünde helfe dîn
67 *g*edient, daz sî der sêle leit,
und ob ich zagelîchen streit.«
waz *möhte* der marcrâve tuon,
dô der junge, sîner swest*e*r sun,
5 sô kleiner schulde dâ gewuoc,
er enhet ouch trûrens dô genuoc,
und des in sîner bîhte jach?
dâ engegen er trûreclîchen sprach:
»wê mir dîner klâren geburt!
10 waz wold ich swertes umb dich gegurt?
dû soldest noch kûme ein sprinzelîn
trag*e*n. dîner jugende schîn
was der Franzoiser spiegelglas.
swaz dînes liehten antlützes was,
15 dar an gewuohs noch nie dehein gran:
war umbe hiez ich dich ein man?
man solde dich noch vinden
dâ heime bî andern kinden
billîcher, denne dû hetes getrag*e*n
20 schilt, dar under dû bist erslag*e*n.

daß es alle sehen konnten, 15
und es entsprach mehr ihrer hohen Stellung
als meinem kümmerlichen Ruhm.
Ich weiß genau: ist Gott weise,
er lohnt es ihr mit Gnade,
tut er, was er immer tat. 20
Onkel, ich vertrau auf dich
um unserer Verwandtschaft willen,
daß du sie mir zuliebe umso besser hältst.
Bleib darin fest
und denk daran, was ich in Termis sagte, 25
wo hunderte von edlen Rittern
es hörten und gesehen haben,
wie mir mein hochgemuter Stolz geraten hat:
ich wolle nie vor einem Sarazenen fliehen.
Hab ich mit Sünde deine Hilfe
67 dir gedankt, das soll die Seele büßen,
und wenn ich feige war im Kampf.«
Was blieb dem Markgrafen übrig,
als das Kind, sein Schwestersohn,
so nichtige Schuld bekannte 5
und für nötig hielt zu beichten, 7
als Trauer und Verzweiflung? 6
Verzweifelt sagte er darauf:
»Verflucht bin ich, daß du geboren wurdest, du
Schöner, Strahlender!
Wie konnte ich dich mit dem Schwert umgürten? 10
Du bist kaum groß genug, um einen kleinen Falken
auf der Hand zu tragen.
Ein Spiegel war dein Jugendglanz für die Franzosen.
In deinem leuchtenden Gesicht
wuchs noch kein Barthaar: 15
wie konnt ich dich zum Mann erklären?
Du hättest noch
zu Hause bei den Kindern
bleiben sollen, anstatt
den Schild zu führen, unter dem man dich erschlug. 20

ich sol vor got*e* gelten dich:
dich ensluoc hie niemen mêr wan ich.
dîn tôt sol mîner tumpheit
vüegen alsô vrühtec leit,
25 daz z'allen zîten jâmer birt,
unz mînes lebens ende wirt.
diu schulde ist von rehte mîn:
durh waz vuort ich ein kindelîn
gein starken wîganden
ûz al der heiden landen?«

68 *d*ô sus des marcrâven mâc
in sîner schôz unkreftic lac,
er sprach hin z'im mit herzen klage:
»hâstû, daz alle suntage
5 in Francrîche gewîh*e*t wirt?
dehein priest*e*r dâ verbirt, S. 580a
er ensegn*e* mit gotes kraft ein brôt,
daz guot ist vür der sêle tôt.
daz selbe ein apt mir gewan:
10 *dâ vor* sancte Germân
ze Pârîs daz ampt wart getân.
in mîner taschen ich'z hie hân.
daz enpfâch durh dîner sêle heil!
des geleites wirt si geil,
15 ob si mit angest vür sol gên
und ze urteile vor got*e* stên.«
daz kint sprach: »ich enhân's niht.
mîn unschuld*e*clîch vergiht
sol mir die sêle leiten
20 ûz disen arbeiten,
aldâ si ruowe vindet,
ob mich der tôt enbindet.
doch *gebt mir sînen lîchnam*e*n her,
des mennischeit von d*e*s blinden sper
25 starp, dâ diu gotheit genas.
der gesellekeit*e* Tismas
der helle nie bekorte:

Ich hab vor Gott für dich zu büßen:
niemand hat dich hier erschlagen als ich selbst.
Dein Tod straft mich für meine Torheit
mit einem Leid, so fruchtbar,
daß es immer neuen Jammer zeugt 25
bis ans Ende meiner Tage.
Nach allem Recht trag ich die Schuld:
warum führte ich ein Kind
gegen starke Krieger
aus allen Heidenländern?«

68 Als so des Markgrafen Neffe
kraftlos in seinem Schoß lag,
sagte er zu ihm in tiefer Klage:
»Hast du bei dir, was man jeden Sonntag
in Frankreich weiht? 5
Kein Priester unterläßt es da,
Brot zu weihen mit Gottes Kraft,
das die Seele vor dem Tod bewahrt.
Das hat mir ein Abt gegeben:
vor Sankt Germanus 10
in Paris fand die Messe statt.
Nimm es zum Heil für deine Seele!
Ich hab es hier in meiner Tasche.
Froh und dankbar wird sie sein für diesen Schutz,
wenn sie voll Angst vortreten muß, 15
um sich Gottes Richterspruch zu stellen.«
Der Junge sagte: »Ich hab es nicht.
Meine Beichte, die mich reingewaschen hat,
soll mir die Seele
aus dieser Mühsal dorthin bringen, 20
wo sie Ruhe findet,
wenn mich der Tod erlöst.
Doch gebt mir dessen Leib,
der als Mensch vom Speer des Blinden
starb, wo er als Gott lebendig blieb. 25
Weil er sich zu ihm bekannte, mußte Tismas
nicht zur Hölle fahren.

Jêsus an im wol hôrte,
daz in sîn wuoft erkande:
der sêle nôt er wande.

69 nû rüefe ouch ich den selben ruof
hin ze dem, der mich geschuof
und der mir werlîche hant
in sînem dienste gap bekant.
5 küsse mich, verkius gein mir,
swaz ich ie schult getruoc gein dir.
diu sêle wil hinnen gâhen.
nû lâze mich balde enpfâhen,
ob dû ir ze helfe iht wellest geb*e*n.«
10 dô er'z enpfienc, sîn jungez leb*e*n
erstarp. sîn bîhte ergienc doch ê.
reht als *Lingnâlôê
al die boume mit viuwer waeren enzunt,
selh wart der smac an der stunt,
15 dâ sich lîp und sêle schiet.
sîn hinvart alsus geriet.
waz hilfet, ob ich'z lange sag*e*?
der marcrâve was mit klag*e*
ob sîner swest*e*r kinde.
20 des ors*e*s zoum diu linde
begriffen hete vaste,
ein drum von einem aste,
dô er drab*e* was gevallen.
nû heten ouch *ûz* verwallen
25 sîniu ougen an den stunden
ursprinc, daz si vunden:
sîn herze was trucken gar
und beidiu ougen saffes bar.
er moht sich dô wol umbe sehen,
die strâze gein Oransch*e* spehen, S. 580b

70 dar in doch sîn herze treip.
unlange er dô beleip.
er dâht an schaden, des er pflac,
und an den vlüstebaeren tac,

Jesus hörte seinen Ruf,
mit dem er sich zu ihm bekannte:
er rettete ihm seine Seele.
69 Jetzt ruf auch ich mit diesem Ruf
zu dem, der mich geschaffen
und mir die Kraft gegeben hat,
in seinem Dienst zu kämpfen.
Küsse mich, vergib mir alles, 5
was ich an dir gesündigt habe.
Meine Seele drängt es fort von hier.
Laß mich schnell empfangen,
was du ihr geben willst, um ihr zu helfen.«
Als er es empfangen hatte, starb der Junge. 10
Doch hatte er zuvor noch beichten können.
Wie wenn im Wald von Lingnaloé
alle Bäume angezündet wären,
ein solcher Wohlgeruch stieg augenblicklich auf,
wo sich Leib und Seele trennten. 15
So fuhr er dahin.
Was hilft es, wenn ich lange davon rede?
Der Markgraf klagte
über seinem Schwestersohn.
Der Zaum des Pferdes hatte sich 20
in der Linde festgehakt,
an der Spitze eines Astes,
als er herabgestürzt war.
Bald hatten seine Augen 25
die Quelle, die sie fanden, 26
ganz vergossen: 24
vertrocknet war sein Herz
und beide Augen ohne Naß.
Jetzt war er imstand, sich umzusehn
und die Straße nach Orange zu suchen,
70 wohin sein Herz ihn trieb.
Er blieb nicht länger.
An sein Unglück dachte er
und den verlustreichen Tag,

5 wie jâmerlîch im der ergienc.
mit armen er dicke umbevienc
den tôten, sîner swester sun.
mit dem begund er alsus tuon:
in huop der küene, starke man
10 vür sich ûf daz kastelân.
die rehten strâze er gar vermeit,
ûf bî Larkant er reit,
gein der montânje er kêrte,
als in diu angest lêrte.
15 iedoch wart er an gerant
von liuten, die mir niht bekant
sint. ir was et im ze vil
sô nâhen gein dem râmes zil.
ieslîcher sîn sper sancte,
20 der im ze vâre sprancte.
Vîvîanzen er nider warf:
er tet sô der der wer bedarf.
sus streit der unverzagete,
unz er sich vor in entsagete:
25 ime stûdach sîn vermisset wart.
dô kêrt er an die widervart
und reit, dâ er Vîvîanzen liez.
sîn triuwe gebôt und hiez:
sîme neven die naht er wachete,
des sîn herze dicke erkrachete.

wie leidvoll der für ihn gewesen war. 5
Immer wieder nahm er
den Toten in den Arm, den Schwestersohn.
Dann hob ihn
der kühne, starke Mann
vor sich auf den Kastilianer. 10
Er vermied die Straße,
ritt flußaufwärts am Larkant entlang:
der Not gehorchend, 14
wandte er sich zum Gebirge. 13
Trotzdem wurde er 15
von Leuten, die mir nicht bekannt
sind, angegriffen. Sie waren ihm,
so nah am Ziel, ganz unwillkommen.
Jeder senkte seinen Speer
und sprengte auf ihn zu. 20
Vivianz warf er vom Pferd:
er handelte wie einer, der sich wehren muß.
So kämpfte der Unverzagte,
bis es ihm gelang, sie abzuschütteln:
im Dickicht wurde er verloren. 25
Dann wandte er sich wieder um
und ritt zu der Stelle, wo er Vivianz hatte liegen lassen.
Seine Treue drängte ihn,
daß er die Nacht bei seinem Neffen wachte:
es zerriß ihm fast das Herz.

71 Alsus ranc er ob im die naht:
dicke wart von im gedâht,
des morgens, sô der tac erschin,
ob er in möhte vüeren hin
5 oder wie er'z an gevienge,
ob and*e*rstunt ergienge,
daz er wurde an gerant:
sô müese er'n aber alzehant
nider lâzen vallen. S. 581a
10 sô waere der heiden schallen
und ir spottes deste mêr.
diz bekande herzesêr
twanc in âne mâze.
er dâhte: »ob ich dich lâze
15 hind*e*r mir durh vorhte hie,
sus grôz unprîs geschach mir nie.
doch muoz ich Puzzâten laden
wênic durh der heiden schaden:
deste baz ich dan und zuo z'in mac.«
20 innen des gienc ûf der tac.
sînen neven kust er und*e* reit,
dâ er mit vünfzehen künegen streit.
die wâren ouch an der wache
die naht mit ungemache
25 ze hulden Tervagant, ir got*e*,
ouch von Terramêrs gebot*e*
und bî dem eide gemant.
des her*e*s vride was benant
benam*e*n ze vâre der kristenheit.
ieslîch künec niuwan selbe reit.
72 die andern gesunden
mit den tôten und mit den wunden
ze schaffen heten ouch genuoc.
ein ieslîch armer rîter truoc

71 So quälte er sich über ihm die ganze Nacht:
er überlegte hin und her,
ob er ihn am Morgen, wenn es tagte,
mit sich nehmen könnte
oder was er machen sollte, 5
wenn er wieder
angegriffen würde:
dann müßte er ihn auf der Stelle wieder
fallen lassen.
Die Heiden hätten dann noch mehr zu prahlen 10
und zu spotten.
Die Angst vor Schande
war ihm unerträglich.
Er dachte: »Laß ich dich
hier aus Furcht zurück, 15
wäre das die größte Schande, die ich je erlitt.
Doch ich darf Pussat nicht schwer beladen,
sonst bin ich den Heiden nicht gewachsen:
umso leichter komme ich davon und zu den Meinen.«
Unterdessen tagte es. 20
Er küßte seinen Neffen, ritt davon
und geriet in Kampf mit fünfzehn Königen.
Die hatten sich auch plagen müssen,
die ganze Nacht auf Wache,
zu Ehren ihres Gottes Tervagant 25
und auf Terramers Befehl
und durch ihren Eid verpflichtet.
Die Waffenruhe war befohlen,
um den Christen Schaden zuzufügen.
Die Könige ritten unbegleitet.
72 Wer sonst noch unverwundet war,
hatte mit den Toten und Verletzten
genug zu tun.
Die einfachen Ritter trugen

5 herren od mâge ûz dem wal,
dar umbe die künege über al
die naht der wache pflâgen
und in harnasch lâgen.
eskelier und *amazzûr* gar,
10 der houbtman ieslîcher schar,
manec küen rîche emeral,
der huote pflâgen al umbz wal
vor'me gebirge unz an daz mer,
ob und*e*r dem getouftem her
15 dannoch iemen waere genesen,
daz er des tôdes müese wesen.
der marcrâve des morgens vruo
reit den vünfzehen künegen zuo.
Ehmereiz von Todjerne
20 in bekant und sach in gerne,
der werden Gîburge sun.
der wolde ouch die êrsten tjost dâ tuon.
des enweiz ich niht, ob daz geschach,
wan ieslîcher balde brach,
25 swaz in sîner hant kom her:
dâ wurden vünfzehen sper
ûf den marcrâven gestochen,
ieslîchez gar zebrochen.
*daz ors er kûme vor in besaz.
Schoiûsen er dô niht vergaz,

73 sînes swertes, dâ mit er mangen swanc
tet, der durh künege helme erklanc.
ir namen und ir rîche, S. 581b
dâ si gewalteclîche
5 krône vor vürsten hânt getragen,
die lât iu nennen und*e* sagen.
sît zwô und sibenzec sprâche sint,
er dunket mich der witze ein kint,
swer niht der zungen lât ir lant,
10 dâ von die sprâche sint bekant.

Herren und Verwandte aus dem Feld, 5
um das all die Könige
die Nacht in voller
Rüstung Wache hielten.
Die Eskelire, alle Almansure,
der Hauptmann jeder Schar, 10
viele kühne, mächtige Emire,
hielten rings ums Schlachtfeld Wache
vom Gebirge bis zum Meer
für den Fall, daß es im Christenheer
Überlebende gab: 15
die sollten dann getötet werden.
Es war noch früher Morgen, als der Markgraf
auf die fünfzehn Könige traf.
Emereiß von Todjerne
erkannte ihn und sah ihn gerne, 20
der Sohn der edlen Giburg.
Der brannte drauf, die erste Tjost zu tun.
Ich weiß nicht, ob es so gekommen ist,
nur, daß sie alle mit Gewalt zerbrachen,
was in ihrer Hand daherkam: 25
da wurden fünfzehn Speere
auf den Markgrafen gestochen
und alle ganz zerbrochen.
Kaum hielt er sich vor ihnen auf dem Pferd.
Doch er vergaß Schoiuse nicht,

73 sein Schwert, mit dem er Schlag auf Schlag
dröhnend durch die Helme der Könige schlug.
Ihre Namen und ihre Reiche,
wo sie gewaltig
herrschten an der Spitze ihrer Fürsten, 5
die laßt euch nennen.
Da es zweiundsiebzig Sprachen gibt,
halt ich den für einen Dummkopf,
der nicht einsieht, daß zu jeder Sprache ein Land
gehört,
nach dem sie ihren Namen trägt. 10

sô man die zungen nennet gar,
ir nement niht zwelve des toufes war;
die andern hânt in heidenschaft
von wîten landen grôze kraft.
15 dâ heten dise ouch etswaz,
die dem marcrâven zeigeten haz.
der einer von Todjerne ist genant,
Ehmereiz, Tîbaldes sun erkant.
sô mac von Marroch Akarîn
20 mit êren vürsten herre sîn,
des *bâruckes* geslehte,
der mit kristenlîchem rehte
Gahmureten ze Baldac
bestatte, dâ von man sprechen mac:
25 welhe bivilde er im erkôs,
dâ er den lîp durh in verlôs;
wie sprach sîn eppitafium
(daz was ze jâmers siten vrum);
wie was *gehêrt* sîn sarkes stat,
alsô der bâruc selbe bat,
74 von smareit und von rubîn –
die rede lâzen wir nû sîn.
ich wil die künege nennen gar:
der künec Mattabel von Tafar;
5 der künec Kastablê von Komîs
(dô sach der marcrâve wîs,
der strît wolt in dâ niht vergên);
der künec Tampastê von Tabrastên
und der künec Goriax von Kordubin
10 (der truoc manheit und*e* sin);
der künec Haukauus von Nûbîâ
streit ouch vil manlîche dâ;
Kursaus von Barberîe,
von untât der vrîe;
15 der künec *Buver von Siglimessâ
und der künec Korsublê von Dannjatâ;
der künec Korsudê von Saigastin

Zählt man die Völker alle auf,
so zeigt sich, daß nicht zwölf von ihnen christlich sind;
die andern haben
weite Länder in der Heidenwelt.
Auch jene hatten dort ihr Land, 15
die den Markgrafen attackierten.
Einer von ihnen heißt nach Todjerne:
Emereiß, der Sohn von Tibalt.
Ebenso herrscht Akarin von Marrakesch
hochangesehen über Fürsten: 20
aus dem Geschlecht des Baruch stammte er,
der nach Christenrecht
Gamuret in Bagdad
bestattet hatte, wovon man erzählen kann:
wie er ihn dort begraben ließ, 25
wo er für ihn gestorben war;
was seine Grabschrift sagte
(das konnte Jammer wecken);
wie sein Grab geschmückt war
auf Anordnung des Baruch selbst
74 mit einem Smaragd und einem Rubin –
davon wollen wir jetzt schweigen.
Die übrigen Könige will ich nennen:
König Mattabel von Tafar;
König Kastablé von Komis 5
(erfahren, wie er war, sah der Markgraf,
daß es nicht ohne Kampf abging);
König Tampasté von Tabrastén
und König Goriax von Kordubin
(der war tapfer und gescheit); 10
König Haukauus von Nubien
kämpfte auch sehr tapfer da;
Kursaus von Barberie,
der nie Böses tat;
König Buver von Siglimessa 15
und König Korsublé von Damiette;
König Korsudé von Saigastin

(wênic was dâ sîn gewin);
der künec *Urabel von Korâsen
20 (des helm *enpfienc* dâ mâsen);
der künec Hastê von Alligues
vrâgete den marcgrâven des,
waz er wolde an sînen wec;
der künec Embrons von Alimec;
25 der künec Joswê von *Alahôz*.
daz bluot in durh die ringe vlôz,
allen, wan Gîburge sun. S. 582a
dem enwolt er dâ niht tuon.
daz enliez er durh in selben niht:
Gîburge diz maere des vrides giht.

75 in der geleite er dannen reit:
der marcrâve niht mit im enstreit.
sîn stiefsun Ehmereiz sprach sân:
»ei, waz dû lasters hâst getân
5 an mîner muoter al den goten
(dîn zouber nam's ûz ir geboten)
und *mînem* vater Tîbalt!
dar umbe Termis wirt gevalt
und al diu kristenheit durhriten.
10 dû hâst ze lange alhie gebiten:
mit tôde giltet nû dîn lîp,
daz ie sô wîplîchez wîp
durh dich zebrach unser ê.
daz tuot al mînem geslehte wê.
15 ich enschilt ir niht, diu mich gebar,
ob ich der zühte wil nemen war,
doch trag ich immer gein ir haz.
mir stüende diu krône al deste baz,
het ez Arabel niht verworht:
20 daz hât mîn scham sît dicke ervorht.«
dô Emereiz, Gîburge barn,
sô rîterlîche kom gevarn

(der machte da nicht viel Gewinn);
König Urabel von Korasen
(dessen Helm bekam da Scharten); 20
König Hasté von Alligues
fragte den Markgrafen,
warum er ihm den Weg vertrete;
König Embrons von Alimec;
König Joswé von Alahoß. 25
Das Blut floß ihnen durch die Kettenpanzer,
allen, außer Giburgs Sohn.
Dem wollte er nichts tun,
und zwar nicht um seinetwillen:
Giburg zuliebe hat er ihn geschont, sagt die
Geschichte.

75 Unter ihrem Schutz ritt er davon:
der Markgraf kämpfte nicht mit ihm.
Emereiß, sein Stiefsohn, fuhr ihn an:
»Ach, wie du alle Götter
an meiner Mutter geschändet hast 5
(mit Zauber hast du sie gezwungen, sich von ihnen
loszusagen)
und meinen Vater.
Dafür wird man Termis schleifen
und die Christenwelt verheeren.
Du bist zu lange hiergeblieben: 10
mit dem Tod bezahlst du jetzt,
daß eine so vollkommne Frau
um deinetwillen unsre heiligen Gesetze brach.
Darunter leidet meine ganze Sippe.
Ich schmäh sie nicht, die mich geboren hat 15
– das stünde mir nicht zu –,
doch werde ich sie immer hassen.
In Ehren trüge ich die Krone,
hätt es Arabel nicht verwirkt:
seither verfolgt mich Scham und Angst.« 20
Als Emereiß, der Sohn der Giburg,
so stattlich angeritten kam

und al sîn *wâpenlîchez* kleit
nie dehein armuot erleit
25 (wan ez was tiuwer und*e* lieht),
der marcrâve tet im nieht.
gein sîner rede er ouch niht sprach:
swes er von Gîburge jach,
daz wart im einen gar vertragen.
die anderen wunt und erslagen
76 wurden: ir ehte vluhen durh nôt,
siben aldâ belâgen tôt.
von den reit dô vürbaz
der marcrâve ûf niuwen haz
5 gein zwein künegen hôch gemuot.
daz wâren rîter als guot,
gein strîte rehte vlinse.
gein einem swaerem zinse
die helde bêde lâgen,
10 die maneges prîses pflâgen:
der eine von *Leus Nugruns
der werde künec Tenebruns
und Arofel von Persîâ
(die lâgen ir hers al eine dâ),
15 der Gîburge veter was.
ist in dem meien touwec gras
geblüemet durh den süezen luft –
dise zwêne durh prîs und durh ir guft
wâren baz geflôrieret
20 und alsô gezimieret,
daz *es* diu minne hete prîs. S. 582b
sold ich gar in allen wîs
von ir zimierde sagen,
sô müese ich mînen meister klagen,
25 von *Veldekîn*: der *kund ez* baz.
der waere der witze ouch niht sô laz,
er nande iu baz denne al mîn sin,
wie des iewedern vriundîn

und seine ganze Rüstung
nicht von Armut zeugte
(sie war kostbar und schimmernd), 25
tat ihm der Markgraf nichts.
Er gab ihm auch nicht Antwort:
was er über Giburg sagte,
wurde ihm alleine nachgesehen.
Die andern wurden verwundet und erschlagen:

76 acht von ihnen mußten fliehen,
sieben blieben tot zurück.
Von diesen ritt der
Markgraf weiter, einem neuen Kampf entgegen
mit zwei stolzen Königen. 5
Genauso gute Ritter waren das,
rechte Felsen, wenn's ans Kämpfen ging.
Daß sie da lagen, 9
mußten die zwei ruhmbedeckten Helden 10
schwer bezahlen: 8
der eine war der edle König 11
Tenebruns von Leus Nugruns,
der andre Arofel von Persien,
Giburgs Vaterbruder 15
(abseits von ihren Truppen lagen sie). 14
Treibt im Mai die milde Luft
Blumen aus dem taubenetzten Gras –
um Ruhmes willen und aus hochgemutem Stolz
glänzten diese zwei in schönerem Flor
und waren so geschmückt, 20
daß man die Minne dafür preisen muß.
Sollt ich
ihren Schmuck genau und bis ins letzte schildern,
dann müßt ich klagen, daß mein Meister tot ist,
von Veldeke: der könnt es besser. 25
Der wär auch nicht so ungeschickt
und würd euch treffender als ich mit meiner ganzen
Kunst erzählen,
wie eines jeden Freundin

mit spaecheit an si leite kost.
si gâhten ze ors ûf durh die tjost.
77 dô der marcrâve gein *ir her
reit, dâ wurden bêdiu sper
von rabîne gesenket,
und niht von im gewenket,
5 er liez et hurteclîchen kom*e*n.
dô bêde tjost*e* wâren genom*e*n
von dem marcrâven starc,
sîne reise er wênec barc:
er wolde et ze Oransch*e* hin,
10 dâ Gîburc, diu künegîn,
sîn herze nâhen bî ir truoc.
iewed*e*r künec ûf in sluoc
sô die smide ûf den ambôz.
Schoiûse wart der scheiden blôz
15 und manlîch gezucket
und bêde sporn gedrucket
Puzzât durh die sîten.
manlîch was ir strîten.
der künec Tenebruns lac tôt.
20 alrêste gap strîtlîche nôt
dem Franzois der Persân.
hurtâ, wie'z dâ wart getân!
die schildes schirben vlugen enbor!
ein swert der künec Pantanor
25 gap dem künege *Salatrê*;
der gab'z dem künege Antikotê;
der gab'z Esserê, dem emeral;
der gab'z dô als lieht gemâl
Aroffel, dem küenen:
der kund ouch wênic süenen.
78 *s*us kom daz swert von man ze man,
unz ez der Persân gewan,
Aroffel, der'z mit ellen truoc
*und vil genendeclîchen sluoc,
5 wand er mit strîte kunde

mit ausgesuchter Pracht sie kostbar ausgestattet hatte.
Sie liefen zu den Pferden, um die Speere zu verstechen.

77 Als der Markgraf zu dem Kampf
heranritt, wurden beide Speere
in rasendem Galopp gesenkt,
und er wich nicht aus,
sondern ließ den Ansturm kommen. 5
Als der Markgraf (er war stark) 7
beide Stöße abgefangen hatte, 6
wollt er weiterreiten:
es zog ihn nach Orange:
Giburg, die Königin, 10
trug dort sein Herz in ihrer Brust.
Die Könige schlugen auf ihn ein
wie die Schmiede auf den Amboß.
Aus der Scheide kam Schoiuse
und wurde tapfer hochgerissen, 15
und beide Sporen wurden
in die Flanken von Pussat gesetzt.
Sie kämpften tapfer.
König Tenebruns blieb auf dem Feld.
Jetzt erst brachte 20
der Perser den Franzosen ernstlich in Gefahr.
Hei, wie sie da kämpften!
Splitter von den Schilden flogen in die Luft!
Ein Schwert gab einst der König Pantanor
dem König Salatré; 25
der gab's dem König Antikoté;
der gab's dem Emir Esseré;
der gab's, noch immer glänzend schön,
Arofel, dem Kühnen:
der war kein Mann des Ausgleichs.

78 So ging das Schwert von Mann zu Mann,
bis es der Perser bekam,
Arofel, der's mit Kühnheit trug
und wagemutig mit ihm schlug,
denn er verstand zu kämpfen 5

und niemen vür sich gunde
deheinen prîs ze bejagen.
ich het iu vil ze sagen
von sîner hôhen werdekeit
10 und wie er den ruoft erstreit
und*er* al den Sarrazînen,
daz er sich kunde pînen
von hôher kost in wîbe gebot
und ouch durh sîner vriunde nôt,
15 berlîch im selben ouch ze wer. S. 583a
und*er* al dem Terramêr*es* her
was nind*er* bezzer rîter dâ
denne Arofel von Persîâ.
*vroun Gîburgen milte was geslaht
20 von im: er het'z dar zuo brâht,
daz nind*er* dehein sô miltiu hant
bî sînen zîten was bekant.
Arofel, der rîche,
streit genendeclîche.
25 er bejagt ê werdekeit genuoc.
daz ors mit hurte in nâher truoc,
daz die riemen vor einem knie
brâsten dort und hie.
ame lendenier si entstricket wart
von der hurteclîchen vart:

79 diu îserhose sanc ûf den sporn.
des wart sîn blankez bein verlorn.
halsberges gêr und kursît
und der schilt an der selben zît
5 wâren drab gerucket, deiz bein stuont blôz.
den blanken diechschenkel grôz
der marcrâve hin ab im swanc.
des küneges wer wart dô kranc.
er bôt ze geben sicherheit,
10 der ê genendeclîchen streit,
und dâ zuo hord*es* ungezalt.
von dem ors er wart gevalt.

und gönnte keinem,
ihn an Ruhm zu überflügeln.
Von seinem hohen Ansehn 9
hätt ich euch viel zu sagen, 8
und wie er sich bei allen Sarazenen 10
im Kampf den Ruf erworben hatte,
daß er Mühsal auf sich nehmen konnte
und keine Kosten scheute im Frauendienst
und um Freunden beizustehn
und natürlich auch in eigner Sache. 15
Im ganzen Heer von Terramer
war nirgendwo ein bessrer Ritter
als Arofel von Persien.
Daß Giburg so freigebig war, das hatte sie
von ihm: er hatte es dahin gebracht, 20
daß man zu seiner Zeit niemanden kannte, 22
der so aus vollen Händen schenkte. 21
Arofel, der Reiche,
kämpfte tapfer.
Er hatte schon viel Ruhm erworben. 25
Das Pferd trug ihn heran und prallte auf,
daß ihm vor dem einen Knie alle Riemen
rissen.
Am Gürtel löste sich der Beinschutz
durch den Aufprall:
79 er sackte auf den Sporn.
Das kostete sein weißes Bein.
Der Schoß des Kettenpanzers und das Kursit
und der Schild verrutschten im gleichen
Augenblick, so daß das ganze Bein entblößt war. 5
Den starken weißen Oberschenkel
schlug ihm der Markgraf ab.
Da war der König hilflos.
Er hatte kühn gefochten – 10
jetzt ergab er sich 9
und bot Schätze, unermeßliche, als Lösegeld.
Er war vom Pferd gestoßen worden.

der marcrâve erbeizet ouch dô.
des gevelles was er vrô.
15 Arofel âne schande
bôt drîzec helfande
ze Alexandrîe in der hab*e*,
und daz man gold*e*s naeme drab*e*,
swaz si mit arbeite
20 trüegen, und guot geleite
al dem horde unz in Pârîs.
»helt, dûne hâst deheinen prîs,
ob dû mir nimst mîn halbez leb*e*n.
dû hâst mir vreuden tôt gegeb*e*n.«
25 dô der marcrâve sîniu wort
vernam, daz er sô grôzen hort
vür sîn verschert leben bôt,
er dâhte an Vîvîanz*e*s tôt,
wie der gerochen würde,
unz daz sîn jâmers bürde
80 *e*in teil gesenftet waere.
den künec vrâget *e*r maere,
daz er im seite umb sînen art,
von welhem lande sîn übervart
5 ûf sînen schaden waere getân.
er sprach: »ich bin ein Persân.
mîn krône aldâ der vürsten pflac
mit kraft unz an disen tac.
nû ist diu swacheit worden mîn. S. 583b
10 ei, bruoder tohter, daz ich dîn
mit schaden ie sus vil engalt!
Arable und*e* Tîbalt,
laeget ir vür mich beidiu erslagen,
iuwern tôt man minr*e* solde klagen.«
15 der künec niuwan der wârheit jach.
der marcrâve mit zorne sprach:
»dû garnest al mîn herzesêr
und daz dîn bruoder Terramêr
mîne besten mâge ertoetet hât

Da saß auch der Markgraf ab.
Froh machte ihn der Sturz.
Arofel bot (und das war keine Schande) 15
dreißig Elefanten
im Hafen Alexandrias
und daß man soviel Gold von dort verschiffen
sollte, wie sie mit Mühe
tragen könnten, und sicheres Geleit 20
dem ganzen Schatz bis nach Paris.
»Held, es bringt dir keinen Ruhm,
nimmst du mir mein halbes Leben.
Mein Glück hast du getötet.«
Als der Markgraf 25
hörte, daß er einen solchen Schatz
für sein verstümmeltes Leben bot,
dachte er an Vivianz' Tod,
wie der zu rächen wäre,
bis seine eigne Schmerzenslast
80 ein wenig leichter würde.
Er fragte den König
nach seiner Abkunft,
aus welchem Land er übers Meer gefahren
sei zu seinem Schaden. 5
»Ich komme«, sagte der, »aus Persien.
Über Fürsten hab ich dort als König
mächtig geherrscht bis heute.
Jetzt bin ich erniedrigt.
Ach, Brudertochter, daß ich für dich 10
mit solchem Schaden zahlen mußte!
Arabel, Tibalt,
hätt man statt meiner euch erschlagen,
euer Tod wär weniger zu beklagen.«
Der König sagte nur die Wahrheit. 15
Darauf der Markgraf zornig:
»All mein Leid sollst du mir büßen
und daß dein Bruder Terramer
die Besten meiner Sippe tötete

20 und daz dîn helfeclîcher rât
dâ bî sô volleclîchen was.
ob al'z gebirge Koukesas
dîner hant ze geben zaeme,
daz golt ich gar niht naeme,
25 dûne gultest mîne mâge
mit des tôdes wâge.«
Arofel sprach: »mac iemen hân,
dar umbe dû mich halben man
alsus verhouwen lâzes leben,
des wirt dir vil vür mich gegeben.

81 nû sich, dort stêt Volatîn,
daz ors: dâ mit diu schulde mîn
gein dir waere vergolten gar.
ich nam durh mîne triuwe war
5 zehen künege, mînes bruoder kint,
die hie mit grôzer vuore sint:
durh die vuor ich von Persîâ.
ist in mînem rîche aldâ
iht, des dû gerst vür mînen tôt,
10 daz nim und lâz mich leben mit nôt!«
war umbe sold i'z lange sagen?
Arofel wart aldâ erslagen.
swaz harnasches und zimierde vant
an im des marcrâven hant,
15 daz wart vil gar von im gezogen
und *dez* houb*e*t sîn vür unbetrogen
balde ab im geswenket
und der wîbe dienst gekrenket.
ir vreuden urbor an im lac:
20 dâ erschein der minne ein vlüstic tac.
noch solden kristenlîchiu wîp
klagen sînen ungetouften lîp.
der marcrâve ninder vlôch,
ê daz er von im selben zôch
25 harnasch, *daz* er ê hete an.
ein bezzerz, daz der tôte man

und du mit Rat und Hilfe 20
so kräftig dazu beigetragen hast.
Wenn du den ganzen Hindukusch
verschenken könntest,
all das Gold nähm ich nicht zum Ersatz
dafür, daß du mit der Todeswaage 26
meine Verwandten aufwiegst.« 25
Arofel sagte: »Wenn irgendjemand etwas hat,
für das du mich halben Mann
so verstümmelt leben läßt,
gibt man dir viel davon für mich.
81 Schau, dort steht Volatin,
das Pferd: mit dem wär völlig abgegolten,
was ich dir schuldig bin.
Aus Treue habe ich in meine Obhut
zehn Könige genommen, die Söhne meines Bruders, 5
die hier mit viel Gefolgschaft sind:
um ihretwillen kam ich her von Persien.
Gibt es in meinem Reich dort
etwas, das du für mein Leben willst,
das nimm und laß mich elend leben!« 10
Was soll ich lange davon reden?
Arofel wurde dort erschlagen.
Harnisch und Waffenschmuck,
was der Markgraf an ihm fand,
alles wurde ihm vom Leib gezogen 15
und – ich lüge nicht – sein Kopf
in großer Eile abgeschlagen
und der Frauendienst geschädigt.
Er war der Acker ihrer Freudensaat gewesen:
ein schwarzer Tag war da gekommen für die Liebe. 20
Noch heute sollten auch die Christenfrauen
den ungetauften Mann beweinen.
Der Markgraf setzte seine Flucht nicht fort,
ohne den Harnisch abzulegen,
den er bis jetzt getragen hatte. 25
Einen bessern, den der Tote

gein im ze strîte brâhte,
balde er des gedâhte:
mit zimierde leit er'z an den lîp.
des bekant in niht sîn selb*es* wîp
82 sît, dô *es* im wart vil nôt,
swie kuntlîche rede er ir bôt.
diu zimierde gap kostbaeren schîn. S. 584a
Arofels ors, hiez Volatîn,
5 dâ ûf saz er alzehant.
bêdiu swert er umbe bant.
Arofels schilt er d*er* zuo nam,
der künge wol ze vüeren zam.
Puzzât, sîn ors, was sêre wunt.
10 den zoum er drab zôch an der stunt,
daz ez sich hungers werte.
mit im ez dan doch kêrte:
swâ sîn herre vor *im* reit,
die selben slâ ez niht vermeit.
15 sus reit der unverzagete,
sô daz in niemen jagete,
unz er Oransch ersach,
ûf dem palas sîn *liehtez* dach.
des wart sîn vreude erhoehet,
20 diu ê was gar gevloehet
ûz sîme herzen hin zetal.
von busînen hôrt er schal
und sach von rotte manegen stoup.
Terramêr het urloup
25 sîner toht*er* *sune* gegeb*en*,
daz er Gîburge ir leb*en*
ûf Oransch*e* naeme.
nû seht, wie daz gezaeme
von Griffânje Poidjus,
daz er sîner muomen sus
83 der sippe wolde lônen!
billîcher sold er schônen
ir und aller wîbe!

im Kampf mit ihm getragen hatte,
zog er kurzentschlossen
an mit allem Waffenschmuck.
Deshalb sollte ihn die eigne Frau
82 später nicht erkennen, als er drauf angewiesen war,
wie klar er ihr auch Auskunft gab.
Der Waffenschmuck sah prächtig aus.
Volatin, Arofels Pferd,
bestieg er eilig. 5
Beide Schwerter band er um.
Arofels Schild nahm er dazu,
der eines Königs würdig war.
Pussat, sein Pferd, war schwer verletzt.
Er löste ihm den Zaum, 10
daß es nicht verhungern mußte.
Doch lief es mit ihm fort:
wo sein Herr vor ihm ritt,
folgte es ihm auf der Spur.
So ritt der Unverzagte 15
unverfolgt,
bis er Orange erblickte,
das leuchtende Palas-Dach.
Das zog seine Freude hoch:
sie war zuvor aus seinem Herzen 20
hinabgeflüchtet worden.
Trompetenschall drang ihm ans Ohr,
Staubwolken sah er, aufgewirbelt von den Truppen.
Terramer hatte
seinen Tochtersohn ermächtigt, 25
Giburg
in Orange zu töten.
Urteilt selbst, wie das
dem Poidjus von Griffanje anstand,
daß er seiner Mutterschwester
83 die Verwandtschaft so vergelten wollte!
Er hätte
sie und alle Frauen schonen sollen!

ze schirme Gîburge lîbe
5 kom *geîlet* der künec Tesereiz.
vür wâr ich noch an wîben weiz,
swelh rîter het alsölhen site,
der Tesereiz wonte mite,
daz der möht ir minne hân.
10 des wîbes herze treit der man:
sô gebent diu wîp den hôhen muot.
swaz iemen werdekeit getuot,
in ir handen stêt diu sal.
wert minne ist hôch an prüevens zal.
15 die pfede und die strâze gar
verdecket wâren mit maneger schar,
swaz der gein Oransch*e* lac.
der marcrâve einer künste pflac,
daz sîn munt wol heidensch sprach;
20 sîn schilt was heidensch, den man dâ sach;
sîn ors was heidnisch, daz er reit;
al sîniu wâpenlîchiu kleit
gevuort ûz der heiden lant.
Willelm, der wîgant,
25 gein al den storjen kêrte.
sîn manheit in lêrte,
swâ die lücke giengen durh, S. 584b
ez waere ûf wisen od in der vurh,
daz er dâ sanfte stapfete.
des hers vil an in kapfete.

84 Poidjus von *Griffâne*
enthielt sich ûf dem *plâne*,
unz im sîn her kom gar.
er het ouch ze vil der schar
5 von Tes*e*reizes krefte.
der het ze geselleschefte
ûz sîn selbes lande dar gebeten
die von Sotters und die Latriseten
und die von Kollône;
10 ouch dienden sîner krône

Zum Schutz von Giburgs Leben
kam König Tesereiß geeilt. 5
Wie ich die Frauen kenne,
könnt ein Ritter, der sich so verhielte
wie Tesereiß,
ihrer Liebe sicher sein.
Die Männer tragen in der Brust das Herz der Frauen: 10
so spenden diese hochgemuten Stolz.
Was einer Rühmenswertes tut,
ist ihnen zuzuschreiben.
Edle Liebe ist ein hohes Gut.
Alle Pfade, alle Straßen 15
nach Orange 17
waren übersät von Truppen. 16
Der Markgraf sprach
die Heidensprache;
sein Schild war heidnisch, den er trug; 20
sein Pferd war heidnisch, das er ritt;
seine ganze Rüstung
stammte aus dem Heidenland.
Willehalm, der Held,
lenkte auf all die Truppen zu. 25
Unerschrocken
ritt er im Schritt gemächlich durch, 29
wo sich Lücken öffneten 27
auf Wiesen oder Äckern. 28
Viele aus dem Heer starrten ihm nach.

84 Poidjus von Griffanje
hielt auf dem Feld und wartete,
bis alle seine Truppen zu ihm aufgeschlossen hatten.
Er hatte eine Menge Scharen
aus dem Aufgebot des Tesereiß. 5
Der hatte angeordnet, daß mit ihm
aus seinem eignen Land
die von Syrien und die Latriseten
und die von Kollone hierher ziehen sollten;
auch waren seiner Krone 10

die von Pâlerne;
Tesereize ouch dienden gerne
die von Grikulânje
ûz der wilden muntânje
15 mit bogen und mit slingen,
dâ mit si kunden ringen.
der marcrâve niht vermeit,
durhz her gein Oransch er reit.
des kom er ze arbeite.
20 si pruoften ein gereite,
daz ûf dem wundem orse lac,
und eines sites, des er pflac,
daz er ein klein belzelîn
(daz selbe was lieht hermîn)
25 an zôch, dar ob er wâpen truoc
(des belzelîns ein gêre sluoc
hinden übern satelbogen);
und dô Puzzât vür unbetrogen
sô eben zogt ûf sîner slâ,
des bekanden in die heiden dâ.

85 si sprâchen: »jenez ors truoc den man,
von dem Pinel den tôt gewan,
und der uns *Erfiklande*n
ersluoc und Torkanden.
5 daz selbe ors den einen truoc,
der den künec Turpîûnen sluoc,
den rîchen, von Valturmîê.
swie'z umb disen rîter stê,
ich waene, der schade von im geschach:
10 diz ors im zoget sus eben nâch.
er ist vür wâr ein kristen
und wil von uns mit listen.
dort unden sîn hermîn gewant
ûz der Franzoiser lant
15 gein uns ist her gevüeret.«
dâ wart mit sporn gerüeret.
des enwas et dô dehein ander rât:

die von Palermo untertan;
weiter dienten Tesereiß ergeben
die von Grikulanje
aus den wilden Bergen
mit Bogen und mit Schleudern, 15
die sie im Kampf geschickt gebrauchten.
Unverdrossen ritt der Markgraf
mitten durch das Heer in Richtung auf Orange.
Das brachte ihn in Schwierigkeiten.
Das Reitzeug 20
des verletzten Pferds fiel ihnen auf
und daß er, wie es seine Art war,
einen leichten Pelzrock
(leuchtend weißen Hermelin)
unter seiner Rüstung trug 25
(ein Schoß des Rocks
fiel hinten über den Sattelwulst);
und weil Pussat unübersehbar
so haargenau auf seiner Spur nachzog,
erkannten ihn die Heiden.

85 »Das Pferd dort«, sagten sie, »das trug den Mann,
der Pinel tötete
und der uns Erfiklant
und Turkant erschlagen hat.
Dasselbe Pferd trug jenen, 5
der König Turpiun erschlug,
den Mächtigen, von Valturmié.
Wer immer dieser Ritter ist,
er hat uns, glaub ich, die Verluste zugefügt:
das Pferd läuft so genau auf seiner Spur. 10
Er ist gewiß ein Christ
und will uns schlau entkommen.
Der Hermelin dort unter seiner Rüstung
stammt
aus Frankreich.« 15
Da wurden den Pferden die Sporen gegeben.
Nichts half:

dâ ergienc mit poind*er* puntestât.
immer zweinzec ensamt stâchen
20 od mêr, daz gar zebrâchen
ûf im diu sper, *ze stücken* gar. S. 585a
in gap ein schar der anderen schar
von hant ze hant als einen bal.
sus vuorten s'in berge und tal.
25 Arofels ors Volatîn
und Schoiûs, daz swert sîn,
dâ wurden bürgen vür sîn leb*e*n.
dem wîbe lônes was vil gegeb*e*n,
der künec von Kullône,
bat in dâ rîten schône.

86 der vuor im dâ *naehest bî.
»ich wil *wizzen*, wer ditz sî«,
sprach Tesereiz, der minnen kranz.
des sper was lieht, von *varwen glanz.
5 er sprach: »ob dû getouf*e*t sîs,
sô enpfâch eine tjost durh den prîs.
ob dû'z der marcrâve bist,
half dir dô dîn herre Krist,
daz diu Arâboisinne
10 Arabel durh dîne minne
rîchiu lant und werde krône
dîner minne gap ze lône
(trüege sölh êre ein Sarrazîn,
als wont an dem prîse dîn,
15 des waeren alle uns*e*r gote gemeit),
ich wil durh dîne werdekeit
dich vor al den heiden nern,
benamen durh dîne minne wern.
mir enhât hie niemen vollen strît.
20 mîn her wol ebenhiuze gît
von Grikulânje unz an den Roten.
ich wil dich unsern werden goten
wol ze hulden bringen.
dâ mac dîn dienst wol ringen

es gab ein gewaltiges Stechen.
Immer zwanzig
oder mehr auf einmal stachen zu, daß 20
auf ihm die Lanzen in tausend Stücke sprangen.
Ein Trupp gab ihn dem andern weiter
von Hand zu Hand wie einen Ball.
So trieben sie ihn über Berg und Tal.
Arofels Pferd Volatin 25
und sein Schwert Schoiuse
bürgten für sein Leben.
Der viel Frauenlohn bekommen hatte,
der König von Kullone,
bat ihn, langsamer zu reiten.

86 Der ritt nah an ihn heran.
»Ich will wissen, wer das ist«,
sagte Tesereiß, der Ehrenkranz der Liebe.
Leuchtend bunt war seine Lanze.
»Bist du«, sagte er, »getauft, 5
dann stell dich einer Tjost um Ruhm.
Wenn du der Markgraf bist,
hat dir dein Herr Christ geholfen,
daß die Araberin
Arabel dich so liebte, daß sie 10
reiche Länder und eine hohe Krone
für deine Liebe hingab
(hätt ein Sarazene solche Ehre,
wie sie dein Ruhm dir bringt,
darüber wären unsre Götter alle froh), 15
dann will ich dich um deines Ansehns willen
vor allen Heiden retten,
um deiner Liebe willen schützen.
Mir ist niemand hier im Kampf gewachsen.
Mein Heer nimmt es mit allen auf 20
von Grikulanje bis zur Rhone.
Die Geneigtheit unsrer hohen Götter
will ich dir gewinnen.
Da kannst du im Kampf

25 nâch wîbe lôn und umb ir gruoz.
ob ich mit dir strîten muoz –
ich weiz wol: dêst der minne leit.
sô unsanfte ich nie gestreit
mit deheiner slahte man,
wand ich dir deheines schaden gan.«

87 er bat in dicke kêren,
und er wolde im rîcheit mêren:
er warp nâch fianze.
ze trevers wart ein lanze
5 ûf den marcrâven gestochen.
die begreif er unzerbrochen
und want si einem heiden ûz der hant.
des wart sîn tjost mit schaden erkant.
innen des rief Tesereiz:
10 »nû kêre, ob dich in dienste weiz
Arabel, diu künegîn!«
wider wart geworfen Volatîn
gein dem künege von Latriset*e*.
er leiste unsanfte sîne bet*e*.
15 hie wurden diu ors mit sporn genom*e*n. S. 585b
dâ was manheit gein ellen kom*e*n
und diu milte gein der güete,
kiusche und hôchgemüete,
mit triuwen zuht ze bêder sît:
20 der *aht schanze was der strît.
daz niunde was diu minne:
diu verlôs an ir gewinne.
von rabîne hurteclîchen
si liezen nâher strîchen.
25 dâ wart failieren gar vermiten
und bêdiu sper enzwei geriten.
diu tjost dâ sterben lêrte
Tesereizen, der ie mêrte
prîs, des diu werlt gereinet was.
geêret sî velt und*e* gras,

um Lohn und Gruß der Frauen dienen. 25
Wenn ich mit dir kämpfen muß –
ich weiß genau: das ist der Liebe leid.
So widerstrebte mir noch nie ein Kampf
mit irgendeinem Mann,
weil ich nicht will, daß du zu Schaden kommst.«

87 Immer wieder bat er ihn zurückzulenken,
er wolle ihn noch reicher machen:
er redete ihm zu, sich zu ergeben.
Eine Lanze wurde à travers
auf den Markgrafen gestochen. 5
Die ergriff er unzerbrochen
und wand sie einem Heiden aus der Hand.
Das gestattete ihm eine Tjost, die Schaden brachte.
Unterdes rief Tesereiß:
»Kehr um, wenn du 10
ein Diener Arabels bist, der Königin!«
Herumgeworfen wurde Volatin
hin zum König von Latriset.
Unsanft kam er seiner Bitte nach.
Die Pferde wurden mit den Sporen angetrieben. 15
Da stießen Tapferkeit und Mut zusammen,
Großherzigkeit und Edelmut,
Selbstbeherrschung und hochgemuter Stolz,
Menschlichkeit und höfische Gesittung beiderseits:
ein Los traf diese acht: das war der Kampf. 20
Als neunte war dabei die Liebe:
deren Gewinn war ihr Verlust.
Im gestreckten Galopp
sprengten sie aufeinander zu.
Da gab es kein Verfehlen: 25
zu Bruch geritten wurden beide Lanzen.
Die Tjoste lehrte Tesereiß, was sterben heißt,
den unentwegten Mehrer
des Ruhmes, der die Welt geläutert hatte.
Ehre sei dem Feld und Ehre sei dem Gras,

88 aldâ der minnaere lac erslagen.
daz velt solde zuker tragen
alumb ein tagereise.
der klâre, *kurteise*
5 möht al den bîen geben ir nar.
sît si der süeze nement war,
si möhten, waern's iht wîse,
in dem lufte nemen ir spîse,
der von dem lande kumt gevlogen,
10 dâ Tesereiz vür unbetrogen
sîn rîterlîchez ende nam.
der was der minne ein blüender stam,
den tôte des marcrâven hant.
den het ouch minne dar gesant.
15 Gîburge bote was wol ze wer.
mit poind*er* nam in vür daz her
ze *volge* und ze trevirs.
»Mahmet, und ganstû mir's«,
sprach maneg*er*, »ich begrîfe dich«.
20 an allen sîten maneg*en* stich
im manec geruowetiu storje bôt.
er vlôch dan, Puzzât lac tôt,
sîn ors: daz begund er klagen.
Schoiûs*e* wart dô vil geslagen
25 den heiden ze ungemache.
kastânjen boume ein schache
dâ stuont mit wînreben hôch.
in der dicke er in enpflôch.
snellîchen truoc in Volatîn
ze Oransch*e* vür die porte sîn.

89 alêrste twanc in jâmers nôt
umb sînes werden her*es* tôt
und Vîvîans*es*, sînes neven.
ein alt*er* kapelân, hiez Steven,
5 ûf der wer ob der porte stuont.
dem tet der marcrâve kunt,
daz er dâ selbe waere.

88 auf dem der große Liebende erschlagen lag.
Mit Zucker hätt das Feld bedeckt sein müssen
im Umkreis einer Tagereise.
Der schöne Mann, der höfische,
hätt dann allen Bienen ihre Nahrung geben können. 5
Da sie Süße suchen,
hätten sie sich, wären sie verständig,
in der Luft ernähren können,
die von dem Land her weht,
wo Tesereiß, wie wahrheitstreu berichtet, 10
sein ritterliches Ende nahm.
Ein blühender Stamm der Liebe war er,
die Hand des Markgrafen tötete ihn.
Auch diesen hatte Liebe hergesandt.
Giburgs Bote wußte sich zu wehren. 15
Das Heer ging ihn mit Lanzenstößen an,
von hinten, à travers.
»Mohammed, wenn du mir's gönnst«,
sagten viele, »dann erwisch ich dich!«
Von allen Seiten setzten 20
viele ausgeruhte Scharen Stich um Stich auf ihn.
Er floh davon, Pussat blieb tot zurück,
sein Pferd: darüber klagte er.
Mit Schoiuse wurde kräftig dreingeschlagen
und den Heiden Schaden zugefügt. 25
Ein Kastanienwäldchen stand da,
durch das sich hohe Reben rankten.
In dem Gestrüpp entkam er ihnen.
Rasch trug ihn Volatin
vor sein Stadttor nach Orange.

89 Jetzt erst packte ihn der Schmerz,
daß sein edles Heer gefallen war
und sein Neffe Vivianz.
Ein alter Kaplan – Stefan hieß er –
stand auf dem Wehrgang über dem Tor. 5
Dem gab sich der Markgraf
zu erkennen.

der geloubte niht der maere.
diu künegîn kom selbe dar. S. 586a
10 si nam der zimierde war:
der koste si bevilte;
si prüefte ouch bî dem schilte,
daz er ein heiden möhte sîn;
Arofels ors Volatîn
15 was niht sô Puzzât getân.
si sprach: »ir sît ein heidensch man!
wen waenet ir hie betriegen,
daz ir sus kunnet liegen
von dem marcrâven âne nôt?
20 sîn manheit im ie gebôt,
daz er bî den sînen streit
und vlühtec nie von in gereit
durh deheiner slahte herte.
maneger iu daz werte,
25 iuwer halden hie sô nâhen,
wan daz ez kan versmâhen
hie inne al mîner rîterschaft.«
dô was ir werlîchiu kraft
gedigen et an den kapelân:
dort inne was dehein and*e*r man.

90 der marcrâve zer künegîn
sprach: »süeziu Gîburc, lâ mich în
und gip mir trôst, den dû wol kanst:
nâch schaden dû mich vreuden manst.
5 ich hân mich doch ze vil gesent.«
si sprach: »ich enbin des niht gewent,
daz der marcrâve *al* eine
kume. mit eime steine
sol iu gewinket werd*e*n,
10 daz ir lig*e*t ûf der erd*e*n.
iuwers haldens ich iu hie niht gan.«
der heiden her*e*s ein woldan
wol vünf hundert mennische vuorten,

Er glaubte nicht, was der ihm sagte.
Die Königin kam selbst hinzu.
Sie musterte den Waffenschmuck: 10
zu kostbar schien er ihr;
auch ließ sie der Schild vermuten,
daß er ein Heide sei;
Volatin, Arofels Pferd,
war ganz anders als Pussat. 15
»Ihr seid ein Heide!«, sagte sie.
»Wen hofft ihr hier zu täuschen,
daß ihr so überflüssig lügt,
ihr wärt der Markgraf?
Der war immer Manns genug, 20
zu kämpfen an der Seite seiner Leute
und nie von ihnen wegzureiten und zu fliehn,
wie hart es zuging.
Viele könnten's euch verwehren,
hier so nah zu halten, 25
doch pfeifen drauf
hier drin all meine Ritter.«
Ihre Streitmacht war in Wahrheit
dahingeschmolzen bis auf den Kaplan:
dort drin war sonst kein Mann.

90 Der Markgraf zu der Königin:
»Giburg, Geliebte, laß mich ein
und gib mir Trost – du kannst ihn geben:
nach all dem Leid erinnerst du mich dran, daß es auch
Freude gibt.
Ich hab mich allzusehr gesehnt.« 5
Sie sagte: »Ich bin's nicht gewöhnt,
daß der Markgraf alleine
kommt. Mit einem Steine
wird man euch winken,
daß ihr auf dem Boden liegt. 10
Ich laß nicht zu, daß ihr hier bleibt.«
Ein Trupp des Heers der Heiden
führte wohl fünfhundert Menschen ab,

die si mit geiselen ruorten.
15 daz wâren die kristen armen.
die begunden sêre erbarmen
Gîburge, diu si hôrte und sach.
zem marcrâven si dô sprach:
»waeret ir herre dis*e*s land*e*s,
20 ir schamt iuch maneges pfand*e*s,
als iuwer volc dort lîdet.
ob ir helfe bî den mîdet,
sô weiz ich wol, daz ir'z niht sît.«
»Munschoi« wart geschrît
25 und ûf geworfen ûz der hant
Schoiûs: des ecke wâren bekant.
dâ wart gehardieret
und alsô gepungieret:
swen er erreichte, der lac dâ tôt.
die heiden vluhen vor durh nôt.

91 olbenden und dromendarîs
dâ beliben, gelad*e*n in maneg*e*n wîs
mit wîne und mit spîse. S. 586b
der marcgrâve wîse
5 Arofels wâpen dâ genôz,
wan des kraft was sô grôz
über al der heiden her,
daz ir neheiner kom ze wer.
si vorhten, daz er'z waere,
10 und erschracten sô *der* maere,
daz's ir gewin liezen stên.
die soume hiez er wider gên.
über al der kristen liute bant
ûf sneit des marcrâven hant.
15 er *bat et wid*e*r trîben.
er enliez dâ niht belîben,
swaz im ze nutze tohte.
mit êren er dô mohte
kom*e*n vür die porten sîn.
20 dannoch wânt diu künegîn,

die sie mit Geißeln trieben.
Arme Christen waren das. 15
Die erbarmten Giburg sehr,
die sie sah und hörte.
Zu dem Markgrafen sagte sie:
»Wärt ihr hier der Landesherr,
dann würdet ihr euch schämen, 20
daß soviele eurer Untertanen dort als Geiseln leiden.
Helft ihr denen nicht,
weiß ich genau, daß ihr's nicht seid.«
»Munschoi« wurde gerufen
und aus der Hand Schoiuse hochgeworfen: 25
dessen Schneiden waren bekannt.
Da wurde angegriffen
und mit der Lanze so gestürmt:
wen er erwischte, stürzte tot zu Boden.
Die Heiden mußten fliehen.

91 Kamele, Dromedare
blieben da zurück,
mit Wein und Nahrungsmitteln reich beladen.
Der schlaue Markgraf
profitierte nun davon, daß er Arofels Rüstung trug, 5
denn dessen Macht war so gewaltig
im ganzen Heer der Heiden,
daß sich von ihnen keiner wehrte.
Sie fürchteten, daß er es sei,
und erschraken so darüber, 10
daß sie die Beute stehen ließen.
Die bepackten Tiere dirigierte er zurück.
Allen diesen Christen
schnitt der Markgraf mit eigner Hand die Fesseln auf.
Er befahl, die Tiere zu der Stadt zu treiben. 15
Nichts ließ er da,
was er brauchen konnte.
Mit Ehren durfte er sich nun
wieder vor sein Tor begeben.
Doch war die Königin noch immer überzeugt, 20

daz si waere verrâten.
înlâzens dicke bâten
der marcrâve und diu erlôste diet.
der küneginne vorhte riet,
25 daz si'en marcrâven mante,
daz in doch wênic schante:
»dô ir durh âventiure
bî Karlen, dem lampriure,
nâch hôhem prîse runget
und Rômaere betwunget –
92 eine mâsen, die ir enpfienget dô
durh den bâbest Lêô,
die lât mich ob der nasen sehen:
sô kan ich schiere daz gespehen,
5 ob ir'z der marcrâve sît.
alêrst ist înlâzens zît.
hân ich denne ze lange gebiten,
ich kan mit vorhtlîchen siten
umb iuwer hulde werben
10 (daz enlâz ich niht verderben)
mit dienstlîchem koufe.«
der helm und diu *goufe*
wart ûf gestricket und ab gezogen.
diu künegîn was *unbetrogen*:
15 die mâsen si bekante.
mit vreuden si in nante:
»Willelm ehkurneis,
willekomen, werder Franzeis!«
si bat die port ûf sliezen.
20 er moht ê niht geniezen,
swaz er ir ze künde sagete:
daz si vil dicke klagete.
dô s'im mit vorhten manegen kus
gap, der marcrâve alsus
25 sprach: »Gîburc, süeze amîe,
wis vor mir gar diu vrîe,
swaz ich hazzes ie gewan, S. 587a

daß man sie täuschen wolle.
Der Markgraf und die befreiten Leute 23
baten noch und noch um Einlaß. 22
Da riet der Königin die Furcht,
den Markgrafen an etwas zu erinnern, 25
das doch keine Schande für ihn war:
»Als ihr, euer Glück erprobend,
an der Seite Karls, des empereur,
um hohen Ruhm gestritten
und die Römer überwunden habt –
92 eine Narbe, die ihr euch da holtet
im Einsatz für Papst Leo,
die laßt mich auf der Nase sehen:
dann kann ich schnell erkennen,
ob ihr der Markgraf seid. 5
Dann erst ist's Zeit, euch einzulassen.
Hab ich dann zu lang gezögert,
will ich mich in Furcht
um eure Huld bemühen
(so gut ich kann, will ich das tun) 10
und sie durch Ergebenheit verdienen.«
Helm und Kopfschutz
wurden gelöst und abgenommen.
Die Königin sah sich nicht getäuscht:
sie erkannte die Narbe. 15
Freudig rief sie seinen Namen:
»Wilhelm au court nez,
willkommen, edler Franzose!«
Sie befahl, das Tor zu öffnen.
Vorher hatte es ihm nichts genützt, 20
was er auch sagte, daß sie ihn erkennen sollte:
immer wieder klagte sie darüber.
Als sie ihn, voll Furcht, mit Küssen überhäufte,
sagte der Markgraf:
»Giburg, süße amie, 25
was ich je empfand an Haß und Wut, 27
soll dich nicht treffen, 26

wan ich gein dir niht zürnen kan.
nû geb*e*n beide ein and*er* trôst:
wir sîn doch trûrens unerlôst.«

93 des wort*e*s Gîburc sêre erschrac.
si gedâhte: »ob ich in vrâgen mac
der rehten maere von Alischanz,
ob er selbe und Vîvîanz
5 daz velt behabeten mit gewalt
gein dem künege Tîbalt
od wie'z dâ ergangen waere?«
al weinende si vrâgete maere:
»wâ ist der klâre Vîvîanz,
10 Mîle und*e* Gwigrimanz?
ouwê dîn ein*e*s komenden vart!
wâ ist Witschart und Gêrhart,
die gebruod*er* von Blavî,
und dîn geslehte ûz Komarzî,
15 Sansôn und Jozzeranz
und Hôwes von Meilanz
und der pfall*e*nzgrâve Bertram
(der selbe dînen vanen nam)
und Hûnas von Sanct*e*s,
20 dem dû nie gewanct*e*s
deheines dienstes, noch er dir?
herre und vriunt, nû sag*e* mir,
wâ ist Gautiers und Gautîn
und der blanke Gibalîn?«
25 der marcrâve begunde klagen.
er sprach: »ich enkan dir niht gesagen
von ir ieslîches sund*er* nôt.
berlîch Vîvîanz ist tôt.
in mîn *selbes* schôze *ich sach*:
der tôt sîn jungez herze brach.

94 mir hât dîn vater Terramêr
gevrum*e*t mangiu herzesêr
und tuot noch, ê er'z lâze.
mîn vlust ist âne mâze.«

denn dir kann ich nicht zürnen.
Laß uns einander Trost und Hilfe sein:
wir haben Grund zu trauern.«

93 Giburg erschrak darüber sehr.
Sie dachte: »Ob ich ihn fragen kann,
was auf Alischanz geschehen ist,
ob er selbst und Vivianz
das Feld behaupten konnten 5
gegen König Tibalt
oder wie's da ergangen ist?«
Heftig weinend sagte sie:
»Wo ist der schöne Vivianz,
Mile und Gwigrimanz? 10
Ach, daß du allein gekommen bist!
Wo sind Witschart und Gerhard,
die Brüder von Blaye,
und deine Verwandten aus Commercy,
Sanson und Josseranz 15
und Howes von Mailand
und der Pfalzgraf Bertram
(der trug deine Fahne)
und Hunas von Saintes,
dem du nie 20
einen Dienst versagtest, noch er dir?
Herr und Geliebter, sag mir doch,
wo sind Gautiers und Gaudin
und der blonde Gibelin?«
Der Markgraf klagte: 25
»Ich kann dir nicht berichten,
was sie alle leiden mußten.
Sicher weiß ich: Vivianz ist tot.
Ich sah – er lag in meinem Schoß –,
wie ihm der Tod sein junges Herz zerbrach.

94 Dein Vater Terramer hat mir
viel Leid gebracht
und wird mir noch mehr bringen, eh er's läßt.
Mein Verlust ist unermeßlich.«

5 dô ez Gîburc het alsus vernom*e*n,
daz ir vater selbe waere kom*e*n
ûf Alischanz von über mer,
si sprach: »al kristenlîchiu wer
mac im niht widerrîten.
10 sîn helfe wont sô wîten –
von Orient unz an Bozzidant,
dar zuo al *indîâischiu* lant,
von Orkeise her unz an Marroch,
dar zuo den wîten strich dannoch
15 von Griffânje unz an Rankulât –
die best*e*n er mit im hie hât,
sîne man und al mîn künne.
uns nâhet swachiu wünne.
het wir doch sölhe kraft,
20 daz *si* an den zingelen rîterschaft
und hie zen porten müesen holn, S. 587b
dâ von si möhten schaden doln!
ich erkenne si sô vermezzen:
wir werden hie besezzen.
25 nû wer sich wîp und man:
niht bezzers râtes ich nû kan.
'ez naehste gedinge ist unser leb*e*n,
daz sul wir niht sô gâhes geb*e*n:
si mugen wol schaden erwerben,
ê daz wir vor in sterben.

95 *O*ransch ist wol sô veste,
ez gemüet noch al die geste.«
manlîch sprach daz wîp,
als ob si manlîchen lîp
5 und mannes herze trüege.
er was wol sô gevüege,
daz er si nâhen zuo z'im vienc.
ein kus dâ vriuntlîch ergienc.
unverzagetlîch er sprach:
10 »nâch senfte hoeret ungemach.
wer möht ouch haben den gewin,

Als Giburg hörte, 5
daß ihr Vater selbst nach Alischanz gekommen war
aus seinem Reich jenseits des Meeres,
sagte sie: »Die ganze Heeresmacht der Christen
reicht nicht aus, ihn abzuwehren.
Truppen aus sovielen Ländern hat er – 10
von Orient bis Bossidant
mit allen Ländern Indiens,
von Orkeise bis nach Marrakesch
mit dem weiten Streifen
von Griffanje bis nach Rankulat – 15
die besten hat er hier bei sich,
seine Vasallen, meine Verwandten alle.
Auf uns kommt schwache Freude zu.
Wären wir doch stark genug,
sie an den Mauern 20
und den Toren hier zum Kampf zu zwingen,
so daß sie Schaden davon hätten!
Ich weiß, daß sie so kühn sind:
wir werden hier belagert.
Nun sollen sich die Frauen und die Männer wehren: 25
ich weiß mir keinen bessern Rat.
Unserm Leben gilt die erste Sorge,
das sollen sie so schnell nicht kriegen:
es wird sie etwas kosten,
bevor wir sterben von ihrer Hand.

95 Orange ist stark genug befestigt,
daß es den Gästen noch zu schaffen macht.«
Mannhaft redete die Frau,
als ob sie einen Männerleib
hätte und ein Männerherz. 5
Er fand die rechte Antwort:
er nahm sie in den Arm.
Sie küßten sich voll Zärtlichkeit.
Tapfer sagte er:
»Auf gute Tage müssen schlechte folgen. 10
Wer wär so reich,

als ich von dir berâten bin
an hôher minne teile,
sîn leb*e*n waere dar umbe veile
15 und allez, daz er ie gewan?
*süezen trôst ich vor mir hân,
mahtû behalten dise stat:
manec vürste, den ich's noch nie gebat,
durh mich rîten in diz lant.
20 mit swerten loes ich dîniu bant,
swaz si dir mit gesezze tuont.
mîner mâge triuwe ist mir wol kunt.
dar zuo der roemisch künec ouch hât
mîne swest*e*r, der mich nû niht lât.
25 mîn alt*e*r vat*e*r von Naribôn
sol dir mit dienste geben lôn,
swaz er und elliu sîniu kint
von dînem prîse geêr*e*t sint.
nû sag ûf dîne wîpheit:
ist dir mîn dar rîten leit
96 od liep mîn hie belîben?
swar mich dîn rât wil trîben,
dar wil ich kêren unz an den tôt.
dîn minne ie dien*e*st mir gebôt,
5 sît mich enpfienc dîn güete.«
nû kom daz her mit vlüete.
der künec von *Marroch Akkarîn*
dâ kom mit maneger storje sîn.
Terramêr, der vogt von Baldac,
10 gewâpent gein Oransch*e* pflac
gâhens, swaz er mohte.
swaz al des her*e*s tohte,
beidiu ze orse und ze vuoz
vür Oransch*e* komen muoz.
15 sölh was der banier zuovart: S. 588a
als al die boume in Spehtshart
mit zendâl *waeren* behangen.
si newurden niht enpfangen

wie du mich machst
mit deiner hohen Liebe,
und wagte dafür nicht sein Leben
und all sein Hab und Gut? 15
Tröstliche Hoffnung sehe ich vor mir,
gelingt es dir, die Stadt zu halten:
viele Fürsten, die ich noch nie gebeten habe,
mir zu Hilfe in dies Land zu reiten.
Mit Schwertern lös ich deine Fesseln, 20
wie schrecklich sie dich auch belagern.
Ich kenn die Treue meiner Sippe.
Auch hat der römische König zur Gemahlin
meine Schwester: der läßt mich nicht im Stich.
Mein alter Vater, der Fürst von Narbonne, 25
wird dir mit seiner Hilfe lohnen,
was ihm und allen seinen Kindern
durch deinen hohen Rang an Ansehn zugeflossen ist.
Sag mir bei deiner Frauenehre:
ist es dir leid, wenn ich zu ihnen reite,
96 und lieb, wenn ich hier bleibe?
Wohin dein Rat mich schickt,
will ich gehn bis in den Tod.
Meine Liebe machte mich zu deinem Diener,
seit du gnädig mich erhört hast.« 5
Da kam das Heidenheer herangeflutet.
König Akarin von Marrakesch
kam mit vielen Kampfverbänden.
Terramer, der Schirmer Bagdads,
eilte gewappnet nach Orange, 10
so schnell er konnte.
Soweit das Heer kampftüchtig war,
muß es auf Pferden und zu Fuß
vor Orange aufmarschieren.
So sah die Ankunft der Banner aus: 15
wie wenn im Spessart alle Bäume
mit Taft behangen wären.
Sie wurden nicht

mit strîtes gegenreise.
20 Willelm, der kurteise,
al die porten und drob die wer
bevalh er dem erlôsten her,
daz er in dem woldan
bî den soumen dort gewan.
25 den gap er manlîchen trôst
und mante, wie si waeren erlôst,
daz si dar an gedaehten,
swenne in die heiden naehten.
*v*il steine kint und wîp
ûf die were truoc, ieslîch*e*s lîp
97 sô si meiste mohten erdinsen.
si wolten'z leben verzinsen.
Terramêr dô selbe niht vermeit,
ze vâre umb Oransch er reit:
5 sîner tohter schaden er spehete.
dô daz her gar verscheh*e*te,
ieslîch storje mit ir kraft,
daz si dehein*e* rîterschaft
an zingeln und an porten
10 wed*e*r sâhen noch enhôrten,
die man ze orsen solte tuon,
Fâbors, Terramêr*e*s sun,
gap ieslîchem künege stat,
als in sîn vat*e*r *ligen* bat.
15 Terramêr und Tîbalt
sich schône leiten mit gewalt
vor der porten gein dem palas,
dâ Gîburc selbe ûf*e* was.
zwêne künege rîch erkant,
20 Bohereiz und Korhesant,
ander sîten lâgen,
die *wîter* ringe pflâgen.
zuo den loischierte
manec vürste, der zimierte
25 mit hôher koste sînen lîp –

mit einem Gegenstoß empfangen.
Wilhelm, le courtois, 20
hatte alle Tore und den Wehrgang oben
den befreiten Leuten anvertraut,
die er in dem Trupp
bei den bepackten Tieren dort gewonnen hatte.
Denen sprach er mannhaft zu 25
und erinnerte sie, wie sie freigekommen waren,
daß sie daran denken sollten,
wenn sich die Heiden ihnen näherten.
Die Kinder und die Frauen
trugen viele Steine auf den Wehrgang,
97 was sie nur schleppen konnten.
Sie wollten etwas für ihr Leben tun.
Terramer ritt höchstpersönlich
lauernd um Orange herum:
er spähte aus, wie er der Tochter schaden könnte. 5
Als das Heer am Ziel war,
jeder Verband mit seinen Kriegern,
und sie von
berittenen Attacken 11
an den Mauern und den Toren 9
nichts sahen und nichts hörten, 10
wies der Terramersohn Fabors
jedem König seinen Platz an,
wo er nach dem Willen seines Vaters lagern sollte.
Terramer und Tibalt 15
ließen sich mit allem Kriegsvolk prächtig nieder
vor dem Tor, das auf den Palas ging,
in dem Giburg selbst sich aufhielt.
Zwei Könige, reich und mächtig,
Bohereiß und Gorhesant, 20
lagerten in weitem Kreis 22
auf der andern Seite. 21
Bei denen schlugen
viele Fürsten ihre Zelte auf, die sich
höchst kostbar ausgerüstet hatten – 25

ich waene, dâ heime durh diu wîp.
die zwô *sîte sint beleg*en*.
wer sol der dritten port*en* pfleg*en*,
diu ûz gienc gein dem plân*e*?
der künec von Grifân*e*
98 und der künec Margot von Bozzidant
und der *hürnîn* Gorhant
die pflâgen der dritten porten.
zer *vierden* sîten hôrten
5 Fâbors und Ehmereiz,
Morgwanz und Passigweiz,
Gîburge drî bruod*e*r und ein ir sun.
si mohten'z ungerne tuon,
die junge künege hôch gemuot. S. 588b
10 wie diu vünfte sî behuot?
der pflac der künec Halzebier.
noch mêr ist ir benennet mir:
Amîs und Kordeiz
und der künec Matribleiz
15 und Josweiz, der rîche.
der lac wol dem gelîche,
daz Matusales sîn vater:
die werden ûz den boesen jat er
sô den distel ûz der sât.
20 sînes vat*e*r helfe und des rât
vrumt *in* ûz sîme lande
über mer ân alle schande,
wand er vuorte maneg*e*n helt,
die gein vîenden wâren erwelt.
25 drîzec künege *wârn im benant
und manec eskelier vil rîch erkant,
amazzûr und emeral.
die swuoren dô sund*e*r twâl
diz gesez z'eime jâr vür die stat,
als si Tîbalt durh râche bat.

für die Frauen zuhause, denk ich.
Die beiden Seiten sind besetzt.
Wer übernimmt das dritte Tor,
das auf die Ebene hinausging?
Der König von Griffane
98 und König Margot von Bossidant
und Gorhant mit der Haut aus Horn:
die übernahmen das dritte Tor.
An der vierten Seite waren
Fabors und Emereiß, 5
Morgwanz und Passigweiß postiert,
drei Brüder und ein Sohn der Giburg.
Sie taten das nicht gern,
die jungen, stolzen Könige.
Wer auf der fünften Seite Wache hielt? 10
Die übernahm der König Halzebier.
Weitere sind mir genannt:
Amis und Kordeiß
und der König Matribleiß
und Josweiß, der Reiche. 15
Ein Lager hatte dieser aufgeschlagen, daß man sah,
daß Matusales sein Vater war:
aus dem Feld der Edlen pflegte der die Schlechten
auszujäten
wie die Disteln aus der Saat.
Von seinem Vater ausgerüstet, 20
war er aus seinem Land
jenseits des Meeres hergesandt – mit großen Ehren,
denn viele Helden waren mit ihm,
ausgesuchte Krieger.
Dreißig Könige waren ihm unterstellt 25
und viele Eskelire, mächtige und reiche,
Almansure und Emire.
Ohne Zögern schworen sie,
die Stadt ein Jahr lang zu belagern,
wie Tibalt sie, bedacht auf Rache, bat.

99 *O*ransch wart umbelegen,
als ob ein wochen langer regen
niht wan rîter güzze nider.
wir hân daz selten vreischet sider,
5 daz sô manec kostebaer gezelt
vür eine stat über al daz velt
sô rîchlîch wurde ûf geslagen.
durh sîn *gemach* und durh ir klagen
Gîburc den marcrâven dan
10 vuorte, den strîtes müeden man,
dô daz ûzer her verzabelt was
und daz *inner wol* genas,
sô daz in niem*e*n stürmen bôt
und daz gestillet was diu nôt.
15 in ein kemenâten gienc
Gîburc, diu ez sus an vienc
mit ir amîse:
dâ entwâpent in diu wîse.
si schouwete an den stunden,
20 ob er hete deheine wunden,
der si von pfîlen etslîche vant.
diu künegîn mit ir blanken hant
gelâsûrten dictam
al blâ mit vinaeger nam
25 und sô die bône stênt gebluot –
die bluomen sint ouch dar zuo guot:
ob der pfîle dâ waere belib*e*n,
dâ mit er wurde her ûz getrib*e*n.
si bant in sô, daz Anfortas
mit bezzerem willen nie genas,

100 und umbevienc in ân*e* nît.
ob dâ schimpfes waere zît?
waz sol ich dâ von sprechen nû? S. 589a
wan ob si wolden grîfen zuo
5 ze bêder sîte ir vrîheit,
dâ engein si niht ze lange streit,

99 Orange wurde so umlagert,
als ob's in wochenlangem Regen
nichts als Ritter schüttete.
Uns ist nicht bekannt, daß man jemals wieder
kostbare Zelte in so großer Zahl 5
vor einer Stadt, das ganze Feld bedeckend,
so prächtig aufgeschlagen hätte.
Um ihn zu pflegen und sich selber auszuweinen,
führte Giburg den Markgrafen fort,
den kampfesmüden Mann, 10
als sich das äußre Heer beruhigt hatte
und das innere in Frieden war,
so daß sie keiner angriff
und die Lage sich entspannte.
In eine Kemenate ging 15
Giburg und tat folgendes
mit ihrem ami:
sie half ihm aus der Rüstung – sie wußte, wie.
Auf der Stelle sah sie nach,
ob er Wunden hätte: 20
hier und da fand sie welche, die von Pfeilen stammten.
In ihre weiße Hand nahm die Königin
lasurierten Diptam,
ganz blau, versetzt mit Essig,
und das, was an den Bohnen blüht – 25
die Blüten sind auch dazu gut:
wär ein Pfeil im Fleisch geblieben,
würd er davon herausgetrieben.
Sie verband ihn so, daß man nicht sagen kann,
die Rettung des Anfortas sei eifriger betrieben
worden,

100 und nahm ihn zärtlich in den Arm.
Ob das der Moment war, um ein Spiel zu treiben?
Was soll ich dazu sagen?
Nur dies: wenn sie sich
beide nehmen wollten, was ihnen zustand, 5
so wehrte sie sich nicht zu lang,

wand er was ir und si was sîn –
ich *grîfe* ouch billîch an daz mîn.
si vielen *samt ân allen haz
10 von palmât ûf ein matraz.
al senfte was ouch diu künegîn,
reht als ein jungez genselîn
an dem angriffe linde.
mit Terramêr*e*s kinde
15 wart lîhte ein schimpfen dâ bezalt,
swie zornic er und Tîbalt
dort ûz ietwed*e*r waere.
ich waene, dô ninder swaere
den marcrâven schuz noch slac.
20 dar nâch diu küneginne dô pflac,
si dâhte an sîne arbeit
und an sîn siuftebaer*e*z leit
und an sîn *unvuoge vlust.
daz houb*e*t sîn si ûf ir winster brust
25 leite: ûf *ir* herzen er entslief.
mit andaeht*e* si dô rief
hin ze ir schepfaere alsus:
»ich geloub, Altissimus,
daz dû got, der hoehiste, bist
vil staete ân allen valschen list

101 unt daz dîn wâriu Trînitât
vil tugenthafter bermede hât.
sît daz wir nû z'erbarmen sîn,
ich und der geselle mîn,
5 und daz wir vriunde hân verlorn,
die dû dir selbe hâst erkorn
in der engele gesellekeit,
swer nâch selher helfe streit
ûf Alischanz in dînem nam*e*n,
10 sich mac dîn gotheit wol scham*e*n,
ob wir's werden niht ergetzet,
daz wir nû sîn geletzet

denn er gehörte ihr und sie gehörte ihm –
ich lege mit demselben Recht die Hand auf das, was
mir gehört.
Sie glitten miteinander engumschlungen
auf ein Polsterbett von Palmatseide. 10
Ganz weich war auch die Königin,
zart anzufassen 13
wie ein Gänseküken. 12
Mit der Tochter Terramers
war da leicht zu einem Spiel zu kommen, 15
wie zornig ernst es ihm und Tibalt,
den beiden, draußen war.
Ich denk, dem Markgrafen
tat da kein Schuß und Schlag mehr weh.
Danach kam der Königin 20
seine Mühsal wieder in den Sinn
und sein Leid, das herzzerreißende,
und sein furchtbarer Verlust.
Sie legte seinen Kopf auf ihre linke Brust:
auf ihrem Herzen schlief er ein. 25
Mit Inbrunst rief sie da
zu ihrem Schöpfer:
»Ich glaube, Altissimus,
daß Du, Gott, der Höchste,
treu bist ohne Falschheit
101 und daß Du, wahre Trinität,
helfendes Erbarmen hast.
Da wir erbarmungswürdig sind,
ich und mein Mann,
nachdem wir die verloren haben, die uns nahe waren, 5
die Du Dir selbst erwählt hast
in den Kreis der Engel
(alle, die um solche Gnade kämpften
auf Alischanz, in Deinem Namen) –
Schande wär's da, Gott, für Dich, 10
wenn wir nicht entschädigt würden
für die Freude, die wir hatten auf der Welt 13

aller wereltlîcher wünne,
dirre man an sîme künne
15 und die mir wâren undertân.
nû lern ich, des ich nie began,
eins jaemerlîchen trôstes gern:
des müeze mich dîn güete wern,
daz sich kürze nû mîn leb*en*,
20 sît mir mîn vat*er* hât gegeb*en*
sus ungevüege râche.
zwô und sibenzec sprâche,
der man al der diet*e* giht,
die enmöhten gar volsprechen niht
25 *mîne vlüstebaeren *sêre,
ich enhab der vlüste dannoch mêre.
ei, Vîvîanz, *bêâs amîs*, S. 589b
dînen durhliuhtigen hôhen prîs,
wie den diu werlt beginnet klag*en*!
wie moht der tôt an dir betag*en*?

102 dû bist benam*en* der eine,
den ich vor ûz sô meine,
daz ich enpfâhe *immer nôt
der gelîch, die mir dîn tôt
5 wil künfteclîchen werb*en*.
wan mües ich vür dich sterb*en*
und ouch vür and*er* vriunde mîn,
die gein den heiden tâten schîn
manege rîterlîche tât!
10 daz der darbet und*e* mangel hât,
mîn klagend*er* vriunt ûz erkorn!
ei, waz ich *hôhes* *prîses hân verlorn:
maneges heldes triuwe, die ich vant,
dô ich der Arboise lant
15 und den künec und des kint verliez
und der touf den ungelouben stiez
von mir und daz ich kristen wart!
nû hât mînes vat*er* nâchvart
mir disiu *herzesêr* getân.

und die uns jetzt genommen ist: 12
die Verwandten diesem Mann
und mir die Untertanen. 15
Jetzt lern ich – ich hab's nie getan –,
eine jammervolle Gnade zu erflehen:
gewähre mir in Deiner Güte,
daß ich nicht länger leben muß,
nachdem mein Vater mich 20
mit so fürchterlicher Rache heimgesucht hat.
Zweiundsiebzig Sprachen,
die es – sagt man – unter Menschen gibt,
könnten meinen schmerzlichen Verlust 25
nicht in Worte fassen: 24
es bliebe immer etwas ungesagt.
Ach, Vivianz, bel ami,
deine hohe Herrlichkeit, die strahlende,
wie die von aller Welt beklagt wird!
Wie hat der Tod dich nehmen können?

102 Du bist doch der einzige,
den ich so liebe, vor den andern,
daß mich kein Leid mehr treffen kann
wie das, das mir dein Tod
für alle Zeiten gibt. 5
Könnte ich doch für dich sterben
und auch für meine andern Freunde,
die so tapfer mit den Heiden
kämpften!
Daß der beraubt ist und Entbehrung leidet, 10
mein klagender Freund, der herrliche!
Ach, wieviel hohen Ruhm hab ich verloren:
die Treue vieler Helden, die ich fand,
als ich der Araber Land
verließ und den König und seine Kinder 15
und die Taufe mich vom Heidentum
befreit hat und ich Christin wurde!
Jetzt hat die Verfolgung meines Vaters
mir dieses Leid getan.

20 daz müese Tîbalt hân verlân.«
ir herzen ursprinc was sô grôz:
durh diu ougen ûf die brust *ir* vlôz
an des marcrâven wange
vil wazzers. niht ze lange
25 er lac, unz daz *ez* in wacte.
vor schanden gar *der* nacte
und der hôhen vreude ein weise,
Willelm, der kurteise,
gap der küneginne guoten trôst
und jach, si wurde wol erlôst.

103 »got ist helfe wol geslaht:
der hât mich dicke ûz angest brâht.
hilfet mir nû sîn geleite
durhz her ân arbeite,
5 sô kum ich schiere wider zuo dir.
vrouwe, nû solt dû sagen mir
belîbens ode rîtens rât:
dîn gebot ietwed*e*rz hât.«
Gîburc sprach: »dîn ein*e*s hant
10 mac *von* al der heiden lant
den liuten niht gestrîten:
dû muost nâch helfe rîten.
von Rôme rois Lâwîs
und dîne mâge sulen ir prîs
15 an dir nû lâzen *schîn.
ich belîb in disem pîn,
sô daz ich halde wol ze wer
Oransch*e* vor der heiden her
unz an der *Franzoisaere* kom*e*n
20 oder daz ich hân den tôt genom*e*n,
ob noch groezer waere ir maht.« S. 590a
der tac het ende *und was* nû naht.
der marcrâve alêrst enbeiz
gâh*e*s pitit mangeiz:
25 daz truogen juncvrouwen dar.
sîn harnasch lac bî im gar:

Dazu hatte Tibalt nicht das Recht.« 20
Die Quelle ihres Herzens strömte so:
viel Wasser floß ihr durch die Augen auf die Brust,
dem Markgrafen an die Wange.
Nicht sehr lange
lag er so, bis ihn das weckte. 25
Nackt und bloß an Schande,
ein Waisenkind des Glücks,
Wilhelm, le courtois,
tröstete die Königin
und sagte, sie würde gewiß erlöst.

103 »Es ist das Wesen Gottes, daß er hilft:
er hat mich oft aus Not gerettet.
Hilft mir sein Geleit jetzt
sicher durch das Heer,
dann kehr ich bald zu dir zurück. 5
Herrin, nun mußt du mir sagen,
ob ich bleiben oder reiten soll:
bei dir liegt die Entscheidung.«
Giburg sagte: »Deine Hand allein
kann das Volk aus allen Heidenländern 10
nicht bekämpfen:
du mußt Hilfe holen.
Roi Louis von Rom
und deine Sippe werden
an dir zeigen, daß ihr Ruhm zu Recht besteht. 15
Ich bleib in dieser Not
und verteidige
Orange vor dem Heer der Heiden,
bis die Franzosen kommen
oder bis zum Tod, 20
wenn sie übermächtig sind.«
Der Tag verging, es war nun Nacht.
Jetzt erst nahm der Markgraf
schnell ein petit manger:
das trugen Edelfräulein auf. 20
Neben ihm lag seine ganze Rüstung:

snellîch er wart gewâpent drîn
mit al der zimierde sîn.
unlange er danne vürbaz gie,
unz in diu künginne umbevie.

104 *Gîburc* sprach: »herre markîs,
lâz dînen erwelten prîs
an mir nû wesen staete,
daz dû durh *iemens raete
5 wenkest an mir armen,
und lâze mich dir erbarmen!
denke an dîne werdekeit!
ich weiz wol, daz dir waere bereit
in Francrîche manec wîp,
10 sô daz si ir êre und ir lîp
mit minne an dich wante:
ob denne dîn güete erkante,
waz ich durh dich hân erliten,
der wer wurde an mich gebiten.
15 ob die klâren Franzoisinne
dir nâch dienst*e* bieten minne,
daz si dich wellen ergetzen mîn,
sô denke an die triuwe dîn!
und ob dir iemen gebe untrôst,
20 daz ich nimmer werd erlôst,
den lâz von dir rîten:
vüere, die *turren gestrîten!
und denke, waz ich durh dich liez:
daz man mich ze Arâb hiez
25 al der vürsten vrouwe!
dennoch was ich in der schouwe,
daz man mir klârheit jach,
vriunt und vîent, swer mich sach.
dû möhtes mich noch wol lîden,
und solt uns kumber mîden.«

rasch wurde sie ihm angelegt
mit allem Waffenschmuck.
Er war nicht weit gegangen,
als ihn die Königin umarmte.

104 Giburg sagte: »Herr Marquis,
bewähr an mir jetzt 3
deinen hohen Ruhm 2
und laß dich nicht bereden,
mich Arme zu verraten, 5
und erbarm dich über mich!
Denk an deine Ehre!
Ich mache mir nichts vor:
so manche Frau in Frankreich würde dir
Ruf und Leben opfern 10
und gerne ihre Liebe schenken:
wenn du, in deiner Güte, dann bedenken wolltest,
was ich für dich gelitten hab,
dann würdest du geduldig warten, bis ich dir meine
Liebe wieder geben kann.
Wenn die schönen Französinnen 15
für deinen Minnedienst dir ihre Liebe bieten,
um dich zu entschädigen für mich,
dann denk an deine Treue!
Und wenn dir einer deine Hoffnung nehmen will und
sagt,
man könne mich doch nicht befreien, 20
laß ihn reiten:
führ die hierher, die kühn genug sind, um zu kämpfen!
Und denk dran, was ich aufgegeben hab für dich:
daß man mich in Arabi
die Herrin aller Fürsten nannte! 25
Damals war
meine Schönheit noch berühmt
bei Freund und Feind, bei allen, die mich sahen.
Gewiß könnt ich dir noch gefallen,
wenn das Unglück von uns abläßt.«

105 er gap des fianze,
daz diu jâmers lanze
sîn herze immer twunge,
unz im sô wol gelunge,
5 daz er si dâ erlôste
mit manlîchem trôste,
und lobt ir *dennoch* vürbaz,
daz er durh liebe noch durh haz
nimmer niht verzerte
10 von spîse, diu in nerte,
niht wan wazzer und*e* brôt,
ê daz er ir bekanten nôt
mit swertes strîte erwante.
alsus in von ir sante
15 Gîburc, diu künegîn. S. 590b
dar wart gezogen Volatîn.
al weinende wart er ûz verlân,
diu porte sanfte ûf getân.
nû *was* diu schiltwache
20 alumbe daz her mit krache,
mit manger sund*e*r storje grôz.
der marcgrâve anderstunt genôz
Arofels wâpen, diu er truoc.
des hers im widerreit genuoc.
25 si sprâchen her und dâ:
»diz ist der künec von Persîâ!«
in nert ouch, daz er heidnisch sprach.
unverzagt er marcte und ersach
ein*e* strâze, die er rekande,
gein der Franzois*e*r lande.

105 Er gelobte,
daß der Speer des Kummers
in seinem Herzen stecken bliebe,
bis es ihm gelungen sei,
sie mit tapfrer Hilfe 6
zu befreien. 5
Und er versprach ihr weiter,
wie sehr man ihn auch locken oder zwingen wolle,
nur das Nötigste 10
zu sich zu nehmen, 9
nichts als Brot und Wasser,
bis er die Not, die sie ertragen mußte,
mit dem Schwert beendet hätte.
So hieß ihn Giburg gehn,
die Königin. 15
Man brachte Volatin.
Unter Tränen wurde er hinausgelassen,
nachdem man leis das Tor geöffnet hatte.
Patrouillen
ritten mit Getöse um das Heer, 20
viele große Einzeltrupps.
Der Markgraf profitierte wiederum davon,
daß er Arofels Rüstung trug.
Viele ritten ihm entgegen aus dem Heer.
Sie sagten zueinander: 25
»Da kommt der König von Persien!«
Auch half ihm, daß er heidnisch sprach.
Unerschrocken suchte er und fand
eine Straße, die er kannte:
sie führte ins Franzosenland.

106 Daz her vür Oransch*e* pflac
komens unz an den vünften tac;
dennoch vuoren's allez dar,
manec siuftebaeriu schar,
5 den herren und mâge wâren beleg*e*n
tôt: die muosen jâm*e*rs pfleg*e*n.
si jâhen, Apollo und Tervigant
und Mahmet waeren geschant
an ir gotlîchem prîse.
10 Terramêr, der wîse,
dicke vrâgete maere,
wie'z dâ ergangen waere.
daz moht er eine niht gar gesehen,
*swaz dâ wund*e*rs was geschehen
15 an den hôch rîchen werden.
gevohten ûf der erden
wart nie sô schad*e*haft*e*r strît
sît her von an*e*genges zît.
Arofel von Persîâ
20 in maneger zungen sprâche aldâ
wart beklagt, ouch Tes*e*reiz,
Pînel und *Poufameiz*
und der milte Noupatrîs,
Eskelabôn, der manegen prîs — S. 591a
25 bezalt*e* durh der wîbe lôn.
von *Boctânje der künec Talimôn
wart mit den anderen ouch geklag*e*t.
Turpîûn, der unverzag*e*t,
der künec von Valturnîê,
des tôt der heidenschefte tet wê.
107 dô si den schaden gewisten
und mit der wârheit vermisten
drîer und zweinzec künege, die dâ tôt
wâren belegen, Terramêr*e*s nôt

106 Der Aufmarsch vor Orange
zog sich bis zum fünften Tag;
auch später rückten unablässig noch
Scharen über Scharen an, Trauernde,
denen Herren und Verwandte umgekommen 5
waren: sie hatten Grund zu klagen.
Sie sagten, daß Apoll und Tervigant
und Mohammed geschändet wären
an ihrer Götterehre.
Terramer, der doch so kampferfahren war, 10
mußte immer wieder fragen,
wie's da zugegangen sei.
Mit eignen Augen hatte er nicht alles sehen können,
was Unerhörtes sich ereignet hatte
an den Mächtigen und Edlen. 15
Nie war, von Anbeginn der Zeiten, 18
ein so verheerendes Gefecht 17
auf der Erde ausgetragen worden. 16
Arofel von Persien
wurde da in vielen Sprachen 20
beklagt, auch Tesereiß,
Pinel und Paufameiß
und Naupatris, der so gern schenkte,
Eskelabon, der großen Ruhm
erworben hatte im Kampf um Frauenlohn. 25
Von Boctanje König Talimon
wurde auch beklagt mit all den andern,
Turpiun, der Unverzagte,
der König von Valturnié,
dessen Tod die Heiden schmerzte.

107 Als sie die Verluste überblickten
und mit Sicherheit
dreiundzwanzig Könige vermißten,
die gefallen waren, da gönnte Terramers Betrübnis

5 pflac dô deheiner vîre.
amazzûr und eskelîr*e*
und emeral*e* ungezalt
der lac sô vil dâ tôt gevalt,
daz'z âne prüeven gar beleip.
10 diu vlust dô Terramêren treip
in sô herzebaere klage,
des waere erstorb*en* lîhte ein zage.
dô sprach er trûreclîche:
»swer giht, daz ich sî rîche,
15 der hât mich unreht erkant,
swie al der heidenschefte lant
mit dienste stên ze mînem gebot*e*.
ich mac der kristenheite got*e*
alêrste nû grôzes wunders jehen:
20 selh wunder ist an mir geschehen,
daz ein *hant vol* rîter mich
hât nâch entworht durh den gerich,
daz ich den ungelouben rach,
den man von mînem kinde sprach,
25 Arabeln, diu Tîbalde enpfuor.
ûf mînen goten ich dô swuor,
daz ich den goten ir êre
sô geraeche, daz nimmer mêre
dehein mîn kint des zaeme,
daz ez den touf genaeme

108 durh Jêsum, der selb*e* truoc
ein kriuze, dâ man in an sluoc
mit drîen nageln *durh* sîn verh.
mîn geloube *stüend* entwerh,
5 ob ich geloubte, daz der starp
und in dem tôde leben *erwarp*
und doch sîn eines *waeren* drî.
ist mir mîn alt geloube bî,
sô waen ich, daz sîn Trînitât
10 an mir deheine volge hât.
er mac wol guote rîter hân:

sich keine Pause. 5
Almansure, Eskelire
und Emire ohne Zahl
waren da soviele auf dem Feld geblieben,
daß man sie gar nicht registrierte.
Der Verlust trieb Terramer 10
in so fürchterliches Leid,
daß es einen Schwächling leicht getötet hätte.
Traurig sagte er:
»Wer behauptet, ich sei mächtig,
der täuscht sich über mich, 15
wenn auch die ganze Heidenwelt
mir dienstbar zu Gebote steht.
Jetzt muß ich zum ersten Mal bekennen:
der Christengott kann große Wunder tun:
ein solches Wunder ist an mir geschehen, 20
daß eine Handvoll Ritter mich
beinah vernichtet hat,
als ich den Verrat am Glauben rächte,
den meine Tochter, wie man sagt, begangen hat,
Arabel, die Tibalt verließ. 25
Auf meinen Götterbildern hab ich da geschworen,
daß ich den Göttern ihre Ehre
so rächen würde, daß nie wieder
eines meiner Kinder darauf verfallen sollte,
die Taufe zu empfangen
108 um Jesu willen, der selbst
das Kreuz getragen hat, an das man ihn
mit drei Nägeln schlug durch seinen Leib.
Es wäre doch absurd,
wenn ich glaubte, daß der starb 5
und von den Toten auferstand
und daß er *drei* und gleichwohl *einer* ist.
Hab ich noch meinen alten Glauben,
dann, denk ich, findet seine Trinität
an mir keinen Jünger. 10
Sicher, er hat gute Ritter:

des engalt mîn veter Bâligân,
der mit dem keis*er* Karle vaht,
dô al der heidenschefte maht
15 von dem entschumpfieret wart.
vür wâr nû ist mîn hervart
kreftiger und wîter brâht.
ich wil und hân mir des erdâht, S. 591b
daz ich manege unkunde nôt
20 Arabeln *gebe* und smaehen tôt,
des Jêsus gunêret sî:
der wille ist mînem herzen bî.«
die zem êrsten kômen und*e* sider,
die wolten Oransch*e* nider
25 mit sturme dicke brechen,
herren und mâge rechen
an Gîburge, der künegîn.
si heten werlîchen sin,
die der stet dort inne pflâgen,
swie zornic die ûzern lâgen.

109 der marcrâve ist durh si kom*en*
âne schaden. nû wirt vernom*en*
alêrst, wie'z umbe triuwe vert.
bon âventiure in het ernert
5 und ouch Gîburge saelekeit.
beide er beleip und reit:
in selben hin truoc Volatîn,
Gîburc behielt daz herze sîn.
ouch vuor ir herze ûf allen wegen
10 mit im: wer sol Oransch*e* pflegen?
der wehsel rehte was gevrumt:
ir herze hin ze vriunden kumt,
sîn herze sol sich vîenden wern,
Gîburge vor untrôste nern.
15 nû solt ir herze senfte hân:
dô was in beiden trûren lân.
Gîburc Oransch und ouch ir leb*en*
ir vater sô niht wolde geb*en*,

das hat mein Onkel Baligan gespürt,
der mit dem Kaiser Karl gekämpft hat,
als das ganze Heidenheer
von dem vernichtet wurde. 15
Nun ist, weiß Gott, mein Aufgebot
gewaltiger und noch mehr Länder haben es beschickt.
Ich bin entschlossen,
Arabel unerhörten Qualen auszusetzen
und einem schimpflichen Tod, 20
daß es für Jesus eine Schmach ist.
Von ganzem Herzen will ich das.«
Alle, die gekommen waren, die ersten wie die spätern,
drängten drauf, Orange
im Sturm zu brechen, 25
zu rächen Herren und Verwandte
an Giburg, der Königin.
Die Kampfmoral
der Verteidiger war ausgezeichnet,
wie angriffslustig auch die draußen waren.

109 Der Markgraf ist durchs Heer gekommen,
heil und gesund. Jetzt erst kann man hören,
was Treue ist.
Bonne aventure hat ihn gerettet
und daß Gottes Hand auf Giburg lag. 5
Er war geblieben und geritten:
ihn selbst trug Volatin davon,
Giburg behielt sein Herz bei sich.
Auch ging ihr Herz auf allen Wegen
mit ihm: wer soll Orange beschützen? 10
Der Tausch war gut:
ihr Herz kommt zu Verwandten,
sein Herz bekämpft die Feinde
und gibt Giburg Kraft.
Jetzt hätt ihr Herz zur Ruhe kommen sollen, 15
doch beiden blieb ihr Kummer.
Giburg war nicht bereit, Orange und auch ihr Leben
ihrem Vater so zu überlassen,

daz er si selben tôte
20 und drab die kristen nôte,
den ungelouben mêren.
er bôt ir driu dinc z'êren,
daz si der einez naeme mit der wal:
daz si in dem mere viele ze tal,
25 umb ir kel einen swaeren stein;
ode daz ir vleisch und ir bein
ze pulver wurden gar verbrant;
od*e* daz si Tîbalts hant
solte hâhen an einen ast.
si sprach: »der wol gezogene gast
110 erbôt ie zuht der wirtîn.
war tuostû, vater, dînen sin,
daz dû mir teilest selhiu spil,
der ich niht kan noch enwil?
5 ich mac noch bezzer schanze weln.
mir sulen die Franzoiser zeln:
die nelâzent mir niht übersagen.«
innen des *begunde ez* tagen:
diu rede ergienc bî einer naht
10 und wart sît and*e*rs volbrâht.
si vrâgeten: »wâ ist der markîs?«
si sprach: »der hât durh sînen prîs S. 592a
einen turnoi genom*e*n
und wil dâ her wider kom*e*n
15 schiere durh den willen mîn:
der sol vor disen porten sîn.
dâ mac man schouwen, wer daz velt
behab*e*t durh der minne gelt.
er hât nû liute ein teil verlorn
20 und ist der schade noch unverkorn.
ir gunêrten Sarrazîne,
etlîche mâge mîne,
ir welt hie beiten grôzer nôt:
iu kumt der zwîvalte tôt.
25 doch ir mir bietet tôde drî,

daß er sie selber tötete
und drauf die Christen mit Gewalt 20
dem Heidentum zuführte.
Drei »Ehrungen« bot er ihr an –
sie sollte wählen:
auf den Grund des Meers zu sinken
mit einem schweren Stein am Hals, 25
mit Haut und Haar
zu feinem Staub verbrannt
oder von Tibalt eigenhändig
an einen Ast geknüpft zu werden.
Sie sagte: »Der wohlerzogne Gast
110 ist höflich zu der Hausfrau.
Wo denkst du, Vater, hin,
daß du mich zwischen Spielen wählen läßt,
die ich nicht kann und auch nicht will?
Wart's ab: ich werde besser würfeln. 5
Die Augen, die ich werfe, sollen die Franzosen zählen:
die erlauben nicht, daß man mich übertrumpft.«
Inzwischen kam der Tag herauf:
in einer Nacht war das Gespräch begonnen worden –
es wurde später anders abgeschlossen. 10
Sie fragten: »Wo ist der Marquis?«
»Der hat«, sagte sie, »sich vorgenommen
zu turnieren, um Ruhm zu ernten,
und wird bald hierher wiederkommen
um meinetwillen: 15
vor diesen Toren findet das Turnier statt.
Da kann man sehen, wer das Feld
um Minnelohn behaupten wird.
Ein paar Leute hat er jetzt verloren,
und der Verlust ist noch nicht wettgemacht. 20
Ihr verdammten Sarazenen,
meine Verwandten,
schwere Not habt ihr hier zu erwarten:
zweifacher Tod steht euch bevor.
Ihr bietet mir drei Tode an, 25

die zwêne sint iu nâhen bî:
dis*e*s kurzen leb*e*ns ende
und der sêle unledic geb*e*nde
vor iuwerem gote Tervigant,
der iuch vür tôren hât erkant.«

111 dô Terramêr vil rehte ersach,
daz deheines sturmes ungemach
Oransche möht ertwingen,
dô si niht wolten dingen,
5 dô hiez er wurken antwerc,
ez waere tal ode berc,
alumbe an allen sîten:
er wolt die stat erstrîten.
drîboc und*e* mangen,
10 ebenhoech ûf siulen langen,
igel, katzen, pfet*e*raere:
swie vil ieslîches waere
ûf Gîburge schaden geworht,
daz het si doch ze mâze ervorht.
15 nû lac alumbe an der wer
almeistic tôt ir kleine her.
eine kunst si dô gewan,
daz *si* ieslîchem tôtem man
hiez helme ze houbte binden.
20 swaz man schilde mohte vinden,
si waeren niuwe oder alt,
dâ mit die zinne wâren bestalt.
die newancten niht durh zag*e*heit:
den selben was liep und*e* leit
25 iewederz al gelîche.
der marcrâve sorgen rîche,
swie balde er von Gîburge streich,
sîn gedanc ir nie gesweich:
der was ir z'Oransche bî.
ob ich nû niht sô sinnic sî,

dabei sind euch die beiden nah:
das Ende dieses kurzen Lebens
und die Gefangenschaft der Seele, aus der euch
Tervigant nicht retten kann, euer Gott,
der erkannt hat, daß ihr Narren seid.«

111 Als Terramer gesehen hatte,
daß kein Sturmangriff, und sei er noch so hart,
Orange bezwingen konnte,
und als sie nicht verhandeln wollten,
ließ er Belagerungsmaschinen bauen, 5
in den Tälern, auf den Höhen,
überall an allen Seiten:
er wollte die Stadt erobern.
Triböcke und Mangen,
hochgestelzte Entertürme, 10
Igel, Katzen, Pfeterer:
wieviel man davon
baute, um Giburg zu verderben,
sie fürchtete sich nicht davor.
Nun lagen ringsum auf dem Wehrgang 15
die meisten tot aus ihrem kleinen Heer.
Sie griff zu einer List
und ließ jedem Toten
einen Helm aufschnallen.
Was man an Schilden finden konnte, 20
neue oder alte,
die wurden auf den Zinnen aufgestellt.
Die brachte keine Furcht ins Wanken:
Freud und Leid
war denen eins. 25
Wie schnell der sorgenreiche Markgraf
Giburg auch verlassen hatte,
seine Gedanken wichen nicht von ihr:
die waren bei ihr in Orange.
Fehlt es mir jetzt an Kunst,

112 *d*az ich gesagen künne ir nôt,
sô lât'z iu erbarmen doch durh got.
ich enhân der zal niht vernom*e*n,
wie maneges tages waere kom*e*n
5 ze Orlens der marcrâve unverzag*e*t.
sîn herberge ist mir gesag*e*t, S. 592b
daz er die schoenen stat vermeit
und eine smaehe gazzen reit
vor dem graben in ein hiuselîn,
10 aldâ sîn ors Volatîn
sich kûme ûf gerihte:
zem jâmer er sich pflihte.
im was al hôher muot geleg*e*n:
des wolt er sus noch sô niht pfleg*e*n.
15 er schuof dem orse sîn gemach –
und ouch dem wirte, daz der jach,
daz *im nie gast sô wol erbôt.
niht wan *wazzer* und*e* brôt
im selbem er ze spîse nam.
20 sîn vreude was an kreften lam.
s'morgens vruo huop er sich dan.
nû was ein gewaltic man
in der stat dâ vür bekant,
daz im'z geleite was benant:
25 von dem künege het er daz.
der wolt kêren sînen haz
ûf den marcrâven âne nôt,
der rehte gegenrede im bôt.
er sprach: »ich bin wol zolles vrî:
mir gêt hie last noch soume bî –
113 ich bin ein rîter, als ir seht.
ob ir deheinen schaden speht,
den ich dem lande *hân getân,
des sult ir mich engelten lân.
5 die sât ich bî den strâzen meit,
al der diet*e slâ* ich reit:
diu solt der werelde gemeine sîn;

112 ihre Not zu schildern,
so sollt ihr doch um Gottes Willen Mitleid haben.
Ich habe nicht erfahren,
am wievielten Tag
der unverzagte Markgraf Orléans erreichte. 5
Von seinem Nachtquartier ist mir berichtet,
daß er die guten Viertel mied
und durch eine Gasse, schmutzig und verrufen,
zu einem Häuschen vor dem Graben ritt,
in dem Volatin, sein Pferd, 10
kaum aufrecht stehen konnte:
er hatte sich verpflichtet, kümmerlich zu leben.
Gesunken war sein ganzer hochgemuter Stolz:
auf keine Weise wollte er den pflegen.
Er sorgte für sein Pferd – 15
und für den Wirt, so daß der sagte,
nie hätt er einen bessern Gast gehabt.
Nichts als Brot und Wasser
nahm er selber zu sich.
Kraftlos war seine Freude. 20
In aller Frühe brach er auf.
Nun war da ein hoher Herr,
dem in der Stadt
das Geleitrecht übertragen war:
er hatte es vom König. 25
Der wollte, ohne jeden Grund,
den Markgrafen schädigen,
der ihm korrekte Antwort gab.
Er sagte: »Ich muß kein Geleitgeld zahlen:
ich führe keine Handelswaren mit –
113 ein Ritter bin ich, wie ihr seht.
Stellt ihr fest,
daß ich das Land geschädigt habe,
laßt mich ein Bußgeld zahlen.
Die Felder längs der Straße hab ich nicht betreten, 5
den Weg, den alle nehmen, ritt ich:
der ist doch wohl für jeden da;

mir selben und dem orse mîn
hân ich vergolten unser nar.«
10 der rihtaer und die sînen gar
heten in vaste umbehab*e*t.
an allen sîten zuo gedrab*e*t
diu komûne von der stat
kom, als si der rihtaer bat.
15 der sprach, er müeste zollen
mit alsô grôzem vollen,
daz er des schaden enpfünde.
ez was iedoch ein sünde,
daz man in niht rîten liez.
20 der rihtaer die sînen hiez,
daz si in naemen in den zoum.
er sprach: »ditze ors deheinen soum
treit wan mich und disen schilt.
ez wirt ê an den ort gespilt . . .«
25 daz swert muos et ab her vür.
den zol ich an der naehsten tür
durh niemen gerne holte,
den der rihtaer dâ dolte:
des houbtes er dô kürzer wart.
des marcrâven durhvart S. 593a

114 *e*npfienc vil manegen swert*e*s swanc;
ouch macht er rûm, dâ was gedranc.
sus muos er houwen durh die stat,
liute und ors, alsölhen pfat,
5 daz sîn strâze wart al wît.
vaste hardierte in der strît:
manec wunt man wid*e*r von im vlôch.
die sturemglocke man dô zôch.
*ez solt diu stat laster hân,
10 daz si gein dem einem man
des *gerüeftes* sich enbarten.
mit rotte si sich scharten.
nû was er ouch ze velde kom*e*n.
des wart sît schade von im vernom*e*n.

für mich selbst und für mein Pferd
hab ich bezahlt, was wir verzehrten.«
Der Richter hatte ihn mit seinen Leuten 10
eng umstellt.
Von allen Seiten kam
die Bürgerwehr herangetrabt,
wie der Richter ihr befohlen hatte.
Der sagte, er müsse 15
soviel Geleitgeld zahlen,
daß es ihm weh tun sollte.
Doch war es Unrecht,
daß man ihn nicht reiten ließ.
Der Richter gab Befehl, 20
ihn beim Zaum zu nehmen.
Der Markgraf sagte: »Dieses Pferd
trägt keine Last als mich und diesen Schild.
Eher wird va banque gespielt . . .«
Wieder mußte das Schwert heraus. 25
Das Geleitgeld wollt ich an der nächsten Tür
nicht holen, egal für wen,
das da der Richter nehmen mußte:
er wurde um den Kopf verkürzt.
Wo der Markgraf durch die Menge ritt,
114 drosch man mit Schwertern auf ihn ein:
er aber räumte im Gedränge auf.
So haute er sich durch die Stadt,
durch Leute und durch Pferde, derart Bahn,
daß sich ihm eine breite Straße öffnete. 5
Er kam in Rage von dem Kampf:
viele Verletzte flohen vor ihm.
Da läuteten sie Sturm.
Schande über die Stadt,
daß sie gegen den einen Mann 10
das Feldgeschrei erhoben!
Der Verfolgungstrupp formierte sich.
Unterdessen hatte er das freie Feld gewonnen.
Das ging übel aus für sie.

15 si zogten im nâch ûf sîner slâ,
dise hie, die andern dâ.
er stapfte in sanfte *unvlühtic* vor.
unz wider gein dem bürgetor
tet si sîn umbe kêren.
20 des begund ir schade sich mêren.
wider wart geworfen Volatîn.
»Monschoi«, der krîe sîn,
wart mit ruofe niht geswig*e*n.
schiere der poind*e*r *wart gedig*e*n
25 unz wider gein *den porten.
si vluhen an al den orten.
het er sünde niht ervorht,
dâ waere von im der schade geworht,
des den werlîchen ie gezam.
einem er eine lanzen nam.

115 sîn strît begund in leiden.
wider in die scheiden
daz swert wart gestecket.
in die stat getrecket
5 wart dâ von al dem komûne.
dô zogt er ûz gein Munlêûne.
Ernalt, fiz kons de Narbôn,
erhôrt den jaemerlîchen dôn,
den man in al den gazzen rief.
10 dennoch lac er und*e* slief.
er wacte, die vor im lâgen:
vil rîter, die dennoch pflâgen
mit slâfe gemach, ieslîches lîp.
nû kom des rihtaers wîp.
15 ûf'en teppich viel diu vür in nider.
dâ nâch klagt si im dô sider
des küneges last*e*r und ir nôt:
ir man der waere belegen tôt
»von eime, der ân geleite vert.

Sie stürzten ihm nach auf seiner Spur, 15
die einen hier, die andern da.
Gemächlich, gar nicht flüchtend, ritt er im Schritt vor ihnen her.
Er kehrte um: 19
da prallten sie zurück, bis hin zum Burgtor in der Stadt. 18
Das brachte ihnen noch mehr Schaden. 20
Herumgeworfen wurde Volatin.
Laut erscholl 23
»Monschoi«, sein Schlachtruf. 22
Im Nu war die Attacke
wieder zu den Toren vorgetragen. 25
Sie flohen nach allen Seiten.
Hätt ihn die Sünde nicht geschreckt,
er hätte Schaden angerichtet,
wie es starke Kämpfer immer taten.
Einem nahm er eine Lanze ab.
115 Da hatten sie genug vom Kampf mit ihm.
Zurück in die Scheide
wurde das Schwert gesteckt.
In die Stadt
zog die ganze Bürgerwehr. 5
Er ritt hinaus in Richtung Laon.
Ernalt, le fils du comte de Narbonne,
hörte die Klagerufe,
die man in allen Gassen ausstieß.
Er lag zu dieser Stunde noch im Bett und schlief. 10
Er weckte die, die vor ihm lagen:
viele Ritter, die alle noch
in sanftem Schlummer ruhten.
Da kam die Frau des Richters.
Die warf sich auf dem Teppich vor ihm nieder 15
und klagte ihm sodann
des Königs Schande und ihr Leid:
ihr Gatte sei erschlagen worden
»von einem Kerl, der das Geleitgeld nicht bezahlt hat.

20 der hât sich al der diet erwert,
daz er ist ungevangen hin.
ouwê, jaemerlîch gewin,
den uns sîn zol hât lâzen
von des roemischen küneges strâzen!« S. 593b
25 zer vrouwen sprach der grâve Ernalt:
»wer mac daz sîn, der mit gewalt
iu den schaden hât getân?
vrouwe, ist ez ein koufman,
sô möht er wol geleites gern
und dar umbe sîner miete wern:
116 *d*em koufschatze ist der zol gezilt.«
si sprâchen: »er vuort einen schilt«,
die mit der vrouwen kômen dar,
»sîn harnasch ist nâch roste var,
5 doch wart an rît*er* nie bekant
über al der *Franzoiser* lant
wâppenroc sô kostlîch:
des blic der sunnen ist gelîch;
als ist der schilt unt *ez* kursît.
10 ›Munschoi‹ wart geschrît,
dô er uns vlühtic wid*er* în
tet: daz was diu krîge sîn.«
der grâve sprach: »geunêrten,
ir alle, die daz lêrten,
15 daz ir vür die koufman
deheinen ritt*er* sol*de*t hân!
waz zolles solt ein ritt*er* geb*en*?
het er iu allen iuwer leb*en*
genomen, daz solt ich wênic klag*en*.
20 ich muoz in durh den künec jag*en*,
bî dem mîn swester krône treit.«
harnasch wart balde an in geleit.
von al den sînen wart daz vernom*en*,
die werden müesen ze ors*en* kom*en*,
25 ritt*er* und sarjande.
si wolten z'einem pfande

Der hat das ganze Kriegsvolk abgewehrt 20
und ist als freier Mann davongeritten.
Ach, welch leidvoller Gewinn,
den sein Geleitgeld uns gebracht hat
von des römischen Königs Straßen!«
Graf Ernalt sagte zu der Dame: 25
»Wer kann das sein, der mit Gewalt
euch den Schaden zugefügt hat?
Madame, ist es ein Kaufmann,
dann hätt er um Geleit nachsuchen
und die Gebühr dafür bezahlen sollen:
116 für Waren hat man das Geleitgeld festgesetzt.«
Die mit der Dame hergekommen waren, 3
sagten: »Er führte einen Schild, 2
mit Rost bedeckt ist seine Rüstung,
doch hat man noch an keinem Ritter 5
in ganz Frankreich
einen Waffenrock gesehen, der so kostbar war:
der leuchtet wie die Sonne;
und ebenso das Kursit und der Schild.
›Munschoi‹ wurde gerufen, 10
als er uns, wie wir flohen, in die Stadt
zurücktrieb: das war sein Schlachtruf.«
Der Graf: »Unselige,
ihr alle, die ihr
einen Ritter behandeln wolltet, 16
als wäre er ein Kaufmann! 15
Was sollt ein Ritter denn Geleitgeld zahlen?
Hätt er euch alle umgebracht,
ich würd es nicht beklagen.
Trotzdem muß ich ihn verfolgen: für den König, 20
dessen Gemahlin meine Schwester ist.«
Schnell wurde ihm die Rüstung angelegt.
All seinen Leuten wurde mitgeteilt,
die Edlen müßten zu den Pferden kommen,
Ritter und Serjants. 25
Sie hatten vor, den Markgrafen

den marcrâven dâ behaben.
solten sich's die wunden laben,
daz er in wider sante,
deheinen durst daz wante.

117 Ernalt sprach: »herre! wer daz sî,
dem wont des küneges krîe bî,
dâ mit der keiser Karel vaht,
der si hât geerbet unde brâht
5 ûf sînen sun, der'z rîche hât
und noch die krîe niemen lât
wan den, die sîner marke war
nement gein anderer künege schar.
er wil sich uns dermit entsagen,
10 der wîse, den wir müezen jagen,
daz in diu krîe vriste.
wil er mit sölhem liste
an uns hie prîs hân bezalt,
er vliehe velt oder walt,
15 dar sul wir kêren ûf sîn spor.«
Ernalt vuor dan, den sînen vor.
swer stab od stangen truoc,
ze orse und ze vuoze was der genuoc, S. 594a
et al diu komunîe.
20 niht halp sô manegiu bîe
möhten toeten einen starken bern.
der vluht si kunde niht gewern
von Provenze der markîs:
ir jagen moht in deheine wîs
25 an vlühtic schûften bringen.
nû hôrt er'z velt erklingen,
an der selben stunde
Ernalden von Gerunde
der marcrâve komen sach.
in sîme herzen er dô jach,

118 die rehten waeren ze velde komen.
ouch het sich Ernalt vür genomen
wol *vierzec* poinder oder mêr.

als Pfand zurückzuhalten.
Hätten die Verletzten sich mit dem erfrischen sollen,
was er zurück zu ihnen sandte,
das hätte keinen Durst gelöscht.
117 Ernalt sagte: »Herrgott! Wer es auch sei,
er führt des Königs Kriegsruf,
mit dem der Kaiser Karl in seine Schlachten zog,
der ihn vererbt und übertragen hat
auf seinen Sohn, der jetzt das Reich regiert 5
und nach wie vor den Ruf nur denen zugesteht,
die seine Marken hüten
vor den Heeren fremder Könige.
Er will sich uns damit entziehen,
der Schlaukopf, den wir jagen müssen: 10
der Schlachtruf soll ihn schützen.
Wenn er meint, mit diesem Trick
könnt er uns überlisten, dann täuscht er sich:
wir setzen uns, wohin er flieht, Feld oder Wald,
auf seine Spur.« 15
Ernalt ritt los, voraus vor seinen Leuten.
Viele waren da mit Stecken und mit Stangen,
auf Pferden und zu Fuß:
das ganze Aufgebot der Bürger eben.
Nicht halb soviele Bienen 20
hätten einen starken Bären töten können.
Der Marquis von Provence 23
tat ihnen den Gefallen nicht, zu fliehen: 22
die Verfolgung brachte ihn nicht im geringsten dazu,
fliehend davonzugaloppieren. 25
Da hörte er das Feld erklingen,
und im selben Augenblick sah der Markgraf
Ernalt von Gironde
kommen.
Da sagte er in seinem Herzen,
118 die Rechten seien jetzt aufs Feld gekommen.
Ernalt war seinen Leuten
vierzig Läufe oder mehr voraus.

gein dem tet er wid*e*rkêr
5 mit kunstlîchem kalopeiz.
iewed*e*r sînen puneiz
von rabîne nâher treip:
enwed*e*r sper dâ ganz beleip,
Ernaldes satel wüeste lac,
10 wand er vor sînem bruoder pflac
gevelles hinderz kastelân.
daz was im selten ê getân:
er het es ouch dennoch wol enborn.
dem marcrâven was sô zorn,
15 daz er in gern*e* het erslag*e*n.
dennoch der andern nâch jag*e*n
mit helfe im alze verre was.
niht wan vrâgens er genas
und daz der unverzagete
20 sich nante und rehte sagete:
»ich bin'z, der grâve Ernalt.
wer ist, der mich hie hât gevalt?
der mag's wol immer hab*e*n prîs.«
»Willelm, der markîs,
25 bin ich«, sprach er, »bruoder mîn,
hie ensol niht mêr gestriten sîn.«
er vienc sîn ors und zôch ez im dar.
Ernalt nam an der stimme war,
daz ez der marcrâve was.
er zôch in nider ûf'ez gras:

119 er wolt in vil geküsset hân.
»bruoder, daz sol sîn verlân«,
sô sprach der getriuwe,
»ich leb in sölher riuwe,
5 daz mir senfter waere der tôt.
den rehten kus ich liez in nôt
an Gîburge ûf Oransche nû.
die wîle ir gêt sölh angest zuo,
sô lâz ich mir niht werden kunt,
10 daz mannes od*e*r wîbes munt

Zu dem warf Willehalm das Pferd herum und stürmte
ihm in einem Bilderbuchgalopp entgegen. 5
Beide stürmten
in voller Karriere aufeinander zu:
beide Lanzen brachen;
der Sattel Ernalts blieb verlassen liegen,
weil der vom Speerstoß seines Bruders 10
hinter den Kastilianer stürzte.
Das war ihm bisher nie geschehen:
er hätt gern weiterhin darauf verzichtet.
So wütend war der Markgraf,
daß er ihn erschlagen wollte. 15
Die anderen Verfolger
waren noch zu weit entfernt, um ihm zu helfen.
Ihn rettete allein, daß Willehalm ihn fragte
und daß der Unverzagte darauf
wahrheitsgemäß den Namen sagte: 20
»Ich bin Graf Ernalt.
Wer ist es, der mich hier vom Pferd geworfen hat?
Das hat ihm für immer Ruhm gebracht.«
»Wilhelm, der Marquis,
bin ich«, sagte er, »Bruder, 25
Schluß also mit dem Kämpfen.«
Er fing sein Pferd und führte es zu ihm.
Ernalt erkannte an der Stimme,
daß es in der Tat der Markgraf war.
Er zog ihn nieder auf das Gras:
119 herzlich geküßt hätt er ihn gern.
»Bruder, das kommt nicht in Frage«,
sagte der Getreue,
»ich leb in solchem Schmerz,
daß ich lieber tot wär. 5
Den Kuß, der mir erlaubt ist, habe ich in Not
bei Giburg auf Orange gelassen.
Solang sie derart in Gefahr ist,
wird kein
Männer- oder Frauenmund 10

an den mînen rüere.
sô swaere sorge ich vüere: S. 594b
daz si mîn ors her getruoc,
dô het ez ungemach genuoc.
15 waz wunders kan mir got beschern!
hie muos ich mich mîn selbes wern:
dô ich zer tjost*e* gein dir reit,
mit mir selbem ich dâ streit.«
Ernalt sprach: »dû sagest al wâr:
20 mîn lîp mîn selb*e*s lîbe vâr
hât umbekant erzeiget.
mir was dîn kunft versweiget
als ein bracke ame seile.
man mac wol z'eime teile
25 unser zwei*e*r lîbe zeln.
swer zwei herze wolde weln,
dern vunde niht wan einez hie:
mîn herze was dîn herze ie,
dîn herze sol mîn herze sîn.
ouwê, herre, bruoder mîn,
120 *lâz* hoeren und*e* schouwen:
mîner swester, mîner vrouwen,
waz wirret Gîburge, der süezen?
mac mîn helfe daz gebüezen?
5 daz hât si wol verschul*de*t her,
daz ieslîch werd*e*r Franzois wer
sînes dienstes z'ir gebot*e*.
man mac an ir gedienen got*e*
und unseres landes êre,
10 und durh die überkêre,
die si tet gein dem toufe.
dû hâst mit tiurem koufe
ir minne etswenne errungen.
mîne mâge, die jungen,
15 die si hât ûz'en schalen erzogen
und die Francrîche sint *entvlogen*,
sint die bî ir in der nôt?«

meinen Mund berühren.
So schwere Sorge schleppe ich:
mühsam war es für mein Pferd, 14
sie hierher zu tragen. 13
Welche Wunder mir doch Gott beschert! 15
Hier mußte ich mich gegen mich verteidigen:
als ich zur Tjoste auf dich zuritt,
hab ich mit mir selbst gekämpft.«
Ernalt sagte: »Du hast völlig recht:
ich hab mir, ohne es zu ahnen, selber 20
nachgestellt.
Von deiner Ankunft hörte ich so wenig
wie von einem Spürhund, der am Leitseil geht.
Man muß für einen Mann
uns zweie nehmen. 25
Wenn einer auf der Suche nach zwei Herzen wär,
der fände hier nur eines:
mein Herz war immer deines,
dein Herz soll meines immer sein.
Ach, Herr und Bruder,
120 laß mich hören, laß mich sehen,
meiner Schwester, meiner Herrin,
was fehlt Giburg, der Lieben?
Kann ich ihr helfen?
Sie hat das über all die Jahre wohl verdient, 5
daß jeder edle Mann in Frankreich
bereit ist, ihr zu dienen.
Wenn man ihr dient, dann dient man Gott
und dem Ansehn unsres Landes,
um der Bekehrung willen, 10
ihres Übertritts zum Christentum.
Teuer hast du
für ihre Liebe schon bezahlen müssen.
Meine jungen Neffen,
die sie aus den Eierschalen großgezogen hat 15
und die aus Frankreich weggeflogen sind,
sind die bei ihr in dieser Not?«

der marcrâve *im* nante tôt
Mîlen und*e* Vîvîanz;
20 und wie der buhurt ûf Alischanz
sich bêde huop und schiet;
und waz dô Terramêr geriet,
daz Oransche wart umbeleg*e*n;
und waz er angest muose pfleg*e*n,
25 ê daz er durh si dan gereit.
diz bekande herzen leit
und disiu jaemerlîchen dinc
zucten *s'herzen* ursprinc
Ernalde ûf durh diu ougen sîn.
er sprach: »ouwê der mâge mîn,
121 *d*ie mir tôt sint gevalt:
wer hât den künec Tîbalt
sô kreftic her über brâht?
ode wie hâstû des gedâht,
5 daz wir Gîburge ze helfe kom*e*n,
sît wir den schaden hân genom*e*n, S. 595a
daz unser vlust niht wahse baz?
al, den ich diens*tes* nie vergaz,
die werdent drumbe nû gemant.
10 al unser art waere geschant,
ob Gîburc wurde enpfüeret dir.
dîne sam*e*nunge nenne mir
und rît mit mîme râte
nâch starker helfe drâte.
15 al dîne vlust den vürsten klag*e*.
von hiute an dem drittem tag*e*
ein hof ze Munlêûn ist geleg*e*t,
der al die Franzoiser weg*e*t:
dar kumt ein verriu zuovart.
20 Heimrîch und Iremschart,
diu zwei, von den wir sîn erborn,
die hât der künec dâ erkorn

Der Markgraf sagte ihm,
daß Mile und Vivianz gefallen waren;
und wie die Schlacht auf Alischanz 20
begonnen und geendet hatte;
und wie Terramer befahl,
daß Orange belagert wurde;
und was an Ängsten und Gefahren er durchlitten
hatte,
bevor er durch ihr Heer davongeritten war. 25
Dies Leid, das da geschehen war,
und diese traurigen Geschichten
rissen den Quell des Herzens
hinauf und ließen ihn durch Ernalts Augen fließen.
»Ach, meine Neffen«, sagte er,

121 »die mir erschlagen wurden:
wer hat den König Tibalt
mit einer solchen Streitmacht übers Meer gebracht?
Was hast du dir überlegt,
wie wir Giburg zu Hilfe kommen können 5
nach unseren Verlusten,
daß die nicht noch größer werden?
Alle, die jederzeit auf meine Hilfe bauen konnten,
die werden darum jetzt gemahnt zu helfen.
Schande wär's für unsre ganze Sippe, 10
wenn man dir Giburg nehmen würde.
Sag mir, wo und wann dein Heer sich sammelt,
und reite schnell, das rat ich dir,
um starke Hilfe zu gewinnen.
Führ Klage vor den Fürsten über alles, was du 15
verloren hast.
Auf heute in drei Tagen
ist nach Laon ein Hoftag einberufen,
der ganz Frankreich auf die Beine bringt:
von weither kommen sie dorthin.
Heimrich und Iremschart, 20
unsre Eltern,
hat der König ausersehen,

ze êren den hochgezîten sîn.
ouch sulen vier bruoder mîn
25 mit unser*er* muoter komen dar.
ich waene, daz die groesten schar
Heimrîs, mîn vater, bringe.
nû gihes vür hôch gelinge:
dû vindest vil der vürsten dâ.
swâ mir *benennet* wirt dîn slâ,
122 *d*â rît ich vor ode nâch.
nû lâ dir von mir niht sîn sô gâch,
dû enrîtes mit mir wider în,
und ziuch von dir daz harnasch dîn,
5 lâz dich baden und*e* kleiden.«
»wir müezen unsich scheiden«,
sprach der marcrâve dô.
»möht ich immer werden vrô,
sô vreut ich mich der hôchgezît.
10 waz ob mir erloesunge gît,
der alle vlust erkennet
und der hoehest ist benennet?
der neme mîn dâ mit günste war.
kumt mîn vrouwe, de küneginne, dar,
15 des möht ich helfe enpfâhen.
ir *solt daz niht versmâhen,
sine man den künec umb*e* mich:
den sit*e* hiez ich swesterlîch.
sol mîner mâge dar iht kom*e*n,
20 die erbarmet vlust, die ich hân genom*e*n.
und mîne bruoder, die dâ sint
(ich bin ouch Heimrîches kint) –
wellent die mit triuwen sîn,
sô erbarmet si mîn scherpfer pîn
25 und mîniu dürren *herzesêr*:
mir begruonet vröude nimmer *mêr*.
ze Heimrîch und ze Irmenschart
und z'anderer mîner getriuwen art –

seinem Fest den rechten Glanz zu geben.
Auch sollen vier von meinen Brüdern
mit unsrer Mutter dorthin kommen. 25
Ich schätze, daß die meisten Leute
Heimris, mein Vater, bringen wird.
Nimm's als großen Glücksfall:
du triffst dort viele von den Fürsten.
Was man mir sagt, wohin du ziehst,
122 ich reite vor oder komme nach.
Doch sollst du's nicht so eilig haben, mich zu
verlassen:
reit mit mir in die Stadt zurück
und leg die Rüstung ab
und laß dich baden und neu kleiden.« 5
»Wir müssen Abschied nehmen«,
sagte der Markgraf.
»Sollt ich jemals wieder froh sein können,
dann hätt ich Grund, mich auf das Fest zu freuen.
Vielleicht hilft der mir aus der Not, 10
der alles Unglück kennt
und der der Höchste heißt?
Der soll dort gnädig für mich sorgen.
Wenn meine Herrin dorthin kommt, die Königin,
dann könnt mir das die Hilfe sichern. 15
Sie sollte sich nicht zu schade dafür sein,
beim König für mich einzutreten:
das hieß ich schwesterlich gehandelt.
Wenn Verwandte von mir kommen,
die wird mein Verlust erbarmen. 20
Und meine Brüder, die dort sind
(ich bin auch Heimrichs Sohn) –
wenn die Treue haben,
dann erbarmt sie meine bittre Not
und mein Leid, das mir das Herz verdorrt hat: 25
keine Freude grünt mir mehr.
Zu Heimrich und zu Irmenschart
und zu den anderen aus meiner treuen Sippe –

ûf genâde wil ich hin z'in:
got geb an helfe mir gewin! S. 595b

123 bruoder, lâ dir bevolhen wesen:
wirp sô, daz Gîburc müge genesen –
al dîne vriunt dar umbe man!«
sus schiet der marcrâve dan.
5 Ernalt reit al weinende wider –
niht dar umbe, daz er nider
was gevellet mit der tjost:
der jâmer mit sô hôher kost
begund im sîne vreude zern:
10 sich möht's ein keiser niht erwern.
sîner werden mâge tôt
vrumt im die herzebaer*e*n nôt.
al, die nâch Ernalde
vuoren, die gâhten balde,
15 dort ein storje, diu and*e*r hie.
zuo z'im gesamneten sich die.
er liez ir keinen vürbaz kom*e*n.
dennoch heten's unvernom*e*n,
wen si *jageten*, dirre und der,
20 dô durh des *grâven* schilt ein sper
was wider von der tjost*e* brâht.
si vrâgeten: »wes habt ir gedâht?
uns sol der man entrîten!
welt ir mit im niht strîten,
25 wan lât ir'n uns doch vürbaz jagen?«
Ernalt begund in rehte sagen:
»ez ist Willelm, der markîs.
ine gestat*e* des niht keinen *wîs*,
daz er reslagen werde
ûf Franzoiser erde.

124 *er* ist uns doch niht gar ein gast,
swie der zuht an im gebrast
den burgaeren von Orlens.
tumpheit, waz dû si schaden wens,

zu ihnen will ich gehn, daß sie mir helfen.
Gebe Gott, daß mir die Hilfe nicht versagt wird!

123 Bruder, ich leg es dir ans Herz:
tu, was du kannst, für Giburgs Rettung –
all deine Freunde biete dafür auf!«
So zog der Markgraf weiter.
Ernalt ritt zurück, er weinte sehr – 5
nicht, weil er
bei der Tjost vom Pferd gestoßen wurde:
der hohe Preis des Leides
zehrte ihm sein Kapital an Freude auf:
ein Kaiser hätt sich das nicht leisten können. 10
Der Tod der teuren Neffen
quälte ihn, daß ihm das Herz zerriß.
Alle, die hinter Ernalt
hergeritten waren, eilten mächtig,
dort ein Trupp, der andre hier. 15
Sie scharten sich um ihn.
Keinen ließ er weiterreiten.
Da hatten sie noch nicht gehört,
wem sie nachgejagt waren, der eine wie der andre,
als die Tjoste eine Lanze durch den Schild des Grafen getrieben 20
und auf diesem Weg zurückgegeben hatte.
Sie fragten ihn: »Was habt ihr vor?
Der Mann wird uns entreiten!
Wenn ihr nicht mit ihm kämpfen wollt,
warum laßt ihr ihn uns nicht weiter jagen?« 25
Ernalt setzte sie ins Bild:
»Es ist Wilhelm, der Marquis.
Ich laß nicht zu, auf keinen Fall,
daß er erschlagen wird
auf Frankreichs Erde.

124 Er ist uns doch kein Fremder,
wenn auch die Bürger der Stadt Orléans nicht wußten, 3
was sie ihm schuldig waren. 2
Ahnungslosigkeit, wie du denen schadest,

5 die wellent zuo dîme gebote sîn!
waz zolles solt der bruoder mîn
geben als ein koufman?
swer rîterschaft gespehen kan,
der möht in zolles lâzen vrî.«
10 die dem grâven hielten bî,
die marcten, daz er weinde.
si vrâgeten, waz er meinde,
dar umb er waere sô unvrô.
Ernalt seit in rehte dô,
15 daz im die Sarrazîne
drîzehne der mâge sîne
gevangen heten unt erslagen.
»nû erloubet, daz ich müeze klagen.
die vürsten alle wâren
20 almeistic von den jâren,
daz ir neheiner gran noch truoc.
mîn bruoder ungemach genuoc
het ân unsich erworben.
sîne man sint erstorben, S. 596a
25 dar zuo sîn wîp besezzen ist.
des enweiz er niht, wie lange vrist
sich Oransche müg erwern
od welhes trôstes si sich nern.
ez stêt gar an der hoehsten hant.«
vil boten wart von im gesant:
125 die strichen naht und tac
hin z'in, an den sîn dien*e*st lac:
er mante mâge und*e* man.
ouch streich der marcrâve dan.
5 gein dem âbende er ein klôster vant.
er was den münchen unbekant,
doch pflâgen si sîn schône.
*ze Sarmargône,
in der houb*e*tstat ze Persîâ,
10 sîn schilt *wart geworht aldâ:
des buckel was armüete vrî.

die sich dir unterwerfen! 5
Wie käm mein Bruder wohl dazu, Geleitgeld
zu entrichten wie ein Kaufmann?
Wer sich auf Ritterschaft versteht,
wär nie darauf verfallen, ihm Geleitgeld abzufordern.«
Die sich nah beim Grafen hielten, 10
merkten, daß er weinte.
Sie fragten, was er denke,
daß er so traurig sei.
Ernalt sagte ihnen, was die Wahrheit war:
daß ihm die Sarazenen 15
dreizehn Verwandte
gefangen und erschlagen hatten.
»Erlaubt mir also, daß ich klage.
Die Fürsten waren
fast alle in dem Alter, 20
daß ihnen noch kein Bart wuchs.
Das Unglück meines Bruders ist groß genug
schon ohne uns.
Seine Leute sind gefallen,
dazu wird seine Frau belagert. 25
Wie lange
Orange sich noch wird halten können, weiß er nicht,
oder wessen Hilfe sie befreien soll.
Es liegt ganz in der Hand des Höchsten.«
Viele Boten wurden von ihm ausgesandt:
125 die hasteten durch Tag und Nacht
zu denen, die ihm verpflichtet waren:
Vasallen und Verwandte bot er auf.
Auch der Markgraf eilte weiter.
Bei einem Kloster kam er abends an. 5
Er war den Mönchen unbekannt,
doch versorgten sie ihn gut.
In Samarkand,
der Hauptstadt Persiens,
war sein Schild gefertigt worden: 10
dessen Buckel war nicht ärmlich.

Adramahût und Arabî,
die rîchen stet in Môrlant,
sölhe pfelle sint *in* unbekant,
15 als sîn wâpenroc mit steinen klâr,
drûf verwieret her und dar,
daz man des tiuwern pfelles mâl
d*e*rdurh wol kôs al sunder twâl;
als was ouch drob*e* daz kursît.
20 *Kristjâns* einen *alten* timît
im hât ze Munlêûn an geleg*e*t:
dâ mit er sîne tumpheit reg*e*t,
swer sprichet sô nâch wâne.
er *nam* dem Persâne,
25 Arofel, der vor im lac tôt,
daz vriundîn vriunde nie gebôt
sô spaeher zimierde vlîz,
wan die der künec Feirafîz
von Sekundillen durh minne enpfie:
diu kost vür alle koste gie.

Hadramaut und Arabi,
die reichen Städte im Mohrenland,
kennen solche Seide nicht wie die an
seinem Waffenrock, besetzt mit Edelsteinen, 15
überall drauf appliziert und von solcher Klarheit,
daß man mühelos durch sie hindurch das Muster
dieser teuren Seide sehen konnte;
genauso war das Kursit drüber.
Chrestien hat ihm zu Laon einen alten Timit 20
angezogen:
damit beweist man seine Ahnungslosigkeit,
wenn man so ins Blaue phantasiert.
Dem Perser hatte er,
Arofel, der von seiner Hand gefallen war, 25
Waffenschmuck genommen, so erlesen, 27
wie ihn keine Freundin ihrem Freund je schenkte, 26
außer dem, den König Feirafiß
von Sekundille als Liebespfand erhalten hatte:
dessen Kostbarkeit war nicht zu überbieten.

126 Grôz müede het in dar zuo brâht:
den halben tac, die ganzen naht
in dem klôster er beleip. S. 596b
sîn unmuoze in vürbaz treip:
5 des bîtens het in doch bevilt.
aldâ bevalh er sînen schilt
und reit er gein Munlêûn.
manec Franzois und Bertûn
und vil der Engelloise
10 und der werden Burgunschoise
zer hôchgezît*e* kômen dar.
ich mag's iu niht benennen gar.
dâ was von tiuschem lande
Flaeminge und Brâbande
15 und der herzoge von Lahrein.
der marcrâve wart enein,
dâ waere von storje sölh gedranc,
daz des müese wesen lanc,
ê daz ein vrumer wirt in în
20 *naeme* – daz werb*e*n liez er sîn:
ûf'es küneges hof er reit.
nâch sîme zoume niemen streit,
daz er daz ors enpfienge.
er rite oder gienge,
25 si *waeren* ze ors*e* od ze vuoz,
dâ bôt im niemen keinen gruoz.
er sach dâ volkes ungezalt,
kleine, grôz, junc und alt.
die begunden in alle vêhen.
er newolt ouch *in* niht vlêhen,
127 *d*en alten noch den kinden.
z'einem ölboume und z'einer linden
er kêrte. die ê dâ lâgen
und sâzen, gar die pflâgen,

126 Er war derart erschöpft,
daß er den halben Tag und noch die ganze Nacht
in diesem Kloster blieb.
Seine Unrast trieb ihn weiter:
nicht länger hielt es ihn. 5
Seinen Schild gab er dort in Verwahrung
und ritt nach Laon.
Scharen von Franzosen und Bretonen,
Engländer in großer Zahl
und vornehme Burgunden 10
waren dorthin zu dem Fest gekommen.
Ich kann sie euch nicht alle nennen.
Aus Deutschland waren
Flamen und Brabanter da
und der Herzog von Lothringen. 15
Dem Markgrafen wurde klar,
daß es bei solchem Volksgedränge
lange dauern würde,
einen guten Wirt zu finden, der ihm Unterkunft
gewährte – er machte gar nicht den Versuch: 20
zum Hof des Königs ritt er.
Kein Mensch riß sich um seinen Zaum,
um das Pferd zu nehmen.
Ob er ritt oder ging – es war egal:
niemand hieß ihn da willkommen, 26
kein Reiter und kein Mann zu Fuß. 25
Unmengen Leute sah er da,
kleine, große, junge, alte.
Sie alle schnitten ihn.
Er, seinerseits, verspürte keine Lust,
127 irgendeinen anzuflehen, ihm zu helfen.
Zu einem Ölbaum und einer Linde
ging er. Die bisher dort gelegen
und gesessen hatten, waren alle gleich bereit,

5 daz si im den schate al eine
liezen: niht gemeine
wolten's mit im dâ hân.
im wart ein sölh rûm getân,
daz al wît wart sîn stat.
10 deheinen er ouch sitzen bat.
er nam den zoum in eine hant,
den tiuweren helm von im er bant
und sturzte'n zuo z'im ûf'ez gras.
swaz al der massenîe was,
15 die begunden an in schouwen,
in den venstern ouch die vrouwen,
wand im daz harnasch wonte mite.
si jâhen, ez waere ein vremd*er* site,
daz er wâpen solde tragen,
20 sine hôrten denne al êrste sagen,
daz ein turnoi waere genom*en*:
swelh ritter dâ hin wolde kom*en*,
der möht ez wol legen ûf einen soum.
der marcrâve et sînen zoum
25 het in der hende, aldâ er saz.
er begunde sich dô entwâpen baz
von dem hers*e*niere: S. 597a
daz zôch er von im schiere.
dô was sîn vel nâch râme var,
bart und hâr verworren gar.

128 *v*or dem künege man dô sagete,
daz im doch niht behagete:
daz erbeizet waere ein man
von eime schoenen kastelân
5 zem ölboum und zer linden.
»erdenken noch ervinden
mac unser deheiner, wer daz sî.
rostic harnasch *wont* im bî,
er siht ouch wiltlîche.
10 tiuwer und*e* rîche

ihm den Schatten ganz allein 5
zu überlassen: sie wollten nichts
mit ihm zu schaffen haben.
Man machte soviel Platz für ihn,
daß er weit und breit allein war.
Auch er bat keinen, sich zu setzen. 10
Er nahm den Zaum in eine Hand,
band sich den teuren Helm ab
und stellte ihn aufs Gras an seine Seite.
Die ganze Hofgesellschaft
starrte ihn an, 15
auch die Damen in den Fenstern
– der Grund: er war im Harnisch.
Sie sagten, es sei unerhört von ihm,
in voller Rüstung aufzutreten,
wenn nicht ein Turnier (wovon sie nichts gehört) 20
angesetzt sei:
und wenn ein Ritter ins Turnier ziehn wollte,
würd er die Sachen wohl auf einem Lasttier
transportieren.
Der Markgraf hielt,
wo er saß, den Zaum in seiner Hand. 25
Er fuhr fort, sich zu entwappnen,
und befreite sich vom Kopfschutz:
er streifte ihn sogleich zurück.
Rostverschmiert war seine Haut,
wirr die Haare und der Bart.

128 Man meldete dem König,
was den gar nicht freute:
daß ein Mann
von einem schönen Kastilianer abgesessen sei
beim Ölbaum und der Linde. 5
»Von uns kommt keiner drauf,
wer das sein mag.
Einen rostbedeckten Harnisch hat er
und wirft wilde Blicke.
Kostbar und prächtig 10

ist, swaz er ob dem îser hât:
sô lieht*e* wâpenlîch*e* wât
wart ougen nie bekennet –
die pfelle unbenennet
15 sint al der kristenheite.
ein *heidenisch* gereite
lît ûf dem râvîte.
er zaeme in eime strîte
michel baz denne an den tanz.
20 ouch ist im ninder alsô glanz
sîn bart, sîn vel noch sîn hâr,
daz man in dürfe nennen klâr.
er vert ûz eime strîte her.
ouch nimt uns wunder, wes er ger,
25 daz er sô kampflîche ist kom*e*n.
wir heten gerne daz vernom*e*n,
wie ez umbe den rîter stüende,
sît wir sîn deheine künde
haben noch nie gewunnen.
ein ebenhiuze der sunnen
129 *i*st der wâpenroc unt *e*z kursît:
iewed*e*rs *blic en* widerstrît
hât sô kostebaeren glast.
er ist der Franzoiser gast:
5 von swelhem lande er strîche,
er tuot dem wol gelîche,
daz unbekennet ist sîn lîp.«
dô sprach der künec und des wîp:
»gê wir und*e* schouwen dar
10 zen vensteren und nemen des war,
waz er werbe od*e*r waz er meine,
sît er gewâpent eine
ûf's rîches hof sus ist geriten.«
ein wolf mit als*e* kiuschen siten
15 in die schâfes stîge siht
(des mir diu âventiure giht),
als dô der marcrâve sach.

ist, was er über dem Panzer trägt:
so glänzende Waffenkleider
hat kein Auge je gesehen –
wie die Seidenstoffe heißen,
weiß keiner in der Christenwelt. 15
Heidnisches Reitzeug
liegt auf dem Roß.
Sehr viel besser als zum Tanz 19
paßte er in eine Schlacht. 18
Auch sind sein 20
Bart, die Haut, das Haar nicht so gepflegt,
daß man ihn eine Schönheit nennen könnte.
Er kommt aus einem Kampf.
Es nimmt uns wunder, was er will,
daß er so kriegerisch gekommen ist. 25
Wir wüßten gern,
was mit dem Ritter los ist:
wir haben nie etwas von ihm
gehört.
Mit der Sonne konkurrieren
129 der Waffenrock und das Kursit:
so kostbar strahlt der Glanz 3
der beiden um die Wette. 2
Er ist kein Franzose:
aus welchem Land er kommen mag, 5
er benimmt sich
wie ein Fremder.«
Der König und die Königin sagten:
»Schaun wir
aus den Fenstern und sehen, 10
was er will und was er vorhat,
nachdem er so, allein in Rüstung,
zum Königshof geritten ist.«
Mit solcher Sanftmut schaut ein Wolf
in den Schafstall 15
(sagt mir die Geschichte),
wie da der Markgraf blickte.

diu künegîn zem künege sprach:
»den wir vor uns dort sitzen sehen,
20 mich dunket, herre, ich müge wol jehen,
ez sî mîn bruod*er* Willalm, S. 597b
der manegen jaemerlîchen galm
hât al den Franzeisen
gevrumt mit sînen reisen.
25 nû wil er ab*er* ein niuwez her,
daz gein den heiden sî ze wer
vür der künginne Gîburge minne.
ungerne wesse ich in hier inne.
iuwer deheiner kom hin vür,
besliezet vaste zuo die tür,
130 ob er ûzen klopfe dran,
daz man in wîse iedoch hin dan.«
swaz si gebôt, daz was getân.
der marcrâve, der trûrige man,
5 het'z ors in sîner hant.
dennoch was er unbekant
von manegen, die dâ wâren.
dâ kund er zuo gebâren,
als er'z *billîche* dolte,
10 daz ir deheiner wolte
im bieten êre noch gemach.
manege storje er kom*e*n sach
ûf den hof und wider drab*e*:
nâch sîner grôzen ungehab*e*
15 im niemen *vriuntlîchen trôst bôt,
der naeme pflihte sîner nôt.
dô kom ein koufman von der stat,
der in vil zühteclîchen bat
durh aller koufliute êre
20 mit im der dankêre:
»ir habt doch ungemach erliten:
von swelhem lande ir sît geriten,
iuch solten ritter grüezen baz.

Die Königin zum König:
»Den wir dort vor uns sitzen sehen,
ich glaube, Herr, ich kann wohl sagen, 20
daß es mein Bruder Wilhelm ist,
der jedem hier in Frankreich
schon viel Grund zum Klagen
gegeben hat mit seinen Kriegen.
Jetzt will er wieder ein neues Heer, 25
das mit den Heiden kämpfen soll
für Königin Giburgs Liebe.
Ich möcht ihn nicht hier drinnen sehen.
Keiner von euch geht hinaus,
schließt die Tür fest ab, damit man ihn,
130 wenn er draußen anklopft,
von der Schwelle weisen kann.«
Was sie befahl, geschah.
Der Markgraf, der betrübte Mann,
hielt das Pferd an seiner Hand. 5
Noch immer wußten viele nicht,
wer er war.
Er benahm sich allerdings auch so,
als ob ihm Recht geschähe,
daß von ihnen keiner 10
ihn grüßen und sich um ihn kümmern wollte.
Er sah viele Trupps
zu Hofe kommen und wieder gehn:
so übel hatte er sich aufgeführt,
daß niemand Anteil nahm an seiner Not 16
und ihm freundlich zusprach. 15
Da kam ein Kaufmann aus der Stadt,
der ihn höflich bat,
allen Kaufleuten zu Ehren
mit ihm zu kommen: 20
»Ihr habt doch Schlimmes durchgemacht:
egal aus welchem Land ihr hergeritten seid,
die Ritter hätten euch freundlicher empfangen
müssen.

sît ieslîcher des vergaz,
25 der iuch sus eine hât gesehen,
nû lât den trôst an mir geschehen,
daz ich iuch diens*tes* müeze wern!
herre, ich sol mit hulden gern,
daz ir mir hoehet mîniu jâr.«
der koufman hiez Wîmâr;
131 der was von ritters art erborn.
er sprach: »mich dunket unverlorn,
daz ich iu ze êr*e*n biute:
gewert ir mich des hiute,
5 her nâch giht ieslîch mîn genôz,
daz mîn prîs sî worden grôz.«
der marcrâve sprach alsô:
»des ir gert, des bin ich vrô
und sol'z geschulden, swenne ich mac,
10 sît mîn niemen vor dem künege pflac,
marschalc noch and*e*r man.
die hânt *des* hoves unprîs getân,
daz ich beleip sus wîs*e*lôs,
ê daz mich iuwer güete kôs
15 mit gruoze vor in allen. S. 598a
ez muoz mir missevallen:
ich hân der mangen hie bekant,
die vil gerne mîner hant
etswenne durh mîne gâbe nigen
20 und mich nû grüezen hânt verswigen.
nû gêt ir vor, ich gên iu nâch.«
der koufman mit zühten sprach:
»ir sult rîten, ich sol gên:
ich wolt ê wochen lanc hie stên.«
25 dô sprach des marcrâven munt:
»mir waere gesellekeit unkunt,
soldet ir mîn garzûn sîn.
lât mich bî den zühten mîn!
ich *volg iu wol ze vuoz:
gesellekeit ich leisten muoz.«

Da von denen keiner daran dachte,
die euch so allein gesehen haben, 25
schenkt mir das Vertrauen,
daß ich euch dienen darf.
Herr, laßt mich untertänigst bitten,
daß ihr mich erhöht.«
Wimar hieß der Kaufmann;
131 ritterlicher Abkunft war er.
Er sagte: »Ich rechne als Gewinn,
was ich euch, um euch zu ehren, biete:
gewährt ihr mir die Bitte heute,
dann müssen morgen alle meine Standesbrüder sagen, 5
daß mein Ansehn groß geworden ist.«
Darauf der Markgraf:
»Was ihr wünscht, darüber freu ich mich
und werd's vergelten, wenn ich kann,
da bei Hofe niemand sich um mich gekümmert hat, 10
der Marschall nicht und auch sonst keiner.
Geschändet haben die den Hof damit,
daß ich so hilflos und verlassen blieb,
eh ihr in eurer Güte mich
vor ihnen allen freundlich angesprochen habt. 15
Ich habe Grund, erbost zu sein darüber:
viele hab ich hier erkannt,
die sich früher gern verneigten vor meiner Hand,
die sie beschenkte,
und die mich jetzt geschnitten haben. 20
Geht ihr voraus, ich folg euch nach.«
Der Kaufmann sagte höflich:
»Ihr sollt reiten, ich werde gehn:
sonst bleibe ich hier stehn, und wenn es Wochen
dauert.«
Darauf der Markgraf: 25
»Ich wüßte nicht, was sich gehört,
wenn ich euch als Knappen akzeptierte.
Laßt mir meine Höflichkeit!
Ich folge euch mit Recht zu Fuß:
ich bin nichts Besseres als ihr.«

132 der koufman liez im niht den strît:
er muose et ûf daz râvît
und mit im dannen rîten.
mit wem er wolde strîten,
5 des *vrâgten se* an der strâze,
der kinde *âne mâze,
die dem marcrâven zoget*e*n nâch.
swer in alsô rîten sach,
der vlôch in in der gazze
10 und entweich vor sîme hazze.
ze hûse in brâhte Wîmâr.
aldâ wart er ân allen vâr
entwâpent schiere. ê daz geschach,
sô was dem orse sîn gemach
15 geschaffet vlîzeclîche.
pflûmîte und kulter rîche
ûf einen teppich hiez der wirt
legen – daz doch der gast verbirt,
daz er sô sanfte iht saeze:
20 er vorhte, daz *er* vergaeze
*Gîburgen noete, dâ si inne was.
er warp, daz man im braehte ein gras,
»und lât mich walgen als ein rint.
ob ich wart ie muoter kint,
25 dô was diu werelt vol sorgen gar,
innen des mich *diu* gebar.
wirt, ich bin ein herre niht:
mîn vlust mir and*e*r dinge giht.«
pflûmît, kultern, matraz,
ûf der deheinez er dâ saz.
133 *d*em wirte tet sîn trûren wê.
al grüene gras und niuwer klê,
des wart dar vil und*e*r in getrag*e*n.
der wirt vil sêre begunde klag*e*n,
5 daz er'z niht senfter naeme,

132 Der Kaufmann ließ sich nicht bereden:
der Markgraf mußte sich bequemen, auf das Roß zu sitzen
und mit ihm davonzureiten.
Mit wem er kämpfen wolle,
fragten auf der Straße 5
Kinderscharen,
die den Markgrafen verfolgten.
Wer ihn so reiten sah,
floh vor ihm in der Gasse
und entzog sich seinem Zorn. 10
Wimar führte ihn nach Hause.
Freundlich nahm man ihm dort
sogleich die Rüstung ab. Noch ehe das geschehen war,
hatten sie, eifrig und bemüht, auch schon das Pferd
versorgt. 15
Prachtkissen und Prachtdecken
hieß der Hausherr über einen Teppich
breiten – doch der Gast verzichtet drauf,
so bequem zu sitzen:
er fürchtete, er könnte 20
die Not vergessen, in der Giburg sich befand.
Er bat, ihm Gras zu bringen,
»und erlaubt, daß ich mich wälze wie ein Rind.
Wenn ich als Mensch geboren bin,
dann lag auf der Welt ein Fluch 25
in der Stunde der Geburt.
Gastfreund, ich bin kein Herr:
mein Verlust hat etwas anderes aus mir gemacht.«
Auf Kissen, Decken, Polster
saß er nicht.

133 Dem Hausherrn war es schmerzlich, daß er so betrübt war.
Saftiges Gras und frischen Klee
in Mengen schafften sie für ihn herbei als Lager.
Der Hausherr klagte sehr,
daß er nichts Bequemeres nahm, 5

als müeden man gezaeme:
daz er im willeclîchen bôt.
dem wirte was des gastes nôt
dennoch unbekennet, S. 598b
10 diu im sider wart benennet.
nû het der wirt daz gebot*e*n,
daz was gebrâten und gesot*e*n
vil niuwer spîse reine,
vische und vleisch gemeine,
15 beidiu daz wilde und ouch daz zam.
der wirt die kost an sich sô nam,
solt'z im loesen *sînen* lîp,
sône möht er selbe und ouch sîn wîp
des *nimmer* baz genem*e*n war.
20 dô bereite man mit zühten dar
und *rihte* eine tavelen kleine
dem marcrâven eine.
dô der sîne hende getwuoc,
der wirt vür in mit zühten truoc
25 nâch koufmannes prîse
maneger slahte spîse,
gesoten und gebrâten.
swelh arman sô berâten
waere, vür guot er'z naeme.
sölh trinken, daz gezaeme

134 *d*em keiser ze bieten,
des wolte sich niht nieten
der marcrâve: daz was verlob*e*t.
in dûhte, er hete dran getob*e*t,
5 ob er iht aeze mêr wan brôt
und wazzer trünke. er wolt et nôt
haben, unz *im* diu hoehste hant
ze Oransche erlôste liebez pfant.
der pfâwe vor im gebrâten stuont
10 mit salsen, diu *dem* wirte kunt
was, daz er bezzer nie gewan.
den kapûn, den vasân,

wie es für einen müden Mann das Richtige wär:
von Herzen bot er es ihm an.
Noch wußte von dem Leid des Gasts der Hausherr
nichts:
er erfuhr es später. 10
Der Hausherr hatte nun befohlen,
eine reiche Auswahl frischer, guter Speisen 13
zu braten und zu sieden, 12
Fisch und Fleisch,
Wild und andren Braten. 15
Solchen Aufwand trieb der Hausherr:
mehr hätten er und seine Frau 18
auch nicht bieten können, 19
wenn's drum gegangen wär, ihn selber freizukaufen. 17
Vornehm installierte man 20
einen kleinen Tisch
für den Markgrafen allein.
Als der die Hände gewaschen hatte,
trug der Hausherr ihm
nach bester Kaufmannssitte 25
höflich die verschiedensten Gerichte auf,
gesotten und gebraten.
Ein armer Ritter, den man so bedenken
würde, nähm's mit Freude.
Getränke, würdig,
134 sie dem Kaiser anzubieten,
ließ der Markgraf stehen:
so hatte er's gelobt.
Er hätt es für verrückt gehalten,
mehr als Brot 5
und Wasser zu essen und zu trinken. Entbehrung
wollt er leiden, bis ihm die Macht des Höchsten
das geliebte Pfand gelöst hätt in Orange.
Gebraten stand der Pfau vor ihm
mit der besten Soße, die der Hausherr 10
kannte.
Den Kapaun, den Fasan,

in galreiden die lamprîden,
*pardrîsen begund er mîden.
15 der wirt sprach: »herre, disem lant,
waere dem bezzer spîse erkant,
der wurdet ir schône von mir gewert.
saget mir, ob ir iht and*er*s gert:
dâ lât mich balde werben nâch.«
20 der marcrâve sûfte und*e* sprach:
»lieber wirt, ez stêt mir sô,
daz ich nimmer werde vrô
unz an den urtellîchen tac,
dâ diu gotes kraft wol vüegen mac,
25 daz mîn gelübde ein ende hât.
ob mir sîn trôst die vreude lât,
daz er mir dâ gelücke gît,
wirt, dâ nâch ist denne zît,
daz ich süle guoter spîse leb*e*n.
ir endurfet mir niht wan wazzer geb*e*n

135 *u*nd *brôtes*, daz ich drîn gemer.
ze iu noch ze niemen ich des ger,
daz ez gebezzert werde. S. 599a
swaz wâges *und* der erde
5 lebt, daz wil ich mîden,
wand ich muoz kumber lîden,
unz ich hân bezzeren trôst erkorn.
lieber wirt, ich hân verlorn
hôhe mâge und werde man;
10 dar zuo hân ich in angest lân
ein wîp, der dort mîn herze ist bî:
mîn lîp ist hie vor vreuden vrî.
nûne vrâget niht mêre und lât'z et sîn.
iuwer güete ist an mir *schîn:
15 des wirt gehoehet noch iuwer prîs.
von Provenze der markîs
Willalm bin ich genant.

die Lampreten in Aspik,
die Rebhühner ließ er stehn.
Der Hausherr sagte: »Herr, wenn dieses Land 15
bessre Speise hätte,
würd ich euch reichlich davon geben.
Sagt mir, ob ihr etwas andres wollt:
das werd ich gleich besorgen.«
Der Markgraf seufzte und sagte: 20
»Lieber Gastfreund, mir geht's so,
daß ich nicht mehr froh sein kann
bis zum Entscheidungstag,
an dem's in Gottes Allmacht steht,
mein Gelübde aufzuheben. 25
Wenn mir da seine Hilfe glücklich
den Erfolg bringt,
dann, Gastfreund, ist für mich die Zeit gekommen,
gut zu essen.
Nichts als Wasser braucht ihr mir zu geben
135 und Brot zum Tunken.
Von euch und auch von keinem sonst
verlang ich Besseres.
Was von Wasser und von Erde
lebt, das will ich meiden: 5
in Not und Armut muß ich leben,
bis mir geholfen ist.
Lieber Gastfreund, ich hab
hochgeborene Verwandte verloren und teuere
Vasallen;
dazu ließ ich in Gefahr 10
eine Frau zurück: mein Herz ist dort bei ihr –
hier ist – von aller Freude abgeschnitten – nur mein
Leib.
Nun fragt nicht weiter, laßt es sein.
Ihr habt an mir bewiesen, daß ihr gütig seid:
das wird euern Ruhm erhöhen. 15
Der Marquis von Provence,
Willehalm, bin ich.

getrag ich immer gebende hant,
iu wirt vergolten disiu nar,
20 swie swach ich hînte bî iu var.«
der wirt sprach: »herre, wol mich wart,
daz iuwer her komendiu vart
in mîn hûs ist gedigen.
die iuch hie grüezen hânt verswigen,
25 des mugen die werden sich wol schem*e*n.
ir sult in iuwer genâde nemen
mîn armez dienst mit triuwen.
iuwer kumb*e*r sol mich riuwen,
unz ir an vreuden habet gewin,
ob ich hân toufbaer*e*n sin.«

136 *d*er wirt wol hôrte und*e* sach,
daz er von trûren ungemach
dennoch pflac und het erliten.
ern wolt in dô niht vürbaz biten,
5 deheiner bezzeren spîse leb*e*n.
er begunde im hertiu wastel geb*e*n
und trinken, des diu nahtegal
lebt, dâ von ir süezer schal
ist werd*e*r, dann ob si al den wîn
10 trünke, der mac ze Bôtzen sîn.
der spîse wart ein teil verzert
und senftez betten gar rewert.
der marcrâve sich ûf ein gras
leite, daz im ê kom*e*n was.
15 der wirt nam urloup: der vuor dan
und liez den siufzebaeren man
ligen trûreclîche.
wart er ie vreuden rîche,
daz was im worden gar ein troum:
20 sîn herze truoc den jâmers soum.
der marcrâve dâhte dô:
»sît mir mîn dinc ist kom*e*n alsô,
daz al die best*e*n hie hânt lân

Wenn ich jemals wieder schenken kann,
dann wird euch dieses Mahl vergolten,
wie arm ich auch heut abend bei euch bin.« 20
Der Hausherr sagte: »Herr, gesegnet bin ich,
daß ihr
in mein Haus gekommen seid.
Die vom Adel, die euch nicht empfangen haben,
werden sich darüber schämen. 25
Nehmt in Gnaden meinen Dienst:
er ist bescheiden, doch er kommt von Herzen.
Schmerzen wird mich eure Not,
bis ihr wieder froh sein könnt,
wenn ich ein Christenherz im Leib hab.«

136 Der Hausherr sah und hörte,
daß er Leid erfahren
hatte, das ihm noch zu schaffen machte.
Da wollte er nicht länger in ihn dringen,
Besseres zu essen. 5
Er gab ihm also harte Fladen
und das Getränk, von dem die Nachtigall
lebt: das macht ihren süßen Ton
edler, als wenn sie all den Wein
trinken würde, den's in Bozen gibt. 10
Von dieser Speise aß er einiges
und wollte dann von einem weichen Bett nichts
wissen.
Der Markgraf nahm das Gras als Lager,
das man ihm vorher ausgebreitet hatte.
Der Hausherr sagte Gutenacht: er ging 15
und ließ den schmerzbeladnen Mann
mit seinem Kummer liegen.
War dem einst Glück in Fülle zugeflossen,
das war jetzt alles wie ein Traum für ihn:
die schwere Last des Jammers trug sein Herz. 20
Der Markgraf dachte:
»Da es mit mir dahin gekommen ist,
daß alle Edlen hier

und ir selb*er* unprîs getân,
25 daz ir neheiner mir sprach zuo,
gelebe*e* ich unz morgen vruo,
ich sol in vüegen sölhe klage, S. 599b
daz si immer mêr*e* von dem tage
dâ nâch ze sprechen hânt genuoc,
kint, diu noch muoter nie getruoc.«

137 *i*n zorne er âne slâfen lac,
unz ûf in schein der liehte tac.
sîn harnasch lac bî im gar
und Arofels swert, daz lieht gevar.
5 er *schuoht* die îserhosen an.
dô kom sîn wirt, der koufman.
er vrâgete in, waz er wolde tuon.
dô sprach Heimrîches sun:
»nû seht, ich wâpen disiu bein;
10 ich bin ouch worden des enein,
daz ich diz harnasch an wil leg*e*n,
ob ich vor stichen od von sleg*e*n
deste baz *iht* müge genesen.
solt ich in dirre smaehe wesen,
15 dar zuo dunk ich mich ze wert.
mir waere diz und elliu swert
ummaere umb mich gebunden,
ob mich liezen und*e* vunden
in spotte die Franzoiser gar.«
20 er bat den wirt nemen war,
wie'z harnasch hinden stüende:
vorn het er's selbe künde.
der wirt sprach: »herre, ez stêt gar wol.
mir ist leit, daz ich *iuch* sehen sol
25 sliefen in sölhe arbeit:
mir ist iuwer ungemach vil leit.
ob ir des gert, ich hân gewant,
daz al der Franzoiser lant
niht mac *erziugen* bezzer wât,
den iu mîn hant ze geben hât.«

sich selbst mit Schande überzogen
und nicht mit mir gesprochen haben, 25
will ich, wenn ich den Morgen noch erlebe,
ihnen solches Leid zufügen,
daß noch die Ungeborenen 30
von diesem Tag 28
genug zu sprechen haben.« 29

137 Schlaflos lag er in seinem Zorn,
bis ihn der helle Tag beschien.
Neben ihm lag seine ganze Rüstung,
dazu Arofels Schwert, das schimmernde.
Die Beinschützer aus Eisen zog er über. 5
Sein Gastfreund kam, der Kaufmann.
Er fragte ihn nach seinen Plänen.
Heimrichs Sohn gab ihm zur Antwort:
»Seht selbst: ich wappne diese Beine;
auch hab ich mich entschlossen, 10
diesen Harnisch anzulegen,
damit ich Stiche oder Schläge
besser übersteh.
In dieser Schmach zu leben,
dafür halt ich mich zu edel. 15
Ich müßte dieses oder sonst ein Schwert
nicht am Gürtel tragen,
wenn die Franzosen alle mich in dieser Schmach 19
lassen und ein zweites Mal drin finden sollten.« 18
Er bat den Hausherrn nachzusehen, 20
ob der Harnisch hinten saß:
vorne sah er's selber.
Der Hausherr sagte: »Herr, er sitzt vorzüglich.
Es ist mir leid mitanzusehn,
wie ihr in solche strapaziösen Sachen schlüpft: 25
es ist mir leid, daß ihr's so unbequem habt.
Wenn ihr wollt, ich habe Kleider,
daß man in ganz Frankreich
keine besseren findet
als die, die ich euch geben könnte.«

138 der marcrâve zem wirte sprach:
»ich gihe noch, des ich nehten jach:
ir habt mir gunst erzeiget;
ist mîn leben ungeveiget,
5 mîn danc belîbet ungespart.
durh's küneges swarte ûf sînen bart
ditze swert sol durhverte gern:
des wil ich in vor den vürsten wern.
ich hân von im smaehe und spot
10 *nâch* mîner vlüstebaeren nôt.
ich mac iu einem daz wol sag*e*n.«
der wirt begunde alsô verzag*e*n,
daz er nider bî im seic
und der geinrede gar gesweic.
15 der marcrâve zem orse sîn
gienc. nû was ouch Volatîn
gesatelt und erstrichen wol.
»dirre herberge ich danken sol«,
sprach der marcrâve, »kumt *ez* sô.«
20 ûf dez ors saz er dô
und reit hin wider alzehant, S. 600a
dâ in der wirt des âbentes vant.
nû het der tac sich hôhe erhab*e*n.
stapfen, zelten und*e* drab*e*n
25 ûf den hof begunde vil der diet.
ungedult dem marcrâven riet,
daz er strickete des orses zoum
vaste an einen ast von ölboum.
dô wolt er nâch den anderen gên,
durh bâgen vür den künec stên.

139 nû dâht er: »*ersih ich disen zagen,
den künec, wirt er von mir erslagen.
kan mich sîn volc vor tôde sparen,
die vürsten sulen mir doch enpfaren.
5 waz, ob sich krenket al mîn werb*e*n?

138 Der Markgraf drauf zum Hausherrn:
»Ich kann nur wiederholen, was ich gestern abend sagte:
ihr seid zu mir sehr freundlich;
wenn ich am Leben bleibe,
werd ich's euch vergelten. 5
Dem König durch den Schädel bis zum Bart
fährt dieses Schwert:
in Gegenwart der Fürsten wird ihm das beschert.
Bloß Spott und Hohn hab ich von ihm
nach all der Not und dem Verlust. 10
Ihr seid der einzige, dem ich das sagen kann.«
Dem Hausherrn wurde derart angst,
daß er vor ihm zu Boden sank
und keine Antwort gab.
Der Markgraf ging zu seinem Pferd. 15
Volatin war schon
gesattelt und gestriegelt.
Der Markgraf sagte: »So Gott will, 19
vergelt ich euch die Unterkunft und die Bewirtung.« 18
Er saß aufs Pferd 20
und ritt schnurstracks dorthin zurück,
wo ihn sein Gastfreund abends angetroffen hatte.
Die Sonne stand jetzt hoch am Himmel.
Im Schritt, im Paßgang und im Trab
ritt eine große Menge auf den Hof. 25
Ungeduldig band der Markgraf
den Zaum des Pferds
an einen Ölbaumast.
Er hatte vor, den andern nachzugehen
und sich mit dem König anzulegen.

139 Er dachte: »Wenn ich den Schlappschwanz seh,
den König, wird er von mir erschlagen.
Indes: wenn seine Leute mich vielleicht am Leben lassen,
werden mir die Fürsten doch nicht helfen.
Was, wenn mein Unternehmen scheitert? 5

sô muoz diu helfe verderb*e*n,
als ich Gîburge enthiez,
die ich in grôzer angest liez.
ich wil mînes vater beiten
10 mit zwîvels arbeiten:
die muoz ich haben unz an in.
hât er denne veterlîchen sin,
daz mac an mir wol werden schîn.
mir helfent ouch die bruoder mîn
15 und swaz ich werd*e*r mâge hân.«
nû kom sîn wirt, der koufman.
der sleich vür in, aldâ er saz,
und huop sich inz gedrenge baz.
der sag*e*t ûf'em palas,
20 wer dirre werde ritter was.
dô lief her ab die grêde
alt und junge bêde,
manec wert man, der mit vreude enpfienc
den marcrâven, der gein in gienc
25 und alsus hin z'in allen sprach:
»swer mich hie nehten sitzen sach,
der mîne gâbe enpfangen hât,
ez was eins *swaches muotes rât,
daz mich der liez al eine,
dem mîn helfe ie was gemeine.

140 *trüege mîn soum golt,
sô waeret ir mir alle holt,
samît, pfelle und and*e*r wât.
vil orse, *diu* mîn marke hât,
5 saehet ir der manegez bî mir gên,
sône dörft ich sitzen noch stên
nind*e*r, ez enwaere umb mich gedranc.
der hof sol haben undanc,
swenne ein vürste alsô smaehen gruoz
10 von der massenîe enpfâhen muoz.
ir waenet, daz ich verdorben sî:
nein, mir ist and*e*r wille bî.«

Dann ist es mit der Hilfe nichts,
dem Versprechen, das ich Giburg gab,
die ich in Angst und Not zurückließ.
Ich will auf meinen Vater warten,
so quälend auch die Ungewißheit ist: 10
ich muß sie ertragen, bis er kommt.
Ist er dann väterlich gesonnen,
wird sich das an mir zeigen.
Auch meine Brüder helfen mir
und meine hochgeborenen Verwandten.« 15
Sein Gastfreund kam, der Kaufmann.
Der stahl sich an dem Platz vorbei, an dem er saß,
und schob sich ins Gedränge vor.
Im Palas sagte er,
wer der edle Ritter war. 20
Die Treppe lief da
alt und jung hinunter,
viele Edelleute, die mit Freude
den Markgrafen begrüßten, der auf sie zutrat
und zu ihnen allen sagte: 25
»Wer mich hier gestern abend sitzen sah
von denen, die einmal Geschenke von mir nahmen,
der zeigte seine Schäbigkeit,
daß er mich alleine ließ,
der doch auf meine Hilfe immer rechnen durfte.

140 Hätt ich ein Lasttier hier mit Gold beladen,
mit Brokat und Seide und mit anderm Stoff, 3
wärt ihr mir alle sehr gewogen. 2
Die vielen Pferde meiner Mark –
hätt ich einige bei mir, 5
dann dürft ich nirgends sitzen oder stehen,
ohne daß um mich Gedränge wär.
Verflucht der Hof,
wenn dort ein Fürst so übel
von der Gefolgschaft aufgenommen wird. 10
Ihr glaubt, ich sei am Ende:
nein, ich hab's ganz anders vor.«

sîn wâpenroc, sîn kursît,
an den beiden kôs man strît:
15 die wâren verhouwen, etswâ verhurt; S. 600b
sîn swert, daz umb in was gegurt,
dem was'z gehilze guldîn;
sîn harnasch gap nâch roste schîn.
dô sîn gezoc sô kleine
20 was, vil schiere al eine
er ân die ritter gar gestuont.
daz was im et*e*swenne unkunt.
der künec ûf'en palas
kom, dâ manec vürste was.
25 der hete messe vernomen.
ouch was diu küneginne dar komen.
der marcrâve den anderen nâch
gie, unz er den künic sach
und sîne swester, 'es küneges wîp.
er truoc daz swert umbe sînen lîp.

141 *s*în*e*s kom*e*ns heten haz
der künec und swer dâ vürsten saz:
ir neheiner was sô wol geborn,
sine *widersaezen* sînen zorn.
5 der marcrâve an den stunden,
d*e*z swert niht ab gebunden,
*er zuct'z vür sich inz schôz.
sînes sitzens dâ bî in verdrôz,
ich waene, ir ieslîchen,
10 den armen und den rîchen.
etslîcher wunschete in sus von im:
ze Kânach od ze Assim,
in die hitze ze *Alamansurâ*
od wid*e*r ze *Skandinâvîâ*,
15 übervroren in dem îse.
etslîch vürste wîse
wunschete im *aber des,
daz er waere ze Katus Erkules.
sô wunschte *in* einer âne wer

An seinem Waffenrock und seinem Kursit
sah man, daß er im Kampf gewesen war:
Risse und Löcher hatten sie; 15
sein Schwert, das ihm am Gürtel hing,
hatte einen Griff aus Gold;
sein Harnisch war mit Rost bedeckt.
Da er kein Gefolge
hatte, stand er bald ganz allein, 20
verlassen von den Rittern, da.
Das war ihm früher nicht passiert.
Der König kam zum Palas,
wo viele Fürsten sich versammelt hatten.
Die Messe hatte er gehört. 25
Auch die Königin war erschienen.
Der Markgraf ging den andern
nach, bis er den König sah
und seine Schwester, dessen Frau.
An seinem Gürtel hing das Schwert.

141 Dem König und der Fürstenrunde 2
paßte es nicht, daß er gekommen war: 1
keiner unter ihnen war so hochgeboren,
daß er nicht seinen Zorn gefürchtet hätte.
Der Markgraf riß sogleich 5
das Schwert am Gürtel
vor sich in den Schoß.
Daß er so vor ihnen saß,
das empörte, glaub ich, alle,
den Armen wie den Reichen. 10
Mancher wünschte ihn sich so vom Leib:
nach Ghana oder nach Assim,
ins heiße Alamansura
oder, in die andre Richtung, ins
eisbedeckte Skandinavien. 15
Einige gelehrte Fürsten
wünschten ihn
zu den Säulen des Herkules.
Ein andrer wünschte ihn – und keiner widersprach –

20 ûf den wert inz Lebermer,
der Pâlaker ist genant:
»sône wurd *e*r nimmer mêr bekant
deheinem Franzeise.
herverte und reise,
25 die gein Oransche sint erbeten,
die hânt Francrîche erjeten
von der guoten rîterschaft.
ez enwart nie man sô künnehaft,
durh die wir dienen müezen.«
»nûne wil er niemen grüezen«,
142 sprach einer: der enbekand es niht.
»lâ sîn, dîn ouge hiute *siht«,
antwurte im aber dirre dô,
»des etslîch vürste wirt unvrô.
5 er hât gewunnen aber schaden.
sîn swert beginnet in bluote baden,
ê wir unsich hinnen scheiden.
nû sint im ab*e*r die heiden
geriten alze nâhen bî. S. 601a
10 vermaldîet Oransche sî,
daz ir ie stein gemezzen wart!
man muoz im eine hervart
noch hiute swer*e*n od*e*r lob*e*n
od*e*r man gesiht in drumbe tob*e*n.«
15 dô sprach ab*e*r ein Franzois:
»mîn herre solt im *Vermendois*
lîhen und Arraz.
nû sehet, wie wunderlîch gelâz
hât der küene, starke!
20 mîn herre im sîne marke
alsus erstaten solde,
ob er ruowe haben wolde.
sîn gebaerde ist unbescheidenlîch.«
Irmschart und Heimrîch
25 dâ kômen mit grôzem gesinde:
vier vürsten, ir zwei*e*r kinde,

auf jene Insel im Lebermeer, 20
die Palaker heißt:
»dann müßte
kein Franzose ihn mehr sehen.
Heerfahrten und Kriegszüge,
die nach Orange befohlen wurden, 25
die haben aus dem Boden Frankreichs
die edle Ritterschaft herausgeharkt.
Soviel Verwandte hat noch nie ein Mann gehabt,
drum müssen wir ihm alle dienen.«
»Wieso? Er grüßt doch keinen«,
142 sagte einer: der hatte nichts begriffen.
»Laß gut sein, du wirst heute sehen«,
gab der andre ihm zur Antwort,
»was manchem Fürsten schlecht gefällt.
Er hat wieder ein Heer verloren. 5
Ein Blutbad nimmt sein Schwert,
bevor wir von hier weggehn.
Die Heiden sind ihm wieder mal
zu nahe auf den Pelz geritten.
Verdammte Stadt Orange, 10
daß je ein Stein für sie behauen wurde!
Man muß ihm heut noch eine Heerfahrt
versprechen oder schwören
oder er fängt an zu toben.«
Ein anderer Franzose sagte: 15
»Das Vermendois sollt ihm der Herr
zu Lehen geben und Arras.
Seht nur, wie seltsam
sich der kühne, starke Mann benimmt!
Drum sollt der Herr ihm seine Mark 20
ersetzen,
wenn er Ruhe haben will.
Er benimmt sich ungebührlich.«
Da kamen mit großem Gefolge 25
Irmschart und Heimrich: 24
vier Fürsten, ihre Söhne,

siben tûsent ritter oder mêr
die vuorte der alte vürste hêr.
dâ wart von kameraere stab*en*
vil kûme alsölher rûm erhab*en*,

143 daz diu alde vürstîn Ir*e*mschart
von Paveie ir vürvart
ûf dem palas gewan.
ir volgete manec werder man.
5 dô si în kom gegangen,
si wart mit kusse enpfangen:
daz tet des roemischen küneges munt.
ir tohter an der selben stunt
si mit vreuden kuste:
10 ir komens si wol luste.
dô der künec sîne swiger
enpfienc, zuo ir tohter nider
si saz. nû kom ouch Heimrîch,
der vürsten krefte wol gelîch:
15 ein barûn truoc vor im sîn swert,
im volgete manec ritter wert.
der künec sîne zuht begienc:
*der stuont ûf, dô er in enpfienc,
und vuort in selbe mit der hant,
20 dâ im vil schône wart bekant
der roemischen küneginne kus.
dar nâch der künec in *sazte alsus*:
nâhen an sîne sîten.
an den selben zîten
25 Heimrîches süne viere,
von al den vürsten schiere
wart erboten werdeclîcher gruoz.
ieslîch vürste sitzen muoz;
als tâten die anderen alle.
gein der hôchgezîte schalle

144 *v*il teppich über al den palas
lac, dar ûf geworfen was
touwige rôsen hende dicke. S. 601b

und siebentausend Ritter oder mehr
führte der alte, hohe Fürst mit sich.
Die Kämmerer mit ihren Stäben
hatten alle Mühe, Raum genug zu schaffen,
143 daß die alte Fürstin Irmschart
von Pavia
durch den Palas schreiten konnte.
Ihr folgten viele Edelleute.
Beim Eintritt 5
wurde sie mit einem Kuß empfangen:
der römische König gab ihr den.
Auch ihre Tochter küßte
sie voll Freude:
sie war glücklich, sie zu sehen. 10
Als der König seiner Schwiegermutter
den Gruß entboten hatte, nahm sie neben ihrer
Tochter Platz. Da kam auch Heimrich
im vollen Glanz der Fürstenmacht:
ein Baron trug ihm sein Schwert voran, 15
ihm folgten viele edle Ritter.
Der König tat, was die Etikette verlangte:
er erhob sich, um ihn zu begrüßen,
und führte ihn höchstselbst an seiner Hand
zur römischen Königin, die ihn, wie es sich gebührte, 20
küßte.
Drauf bat ihn der König,
an seiner Seite Platz zu nehmen.
Währenddessen
zögerten die Fürsten nicht, 26
die vier Söhne Heimrichs 25
ehrerbietig zu begrüßen.
Die Fürsten haben alle Platz zu nehmen;
die andern auch.
Um den Lärm des Fests zu dämpfen,
144 hatte man den ganzen Palas mit Teppichen
belegt und
handhoch taubedeckte Rosen drauf gestreut.

dâ wurden ir liehte blicke
5 zetreten: daz gap doch süezen wâz.
der marcrâve dennoch saz,
als er zem êrsten dar was kom*en*:
ir neheines gruoz het er vernom*en*,
die dâ gruozbaere wâren.
10 dâ kund er zuo gebâren,
als ir schiere sult gehoeren.
sîne zuht begund er stoeren,
der merken wolte sîniu wort,
diu er sprach *vor* dem künege dort.
15 al swîgende er gedâhte:
»sît Terramêr mir brâhte
mit vlust sô herzebaeriu sêr,
sô bekant ich vreude nimmer mêr,
wan der mâze ich ir hie sihe.
20 mîme gelücke ich des gihe,
ez möhte noch ze *gufte* kom*en*,
swie vil mir vreuden sî benom*en*.
hie sitzet mîn künne almeistic gar,
dar zuo ein wîp, diu mich gebar.
25 ich waene, diu *niemêr* süle verdagen,
sine beginne Heimrîche sagen,
daz ich sî ir beider kint.
mîne bruoder, die hie sint,
erhoerent die mîne riuwe,
si begênt an mir ir triuwe.«

145 er dâhte: »ich wil'z nû wâgen.«
dô stuont er ûf durh bâgen.
über manegen schreit er dan.
dô stuont der zornebaere man
5 vür den künec und sprach alsô:
»her künec, ir muget wol wesen vrô,
daz iu mîn vater sitzet bî.
nû wizzet, waern iuwer eines drî,
die waeren *mir ze pfande gevarn:
10 daz wil ich nû durh zuht bewarn.

Zwar wurde deren Farbenpracht
zertreten, doch gab das wunderbaren Duft. 5
Der Markgraf saß noch immer
wie bei seiner Ankunft:
keiner hatte ihn gegrüßt von denen,
die ihn hätten grüßen müssen.
Er reagierte drauf, 10
wie ihr gleich hören werdet.
Er fiel aus der Rolle:
das wurde jedem klar, der hörte,
was er dort vor dem König sagte.
Er schwieg und dachte: 15
»Seit Terramer mir
derart schmerzliche Verluste beigebracht hat,
hab ich keine Freude mehr erlebt
wie die, die ich hier sehe.
Ich trau das meinem Glück schon zu, 20
daß es noch Freudenfeste feiern wird,
wieviel an Freude ich auch eingebüßt hab.
Fast meine ganze Sippe sitzt hier
und die Frau, die mich geboren hat.
Ich denk, die wird nicht schweigen, 25
sondern Heimrich dran erinnern,
daß ich ihrer beider Sohn bin.
Wenn meine Brüder hier
von meinem Leid erfahren,
lassen sie mich nicht im Stich.«

145 »Ich will's nun wagen«, dachte er
und stand auf, um loszuschreien.
Über viele, die da saßen, stieg er hinweg,
baute sich zornbebend
vor dem König auf und sagte: 5
»König, ihr könnt froh sein,
daß mein Vater bei euch sitzt.
Ich sage euch: auch wenn ihr nicht nur einer, sondern
drei wärt, wärt ihr mir als Pfand verfallen:
aus Respekt vor meinem Vater will ich drauf 10
verzichten.

der segen über d'engel gêt,
an swes arme diu hant stêt,
der teil ouch sînes segens swanc
über mînen vater alders blanc
15 und über die werden muoter mîn.
her künec, nû waenet ir kreftic sîn:
gap ich iu roemische krône
nâch alsô swachem lône,
als von iu gein mir ist bekant?
20 daz rîche stuont in mîner hant:
ir wâret der selbe, als ir noch sît,
dô ich gein al den vürsten strît
nam, die iuch bekanten
und ungern ernanten,
25 daz si iuch ze herren in erkürn.
si vorhten, daz si an iu verlürn
ir werdekeit und ir prîs. S. 602a
ine gestat*te* in niht deheinen wîs,
sine müesen iuch ze herren nem*e*n.
dô kunde lasters mich gezem*e*n.

146 ouwê der missewende,
daz ich mîne hende
zwischen die iuweren ie gebôt!
dô genuzzet ir vil maneger nôt,
5 die ich durh iuweren vater leit,
maneges sturmes, die ich streit:
ich hân ouch vil durh *iuch* gestriten.
nû hân ich siben jâr gebiten,
daz ich vater noch muoter nie gesach
10 noch der neheinen, der man jach,
daz si mîne bruoder waeren.
ich kund iuch wol beswaeren:
durh mîne muoter lâz ich'z gar.«
sîner bruoder sprungen viere dar.
15 die begunden in schône enpfâhen
und dicke umbevâhen,
swie ez dem künege waere bî.

Der, dessen Hand 12
die Engel segnet, 11
der schlage auch sein Segenszeichen
über meinen altersgrauen Vater
und meine teure Mutter. 15
König, ihr meint, ihr seid jetzt mächtig:
gab ich euch die römische Krone,
um so schlecht belohnt zu werden,
wie ich's von euch erfahren muß?
Das Reich stand in meiner Hand: 20
ihr wart der, der ihr noch immer seid,
als ich gegen alle Fürsten
anging, die euch kannten
und sich nicht entschließen mochten,
euch zu ihrem Herrn zu wählen. 25
Sie fürchteten, mit euch
ihre Ehre zu verlieren.
Ich habe sie gezwungen,
euch zum Herrn zu nehmen.
Schimpf und Schande hab ich mir da aufgeladen.

146 Ach, die Schmach,
daß ich meine Hände
je zwischen eure legte!
Da habt ihr profitiert von vieler Mühsal,
die ich für euren Vater auf mich nahm, 5
von vielen Schlachten, die ich schlug:
ich hab auch viel für euch gekämpft.
Es ist jetzt sieben Jahre her,
daß ich den Vater und die Mutter
und 10
meine Brüder nicht gesehen hab.
Ich könnte euch erschlagen:
um meiner Mutter willen laß ich's sein.«
Die vier Brüder stürzten zu ihm hin.
Sie begrüßten ihn in aller Form 15
und konnten ihn nicht oft genug umarmen,
obwohl's in Gegenwart des Königs war.

Bertram und Buove von Kumarzî,
Gîbert und Bernart, der flôrîs,
20 die manten in durh sînen prîs,
er solte zürnen mâzen.
si giengen wider und sâzen.
der marcrâve dennoch stuont.
dô sprach des roemischen küneges munt:
25 »*her* Willalm, sît ir'z sît,
sô dunket mich des gein iu zît,
daz ich bekenne iu vürsten reht:
want sît ich was ein swacher kneht,
sô lebt ich iuwers râtes ie,
ouch liez mich iuwer helfe nie.

147 iuwer zorn ist ân*e* nôt bekant
gein mir: ir wizzet, al mîn lant,
swes ir drinne gert, daz ist getân.
ich mac gâbe und lêhen hân:
5 daz kêrt mit vuoge an iuweren gewin!«
sîn swester sprach, diu künegîn:
»ouwê, wie wênic uns denne belib*e*!
sô waere ich diu êrste, die er vertrib*e*.
mir ist lieber, daz er warte her,
10 denne daz ich sîner genâde ger.«
des wortes diu künegîn sêre engalt.
swaz er den künec ê geschalt,
des wart ir zehenstunt dô mêr,
und jach, si waere gar ze hêr.
15 vor al den vürsten daz geschach:
die krône er ir von dem houbte brach
und warf se, daz diu gar zebrast.
dô begreif der zorn*e*baere gast
bî den zöpfen die künegîn:
20 er wolt ir mit dem swerte sîn
daz houbt hân ab geswungen, S. 602b
wan d*e*rzwischen kom gedrungen
ir beid*er* muoter Irmenschart:
des wart ir leben dâ gespart.

Bertram und Buove von Commercy,
Gibert und Bernhard, le florissant,
die mahnten ihn, an seinen Ruf zu denken 20
und seinen Zorn zu zügeln.
Zu ihren Plätzen kehrten sie zurück und setzten sich.
Der Markgraf stand noch immer.
Da nahm der römische König das Wort:
»Herr Willehalm, da ihr es seid, 25
so halte ich's für an der Zeit,
euch nach Fürstenrecht zu ehren:
seit ich ein kleiner Knappe war,
hab ich stets euern Rat befolgt,
und euer Beistand ließ mich nie im Stich.

147 Ihr zürnt mir ohne Grund:
ihr wißt es doch, in meinem ganzen Reich,
was ihr da wollt, das wird getan.
Ich hab doch Lehen und Geschenke zu vergeben:
nutzt sie, nach Recht und Sitte!« 5
Seine Schwester drauf, die Königin:
»Herrjeh, da blieb für uns nichts übrig!
Ich wär die erste, die er fortjagt.
Es ist mir lieber, er hofft hier auf unsre Gnade,
als daß ich um seine bitte.« 10
Schwer mußte die Königin das büßen.
Was er dem König vorgeworfen hatte,
zehnfach kriegte sie das jetzt zu hören:
daß sie sich überhebe, sagte er.
Vor allen Fürsten spielte sich das ab: 15
die Krone riß er ihr vom Kopf
und schmetterte sie hin, daß sie zersprang.
Der wuterfüllte Gast packte
die Königin an ihren Zöpfen:
er hätte ihr mit seinem Schwert 20
den Kopf vom Leib gehauen,
hätt sich nicht
ihrer beider Mutter Irmschart zwischen sie geworfen:
das rettete ihr Leben.

25 vil kûme diu küneginne gewant
ir zöpfe ûz sîner starken hant
und huop sich dannen drâte
in ir kemenâte.
dô si kom inr*e*halp der tür,
dô hiez si balde sliezen vür
148 *e*inen îs*e*nînen rigel starc.
dennoch vor vorhten si sich barc.
dort ûzen der künec Lôîs
waere *z'Etampes* ode ze Pârîs
5 oder ze Orlens gewes*en*,
od swâ er et möhte sîn genes*en*,
gern*er* denne dâ bî im.
»ditze last*er* âne schult ich nim
von dem marcrâven. der ist mîn man:
10 swaz ich dem hete getân,
der möht'z von mir den vürsten klag*en*.
lît mîn wîp von im erslag*en*,
daz ist ein ungedientiu nôt
gein sölher rede, als ich im bôt
15 und *der* ich wolte sîn bereit.«
durh zuht, durh vorhte in allen leit
was *ungevuoge, diu dâ geschach.
dort inne 'es künges tohter sprach
z'ir muoter: »vrouwe, wie kumstû?
20 wem gevuor ie künginne sô zuo?
mînem vater, dem daz rîche
dient, hart ungelîche
kumstû sînem hôhen nam*en*.
dû springst sô, daz dir die lam*en*
25 möhten niht gevolgen.
wer ist dir dar *ûze* erbolgen?«
si sprach: »daz ist der oeheim dîn.
hilf mir *ze hulde, liep tohter mîn!«
der vürste ûz Narbôn dô gienc
alrêste, dâ er sînen sun enpfienc.

Mit Mühe wand die Königin 25
aus seiner starken Hand die Zöpfe
und lief davon
in ihre Kemenate.
Als sie durch die Tür war,
befahl sie, schleunigst
148 einen starken Eisenriegel vorzuschieben,
und versteckte sich gleichwohl vor Angst.
Der König Louis draußen
wär lieber in Etampes, in Paris,
in Orléans gewesen 5
oder sonst an einem sichern Ort
als hier bei ihm.
»Es gibt keinen Grund, daß mich
der Markgraf so beleidigt. Er ist mein Vasall:
hätt ich ihm noch soviel getan, 10
er hätte vor den Fürsten klagen können.
Daß er meine Frau erschlägt,
die Untat hab ich nicht verdient
für das, was ich ihm
ehrlich angeboten habe.« 15
Weil die Etikette verletzt war und aus Angst
fanden alle diesen Ausbruch unerträglich.
Drinnen sagte die Königstochter
zu ihrer Mutter: »Herrin, wie kommst du denn her?
Zu wem ist eine Königin je so gerannt? 20
Zu Rang und Würde meines Vaters, dem das Reich
dient, paßt es schlecht,
wie du da kommst.
Du springst daher – kein Lahmer
könnt dir folgen. 25
Wer ist da draußen auf dich wütend?«
»Dein Onkel«, sagte sie,
»hilf mir, ihn zu versöhnen, liebe Tochter!«
Jetzt erst ging der Narbonneser Fürst
zu seinem Sohn und grüßte ihn.

149 *v*ersagens urloup sô bat er,
dâ in Heimrîch, sîn vater,
enpfâhen und küssen wolde.
er sprach, als er solde:
5 »mîn kus ûf Oransche ist belib*e*n:
dâ hât mich Tîbalt von getrib*e*n.
den rehten kus ûf Oransche ich liez,
dô Terramêr die sîne hiez
mir rezeigen grôzen zorn.
10 ich hân von sîner kraft verlorn,
des ich immer unregetzet bin –
ez entuo dîn manlîcher sin
und dîn ûz erweltiu triuwe –
sô muoz mich herzen riuwe
15 vil gâhes bringen an den tôt. S. 603a
ich liez Gîburge in sölher nôt,
mîn zwîvel giht, sol ich'z gar sag*e*n,
daz mîne mâge an mir verzag*e*n.
nû hilf mir durh die staeten kraft
20 der dritten gesellescha ft!
ich meine, daz der vater bat
den sun an sîn selbes stat:
des was der geist ir bêder wer.
durh die drî namen ich ger,
25 daz dû dîne tugent bekennest
und dir mich ze kinde nennest.
sô stêt dîn helfe âne wanc
mit trôste mîner vreude kranc.
nû verzage niht durh der heiden maht!
dû hâst prîs inz alt*e*r brâht.«
150 der vater sprach: »wie stêt daz dir,
ob dû zwîvel hâst gein mir?
dînen kumber wil ich leiden
od dâ von muoz mich scheiden
5 grôz überlesteclîchiu nôt
od ein sô starc gebot,

149 Der lehnte höflich
den Begrüßungskuß 3
seines Vaters Heimrich ab. 2
Er sagte, was er sagen mußte:
»Mein Kuß ist in Orange geblieben: 5
Tibalt hat mich von dem vertrieben.
Den Kuß, der mir erlaubt ist, ließ ich in Orange,
als seinen Leuten Terramer befahl,
furchtbar gegen mich zu wüten.
Durch seine Kriegsmacht habe ich verloren, 10
was keiner mir ersetzen kann –
wenn es nicht deine Tapferkeit
und deine auserwählte Treue tun –
dann reißt mich Herzensqual
ins Grab. 15
Giburg ließ ich in solcher Not zurück,
daß ich – wenn ich offen reden darf – befürchte,
die Verwandten könnten es nicht wagen, mir zu helfen.
Nun hilf mir bei der immer-starken Kraft
der dritten göttlichen Person! 20
Ich meine, daß der Vater
den Sohn gebeten hat, ihn zu vertreten:
das hat der Heilige Geist bewirkt.
Bei den drei Personen bitt ich dich,
bekenne dich zu dir 25
und nenn mich deinen Sohn.
Dann gibt deine treue Hilfe
meiner schwachen Freude neue Hoffnung.
Verzag nicht vor der Macht der Heiden!
Du hast in deinem Leben doch nur Ruhm erworben.«

150 Der Vater sagte: »Wie kommst du mir vor,
daß du an mir zweifelst?
Dein Unglück will ich auf mich nehmen,
wenn mich nicht
höhere Gewalt verhindert 5
oder jener starke Aufruf,

daz die sêle vome lîbe nimt.
dîner manheit missezimt,
ob dû zwîvel gein mir treist
10 und unser triuwe und*e*r leist.
gar dîne vlust und dîne klage
al balde ûf mîne helfe sage.
waz swerte drumbe erklingen sol!
der hoehsten hant getrûwe ich wol,
15 daz si drucke und ziehe mir den arm.
manec heidensch herze, diu noch warm
sint, diu werdent drumbe kalt.
ob der werde künec Tîbalt
ûf dîner marke lît mit her,
20 man sol *mich bî dir* sehen ze wer.
wâ nû, die von mir sint erborn?
ditze last*e*r habt mit mir rekorn!
mîn sun ist gesuochet niht:
ich bin, der des lasters giht.
25 swaz im ze schaden ist getân,
des wil ich mit im pfliht*e* hân.
sag an: koeme dû mit rîterschaft
an si? welh was der heiden kraft?
wie tet'z mîn junc geslehte?«
der marcrâve sagt im rehte:
151 »ir her*e*s mich bevilte.
d*e*r ze ende ûz *zwispilte*
ame schâchzabel ieslîch velt
mit kardamôme, den *zwigelt*
5 mit dem prüeven waere gezalt –
Terramêr und Tîbalt
heten *noch mêr rîter dâ
und Arofel von Persîâ,
und Tesereiz, den ich ersluoc, S. 603b
10 het ouch rîter dâ genuoc.
mir wart erslagen ûf Alischanz

der die Seele vom Körper holt.
Es paßt nicht zu der Festigkeit, die du als Mann
besitzen solltest,
daß du an mir zweifelst
und unsre Treue in Frage stellst. 10
Auf der Stelle nenn mir den Verlust, den du beklagst,
daß ich dir helfen kann.
Wieviel Schwerter dafür klingen sollen!
Ich vertraue auf die Höchste Hand,
daß sie den Arm mir stößt und zieht. 15
Viel Heidenherzen, die noch warm
sind, werden dafür kalt.
Wenn der hohe König Tibalt
mit seinem Heer in deiner Mark liegt,
wird man mich bei dir kämpfen sehen. 20
Wo sind meine Söhne?
Nehmt mit mir diese Schmach auf euch!
Nicht mein Sohn ist heimgesucht:
ich selber bin entehrt.
Alle Verluste, alles Leid 25
will ich mit ihm teilen.
Sag: Hast du selbst gekämpft
mit ihnen? Wie groß war das Heidenheer?
Wie haben meine jungen Leute sich geschlagen?«
Der Markgraf sagte ihm die Wahrheit:

151 »Ihr Heer war viel zu groß für mich.
Wenn man bis zum Ende
auf dem Schachbrett Feld für Feld mit immer
doppelt soviel Körnern von Kardamom belegte,
und zahlte man die Summe noch einmal verdoppelt 5
aus –
noch größer war die Zahl der Ritter,
die Terramer und Tibalt hatten
und Arofel von Persien,
und Tesereiß, den ich erschlug,
der hatte da auch jede Menge Ritter. 10
Auf Alischanz sind mir erschlagen worden

der geflôrierte Vîvîanz
und Mîle, mîner swester kint.
ob ir zwei*e*r mâge in vreuden sint,
15 die hânt vil untriuwe erkorn.
gevangen und*e* sus verlorn
ich dannoch einleve vürsten hân.
den heiden muos ich sige lân,
dô Gautiers und Gaudîn,
20 Hûnas und Gibalîn,
Bertram und Gêrart,
Hûese und Witschart
und ouch mîn neve Jozzeranz
und der Burgunschois Gwigrimanz,
25 daz einlefte was Sansôn –
mit poinder maneger hurte dôn
und maneger niuwer storje kom*e*n
hât sie ime strîte mir benom*e*n,
daz ich niht weiz der einlever nôt.
Mîle und Vîvîanz sint tôt.«

152 drî starke *karrosche* und ein wagen
möhten'z wazzer niht getragen,
daz von der rîter ougen wiel.
Heimrîch stuont kûme, daz er niht viel.
5 dâ wart an den stunden
manec edeliu hant gewunden,
daz si begunden krachen.
von herzen vroelîch lachen
durh Vîvîanzen wart verswigen:
10 sîner *mâge* jâmer was gedigen.
dô sprach von Paveie Irmenschart:
»wie ist iuwer ellen sus bewart?
ir tragt doch manlîchen lîp!
sult ir nû weinen sô diu wîp
15 oder als ein kint nâch dem ei?
waz touc helden sölh geschrei?
welt ir manlîche leb*e*n,
sô müezet ir lîhen und*e* geb*e*n,

Vivianz, le florissant,
und Mile, meiner Schwester Sohn.
Wenn die Verwandten dieser beiden sich noch freuen
können, dann sind sie ohne Treue, ohne Liebe. 15
Gefangen oder umgebracht
hat man mir weitere elf Fürsten.
Den Sieg mußt ich den Heiden lassen,
als Gautiers und Gaudin,
Hunas und Gibalin, 20
Bertram und Gerhard,
Huese und Witschart
und mein Neffe Josseranz
und der Burgunder Gwigrimanz,
der elfte war Sanson – 25
im Waffenlärm des Angriffs
und im Ansturm immer neuer Scharen
hab ich sie in der Schlacht verloren,
daß ich nicht weiß, was diese elf erleiden mußten.
Mile und Vivianz sind tot.«

152 Drei starke Fahnenkarren und ein Wagen
hätten das Wasser nicht getragen,
das den Rittern aus den Augen schoß.
Heimrichs Knie wankten.
Vornehme Hände, viele, 6
wurden da gerungen, 5
daß sie krachten.
Herzlich frohes Lachen
erstarb im Schmerz um Vivianz:
Leid hatte seine Sippe überkommen. 10
Da sagte Irmschart von Pavia:
»Wo ist euer Mut geblieben?
Ihr seid doch Männer!
Wollt ihr jetzt flennen wie die Weiber
oder wie ein Kind um nichts und wieder nichts? 15
Wie paßt so ein Geheul zu Helden?
Wenn ihr Männer sein wollt,
dann müßt ihr Lehen und Geschenke geben

und helfet dem, der z'uns ist kom*e*n,
20 des vlust wir alle hân vernom*e*n:
dâ hab wir mit im an verlorn.
die von Heimrîch sint erborn,
ob sîn künne ir prîs wil tuon,
sô wirt Willalm, mîn sun,
25 ergetzet, swaz im wirret.
swen zag*e*heit des irret,
der möhte sanfter wesen tôt.«
dem *marcrâven* zorn gebôt,
daz er dennoch sîne swester schalt,
diu etswâ unschulde engalt:

153 die minne *veile* hânt, diu wîp,
roemischer küneginne lîp
wart dicke nâch in benennet. S. 604a
die nam*e*n het ich bekennet,
5 ob ich die wolte vor iu sagen:
nû muoz ich si durh zuht verdagen.
er schalt se et mêr denne genuoc.
ob er ie manheit getruoc
oder ob er ie gedâhte,
10 daz er sîn dien*e*st brâhte
durh herzen gir in wîbe gebot,
ob er vreude oder nôt
ie enpfienc durh wîbes minne,
an sînem manlîchem sinne
15 was doch diu kiusche zuht betrogen.
ê wart nie rîter baz gezogen
und âne valsch sô kurtois.
er jach, Tîbalt, der Arâbois,
waere ir rîter manegen tac:
20 »dem werden künege ouch si wol mac
bieten êre mit minnen lône.
er hât si dicke schône
mit armen umbevangen.
daz ist noch mêr regangen

und dem helfen, der zu uns gekommen ist,
von dem wir alle hörten, was er verloren hat: 20
wir haben es mit ihm verloren.
Wenn Heimrichs Söhne
– sein Geschlecht – das leisten, was ihr Ruhm
verlangt,
dann wird Willehalm, mein Sohn,
für seinen schrecklichen Verlust entschädigt. 25
Wen Feigheit daran hindert,
der wär besser tot.«
Von Zorn getrieben, schimpfte unterdes der Markgraf
immer noch auf seine Schwester
und beschuldigte sie grundlos:
153 die Frauen, deren Liebe käuflich ist,
mit deren Namen wurde noch und noch 3
die römische Königin bedacht. 2
Ich hätt euch diese Namen nennen können,
wenn ich wollte: 5
Anstand gebietet, daß ich sie verschweige.
Maßlos schalt er auf sie ein.
Wenn er je ein rechter Mann war
oder je,
getrieben vom Verlangen seines Herzens, einer Frau 11
gedient hat, 10
wenn er Freude oder Not
von Frauenliebe je erfuhr,
so ging jetzt seiner Mannes-Mustergültigkeit
doch die Beherrschung aus. 15
Bis dahin war kein andrer Ritter so wohlerzogen
und so makellos courtois gewesen.
Er sagte, Tibalt, der Araber,
sei lange schon ihr Ritter:
»Auch sie erweist dem edlen König 20
mit Liebeslohn die Ehre.
Er hat sie oft mit Lust
umarmt.
Es ging ihm dabei weniger

25 ir man ze smaehe den durh *sie*.
Tîbalde ich Gîburge *nie*
het enpfüeret, wan daz ich rach,
daz unserem künege hie geschach.
swaz Tîbalt hie *erworben hât,
Gîburc daz minnen gelt mir lât.«

154 dô kom des küneges tohter
Alîse. dône moht er
sîne zuht nimmer zebrechen:
swaz er zornes kunde sprechen,
5 der wart vil gar durh si verswig*e*n.
swes ir muoter was bezig*e*n
von im, waere ez dannoch ungetân,
ez waere ouch dâ nâch vürbaz lân.
diu junge, reine, süeze, klâr –
10 manege kurze scheiteln truoc ir hâr,
krisp unz in die swarten.
swer's rehte wolde warten,
si was selbe swankel als ein rîs,
geflôrieret in mangen wîs.
15 mit spaehen borten kleine,
die verwieret wâren mit gesteine,
het ieslîch *drümel sîn sund*e*r bant,
daz man niht ze vaste drumbe want,
als ez ein krône waere.
20 Alîse, diu saeldenbaere –
man möht ûf eine wunden
ir kiusche hân gebunden,
dâ daz ungenante waere bî:
belibe diu niht vor *schaden* vrî,
25 si müese engelten wunders.
einen gürtel *brâht* von Lunders,
wol geworht, lanc und smal, S. 604b
des drum tet ûf die erden val,
diu rinke ein rubîn tiure –
dâ mit was diu gehiure

um sie als darum, ihren Gatten zu verhöhnen. 25
Ich hätt dem Tibalt Giburg nie
entführt, hätt ich nicht rächen wollen,
was unserm König hier geschah.
Was Tibalt hier gewonnen hat,
das Liebesgeld erstattet Giburg mir zurück.«

154 Da kam des Königs Tochter
Alice. Da konnte er
nicht länger wüten.
Was er im Zorn noch hätte sagen können,
sie machte, daß er es verschwieg. 5
Was er ihrer Mutter vorgeworfen hatte,
wär das noch ungesagt gewesen,
dann wär's auch ferner unterblieben.
Die Junge, Reine, Süße, Schöne –
mit vielen kurzen Scheiteln war ihr Haar gekämmt, 10
gekräuselt bis zur Kopfhaut.
Wer sie recht betrachtete, mußte sagen,
daß sie schlank war wie ein Reis
und sehr fleurie.
Mit Seidenbändchen, fein gewirkt 15
und besetzt mit Edelsteinen,
war jedes Lockensträhnchen einzeln
nicht zu fest umwunden:
wie eine Krone sah das aus.
Segenbringende Alice – 20
man hätte
ihre Reinheit als Verband
für eine Aussatzwunde nehmen können:
es ginge nicht mit rechten Dingen zu, 25
wenn die dann nicht heilte. 24
Ein Londoner Gürtel,
schön gewirkt, lang und schmal,
dessen Ende auf den Boden fiel,
kostbar rubinverziert die Schnalle –
mit dem war die Schöne

155 *u*mbevangen an der krenke.
noch baz denne ich's gedenke,
lât si getûbier*e*t sîn.
si gap sô minneclîchen schîn,
5 des lîhte ein vreuden siecher man
wid*e*r hôhen muot gewan.
ir *brüste ze nider noch ze hôch.
der werelde vîentschaft si vlôch.
ir lîp was wunsch des gerenden
10 und ein trôst des vreuden wer*e*nden.
swem ir munt ein grüezen bôt,
der *brâhte* saelde unz an den tôt.
von der meide kom ein glast,
daz *der heimlîche* und der gast
15 mit gelîcher volge jâhen,
daz si nie gesâhen
deheine magt sô wol gevar.
gein ir spranc snelleclîche dar
ir oeheim Buove von Komarzî
20 und dennoch ander*e*r vürsten drî:
die macheten rûm der klâren.
alle, die dâ wâren,
begunden alle gemeine jehen,
daz dem grôze saelde waere geschehen,
25 swen dâ reichte ir ougen blickes swanc:
dem wart dar nâch sîn trûren kranc.
âne mantel in ir rocke gienc
diu magt, dô si mit zuht enpfienc
ir oeheim. dô daz geschach,
vor sînen vuozen man si sach.

156 sîn ougen begunden wallen,
dô er die magt sach vallen
nider an sîne vüeze.
»engelten ich's niht müeze
5 wid*e*r got«, sprach er hin z'ir.
»wie kumstû, niftel, sus zuo mir?

155 umschlungen an der Taille.
Noch schmucker, als ich sagen kann,
müßt ihr sie euch denken.
Sie war so wunderschön,
daß sie einen Mann, dessen Glück darniederlag, 5
dazu bringen konnte, wieder hochgemut zu sein.
Nicht zu flach und nicht zu üppig waren ihre Brüste.
Niemand konnt ihr feind sein.
Sie war der Wunsch der Wünsche für den
Wünschenden
und ein Vorbild dem, der Freude schenken wollte. 10
Wer ihren Gruß empfing,
der war bis an sein Ende selig.
Von dem Mädchen ging ein Strahlen aus,
daß alle – die hier zu Hause waren und die Fremden –
aus einem Munde sagten, 15
daß sie
ein so schönes Mädchen nie gesehen hätten.
Ihr Onkel Buove von Commercy 19
und drei weitre Fürsten 20
stürzten zu ihr hin: 18
sie machten für die Schöne Bahn.
Einmütig sagten 23
alle, die da waren, 22
daß der sich überglücklich schätzen könne,
den ein Blick aus ihren Augen traf: 25
dem verging sein Trauern.
Ohne Umhang, nur im Kleid war
das Mädchen, als ihr Onkel sie in aller Form begrüßte.
Im gleichen Augenblick
sah man sie zu seinen Füßen.
156 Die Tränen kamen ihm,
als er das Mädchen
vor ihm niederfallen sah.
»Möge Gott mich das nicht büßen lassen«,
sagte er zu ihr. 5
»Was kommst du, Nichte, so zu mir?

jâ waere dem künege Terramêre
dîn vuozvallen alze hêre.
dû bist des roemischen küneges kint.
10 swaz hie roemischer vürsten sint,
die sulen mich haben deste wirs.
niftel, nû gestate mir's,
daz ich in dîme gebote leb*e*:
dîn güete mir den rât nû geb*e*.
15 ob dû mich niht spottes werst,
sô stant ûf: swes dû an mich gerst,
des wil ich dir ze hulden pflegen.
dû hâst mir werdekeit durhlegen.«
diu magt stuont ûf, er vienc si z'im.
20 er sprach: »mit urloube ich nim
dîn lieht antlütze in mîne hant. S. 605a
mîn kus dir schiere waere bekant,
wan daz ich kuss*es* enterbet bin.
mînen besten minneclîch gewin,
25 den hât mir Terramêr*e*s kraft
umbelegen mit sölher rîterschaft,
daz mir der kus nû wildet.
got hât dich doch gebildet,
dâ von der walt sich swenden muoz,
enpfaeht ein wert man dînen gruoz.«
157 *s*ô si aller beste kunde,
Alîse ir rede begunde,
sô daz doch weinen was d*e*rbî.
dô sprach diu magt valscheite vrî:
5 »ouwê mir dîner werdekeit,
diu noch nie unprîs erleit:
wem liez diu kiuscheclîch*e* zuht?
nû war hât wîplîch êre vluht
wan hin zer mannes güete?
10 oeheim, dîn gemüete
hât sich ze gar verkêret.

Nicht einmal König Terramer
wär deinen Fußfall wert.
Du bist des römischen Königs Tochter.
Umso übler werden 11
hier die römischen Fürsten mich behandeln. 10
Erlaub mir, Nichte,
mich dir zu unterwerfen:
deine Güte soll mir Rat und Hilfe geben.
Wenn du mich nicht verspotten willst, 15
steh auf: was immer du von mir verlangst,
das will ich dir zuliebe tun.
Du hast mit deinen Knien mein Ansehn
durchgescheuert.«
Sie erhob sich, er umarmte sie.
Er sagte: »Erlaub mir, daß ich 20
dein Gesicht, das klare, in meine Hände nehm.
Ich würd nicht säumen, dich zu küssen,
wär mir das Küssen nicht verwehrt.
Das Liebste, das ich je gewann,
das hat mir Terramer, der Mächtige, 25
mit einem solchen Heer umstellt,
daß Küssen mir jetzt fremd ist.
Dabei hat Gott dich so geformt,
daß es die Wälder abholzt,
wenn ein Edler deine Gunst gewinnt.«

157 So gut sie es verstand,
fing Alice an zu reden
und weinte doch dabei.
Das Mädchen sagte (jeder Heuchelei abhold):
»Es tut mir leid um deine Ehre, 5
die noch nie geschändet wurde:
Selbstbeherrschung, höfisches Verhalten – wo sind
die geblieben?
Wo soll Frauenehre Zuflucht finden,
wenn nicht beim Edelmut der Männer?
Onkel, du 10
hast dich zu sehr geändert.

wer hât dich zoren gelêret
gein der tumben muoter mîn?
diu doch dîn swester solte sîn,
15 ob sich diu kan versprechen,
wiltû daz danne rechen,
dâ von sich krenket unser art:
dar an sint beide unbewart
ir werdekeit und dîn prîs.
20 ob ich dich dunke nû sô wîs,
dû solt si mîn geniezen lân.
verkiuse, swaz si dir hât getân:
des lâz ein teil durh mich geschehen
alhie, daz ez die vürsten sehen.
25 der selb*e*n bete ich vürbaz man
durh dîne muoter (diu ist mîn an)
und durh Gîburge, die vrouwen mîn,
diu mich als ir kindelîn
hât dicke an ir arm genom*e*n:
diu ist mir leider nû ze verre kom*e*n.«

158 der marcrâve sprach: »*liebez* kint,
in dîn gebot dich underwint
mînes lîbes, der hie vor dir stêt,
der ninder rîtet noch engêt,
5 unz ich mit dînen hulden var.
nimstû bekenneclîche war,
wie mîn dîn muoter hât gepfleg*e*n?
diu möhte sich wol hân beweg*e*n,
des sich der künec gein mir bewac,
10 der mîn doch nie alsô gepflac,
als ez 'em rîche zaeme.
bin ich ir ungenaeme,
doch möhte mîn wol werden rât,
want daz si nû und dicke hât
15 mir's küneges helfe erwendet. S. 605b
si waere des ungeschendet,
ob si jaehe: ›daz ist der bruoder mîn‹.

Wer hat dich
gegen meine dumme Mutter aufgebracht?
Sie ist doch deine Schwester:
willst du das rächen, 16
wenn sie sich verredet, 15
das schadet unserer Familie:
das ist genauso schlecht
für ihre Ehre wie für deinen Ruhm.
Hältst du mich für vernünftig, 20
dann laß ihr das zugute kommen.
Verzeih, was sie dir angetan hat:
tu's ein wenig auch um meinetwillen
hier, daß es die Fürsten sehen.
Ich bitt dich auch 25
um deiner Mutter, meiner Ahne,
und um Giburgs willen, meiner Herrin,
die mich wie ihr eignes Kindchen
oft auf ihren Arm genommen hat:
die ist jetzt, leider, viel zu fern von mir.«

158 Der Markgraf sagte: »Liebes Kind,
verfüge
über mich, der ich hier vor dir steh
und nicht reite und nicht geh,
bis du es erlaubst. 5
Weißt du genau,
wie deine Mutter mit mir umgesprungen ist?
Die hätt sich doch zu dem entschließen können,
wozu der König sich entschloß in meiner Sache,
wenn er auch niemals so an mir gehandelt hat, 10
wie es des Reiches würdig und seine Pflicht gewesen wär.
Mag ich ihr widerwärtig sein,
man hätt mir doch geholfen,
hätt sie mir nicht, wie eh und je,
des Königs Hilfe weggeredet. 15
Es wär für sie doch keine Schande,
wenn sie sagte: ›Das ist mein Bruder‹.

ez enmugen *niht allez* künege sîn:
si solte der vürsten schônen.
20 der naehste bî roemischer krônen,
ich waene iedoch, daz sî mîn nam*e*.
bin ich gedigen in ir scham*e*,
die smaehe ich mir selbe erkôs,
dô ich den keiser Karl verlôs.
25 getorst ich ir ze swester jehen,
sô het man mich baz ersehen
von ir munde enpfangen.
dô ich vür si kom gegangen,
gein ir gruoze ich dô niht neic:
daz was des schult, daz s'in versweic.

159 waz solten d'and*e*rn denne tuon?
ich bin iedoch des selben sun,
der si vür eine tohter zôch:
si möhte wol geleben noch,
5 daz ez wurde ein genôzschaft.
der künec hât alle sîne kraft
niht wan von mîner hant bejag*e*t.
waere ich eine an im verzag*e*t,
die in ze herren müezen hân,
10 ez waere et von in ungetân.
ich antwurte im'z rîche,
dâ die vürsten al gelîche,
die minren und die merr*e*n,
et al die landes herren
15 in sicherheite lebeten
und hazzes gein im strebeten.
niftel, daz tet ich durh sie.
nû stên ich alsô vor dir hie,
daz ich durh dîne komende tugent,
20 und die dû hâst in dîner jugent,
dîner muoter schulde lâze varn.
ich wil ouch zoren gein ir bewarn.

Nicht alle können König sein:
sie sollte die Fürsten achten.
Der erste nach der römischen Krone: 20
ich denke doch, das ist mein Rang.
Wenn sie sich meiner schämt,
dann hab ich mir die Schande selber angetan,
als mir der Kaiser Karl starb.
Hätt ich sie als Schwester in Anspruch nehmen 25
dürfen,
dann hätt man ihren Mund mich freundlicher
begrüßen sehen.
Als ich vor sie hintrat,
hab ich ihr nicht für ihren Gruß gedankt –
der Grund: sie hat ihn sich verkniffen.

159 Was sollten denn die anderen da tun?
Trotzdem bin ich der Sohn desselben Mannes,
der sie als Tochter großgezogen hat:
sie könnt es noch erleben,
daß wir ebenbürtig sind. 5
Seine ganze Macht hat der König
nur durch mich.
Wär ich von ihm abgefallen,
dann hätte ihn von denen keiner akzeptiert, 10
die ihn als ihren Herrn verehren müssen. 9
Das Reich hab ich in seine Hand gegeben,
in dem alle Fürsten,
die kleinen und die großen,
und alle Herren in den Ländern
sich gegen ihn 16
verschworen hatten. 15
Nichte, das tat ich für sie.
Jetzt steh ich so vor dir,
daß ich für die Vollkommenheit, die du erreichen
wirst,
ja die du jetzt schon hast in deiner Jugend, 20
deiner Mutter Schuld verzeih.
Ich will ihr nicht mehr zürnen.

bit si, her ûz zuo den vürsten kom*en*.
hab iemen hie von mir vernom*en*,
25 dâ wandel nâch gehoere,
ê daz ich gar zestoere
dem künege sîne hôchgezît,
sô ergib ich mich ân allen strît
gevangenlîche in dînen rât:
dîn gebot den slüzzel hât.«

160 Iremschart, diu alde,
»nâch dîner muoter balde
*var«, sprach si ze Alîsen, der mag*e*t.
»wirt nû niht von ir geklag*e*t
5 diu dürren herzebaeren sêr,
die durh Tîbalden Terramêr
an dîme geslehte hât getân,
ir sol getrûwen *nimmer man.*
ganc mit ir, Buove von Komarzî S. 606a
10 und *Scherins* von Pantalî.
saget ir bescheidenlîche dort
den unverzerten jâmers hort,
der ûf unserem künne lig*e*t.
ob daz ir herze ringe wig*e*t,
15 sô ist ir wîplîch êre
zergangen immer mêre.«
Alîse mit urloube dan
vuor, mit ir die zwêne man,
Buove und Scherins.
20 »mit rîchem solde wil ich zins
von mînem vrîem lîbe geb*en*.
waz touc mir doch mîn alt*ez* leb*en*?«
sus sprach von Paveie Ir*e*mschart:
»ze Oransche ein hervart
25 ich von mîner koste tuon
dir ze helfe, lieber sun.
mîn hort ist ungerüeret:
des wirt nû vil zevüeret.
kan iemen golt enpfâhen,
swem daz niht wil versmâhen,

Bitt sie, herauszukommen zu den Fürsten.
Hat man hier aus meinem Mund etwas gehört,
das Sühne fordert, 25
ehe ich
dem König vollends sein Fest verderbe,
will ich mich ohne Widerstand
als Gefangener deinem Ratschluß unterwerfen:
der Schlüssel ist in deiner Hand.«

160 Irmenschart, die Alte,
rief Alice, dem Mädchen, zu: »Lauf 3
schnell nach deiner Mutter. 2
Beklagt sie jetzt noch nicht
das herzverdorrende Leid, 5
das deiner Sippe 7
Terramer Tibalt zuliebe angetan hat, 6
dann soll ihr nie mehr jemand trauen.
Geh mit ihr, Buove von Commercy
und Scherins von Pontarlier. 10
Sagt ihr dort genau,
was für eine Schmerzenslast noch ungemindert
auf unserer Familie liegt.
Wenn ihr Herz das leicht nimmt,
dann ist ihre Frauenehre 15
für alle Zeit dahin.«
Somit entlassen, ging Alice hinaus,
mit ihr die beiden Männer,
Buove und Scherins.
»Um Söldner anzuwerben, will ich, 20
obgleich ich frei bin, hohen Zins entrichten.
Was nützt mir sonst mein altes Leben?«
Dies sagte Irmschart von Pavia:
»Einen Kriegszug nach Orange
will ich bezahlen, 25
dir zu Hilfe, lieber Sohn.
Mein Vermögen ist noch unberührt:
das wird jetzt massenhaft verstreut.
Nimmt jemand Gold,
an alle, die es nicht verschmähen,

161 *ich teile* durh dich, liebez kint,
swaz ahtzehen merrint
bisande mugen ziehen.
ich wil dir niht enpfliehen:
5 *harnas* muoz an mînen lîp.
ich bin sô starc wol ein wîp,
daz ich bî dir wâpen trag*e*.
der ellenthafte niht *verzag*e*!
*man sol mich bî dir schouwen:
10 ich wil mit swerten houwen.«
»muoter«, sprach der markîs,
»sît iuwer triuwe und iuwer prîs
sô vollеclîchen rât mir gît,
sô dunket mich des gein iu zît,
15 daz ir ouch hoeret mînen rât.
ich weiz wol, daz ir triuwe hât.
sendet mir mînen vater dar:
der kan wol her*e*s nemen war;
er strîtet ouch, swâ's uns nôt geschiht.
20 der helm ist iu benennet niht
noch and*e*r wâpen noch der schilt.
ob iuch des, vrouwe, niht bevilt,
gebt mir sus iuwer stiure!«
dô lobt im diu gehiure
25 von silber und von golde
und von anderem rîchem solde
schoeniu ors und wâpen lieht:
»sun, ich wil dich triegen niht:
des antwurte ich dir genuoc,
vil mêr denne ich's noch ie gewuoc.«

161 verteil ich für dich, lieber Sohn,
was achtzehn Orient-Ochsen
an Byzantinergulden ziehen können.
Ich laß dich nicht im Stich:
ein Harnisch muß an meinen Leib. 5
Ich bin doch ein so starkes Weib,
daß ich an deiner Seite Waffen tragen kann.
Der Tapfere soll hoffen!
Man wird mich bei dir sehen:
ich will mit Schwertern hauen.« 10
»Mutter«, sagte der Marquis,
»da eure Treue, die euch ehrt,
mir soviel Rat und Hilfe gibt,
scheint es mir an der Zeit,
daß ihr jetzt meinen Rat vernehmt. 15
Daß auf euch Verlaß ist, weiß ich.
Schickt mir meinen Vater dorthin:
der versteht's, ein Heer zu führen;
er kämpft auch, wo wir's brauchen.
Der Helm ist nicht für euch bestimmt, 20
auch keine andern Waffen noch der Schild.
Wenn's euch, Herrin, nicht zuviel ist,
helft mir auf andre Weise!«
Da versprach die Gute
schöne Pferde und schimmernde Waffen, 27
die sie ihm mit Gold und Silber 25
und mit anderm Reichtum kaufen wolle: 26
»Sohn, ich mein es ehrlich:
jede Menge geb ich dir davon,
viel mehr noch, als ich jemals sagte.«

162 Welt ir nû hoeren, wie ez gestê S. 606b
umbe den zorn, den ir hôrtet ê?
wer den ze suone brâhte?
wie dem marcrâven nâhte
5 helfe und*e* hôher muot?
und wie ir lîp und ir guot
und ir gunst mit herzen sinne
diu roemisch küneginne
mit triuwe ergap an sîn gebot?
10 des was *dem *marcrâven* nôt,
daz Gîburge wol gelanc,
wan in minne und jâmer twanc.
waz pfand*e*s het er lâzen dort!
nû prüevet ouch den grôzen mort,
15 der ûf Alischanz geschach,
dar zuo daz vorhtlîch ungemach,
dâ Gîburc inne beleip,
diu in nâch helfe von ir treip!
Gîburc was sîn liebistez pfant:
20 nâch ir ime sinne und vreude swant.
ungedulteclîch er muoste leb*e*n.
ein esse im niem*e*n übergeb*e*n
kunde *an sô* bewandem *zil:
diu vlust der mâge twanc in vil,
25 noch mêr diu nôt, der Gîburc pflac.
mitten in sîme herzen lac
gruntveste der sorgen fundamint.
er möht erbarmen, die halt sint
des wâren gelouben âne:
juden, heiden, publikâne.
163 *m*ich müet ouch noch sîn kumber.
dunk ich iemen deste tumber,
die smaehe lîd ich gerne.

162 Wollt ihr nun hören, was
aus dem Zorn geworden ist, von dem ihr hörtet?
Wer den beigelegt hat?
Wie dem Markgrafen
Hilfe nahte und hochgemuter Stolz? 5
Und wie ihr Leben und ihr Gut
und ihre Gunst von ganzem Herzen
die römische Königin
ihm treu zu Füßen legte?
Der Markgraf dachte nur 10
an Giburgs Rettung:
Kummer und Liebe quälten ihn.
Was hatte er dort für ein Pfand gelassen!
Bedenkt die große Schlächterei
auf Alischanz, 15
dazu die fürchterliche Not,
in der Giburg geblieben war,
die ihn getrieben hatte, daß er sie verließ und Hilfe holte!
Giburg war sein liebstes Pfand:
Sehnsucht nach ihr nahm ihm Verstand und Freude. 20
Ungeduld verzehrte ihn.
Niemand war in der Lage, ihm einen Punkt
dazuzugeben bei dieser Würfelei:
der Verlust der Verwandten quälte ihn,
mehr noch die Not, die Giburg litt. 25
Mitten in seinem Herzen lag
grundfest das Fundament der Sorge.
Er hätte sogar die erbarmen können,
die nicht den rechten Glauben haben:
Juden, Heiden, Ketzer.
163 Mich schmerzt heute noch sein Leid.
Hält man mich deshalb für dumm,
die Schmähung duld ich gerne.

swenne ich nû rede gelerne,
5 sô sol ich in bereden baz,
war umbe er sîner zuht vergaz,
dô diu küneginne sô brogete,
daz er si drumbe zogete.
des twanc in minne und and*e*r nôt,
10 *mâge und ouch manne tôt. S. 607a
Alîze was nû wider kom*e*n,
und het ir muoter wol vernom*e*n,
daz des marcrâven zorn
endehaft was *verkorn*;
15 doch wolte si sie niht lâzen în.
si widersaz den mâvesin,
ir bruoder, den argen nâchgebûr.
si vorhte, daz ein and*e*r schûr
ûf si vallen solte.
20 durh daz si niht enwolte
den rigel dannen sliezen.
»jâ möht ich niht geniezen
des küneges noch der vürsten sîn,
dar zuo des werden vater mîn.
25 tohter, hüete, daz mir dîn vrid*e*
iht verscherte mîniu lid*e*!«
Alîze sprach: »mir stêt hie bî
Scherins und Buove von Kumarzî.
die hânt dort suone enpfangen:
der zorn ist gar zergangen.«
164 *s*i liez die *maget* wol gevar
dar în. *dô* saget ir rehte gar
den grôzen jâmer Scherins,
und wie mit tôde gâben zins
5 ûf Alischanz ir mâge:
»und dô der künec sô trâge
den marcrâven hiute enpfienc,
dô er durh klage vür in gienc,
vrouwe, des engultet ir.«
10 »ôwî«, sprach si, »het er mir

Wenn ich reden lerne,
will ich besser für ihn sprechen und erklären, 5
warum er sich vergaß,
als die Königin so großtat,
daß er sie an den Haaren zerrte.
Liebe trieb ihn dazu und Leid,
der Tod von Blutsverwandten und Vasallen. 10
Alice war jetzt zurückgekommen,
und ihre Mutter hatte vernommen,
daß des Markgrafen Zorn
ganz und gar besänftigt war;
doch war sie nicht bereit, sie einzulassen. 15
Sie fürchtete den mauvais voisin,
den üblen Nachbarn, ihren Bruder.
Sie hatte Angst, es könnte noch ein Ungewitter
auf sie niedergehen.
Deshalb wollte sie 20
den Riegel nicht zur Seite schieben.
»Es nützte mir
der König nichts noch seine Fürsten
und nichts mein edler Vater.
Tochter, paß auf, daß mir dein Friede 25
nicht meine Knochen bricht!«
Alice sagte: »Mit mir sind hier
Scherins und Buove von Commercy.
Ihnen wurde dort versichert, daß es beigelegt ist:
der Zorn ist ganz verflogen.«

164 Sie ließ die Schöne
ein. Da berichtete ihr
Scherins ausführlich von dem großen Leid
und sagte ihr, wie ihre Blutsverwandten Todeszins
auf Alischanz entrichtet hatten: 5
»und als der König derart lau
den Markgrafen heut empfing,
als er vor ihn trat, um Klage vorzubringen,
habt ihr das, Herrin, büßen müssen.«
»Ach«, sagte sie, »hätt er mir 10

daz houbet mîn hin ab geslagen!
sône dorft ich nû niht langer klagen:
daz waere ein kurzlîcher tôt.
ich muoz die berhaften nôt
15 und den wuocher der sorgen
den âbent und den morgen,
beidiu tac und naht,
ob mir ie triuwe wart geslaht,
tragen nâch mîme künne.
20 swer mir nû guotes günne,
der wünsche et, daz ich sterbe,
ê der jâmer mir rewerbe
alsô herzebaeriu leit,
daz der unsin die wîpheit
25 an mir iht entêre.
hân ich von Terramêre
die hôhen vlust ûf Alischanz,
ei, *bêâs amîs* Vîvîanz,
wie vil noch unsippiu wîp
dînen geflôrierten lîp

165 sulen klagen durh die minne!
pflac mîn bruoder sinne,
der was vergezzen an der zît,
dô dû under schilde gaebe strît: S. 607b
5 der was noch dîner jugende ein *last*.
mir sol nâch dîme tôde gast
immer sîn der hôhe muot.
nû wol her, die wellen guot!
des wil ich in geben alsô vil,
10 daz and*e*r kün*e*gîn ir zil
niht durfen vür mich stôzen.
mînen jâmer, den grôzen,
raech ich, möht ich, schiere.
wâ nû soldiere?
15 swaz der in roemischem rîche *sî*,
den künde, Buove von *Kumarzî*,

doch den Kopf vom Leib geschlagen!
Dann müßt ich jetzt nicht länger klagen:
das wär ein schneller Tod gewesen.
Schmerz, der sich immer fortzeugt,
und den Zins des Kummers 15
muß ich am Abend und am Morgen,
am Tag und in der Nacht,
wenn ich jemals Treue hatte,
um meine Blutsverwandten leiden.
Wer mir Gutes gönnt, 20
der wünsche, daß ich sterbe,
bevor der Schmerz mir
so zu Herzen geht,
daß mich der Wahnsinn
um die Frauenwürde bringt. 25
Hat mir schon Terramer
auf Alischanz soviel genommen,
ach, bel ami Vivianz,
wie werden erst die Frauen, die nicht mit dir verwandt sind,
deinen schönen Leib
165 beklagen um der Liebe willen!
War mein Bruder jemals bei Verstand,
dann hat er ihn vergessen,
als du kämpftest unterm Schild:
der war noch viel zu schwer für deine Jugend. 5
Nach deinem Tod wird
hochgemuter Stolz mir immer fremd sein.
Her nun, die Geld und Gut verdienen wollen!
In solcher Fülle will ich's ihnen geben,
daß andre Königinnen 10
mich nicht übertreffen sollen.
Mein großes Leid,
ich würd es, wenn ich könnte, auf der Stelle rächen.
Wo sind Söldner?
Allen, die es gibt im römischen Reich, 15
biet ihnen, Buove von Commercy,

der roemischen küneginne solt
und denke, ob si dir waeren holt,
unser mâge, die wir hân verloren!
20 was mînem bruoder hiute zoren,
daz ich in sô swache enpfienc,
wîslîch er iz *dô an*e* vienc,
daz ich mîn leben brâhte dan:
ich sol den künec und sîne man
25 helfe und genâde bit*e*n.
sint die mit manlîchen sit*e*n,
daz richet unser ungemach.«
si gienc her ûz, dâ gein ir sprach
der marcrâve Willalm
(trûric was sîner stimme galm):

166 »nû müeze senften iuweren zorn,
der ame kriuze het den dorn
ûf dem houpte z'einer krône.
welt ir nâch sîme lône
5 mit deheime dienste ringen,
ir sult die triuwe bringen
vür in ame urtellîchem tage,
daz ir nâch den sît in klage,
die wâren und iu verhsippe sint:
10 iuwer bruoder und iuwer swester kint,
drîzehen von iuwer*e*r art,
die mir Terramêr*e*s übervart
nam. er vant uns doch mit wer:
mit sunder storje, mit sunderm her
15 und mir von sunderem lande kom*e*n
ieslîcher – *die* hât mir benom*e*n
der hôhe, rîche Terramêr.
nû tuot gein sîner zeswen kêr,
der Adâmen worhte.
20 iuwer künne, daz unrevorhte,
gotes unverzagtiu hantgetât,
die mir Terramêr retoetet hât,
die ergebt an got*e*s berme grôz

den Sold der römischen Königin,
und denk, wenn sie dir gut gewesen sind,
an unsere Verwandten, die wir verloren haben!
Als mein Bruder heute zürnte, 20
daß ich ihn so schlecht empfing,
hat er es gescheit gemacht,
daß ich davongekommen bin:
den König und seine Vasallen
will ich um Gunst und Hilfe bitten. 25
Handeln sie wie Männer,
rächt das unsre Not.«
Sie ging hinaus, wo
Markgraf Willehalm
(traurig klang seine Stimme) zu ihr sagte:

166 »Nun möge euren Zorn besänftigen,
der am Kreuz
die Dornenkrone trug.
Wollt ihr seinen Lohn
mit einem guten Werk erringen, 5
dann bringt die Liebe und die Treue
vor ihn am Jüngsten Tag,
daß ihr die beklagt,
die eure Blutsverwandten waren und noch sind,
die Söhne eurer Brüder, eurer Schwestern, 10
dreizehn aus euerem Geschlecht,
die mir Terramers Überfahrt
genommen hat. Er fand uns freilich wehrhaft:
mit eigener Abteilung, eignem Heer
aus eignem Land 15
war jeder mir zur Hilfe hergekommen –
die hat mir Terramer, der Mächtige, genommen.
Nun wendet euch zur Rechten dessen,
der Adam schuf.
Eure furchtlosen Verwandten, 20
Gottes tapfere Geschöpfe,
die mir Terramer getötet hat,
empfehlt der großen Gnade Gottes

und mant in, daz er durh uns gôz
25 ûf d'erde ûz sînen wunden bluot.
ob er nû helfeclîche tuot,
sô erbarme *ich* sîn*e* gotheit.
vrouwe, ez solt ouch iu sîn leit, S. 608a
daz ich bin trûrens unrelôst,
und *gaebet mir etslîchen trôst.«

167 »ôwê, wem solt ich troesten geb*e*n
oder war zuo touc mîn leb*e*n?
mîn vunden vreude ist vlüstic,
mîn hoehe ist nid*e*rbrüstic,
5 mir wehset nû gelîche ein leit
der Anfortas*es* arbeit,
der quâle von sîner wunden,
die er ze mangen stunden
bî grôzer rîcheite truoc.
10 ich het ouch werdekeit genuoc
von der roemischen hoehe kür,
ê ich ûf Alischanz verlür
den und*e*rsaz der hoehe mîn:
*der muoz nû sîgende sîn.
15 wie hân ich armez wîp verlorn
helde, die von mir reborn
wâren und ouch ich von in!
ouwê, vreude, dîn gewin
gît an d*e*m orte smaehen lôn.
20 ei, Heimrîch von Narbôn,
waz was erblüet ûz dîner vruht
kiusche, milte, manheit, zuht!
mir ist ze vruo misselungen
an dem klâren, jungen,
25 den diu küneginne Gîburc mir benam
und in rezôch, als ez ir zam.
diu süeze von sînem blicke
noch manegem wîbe dicke

und mahnt ihn dran, daß er um unsertwillen
auf die Erde Blut vergoß aus seinen Wunden. 25
Wenn er noch hilft,
erbarm ich seine Göttlichkeit.
Herrin, wär es euch nur leid,
daß ich Trauer tragen muß,
und gäbt ihr mir einen Trost!«

167 »Ach, wen könnt ich trösten
und wozu leb ich noch?
Das Glück, das ich gefunden hatte, ist verloren,
eingestürzt ist meine Höhe,
ein Schmerz erwächst mir 5
wie das Leiden des Anfortas,
die Qual von seiner Wunde,
die er so lange
bei dem großen Reichtum litt.
In großen Ehren stand auch ich, 10
daß man mich hoch erhoben sah als römische Königin,
eh ich auf Alischanz
die Basis meiner Höhe eingebüßt hab:
die sinkt nun weg.
Was verlor ich Arme 15
an Helden, die mit mir verwandt
waren so wie ich mit ihnen!
Ach, Glück, wer dich gewinnt,
hat am Ende kümmerlichen Lohn.
Ach, Heimrich von Narbonne, 20
was war aus deinem Stamm erblüht
an Selbstbeherrschung, Güte, Tapferkeit und höfischer Gesittung!
Zu früh verlor ich
jenen Schönen, Jungen,
den mir Königin Giburg weggenommen hat 25
und aufzog, wie's ihr zukam.
Seine wunderbare Schönheit
wird viele Frauen oft noch

sol vüegen klag*e*hafte nôt.
ei, wie getorste dich der tôt
168 ie gerüeren, Vîvîanz,
unt daz er lât mîn herze ganz?
bruoder markîs, trûric man,
ich sol dich troesten, als ich kan,
5 dar nâch, als ez mir drumbe stêt.
nû geloube, daz mir nâhe gêt
diu swaere vlust unser*er* art!
wâ nû, von Paveie Irmenschart?
gedenke, ob dû mich habst getrag*en*:
10 hilf mir diz leit mit triuwen klag*en*!«
abe sprach diu künegîn:
»mîne bruod*er*, die hie sîn,
gedenket, daz wir sîn ein lîp!
ir heizet man, ich bin ein wîp:
15 dâ'n ist niht und*er*scheiden,
niht wan ein verh uns beiden.«
»trage *wir* triuwe und*er* brust,
wir klagen unser gemeine vlust,
Heimrîs und ich, wir zwei«,
20 sprach Irmschart von Pavei,
»mîne süne hie oder swâ si sint.
ir sît mîn vrouwe und ouch mîn kint. S. 608b
wir loben des got und sagen im danc,
daz iuch nû ân*e* valschen kranc
25 erbarmet unser vliesen.
alrêst nû sol wir kiesen,
ob ir'z der *vürsten vrouwe* sît:
sô klagt ûf Alischanz den strît
dem, der roemische krône treit –
ob in iuwer dienst erweit.«
169 »vrouwe«, sprach dô Heimrîs,
»mînen sun, den markîs,
und swaz ir and*er* bruoder hât,
die sol durh wîplîchen rât
5 nû bevogten iuwer hant.«

schmerzlich klagen lassen.
Ach, wie wagte es der Tod,
168 dich jemals anzurühren, Vivianz,
und mein Herz nicht zu zerbrechen?
Bruder Marquis, betrübter Mann,
ich will dich trösten, wie ich kann,
soweit mir's möglich ist. 5
Glaub doch, daß mir
der bittere Verlust unsrer Verwandten nahe geht!
Wo bist du, Irmschart von Pavia?
Denk dran, hast du mich geboren:
hilf mir, dies Leid in treuer Liebe zu beklagen!« 10
Die Königin fuhr fort:
»Meine Brüder, die hier sind,
denkt dran, wir sind ein Leib!
Man nennt euch Männer, nennt mich eine Frau:
da ist doch kein Unterschied, 15
wir sind ein Fleisch und Blut.«
»Haben wir im Herzen Treue,
wir beklagen den gemeinsamen Verlust,
Heimrich und ich, wir beide«,
sagte Irmschart von Pavia, 20
»und meine Söhne hier und wo sie sonst noch sind.
Ihr seid meine Herrin und meine Tochter.
Wir loben Gott dafür und danken ihm,
daß euch jetzt ehrlich
unser Verlust erbarmt. 25
Jetzt erst wird sich zeigen,
ob ihr die Herrin der Fürsten seid:
dann klagt die Schlacht auf Alischanz
dem, der die römische Krone trägt –
wenn er euer Diener ist.«
169 »Herrin«, sagte Heimrich da,
»meinen Sohn, den Marquis,
und eure andren Brüder
nehmt jetzt als Frau
in euren Schutz.« 5

dâ stuont Bernart von Brûbant
und Buove von Kumarzî
und Gîbert, die drî;
der vierde was Bertram.
10 diu küneginne die alle nam:
die *vielen dem künege an sînen vuoz.
si sprach: »durh nôt ich werben muoz
helfe sô helfeclîche,
diu den *vürsten* unt dem rîche
15 werbe nâch hôhem prîse,
daz ir dem markîse
gestêt durh iuwer êre,
sô daz ir Terramêre
ze Oransche leger wendet.
20 iuch und daz rîche er schendet.«
»vrouwe, ir vart mit tumben sit*en*«,
sprach der künec, »welt ir dem helfe bit*en*,
der an iu hât entêr*e*t mich.
het er baz enthalten sich,
25 daz gediend ich, möht ich dien*e*st hân.
er ist iuwer bruod*er* und ist mîn man:
waz moht iu daz ze staten kom*en*?
er hât mir êre ein teil genom*en*.
daz muoz nû sîn. stêt ûf!«, sprach er,
»ich berâte mich umb iuwer ger.«

170 *û*f stuont diu sêre klagende.
dâ von was si bejagende,
daz si ir bruod*er* helfe *erwarp*,
des sît ûf Alischans erstarp
5 manec werd*er* Sarrazîn.
alsô sprach diu künegîn:
»swaz ich hie *vürsten mâge* hân,
die gelîch ich dem armman,
den grâven und *den* barûn:
10 ob halt ein *wacker*er* garzûn
von mîme geslehte waere erborn,
der nehete sippe niht verlorn.

Da standen Bernhard von Brubant
und Buove von Commercy
und Gibert, diese drei;
Bertram war der vierte.
Alle nahm die Königin: 10
dem König fielen sie zu Füßen.
Sie sagte: »Not zwingt mich,
Hilfe zu erbitten, die so hilft,
daß sie den Fürsten und dem Reich
hohen Ruhm erwirbt, 15
daß ihr dem Marquis
um eures Ansehns willen beisteht
und Terramer
von Orange vertreibt.
Er bringt euch und das Reich in Schande.« 20
»Herrin, ihr seid nicht bei Trost«,
sagte der König, »wenn ihr für den um Hilfe bittet,
der mich an euch beleidigt hat.
Hätte er sich mehr beherrscht,
dann würde ich ihm helfen, wenn ich könnte. 25
Er ist euer Bruder, mein Vasall:
was hat euch das genützt?
Gekränkt an meiner Ehre hat er mich.
Nun ist es so. Erhebt euch!«, sagte er,
»Ich berate über eure Bitte.«

170 Die heftig Klagende stand auf.
Mit der Klage
erwarb sie ihrem Bruder Hilfe,
wodurch auf Alischanz dann
viele edle Sarazenen starben. 5
Die Königin sagte:
»Meine fürstlichen Verwandten hier
sind mir so wert wie arme Ritter,
der Graf und der Baron:
wenn ein tüchtiger Knappe 10
aus meiner Sippe stammte,
sollte die Verwandtschaft nicht sein Schade sein.

swer mir diz leit hilfet tragen,
der sol mir billîch armuot klagen:
15 den vert*e*g ich alsô mit hab*e*,
daz er niht darf wenken ab*e*. S. 609a
daz sî den vremden ouch benant,
er sî ritter od*e*r sarjant,
turkopel od*e*r swer ze strîte tüge.«
20 ob diz maere iht verre vlüge?
ez warp mit kraft die helfe grôz,
des diu süeze Gîburc wol genôz.
dô sprach Bernart von Brûbant:
»ob ich helfeclîche hant
25 mit gâbe od*e*r in strîte
ie truoc ze heiner zîte,
die hân ich noch (es wirt nû nôt)
und *wil si* vüeren in sîn gebot,
mînes bruod*e*r, der uns trûric ist kom*e*n.
ich hân die vlust mit im genom*e*n.«

171 *d*ô sprach sîn bruoder Bertram:
»mir ist vreude wilde *und ist sorge zam.
ouwê, war kom mîn hôher muot?
ich hân starken lîp und vürsten guot
5 und ze mîme gebot die rîterschaft,
der geêret sol sîn diu gotes kraft.
daz mac mich allez niht entsagen,
ine müeze in mîme herzen tragen
leit, daz immer twinget,
10 unz mich mîn bruoder bringet
an die stat, dâ ich râche tuon
umbe Mîlen, mîner swester sun,
und umb den klâren Vîvîanz.
ouwê«, sprach er, »Alischanz,
15 daz *dû* ie sô breit und ouch sô sleht
würde, dâ mîner vreude ir reht
ûf*e* wart gebrochen.«
sîn ougen wârn entlochen,
daz ieslîch zaher den anderen dranc;

Wer mir hilft, dies Leid zu tragen,
darf mir mit Recht die Armut klagen:
den rüste ich so aus, 15
daß er's nicht nötig hat, sich anders umzutun.
Das gilt auch für die Fremden,
Ritter und Sarjant,
Turkopole und wer sonst zum Kämpfen taugt.«
Ob diese Botschaft weit geflogen ist? 20
Sie warb mit Macht die große Hilfe,
die die süße Giburg rettete.
Da sagte Bernhard von Brubant:
»Wenn,
schenkend oder kämpfend, meine Hand 25
jemals geholfen hat,
ich hab sie noch (das ist jetzt nötig)
und will sie
meinem Bruder unterstellen, der traurig zu uns kam.
Sein Verlust ist meiner.«

171 Sein Bruder Bertram sagte da:
»Mir ist Freude wild und Sorge zahm.
Ach, wohin kam mein hochgemuter Stolz?
Ich habe starke Glieder und fürstlichen Besitz
und führe eine Ritterschaft, 5
für die Gott gepriesen sei.
Das hilft mir alles nichts:
ich hab in meinem Herzen
Leid zu tragen, das so lange schmerzt,
bis mich mein Bruder 10
dorthin führt, wo ich Rache nehmen kann
für Mile, meinen Schwestersohn,
und für den schönen Vivianz.
Ach«, sagte er, »Alischanz,
daß du je so breit und eben 15
wurdest, wo meinem Glück
sein Recht zerbrochen wurde.«
Entriegelt wurden seine Augen:
eine Träne trieb die andre;

20 ir vallen im ûf der waete klanc.
dô sprach sîn bruod*e*r Gîbert:
»bin ich an daz *ambet* wert
und*e*r schilt und mit dem sper,
bruoder, des bin ich dîn wer.
25 und ob ich gedienet hân
ind*e*r sô getriuwen man,
daz ich in nû gemanen mac,
ob ie sîn trôst an mir gelac,
des wirstû innen, sol ich leben.
ich wil ouch ûz vürsten henden geben.«

172 *d*ô sprach Buove von Kumarzî:
»alrêste bin ich nû worden vrî
vor vreuden. daz *muoz* immer wern.
welhes trôstes sold ich gern?
5 mir ist vreude und der trôst erstorben.
mir hât Tîbalt erworben
mînes hôhen muotes siecheit
und daz unzergangen leit
und siuftic mîniu komendiu jâr.
10 daz muoz mir geb*e*n grâwiu hâr. S. 609b
nû prüeve, swem daz sî bekant,
ob von eime strîte toufbaeriu lant
ie sô manegen helt verrêrten
und *den* jâmer sus gemêrten!
15 bin ich die lenge in sölher klage,
sô waenet mîn bruod*e*r, ich sî ein zage.
mîn helfe ist im doch staete:
swaz mir tuot oder taete
diu sorge mit ir überlast,
20 ich wil im manegen werden gast
hin ze Oransche vüeren
und alsô mit swerten rüeren,
daz si Gîburc hoere klingen.
vür wâr, ich wil im bringen
25 tûsent gewâpend*e*r orse dar,

sie prasselten auf dem Gewand. 20
Sein Bruder Gibert sagte da:
»Wenn ich würdig bin,
das Schild- und Speer-Amt auszuüben,
Bruder, dann tu ich's für dich.
Und habe ich mir 25
irgendwo einen Treuen so verpflichtet,
daß ich ihn jetzt daran erinnern kann,
war er jemals auf mich angewiesen,
das wirst du sehn, wenn ich am Leben bleib.
Auch ich will fürstlich schenken.«

172 Da sagte Buove von Commercy:
»Jetzt erst ist mir
das Glück genommen, für alle Zeit.
Welchen Trost könnt ich mir wünschen?
Glück und Trost sind mir gestorben. 5
Von Tibalt hab ich
Siechtum meines hochgemuten Stolzes
und Leid, das nie vergeht,
und eine Zukunft voller Seufzen.
Das macht mir meine Haare grau. 10
Nun prüfe, wer es weiß,
ob Christenländer je von einer Schlacht
soviele Helden ließen
und Leid und Klage so vermehrten!
Wenn ich noch lange derart klage, 15
hält mein Bruder mich für einen Schwächling.
Doch ist ihm meine Hilfe sicher:
was immer
mir mit ihrer Zwing-Gewalt die Sorge antut oder
antun könnte,
ich will ihm viele edle Gäste 20
nach Orange führen
und sie so die Schwerter schwingen lassen,
daß sie Giburg klingen hört.
Ja, ich will ihm
tausend Panzerpferde bringen 25

diu man siht an mîner schar,
und drûf liute, die durh mich
bietent slac und stich
oder swie der heiden strîtes gert,
er vüere bogen oder swert.«

173 zem künege sprach dô Heimrîch:
»herre, nû tuot dem gelîch,
daz ir hôchgezît hât.
durh unser klage daz niht lât!
5 got mac uns wol ergetzen.
heizet die vürsten setzen
und dienen âne schande.
hie *sint* von mangem lande
vürsten wert und hôch.
10 swie vreude uns vliuhet od*e*r vlôch,
mich und mîn geslehte,
swer die geste handelet rehte,
des sulen si niht engelten,
wan si hânt's genozzen selten.«
15 der künec zen amb*e*tliuten sprach:
»durh der wirtîn ungemach
und durh die and*e*r, die hie klagen,
sulen wir des niht gar verzagen:
ich wil die hôchgezît hân.
20 seht, wie ir mîne werde man
wol setzet, und*e* nemet des war,
daz ir dise und die hôhen gar
setzet nâch mînen êren.
ir sult iuch selbe *lêren.*
25 des ist nû tâlanc niht ze vruo.«
balde wart gegriffen zuo:
mit spaehem getihte
wunderlîchiu tischgerihte
man ûf ze vier orten truoc
und gap mit zuht dâ nâch genuoc.

in meiner Schar
und darauf Leute, die für mich
Schlag und Stich verteilen
oder welche Kampfart sonst der Heide fordert,
ob er Bogen oder Schwert führt.«

173 Heimrich wandte sich zum König:
»Herr, nun feiert
euer Fest.
Unser Leid soll euch nicht hindern.
Gott wird uns entschädigen. 5
Befehlt, den Fürsten ihre Plätze anzuweisen
und sie zu bedienen, wie es sich gehört.
Hier sind aus vielen Ländern
edle, hohe Fürsten.
Wenn uns die Freude auch geflohen hat und flieht, 10
mich und meine Sippe,
die Gäste recht behandeln heißt,
sie das nicht büßen lassen:
es ist nicht ihre Schuld.«
Der König wies die Diener an: 15
»Das Leid der Herrin
und der andern, die hier klagen,
soll uns nicht dran hindern:
ich will das Fest begehn.
Setzt meine edlen Lehensleute 20
richtig und tragt Sorge,
daß ihr diese und alle hohen Würdenträger
so plaziert, daß es mich ehrt.
Entscheidet selbst.
Es ist jetzt Zeit dafür.« 25
Eifrig wurde zugepackt:
kunstvoll zugerüstet,
trug man ausgefallene Speisen
von vier Seiten auf
und legte dann, gemäß der Etikette, reichlich vor.

174 diu künegîn *z'ir* bruoder gienc.
ir hant er in die sînen vienc.
er het'z harnasch dennoch an.
si vuorte den siuftebaeren man
5 mit ir ze kem*e*nâten wider.
zuo ein and*e*r si dernider S. 610a
vor's küneges bette an eine stat
in diu küneginne sitzen bat.
juncvrouwen und juncherrelîn
10 sus gebôt diu künegîn,
daz *si'z* harnasch und diu wâpenkleit
von im *naemen.* dâ was bereit
von pfelle kleider tiure.
Alîze, diu gehiure,
15 z'ir muoter sprach: »heiz bringen her
gewant, daz durh mînes vater ger
im selbem hiute wart gesniten:
mînen oeheim solt dû'z tragen biten.«
mit zuht der marcrâve sprach:
20 »vroelîch gewant und guot gemach,
des wil ich haben mangel,
die wîle diu sorge ir angel
in mîn herze hât geschoben.
mit swerten wart von mir gekloben
25 vreude und hôchgemüete.
vrouwe, durh iuwer güete
nû erlât mich guoter kleide,
die wîle mir alsô leide
durh vlust und nâch Gîburge sî!«
»des lasters wurde ich nimmer vrî,
175 soldestû nacket bî mir gên.
bruoder, kanstû dich verstên,
wie ez dîne genôze meinden?
vil spâte si sich vereinden,
5 daz si *dir drumbe *gaeben* prîs.«
si gebôt, daz der markîs
den pfelle von Adramahût

174 Zu ihrem Bruder ging die Königin.
Ihre Hand nahm er in seine.
Er trug immer noch die Rüstung.
Sie führte den betrübten Mann
zurück in ihre Kemenate. 5
Mit ihr
vor dem Bett des Königs
Platz zu nehmen, bat ihn die Königin.
Edelfräulein, Edelknaben
gab die Königin Befehl, 10
ihm die Rüstung und die Waffenkleider
abzunehmen.
Kostbare Seidenkleider lagen da bereit.
Die liebliche Alice
wandte sich an ihre Mutter: »Laß 15
das Gewand herbringen, das auf Wunsch des Vaters
für ihn selber heut geschneidert wurde:
bitt meinen Onkel, es zu tragen!«
Der Markgraf sagte höflich:
»Auf Festgewänder und Bequemlichkeit 20
will ich verzichten,
solang die Sorge ihren Stachel
in mein Herz gestoßen hat.
Mit Schwertern hat man von mir abgespalten
die Freude und den hochgemuten Stolz. 25
Herrin, seid so gütig
und erlaßt mir schöne Kleider,
solange mir so weh ist
wegen der Verluste und um Giburg!«
»Die Schande würd ich nie verwinden,
175 gingst du an meiner Seite nackt.
Bruder, kannst du nicht begreifen,
was die andern Fürsten davon hielten?
Die dächten nicht daran,
dich dafür zu loben.« 5
Dem Marquis befahl sie,
die Hadramauter Seide

leite über ungestrichen hût:
dô wâren's ungelîche lieht.
10 der marcrâve engerte niht,
daz sîn bart, vel oder hâr
iht waere wan nâch îser var.
Alîze was im ungelîch.
er vuorte die küneginne rîch
15 her ûz. ir tohter gienc vor ir.
niht baz wart bescheiden mir,
wie die vürsten sâzen,
innen des dô si âzen.
der künec sazte einhalp sîn wîp
20 und Alîzen, diu *klâren lîp
truoc. dar nâch er niht vergaz,
sîn sweher *anderhalbe* saz
und des wîp, vrouwe Ir*e*mschart.
ir sun, der harnaschvarwen bart
25 truoc, den bat si zuo z'ir kom*e*n.
der sprach: »mir hât Tîbalt benom*e*n,
swaz ich gesellen mohte hân.
mînen wirt, den koufman,
den heizet mir ze gesellen geb*e*n!«
dô mohte Wîmar gerne leb*e*n, S. 610b

176 *w*an er *an's* rîches tische saz
und mit *dem hoehisten vürsten az
under roemischer krône.
zwei hundert marc ze lône
5 gap der marcrâve dem wirte.
Iremschart daz wênic irte.
wand er in nam d*e*s âbendes în,
dâ von wuohs zwîvalt gewin
Wîmaren: guot und êre.
10 der marcrâve niht mêre
neheiner spîse gerte,
niuwan swarzez brôt er merte
in ein wazzer, swenne er tranc:
dâ stuont ein brunne, der wol klanc

über die ungewaschne Haut zu ziehen:
Haut und Seide schimmerten verschieden.
Der Markgraf wünschte nicht, 10
daß ihm der Bart, die Haut, das Haar
vom Rost gereinigt würden.
Alice sah ihm wenig gleich.
Er führte an der Hand die hohe Königin
heraus. Die Tochter ging vor ihr. 15
Ich bin nicht genauer unterrichtet,
wie die Fürsten
an der Tafel saßen.
Der König setzte an der einen Seite seine Frau
und Alice neben sich, die in ihrer Schönheit 20
strahlte. Darauf
setzte er an die andre Seite seinen Schwiegervater
und dessen Gattin, Madame Irmschart.
Ihren Sohn mit seinem rostbefleckten Bart
bat sie zu sich. 25
Der sagte: »Tibalt hat mir alle
Gefährten weggenommen.
Den Kaufmann, meinen Gastfreund,
laßt mir als Tischgenossen geben!«
Da hatte Wimar Grund zur Freude,
176 da er am Tisch des Reiches saß
und mit dem höchsten Fürsten
der römischen Krone aß.
Zweihundert Mark Belohnung
gab der Markgraf seinem Gastfreund. 5
Irmschart hatte nichts dagegen.
Daß er ihn abends aufgenommen hatte,
brachte Wimar doppelten Gewinn:
Geld und Ehre.
Der Markgraf wünschte nichts 10
zu essen,
außer daß er Schwarzbrot
in Wasser tunkte, wenn er trank:
Quellwasser stand da, das

15 ûz einem nazzen kruoge.
daz marcten *genuoge:
die newessen niht, durh waz er leit
von zadel sölh*e* arbeit.
Gîburc des sicherheit enpfienc,
20 dô si zer porten mit im gienc,
ê daz er saeze ûf'ez ors.
swie sîn swâger Fâbors
ze Oransche marschalc waere gewesen,
ân ir danc was er genesen,
25 swie manec tûsent si d*e*rvor
heten z'ieg*e*lîchem tor,
dô er von Gîburge schiet.
ir minne gebôt und riet,
daz sîn gelübde ân allen kranc
gein ir stuont und âne wanc.

177 durh daz er mîden wolde,
swaz man truoc od*e*r tragen solde
vür in, daz wilde und daz zam,
gepigmentet klâret alsam,
5 den met, den wîn, daz môraz:
durh der nehein*e*z er vergaz
sîner gelübde. swer im ie küssen bôt,
sô dâht er an des kusses nôt,
*der ze Oransche was beliben,
10 und wie er von dem was vertriben.
er het ouch ander manec vlust.
durh daz was herzenhalp sîn brust
wol hende breit gesunken
und sîn vreude in riuwe ertrunken.
15 er dâhte: »nû ist der künec sat.
des in diu küneginne hiute bat,
er beginnet's uns nû lîhte wern.
ich wil genâde und helfe gern.
daz trunken houb*e*t lîhte tuot,
20 des nüehter man gewan nie muot.

aus einem nassen Krug schön plätscherte. 15
Viele sahen das:
die wußten nicht, warum er
die Entbehrung auf sich nahm.
Es war Giburg versprochen worden,
als sie ihn zum Tor geleitete, 20
bevor er aufsaß.
Obwohl sein Schwager Fabors
Marschall vor Orange gewesen war,
kam er gegen ihren Willen durch,
wieviele Tausend sie auch vor der Stadt 25
an jedem Tor versammelt hatten,
als er sich von Giburg trennte.
Liebe zu ihr befahl und riet ihm,
daß ihr sein Gelübde ohne Abstrich
treu gehalten wurde.

177 Deshalb lehnte er,
was man ihm auftrug, ab,
Wild und andren Braten,
auch Klaret,
Met und Wein und Maulbeertrank: 5
nichts davon ließ ihn
sein Gelübde brechen. Wenn ihn jemand küssen wollte,
dachte er an die Not des Kusses,
der in Orange geblieben war,
und wie man ihn von diesem fortgetrieben hatte. 10
Er hatte noch viel mehr verloren.
Deshalb war, wo das Herz lag, seine Brust
eine Handbreit eingesunken
und sein Glück in Schmerz ertrunken.
Er dachte: »Jetzt ist der König satt. 15
Was die Königin ihn heut gebeten hat,
das gewährt er uns jetzt sicher.
Ich will um Huld und Hilfe bitten.
Leicht tut der betrunkene Kopf,
woran der Nüchterne nie dachte. 20

ist, daz er helfe mir gelob*e*t,
die vürsten diuhte, dâ waere getob*e*t,
ob er die gelübde braeche,
und swaz er an mir raeche.« S. 611a
25 dô sprach er: »herre, der vürsten vog*e*t,
sich hât mîn dinc an iuch gezog*e*t:
ir sît selbe überriten.
ich sol iuch billîchen biten,
daz ir roemischer krône ir rîch*e* wert,
dar umbe ich vreude hân verzert.

178 *iu*wer*e*r kinde mâge sint verlorn.
ich bin gesuochet ze allen torn.
het ich bürge oder lant,
die stênt in Terramêr*e*s hant.
5 mîne vische in Larkant sint tôt.
von treten hât die selben nôt
al mîne wisen und diu sât.
swaz diu marke nutzes hât,
die ich hab vome rîche,
10 daz lît nû jaemerlîche.
mîne mûre sint zebrochen,
diu *viur* sint unberochen:
ez brinnet al mîn marke.
ob Nôê in der arke
15 grôzen kumb*e*r ie gewan,
den selben mac *wol Gîburc hân
von rîterschefte übervluot.
Terramêr gewalt mir tuot.
etswenne het ich veltstrît
20 unz an die vlüstebaeren zît,
daz ich nû wart în getân.
geloubet des, daz Bâligân
nie gevuorte groezer her
gein iuwerem vater über mer!
25 dâ gegen hoer*e*t and*e*r maht:
ich hân's des wol innen brâht,
daz noch dâ regienge rîterschaft,

Sagt er mir Hilfe zu,
dann hielten ihn die Fürsten für verrückt,
wenn er das Versprechen bräche,
was er auch an mir rächen wollte.«
»Herr«, sagte er da, »Vogt der Fürsten, 25
meine Sache ist jetzt eure:
ihr seid selber überrannt.
Es ist mein Recht, daß ich euch bitte,
daß ihr der römischen Krone ihr Reich verteidigt:
ich hab all mein Glück dafür verschwendet.

178 Die Blutsverwandten eurer Kinder sind gefallen.
Ich bin heimgesucht an allen Toren.
Hatte ich Burgen oder Länder,
die sind in Terramers Gewalt.
Meine Fische im Larkant sind tot. 5
Zertrampelt sind auch
alle meine Wiesen und die Äcker.
Die Erträge aus der Mark,
die ich vom Reich zu Lehen habe,
liegen jämmerlich darnieder. 10
Meine Mauern sind zerbrochen,
Die Feuer sind nicht mehr geschützt,
es brennt meine ganze Mark.
War Noah in der Arche
in furchtbarer Bedrängnis, 15
in der selben ist jetzt Giburg
von der Überflut der Ritter.
Ich bin in Terramers Gewalt.
Erst kämpfte ich im offenen Feld,
bis die Verluste so gewaltig waren, 20
daß man mich in die Stadt zurücktrieb.
Glaubt das, nie führte Baligan
ein größeres Heer
gegen euren Vater übers Meer.
Dagegen braucht es andre Kräfte: 25
ich hab ihnen wohl gezeigt,
daß man da noch kämpfen würde,

hete mînen willen iuwer kraft.
noch wert mich: ich bin werlîch!
tuot *ellenthaften dem gelîch,
179 als and*e*r künege ie tâten!«
»des wil ich mich berâten«,
sus antwurte Lôîs.
»berâten?«, sprach der markîs,
5 »welt ir'z niht snellec lîche tuon,
sô wurdet ir nie Karels sun.«
übern tisch er balde spranc.
er sprach: »ich sag's iu kleinen danc:
ir müezet gein den vîenden varen
10 und enturret *niemen dâ gesparen.
wer solt iuwer man sîn?
diu marke *und* and*e*r lêhen mîn,
daz sî ledic iu benant.«
Bernart von Brûbant
15 und der wîse Gîbert
und and*e*r sîne bruoder wert
sprungen dar und wanten daz.
der künec gedultec lîche saz. S. 611b
der gezogen und der wîse
20 sprach zem markîse:
»wolt ir êren'z rîche,
sô möht ir willec lîche
mîn helfe gerne enpfâhen.
wil iu daz versmâhen,
25 sô dien ich ab*e*r anderswar:
sô ist deste minr*e*r iuwer schar
gein der heidenschefte.
muoz ab*e*r ich mit mîner krefte
iu dienen z'undanke,
sô bin ich'z der muotes kranke.«
180 *d*e küneginne sprach d*e*rzuo
vil baz denne's morgens vruo,
dô si der marcrâve umbe zôch
und sîme zorne kûme enpflôch.

hätte eure Macht nur meinen Willen.
Helft mir: dann helf ich mir auch selbst!
Handelt mannhaft,
179 wie es andre Könige immer taten!«
»Ich will darüber beraten«,
antwortete Louis.
»Beraten?«, rief der Markgraf,
»Tut ihr's nicht auf der Stelle, 5
dann seid ihr nie der Sohn von Karl gewesen.«
Ungestüm sprang er über den Tisch.
Er sagte: »Ich dank euch nicht dafür:
ihr seid verpflichtet, gegen den Feind zu ziehen
und könnt's nicht wagen, dort irgendwen zu schonen. 10
Wer wollte euer Lehnsmann sein?
Die Mark und meine andern Lehen
geb ich euch zurück.«
Bernhard von Brubant
und der kluge Gibert 15
und seine andern edlen Brüder
sprangen hin und redeten's ihm aus.
Gelassen saß der König da.
Der Wohlerzogene und Kluge
sagte zum Marquis: 20
»Wollt ihr die Krone ehren,
gewähr ich euch aus freien Stücken
gerne meine Hilfe.
Ist euch das verächtlich,
wend ich sie an andre: 25
umso kleiner ist dann euer Heer,
das ihr gegen die Heiden habt.
Soll ich euch mit meiner Macht
dienen, und ihr dankt's mir nicht,
dann denk ich nicht daran.«
180 Die Königin riet jetzt
viel besser als am Vormittag dazu,
als der Markgraf sie herumzog
und sie mit knapper Not vor seinem Zorn entkam.

5 des was nû suone worden.
si sprach nâch swester orden:
»ei, roemischer künec, herre mîn,
waz touc iuwer tohter lieht*er* schîn
und ir süezer minneclîcher munt?
10 dem wirt *nû wirde nimmer kunt,
als ob ir mâge lebeten,
die ie nâch prîse strebeten.
ir rehtiu tât, ir werd*er* muot
hulf uns vil baz denne iuwer guot.
15 wir zwô sîn mit *in* reslagen.
nû helfet unser sterben klagen!
sône sît ir von uns beiden
der helfe niht gescheiden,
ir ensült uns leisten triuwe.
20 nû habt ouch eigen riuwe
nâch den, die iuwer rîche
werten werlîche.
nû lât se alle juden sîn,
die durh den trûrigen bruoder mîn
25 iuwer lant ze weren sint verlorn:
wart ie triuwe an iu geborn,
ir sult durh triuwe klagen sie.
der roemische keiser Kar*e*l nie
eines tages sô manegen helt verlôs,
die man ze vürsten ûz erkôs.«

181 »*v*rouwe, ich waere des lîhte ermant,
iuwer mâge, die durh wer mîn lant
ame tôde sint ervunden,
daz ich die z'allen stunden
5 solte klagen und dâ nâch rechen,
swenne ich möhte daz gezechen.
nû hoert ir wol, wie'z drumbe vert:
ich bin hie selbe kûme ernert;
sô sît ir ouch *vor* mir gezog*e*t
10 von dem, der mich der vürsten vog*e*t
nante (ich waene, ir hôrt*et*'z wol).

Das war nun gütlich beigelegt. 5
Wie es sich gehört für eine Schwester, sagte sie:
»Ach, römischer König, Herr,
was soll die Schönheit eurer Tochter
und ihr süßer, wundervoller Mund?
Der wird jetzt niemals so geehrt, 10
wie er es würde, lebten ihre Verwandten noch,
die allezeit um Ruhm gerungen haben.
Ihr rechtes Handeln, edler Sinn
würd uns viel mehr als eure Mittel helfen.
Mit ihnen sind wir zwei erschlagen worden. 15
Helft, über unsern Tod zu klagen!
Dann seid ihr
in der Hilfe uns verbunden
und erweist uns Treue.
Habt auch eignen Schmerz 20
um die, die
tapfer euer Reich verteidigt haben.
Und wenn sie alle Juden wären,
die für meinen leidbeladnen Bruder
gefallen sind bei der Verteidigung eures Landes: 25
wenn ihr jemals Treue hattet,
solltet ihr aus Treue sie beklagen.
Der römische Kaiser Karl verlor niemals
an einem Tag soviele Helden
aus dem Kreis der Fürsten.«

181 »Herrin, man müßte mich nicht bitten,
eure Blutsverwandten, die bei der Verteidigung
meines Lands gefallen sind,
immer
zu beklagen und danach zu rächen, 5
wenn ich könnte.
Doch hört ihr, wie die Sache liegt:
ich selber bin mit knapper Not entronnen;
und ihr seid vor meinen Augen
von dem herumgezogen worden, der mich Vogt der 10
Fürsten nannte (ich denke, ihr habt das gehört).

von dem dult ich sô smaehe dol: S. 612a
ob ie vürste wart mîn man,
an dem hât er missetân
15 und ze vorderst an der *krônen*.
wie sol ich des lônen?
verkius ich'z, man sol mich ein zage
mîne künft*e*lîche tage
dar nâch immer nennen.
20 muoz ich an im rekennen,
daz er'z mit guoten witzen tuo,
daz ist uns beiden alze vruo.
ob ich in helfe lâze,
daz kumt uns niht ze mâze:
25 sô vliuh ich, ê ich den vîent sehe.
ieslîch man durh triuwe jehe,
waz er taete, unde stüend ez im
als mir. waz râtes ich nû nim,
der muoz vil eben mezzen dar,
ob er mir werdekeit bewar.«

182 man nam die tische gar hin dan.
manec *rîcher*, manec *armer* man,
die alten und die jungen
gar dar nâher drungen.
5 si wolten vrâgen maere,
durh waz sô balde waere
der marcrâve übern tisch gevaren.
etslîche wolten daz bewaren,
daz sîn hant dar nâch iht mêr
10 waere mit zogen alsô hêr.
Heimrîch und des gesinde
vor dem Kar*e*ls kinde
mit grôzer *zühte* stuonden.
werben si begunden,
15 daz er helfe wurde ermant.
dicke Karel wart genant:
des ellen solt er erben
und niht die tugent verderben,

Von dem bin ich so beleidigt:
wenn je ein Fürst mein Lehnsmann wurde,
dann hat er sich an dem vergangen
und vor allem an der Krone. 15
Wie soll ich ihm das lohnen?
Vergeb ich's, wird man mich
zeitlebens einen Schwächling
nennen.
Und wenn ich anerkennen muß, 20
daß er's aus guter Einsicht tut,
dann ist das übel für uns beide.
Helf ich ihm nicht,
dann ist das auch nicht gut für uns:
dann fliehe ich, eh ich den Feind erblicke. 25
Ein jeder soll, bei seiner Treue, sagen,
was er in meiner Lage täte.
Welchem Rat ich immer folge:
es kommt drauf an,
daß er mir meine Ehre wahrt.«

182 Man nahm alle Tische fort.
Reiche, Arme,
Alte, Junge –
viele drängten sich heran.
Fragen wollten sie, 5
warum der Markgraf
so ungestüm über den Tisch gesprungen war.
Mancher kam, um zu verhindern,
daß sich seine Hand
mit Zerren wiederum soviel herausnahm. 10
Heimrich und sein Gefolge
traten ehrerbietig 13
vor den Sohn von Karl. 12
Sie bemühten sich darum,
ihn zur Hilfe zu bewegen. 15
Öfters fiel der Name Karls:
annehmen sollte er das Erbe, dessen Mut,
und das Gute nicht zugrunde richten,

diu im von arde waere geslaht;
20 daz er daehte an's rîches pfaht:
diu lêrte in'z rîche schirm*e*n
und *niemer* des gehirm*e*n,
ern wurbe 'es rîches êre.
»welt ir nû Terramêre
25 ze wüesten staten iuwer lant,
des wirt diu kristenheit geschant
und der touf entêr*e*t.
ob iuch iemen anders lêr*e*t,
wan daz ir iuch unt'z rîche wert,
dem ist vil untriuwe beschert.
183 swer'z bezzer weiz, des selben jeh er!«
dô sprach der künc zuo sîme sweher:
»ich hilf iu durh mîn selbes prîs,
swie iuwer sun, der markîs,
5 sich hab an mir vergâhet
und sîne zuht genâhet S. 612b
hin zer missewende.
ich var od*e*r ich sende
in iuwer helfe alsölhez her,
10 daz deste bezzer wirt sîn wer.«
»herre und ouch mîn hoehester sun,
*iuwern *kinden* ze êren sult ir'z tuon
und durh mîne tohter, iuwer wîp,
daz *ir* Vîvîanz*es* lîp
15 rechet«, sprach vrou Irmenschart.
»nû vüeget iuwer hervart
mit der vürsten helfe alsô,
des diu süeze Gîburc werde vrô,
diu iuwer*e*r helfe wartet,
20 wan ir nû wênic zartet
Terramêr und Tîbalt,
die mir tôt hânt gevalt
almeistic mîne nâchkom*e*n.
si habent iu vriunde vil benom*e*n,
25 die iuweren hof wol êrt*e*n,

das ihm angestammt wär;
an das Gesetz des Reiches sollt er denken: 20
das lehre ihn, das Reich zu schützen
und niemals abzulassen,
des Reiches Geltung zu betreiben.
»Wollt ihr jetzt Terramer
erlauben, daß er euer Land verwüstet, 25
das bringt die Christenheit in Schande
und entehrt den Glauben.
Rät euch einer etwas andres,
als daß ihr kämpft für euch und für das Reich,
dann ist das ein Verräter.

183 Wer's besser weiß, der soll es sagen!«
Zu seinem Schwiegervater sagte da der König:
»Ich helfe euch um meines Ansehns willen,
wie schwer auch euer Sohn, der Markgraf,
sich an mir vergangen hat 5
und seine höfische Erziehung
ins Gegenteil verkehrte.
Ich komme selber oder sende
euch zu Hilfe solch ein Heer,
daß seine Kampfkraft umso größer wird.« 10
»Herr und höchster Sohn,
tut's für das Ansehn eurer Kinder
und für meine Tochter, euere Gemahlin,
daß ihr Vivianz
rächt«, sagte Madame Irmenschart. 15
»Setzt eure Heerfahrt
mit der Hilfe eurer Fürsten so ins Werk,
daß es die süße Giburg froh macht,
die auf eure Hilfe wartet:
nicht eben zart 20
sind Terramer und Tibalt jetzt zu ihr,
die mir
fast alle Enkel totgeschlagen haben.
Viele Freunde haben sie euch weggenommen,
die eurem Hof viel Ehre brächten, 25

swâ si zuo z'iu kêrten.«
»vrouwe, mîn ander muoter,
sô werd*e*r noch sô guoter«,
sprach der künc, »die sint mir umbekant:
liute in gelîche noch nie bevant
184 *mîn hoeren noch mîn sehen,
*d*en man vor ûz sô dorfte jehen
prîs*e*s in sölher hoehe.
ir lobes vürgezoehe
5 muoz an dem jungest erschinen tage
dennoch *sîn* mit niuwer sage.
er was wol lieb*e*halp mîn kint:
al die durh mich in râche sint
umbe Vîvîanzes sterben,
10 die lâz ich gein mir werben,
swaz ieslîchem sî gelegen –
dâ wil ich sînes willen pflegen
mit gâbe, mit lêhen, mit eigen.
ich wil nû helden zeigen,
15 daz ich des rîches hant hie trag*e*.
mînen solt sol mich der zag*e*
lâzen geben den werden.
ich hân sô breit der erden,
daz ieslîch vürste reichet dar,
20 nimt sîn mîn hant mit günste war.«
etslîche nâmen sînen solt;
etslîche wâren im sus sô holt,
daz si die hervart swuoren;
und al gemeine vuoren,
25 swaz vürsten dar zer hôchgezît
kom. ouch wart des künges nît
ûf den *marcgrâven* verkorn.
der von Karel was erborn,
der begienc dâ *Karels* tücke:
daz was *Gîburge* gelücke. S. 613a

wo sie zu euch kämen.«
»Herrin, meine zweite Mutter,
so edle, tapfre Männer«,
so der König, »kenn ich nicht:
daß es ihresgleichen gäbe, hab
184 ich nie gehört und nie gesehen,
denen man vor allen andern
so hohen Ruhm zusprechen müßte.
Der Vorrang ihres Ruhms
wird noch am letzten Tag der Welt 5
immer neu verkündet werden.
Der Liebe nach war er mein Kind:
wer um meinetwillen Rache nimmt
für Vivianz' Tod,
der mag mit seinen Wünschen zu mir kommen – 10
was einem jeden dienlich ist,
will ich ihm geben:
Geschenke, Lehen, Grundbesitz.
Jetzt will ich den Helden zeigen,
daß meine Hand die Hand des Reiches ist. 15
Meinen Sold muß mich der Feige
den Tapferen geben lassen.
Ich habe soviel Land,
daß es für jeden Fürsten reicht,
wenn meine Hand ihm gnädig gibt.« 20
Viele nahmen seinen Sold;
viele waren ihm auch so ergeben,
daß sie schworen mitzukämpfen;
auch alle Fürsten zogen mit,
die zu dem Fest 25
gekommen waren. Auch gab der König seinen Zorn
auf den Markgrafen auf.
Da handelte Karls Sohn
wie Karl:
das war Giburgs Glück.

185 Turkopel, sarjande
in der Franzoiser lande;
swaz mit al den vürsten rîter sint;
und die Heimrîch und sîniu kint
5 dâ heten – beide junge und alt,
die ze keiner helfe wâren gezalt,
die sagete man gar rehtelôs,
durh daz der touf die smaehe kôs
von der heidenschefte,
10 sine werten'z mit ir krefte.
diu urteile vor dem rîche
wart gesprochen endelîche
und gevolget von *den* hoesten.
ich enruoche umbe die boesten,
15 und ob dâ ind*e*r was ein zage:
der sam*e*nunge zil ich sage.
des rîches gebot unt diu urteil
tet kunt, ein sac unt ein seil
waeren schiere ûf gebunden.
20 an den selben stunden
was *dâ* diu beste rîterschaft
über al der Franzeiser kraft
und heten ouch alle harnasch dâ.
was ez aber and*e*rswâ,
25 dâ wart balde nâch gesant.
die strâzen wurden gar berant
von den rîtern selbe und von ir boten.
si wolden Terramêres goten
niuwiu maere bringen
und Gîburge helfen dingen
186 *d*urh des marcrâven klage.
ze Munlêûn ame zehendem tage
vor dem berge ûf dem plân

185 Turkopolen und Serjants
in Frankreich;
die Ritter all der Fürsten;
auch die, die Heimrich und seine Söhne
bei sich hatten – alle, Jung und Alt, 5
die hilfspflichtig waren,
erklärte man,
weil der Glaube
durch die Heiden so geschändet war,
für rechtlos, wenn sie die Schmach nicht rächten mit 10
aller ihrer Macht und Kraft.
Die Entscheidung wurde vor der Reichsversammlung
proklamiert
und bestätigt von den Fürsten.
Ich kümmere mich nicht um das Gesindel
und nicht darum, ob da ein Feigling war: 15
ich berichte, wie das Heer zusammenkam.
Des Reichs Entscheidung und Befehl
verkündeten: Sack und Seil
wären schnell aufs Pferd gebunden.
Es waren 20
dort die besten Ritter
aus ganz Frankreich schon zugegen
und hatten ihre Ausrüstung dabei.
War sie aber anderswo,
wurde schnell nach ihr gesandt. 25
Die Straßen waren überlaufen
von den Rittern selbst und ihren Boten.
Den Göttern Terramers
wollten sie Neuigkeiten bringen
und Giburgs Sache unterstützen
186 auf des Markgrafen Klage hin.
Am zehnten Tag in Laon,
am Fuß des Berges auf der Ebene,

dâ wolt der künic sîne man
5 schouwen und in danken,
den starken und den kranken,
al dar nâch si wâren komen.
dâ wart urloup genomen
und *schiet* sich diu hôchgezît.
10 der künic diu pfant hiez machen quît. S. 613b
über al *man'z* versuohte:
swer sîner gâbe ruohte,
diu was gewegen al bereit.
durh wider komen dannen reit
15 ungezaltiu mahinante.
rîter, sarjante,
dise quâmen hiute, morgen die.
beidiu dort und hie,
swen man westen oder ôsten kom*e*n sach,
20 der vant rîch lant unt guot gemach.
der künic ze Munlêûn beleip,
unz er die zehen tage vertreip.
Heimrîch was dannen geriten
und het der marcrâve erbiten
25 bî der künegîn, sîner vrouwen.
diu hiez vil dicke schouwen
mit triuwen sîne wunden,
die Gîburc hete verbunden.
er wart dâ sîner wunden heil
und durh des küniges helfe geil.

187 *e*ines âbends der künic komen was
zen vensteren ûf'em palas
und diu künegîn und sîn tohter.
al die wîle enmoht er
5 niht bezzer kurz*e*wîle sehen.
des muose der margrâve jehen,
der dâ bî Alîzen saz.
sich huop ie baz unde baz
zwischen dem palase unt der linden,
10 daz man sach von edelen kinden

wollte der König seine Lehensleute
mustern und wollte ihnen danken, 5
den Großen und den Kleinen,
entsprechend ihrem Aufgebot.
Da nahm man Abschied,
und das Fest ging auseinander.
Der König gab Befehl, die Pfänder auszulösen. 10
Die Nachfrage war groß:
wer von ihm nehmen wollte,
dem wurde gern gegeben.
Mit der Absicht, wieder her zu kommen,
ritten ungezählte Scharen fort. 15
Ritter und Serjants,
diese kamen heute, morgen jene.
Wen man hier und da,
von Westen oder Osten, kommen sah,
der fand ein reiches Land, ein gutes Leben. 20
Der König blieb in Laon
und vertrieb sich die zehn Tage.
Heimrich war fortgeritten,
und der Markgraf wartete
bei der Königin, seiner Herrin. 25
Die ließ eifrig,
voller Sorge, seine Wunden kontrollieren,
die Giburg verbunden hatte.
Er wurde heil an seinen Wunden
und durch des Königs Hilfe froh.

187 Eines Abends trat der König
an die Fenster auf dem Palas
mit der Königin und seiner Tochter.
Er hätte in der ganzen Zeit
nichts Unterhaltenderes sehen können. 5
Das mußte auch der Markgraf sagen,
der dort bei Alice saß.
Man sah da
zwischen dem Palas und der Linde
die Edelknaben immer hitziger 10

mit scheften ûf schilde tjostieren,
dort sich zweien, hie sich vieren,
hie mit poinder rîten,
dort mit bûschen strîten.
15 dâ sprungen rîter sêre.
ze der zît was êre,
der den schaft verre schôz,
des ouch dâ manigen *niht* verdrôz.
sô liefen dise die barre.
20 von der maniger slahte harre
wart versûmet lîhte ein man,
der über den hof wolte gân.
dâ wart von knehten vil geschrît,
die dâ hielden diu runzît.
25 man sluoc dâ manige tambûre.
dâ waere ein ungevriunt gebûre
vil lîhte in dem schalle
gedigen z'einem balle
von *hurte* her unt dar.
*d*ô nam der marcgrâve war,
188 daz ein knappe kom gegangen,
der wart mit spote enpfangen.
der truoc einen zuber wazzers vol.
ob ich sô von im sprechen sol, S. 614a
5 daz mir'z niemen merke:
wol sehs manne sterke
an sîn eines lîbe lac.
des küniges küchen er sô pflac,
daz er wazzers truoc al eine,
10 des die koche al gemeine
bedorften z'ir gereitschaft.
dâ drî mûle mit ir kraft
under *waeren* gestanden,
zwischen sînen handen
15 truoc er'z als ein küsselîn.
ouch gap nâch küchenvarwe schîn
sîn swach gewant und ouch sîn hâr.

mit Speer und Schild tjostieren,
dort in Zweier-, hier in Vierergruppen,
hier auf Pferden attackieren,
dort mit Knüppeln kämpfen.
Ritter sprangen da mit aller Kraft. 15
Es brachte damals Ansehn,
wenn man den Speer weit warf,
was auch viele eifrig taten.
Andre machten Barlauf.
Von den vielen Hindernissen 20
konnte leicht ein Mann,
der den Hof durchqueren wollte, aufgehalten werden.
Da machten Knappen viel Geschrei,
die die Pferdchen hielten.
Viele Trommeln schlug man. 25
Ein fremder Bauer wär dort
in dem Trubel leicht
zum Ball geworden
vom Hin- und Her-Gestoßenwerden.
Da sah der Markgraf
188 einen Knappen kommen,
der mit Spott empfangen wurde.
Einen Zuber voller Wasser trug der.
Wenn ich von ihm sagen darf,
ohne daß man mir das vorhält: 5
die Stärke von sechs Männern
hatte dieser eine Mann.
Für die königliche Küche
trug er ganz allein das Wasser,
das die Köche alle 10
für ihre Zurüstungen brauchten.
Was mit ihrer Kraft drei Muli
nicht bewegen könnten,
trug er zwischen seinen Händen
wie ein kleines Kissen. 15
Küchenschmutz bedeckte
sein schäbiges Gewand und seine Haare.

man nam sîn niht ze rehte war
nâch sîner geschickede und nâch sîner art.
20 etswâ man des wol innen wart,
unt viel daz golt in den pfuol,
daz ez nie rost übermuol:
der ez schouwen wolte dicke,
ez erzeigete etswâ die blicke,
25 daz man sîn edelkeit bevant.
swer noch den grânât jâchant
wirfet in den swarzen ruoz,
als im des dâ nâch wirdet buoz,
er zeiget aber sîne roete.
verdahter *tugent* in noete
189 *pflac* Rennewart, der *küchenvar*.
nû merket, wie der adelar
versichert sîniu kleinen kint:
sô si von schalen komen sint,
5 er stêt in sîme neste
und kiuset vor ûz daz beste;
daz nimt er sanfte zwischen die klâ
und biutet ez gein der sunnen aldâ;
ob ez niht in die sunnen siht,
10 daz im diu zag*e*heit geschiht,
von neste lât er'z vallen;
sus tuot er den andern allen,
ob ir tûsent möhten sîn;
daz in der sunnen hitze schîn
15 siht mit bêden ougen,
daz wil er âne lougen
denne z'einem kinde hân.
Rennewart, der starke man,
was wol in d*e*s ar*e*n nest erzogen:
20 niht drûz gevellet, *drab* gevlogen
unt gestanden ûf den dürren ast.
sîner habe aldâ gebrast
den vogelen, die in solden niezen:
des moht ouch die verdriezen.

Man behandelte ihn nicht
entsprechend seiner Schönheit, seiner Abkunft.
Das hat man öfter schon gesehen: 20
fiel Gold in eine Pfütze,
überzog es niemals Rost:
so oft man es auch ansah,
es blitzte hier und da,
daß man seinen Adel wahrnahm. 25
Wirft man den Granat-Jachant
in den schwarzen Ruß,
so zeigt er, wenn man ihn dann säubert,
wieder seine Röte.
Verdeckten Adel hatte Rennewart
189 in seiner Niedrigkeit, der Küchenschmutz-Befleckte.
Hört, wie der Adler
seine Jungen prüft:
kaum sind sie aus dem Ei geschlüpft,
stellt er sich hin in seinem Nest 5
und sucht zuerst das stärkste aus;
behutsam nimmt er's zwischen seine Fänge
und hält's zur Sonne hin;
ist es feig 10
und schaut nicht in die Sonne, 9
dann läßt er's fallen aus dem Nest;
so macht er's auch mit allen andern,
und wenn es tausend wären;
welches mit beiden Augen 15
in den Glast der Sonnenhitze schaut, 14
das erkennt er offen
als sein Kind an.
Rennewart, der Starke,
war im Adlernest erzogen:
nicht hinausgeworfen, hinabgeflogen 20
war er und auf dem dürren Ast gelandet.
Was er besessen hätte, das ging
den Vögeln ab, die von ihm profitieren sollten:
sie hatten Grund, das zu beklagen.

25 ich maeze iu dinges dar genuoc
gein dem, der den zuber truoc,
wan *ez iu von im *smâhet.*
*n*û kom im dar genâhet S. 614b
mit hurt ein poind*e*r daz niht liez,
den zuber man im umbe stiez.
190 daz vertruoc er als ein kiuschiu maget
und wart von im ouch niht geklaget.
»in schimpfe man sus tuon sol«,
dâht er und brâht in aber vol.
5 dennoch was *in niht spotes buoz.
von disen ze orse, von jenen ze vuoz
wart er vil gehardieret
unt alsô gepunschieret,
daz sîn voller zuber swaere
10 wart aber wazzers laere.
dâ von im kiusche ein teil zesleif.
einen knappen dô begreif
der starke, niht der kranke:
er draet in z'einem swanke
15 an eine steinîne sûl,
daz der knappe, als ob er waere vûl,
von dem wurfe gar zespranc.
umbe in was ê grôz gedranc:
die liezen in gar eine
20 und vluhen al gemeine.
der marcrâve *zem* künege sprach:
»sâhet ir, herre, waz geschach
ûf dem hof an dem sarjant,
der treit daz küchenvar gewant?«
25 der künic sprach: »ich hân'z gesehen.
ez ist im selten ê geschehen,
daz man in vunde in unsiten.
er hât von kinde hie gebiten
in mîme hove mit grôzer zuht.
er begienc nie sölhe ungenuht.

Ich würd euch den mit vielen Dingen 25
noch vergleichen, der den Zuber trug,
doch meint ihr, daß ihm das nicht zukommt.
Nun stürmte
ein Reiterhaufe auf ihn zu und
stürzte ihm den Zuber um.

190 Das nahm er hin wie eine sanfte Jungfrau
und klagte nicht einmal darüber.
»Im Scherz ist das erlaubt«,
dachte er und brachte ihn erneut voll Wasser.
Doch neckten sie ihn weiter. 5
Von diesen zu Pferd, von jenen zu Fuß
wurde er bedrängt
und mit den Lanzen derart angegriffen,
daß sein schwerer voller Zuber
das Wasser wiederum verlor. 10
Davon verging ihm seine Sanftmut.
Einen Knappen packte er,
der Starke, gar nicht Schwache:
er schleuderte ihn durch die Luft
an eine steinerne Säule, 15
daß der Knappe wie ein fauler Apfel
von dem Wurf zerplatzte.
Vorher hatten sie ihn sehr bedrängt:
jetzt ließen sie ihn ganz allein
und flohen alle. 20
Der Markgraf wandte sich zum König:
»Habt ihr gesehen, Herr, was
auf dem Hof mit dem Serjant
im Küchenkleid geschah?«
Der König sagte: »Ich habe es gesehn. 25
Das gab's noch nie,
daß er sich schlecht benommen hätt.
Von Kind an hat er hier
an meinem Hof gelebt mit großem Anstand.
Nie fiel er derart aus der Rolle.

191 ich weiz wol, daz er edel ist.
mîn sin ervant ab*e*r nie den list,
einvaltic noch spaehe,
von wirde noch von smaehe,
5 der in übergienge,
daz er den touf enpfienge.
*i*ch hân unvuoge an im getân.
got weiz wol, daz ich willen hân,
ob er enpfienge kristenheit,
10 mir waere al sîn kumb*e*r leit.
in brâhten koufliute über sê,
die heten in gekoufet ê
in der Persen lande.
nie dehein ouge erkande
15 vlaetiger antlütz noch lîp:
geêret waere daz selbe wîp,
diu in zer werelde brâhte,
ob der touf im niht versmâhte.«
der marcrâve zem künige trat,
20 umbe den knappen er in bat,
er solt *in* im ze stiure geb*e*n:
»waz, ob ich, herre, im sîn leb*e*n S. 615a
baz berihte, ob ich mac?«
der künic versagens gein im pflac.
25 Alîs*e* bat in mêre
sô lange und ouch sô sêre,
unz in der künic gewerte,
des er umbe den knappen gerte.
*d*er marcgrâve nâch Rennewart
sande. der was *noch* âne bart.
192 dô der in den palas gienc,
mit grôzer zuht er'z an*e* vienc,
doch was im scham*e*lîche leit,
daz sô swach was sîn kleit:
5 *ez* versmâhte eime garzûne.
dô der marcgrâve in prisûne
gevangen lac dâ ze Arâbî,

191 Ich weiß, daß er von Adel ist.
Doch fiel mir noch kein Mittel ein,
kein schlichtes und kein raffiniertes,
kein ehrenvolles, kein beschämendes,
das ihn überwunden hätte, 5
die Taufe zu empfangen.
Ich hab ihn schlecht behandelt.
Gott ist mein Zeuge, daß ich ihn,
wenn er sich taufen ließe,
nur allzugern von seinem Leid erlösen würde. 10
Kaufleute brachten ihn übers Meer,
die hatten ihn gekauft
in Persien.
Kein Auge sah jemals
ein schönres Antlitz, einen schönern Leib. 15
Preisen müßte man die Frau,
die ihn geboren hat,
wenn er die Taufe nicht verschmähte.«
Der Markgraf trat zum König,
bat ihn um den Knappen: 20
er sollt ihn ihm als Helfer geben.
»Was, Herr, ob's mir gelingt,
ihn auf die rechte Bahn zu bringen?«
Der König lehnte ab.
Da bat ihn auch Alice, 25
so lange und so dringend,
bis der König
seiner Bitte um den Knappen nachgab.
Der Markgraf ließ den Rennewart
holen. Der war noch ohne Bart.

192 Äußerst höflich 2
trat er in den Palas, 1
doch schämte er sich sehr,
daß sein Gewand so schäbig war:
dem letzten Knappen wär's zu schlecht gewesen. 5
Als der Markgraf in der prison
zu Arabi gefangen lag,

kaldeis und kôatî
lernet er dâ ze sprechen.
10 dône wold ouch niht zebrechen
der knappe sîniu lantwort
(Franzoiser sprâche kund er *hort*).
dô der marcgrâve in kom*e*n sach,
en franzois er im zuo sprach
15 mit der jungen künigîn urloup.
dô gebârt er, als er waere toup
unt als *er's niht verstüende*.
er het ouch guote künde,
swaz iemen sprach, man od*e*r maget.
20 der gegenrede wart niht gesaget
von sînem edelem munde.
der marcgrâve dâ ze stunde
sprach kaldeis und *heidensch z'im.
»die bêde sprâch ich wol vernim«,
25 sus antwurt im der *knappe* dô.
des was der marcgrâve vrô.
dô sprach er: »trût geselle mîn,
ich waene, dû bist ein Sarrazîn.
nû sag mir umb*e* dîn geslehte
unt dîn her kom*e*n rehte!«

193 er vrâgete in her unt dâ.
er sprach: »ich bin von Meckâ,
dâ Mahmeten heilikeit
sînen lîchnamen treit
5 al swebende âne und*e*rsetzen.
der mac mich wol ergetzen,
swar an ich hie vertwâlet bin,
hât er gotlîchen sin.
doch hân ich im sô vil geklag*e*t,
10 daz ich sîner helfe bin verzag*e*t
und hân mich's nû gehabt an Krist,
dem dû *undertaenic* bist
(mich dunket des, dû sîst getoufet).
sît ich her wart verkoufet,

Arabisch und Koatisch
hatte er da gelernt.
Der Knappe aber wollte nicht 10
die Sprache seines Landes abtun
(dabei sprach er gut französisch).
Als ihn der Markgraf kommen sah,
sprach er ihn französisch an,
mit Erlaubnis der Prinzessin. 15
Da tat er so, als wär er taub
und würde nichts davon verstehn.
Doch war ihm völlig klar,
was jeder, Mann oder Mädchen, sagte.
Keine Antwort gab 20
sein edler Mund.
Da redete der Markgraf ihn sogleich
heidnisch und arabisch an.
»Die beiden Sprachen kann ich gut«,
antwortete ihm da der Knappe. 25
Darüber freute sich der Markgraf.
Er sagte: »Lieber Freund,
mir scheint, du bist ein Sarazene.
Sag mir, von dem du stammst
und wo du herkommst!«
193 Er fragte ihn nach Strich und Faden aus.
Der Knappe sagte: »Ich bin von Mekka,
wo Mohammeds Heiligkeit
seinen Leichnam
ohne Stützung schweben läßt. 5
Der kann mich entschädigen
für das, was mir hier fehlt,
wenn er helfen will als Gott.
Doch hab ich ihm so viel geklagt,
daß ich auf seine Hilfe nicht mehr hoffe 10
und mich an Christus halten will,
dem du untertan bist
(ich denke doch, du bist getauft).
Seit ich hierher verkauft bin,

15 sô hân ich smaehlîch arbeit
*erdolt. der künic selbe streit S. 615b
gein mir und hiez mich lêren,
ich solde mich bekêren.
nû ist mir der touf niht geslaht:
20 des hân ich tac und naht
gelebt *dem ungelîche*,
ob mîn vater ie wart rîche.
eteswenne ich in den werken bin,
daz mir diu schame nimt den sin,
25 want ich leb in lekerîe.
sol iemer wert amîe
mînen lîp umbevâhen,
daz mac ir wol versmâhen,
wan ich bin wirden niht gewent
unt hân mich doch dar nâch gesent.«

194 dem marcgrâven wol behagete,
daz der junge, unverzagete
in alsô smaehlîchem leben
mit *zühten nâch wirde kunde streben.
5 er sprach: »dîne scham*e* gar verbir!
der künic hât dich gegeben mir.
ob dû mich *dienstes* wider werst,
ich bereite dich schône, swes dû gerst.«
im neic und sprach der Sarrazîn:
10 »sol ich in iuwerem gebote sîn,
ir muget an mir behalten prîs.
herre, sît ir'z der markîs,
der daz geflôrierte her
von den komenden über mer
15 hât verloren in strîte,
sô bin ich iu bezîte
*an iuwer helfe alhie gegeb*e*n:
die wil ich rechen, sol ich leb*e*n.
ze iuwerem râte *sol ich pflihten:
20 ir muget mich wol berihten,
swenne ich in swacher vuore bin

hab ich Schmach und Schande 15
dulden müssen. Der König selbst verfolgte
mich, hieß mich belehren,
ich sollte mich bekehren.
Doch ist die Taufe mir nun einmal nicht gemäß:
deswegen hab ich Tag und Nacht 20
nicht so gelebt,
als ob mein Vater jemals reich gewesen wäre.
Manchmal muß ich Dinge tun,
daß ich vor Scham wahnsinnig werde:
ich lebe wie ein Schwein. 25
Soll jemals eine edle amie
mich umarmen,
das muß ihr verächtlich sein,
denn ich bin nicht gewöhnt an Ehre
und sehn mich doch danach.«

194 Dem Markgrafen gefiel es sehr,
daß der Junge, Unverzagte
in einem solchen Schanden-Leben
höfisch nach Ehre strebte.
Er sagte: »Vergiß die Scham! 5
Der König hat dich mir geschenkt.
Wenn du mir dafür dienst,
geb ich dir gerne alles, was du willst.«
Der Sarazene verneigte sich vor ihm und sagte:
»Soll ich euer Diener sein, 10
werd ich euch keine Schande machen.
Herr, seid ihr der Marquis,
der das glanzvolle Heer
durch die von Übersee
im Kampf verloren hat, 15
gab man mich euch zur rechten Zeit
als Hilfe:
wenn ich am Leben bleib, will ich sie rächen.
Euern Rat will ich befolgen:
ihr werdet mich verbessern können, 20
wenn ich mich falsch benehme

(jugent hât dicke kranken sin),
und heizet mir gereitschaft tuon!«
dô sprach Heimrîches sun:
25 »swes dû gerst unt swaz dû wilt,
hân ich'z, niemer mich es bevilt:
ich gib dir'z«, sprach der milte man.
»ir muget die koste lîhte hân,
als ich nû ger von iuwer*er* hant,
swie iuwer marke sî verbrant.«

195 ir enweders wort niemen verstuont:
si newâren dâ *man* noch wîbe kunt,
der doch die stimme hôrte.
under râme der geflôrte,
5 des vel ein touwic rôse was,
ob ez im rost*e*shalp genas,
er sprach: »herre, wie sol ich nû varn?
swaz ir heizet mich bewarn,
des pflig ich, als ich pflegen kan.
10 sô lieben herren ich nie gewan: S. 616a
iuwer hulde sî mîn lôn!«
einen juden von Narbôn
liez dâ diu vürstinne Irmenschart:
der solte gein der hervart
15 *bereiten* des marcgrâven diet.
swem sîn kumber daz geriet,
daz er sich halden wolde
an in, von rîchem solde
si der jude werte,
20 ieslîchen, swes er gerte.
er sant ouch Rennewarten dar
und bat den juden nemen war,
daz er dem jungen sarjant
harnasch, ors unt gewant
25 gaebe, unz er selbe spraeche,
daz nihtes im gebraeche.
Rennewart kom dar gegangen

(Jugend hat oft keine Einsicht),
und ordnet an, mich auszurüsten!«
Da sagte Heimrichs Sohn:
»Was du verlangst und was du willst, 25
wenn ich das hab, dann wird's mir nicht zu viel:
ich geb's dir« – so der Generöse.
»Ihr könnt euch das gut leisten,
was ich von euch wünsche,
auch wenn eure Mark verbrannt ist.«

195 Was die beiden sagten, das verstand kein Mensch:
Mann oder Frau, nicht einer konnte folgen,
obwohl sie doch die Laute hörten.
Der Blütenschöne unterm Ruß
– seine Haut war eine taubenetzte Rose, 5
wenn man sie ihm vom Schmutz befreite –
sagte: »Herr, was soll ich jetzt tun?
Was ihr mir auftragt,
führ ich aus, so gut ich kann.
So einen guten Herrn hatt ich noch nie: 10
daß ihr mir wohlwollt, sei mein Lohn!«
Einen Juden aus Narbonne
hatte Fürstin Irmschart dagelassen:
der war beauftragt,
des Markgrafen Leute für den Kriegszug 15
auszustatten.
Wen seine Armut dazu zwang,
sich an ihn zu halten,
dem gab aus reichen Mitteln
der Jude,
jedem, was er wünschte. 20
Er schickte auch Rennewart dorthin
und befahl dem Juden,
dem jungen Serjant
Harnisch, Pferd, Gewand
zu geben, bis er selber sagte, 25
daß ihm nichts mehr fehle.
Rennewart kam hin

und iesch et eine stangen
(die wold er gein den vîgend*e*n tragen),
daz diu wurde wol beslagen
196 mit starken spangen stehelîn,
unt *ein* surkôt von kambelîn;
mit guoten schuohen und hosen von sein
sîniu wol geschicten bein
5 *die wurden wol berâten.
er gie, dâ snîdaere nâten
wît unt blanc lînîn gewant.
daz galt im gar des juden hant
durh des marcgrâven êre.
10 er bôt im dennoch mêre:
harnasch, ors und lanzen starc.
er enbehielt niht noch verbarc,
wan daz er in schône werte
al, des er an im gerte,
15 als and*e*r soldiere.
dô sprach der knappe schiere:
»ich wil ze vuoze in den strît.
harnasch unde runzît
daz geb mîn herre den, die's ger*e*n.
20 ir sult mich einer stangen weren,
vierecke, einer hagenbuochen;
ob sehs man versuochen,
daz si si hin wellen tragen,
daz die von ir swaere klagen;
25 und ob mich's sib*e*ne wolden heln,
daz si ir doch möhten niht versteln
von der swaere ir laste;
der smit sol si vaste
beslahen mit starken band*e*n;
sleht und blôz *ze den handen.*«
197 sus wart bereitet Rennewart
und manic ander*e*r gein der hervart
alles von des juden hant.
hie dem rîter, dort dem sarjant S. 616b

und erbat nur eine Stange
(die wollte er gegen die Feinde führen),
gut
196 mit starken Eisenspangen zu beschlagen,
und ein Surkot aus Kamelhaar;
mit guten Schuhen, Kaschmir-Hosen
wurden seine schönen Beine
gut versorgt. 5
Er suchte Schneider auf, die
weite weiße Leinenkleider nähten.
Alles zahlte ihm der Jude,
damit der Markgraf sich nicht schämen mußte.
Er bot ihm noch mehr an: 10
Harnisch, Pferd und eine starke Lanze.
Er hielt nichts zurück, versteckte nichts,
sondern gab ihm freundlich
alles, was er wollte,
wie den anderen Soldaten. 15
Der Knappe sagte ohne Zögern:
»Ich will zu Fuß in den Kampf.
Mein Herr soll Harnisch, Pferdchen
denen schenken, die es wünschen.
Mir sollt ihr eine Stange geben, 20
vierkantig, hagebuchen;
so, daß sechs Mann, wenn sie versuchen sollten,
sie davonzutragen,
über ihre Schwere klagen;
und so, daß sieben, wollten sie sie mir verstecken, 25
sie doch nicht stehlen könnten
wegen des gewaltigen Gewichts;
der Schmied soll sie
mit starken Bändern fest beschlagen;
am Handgriff glatt und unbewehrt.«
197 So wurden Rennewart
und viele andre für den Kriegszug
von dem Juden mit allem ausgerüstet.
Hier dem Ritter, dort dem Serjant

5 der marcgrâve rotten meist*er* gap.
der sam*e*nunge urhap
sich huop nâch den zehen tagen.
man sach dâ rîlîch ûf geslagen
anz velt, dâ der berc erwant,
10 treif unt tulant,
ekub und preimerûn.
ouch sach der Heimrîches sun
manic hôch gezelt gesniten wît
gein der vürsten kümfte zît,
15 die dâ kômen durh des rîches gebot.
Gîburc möhte loben got,
hete si gesehen und ouch vernom*e*n
diz kreftige rîterlîche kom*e*n.
der künic hin ab mit *valken reit.*
20 über al daz gevilde breit
enpfienc er die vürsten sund*er*.
die erbarmete unt nam wund*er*
umbe des marcgrâven mâge,
daz *er* sich selbe en wâge
25 *lieze mit eime sô kleinem her,
daz er des roemischen küniges wer
niht beite ûf sîner marke,
dô Terramêr, der starke,
in sô manigen treimunden
was dâ kumende vunden.

198 *d*ô si der marcgrâve enpfie,
etslîcher sîne zuht begie,
daz er mit herzen klagete
kumber, den er in sagete.
5 die werden begunden sprechen,
si *wolden'z* gerne rechen
durh in unt durh daz rîche
unt si *taeten'z* ouch billîche.
des küniges rüefaer *al* den scharn
10 gebôt, si solden's morgens varn

gab der Markgraf Truppenführer. 5
Die Sammlung nahm
nach Ablauf der zehn Tage ihren Anfang.
Prächtig sah man da
aufs Feld, am Fuß des Berges,
Trefs und Tulants, 10
Aucubes und Preimeruns geschlagen.
Auch sah Heimrichs Sohn
viele hohe, weit geschnittne Zelte,
zum Empfang der Fürsten vorbereitet,
die, dem Aufgebot des Reiches folgend, hierher 15
gekommen waren.
Giburg hätte Gott gepriesen,
hätt sie gesehen und gehört,
wie die Ritter da gewaltig aufmarschierten.
Der König ritt hinab mit Falken.
Auf dem ganzen breiten Feld 20
begrüßte er die Fürsten einzeln.
Die erfüllten
die Verwandten des Markgrafen mit Mitgefühl
und Staunen, daß er
mit so kleinem Heer das Wagnis eingegangen war, 25
nicht auf die Armee des römischen Königs
in seiner Mark zu warten,
als Terramer, der Starke,
mit so vielen Treimunden
hergekommen war.

198 Als der Markgraf sie begrüßte,
äußerten sie alle höflich
ihr herzliches Mitgefühl
mit dem Leid, von dem er ihnen sagte.
Es versicherten die Edlen, 5
sie brennten darauf, das zu rächen
für ihn und für das Reich,
auch wär es ihre Pflicht.
All den Kampfverbänden gab des Königs Herold
den Befehl, sich am Morgen 10

gein Orlens ûf die strâze.
dô der künic ze guoter mâze
mit den valken was geriten,
dâ wart niht langer dô gebiten.
15 Munlêûn ist der berc sô hôch:
ê daz diu sunne im entvlôch,
er reit hin ûf bî schoenem tage.
nû vant der marcgrâve mit klage
sînen jungen, starken sarjant.
20 dem was sîn hâr unt sîn gewant
in der küchen besenget.
ez enwart dô niht gelenget,
den selben schimpf mit schimpf er rach:
mit der stangen er durh die kezzel stach.
25 dehein haven was dâ sô êrîn,
er müese ouch zebrochen sîn.
der küchenmeister *kûm entran*:
zornic was der junge man. S. 617a
der marcgrâve senfte im sînen muot,
als dicke ein vriunt dem anderem tuot,
199 und sprach: »ich gib dir anderiu kleit.
dir was dîn hâr ouch alze breit:
daz sul wir nider strîchen
unt den ôren gelîchen
5 schôn al umbe mit einem snit*e*.
nû hab zuhtbaere sit*e*
unt kêre dich niht an dise klage.
morgen vruo, sô ez êrste tage,
sô man die banier binde
10 an, dâ mîn gesinde
und*er* sulen trecken
vür die stat, sô heiz dich wecken
dînen wirt und heb dich an die vart!«
daz lobte der junge Rennewart.
15 der künic ze Munlêûn die naht
beleip. der *het* sich vor bedâht,
er wolde ze Orlens rîten,

nach Orléans in Marsch zu setzen.
Als der König eine gute Weile
mit den Falken geritten war,
hielt er sich nicht länger auf.
Der Berg von Laon ist derart hoch: 15
bevor die Sonne ihm entfloh,
ritt er im vollen Licht hinauf.
Unterdessen fand der Markgraf
seinen jungen, starken Serjant klagend.
Dem hatte man die Haare und die Kleider 20
in der Küche angesengt.
Er hatte da nicht lang gefackelt,
den Scherz mit einem Scherz gerächt:
die Stange stieß er durch die Kessel.
Da war kein Topf so eisenstark, 25
daß er nicht zerbrochen wurde.
Der Küchenmeister konnte sich kaum retten:
zornig war der junge Mann.
Der Markgraf redete ihm zu
wie ein Freund dem Freund
199 und sagte: »Ich geb dir neue Kleider.
Auch standen deine Haare zu weit ab:
wir bürsten sie nach unten
und schneiden sie in Ohrenhöhe
rundherum schön ab. 5
Nimm dich jetzt zusammen
und hör mit diesem Jammern auf.
Morgen früh bei Tagesanbruch,
wenn die Banner angebunden
werden, unter denen mein Gefolge 10
vor die Stadt ziehn soll,
laß dich wecken
von deinem Wirt und mach dich auf den Weg!«
Das versprach der junge Rennewart.
Der König blieb die Nacht in Laon. 15
Er hatte sich entschlossen,
nach Orléans zu reiten,

dâ daz her an allen sîten
zer jungisten samenunge,
20 der alte unt der junge,
kômen, die im des swuoren,
daz si ze helfe vuoren
dem gelouben unt dem toufe.
von ir sold*e*s koufe
25 diu künigîn sund*e*r rotte pflac
und sich der kost alsô bewac,
daz wert man gerne greif dar zuo.
si was bereit des morgens vruo
mit maniger juncvrouwen.
si wolten ze Orlens schouwen,
200 wie der künic dâ belibe
und wie *er'z* her vürbaz tribe
und wer des waere houbetman.
*d*iu naht ouch enden began,
5 daz man den tac kôs al grâ.
dô sach man her unt dâ
von velde und ûz den porten,
ich meine: gein al den orten,
swâ gein Orlens diu strâze lac –
10 diu wart *getreten wol den tac.
dô zogete ouch dan diu künegîn
und ir tohter, diu sô liehten schîn
gap, daz ich die heide
mit ir manigen underscheide,
15 des si noch pfliget und ouch dô pflac,
gein ir niht gelîchen mac.
disen ze orse und jenen ze vuoz,
den allen werdeclîcher gruoz
von dem marcgrâven geschach,
20 den man bî strâzen halden sach
ûf sînem orse Volatîne.
er warte, ob al die sîne S. 617b

wo das Heer von allen Seiten
zur letzten Sammlung,
Alt und Jung, 20
zusammenkam, die ihm geschworen hatten,
daß sie
dem Glauben und der Taufe zu Hilfe kommen
würden.
Mit ihrem Sold
hatte sich die Königin einen eignen Kampfverband 25
erkauft
und soviel aufgewendet,
daß der Edle gerne zugriff.
Am frühen Morgen war sie reisefertig
mit vielen Edeldamen.
Sie wollten in Orléans verfolgen,
200 wie der König dort zurückblieb,
wie er die Truppen weiterschickte
und wer Kommandant sein würde.
Die Nacht verging,
man sah den Tag aufdämmern. 5
Da sah man überall
vom Feld und aus den Toren,
ich mein: an allen Enden hin
zur Straße, die nach Orléans ging –
die wurde viel getreten diesen Tag. 10
Auch die Königin brach auf
mit ihrer Tochter, deren Schönheit so sehr strahlte,
daß ich die Heide
mit ihren vielen bunten Blumen,
die sie noch hat und damals hatte, 15
nicht mit ihr vergleichen kann.
Diese zu Pferd und jene zu Fuß,
sie alle grüßte höflich
der Markgraf,
der an der Straße hielt 20
auf seinem Streitroß Volatin.
Er schaute aus, ob seine Leute

ûz Munlêûn noch *waeren* komen.
die heten sich sô vür genomen,
25 daz *süenen was von in gespart.
niuwan sîn vriunt Rennewart
der kom geheistieret hie
sô verre nâch, daz dise unt die
im sêre wâren gevirret.
in het der slâf verirret.

201 doch was er herzenlîche vrô,
daz er den marcgrâven dô
vor im ze orse halden sach,
der sînen gruoz gein im ouch sprach
5 und vrâgete in: »wâ ist diu stange dîn?«
Rennewart sprach: »herre mîn,
der hân ich vergezzen dort.
ez was ein helf*e*lîchez wort,
daz *ir* mich der stangen habt *ermant*.
10 herre, ir sît des ungeschant,
ob ir mîn hie bîtet.
ez vrumt iu, swâ ir strîtet,
ob ich die stangen bringe.«
er sprach ze dem jungelinge:
15 »ich beite dîn, wilt dû schiere kom*e*n.
hâstû iemen hinder dir vernom*e*n,
der mich an*e* winde,
dem sage, daz er mich vinde.
rîter und and*e*r soldiere
20 brinc mit dir wid*e*r schiere
und vergizze niht dîner stangen!«
»nû lât iuch niht erlangen!«,
sprach Rennewart, der snelle.
mit *küchenvarwem* velle
25 was er ûf einer hackebanc
die naht âne der koche danc
gelegen. die heten hin getragen
sîne stangen: die begund er klagen.
der tür er wênic deheine liez:
mit den vuozen er si nider stiez.

nicht endlich Laon verlassen hätten.
Die waren so vorausgeeilt,
daß sie keine Buße zahlen mußten. 25
Nur sein Freund Rennewart
hastete
in solchem Abstand hinterher, daß sie alle
vor ihm in weiter Ferne waren.
Er hatte sich verschlafen.

201 Er war jedoch von Herzen froh,
daß er den Markgrafen da
vor ihm halten sah zu Pferd,
der auch ihn begrüßte
und ihn fragte: »Wo ist deine Stange?« 5
Rennewart sagte: »Herr,
die hab ich dort vergessen.
Das war ein hilfreiches Wort,
daß ihr mich an die Stange mahntet.
Herr, es macht euch keine Schande, 10
wenn ihr hier auf mich wartet.
Wo ihr auch kämpft, es ist euch nützlich,
wenn ich die Stange bringe.«
Er sagte zu dem Jungen:
»Ich wart auf dich, wenn du gleich wiederkommst. 15
Hast du hinter dir jemand gehört,
der zu den Meinen zählt,
dem sage, daß er zu mir kommen soll.
Ritter und andere Soldaten
bring schnell zurück 20
und vergiß nicht deine Stange!«
»Langweilt euch nicht!«,
sagte Rennewart, der Schnelle.
Beschmiert mit Küchenschmutz,
hatte er auf einer Hackbank 25
zum Verdruß der Köche die Nacht
verbracht. Sie hatten seine Stange fortgetragen:
die beklagte er.
Kaum eine Tür ließ er in Frieden:
er stieß sie mit den Füßen ein.

202 der küchenmeister lac dâ tôt;
die anderen koche dolten nôt,
swaz ir dâ heime was beliben.
unlange het er daz getriben,
5 unz er sîne stangen vant.
die warf er von hant ze hant
als ein swankele gerten.
nû het ouch sînes geverten
gebiten dort der markîs.
10 den dûhte, daz daz selbe rîs
sölhen würfen waere ze swaere
und dem kranken ungebaere.
sus kom der starke soldier:
vor hunden ein wildez tier
15 waere niht baz ersprenget.
ez wart dô niht gelenget. S. 618a
der marcgrâve reit hin nâch,
Rennewart lief vor: dem was ouch gâch.
dem here was herberge genomen
20 und was der künic selbe komen
z'eime klôster, daz verbran,
dô der marcgrâve dan
schiet und sînen schilt dâ liez.
ze tûsent marken der geniez
25 was, der dem klôster galt
(sus was sîn urbor gezalt):
ob iuch des maeres niht bevilt,
sô koste mêr der eine schilt,
der in dem viure was verlorn,
denne daz klôster mit den urborn.

203 der marcgrâve reit ouch dar
und nam des grôzen schaden war,
den er unt daz klôster dâ gewan.
nû hete der appet kunt getân
5 dem künige und der künigîn,
wie rehte kostebaeren schîn
der schilt gap von gesteine

202 Der Küchenmeister fand den Tod;
den andern Köchen,
die im Haus geblieben waren, ging es übel.
Das hatte er nicht lang getrieben,
bis er seine Stange fand. 5
Die warf er in den Händen hin und her
wie eine dünne Gerte.
Unterdessen hatte
dort der Marquis auf seinen Freund gewartet.
Ihm schien, daß dieses Reis 10
für solche Würfe viel zu schwer sei
und nichts für einen Schwächling.
So kam der starke Soldat:
ein Wild könnte von Hunden
nicht heftiger getrieben werden. 15
Man hielt sich da nicht auf.
Hintendrein ritt der Markgraf,
Rennewart lief vor: der hatte es auch eilig.
Den Truppen war Quartier gemacht
– und der König war dazugestoßen – 20
bei einem Kloster, das verbrannt war,
nachdem der Markgraf fortgeritten
war und seinen Schild zurückgelassen hatte.
Auf tausend Mark belief sich der Ertrag,
der dem Kloster zukam 25
(das waren seine Zinseinkünfte):
wenn ihr's nicht für unglaublich haltet,
war der eine Schild mehr wert,
der in dem Feuer abgeblieben war,
als das Kloster mit den Zinseinkünften.

203 Auch der Markgraf ritt hinzu
und besah den Schaden,
den er und das Kloster da erlitten hatten.
Der Abt nun hatte
dem König und der Königin erzählt, 5
wie kostbar
der Schild von Edelsteinen glänzte

und daz anders enkeine
drûf *erwieret lâgen,
10 wan die grôzer koste pflâgen.
der künic zem marcgrâven sprach,
dô er in vor im sitzen sach
(dâ saz mêr rîter ungezalt):
»dar zuo dunket ir mich ze alt,
15 daz iu ûf tôtbaeren strît
iuwer muot die volge gît,
daz ir iuch zimieret alsô.«
der marcgrâve saget im rehte dô:
»swaz ich zimierde pflige,
20 die erwarp mîn hant mit eime sige
an dem künige von Persîâ.
der bôt mir vür sîn sterben dâ
drîzec helfande,
die man geladen bekande
25 mit dem golde von Koukesas.
al anders mir ze muote was:
sînes *sterbens* mich baz luste,
want ich's morgens kuste
Vîvîanzen dicke alsô tôt.
ez half in niht, *swaz* er mir bôt:
204 ich enthoubte den künic wol geborn.
des hât diu minne mir verlorn
sînen schilt kostebaere.
er was ouch mir ze swaere:
5 in solte der geprîste tragen,
den ich drunder hân erslagen.
got weiz wol, daz al sîn sin
ie was gerende ûf den gewin,
daz im diu minne lônde.
10 deheiner kost er schônde, S. 618b
sîn herze im des niht werte:
lîp und guot er zerte,
der *newederz* vor prîs er sparte,

und daß nur solche
darauf saßen,
die äußerst wertvoll waren. 10
Der König sprach den Markgrafen an,
als er ihn vor sich sitzen sah
(es saßen da noch viele andre Ritter):
»Ihr scheint mir doch zu alt dafür,
zu einem Kampf auf Tod und Leben 15
euch
so herauszuputzen.«
Der Markgraf sagte ihm, was wahr war:
»Meinen ganzen Waffenschmuck
erwarb ich mir mit einem Sieg 20
von dem Perserkönig.
Der bot mir für sein Leben
dreißig Elefanten,
mit dem Gold vom Hindukusch 25
beladen. 24
Mir war nach etwas anderm:
ich wollte lieber seinen Tod,
denn am Morgen hatte ich
einen andern Toten noch und noch geküßt: Vivianz.
Es half ihm nichts, was er mir bot:
204 ich enthauptete den hochgeborenen König.
Drum hat die Liebe mich
um seinen teuren Schild gebracht.
Er war mir auch zu schwer:
der Gerühmte hätt ihn tragen sollen, 5
den ich unter ihm erschlagen habe.
Gott ist Zeuge, daß es ihn von ganzem Herzen
allezeit danach verlangte,
den Lohn der Liebe zu gewinnen.
Er scheute keinen Aufwand, 10
sein Herz hielt ihn davon nicht ab:
Besitz und Leben gab er hin,
schonte, um Ruhm zu holen, nicht das eine noch das andre,

vor valscheit der bewarte.
15 swaz mir nû tuot Terramêr,
ich hân im doch daz herzesêr
an dem werdem künige alsô gesant,
dâ von im jâmer wirt bekant.
der ze Samargône
20 in Persîâ *die* krône
vor den edelen vürsten truoc,
mîn hant iedoch den selben sluoc,
sînen bruoder, den getiuwerten,
vor wîben den gehiuwerten.
25 ich hân der minnen hulde
verloren durh die schulde:
ob ich minne wolde gern,
ich mües ir durh den zorn enbern,
want ich Aroffele nam den lîp,
den immer klagent diu werden wîp.

205 *i*ch half noch Terramêre
vürbaz gein herzesêre.
mîn tjost im sluoc den süezen.
wie möht ich daz gebüezen
5 wîben, die noch mêr verlurn
an im, ob si ze rehte kurn?
dâ was der minne urbor verhert,
mit sîme tôde ir gelt verzert.
Tesereiz, der geprîste,
10 sîn herze in alsô wîste:
wart nâch minne ie dienst ersehen,
man muose im volgen und*e* jehen,
daz er's pflac und guoten willen truoc.
Tesereiz der het ie genuoc
15 prîs*e*s vür sîne genôze.
er vuort ouch her, daz grôze,
ûz vümf künicrîchen.
ich enmac im niht gelîchen
niemen und*er* krône,
20 der baz nâch wîbe lône

er, der keine Falschheit kannte.
Was Terramer mir jetzt auch antut, 15
ich habe ihm doch solchen Schmerz gesandt
an dem edlen König,
daß er weiß, was Kummer ist.
Der in Samarkand
in Persien die Krone 20
vor den hohen Fürsten trug,
den hat meine Hand erschlagen,
seinen Bruder, den Geehrten,
den die Frauen liebten.
Ich hab die Huld der Liebe 25
dadurch eingebüßt:
verlangte mich nach Liebe,
ich müßt auf sie verzichten von dem Zorn,
weil ich Arofel tötete,
den edle Frauen allezeit beklagen.

205 Noch tiefer hab ich Terramer
in Herzens-Leid gebracht.
Meine Tjost hat ihm den Herrlichen erschlagen.
Wie sollt ich in der Lage sein, das
an den Frauen wiedergutzumachen, die noch mehr 5
an ihm verloren haben, wenn sie Kennerinnen waren?
Da war der Grundbesitz der Liebe ruiniert,
mit seinem Tod ihr Zins vernichtet.
Tesereiß, der Gerühmte,
sein Herz trieb ihn dazu: 10
wo immer man um Liebe diente,
mußte man ihm zugestehn,
daß er mit Leidenschaft dabei war.
Viel mehr an Ruhm als seine Mitbewerber 15
hatte immer Tesereiß. 14
Er führte auch das Heer, das große,
aus fünf Königreichen.
Ich kann ihm keinen,
der eine Krone trägt, vergleichen,
der besser um den Lohn der Frauen 20

runge denne der Arâbois.
der rîche Seziljois
was gebor*e*n von Pâlerne.
mîn hant in sluoc ungerne
25 durh sîne hôhe werdekeit.
ouwê, daz ich im niht entreit,
dô der gezimierte
mich vil gehardierte.
mîn tjost was im doch unbekant,
unz Arabele wart genant:
206 bî der minne er mir'z gebôt.
dâ von was kümftic im sîn tôt.
*v*on Boctâne der künic Talimôn
was noch durh der wîbe lôn S. 619a
5 gezieret baz danne Tesereiz;
vor dem bestuont mich Poufemeiz,
der künic von Ingulîe,
unt Turpîûn, die drîe,
der rîche von Valturmîê.
10 den tet ich allen gelîche wê:
Schoiûse daz leben ûz *in* sneit.
Erfiklant ouch mit mir streit
und des bruoder Turkant:
Turkânîe was ir lant.
15 der newedern half sîn krône,
ine gaebe *in ze lône,
als ich Vîvîanzen ligen sach,
den ich sît an Arofel rach.
âne rüemen wil ich'z sagen:
20 der heiden hât mîn hant erslagen
(ob *ich die wârheit prüeven kan)
mêr, denn mîn houbet und *die gran
der hâr*e* hab mit sund*e*r zal.
mit schaden behabten si daz wal.
25 dâ von ich schumpfentiuwer leit,
*ez was niht ân ir arbeit:
si *mugen's noch lange zeigen.

kämpfte als der Araber.
Der mächtige Sizilianer
stammte aus Palermo.
Ich habe ihn nicht gern erschlagen,
weil er so vornehm und so edel war. 25
Ach, daß ich ihm nicht davon ritt,
als er in seinem Waffenschmuck
mich heftig attackierte.
Meine Tjost bekam er nicht zu spüren,
bis Arabels Name fiel:
206 bei deren Liebe hat er mich gefordert.
Das brachte ihm den Tod.
Von Boctan der König Talimon
war durch die Gunst der Frauen
noch prächtiger geschmückt als Tesereiß; 5
vor jenem haben Paufemeiß mit mir gekämpft,
der König von Ingulie,
und Turpiun,
der Mächtige von Valturmié, die drei.
Jedem tat ich dasselbe an: 10
Schoiuse schnitt ihnen das Leben aus.
Auch Erfiklant kämpfte mit mir
und dessen Bruder Turkant:
Turkanie war ihr Land.
Den beiden halfen ihre Kronen nichts: 15
ich gab ihnen das zum Lohn,
wie ich Vivianz liegen sah,
den ich dann an Arofel rächte.
Ich sage ohne Prahlerei:
mehr Heiden habe ich erschlagen 20
(wenn ich mich nicht irre),
als ich Haare habe
im Bart und auf dem Kopf.
Mit Schaden haben sie das Feld behauptet.
Was mir die Niederlage brachte, 25
ging nicht ohne Leiden für sie ab:
das zeichnet sie noch lange.

daz erziug ich mit den veigen,
als ouch mîn stiefsun Ehmereiz,
waen ich, wol die wârheit weiz.
207 von dem maneger slahte wuof*e*,
ir herzeichens ruof*e*,
und daz ich heidnisch wol verstuont,
dâ von wart mir rehte kunt,
5 wer si wâren, dirre unt der,
dô si mit *poinder* kômen her.
ich sluoc ie die *geflôrten*,
an die die rotte hôrten,
unz ich beleip gar helfelôs.
10 *ein vliehen ich doch vür sterben kôs.
ich vlôch ave sô werlîche,
des geêret ist roemisch rîche
unt daz Terramêr von *Muntespîr*
manegen amazûr und *eskelîr*,
15 die mîne genôze wâren,
mac suochen ûf den bâren.
nû habt ir, herre, an mir getân,
daz arme und rîche, iuwer man,
an mir *nû sulen nemen bilde,
20 die ligent ûf disem gevilde
und dar zuo, die dâ heime sint.
waere ich, herre, iuwer kint,
mîn vlust möht iu niht nâher gên.
ir welt iu selben an mir gestên.
25 ich hân vil rehte iu gesag*e*t,
wie diu zimierde ist bejag*e*t,
der schilt unt daz kursît;
und des wâpenroc noch gît S. 619b
alsô kostebaeren schîn,
des selben was ouch Volatîn.«
208 manegen dûhte sîn arbeit grôz.
durh daz *sînes maeres niht verdrôz,
die dâ sâzen und*e* stuonden,
wande si selten ie bevunden

Das bezeug ich mit den Toten,
und auch mein Stiefsohn Emereiß
weiß das, denk ich, ganz genau.

207 Aus den diversen Rufen,
ihrem Feldgeschrei,
und weil ich Heidnisch gut verstand,
erfuhr ich ganz genau,
wer sie waren, der und jener, 5
als sie die Attacken ritten.
Stets erschlug ich die Geschmückten,
denen die Verbände unterstanden,
bis ich allein zurückblieb ohne meine Leute.
Da floh ich lieber, als zu sterben. 10
Doch wehrte ich mich fliehend so,
daß das römische Reich geehrt ist
und Terramer von Muntespir
viele Almansure, Eskelire
– Fürsten so wie ich – 15
auf den Bahren suchen kann.
Nun habt ihr, Herr, an mir derart gehandelt,
daß Arm und Reich, eure Vasallen,
an mir ein Beispiel sehen können,
die hier auf diesem Feld Versammelten 20
und jene, die zuhause sind.
Wär ich, Herr, euer Sohn,
mein Unglück könnte euch nicht näher gehn.
Ihr helft euch selbst an mir.
Ich habe euch genau erzählt, 25
wie der Waffenschmuck erbeutet wurde,
der Schild und das Kursit;
der, dessen Waffenrock noch immer
derart kostbar schimmert,
dem hat auch Volatin gehört.«

208 Groß schien vielen seine Mühsal.
Doch nahmen sie an seiner Rede keinen Anstoß,
die da saßen oder standen,
denn sie hatten

5 ze keiner slahte stunde
lüge von sînem munde.
der künic was der râche vrô.
ouch sprach diu künegîn alsô:
»daz in heidenschaft doch eteslîch wîp
10 des klâren Vîvîanzes lîp
mit mir sol beriezen,
des muost dû geniezen,
bruoder, immer wider mich,
und daz dîn manlîch gerich
15 ouch an den hôhen ist geschehen,
sô daz dich Tîbalt hât gesehen
ze weren roemisch êre,
und daz dû Terramêre
vergulte alsô sîn übervart
20 mit sînem schaden ungespart.«
die vürsten und and*e*r des küniges man
die vuoren ze herbergen dan.
si wâren ze hove aldâ belib*e*n,
unze si den âbent hin getrib*e*n.
25 etslîche wâren durh schouwen
dar komen vür die vrouwen,
etslîch ouch sus durh maere.
wer jener unt dirre waere?
ob ich des hab vergezzen,
des vrâget ir umbesezzen!

209 des morgens, dô ez begunde tagen,
hie die *karrûne*, dort der wagen,
der hôrt man vil dâ krachen.
regen und ûf machen
5 sich daz her begunde.
an der selben stunde
wart von den gesten,
den êrsten und den lesten,
al die strâzen gein Orlens beriten.
10 vil banier mit tiuweren sniten
dâ kom an allen sîten,

niemals 5
eine Lüge aus seinem Mund gehört.
Der König freute sich über die Rache.
Und die Königin sagte:
»Daß in der Heidenwelt doch manche Frau
den schönen Vivianz 10
mit mir beweinen muß,
das werde ich dir,
Bruder, nie vergessen,
und daß deine tapfre Rache
auch die Großen traf, 15
so daß Tibalt dich
die römische Ehre verteidigen sah,
und daß du so dem Terramer
die Überfahrt vergolten hast,
daß er schwer geschädigt ist.« 20
Die Fürsten und des Königs andere Vasallen
begaben sich in die Quartiere.
Sie waren da bei Hof geblieben,
um sich den Abend zu vertreiben.
Manche waren hergekommen, 25
um den Damen aufzuwarten,
manche, weil sie Neues hören wollten.
Wer der und jener war?
Wenn ich's vergessen habe,
fragt doch ihre Nachbarn!

209 Am Morgen, als es tagte,
hörte man viele Karren, viele Wagen
knarren.
Die Truppen 5
regten sich und setzten sich in Marsch. 4
Mit einem Schlag
bedeckten all die fremden Reiterscharen,
die ersten und die letzten,
die ganze Straße nach Orléans.
Banner über Banner mit kostbaren Emblemen 10
kamen von allen Seiten,

als ob dâ rîter snîten,
dem künige und dem markîs.
etslîche kômen durh ir prîs,
15 etslîche heten's vor gesworn,
durh daz ir reht niht waere verlorn.
der marcgrâve mohte âne zol
durh Orlens nû rîten wol:
in habete nû dâ niemen zuo.
20 *es was von êrste in ouch ze vruo.
doch erwarp er in des küniges hulde,
*und dâ schulde wider schulde
stuont umbe des rihtaeres tôt,
und daz âne schulde nôt S. 620a
25 sîn eines lîp *von* in gewan.
mit ir schaden schiet er dan
unt berlîch ûf ir koste
in strîte und mit *der* tjoste,
diu Ernalten valte nider:
si bekanten schiere ein and*e*r sider.

210 Lôîs, der künic, was ouch roemischer vog*e*t.
von dem wart daz niht vür gezog*e*t:
dô er hin ze Orlens was komen,
sînes soldes wart dâ vil genomen
5 und willeclîchen von *im* gegeb*e*n.
er sprach z'in allen: »muoz ich leb*e*n,
ich rîche iuch umb diz ungemach.«
ze al den werden er sus sprach
unt sund*e*r zuo den vürsten:
10 »nû sint in den getürsten,
daz ir mant ellens iuwer man!
al daz ich hiute hân,
daz sî mit iu gemeine!
vil gerne ich iu bescheine,
15 daz ich mich triuwen hin ze iu versihe
und mîner helfe wider gihe.
iuwer neheiner hab daz vür leit
und merk ez ouch niht vür zageheit,

als ob da Ritter schneiten,
zum König und zu dem Marquis.
Manche kamen ihrem Ruhm zuliebe,
manche hatten es zuvor geschworen, 15
um ihr Lehen nicht einzubüßen.
Der Markgraf konnte, ohne Zoll zu zahlen,
durch Orléans jetzt unbehelligt reiten:
jetzt hielt ihn niemand dazu an.
Das erste Mal ging's ja auch übel aus für sie. 20
Doch erwirkte er für sie die Huld des Königs,
wo Forderung gegen Forderung
stand im Hinblick auf den Tod des Richters
und im Hinblick darauf, daß er ohne Grund
alleine, wie er war, von ihnen angegangen wurde. 25
Als er davonritt, hatten sie den Schaden
und mußten es, soviel war klar, bezahlen
im Kampf und mit der Tjoste,
die Ernalt auf den Boden warf:
sie erkannten sich nicht lang danach.

210 Louis, der König, war auch der Schutzherr Roms.
Er schob's nicht auf die lange Bank:
als er nach Orléans gekommen war,
wurde viel von seinem Sold genommen
und gern von ihm gegeben. 5
Er sagte ihnen allen: »Bleibe ich am Leben,
mach ich euch reich für diese Mühen.«
Zu allen Edlen sagte er
und vor allem zu den Fürsten:
»Zeigt nun solche Kühnheit, 10
daß ihr eueren Vasallen Mut macht!
Alles was ich heute habe,
sei mit euch geteilt!
Ich möchte euch versichern,
daß ich auf eure Treue baue 15
und dafür meine Hilfe biete.
Keiner soll's für ehrlos
oder feige halten,

ob ich hie belîbe!
20 an mîn eines lîbe
lît niht wan eines mannes trôst.
ir werdet sus al baz erlôst:
ob iuch kumber twinget,
al nâher ir gedinget.
25 muget ir niht haben veltstrît,
de marke hât vil bürge wît:
gebet ûz den porten rîterschaft!
ir wizzet wol mîne besten kraft
hinder mir ze tiuschen landen:
ich loes iuch schiere von banden.

211 mîn êre und ouch mîn liebez her
unt dar zuo *mîn selbes wer
bevilh ich sîner manheit,
in des helfe mir grôziu leit
5 an wîbes mâgen sint getân,
der ich immer mangel hân.
swâger, gêt her nâher mir!
ich weiz nû lange wol, daz ir
wol kunnet her leiten.
10 ich wil iuch hie bereiten
mînes gebotes und mînes gewalt.
die ze keiner helfe sîn gezalt
ûf dise vart dem rîche,
die bitet al gelîche,
15 die hôhen unt die nideren,
daz si mîn gebot niht wideren,
alle mîne massenîe.
der dienestman und der vrîe, S. 620b
marschalke, al die ambetliute,
20 ich bevilh iu allen hiute
den marcgrâven an mîner stat,
der mich durh kumber helfe bat.«
dô sprach diu küneginne:
»gan mir got der sinne,

wenn ich hierbleib!
Ich allein 20
bin keine größere Stütze als ein einziger Mann.
So aber habt ihr bessre Aussicht auf Entsatz:
seid ihr in Not,
ist eure Chance größer.
Könnt ihr keine Feldschlacht haben, 25
so hat die Mark doch viele große Festen:
führt Attacken aus den Toren!
Ihr wißt, daß meine beste Kriegsmacht hinter mir
in Deutschland steht:
ich hab euch schnell befreit.

211 Mein Ansehn und mein liebes Heer
und meine eigne Sicherheit
vetraue ich der Tapferkeit des Mannes an,
um dessentwillen, als sie für ihn kämpften, mir großes Leid
an den Verwandten meiner Frau geschah, 5
die mir immer fehlen werden.
Tretet näher, Schwager!
Ich weiß seit langem,
daß ihr Heere führen könnt.
Meine Befehlsgewalt 11
will ich euch hier übergeben. 10
Die
dem Reich bei diesem Zug hilfspflichtig sind,
die sollt ihr alle bitten,
die Hohen und die Niedern, 15
daß sie sich meinem Willen nicht verweigern,
alle meine Leute.
Ministerialen, Freie,
Marschälle und Beamten alle,
euch allen geb ich heute 20
den Markgrafen an meiner Statt,
der mich in Not um Hilfe bat.«
Da sagte die Königin:
»Läßt Gott mich bei Verstand,

25 swer mînem bruod*er* nû gestêt,
swaz den immer an*e* gêt
mit kumberlîcher taete,
mîn herze gît die raete,
daz ich daz wendic mache
mit helfeclîcher sache.«

212 *d*es ze Munlêûn was ê gesworn,
daz was hie ze Orlens niht verlorn.
die vürsten sunder niht verdrôz,
sine *spraechen, einem* ir genôz
5 dem *wolden si *gerner* sîn undertân
den *deheinem* des küniges ambetman.
ein marschalc solde vuoter geb*e*n;
die des trinkens wolden leb*e*n,
die solden zuo dem schenken gên;
10 der truhsaeze solde stên
bî dem kezzel, sô des waere zît;
»der kameraere *sol machen quît
pfant den, die's *twinget* nôt.
wir wellen des marcgrâven gebot
15 *leisten und *im* warten
und den heiden wênic zarten.«
der künic gap selbe s'rîches vanen
dem marcrâven und *bat in manen
daz her umbe Munschoi, den ruof,
20 »der *mînem* vater Karel schuof
in strîte manec kober*e*n:
die nideren und die oberen,
ir strît*et* berge *oder* tal,
west gemant um des ruofes schal!«
25 Heimrîch und sîniu kint
niht an der sam*e*nunge sint:
sine dorfte niemen suochen dâ.
ieslîcher sich mit sunder*er* slâ
*hin ze Oransche alsô rebôt,
*daz vische in vürten lâgen tôt.

so rät mein Herz mir, 28
alle, die jetzt meinem Bruder helfen, 25
von jedem 26
Kummer, der sie quälen sollte, 27
mit meiner Hilfe 30
zu befreien.« 29

212 Was man in Laon geschworen hatte,
wurde hier in Orléans nicht gebrochen.
Die Fürsten
sagten alle, einem ihres Standes
wären sie lieber unterstellt 5
als einem von des Königs Hofbeamten.
Ein Marschall sollte Pferde füttern;
die Durstigen
sollten zum Schenken gehn;
der Truchseß sollte 10
zur rechten Zeit beim Kessel stehn;
»der Kämmerer soll denen,
die es nötig hätten, ihre Pfänder lösen.
Wir wollen die Befehle des Markgrafen
befolgen und ihm dienen 15
und die Heiden nicht verzärteln.«
Der König übergab persönlich
dem Markgrafen die Fahne des Reichs und forderte ihn auf,
das Heer an Munschoi zu gemahnen, jenen Schlachtruf,
»der meinem Vater Karl 20
im Kampf so manchen Sieg errang:
Niedere und Hohe,
wo immer ihr auch kämpft, Berg oder Tal,
seid an den Ruf gemahnt!«
Heimrich und seine Söhne 25
sind bei der Sammlung nicht zugegen:
da brauchte sie niemand zu suchen.
Jeder war auf eignen Wegen
so nach Orange gezogen,
daß die Fische an den Furten starben.

213 die vürsten und des künges man
die nâmen urloup von dan,
ze varen ûf die hervart.
nû kom der junge Rennewart.
5 von arde ein zuht im daz geriet:
mit urloub er dannen schiet
vome künige an *einer* stat aldâ,
vürbaz zer künegîn anderswâ.
de junge küneginne sund*e*r was
10 und*e*r boumen an eime gras.
dar begund er durh urloup gên
und eine wîle vor ir stên.
wan daz mir'z diu âventiure sag*e*t,
*ich waere des maeres gar verzag*e*t, S. 621a
15 als ez im Alîs erbôt.
si klagete sîne manege nôt,
die er in Francrîche het erliten.
dar nâch begunde si in biten,
daz er ir vater schult verkür,
20 swaz der ie prîs*e*s gein im verlür.
»dû solt mit mînem kusse varn!
dîn edelkeit mac dich bewarn
und an die stat noch bringen,
dâ dich sorge niht darf twingen.«
25 diu magt stuont ûf, der kus geschach.
Rennewart ir neic und sprach:
»der hoehste got behüete
iuwer werdeclîchen güete!«
den anderen vrouwen wart ouch genigen,
gein in *sîn* urloup niht verswigen.
214 *Willehalm, den* vürsten wol geborn,
daz her ze meister het erkorn.
doch vuor dâ manec sîn genôz
mit manigem sund*e*r ringe grôz.
5 ûf velde unt in walde
si muosen gâhen balde:

213 Die Fürsten und des Königs Lehensleute
nahmen Abschied,
um in den Kampf zu ziehn.
Da kam der junge Rennewart.
Angeborne Höflichkeit bewegte ihn dazu: 5
er nahm Abschied
hier vom König
und dort von der Königin.
Die Prinzessin saß abseits
auf einer Wiese unter Bäumen. 10
Abschied zu nehmen, ging er hin
und blieb ein Weilchen vor ihr stehn.
Hätt es mir die Geschichte nicht verraten,
könnte ich nicht sagen, wie
Alice ihm begegnete. 15
Sie bedauerte das viele Leid,
das er in Frankreich zu ertragen hatte.
Dann bat sie ihn
für ihren Vater um Verzeihung
für alles, was der ihm, zu seiner eignen Schande, 20
angetan hatte.
»Zieh hin mit meinem Kuß!
Dein Adel wird dich schützen
und noch dahin bringen,
wo dich kein Kummer quält.«
Dann stand das Mädchen auf und küßte ihn. 25
Rennewart verneigte sich vor ihr und sagte:
»Der Höchste Gott behüte
eure hohe Güte!«
Er verbeugte sich auch vor den andern Damen
und nahm von ihnen Abschied.

214 Willehalm, den hohen Fürsten,
hatte das Heer zum Führer gewählt.
Doch viele seiner Standesgenossen
zogen in großen eigenen Verbänden.
Auf den Feldern, in den Wäldern 5
mußten sie sich sputen:

des gerte, der si dâ vuorte,
wand in grôz angest ruorte
nâch Gîburge, der küniginne.
10 er vorhte, daz ir minne
Tîbalt solde restrîten.
z'einen sorclîchen zîten
der marcrâve mit den sînen
kom sô nâhen den Sarrazînen,
15 daz er mit sînen ougen sach,
daz im sîn herze des verjach
mêr vlüste, denne er ie verlür.
und swaz er angest sît erkür,
dô er von Vîvîanz*e* schiet,
20 und des morgens, dô sîn manheit riet:
vümfzehen künige, manlîch rekant,
die entschumpfierte sîn eines hant;
Tenabruns und der Persân,
swaz im die heten getân,
25 und der minnen gerende *Tesereiz*,
und and*er* manic puneiz,
dâ wart *er* werlîch ersehen.
nû muoz sîn *vreude dem jâmer jehen
und dem zwîvel rehter tschumpfentiur.
die nôt gap im bî naht ein viur.

das wünschte, der sie führte,
weil ihn große Angst
um Giburg trieb, die Königin.
Er fürchtete, daß 10
Tibalt ihre Liebe sich erkämpfen könnte.
Es war ein Augenblick des Schreckens,
als der Markgraf mit den Seinen
so nahe an die Sarazenen kam,
daß er etwas sah, 15
das sein Herz ihm sagen ließ,
er hätte jetzt noch mehr verloren als jemals zuvor.
Was er an Not und Qual seit damals leiden mußte,
als er von Vivianz geschieden war,
und an dem Morgen, als sein Mut ihn trieb: 20
fünfzehn tapfere Könige
hatte er allein besiegt;
und was Tenabruns und der aus Persien
ihm auch taten
und Tesereiß, der um den Preis der Liebe kämpfte, 25
und viele andre Reitertrupps,
er hatte da mannhaft gekämpft.
Sein Glück muß sich jetzt ganz und gar dem Leid
und der Verzweiflung beugen:
die Pein schuf ihm ein Feuer in der Nacht.

215 Ez naeht nû *vreude unde klage* S. 621b
und dem helflîchem tage
und der *kümfteclîchen* zîte
*und daz der sorclîchen bîte
5 mit vreuden ein ende wart gegeb*e*n,
dâ Gîburc inne muoste leb*e*n,
diu selbe dicke wâpen truoc.
swie vil ir vater des gewuoc,
daz er si wolde überkom*e*n,
10 si sprach: »ich hân den touf genom*e*n
durh den, der al die krêatiure
geschuof, daz wazzer und daz viure,
dar zuo den luft unt die erden.
der selbe hiez mich werden
15 und al, daz lebehaftes ist.
solt ich durh Mahmeten Krist
unt den marcrâven verkiesen
unt mînen touf verliesen
unt manege werdeclîche ger,
20 die und*e*r schilde mit dem sper,
mit helme verdecket,
sô dicke hât volrecket
der marcrâve mit held*e*s tât
und noch vil guoten willen hât,
25 ze dienen nâch mîner minne?
ich was ein küniginne,
swie arm ich urbor nû sî.
ze Arâbîâ unt in Arâbî
gekroenet ich vor den vürsten gie,
ê mich ein vürste umbevie.
216 *d*urh den hân ich mich bewegen,
daz ich wil armuot pflegen,
unt durh den, der d*e*r hoehste ist.
wâ vund ouch Tervagant den list,

215 Jetzt geht's auf Freude zu, auf Klage
und auf den Hilfe-Tag
und auf die Zeit der Rückkunft
und darauf, daß das bange Warten
mit Freude aufgehoben wurde, 5
in dem Giburg leben mußte,
die oft selber Waffen trug.
Wie sehr ihr Vater auch versicherte,
daß er sie überwinden wolle,
sagte sie: »Ich hab die Taufe angenommen 10
um dessentwillen, der alle Kreatur
geschaffen hat, das Wasser und das Feuer,
dazu die Luft, die Erde.
Der hieß mich entstehen
und alles, was lebendig ist. 15
Sollt ich für Mohammed auf Christ
und den Markgrafen verzichten
und meine Taufe opfern
und edles, höfisches Verlangen,
das der Markgraf, schild- und speer- 20
und helmbewehrt,
so oft
mit Heldentaten stillte,
der noch gern
um meine Liebe dient? 25
Ich war eine Königin,
wie arm an Ländern ich jetzt bin.
In Arabien und in Arabi
trug ich Krone vor den Fürsten,
eh ein Fürst mich nahm.
216 Für diesen hab ich mich entschlossen,
arm zu sein,
und für jenen, der der Höchste ist.
Woher auch nähme Tervagant die Kunst,

5 den êrst*e*n revant Altissimus?
der Pôlus *antarticus
unt den andern sternen gap ir louft,
durh den hân ich mich getouft.
der'z firmamentum an*e* liez
10 unt die siben plânêten hiez
gein des himels *snellekeit *kriegen*,
sîn wâge kan niht triegen,
diu al daz werc sô ebene wac,
daz ez immer staete heizen mac
15 unt immer unzerganclîch.
sint iuwer gote dem gelîch, S. 622a
der den luft wol wider vaehet
unt al sîn dinc sô spaehet,
mit vluzze ursprinc der brunnen?
20 unt der drî art der sunnen
gap: die hitze unt ouch den schîn,
si muoz ouch ûf der verte sîn
(*daz nimt unt bringet uns daz lieht)?
swaz mir durh den got *geschiht*,
25 der des alles hât gewalt,
gein dem schaden bin ich balt:
der mac mich's wol ergetzen
unt des lîbes armuot letzen
mit der sêle rîcheit.
ir verlieset mich*e*l arbeit,

217 dû, vater, und and*e*r mîne mâge,
daz ir lîp unt êre en wâge
lât durh Tîbald*e*s rât,
der deheine vorderunge hât
5 *von rehte* ûf mich ze sprechen.
waz wiltû, vater, rechen
an dîn selbes kinde?
bî tumpheit ich dich vinde.«
»ach, ich vreuden arman,
10 daz ich sölh kint ie gewan«,
sprach Terramêr, der rîche,

die Altissimus erfand? 5
Der dem Polus antarticus
und den andern Sternen ihre Bahn gab,
für den hab ich mich taufen lassen.
Der das Firmament sich drehen ließ
und die sieben Planeten hieß, 10
die Schnelligkeit des Himmels abzufangen,
dessen Waage kann nicht trügen,
die das ganze Werk so austarierte,
daß es für alle Zeiten fest
und unvergänglich ist. 15
Sind dem eure Götter gleich,
der den Wind beherrscht
und alles, was er macht, so kunstvoll fügt,
der die Quellen sprudeln läßt?
Und der der Sonne dreierlei Natur 20
gegeben hat: die Hitze und das Leuchten,
sie muß auch in Bewegung sein
(das nimmt und bringt im Wechsel uns das Licht)?
Was mir für den Gott geschieht,
in dessen Macht das alles steht, 25
den Schaden fürcht ich nicht:
er kann mich leicht entschädigen
und aus des Leibes Armut
Reichtum der Seele machen.
Ihr verschwendet große Mühe,
217 du, Vater, und meine anderen Verwandten,
daß ihr Ruf und Leben
nach Tibalts Rat aufs Spiel setzt,
der rechtens nichts
von mir zu fordern hat. 5
Was willst du, Vater, rächen
an deiner eignen Tochter?
Uneinsichtig bist du.«
»Ach, ich freudenarmer Mann,
daß ich so eine Tochter haben muß«, 10
sagte Terramer, der Mächtige,

»daz alsô *herzenlîche
an sîner saelde kan verzag_e_n
unt sich den goten wil entsag_e_n!
15 ei, süeziu *Gîburc, tuo sô niht!
swaz dir ie geschach od noch geschiht
von mir, daz ist mîn selb_e_s nôt.
jâ gieng ich vür dich an den tôt.
daz ruoch erkennen Mahumet,
20 daz ich durh Tîbald_e_s bet
ungerne ûf dînen schaden vuor,
unze mich's bî unser_er_ ê beswuor
der bâruc unt die êwarten sîn:
die gâben mir'z vür sünde mîn,
25 daz ich dich taete lîb_e_lôs.
mîne triuwe ich doch sô nie verkôs,
ich hete dich z'eime kinde.
ob ich dich bî saelden vinde,
sô êre dîn geslehte
unt tuo den goten rehte!«

218 »ei, vater hôch unde wert,
daz dîn muot der tumpheit gert,
daz dû mich scheiden wilt von dem,
der vrouwen Even gap die schem,
5 daz si allrêst verdaht ir brust,
dâ was gewahsen ein gelust,
der si brâhte in arbeit,
in des tiuvels gesellekeit,
der unser immer vâret!
10 dû bist wol sô bejâret, S. 622b
daz dû der wîssagen zal
*erkennest umb Adâmes val.
Sibille unde Plâtô
die hôhen schulde uns kündent sô:
15 Eve al eine schuldic wart,
dar umbe die helleclîchen vart
Adâmes geslehte vuor iedoch.
wan Hêlîas und Enoch,

»die so mit ganzer Seele
ihr Glück vertut,
sich von den Göttern lösen will.
Ach, liebe Giburg, tu das nicht! 15
Was dir geschah und noch geschieht
von mir, das tut mir selber weh.
Ich ginge für dich in den Tod.
Mohammed soll Zeuge sein,
daß ich, als Tibalt darum bat, 20
nicht leicht bereit war, gegen dich zu ziehen,
bis bei unserm heiligen Gesetz
der Baruch, seine Priester mich beschworen, es zu tun:
die haben mir für meine Sünden auferlegt,
daß ich dich töte. 25
Doch hab ich meine Liebe nicht so abgetan,
daß ich dich nicht als Tochter sehe.
Wenn du an dein Glück denkst,
dann ehre dein Geschlecht
und tu, was du den Göttern schuldest!«

218 »Ach hoher, edler Vater,
daß du so uneinsichtig bist
und mich trennen willst von dem,
der Eva solche Scham gab,
daß sie ihre Brust bedeckte: 5
in der war ein Gelüst gewachsen,
das sie in Not und Mühsal brachte,
in Gemeinschaft mit dem Teufel,
der uns immer nachstellt!
Du bist doch alt genug zu wissen, 10
was die Propheten
über Adams Fall verkündet haben.
Uns sagen Plato und Sibylle
von der hohen Schuld:
nur Eva wurde schuldig, 15
doch mußte dafür
das Geschlecht Adams in die Hölle fahren.
Außer Henoch und Elias

die andern muosen alle queln:
20 dâne kunde sich niemen von versteln.
wer was, der si lôste dan
unt der die sigenunft gewan,
daz er die helleporten brach,
unt der Adâmes ungemach
25 erwante? daz tet diu Trînitât!
der sich einen selbe dritten hât,
ebengelîch unt ebenhêr,
sich: der enstirbet nimmer mêr
durh man noch wîbes schulde.
nû wirp umb sîne hulde!«

219 dô sprach der von Tenabrî:
»den einen möhten doch die drî
*von dem tôde haben bewart.
er jach, ûz israhêlischer art
5 waer er von einer maget erborn.
hân ich dich durh den verlorn,
den sîn selb*e*s künne hienc
unt unprîs an im begienc?
zuo dem hân ich kleinen trôst,
10 daz unser vater *wurd* erlôst,
Adâm, von hellebanden
mit menneschlîchen handen.
diu helle ist sûwer und*e* heiz,
manigen kumber ich dâ weiz:
15 daz ist mir von den goten kunt.
daz mac volsprechen nimmer munt,
wie trûreclîchen ez dâ stêt.
sol Jêsus von Nazarêt
die porten *hân* gebrochen –
20 waz ist an mir gerochen
mit dem ungelouben dîn?
bekêre dich, liebiu tohter mîn!«
»ich hoere wol, vater, ez ist dir leit.
dô Jêsus mennischeit
25 der tôt *an* dem kriuze müete,

mußten alle leiden:
niemand konnte dem entrinnen. 20
Wer hat sie davon erlöst
und den Sieg errungen,
daß er die Höllenpforten brach,
und Adams Leid
beendet? Das tat die Trinität! 25
Der Einer ist und dabei Drei,
ganz gleich und gleichermaßen heilig,
sieh: der stirbt nie wieder
für die Schuld der Menschen.
Bemüh dich drum um seine Huld!«

219 Da sagte der von Tenabri:
»Den Einen hätten doch die Drei
vor dem Tod bewahren können.
Er hat gesagt, daß er, aus Israel entsprossen,
geboren wär von einer Jungfrau. 5
Hab ich dich für den verloren,
den sein eigenes Geschlecht ans Kreuz gehängt,
erniedrigt hat?
Auf den setz ich keine Hoffnung,
daß unser Vater, 10
Adam, von den Höllenbanden
mit Menschenhand erlöst wär.
Heiß und bitter ist die Hölle,
viele Qualen gibt's da, wie ich weiß:
das offenbarten mir die Götter. 15
Kein Mund ist in der Lage auszusprechen,
wie traurig es da steht.
Soll Jesus von Nazareth
die Pforten zerbrochen haben –
was wird an mir gestraft 20
mit deinem Aberglauben?
Bekehr dich, liebe Tochter!«
»Ich hör, daß es dir leid ist, Vater.
Als Jesu menschliche Natur
der Tod am Kreuz gequält hat, 25

innen des sîn leben blüete
ûz der gotlîchen sterke.
lieber vater, nû merke:
innen des unt diu mennischeit erstarp,
diu gotheit ir daz leb*e*n erwarp.
220 möhten hôher sîn nû dîne got*e*,
sô wolt ich doch zuo sînem gebot*e*
unz an den tôt belîben,
der ie werden wîben S. 623a
5 vor ûz ir rehtes alsô verjach,
daz man in dienestlîchen sach
und*e*r schiltlîchem dache
bî sölhem ungemache,
dâ man den lîp durh wirde zert
10 unt dem last*e*r von dem prîse wert.
mir saget ouch selbe Tîbalt,
daz der marcrâve manigen walt
zer tjost vertaete mit den spern.
der begund ouch mîner minne gern,
15 dô in der künic Sînagûn,
Halzebieres swester sun,
in eime sturme gevienc,
dâ sîn hant alsölhe tât begienc,
daz er den prîs ze bêd*e*r sît
20 behielt aldâ und alle zît.
diu hôhe wirde sîne
über al die Sarrazîne
was erschollen unt erhôrt.
dô was ich *küneginne* dort
25 und pflac vil grôzer rîcheit.
sus *lônde* ich sîner arbeit:
von *boien* und von anderem sînem versmid*e*n
macht ich in ledic an allen sînen lid*e*n
unt vuor in toufbaeriu lant.
ich diente im und der hoesten *hant*.

da blühte doch sein Leben auf
aus der Gottesstärke.
Lieber Vater, mach dir klar:
indem der Mensch gestorben ist,
errang der Gott das Leben.

220 Und wären deine Götter mächtiger,
wollte ich doch dem gehören
bis zum Tod,
der allezeit vor allem andern edlen Frauen
derart zugestand, was ihnen zusteht, 5
daß er ihnen diente
unterm Schild
in jener Not,
in welcher man den Leib für Ehre einsetzt
und vom Ruhm die Schande abwehrt. 10
Tibalt selbst hat mir gesagt,
daß der Markgraf ganze Wälder
mit Speeren in der Tjost vertat.
Der warb um meine Liebe,
als ihn König Sinagun, 15
Halzebiers Schwestersohn,
in einem Kampf gefangen nahm,
wo er solche Taten tat,
daß er bei Freund und Feind den Preis
behielt, dort und für alle Zeit. 20
Sein hoher Ruhm
war in der ganzen Heidenwelt
verkündet und vernommen worden.
Damals war ich dort Königin
und hatte große Macht und Reichtum. 25
So lohnte ich ihm seine Mühsal:
von Ketten, andern Eisenbändern
befreite ich ihm alle Glieder
und zog ins Christenland.
Ihm dient ich und der Höchsten Hand.

221 mînes toufes schôn ich gerne.
Tîbalde ich Todjerne
lâze, dâ dû mich krôntes.
dannoch dû, vater, schôntes
5 dîner triuwe, dô daz selbe lant
ze heimstiuwer mir gap dîn hant.
wil dû Tîbalde volgen,
dû muost mir sîn erbolgen.
nâch sînem erbeteile
10 er vüert dîn êre veile.
er giht ouch ûf Sibilje:
daz liez im Marsilje,
sîn oeheim, den Ruolant ersluoc.
hie dishalp mers er sagt genuoc,
15 daz er vür erbeschaft süle hân:
sît dîn *veter* Bâligân
den lîp verlôs von Karle,
halp Provenz unt Arle,
er *giht*, daz sül er erben.
20 wiltû durh lüge verderben
dîn triuwe an dîn selbes vruht,
ouwê, waz touc dîn altiu zuht?
dû verwurkest an mir al dîn heil.
mahtû Todjerne, mîn erbeteil,
25 Tîbalde und Ehmereize geb*e*n,
und lâze mich mit armuot leb*e*n!«
ditze gespraeche ergienc in einem vride.
der künec Tîbalt hin zer wide S. 623b
Arabelen dicke dreute.
Emereiz in drumbe steute.

222 *T*erramêr der warp alsô:
hiute vlêhen, morgen drô
ge*g*en sîner lieben tohter.
mit deheinen dingen moht er
5 si des überlisten,
sine wolte Oransche vristen
und ir lîp und ir kranken diet

221 Ich will mein Christentum behalten.
Tibalt laß ich Todjerne,
wo du mich gekrönt hast.
Damals hast du mich, Vater,
noch geliebt, als 5
du mir dieses Land zur Mitgift gabst.
Wenn du auf Tibalt hörst,
mußt du mich hassen.
Um sein Erbe zu erlangen,
trägt er deinen Ruf zu Markte. 10
Er beansprucht auch Sevilla:
das hinterließ Marsilje ihm,
sein Onkel, den Roland erschlug.
Diesseits des Meeres nimmt er viel
in Anspruch als sein Erbe: 15
seit dein Onkel Baligan
von Karl getötet wurde,
habe er die Hälfte, sagt er, der Provence und Arles
zu erben.
Willst du wegen Lügen 20
deine Liebe zu dem eignen Kind vergessen,
ach, wo bleibt dann deine alte Güte?
Du verwirkst an mir dein ganzes Heil.
Gib doch Todjerne, das ich erbte,
dem Tibalt und dem Emereiß 25
und laß mich in Armut leben!«
Dies Gespräch fand statt in einem Waffenstillstand.
Immer wieder drohte König Tibalt
Arabel mit dem Strang.
Emereiß verwies ihm das.

222 Terramer verhielt sich so:
heute Flehen, morgen Drohen
bot er seiner lieben Tochter.
Auf keine Weise konnte er
sie überreden, 5
Orange nicht zu verteidigen
und sich selbst und ihre schwache Truppe

unz an in, der von ir schiet
nâch helfe *an* den roemischen vog*e*t.
10 mit arbeit hete *si'z* vür gezog*e*t,
unze des daz her durh nôt verdrôz.
der smac von tôten was dâ grôz
unt sus von manegen âsen.
nû het ouch vil der mâsen
15 diu veste Oransche enpfangen
mit würfen von den mangen
und von den drîbocken.
sine spilten niht der tocken:
ez galt ze bêder sît daz leb*e*n.
20 die wîsen, des her*e*s râtgeb*e*n,
rieten Terremêre
eine wîle die dankêre,
sît waere verwüestet al daz lant
unt ninder werlîchiu hant
25 dâ waere wan in der einen stat.
daz her in al gemeine bat,
er solte kêren gein der habe.
sô si genaemen spîse drabe
unt si der luft erwaete,
ob er si's danne baete,
223 si herbergeten der wid*e*r vür
und *taeten* ez mit gemeiner kür.
daz erloubte in der von Tenabrî
und jach, er wolde dâ wesen bî,
5 daz ê ein sturm geschaehe,
sô man die naht ersaehe.
des âbends, dô man die sterne ersach,
dô huop sich Gîburge ungemach.
beidiu der unt dirre,
10 slingaere unt patelirre,
sarjande und*e* schützen
(der stete die unnützen)
unt über al diu rîterschaft
die erhuoben mit gemeiner kraft

bis zur Rückkehr dessen, der sie verlassen hatte,
um Hilfe bei dem Schutzherrn Roms zu holen.
Unter Mühen hatte sie es hingezogen, 10
bis es das Heer nicht mehr ertragen konnte.
Groß war dort der Gestank von Leichen
und von anderen Kadavern.
Viele Scharten
hatte Burg Orange empfangen 15
von Mangen-
und von Tribock-Schüssen.
Sie spielten nicht mit Puppen:
es galt beiderseits das Leben.
Die Erfahrenen im Kriegsrat 20
rieten Terramer,
für eine zeitlang abzuziehen,
da das ganze Land verheert sei
und nirgendwo Bewaffnete
da wären außer in der einen Stadt. 25
Das ganze Heer bat ihn,
zurückzuziehn zum Hafen.
Hätten sie von den Schiffen Proviant geholt
und frische Luft geatmet,
wenn er sie dann drum bitten würde,
223 wollten sie wieder lagern vor der Stadt,
alle, ohne Widerrede.
Das erlaubte ihnen der von Tenabri
unter der Bedingung,
daß zuvor ein Angriff unternommen würde 5
in der Nacht.
Abends, als man die Sterne sah,
kam Giburg in Bedrängnis.
Alle Truppen,
Schleuderer und Patelirre, 10
Serjants und Bogenschützen
(Schädiger der Stadt)
und die ganze Ritterschaft
begannen mit vereinter Kraft

15 einen sturm bî der naht.
des wart Glôrjet in angest brâht,
ze Oransche der liehte palas.
vor viuwer man noch wîp genas
der getouften in der ûzeren stat.
20 Gîburc ir kleinez her dô bat,
die inneren Oransche behalten.
die jungen mit den alten — S. 624a
kêrten dan gein Alischanz,
dâ Mîle unde Vîvîanz
25 ûf wâren gelegen tôt.
nû ersach die herzebaeren nôt
der marcrâve under sîme her,
daz der himel unt daz mer
beidiu wâren viuric var.
si pruoften und*e* nâmen war,
224 *genuoge*, den ez niht was bekant,
gein welhem orte in daz lant
daz *starke* viuwer möhte sîn,
ob dâ laegen die Sarrazîn.
5 *d*er marcrâve saget in rehte dô:
»mir ist mîn *dinc komen alsô,
daz ich bedarf *deheines* zagen:
ich muoz mit helden prîs bejagen.
nû, Franzoise, tuot ellen schîn!
10 ei, vater unt die bruod*e*r mîn,
daz ir hie bî mir niene sît
unt daz ich âne iuch disen strît
noch hiute muoz versuochen!
wil mîner manheit ruochen,
15 der durh uns an dem kriuze was
unt der al sterbende genas,
swar Gîburc vert, dar kêr ouch ich.
diu wolde behalten unz an mich
Oransche und ist nû drab genom*e*n.
20 ich möht ir lîht enzît sîn kom*e*n.
die vürsten sîn des hie gemant,

einen Angriff in der Nacht. 15
Das brachte für Glorjet Gefahr,
den schönen Palas in Orange.
Im Feuer starben alle
Christen in der Außenstadt.
Da bat Giburg ihr kleines Heer, 20
das innere Orange zu halten.
Das ganze Heidenheer
zog ab nach Alischanz,
wo Mile und Vivianz
gefallen waren. 25
Nun sah die fürchterliche Not,
inmitten seines Heers, der Markgraf:
daß der Himmel und das Meer
feurig glühten.
Sie hielten Ausschau, überlegten,

224 viele, die's nicht wußten,
in welcher Richtung in dem Land
das starke Feuer wär,
ob da vielleicht die Heiden lägen.
Der Markgraf sagte ihnen, wie es stand: 5
»Ich bin jetzt in der Lage,
daß ich keinen Feigling brauchen kann:
ich muß mit Helden Ruhm erringen.
Franzosen, zeigt nun Mut!
Ach, mein Vater, meine Brüder, 10
daß ihr hier nicht bei mir seid
und daß ich ohne euch den Kampf
noch heute wagen muß!
Wenn den meine Tapferkeit erbarmt,
der für uns am Kreuz hing 15
und im Tod das Leben fand,
dann werd ich Giburg folgen, wohin sie immer geht.
Die wollte bis zu meiner Rückkehr
Orange behaupten: jetzt hat man sie herausgeholt.
Ob ich ihr noch helfen kann? 20
Ihr Fürsten hier, erinnert euch,

wie der roemische künec iuch hât gesant
ze *werben roemisch êre.
nû ensûmet iuch niht mêre,
25 wâpent ors und lîp,
helfet des, daz mir mîn wîp,
diu klâre Gîburc, hie bestê!
ich wil vor iu komen ê
zen vîenden, schouwen ir gelâz.
ir endurfet iuch niht scharen baz
225 wan ie de *storje*, dise unt die.
wir sulen dort und hie
mit *einem* buhurt an si kom*e*n.
si hab*e*nt mit schad*e*n wol vernom*e*n,
5 daz wir baz kunnen mit rîterschaft.
waz danne, ob groezer ist ir kraft?
sô sul ab*e*r wir mit saelden sîn.«
balde wart im Volatîn
gezog*e*n. er huop sich an die vart,
10 mit im sîn vriunt Rennewart
unt swer an sîme ringe lac.
innen des gienc ûf der tac.
dâ wart vil busîne erschalt
unt tambûren ungezalt.
15 Franzoiser, die werden,
wolten roemischer erden S. 624b
an der heidenschaft den prîs bezaln.
hie an bergen, dort an taln
sach man rotte brechen vür,
20 die banier in der mâze kür,
als al die *stûden* sîdîn
waeren. dannoch die helm*e* schîn
gâben unverdecket.
dâ wart hin nâch getrecket
25 mit maneger *sunder* storje grôz.
die vürsten sund*e*r niht verdrôz,
sine manten ellens vast ir man.
dô gâhten vür ein and*e*r dan,

wie euch der römische König ausgesandt hat,
des römischen Reiches Geltung zu betreiben.
Nun haltet euch nicht länger auf,
wappnet die Pferde und euch selbst, 25
helft, daß meine Frau,
die schöne Giburg, mir hier bleibt!
Ich will vor euch
an die Feinde kommen und sehen, was sie tun.
Ihr braucht euch nicht weiter zu formieren
225 als in den gewohnten Trupps.
Wir werden sie von allen Seiten
mit Buhurt attackieren.
Schmerzlich haben sie erfahren,
daß wir besser kämpfen. 5
Was soll's da, wenn sie mehr sind?
Gottes Segen ist mit uns.«
Rasch brachte man ihm Volatin.
Er zog davon,
und mit ihm sein Freund Rennewart 10
und wer in seinem Lager war.
Unterdessen brach der Tag an.
Da ließ man viel Trompeten
und Trommeln ohne Zahl erschallen.
Die edlen Franzosen 15
wollten für das römische Reich
am Heidenvolk den Ruhm erringen.
Hier auf Bergen, dort in Tälern
sah man Trupps nach vorne stürmen,
die Banner derart zahlreich, 20
als trügen alle Sträucher Seide.
Die Helme glänzten da noch
ungetrübt.
Es folgten
viele große Einzeltrupps. 25
Kein Fürst vergaß,
die Seinen anzuspornen.
Da eilten

die man dâ wert erkande,
rîter, sarjande.
226 *d*er marcgrâve gâhte
ze vorderst, unz er nâhte
dem viuwer, daz im herzenleit
gap. al sîn heilikeit
5 möht im siuften hân erworb*e*n:
er waere vor leide erstorben
des morgens, wan sîn manlîch art.
durh den rouch er innen wart,
daz dannoch stuont sîn palas,
10 dâ von geflôrieret was
Oransche und al *diu* marke.
Rennewart, der starke,
het im ze vuoz gevolget dan.
über al sîn her kein and*e*r man
15 vuor im dâ sô nâhe bî.
Terramêr von Tenabrî
unt Fâbors von Meckâ
daz gesez gerûmet heten dâ,
unt al die künege unt die eskelîr
20 wâren mit dem von Muntespîr
dannen gekêret gein der hab*e*.
duo kurn si durh den rouch her ab*e*,
daz kom des marcgrâven her.
die heiden wâren gein dem mer.
25 dô wânde diu unverzagete,
Gîburc, dô man'z ir sagete,
si wolten wider kêren
unt aber ir schaden mêren.
*h*arnasch muose wid*e*r an ir lîp.
manlîch, ninder als ein wîp,
227 diu künegîn gebârte.
der ir schaden wênic vârte,
der marcrâve ûf Volatîn,
kom unt der geselle sîn,

alle Edlen um die Wette,
Ritter und Serjants.
226 Der Markgraf eilte
vorneweg, bis er
zu dem Feuer kam, das ihm Herzenspein
bereitet hatte. Seine ganze Heiligkeit
hätt ihm die Qual erringen können: 5
er wär vor Leid gestorben
am Morgen, wär nicht sein mannhaft-festes Herz
gewesen.
Durch den Rauch erkannte er,
daß noch sein Palas stand,
die Zierde 10
von Orange, der ganzen Mark.
Rennewart, der Starke,
war ihm zu Fuß gefolgt.
Aus seinem ganzen Heer
hielt sich kein Mann so nah bei ihm. 15
Terramer von Tenabri
und Fabors von Mekka
hatten die Belagerung aufgegeben,
und all die Könige und Eskelire
waren mit dem von Muntespire 20
zum Hafen abgezogen.
Von der Festung sah man durch den Rauch
das Heer des Markgrafen kommen.
Die Heiden hatten sich zum Meer gewandt.
Da glaubte die Unverzagte, 25
Giburg, als man's ihr sagte,
sie wollten wieder kommen
und ihren Schaden neuerlich vermehren.
Sie mußte wieder in die Rüstung.
Mannhaft, nicht wie eine Frau,
227 handelte die Königin.
Der nicht auf ihren Schaden aus war,
auf Volatin der Markgraf,
kam und mit ihm sein Geselle,

5 Rennewart, mit im ze vuoz.
durh manigen rouch er kêren muoz,
dâ die herberge wâren an gezunt.
Rennewart sach dâ ze stunt
vil ebenhoehe und mangen.
10 mit sîner grôzen stangen S. 625a
waer er gerne nâch der heiden her.
nû stuont vrou Gîburc ze wer
mit ûf geworfeme swerte,
als ob si strîtes gerte,
15 unt bî ir Steven, ir kapelân,
unt ir juncvrouwen sô getân,
daz si wâren harnaschvar.
daz inre volc gemeine gar
gâhten an die zinnen.
20 der marcrâve wart innen,
daz eteswer drinne lebete.
gein der port er strebete.
dâ wart von sînem munde
der heile unt der wunde
25 minneclîch gegrüezet.
dannoch was *in* niht gebüezet
vil angest, der si pflâgen.
si wolten aber wâgen
ir lîp werlîch unz an den man,
der güetlîch die stat gewan.
228 *d*er selbe hielt ouch vor in dâ.
het er gehalden anderswâ,
daz waer in allen liep gewesen,
die noch drinne wâren genesen.
5 er rief hin an die zinne:
»lebt noch diu küneginne?«
und vrâgte, wie ez dâ stüende.
sine heten deheine künde,
daz des landes herre z'in sprach.
10 diu künegîn Gîburc dô ersach

Rennewart, zu Fuß. 5
Durch dichten Rauch muß er hindurch,
wo man die Hütten angezündet hatte.
Rennewart erblickte da
manchen Enterturm und manche Mange.
Mit seiner großen Stange 10
hätt er gern das Heidenheer verfolgt.
Giburg stand kampfbereit
mit hoch erhobnem Schwert,
als ob sie kämpfen wollte,
an ihrer Seite Stefan, ihr Kaplan, 15
und ihre Damen,
schmutzbedeckt vom Rost der Rüstung.
Alle in der Festung
rannten zu den Zinnen.
Der Markgraf sah, 20
daß drin noch jemand lebte.
Er stürzte hin zum Tor.
Da wurden
Gesunde und Verletzte
herzlich von ihm gegrüßt. 25
Noch war ihnen nicht die große Angst genommen,
die sie hatten.
Von neuem wollten sie
voll Tapferkeit ihr Leben wagen bis zur Ankunft dessen,
der ohne Kampf die Stadt gewinnen sollte.

228 Der hielt freilich da vor ihnen.
Hätt er anderswo gehalten,
wär das allen lieb gewesen,
die drinnen noch am Leben waren.
Er rief hinauf zur Zinne: 5
»Lebt noch die Königin?«
und fragte, wie's da stünde.
Sie hatten keine Ahnung,
daß der Landesherr zu ihnen sprach.
Königin Giburg sah 10

den wâpenroc unt Volatîn.
her ab sprach diu künegîn
heidensch: »herre, wer sît ir,
daz ir sus nâhe haldet mir
15 unt daz âne vride tuot?
ir habt alze hôhen muot.
ir muget's wol *schaden* enpfâhen:
ich wil iu vürbaz nâhen
unt kündeclîcher werden kurc.«
20 »ei, wâ ist diu klâre Gîburc?
saget mir, ist diu noch gesunt?«
von sîner stimme wart in kunt,
daz der rehte wirt was kom*e*n.
von sîner kumft was in benom*e*n
25 vil angest, der si pflâgen ê.
nû wart durh liebe alsô wê
Gîburge, diu durh vreud erschrac,
daz si unversunnen vor in lac,
wan ir kom genendeclîche
vil helfe ûz Francrîche,
229 de besten rîter, die man vant
in der rehten rîterschefte lant.
*G*iburc noch unversunnen lac.
den *marcrâven* erlangen mac, S. 625b
5 daz niemen im die port ûf tuot.
diu was mit slozze alsô behuot,
ob iemen wolde wenken
dort inne unt überdenken
sîne triuwe durh miete,
10 swelh vîent daz geriete,
daz *ez* im vrumte niht ein hâr.
Gîburc, vür den selb*e*n vâr
der bürge slüzzel *si selbe truoc.
die wâren spaehe alsô genuoc:
15 den list noch lützel iemen kan.
bî einer wîle si sich versan

den Waffenrock und Volatin.
Hinunter rief die Königin
auf Heidnisch: »Herr, wer seid ihr,
daß ihr so nahe bei mir haltet
ohne Waffenstillstand? 15
Ihr seid zu verwegen:
schaden wird euch das.
Ich will euch näher rücken
und mich bekannter machen.«
»Ach, wo ist die schöne Giburg? 20
Sagt mir, geht es ihr gut?«
An seiner Stimme erkannten sie,
daß der rechte Herr gekommen war.
Durch seine Ankunft wurde ihnen
viel Angst genommen, die sie vorher hatten. 25
Da fuhr ein solcher Freudenschmerz
durch Giburg, die vor Glück erschrak,
daß sie bewußtlos vor ihnen lag,
denn viele Helfer waren voller Mut zu ihr
aus Frankreich hergekommen,
229 die besten Ritter, die es gab
im Land des wahren Rittertums.
Giburg lag noch bewußtlos da.
Dem Markgrafen mag's zu lange werden,
daß niemand ihm das Tor aufschließt. 5
Das war mit Schlössern so gesichert,
falls einer drin abtrünnig werden
und seine Treuepflicht vergessen wollte
für Bestechungsgeld,
wenn das ein Feind anstiften sollte, 10
daß es ihm gar nichts half.
Zum Schutz vor einem solchen Anschlag hatte Giburg
selbst die Schlüssel für die Stadt bei sich.
Die waren raffiniert gemacht:
die Kunst beherrscht heut niemand mehr. 15
Nach einer Weile kam sie zu sich

und gâhte hin gein der porte,
dâ si ir besten vriunt hôrte.
mit vreuden wart er lâzen în.
20 sine het ouch niht sô liehten schîn,
als dô er von ir schiet,
als im ir *süezer* munt geriet,
der *vil geküsset wart.
ouwê, daz ein sô rûher bart
25 sich immer solt erbieten dar!
doch was si selbe harnaschvar,
daz diu maget Karpîte
vor Laurent in dem strîte
noch Kamille von Volkân –
ir newederiu het ez sô *wol getân.

230 *Gîburc* streit doch ze orse niht:
ditze maere ir and*e*rs ellen giht,
daz si mit arembrusten schôz
unt si grôzer würfe niht verdrôz
5 unt ir wer mit liste erscheinde.
ir tôtez volc si leinde
gewâpent an die zinnen
und ruort'z sô mit sinnen,
daz ez die ûzeren vorhten,
10 *die diu* antwerc gein ir worhten.
arbeit hete si verselwet nâch.
an Rennewart si dô sach.
dô der die grôzen stangen,
die starken unt die langen,
15 sô dicke warf von hant ze hant,
si sprach: »wer ist der sarjant?
sulen wir iht angest gein im hân?
er ist sô wiltlîch getân.«
der marcgrâve sprach hin z'ir:
20 »disen knappen den gap mir
der roemische künec unt helfe grôz.

und lief zu dem Tor,
wo sie ihren Liebsten hatte sprechen hören.
Er wurde freudig eingelassen.
Sie sah nicht mehr so strahlend aus 20
wie damals, als er sie verließ,
wie es ihr süßer Mund ihm riet,
dem jetzt Kuß um Kuß gegeben wurde.
Ach, daß ein so rauher Bart
sich daran reiben mußte! 25
Doch war sie selber schmutzig von der Rüstung,
daß die Jungfrau Karpite
im Kampf vor Laurent
und Kamille von Volkan –
die hatten's nicht so gut getan.

230 Doch hatte Giburg nicht zu Pferd gekämpft:
andre Taten schreibt ihr die Geschichte zu:
daß sie mit der Armbrust schoß
und starke Würfe tat
und sich mit List verteidigte. 5
Ihre Gefallenen lehnte sie
gewappnet an die Zinnen
und bewegte sie derart geschickt,
daß es die draußen fürchteten,
die die Belagerungsmaschinen gegen sie errichtet hatten. 10
Von all der Mühsal war sie beinah zugedeckt mit Schmutz.
Da fiel ihr Blick auf Rennewart.
Als dieser unentwegt die große Stange,
die starke und die lange,
von der einen Hand zur andern warf, 15
sagte sie: »Wer ist der Serjant?
Müssen wir uns vor ihm fürchten?
Er gebärdet sich so wild.«
»Diesen Knappen«, sagte ihr der Markgraf,
»gab mir 20
der römische König, dazu große Hilfe.

vil manec vürste, mîn genôz,
gâhent dâ vaste zuo z'uns her
mit alsô helfeclîcher ger,
25 hânt es die vîende hie gebit*e*n,
von Franzoisen wirt gestrit*e*n,
daz ez die engel möhten hoeren
in den niun koeren S. 626a
unt daz mîne mâge rechen sol.
waere tal und berc der heiden vol,
231 die müesen strît enpfâhen.«
die künegîn druht er nâhen
an sîne brust und klagt ir nôt.
den andern er'z mit rede erbôt,
5 die bî ir drinne wâren genesen.
er sprach, die müesen immer wesen
teilnünftic, swes er möhte hân,
ez waere wîp oder man,
juncvrouwe od*e*r and*e*r maget,
10 »diu mir her nâch die nôt klaget,
als ir durh mich habt gedolt
unt iuwer dienst an mir reholt,
beidiu mîn guot unt mînen lîp.
ir habt ernert mir ditze wîp
15 und Oransche, dise burc, behalten.
muoz ich der marke walten,
ich *rîch* iuch immer, unz ich lebe,
sô mit lêhen, sô mit gebe.«
Gîburc, diu triuwen rîche,
20 stuont dennoch werlîche,
si unt ir juncvrouwen.
der wirt wol mohte schouwen
harnasch, daz er an in vant.
dâ der lendenierstric erwant,
25 etlîchiu het ein semftenier:
der noch ein sölhez gaebe mir,
daz naem ich vür ein vederspil.
*n*û was dâ gestanden vil.

Viele Fürsten, Leute meines Standes,
eilen zu uns her
mit solcher Lust zu helfen:
wenn die Feinde hier darauf gewartet haben, 25
wird von den Franzosen so gekämpft,
daß es die Engel
in den neun Chören hören könnten
und es meine Verwandten rächt.
Und wären Berg und Tal voll Heiden:
231 sie bekämen Kampf.«
Fest drückte er die Königin
an seine Brust, beklagte ihre Not.
Dann wandte er sich an die andern,
die mit ihr in der Festung überlebten. 5
Er sagte, daß er mit ihnen immer
teilen wolle, was er hätte,
mit Frau und Mann,
mit jedem Mädchen, hochgeboren oder nicht:
»die mir später ihre Not klagt, 10
die ihr für mich gelitten habt
und die der Dienst für mich euch zuzog,
der lohne ich mit Leib und Gut.
Ihr habt mir diese Frau gerettet
und diese Stadt Orange gehalten. 15
Bleib ich im Besitz der Mark,
mach ich euch reich, solang ich lebe,
mit Lehen und Geschenken.«
Giburg, die Treue,
stand noch gewappnet da, 20
sie und ihre Damen.
Der Burgherr konnte sehen,
daß sie Rüstung trugen.
Wo der Gürtelriemen endete,
hatten einige ein Polster: 25
wenn man mir so eines gäbe,
zög ich es einem Falken vor.
Lang gestanden war da jetzt.

diu künegîn des niht vergaz,
des landes herren vürbaz,
232 si *vuort en z'einer kemenâten în
und hiez behalten Volatîn.
bî dem orse Rennewart beleip.
ungerne in iemen dannen treip,
5 unz er'z gestalte schône.
dâ von Sammargône
ein insigel was gebrant
an des orses buoc, daz er dâ vant,
dar nâch was Arofels schilt.
10 den knappen hete gar bevilt,
und het er sich versunnen,
wie daz ors wart gewunnen.
dô entwâpende sich diu künegîn.
der marcgrâve wolte dennoch sîn
15 in sîme harnasch belib*e*n.
si sprach: »dîn kumft hât vertrib*e*n
mînen vater gein der habe.
dû solt daz harnasch ziehen abe,
und lâze dich niht betrâgen,
20 enbiute dînen mâgen
unt den, die dir ze helfe kom*e*n,
hie hab*e*n urloup genom*e*n S. 626b
die heiden eine wîle,
ich enweiz, wie manege mîle.
25 *mînem* garzûne was ir reise kunt:
der volgt in unz an Pitit Punt.
der *giht*, si gâhen vaste hin.
mit vlust ich innen worden bin
ir kumft unt ir letze.
daz *mich's* noch got ergetze!
233 *e*r tuot ouch, sît diu triuwe dîn
unt dîn manlîch ellen ist sô schîn,
daz dû mich hie erloeset hâst.
nû sich, daz dû des niht enlâst,
5 dûne schaffest dînen wartman!

Die Königin
geleitete den Landesherrn
232 in eine Kemenate
und ließ Volatin versorgen.
Rennewart blieb bei dem Pferd.
Keiner spürte Lust, ihn zu vertreiben:
er konnte es in Ruhe mit aller Sorgfalt unterbringen. 5
Ein Zeichen aus Samarkand
war da eingebrannt
am Bug des Pferds, das er da sah,
wie auf Arofels Schild.
Es hätt den Knappen sehr geschmerzt, 10
wenn ihm klar gewesen wäre,
wie das Pferd erbeutet wurde.
Die Königin zog die Rüstung aus.
Der Markgraf wollte noch
in seiner Rüstung bleiben. 15
Sie sagte: »Deine Ankunft hat
meinen Vater zum Hafen vertrieben.
Leg den Harnisch ab
und laß
deinen Verwandten 20
und den Helfern sagen,
die Heiden hätten sich
für eine Weile abgemeldet,
ich weiß nicht, wieviel Meilen weg.
Mein Knappe hat gesehen, wie sie aufgebrochen sind: 25
er verfolgte sie bis Pitit Punt.
Er sagt, sie zögen schnell davon.
Schaden brachte mir
ihre Ankunft und ihr Abschied.
Möchte Gott mir's noch vergüten!
233 Er tut es auch, da deine Treue
und deine Tapferkeit sich so bewährten,
daß du mich hier befreit hast.
Vergiß jetzt nicht,
einen Wächter aufzustellen! 5

mîn vater manege liste kan.
nû hüete, daz sîne hâlschar
dîn her mit schaden iht ervar!«
der marcgrâve sprach hin z'ir:
10 »mahtû gewinnen boten mir?
die sulen den Franzoisen sag*e*n,
daz si niht ze sêre klag*e*n,
daz uns die heiden sint entriten.
er sol die vürsten sund*e*r biten,
15 beidiu jene unt dise,
daz si sich legen an eine wise.
dâ kum ich selbe schiere zuo z'in.«
ein bote balde vuor dâ hin
unt nâch den vîenden warte:
20 si gâhten beide harte.
dô entwâpende sich der markîs
unt nam ouch war, wie durh ir prîs
die Franzoiser gâhten zuo
(dannoch was ez harte vruo)
25 mit manger storje sunder.
die werden nam des wunder,
war die vîende *waeren* kom*e*n.
schiere heten si vernom*e*n
von dem boten, der in was gesant,
daz ir deheiner strît dâ vant.

234 *F*ranzoiser loitschierten.
die vürsten sunder zierten
ir ringe, als ez in tohte.
ir deheiner doch enmohte
5 gelîchen der heiden ringe wît.
mit manegem tiuwerem samît
daz velt was ê bevangen
ûf der heiden zeltstangen.
die von Francrîche
10 ouch nû lâgen rîterlîche:
ir gezelt wâren gesniten
wol nâch kostebaeren siten.

Mein Vater ist sehr listenreich.
Sorg vor, daß er nicht aus dem Hinterhalt
dein Heer erwischt und schädigt!«
Darauf zu ihr der Markgraf:
»Kannst du mir Boten stellen? 10
Die sollen den Franzosen sagen,
daß sie nicht zu sehr beklagen,
daß uns die Heiden entritten sind.
Er soll die Fürsten
alle bitten, 15
auf einem Wiesenstück zu lagern.
Ich bin bald selber dort bei ihnen.«
Ein Bote ging rasch dorthin ab
und zu den Feinden ein Spion:
sie eilten beide sehr. 20
Der Marquis zog jetzt die Rüstung aus
und sah zu, wie, ruhmbegierig,
die Franzosen
(ganz früh war's noch am Tag)
in vielen Kampfverbänden eilig angeritten kamen. 25
Es wunderte die Edlen,
wo die Feinde abgeblieben wären.
Bald erfuhren sie
von dem Boten, den man ihnen sandte,
daß es für sie hier keinen Kampf gab.

234 Die Franzosen logierten.
Alle Fürsten schmückten
ihre Lager, wie es ihnen zukam.
Doch konnte keines
sich vergleichen mit den weiten Heidenlagern. 5
Mit viel kostbarem Brokat
auf den Zeltstangen der Heiden 8
war zuvor das Feld bedeckt gewesen. 7
Auch die aus Frankreich
lagerten jetzt prächtig: 10
ihre Zelte
waren kostbar.

der marcgrâve sprach zer künegîn:
»vrouwe, daz waere uns ein gewin
15 an willekeit der liute,
ob wir si möhten hiute S. 627a
ze wirtschefte gesetzen
und ir arbeit ergetzen
hinne ûf *mînem* palas.
20 etswenne ich sô berâten was:
nû ist liute und spîse mir verbrant,
daz ich der wênic inne vant.«
diu künegîn sprach: »wir hân genuoc
(mir ist liep, daz *es* dîn munt gewuoc)
25 von trinken und spîse alsölhe kraft:
al mînes vater rîterschaft,
ob wir'z in niht wolden wern,
sine möhten's *wochen lanc* verzern.«
*s*i schuof d*e*rzuo, die's kund*e*n pfleg*e*n.
in den vensteren wart geleg*e*n
235 von im und von der vrouwen.
si wolten vriunt schouwen:
man kôs dâ wol und muos in jehen,
si heten vîende vil gesehen.
5 Franzoiser, die quecken,
mit der heiden barnstecken
niuwiu *gezimber* worhten.
dennoch wâren die *unervorhten*
niht komen, die's marcrâven leit
10 sô truogen mit gesellekeit,
daz si nâmen gelîche pfliht
der vlüstebaeren geschiht,
diu ûf Alischanz geschach.
diu künegîn Gîburc gesach
15 manigen ungevüegen stoup,
daz der wint melm und loup
ûf al gelîche vuorte,
dâ manic storje ruorte

Der Markgraf sagte zu der Königin:
»Herrin, wir machten uns
die Leute noch geneigter, 15
könnten wir sie heut
bewirten,
entschädigen für ihre Mühe
hier in meinem Palas.
Früher konnt ich mir das leisten: 20
die Leute und die Lebensmittel sind mir jetzt
verbrannt,
nichts ist mir hier geblieben.«
Die Königin: »Wir haben noch genug
(es freut mich, daß du davon anfingst)
zu trinken und zu essen, solche Mengen: 25
alle Ritter meines Vaters,
würden wir sie nicht dran hindern,
könnten Wochen davon zehren.«
Sie wies die Diener an.
In den Fenstern lagen
235 sie, die Königin und er.
Sie wollten Freunde sehen:
sie hatten ja, wie jeder weiß und zugibt,
auch viele Feinde sehen müssen.
Die Franzosen, gar nicht faul, 5
bauten aus den Futterkrippen des Heidenlagers
neue Unterkünfte.
Es fehlten noch die Unerschrockenen,
die das Leid des Markgrafen
so in Gemeinschaft mit ihm trugen, 10
daß sie gleichen Teil
an den Verlusten auf sich nahmen,
die es auf Alischanz gegeben hatte.
Königin Giburg sah
ungeheuren Staub: 15
Sand und Blattwerk
wirbelte der Wind miteinander hoch,
wo Trupp um Trupp

d'ors mit sporen durh gâhen zuo.
20 si sprach: »ôwê, *waz* tuo wir nû?
sich, herre, dort kumt Tîbalt!
daz velt und der kurze walt
dunket si al gelîche sleht.«
der wirt sprach: »daz ist ir reht.
25 si waenent, wir sîn den vînden bî.
dâ kumt Buove von Kumarzî
von sînem lande her gevaren.
got mac uns wol *von den bewaren:
der selb und al die sîne
ouch klagent die mâge mîne.«

236 *F*ranzoiser tâten nâch ir siten:
eteslîche banken wâren geriten
durh kurz*e*wîle mit vederspil;
sô gâhten derhalp *knappen* vil
5 ûz dem her durh den woldan.
nû wâren ouch Buoven wartman
komen und vunden vriunde dâ:
die vîende wâren anderswâ.
die kumend*e*n zuo den êrsten dô
10 sich leiten: des was Gîburc vrô.
unlange daz dô werte, S. 627b
unze si von manegem swerte
und von den schilden blicke
durh grôzen stoup sach dicke.
15 si sprach: »wer sint die komenden dort?
dû hôrtest wol hiute mîniu wort:
vür die hâlscharlîchen tât
soltû merken mînen rât.
der künec von Marroch Akarîn
20 getar wol bî den vîenden sîn
und and*e*r mînes vater her.
dâ gegen schaffe dîne wer!«
der marcgrâve ir dô sagete:
»dâ kumet der unverzagete,
25 mîn bruod*e*r Bernart von Brûbant,

die Pferde mit den Sporen hertrieb.
Sie sagte: »Oweh, was tun wir jetzt? 20
Sieh, Herr, dort kommt Tibalt!
Feld und Gebüsch
scheint ihnen alles gleich und eben.«
Der Burgherr sagte: »So machen sie's mit Recht.
Sie glauben, daß die Feinde bei uns sind. 25
Da kommt Buove von Commercy
aus seinem Land hierher geritten.
Vor dem wird Gott uns leicht bewahren können:
er selbst und seine Leute
beklagen meine Verwandten auch.«

236 Die Franzosen taten, wie bei ihnen üblich:
manche waren
zu ihrer Unterhaltung auf Falkenjagd geritten;
und nach Orange hin stürmten Knappenhaufen
aus dem Heer, um sich im Kampf zu üben. 5
Inzwischen waren Buoves Späher
herangekommen und stießen dort auf Freunde:
die Feinde waren anderswo.
Die Angekommenen schlugen neben den ersten
ihr Lager auf: Giburg freute sich darüber. 10
Es dauerte nicht lange,
bis sie Schwert um Schwert
und Schilde
noch und noch durch dichten Staub aufblitzen sah.
Sie sagte: »Wer kommt dort? 15
Du hast gehört, was ich heut sagte:
denk an meine Warnung 18
vor einem Hinterhalt! 17
König Akarin von Marrakesch
ist kühn am Feind, 20
und andre Truppen meines Vaters sind es auch.
Wappne dich dagegen!«
Da sagte ihr der Markgraf:
»Dort kommt der Unverzagte,
mein Bruder Bernhard von Brubant; 25

des sun ich dicke bî mir vant,
Berhtramen, der mînen vanen truoc,
dâ man mir Vîvîanzen sluoc.
der wil hie rechen nû sîn kint
und al, die mit im komende sint.«

237 die selben ab*e*r dô pflâgen,
daz si zuo den êrsten lâgen.
»*herbergen*« ist »loischiern« genant:
sô vil hân ich der sprâche erkant.
5 ein ungevüeger Tschampâneis
kunde vil baz franzeis
dann ich, swie ich franzois spreche.
seht, waz ich an *den* reche,
den ich diz maere diuten sol!
10 den zaeme ein tiutschiu sprâche wol.
mîn tiutsche ist etswâ doch sô krump,
er mac mir lîhte sîn ze tump,
den *ich's* niht gâhes bescheide:
dâ sûme wir uns beide.
15 des marcrâven her sich breite.
gewâpent dar zuo leite
manege storje strîteclîche
Heimrîch, der rîche,
von Narbôn der alte,
20 der ie sîn dinc sô stalte,
daz sîn habe was gemeine.
er kom ouch dâ niht eine.
sich muosen stûden neigen,
dô der begunde zeigen,
25 wie rehte strîteclîch er reit
mit verdrungener schare breit.
er wolde selb ervinden,
ob und*e*r sînen kinden
deheinez *bekumbert* waere.
dô kômen im diu maere,

sein Sohn war immer bei mir,
Bertram, der meine Fahne trug,
wo man mir Vivianz erschlug.
Der will jetzt sein Kind hier rächen
mit allen, die ihm folgen.«

237 Auch diese
schlugen ihr Lager bei den ersten auf.
»Lagern« heißt »logieren«:
soviel versteh ich von der Sprache.
Ein Depp aus der Champagne 5
könnt Französisch sehr viel besser
als ich, wie immer ich französisch spreche.
Seht, was ich denen antu,
für die ich übersetzen soll!
Deutsch wär für die viel besser. 10
Doch ist auch mein Deutsch so krumm,
daß einer leicht nichts mehr versteht,
dem ich's nicht schnell erkläre:
das hält uns beide auf.
Das Heer des Markgrafen wuchs. 15
Ihm führte
viele kampfbereite Trupps in Waffen
Heimrich, der Mächtige, zu,
der Alte von Narbonne,
der sich immer so verhielt, 20
daß er sein Gut mit allen teilte.
Auch dort erschien er nicht allein.
Zur Erde bogen sich die Sträucher,
als der
höchst streitbar anritt 25
in breit-geschlossener Formation.
Er wollte selber sehen,
ob von seinen Söhnen
einer Kummer hätte.
Da wurde ihm gemeldet,

238 daz die Sarrazîne
Oransche von grôzer pîne
ledic heten lâzen,
daz die *waeren* ir strâzen.
5 Gîburc sach ir sweher kom*e*n. S. 628a
si sprach: »hâstû war genom*e*n,
wer aber jene kumende sîn?«
er sprach: »daz ist der vater mîn,
und ist genendic al sîn diet,
10 als er in selb ie dicke riet.«
Heimrîches marschalc kom gevarn.
zuo *den* vor komenden scharn
leit er sîne herren,
die kumenden zuo den erren.
15 des wirtes bruoder Berhtram
dô kom, als ez wol vürsten zam,
und sîn ander bruoder Gîbert.
die vuorten manegen rîter wert.
ir her kom mit sund*e*r slâ.
20 ouch kom die dritte strâze aldâ
an der selben stunde
Ernalt von Gerunde.
si wâren die vart alsô gelegen:
ir neheiner moht*e* des gepflegen,
25 erne waere dem anderem gar benomen,
daz er im ze helfe möhte kom*e*n.
von *hûse* und von sunderem lande
ieslîcher âne schande
in sînes bruoder helfe was geriten:
si liezen des ir triuwe biten.

239 Gîburc nam ir aller war,
daz driu grôziu her mit sund*e*r schar
dar kômen vil nâch gelîche,
die alle rîterlîche
5 der marcrâve ir nande,
daz diu vrouwe wol *erkande
iegeslîchem her sinen houb*e*tman.

238 daß die Sarazenen
Orange aus großer Pein
entlassen hätten
und abgezogen wären.
Giburg sah den Schwiegervater kommen. 5
»Kannst du erkennen«, sagte sie,
»wer da jetzt wieder kommt?«
»Das ist mein Vater«, sagte er,
»kühn ist seine ganze Truppe,
er hat sie höchstpersönlich immer wieder angespornt.« 10
Heimrichs Marschall kam geritten.
Bei den Truppen, die zuvor gekommen waren,
ließ er seine Herren lagern,
die Kommenden bei den Gekommenen.
Fürstlich erschien 16
des Burgherrn Bruder Bertram 15
und sein andrer Bruder Gibert. 17
Die führten viele edle Ritter.
Ihre Heere kamen auf verschiednen Wegen.
Auf der dritten Straße kam 20
zur selben Zeit
Ernalt von Gironde.
Ihre Routen waren so,
daß keiner es einrichten konnte,
gemeinsam mit dem anderen zu ziehn, 25
um Willehalm zu helfen.
Von zuhaus, aus seinem eignen Land
war jeder, wie es sich gehörte,
seinem Bruder zu Hilfe geritten:
ihre Treue war der Bitte nachgekommen.

239 Giburg sah sie alle,
sah, daß drei große Heere, selbständige Truppen,
fast zur gleichen Zeit dort kamen,
die als Ritter
ihr der Markgraf alle rühmte, 5
so daß die Königin erfuhr,
wer der Führer jedes Heeres war.

dâ von si vreuden vil gewan.
ez hete daz viuwer gemachet:
10 *gestrichen* unt gewachet
der vater, diu kint, iegeslîches her
die naht heten durh die wer,
ob es dem marcrâven waere nôt.
ir manheit in daz gebôt:
15 si wâren wol sô genendic,
iegeslîcher vaste unwendic
gâhte gein dem viure
durh manheit âventiure.
iegeslîcher des anderen vorhte,
20 dô der heiden sturm sô worhte
Gîburgen nôt mit rôste,
wer dem unt dem ze trôste
koeme mit poind*e*rs hurte.
iegeslîcher dar umbe vuorte
25 gewâpentiu ors und harnasch gar.
si gâhten gein ein and*e*r dar.
waer ein buhurt dâ erhab*e*n
ane ungeverte od*e*r ane grab*e*n,
iegeslîcher kom mit sölher kraft, S. 628b
daz er al der heiden rîterschaft
240 hete an der enge wol gestriten.
nû wart ûf Alischanz gebiten
Vîvîanzes râche zîte:
dâ *vunden* si die wîte.
5 *r*îchlîche herbergeten dise
ûzerhalbe des gesezzes an die wise.
aldâ die heiden wâren geleg*e*n,
dâ was gemaches gar verpfleg*e*n
von rouche unt von smacke.
10 ein nâs*e*lôser bracke
waere wol ze verte komen dâ:
sô breit was Terramêres slâ.
nû sach man komen eine diet,
diu sich von ellen nie geschiet,

Darüber freute sie sich sehr.
Das Feuer hatte sie getrieben:
durchgeritten waren, durchgewacht hatten 10
der Vater und die Söhne, eines jeden Heer
die ganze Nacht, um zu kämpfen,
falls sie der Markgraf brauchen sollte.
Ihre Tapferkeit trieb sie dazu:
sie waren derart kühn, 15
daß jeder unbeirrbar
in Richtung auf das Feuer sprengte,
um das Wagnis tapfer zu bestehen.
Jeder hatte Sorge um den andern,
als der Sturmangriff der Heiden 20
Giburg die Brand-Pein schuf,
und überlegte, wer dem und jenem
helfen könne mit Attacken.
Gewappnet hatte deshalb jeder
Roß und Reiter. 25
Sie stürmten aufeinander zu.
Hätt sich ein Buhurt da ergeben
in unwegsamem Land, an einem Graben –
jeder kam mit solcher Macht,
daß er das ganze Heidenheer
240 in der Enge abgeschlagen hätte.
Nun wartete man auf Alischanz
auf die Zeit der Rache für Vivianz:
die Heiden hatten dort das weite Feld gewonnen.
Die Brüder schlugen prächtig ihre Zelte auf, 5
auf der Wiese jenseits des Belagerungsrings.
Wo die Heiden gelegen hatten,
war es unerträglich
von Rauch und von Gestank.
Ein nasenloser Spürhund 10
hätt dort gut die Fährte finden können:
so breit war Terramers Spur.
Da sah man eine Truppe kommen,
die niemals ihren Mut verlor,

15 mit zerstochen schilden und zerhurt.
ûz der rehten manheit geburt
was, der dise hete brâht.
er was gestrichen ouch die naht
und was den heiden nâch geriten.
20 den het er alsô mite gestriten:
ir beleip dâ maniger vor im tôt;
ouch muos er von in kom*e*n mit nôt.
si muosen zinsen im ir habe:
manigen soum brach er in abe,
25 ors unt anders, swaz dâ was.
der künec Schilbert von Tandarnas
durh den jungen dar was kom*e*n.
si heten bêde solt genom*e*n,
die zwêne kumberhafte man,
von den Vênezjân

241 z'einem urliuge ûf den patrîarc
von Aglei, der sich niht barc,
er *engaeb* in strîtes übergelt
und engete in wazzer und*e* velt
5 ûf lande und in den barken.
dâ *muosen* sande Marken
Vênezjâne mit solde wern
und durh den kumber vil verzern.
von dan was er gestrichen her
10 durh sîner werdekeite ger.
er hete der heiden überkêr
alsô vernom*e*n, daz Terremêr
vuorte, swaz unz an Koukesas
der werden und der besten was.
15 gein dem streich er durh sînen prîs.
ez was Heimrîch, der schêtîs.
sîne manheit moht erbarm*e*n,
daz man in hiez »den arm*e*n«;
ouch müete daz sîn edelkeit.
20 erne hete der erden niht sô breit,
als ein gezelt möht umbevân.

mit Schilden, die zerstochen und zerhauen waren. 15
Ein Kind der wahren Tapferkeit
war der, der diese brachte.
Auch er war durch die Nacht geeilt
und war den Heiden nachgeritten.
Mit denen hatte er derart gekämpft: 20
viele kamen durch ihn um;
auch brachten sie ihn in Bedrängnis.
Sie mußten ihm verzinsen, was sie hatten:
Lasttiere nahm er ihnen ab,
Pferde und was da sonst noch war. 25
Der König Schilbert von Tandarnas
war aus Freundschaft zu dem Jungen mitgekommen.
Sie hatten beide Sold genommen,
die zwei mittellosen Männer,
von den Venezianern,
241 um Krieg zu führen mit dem Patriarchen
von Aquileja, der sich nicht versteckte,
sie vielmehr überschüttete mit Kampf
und ihnen Feld und Wasser streitig machte
zu Lande und mit Schiffen. 5
Den heiligen Markus mußten da
die Venezianer mit ihrem Sold verteidigen
und viel bezahlen wegen dieser Not.
Von dort war er herbeigeeilt,
von seinem Ehrgeiz angetrieben. 10
Er hatte von der Überfahrt der Heiden
erfahren, Terramer hätte
die Edelsten und Besten 14
aus den Ländern bis zum Hindukusch herangeführt. 13
Gegen diesen zog er, um sich Ruhm zu holen. 15
Es war Heimrich, der Schetis.
Seine Tapferkeit erbarmte es,
daß man ihn »den Armen« nannte;
auch peinigte es seinen Adel.
Er hatte nicht soviel an Land, 20
wie ein Zelt bedecken könnte.

niht ander*er* urbor moht er hân,
wan als der unverzag*e*te S. 629a
an den vîenden bejag*e*te.
25 sîn zeswiu hant wuohs umb'en schaft:
er het zer tjost*e* guote kraft.
sîn lîp entwarf sich und*e*rn schilt:
swaz mâlaere nû lebendic sint,
ir ougen, pensel und ir hant
ist sölh geschickede unbekant.

242 Sus kom der werde jungelinc
geriten an sînes vater rinc
mit *verhurten* wâpenkleiden.
doch heten si den heiden
5 ab gebrochen rîchen solt.
des wâren *im die getouften holt.
sich vreute der alte Heimrîch,
daz im sô rehte manlîch
was komen der *pôver schêtîs*,
10 des kurziu jâr sô manegen prîs
het mit rîterschaft bezalt.
vor liebe wazzer wart gevalt
ûz sînen ougen an diu wangen.
er wart mit vreud enpfangen
15 von dem vater und von den bruodern sîn.
dort *oben* sprach de künegîn:
»wes ist diu sunder storje grôz?
ir *schiltriemen* sint nacket blôz
und unverdecket von den breten.
20 si sint ze strîte etswâ gebeten.«
der wirt sprach: »ich enbekenn ir niht.
mîn ouge nind*e*r an in siht,
dâ von si möhten sîn bekant.
alle ir banier, schilde und gewant
25 ist verhurt*et* und zerzart:
si sint vor strîte niht bewart.
einen bruoder ich noch hân
bî den Vênezjân.

Er hatte keinen andern Zins
als das, was er, der Unverzagte,
dem Feind als Beute abnahm.
Seine rechte Hand war mit dem Speer verwachsen: 25
er tjostierte hart.
Er war ein Bild von einem Ritter:
die Maler heutzutage –
ihren Augen, ihrem Pinsel, ihrer Hand
ist solche Schönheit unbekannt.

242 So ritt der edle junge Mann
in zerschundener Rüstung 3
ins Lager seines Vaters. 2
Doch hatten sie den Heiden
reiche Beute abgenommen. 5
Deshalb schätzten ihn die Christen.
Der alte Heimrich freute sich,
daß le pauvre Schetis 9
so mannhaft zu ihm kam, 8
dessen Jugend soviel Ruhm 10
mit Kampf erworben hatte.
Vor Freude fielen Tränen
aus seinen Augen auf die Wangen.
Froh wurde er empfangen
vom Vater und von seinen Brüdern. 15
Dort oben sagte die Königin:
»Wem gehört der große Trupp?
Die Riemen ihrer Schilde liegen frei
und unbedeckt vom Holz.
Man hat sie irgendwo zum Kampf gebeten.« 20
Der Burgherr sagte: »Diese kenn ich nicht.
Ich seh auch nichts an ihnen,
woran ich sie erkennen könnte.
All ihre Banner, Schilde und Gewänder
sind zerschlagen und zerfetzt: 25
Kampf blieb ihnen nicht erspart.
Einen Bruder hab ich noch
bei den Venezianern.

hât er den kumber mîn vernom*e*n,
der ist ez und ist durh manheit kom*e*n.«

243 *s'schêtîses* volc ir soum entluot.
ir manheit in daz selbe guot
behabete gein der überkraft.
gelîch was ir gesellesschaft
5 und des *küneges*, der durh in dâ was,
den man dâ hiez von Tandarnas.
dem bat er bieten êre.
erne *gerte* nihtes mêre,
wan swer daz tet, des was er geil.
10 des werden Gahmuretes erbeteil
was die jungen bêd an kom*e*n.
von ir veteren heten si genom*e*n
niht wan schilt und sper,
unt stuont nâch rîterscheft ir ger.
15 si heten harnasch und and*e*rs niht.
ir gezelt*e* man dâ *wênic* siht.
diu künegîn in dem venster lac, S. 629b
diu der *gesellekeite* pflac:
des marcgrâven umbevanc
20 an sîne brust si dicke twanc.
des was si guote wîle entwent
und hete sich and*e*rs vil gesent.
mir waere ein zag*e*heit geschehen,
ob ich ein wîp het ersehen
25 sô *küenlîch* gestanden.
mir wirt halt sus enblanden,
sô ich *ungewâpent* wîp grîf an,
ob ich mit êren scheide dan.
Gîburc was noch harnaschvar:
er nam's durh liebe kleine war.

244 den vürsten was daz kunt getân
und andern ir werden man,
si solten *enbîzen in* der stat.
der marcrâve ûz'en vensteren trat.
5 er sprach zer küneginne: »des ist zît,

Hat er von meiner Not gehört,
dann ist er es und ist aus Tapferkeit gekommen.«

243 Des Schetis Leute luden ab.
Die Güter hatte ihre Tapferkeit
von der Übermacht erbeutet.
Eine Gemeinschaft waren sie
mitsamt dem König, der um seinetwillen hier war, 5
den man nach Tandarnas benannte.
Dem bat er Ehre zu erweisen.
Er wünschte nichts
als dieses und freute sich, wenn's einer tat.
Des edlen Gahmuretes Erbe 10
war den zwei jungen Männern zugefallen.
Von ihren Vätern hatten sie
nur Schild und Speer bekommen,
und nach Kampf stand ihr Sinn.
Eine Rüstung hatten sie, sonst nichts. 15
Zelte von ihnen sieht man nicht.
Im Fenster lag die Königin
und ließ sich so Gesellschaft leisten:
des Markgrafen Umarmung
drückte sie oft an seine Brust. 20
Lange hatte sie's entbehrt
und sich doch sehr danach gesehnt.
Ich hätte mich erschrocken,
hätt ich eine Frau
so wehrhaft stehen sehen. 25
Es wird mir schon nicht leicht,
ehrenvoll davonzukommen, 27
faß ich eine Frau an, die ungewappnet ist. 28
Beschmiert mit Rost war Giburg noch:
vor Liebe merkte er das nicht.

244 Den Fürsten hatte man gesagt
und ihren vornehmen Vasallen,
daß sie in der Stadt bewirtet werden sollten.
Der Markgraf trat aus dem Fenster.
Er wandte sich zur Königin: »Es ist an der Zeit, 5

ob *mir mîn vater volge gît,
daz ich in bringe zuo dir her.
zen andern vürsten ich's ouch ger:
die soltû schône enpfâhen.
10 nû heiz des balde gâhen,
daz der palas an allen sîten
mit semften pflûmîten
sî beleit und teppiche vil dar vür,
ûf diu pflûmît kultern von der kür,
15 daz man in tiure müeze jehen,
swer si hie ûf ruoche sehen,
von pfellen, die geb*e*n liehten schîn!«
er reit hin abe zuo dem vater sîn.
den schêtîs er mit vröude enpfienc,
20 der sich and*e*rs niht begienc:
schilt unt sper gap im genuoc.
ich nenn iu sînen besten pfluoc:
ze reht er pflac der wâfen.
er verlôs niht an den schâfen,
25 daz der wolf erbeiz od*e*r daz entran;
swâ stat od*e*r burc verbran,
dâ verlôs er ninder *schoup*;
an al der saete und *ame loup*
dâ tet im kleinen schaden der schûr;
diu habe wart sînen liden sûr.

245 der marcgrâve sînen vater bat
mit im enbîzen in der stat
unt die zwêne geste sîn,
daz si gesaehen die künegîn
5 dort inne ûf sînem palas.
daz lobt der künic von Tandarnas,
den der schêtîs, sîn bruoder, brâhte.
den enpfienc er in der ahte,
als ob im dienden elliu lant.
10 swaz er der kumberhaften vant,
die gruozt er und enpfienc si sô, S. 630a
daz si sîn ze sehene wâren vrô.

wenn mir mein Vater zustimmt,
ihn zu dir zu führen.
Auch die andern Fürsten bitte ich:
begrüße sie in aller Form!
Gib Befehl, daß man sich eilt, 10
den Palas an allen Wänden
mit weichen Kissen
auszulegen, davor reichlich Teppiche,
auf die Kissen solche Decken,
daß sie jeder kostbar nennen muß, 15
der sie drauf sieht
im Glanz der Seidenstoffe!«
Er ritt hinab zu seinem Vater.
Freudig begrüßte er den Schetis,
der von nichts anderm lebte: 20
ihm gaben Schild und Speer genug.
Ich nenn euch seinen besten Pflug:
es war sein Recht zu kämpfen.
An Schafen hatte er nichts zu verlieren,
der Wolf fraß keins und keins entlief; 25
wo eine Stadt verbrannte oder eine Burg,
verlor er keinen Strohwisch;
an Saaten und an Bäumen
tat ihm der Hagel keinen Schaden;
sein Gut beschwerte seine Glieder.

245 Der Markgraf bat seinen Vater,
bei ihm in der Stadt zu essen,
und auch seine beiden Gäste,
daß sie die Königin aufsuchten
in seinem Palas in der Stadt. 5
Der König von Tandarnas,
den der Schetis, sein Bruder, mitgebracht hatte, sagte
zu. Den begrüßte er auf eine Art,
als gehörte ihm die ganze Welt.
Die andern Mittellosen 10
begrüßte und empfing er so,
daß sie sich freuten, ihn zu sehn.

Heimrîch und iegeslîch sîn sun
under einem preimerûn
15 dâ vor im sâzen al zehant.
dô si der marcgrâve vant,
er enpfienc's und bat si dâ nâch sehen
die küneginne: der waere geschehen
von ir kümfte vreude grôz.
20 ir neheinen des verdrôz,
sine saehen si durh werdekeit.
zen anderen vürsten er dô reit,
die der roemisch künec dar sande.
iegeslîchen er sunder nande,
25 daz si mit im waeren gebeten
ûf sînen palas Glôrjeten.
im waere ein teil noch unverbrant,
swie waere verwüest*et* al daz lant:
des solten si mit im dâ leb*e*n,
und er wolt'z in willeclîchen geb*e*n.

Heimrich und alle seine Söhne
setzten sich alsbald unter einen Preimerun,
um ihn zu erwarten. 15
Als sie der Markgraf fand,
begrüßte er sie, danach bat er sie,
die Königin aufzusuchen: die hätte
ihr Kommen sehr gefreut.
Sie waren alle gern bereit, 20
sie um der Ehre willen aufzusuchen.
Dann ritt er zu den andern Fürsten,
die der römische König hergesandt hatte.
Er sprach jeden einzeln an
und bat sie zu sich 25
in seinen Palas Glorjet.
Zwar sei das ganze Land verwüstet, 28
doch hätt das Feuer dies und das verschont: 27
das sollten sie mit ihm verzehren,
er wollt es ihnen gerne geben.

246 Uz dem her man die werden bat
vürbaz ze rîten in die stat.
der vürste et selbe vierde reit:
niht mêre was ir gesellekeit,
5 der hoehsten, die si brâhten.
die grâven ez alsô ahten
und der bârûn in der grâven zil:
des dûhte iegeslîchen vil,
reit ein geselle mit im în.
10 si bâten die andern rîter sîn
ûf dem velde an ir gemach.
durh ir zuht daz geschach.
Franzeiser sint niht gîtic
und doch nâch prîse strîtic.
15 hete si's der wirt erlâzen,
si waeren wol in den mâzen,
daz si heten sîner spîse enborn.
si dûhte, dâ waere sô vil verlorn,
daz si dâ wênic vünden:
20 wes si sich solten sünden
dort inne an der vertwâlten diet.
ûz'em her iegeslîcher alsô schiet,
daz niht ze grôz was sîn gezoc. S. 630b
Gîburc moht ir wâpenroc
25 nû mit êren *von* ir leg*e*n.
si und ir juncvrouwen meg*e*n
daz *harnaschrâm tuon* von dem vel.
si sprach: »gelücke daz ist sinewel:
mir was nû lange trûren bî –
dâ von bin ich ein teil nû vrî.
247 **d*ie mîne juncvrouwen ich man:
leget iuwer besten kleider an!
ir sult iuch feitieren,
vel und hâr sô zieren,

246 Man bat die Würdenträger, aus dem Lager
in die Stadt zu reiten.
Jeder Fürst ritt mit drei Herren:
nicht mehr Begleiter waren es,
die Höchsten, die sie aufgeboten hatten. 5
Die Grafen schlugen so die Zahl ihres Gefolges an
und wie die Grafen die Barone:
es schien jedem viel,
wenn ein Begleiter mit ihm einritt.
Die andern Ritter bat man, 10
im Lager für ihr Wohl zu sorgen.
Das taten sie aus Höflichkeit.
Franzosen sind nicht gierig,
das heißt: sie gieren nur nach Ruhm.
Hätt sie der Burgherr nicht genötigt, 15
hätten sie bescheiden
verzichtet auf sein Essen.
Es wäre, meinten sie, soviel vernichtet,
daß sie da wenig finden könnten
und daß sie sich versündigten 20
an den geschwächten Leuten in der Stadt.
Jeder ritt
mit mäßigem Gefolge aus dem Lager.
Giburg konnte
jetzt in Ehren ihren Waffenrock ablegen. 25
Sie und ihre Damen dürfen sich
vom Rost der Rüstung säubern.
Sie sagte: »Das Glück ist rund:
lange quälte Sorge mich –
ein Teil davon ist mir jetzt abgenommen.
247 Meine Damen, laßt euch bitten,
eure besten Kleider anzulegen!
Richtet euch,
macht Gesicht und Haare so zurecht,

5 daz ir minneclîchen sît getân.
ob ein minne gerende man
iu dienest nâch minne biete,
daz er sich's niht gâhes geniete
und daz im tuo daz scheiden wê
10 von iu, daz sult ir *schaffen* ê.
und vlîzet iuch einer hövescheit:
gebâret, *als* ob iu nie dehein leit
13 *noch ungemach geschaehe!
14 sît niht ze wortspaehe,
15 ob si iuch kumbers vrâgen –
sprechet: ›welt ir'z wâgen,
sône kêret iuch niht an unser sage!
wir sîn erwahsen ûz'er klage,
wan iuwer künfteclîcher trôst
20 hât uns vîentlîcher nôt erlôst.
welt ir uns *iuwere helfe wern,
sô mugen wir trûrens wol enbern!‹
nû gebâret gesellecliche!
nie vürste wart sô rîche,
25 erne hoere wol einer meide wort.
ir sitzet hie oder dort,
parrieret der rîter iuch beneb*en*,
dem sult ir die gebaerde geb*en*,
daz iuwer kiusche im sî bekant.
bî vriundinne vriunt ie *ellen* vant:
248 diu wîplîche güete
gît dem man hôchgemüete.
*i*ch wil mich selben ouch machen klâr.
truoc ich verworrenlîchez hâr
5 unt verdrucket vel von ringen,
die sulen mich niht mêre twingen:
ich wil mich scheiden von dem râm,
den ich von harnasch nam.«
vil schiere daz geschehen was,
10 daz die vrouwen unt der palas
wünneclîch wâren an ze sehen.

daß ihr hübsch ausseht. 5
Wenn ein Mann, der Liebe sucht,
euch Dienst für Liebe anträgt,
daß er nicht gleich die Lust verliert
und ihm der Abschied von euch schwer wird,
dafür sorgt beizeiten! 10
Und seid auf eins bedacht, das Höflichkeit gebietet:
gebt euch so, als wär euch nie ein Leid,
ein Ungemach geschehen!
Seid nicht zu beredt,
wenn sie fragen, was ihr durchgemacht habt – 15
sagt: ›Wenn ihr bereit zu kämpfen seid,
braucht ihr uns nicht zu fragen.
Wir haben keinen Grund zur Klage mehr:
daß ihr so hilfreich hergekommen seid,
hat uns erlöst aus der Gewalt der Feinde. 20
Wenn ihr uns helfen wollt,
müssen wir uns nicht mehr sorgen.‹
Zeigt euch freundlich, aufgeschlossen!
Es steht kein Fürst so hoch,
daß er nicht auf ein Mädchen hört. 25
Wo ihr auch sitzt,
setzen Ritter sich dazu,
sollt ihr ihnen so begegnen,
daß sie merken: ihr wißt, was sich gehört.
Kühnheit flößt dem Freund die Freundin ein:
248 edle Weiblichkeit
macht Männer stolz und hochgemut.
Ich richte mich auch her.
War mein Haar verwirrt
und meine Haut gequetscht von Panzerringen – 5
die sollen mich jetzt nicht mehr drücken:
ich will mich von dem Rost befreien,
mit dem die Rüstung mich beschmierte.«
In Kürze waren
die Damen und der Palas 10
herrlich anzusehen.

man muose den vrouwen allen jehen,
daz si truogen guot gewant.
in dem palas man alumbe vant
15 vil teppich und drûf diu pflûmît,
kulteren drüber. nû was zît,
daz die vürsten riten în. S. 631a
Heimrîs und der *gesellen* sîn
heten die andern gar gebiten:
20 der kom ze vorderst în geriten.
ir aller kleid*er* *wâren* guot,
die ze sehene heten muot
de künegîn, des wirtes wîp.
ouch vunden si ir süezen lîp
25 gein in *klârlîch* aldâ.
mit pfelle von Alamansurâ
si beidiu roc und mandel truoc,
spaehe und tiure alsô genuoc:
het in Sekundille Feirefîz
gegeb*e*n, niht kostenlîcher vlîz
249 möhte an den bilden sîn geleg*e*n.
der mantel muose offener snüere pfleg*e*n.
*s*i truoc geschickede unt gelâz,
ich waene, deis iemen kunde baz
5 erdenken ân die gotes kunst.
si bejagete et al der herzen gunst,
der lîbes ougen an si sach.
ir gürt*e*l man hôher koste jach,
edele steine drûf verwieret,
10 daz er noch bêdiu zieret
ir hüffel und ir sîten.
ze et*e*lîchen zîten
des mantels si ein teil ûf swanc:
swes ouge denne dar und*e*r dranc,
15 der sach den blic von pardîs.
nû kom ir sweher (der *was* grîs)
unt erbeizete vor dem palas,

Man mußte allen Damen lassen,
daß sie schöne Kleider trugen.
Im ganzen Palas sah man
viele Teppiche und Kissen drauf, 15
darüber Decken. Jetzt war's Zeit,
daß die Fürsten in die Stadt einritten.
Auf Heimrich und auf sein Gefolge
hatten alle anderen gewartet.
Der ritt zuvorderst ein. 20
Prächtig waren sie gekleidet,
die ihre Aufwartung
der Königin, der Frau des Burgherrn, machen
wollten.
Auch sahen sie sich von der Schönen
glanzvoll herausgeputzt empfangen. 25
Aus Seide von Alamansura
trug sie Rock und Mantel,
so kunstvoll und so kostbar:
hätt Sekundille Feirefiß den Stoff
geschenkt, mit größerm Aufwand
249 hätten die Muster nicht gewirkt sein können.
Die Mantelschnur hing offen.
Ihre Haltung und Gestalt waren so,
daß es, glaub ich, niemand besser
hätt erfinden können außer Gott mit seiner Kunst. 5
Sie gewann die Herzen aller,
die sie sahen.
Kostbar war der Gürtel (alle sagten das),
so besetzt mit Edelsteinen,
daß er 10
ihre Hüfte und die Taille schmückt.
Von Zeit zu Zeit
schlug sie den Mantel etwas auf:
wer dann darunter blickte,
der sah ins Paradies. 15
Nun kam ihr Schwiegervater, grau vom Alter,
und saß vor dem Palas ab,

mit im der künec von Tandarnas
unt sîn jungist*e*r sun Heimrîch.
20 die zwêne dem lône wâren gelîch,
den minne etswenne nâch dienste hât.
den jungen künec doch niht erlât
Heimrîch von Narbôn,
sîner darkünfte gap er lôn
25 dâ mit und hiez in vor im gên.
nû sâhen si Gîburgen stên
gein den vensteren an der wende.
Heimrîch an sîner hende
vuorte den künec *Schilbert*
gein der küneginne wert
250 und bat in küssen. daz geschach.
ir gruoz si gein ir sweher sprach
unde wolt ouch den geküsset *hân*.
dô sprach der wol gezogene man:
5 »*v*rouwe, des sul wir noch niht tuon,
ich noch dehein mîn sun,
ê die vürsten, die iu *vremeder* sint
danne ich und mîniu kint,
den kus von iu enpfâhen:
10 wir ensulen uns niht vergâhen.
swaz ir uns danne ze êren tuot, S. 631b
dâ gein hab*e*n wir dienstes muot.
uns ist vil êren von iu geschehen.
wir sulen iu immer triuwen jehen,
15 want wir hab*e*n an disen stunden
unverzagetlîch iuch vunden,
daz man Olivier noch Ruolant
nie genendeclîcher vant,
unt ist ouch daz mit kiuschen siten.«
20 nâch der rede begunde *er* biten
die vürsten und*e* nande si,
beide dise unt die,
bêde ir nam*e*n unt ir lant.
er vuorte iegeslîchen mit der hant

mit ihm der König von Tandarnas
und sein jüngster Sohn Heimrich.
Die beiden waren wert, 20
für ihren Dienst den Lohn der Liebe zu empfangen.
Indes belohnte Heimrich von Narbonne 23
den jungen König 22
für sein Kommen,
indem er ihm den Vortritt ließ. 25
Sie sahen Giburg
bei den Fenstern an der Wand stehn.
Heimrich führte
König Schilbert an der Hand
zu der edlen Königin
250 und bat sie, ihn zu küssen. Das geschah.
Sie begrüßte ihren Schwiegervater
und wollte den auch küssen.
Der Meister höfischen Benehmens sagte:
»Herrin, warten wollen wir damit, 5
ich und meine Söhne,
bis die Fürsten, die euch fremder sind
als ich und meine Kinder,
euren Kuß empfangen haben:
wir wollen uns nicht übereilen. 10
Was ihr uns dann erweist an Ehre,
dafür wollen wir euch danken.
Uns ist viel Ehre von euch widerfahren.
Wir werden immer eure Treue rühmen,
denn wir haben jetzt 15
gesehen: ihr wart derart tapfer,
daß Olivier und Roland
niemals kühner waren,
und dies in allem Anstand.«
Nach diesen Worten bat er 20
die Fürsten her und meldete sie
alle,
indem er Land und Namen nannte.
Er führte jeden an der Hand

25 gein sîner gedienten tohter.
niht *baz* mit zühten moht er
den antpfanc gevüegen.
des moht ouch si genüegen,
die vürsten unt die werden gar.
nû wart diu vrouwenlîche schar

251 mit rîteren undersezzen.
dâne wart nû niht vergezzen,
nû Heimrîch und sîniu kint
von der künegîn enpfangen sint,
5 ir *sweher* zuo z'ir saz d*e*rnid*e*r.
sich huop ein niuwer jâmer sid*e*r,
dâ von ir ougen gâben saf.
daz süeze minneclîch geschaf,
ir antlütze begozzen wart,
10 Heimrîches blanker bart
mit zeheren *ouch* berêret.
*dô sprach er: »*uns* hât gelêret
iuwer triuwe und iuwer wîpheit,
vrouwe, daz unser herzenleit
15 mit vreuden wirt erwendet.
ir möht uns hân geschendet:
waeret ir niht staete an uns belib*e*n,
wir waeren ûz werdekeit vertriben;
und het ir mînen sun verkorn,
20 dâ mite waere diz lant verlorn
und Oransche, diu veste,
aller bürge diu beste,
diu von sturme manege nôt
enpfienc: wan daz iu gebôt
25 iuwer triuwe *und iu noch gebiutet,
daz *iuwer prîs bediutet.
swes sich vriunt ze vriunden sol versehen,
des mac mîn sun, der markîs, jehen,
unt sîne mâge über al.
ir habt den tôtlîchen val

zu seiner wohlverdienten Tochter. 25
Er hätte sie nicht höfischer
empfangen können.
Sie waren damit hochzufrieden,
die Fürsten und die Edlen alle.
Nun plazierte man die Schar der Damen
251 in bunter Reihe mit den Rittern.
Jetzt,
wo Heimrich und seine Söhne
von der Königin empfangen sind,
setzte sich ihr Schwiegervater zu ihr. 5
Da erhob sich neue Klage,
die machte ihre Augen feucht.
Das schöne, liebliche Geschöpf –
begossen wurde ihr Gesicht,
auch Heimrichs weißer Bart 10
benetzt mit Tränen.
Er sagte: »Uns zeigte
eure Frauentreue,
Herrin, daß sich unser Herzens-Leid
in Glück verkehren wird. 15
Ihr hättet uns in Schande bringen können:
wärt ihr uns nicht treu geblieben,
dann hätten wir die Ehre eingebüßt;
hättet ihr meinen Sohn verlassen,
dann wäre dieses Land verloren 20
und Orange, die Feste,
die beste aller Burgen,
die von Attacken viel
zu leiden hatte: doch hat
eure Treue euch geboten und gebietet euch noch 25
immer,
was euer Ruhm verlangt.
Was der Freund vom Freund erwarten darf,
mein Sohn, der Markgraf, weiß es jetzt
und seine ganze Sippe.
Ihr habt das Sterben

252 unseres künnes wol vergolten.
ob wir nû niht gerne wolten
dienen umb iuwer hulde,
diu unverkorn*e* schulde
5 sult *immer* unser sîn vor got*e*. S. 632a
wir sulen mit triuwen *iuwerem gebot*e*
immer belîben, hab wir sinne.
ob mîn sun durh iuwer minne
ie sper ze vîende *brâhte*,
10 iuwer triuwe des gedâhte,
dô Terramêr durh Tîbalt
ze Oransche kom mit dem gewalt
und iuch des her*e*s vluot besaz,
daz iuwer güete dô niht vergaz,
15 ir habt der minne ir reht getân,
daz immer ellenthafte man
iuwers lônes suln gedenken
und niht ir dienests wenken,
ob si werd*e*r wîbe minne gern.
20 vrouwe, ir sult mich des gewern,
daz *ir* durh den dienest mîn
und durh and*e*r vürsten, die hie sîn,
gar iuwer weinen lâzet
und herzen *sorgen mâzet.«
25 ir hant in sîner hende lac.
diu künegîn kûme des gepflac:
ir weinenlîchez hischen
sich mit rede begunde mischen.
z'ir liebstem vater si dô sprach,
si sagt erkantez ungemach
253 und daz wît gemezzen leit,
beidiu sô lanc und ouch sô breit,
deis al diu heidenschaft enpfant
und daz alliu toufbaeriu lant
5 des schaden *nâmen* pflihte.
si sprach: »der mich von nihte
ze dirre werelde brâhte,

252 unserer Verwandten reichlich aufgewogen.
Wären wir jetzt nicht begierig
nach Dienst um eure Huld,
ewig unvergessene Schuld
trügen wir vor Gott. 5
Wir sind euch immer treu ergeben –
anders wären wir von Sinnen.
Wenn mein Sohn für eure Liebe
je einen Speer im Kampf verstach,
eure Treue hat sich dran erinnert, 10
als Terramer um Tibalts willen
gewaltig vor Orange erschien
und euch die Heeresflut umbrandete
und ihr in eurer Güte tatet,
was die Liebe fordert, 15
so daß immer tapfre Männer
sich eures Lohns erinnern
und in ihrem Dienst nicht wanken,
wenn sie um die Liebe edler Frauen werben.
Herrin, gewährt mir dies: 20
denkt an meinen Dienst
und an die andern Fürsten hier
und hört auf zu weinen
und mäßigt euern Schmerz!«
Ihre Hand lag in der seinen. 25
Schwer fiel das der Königin:
Schluchzen
mischte sich in ihre Rede.
Sie erzählte ihrem hochgeliebten Vater
von der erlittnen Not
253 und von dem ausgedehnten Leid,
das sich, lang und breit, so weit erstreckte,
daß die ganze Heidenwelt
und alle Christenländer
teilhatten an dem Unglück. 5
Sie sagte: »Der mich aus dem Nichts
in diese Welt gesetzt hat,

alze vruo er mîn gedâhte.
ich *schûr* sîner hantgetât,
10 der bêde machet und*e* hât
den kristen und den heiden!
ach, *waz* vlust in beiden
an mir wuohs, bêde in und uns!
sus hân ich, herre, iuwers suns
15 engolten und der wirde sîn,
daz iuwer mâge und die mîn
zem tôde ir *werdeclîchez* leb*e*n
hânt ze bêder sît gegeb*e*n.
hôch vürste, in die werdekeit gedig*e*n,
20 wie solt ich jâmer hân verswig*e*n,
swenne ich den saehe, des manlîch vruht
mit alsô ellenthafter zuht
gein vreuden was entsprungen?
ich klage den schoenen jungen
25 Vîvîan, der ze vorderst muoz
mînen siuftebaeren gruoz
immer vür daz lachen hân.
waz hât der bitter tôt getân
an dem klâren, süezen, kiuschen, vrebel! S. 632b
al ander*er* manne antlütze ein nebel
254 was, swâ sîn blic erschein.
den prîs truoc er vor ûz al ein:
sîn glanz was wol der and*er* tac.
swâ sîn lîp ûf Alischanz belac,
5 dâ möhten jungiu sünnelîn
wahsen ûz sînem liehten schîn.
*i*ch enwil nû nimmer sô betag*e*n,
ich enwelle den edelen Mîlen klag*e*n
und and*er*, die wir hân verlorn.
10 ich wart zem jâmers zil erborn.
nû ding ich, herre, an iuwer zuht,
sît vreude ûz mînem herzen vluht
hât, daz ir'z niht wîzet mir.
lât mich geniezen des, daz ir

hätt mich nicht erschaffen sollen.
Ich Hagelschauer der Geschöpfe dessen,
der die Christen und die Heiden 11
schafft und schuf! 10
Ach, was ist an Unglück beiden
in mir erwachsen, uns und ihnen!
So hab ich, Herr, bezahlt für euern Sohn
und seinen Ruhm, 15
daß euere Verwandten und die meinen
ihr edles Leben
beiderseits dem Tod gegeben haben.
Hochedler Fürst,
wie hätte ich den Kummer unterdrücken sollen, 20
als ich den Mann sah, dessen tapfre Frucht
so höfisch und so kühn
dem Glück entgegenwuchs?
Ich klage um den schönen jungen
Vivianz, dem vor allen andern 25
mein schmerzliches Erinnern
statt des Lachens immer gelten muß.
Was hat der bittre Tod getan
an dem Schönen, Süßen, Reinen, Kühnen!
Das Antlitz andrer Männer war wie Nebel,
254 wo sein Glanz erschien.
Den Ruhm trug er vor allen andern:
hell wie das Licht des Tages strahlte er.
Wo er auf Alischanz gefallen war,
da hätten kleine Sönnchen 5
aus seinem Leuchten wachsen können.
Kein Tag soll mir vergehen
ohne Klage um den edlen Mile
und die anderen, die wir verloren.
Zum Unglück wurde ich geboren. 10
Nun hoff ich, Herr, auf eure Nachsicht,
da Freude floh aus meinem Herzen,
daß ihr mir's nicht verweist.
Laßt mir zugutekommen, daß ihr

15 sît manlîcher triuwe ein stam!
nû *hoert*, waz mir der tôt benam
ûf Alischanz der mâge mîn!
die sol von reht ich klagende sîn,
swie si heten des toufes niht:
20 diu sippe vlust mir an in giht.
die sîne von im rîten bat er:
und*er* disem venster mir mîn vater
sagete, aldâ er weinde hielt
und der jâmer vreude von im spielt,
25 waz hôher mâge uns nam der tôt,
den diu minne her gebôt
noch mêre danne durh sîne bet*e*.
an *dem* künec Tesereize von Latriset*e*
der hôhen tôt huop er mir an,
wer mêr ûf Alitschanz gewan
255 sîn ende von den getouften,
die ir leb*e*n gein in verkouften,
mîne mâge, die der tôt nam ze im:
*d*er künec Pînel von Ahsim
5 und *der* süeze künic Tenabruns
(erborn von Liwes Nugruns)
und Arofel von Persîâ
und Fausabrê von Alamansurâ
(mîn *veter* und mîner basen sun)
10 und der künic Turpîûn
(des lant hiez Valturmîê)
und der künec Galafrê
(der truoc krône ze Kânach –
der minnen vlust an im geschach)
15 und der künic *Noupatrîs*
(ob der minne ie mennischlîchez rîs
geblüete, daz was sîn liehter schîn –
von Orast*e* Gentesîn
hete in diu minne her gesant –
20 gezimier*e*t man in tôten vant),
von Boctâne der künic Talimôn

ein Stamm mannhafter Treue seid! 15
Nun hört, wieviel Verwandte mir der Tod
auf Alischanz genommen hat!
Es ist mein Recht und meine Pflicht, sie zu beklagen,
auch wenn sie keine Christen waren.
Wir sind verwandt, drum ist ihr Tod für mich Verlust. 20
Er befahl den Seinen wegzureiten:
unter diesem Fenster hat mein Vater
mir berichtet, wo er weinend hielt
und Jammer Freude von ihm spaltete,
was uns der Tod an hohen Verwandten nahm, 25
die mehr die Liebe hergetrieben hatte
als sein Aufgebot.
Mit König Tesereiß von Latrisete
begann er, mir die hohen Toten aufzuzuzählen,
und sagte mir, wer sonst auf Alischanz
255 durch die Hand der Christen starb,
die ihnen ihrerseits ihr Leben gaben,
meine Verwandten, die der Tod sich holte:
König Pinel von Assim
und König Tenabruns, der Schöne 5
(aus Liwes Nigruns stammte der),
und Arofel von Persien
und Faussabré von Alamansura
(mein Vetter, Sohn der Schwester meines Vaters)
und König Turpiun 10
(Valturmié hieß dessen Land)
und König Galafré
(in Ghana herrschte der –
für die Liebe war sein Tod Verlust)
und König Naupatris 15
(wenn der Liebe je ein Menschen-Reis
erblühte, dann er in seinem Glanz –
von Oraste Gentesin
hatte ihn die Liebe hergesandt –
im Waffenschmuck hat man ihn tot gefunden), 20
König Talimon von Boctan

sol den weinenlîchen dôn
künden in der heiden lant, S. 633a
von Torkanîe der künic Arfikelant
25 und der künic Libilun von *Rankulât*
(der zwei*e*r tôt der vreuden mat
tuot in ir beider rîche).
nû geloubet sicherlîche:
drî unt zweinzec künege sint dâ verlorn
und der ungezalte, die wâren erkorn
256 zuo eskelieren an vürsten krefte zil:
der ist dâ belegen alsô vil,
daz ez niemen kunde erahten.
sine mugen sich niht betrahten,
5 waz emerale und amazûr
in hât benomen des tôdes schûr.
*e*t mîne mâge ich hân benant,
die mit werdem prîse ungeschant
unz an ir ende leb*e*ten
10 und ir zît nâch wirde streb*e*ten.
mînes vater einvaltekeit
geschuof, daz er mit kreften reit
mit here ûf sîn selbes kint.
swaz unser*e*r mâge durh mich sint
15 beliben, die het er gar verkorn,
wolt ich den touf hân verlorn
und sînen goten hulde tuon.
dô bôt Ehmereiz, mîn sun,
den schaden ze gelten disem lant:
20 swâ daz gein einem bisant
mit vlüste het enpfangen nôt,
ie dâ gein Karels lôt
wolt er wegen bereitez gelt.
wîngarten, boume, gesaetez velt,
25 al die wisen unt die heide,
ors und and*e*r vihe, diu beide,
al den bû unz an den strôwes wisch,
die vogele, daz wilt und den visch,

wird
die Heidenvölker weinen lehren,
König Arfikelant von Torkanie
und König Libilun von Rankulat 25
(der Tod der beiden setzt die Freude matt
in ihren beiden Reichen).
Glaubt mir:
dreiundzwanzig Könige sind da gefallen
und ungezählte
256 Eskelire – Fürsten waren die:
von denen sind soviele umgekommen,
daß es nicht festzustellen war.
Sie können es nicht sagen,
wieviele Almansure und Emire 5
der Todeshagel ihnen nahm.
Meine Verwandten nur hab ich genannt,
die ruhmvoll ohne Fehl und Tadel
bis an ihr Ende lebten
und ihr Leben lang nach Ehre strebten. 10
Narrheit trieb meinen Vater,
mit einem großen
Heer die eigne Tochter zu bekriegen.
Alle unsere Verwandten, die um meinetwillen
fielen, hätte er verschmerzt, 15
wenn ich vom Glauben abgefallen wär
und seinen Göttern huldigte.
Emereiß, mein Sohn, bot an,
dem Land den Schaden zu ersetzen:
wo das auch nur für einen Gulden 20
Verlust erlitten hätte,
wollte er nach Karls Gesetz
mit barem Geld bezahlen.
Weinberge, Bäume, Saaten,
all die Wiesen und Gefilde, 25
Vieh und Pferde,
die bestellten Felder bis zum letzten Strohwisch,
Vögel, Wild und Fische,

wolt ich der überverte pfleg*e*n,
daz het er zehenstunt *überweg*e*n.

257 *d*ie daz prüeven solten,
ob die vride haben wolten,
den al diu werelt mit triuwen weiz,
der staete Matribeleiz,
5 der künic von Skandinâvîâ,
der bêde hie unt anderswâ
sîne triuwe hât behalten,
der solt der prüever walten
mit vride und mit geleite
10 und des geltes wern bereite.
dô sprach ich: ›sun, wie stêt dir daz?
dir zaeme ein and*e*r rede baz.
wilt dû mich veile machen
und dînen prîs verswachen,
15 daz man mich gelte sam ein rint?
dû bist von hôher art mîn kint:
daz schadet dînem prîse. S. 633b
bistû sölher manheit wîse,
alsô der marcgrâve ie *was*,
20 *der allez gebirge Koukesas*
dir gaebe (*daz* waere ein rîcher solt,
want ez ist allez vil *rôtez* golt),
dû naemest ez ungerne vür ein wîp,
diu alsô kürlîchen lîp
25 hete, als ich noch hiute hân.
dîn bieten hât missetân.
zem marcgrâven hân ich muot:
niemen mac geleisten sölh guot,
daz mich von im gescheide.‹
daz was ir aller leide.

258 si buten durh *mîn überkêr*
der getriuwen werden miete mêr.
ze loesen von ir gebenden
und in Francrîche ze senden,
5 mîn neve, der künic Halzebier,
bôt aht vürsten ledic mir,

zehnfach hätt er das vergolten, 30
wenn ich zurückgekommen wär. 29

257 Hätten die Prüfer der Verluste
Schutz gefordert:
der, dem alle Welt vertraut,
der getreue Matribleiß,
der König Skandinaviens, 5
der hier und überall
sein Wort gehalten hat,
der hätte dann den Prüfern
Schutz und Geleit gewähren
und das Geld auszahlen sollen. 10
Ich sagte: ›Sohn, wie schickt sich das für dich?
Du solltest anders reden.
Willst du mich zur Ware machen
und deine eigne Ehre kränken,
daß man mich kaufen soll wie ein Stück Vieh? 15
Du bist mein hochgeborener Sohn:
das schadet deiner Ehre.
Wärst du ein Mann,
wie es der Markgraf immer war:
böt einer dir den ganzen Hindukusch 20
(das wär ein hoher Preis,
denn der besteht aus rotem Gold),
du nähmst ihn nicht für eine Frau,
wär sie so schön,
wie ich es heut noch bin. 25
Dein Angebot ist ungehörig.
Ich will beim Markgrafen sein:
niemand kann soviel bezahlen,
daß ich ihn verlasse.‹
Das war ihnen allen leid.

258 Sie boten mir für meine Rückkehr
noch mehr an, Treues und Edles:
ihre Fesseln abzunehmen,
sie nach Frankreich zu entlassen,
Freiheit für acht Fürsten, 6

die wâren gevangen under sînem vanen.
mîn übervart möht in ermanen
ergetzens vlust und herzen nôt.
10 *im waeren* zweinzec tûsent tôt
ûz sîn eines rîche aldâ belegen.
Valfundê müese immer pflegen
jâmers nâch sînen eskelîren,
an den der tôt niht kunde vîren.
15 ich vrâgete, wer die möhten wesen,
daz der getouften waere genesen.
ir namen *wurden* mir benant
und der schade ze gelten disem lant.
der weinen unde lachen
20 geschuof, der mac si machen,
daz man si ledic bekenne.
die gevangen ich iu nenne:
ez ist Gaudiers und Gaudîn,
Hûes und Gibalîn,
25 Berhtram und Gêrhart,
Hûnas von Sanctes und Witschart.
der tôt si des niht irte:
die ze helfe disem wirte
kômen ûz iuwerem geslehte,
die beliben gar wan dise ehte,

259 dar zuo rîche und arme.
sît mich, herre, daz erbarme,
daz lât in iuweren hulden sîn!
diz wâren die besten vriunde mîn,
5 die dâ beliben in dem strîte.
ir kirchhof ist gesegent wîte,
von den engelen wîhe enpfangen.
sus ist ez dâ ergangen:
*ir verh und iriu bein,
10 in manegem schoenem sarkestein,
die nie geworhten mennischen hant, S. 634a
man die getouften alle vant.«

gefangen unter seiner Fahne, 7
bot mir mein Vetter Halzebier. 5
Meine Rückkehr könne ihn
entschädigen für die Verluste und den Schmerz.
Zwanzigtausend seien 10
allein aus seinem Reich gefallen.
Valfundé müsse immer
klagen um seine Eskelire,
an denen der Tod nicht müßig war.
Ich fragte, wer die wären, 15
die von den Christen überlebten.
Ihre Namen wurden mir genannt:
ich erfuhr, was diesem Land erstattet werden könnte.
Der Weinen und Lachen
machte, der kann sie 20
befreien.
Die Gefangenen nenn ich euch:
es sind Gaudiers und Gaudin,
Hues und Gibalin,
Bertram und Gerhard, 25
Hunas von Saintes und Witschart.
Der Tod hat's ihnen nicht verweigert:
die aus eurer Sippe 29
dem Burgherrn hier zu Hilfe kamen, 28
die fielen alle außer diesen acht,
259 und andre, arm und reich.
Daß mich das, Herr, erbarmt,
seht es mir nach!
Es waren meine besten Freunde,
die auf dem Schlachtfeld blieben. 5
Einen großen Friedhof hat man ihnen eingesegnet,
Engel haben ihn geweiht.
Dies ist da geschehen:
die Leichen
aller Christen 12
fand man in vielen Särgen, schön aus Stein gehauen, 10
nicht von Menschenhand gemacht.« 11

niemen dâ sô herte saz,
ir neheines herze des vergaz,
15 ez engaebe den ougen stiure
mit wazzer. dâ was tiure
der man, der niht enklagete,
daz diu küneginne dâ sagete.
grôziu vreude in doch dar an geschach,
20 dô si's pfallenzgrâven lebens verjach
und ander siben der mâge sîn.
dô truoc man tischlachen în.
der wirt selbe alrêrste vernam,
daz der pfallenzgrâve Berhtram
25 selb ahte was in lebene.
er sprach: »got hât ze gebene
vreud und angest, swem er wil:
er mac mir lachebaeriu zil
wol stôzen nâch dem weinen,
wil mich sîn güete meinen.«

260 *H*eimrîch und al die süne sîn
dancten dô der künegîn,
daz si ir vater rât übergienc
und von mâgen noch von sune enpfienc
5 dehein ir sunder urbot,
und sprâchen, si hete den hoehesten got
und ir vil werden minne
mit wîplîchem sinne
an *dem* marcgrâven *geêret*
10 und ir saelekeit gemêret.
dô sprach Bernart von Brûbant:
»mînen sun man bî den vîenden vant,
den pfalzgrâven manlîch.
die andern sibene, ir ieslîch
15 von arde mîne mâge sint;
der ahte ist vür wâr mîn kint.
der deheiner ist mir sô trût,
ich enlieze senewen ûz sîner hût
snîden, ê *danne uns Tîbalt

Da saß keiner, der so hartgesotten war,
daß ihm sein Herz
die Augen 15
nicht mit Wasser füllte. Da war kein
Mann, der nicht beklagte,
was die Königin da sagte.
Doch freuten sie sich sehr,
als sie sagte, daß der Pfalzgraf 20
und sieben seiner Verwandten lebten.
Da trug man Tischtücher herein.
Der Burgherr selbst erfuhr erst jetzt,
daß Pfalzgraf Bertram
und sieben andere noch lebten. 25
Er sagte: »Gott kann
Glück und Kummer geben, wem er will:
er kann mir wieder Lachen
schicken nach dem Weinen,
wenn er mir gnädig ist.«

260 Heimrich und alle seine Söhne
dankten da der Königin,
daß sie auf den Rat ihres Vaters nicht gehört
und keins der Angebote 5
ihres Sohns und ihrer Sippe angenommen hatte; 4
sie sagten, sie hätte den Höchsten Gott
und ihre hohe Liebe
als vorbildliche Frau
an dem Markgrafen geehrt
und ihr Heil gemehrt. 10
Da sagte Bernhard von Brubant:
»Mein Sohn hat mit dem Feind gekämpft,
der tapfre Pfalzgraf.
Die andern sieben alle
sind meine Blutsverwandten; 15
der achte ist mein Sohn.
Und doch ist keiner mir so lieb:
ich ließe Bogensehnen aus seiner Haut
ausschneiden, eh uns Tibalt

20 Gîburge naeme mit gewalt
oder si ab uns erkoufte
und des prîses uns bestroufte.«
»ich hoere wol, vrouwe«, sprach der wirt,
»iuwer *blic* die heiden niht verbirt,
25 ir sît in in den ougen noch.
si müezen mir des jehen doch,
swaz si mîner mâge hânt,
an iu het ich wol vür die pfant.
si sulen aber anderen bürgen nemen,
ob si strîtes *wil gezemen.«

261 der *wirt* dô klagete sêre,
daz der rîter was niht mêre
ûz'em here komen dar în.
er sprach: »ûf dem palase mîn
5 hân ich ir eteswenne mêr gesehen. S. 634b
ir muget wol mînem sweher jehen
mîner mâge tôt, des landes brant:
sölhe heimstiure gît mir sîn hant.
ez ist manec mîn übergenôz geriten
10 ûf mînen schaden. daz waere vermiten,
sold ez Tîbalt hab*e*n geworben.
sölh hervart waere verdorben:
ân*e* Terramêrs gebot
het es *im* geholfen dehein sîn got.«
15 er sprach: »vater, nû nim war,
wie dû die vürsten setzest gar!
gebiute hie als ze Narbôn
und tuo ez durh den gotes lôn:
heize dîne amb*e*tliute
20 uns hie ûfe dienen hiute!
swaz ich truhsaezen und schenken pflac,
marschalke und kameraere, belac,
dâ si den heiden schancten
und niht dem vanen entwancten,
25 unze sich ir reinez bluot vergôz.

Giburg nähme mit Gewalt 20
oder sie von uns kaufte
und uns die Ehre raubte.«
»Ich höre, Herrin«, drauf der Burgherr,
»die Heiden haben euch noch nicht vergessen,
noch immer seid ihr ihnen in den Augen. 25
Das müssen sie mir zugestehen:
was sie mir an Verwandten auch gefangen halten,
an euch besitz ich mehr als diese Pfänder.
Sie mögen andre nehmen,
wenn sie wieder kämpfen wollen.«

261 Der Burgherr klagte sehr darüber,
daß von den Rittern
aus dem Heer nicht mehr hereingekommen waren.
Er sagte: »Ich hab in meinem Palas
schon mehr gesehen. 5
Meinem Schwiegervater gebt die Schuld
am Tod meiner Verwandten, der Verwüstung meines Lands:
solche Mitgift gibt er mir.
Viele, mächtiger als ich, sind ausgeritten,
mir zu schaden. Es wäre nicht geschehen, 10
hätt Tibalt es allein getan.
So ein Kriegszug wär gescheitert:
ohne die Truppen Terramers
hätt ihm keiner seiner Götter helfen können.«
Er sagte: »Vater, nun sieh zu, 15
wie du die Fürsten alle setzt!
Gebiete hier wie in Narbonne,
um Gottes Lohn sollst du das tun:
gib Befehl, daß deine Leute
uns hier heute dienen! 20
Meine Truchsessen und Schenken,
Marschälle, Kämmerer blieben da,
wo sie den Heiden eingeschenkt haben
und nicht von der Fahne wichen,
bis ihr reines Blut verströmte. 25

mîn vlust ist âne mâze grôz
an manegem herzen triuwen vol.
ich klage se, als ich ze rehte sol,
wan ich hân ir mangel nû.
heize die dînen grîfen zuo!«

262 »*i*ch bedâht ez wol ê«, sprach Heimrîch.
»die mîne, nû tuot dem gelîch:
ir bekennet wol des wirtes nôt.
gebt uns mit zühten sô sîn brôt,
5 als ob die sîne solden leb*e*n,
die ez dicke schône hânt gegeb*e*n
und rîlîch vür getragen.
ich endarf iu nimêre drumbe sagen:
gebietet, als wir dâ heime sîn!
10 mînes sun*e*s habe ist wol mîn.
ich waene, mir's ouch mîn vrouwe gan,
gein der ich zwîvel nie gewan.«
»jâ, herre«, sprach si, »vil gerne.
und ob alle Todjerne,
15 Arâbîâ und Arâbî
vor den heiden laegen vrî
und mir ze dienste waeren benant,
daz bevilh ich allez iuwer*e*r hant.
daz liez ich durh dise armuot.
20 unser habe, iuwers sunes guot,
daz wir vil kûme erwerten,
ungerne wir'z verzerten
âne iuch und âne die, den ir'z geb*e*t.
mîn herze in iuwerem gebote leb*e*t
25 und mîner bruod*e*r, iuwer*e*r kinde:
iuwer aller ingesinde
wil ich nâch vlust nû gerne sîn.
mit triuwen helfe ist worden schîn,
des ich mich dicke ze iu versach, S. 635a
sô der heiden sturm Oransche brach.«

Unermeßlich ist,
was ich verloren hab an treuen Herzen.
Ich klag mit Recht um sie:
sie fehlen mir.
Befiehl den Deinen, sich ans Werk zu machen!«

262 »Ich hab es«, sagte Heimrich, »schon bedacht.
Tut es, meine Leute:
ihr kennt die Not des Burgherrn.
Gebt uns nach der Etikette so sein Brot,
als ob die Seinen noch am Leben wären, 5
die es oft höflich ausgeteilt
und reichlich aufgetragen haben.
Ich brauche euch nicht mehr zu sagen:
befehlt, als wären wir zuhause!
Was mein Sohn besitzt, gehört auch mir. 10
Ich denke, auch die Herrin gönnt's mir,
der ich stets vertraute.«
»Ja, Herr«, sagte sie, »von Herzen.
Und wenn ganz Todjerne,
Arabien und Arabi 15
nicht im Besitz der Heiden wären
und mir dienen müßten –
das leg ich alles in eure Hand.
Ich hab's für diese Armut hingegeben.
Unsere Habe, eures Sohnes Gut, 20
das wir kaum verteidigt haben,
würden wir nicht gern verzehren
ohne euch und jene, denen ihr es gebt.
Untertan ist euch mein Herz
und meinen Brüdern, euren Söhnen. 25
Eure Dienerin
will ich nach dem Verlust jetzt sein.
Treue Hilfe ist gekommen,
wie ich es oft von euch erhoffte,
wenn der Sturm der Heiden Orange gebrochen hat.«

263 »*v*rouwe«, sprach der grîse man,
»swar an ich mac od*e*r kan,
dâ sît ir dienstes von mir gewert.
und ob iemen mînes râtes gert,
5 al mîne mâge und mîniu kint
mit triuwen ze iuweren gebote sint.«
die künegîn er dô sitzen bat
und jach, si solte die selben stat
hab*e*n und diu andern vröuwelîn.
10 »lât mich hiute wirt hie sîn!
ich kum her wider zuo z'iu dran.«
mit urloube gie er dô dan.
in sîner hende was ein stap.
daz sitzen er mit zühten gap
15 dem jungen künege von Tandarnas
eine sîten ûf dem palas,
diu gein der küneginnen über stuont.
er tet dem *schêtîse* kunt,
er solte dem künege sitzen bî,
20 und Buove von Kumarzî
und Bernart von Brûbant:
die viere heten eine want.
die vürsten ûz Francrîche
er dô sazte rîterlîche,
25 die der roemische künic sande dar.
er bat ir schône nemen war:
ir muosen werde rîter pfleg*e*n.
er wunschte, daz der gotes seg*e*n
ir spîse in lieze wol gezem*e*n.
er bat si'z willeclîchen nem*e*n:
264 swaz wurde aldâ von in verzert,
daz heten vrouwen hende erwert
gein starker vîende überlast.
»vil manic ungetoufter gast
5 hânt ir zorn hie niht gespart.
Oransche was doch sô bewart,
daz vrouwen hant hie prîs bejaget:

263 »Herrin«, sagte der greise Mann,
»wo ich's vermag und wo ich's kann,
will ich euch mit meiner Hilfe dienen.
Und wenn mein Rat gefragt ist,
dann stehen meine ganze Sippe und meine Söhne 5
treu zu euren Diensten.«
Er bat die Königin, sich zu setzen,
und sagte, sie solle Platz
behalten mit den jungen Damen.
»Laßt mich hier heute Hausherr sein! 10
Ich komm dann wieder zu euch.«
Sie erlaubte ihm, sich zu entfernen.
Er hatte einen Stab in seiner Hand.
Höflich wies er
dem jungen König von Tandarnas 15
seinen Platz an einer Wand des Palas an,
gegenüber der Königin.
Den Schetis bat er,
neben dem König Platz zu nehmen,
desgleichen Buove von Commercy 20
und Bernhard von Brubant:
die vier hatten eine Wand.
Die Fürsten aus Frankreich,
die der römische König hergesandt hatte, 25
plazierte er gemäß der Etikette. 24
Er befahl, sie höflich zu bedienen:
edle Ritter hatten sich um sie zu kümmern.
Er wünschte ihnen Gottes Segen
für das Mahl.
Er bat sie, gerne zuzugreifen:
264 was sie da verzehrten,
Frauenhände hätten das verteidigt
gegen übermächtig starke Feinde.
»Viele ungetaufte Gäste
haben hier gewütet. 5
Orange war aber so behütet,
daß Frauenhände Ruhm erwarben:

die vant man werlîch unverzaget.
sît *si'z* uns habent behalten,
10 nû sult ir's alle walten,
ieslîch man reht, als er ger,
der vürste, der grâve, dirre und der,
barûn unt die andern rîter gar.
nû nemet deheines zadels war:
15 Oransche ist wol berâten
von den, die ez vor uns tâten.
die sint ûf Alischanz belib*e*n,
ir tôt uns hât dar zuo getrib*e*n:
nû zeren, daz si uns liezen!
20 ir vart sul wir geniezen:
dâ si hin *sint* gekêret,
ir habe ist dort gemêret.«
der alde vürste niht ze laz S. 635b
gienc von den vürsten vürbaz.
25 and*e*r vürsten, sîniu kint,
die dâ noch ungesetzet sint,
er setzen dô begunde:
Ernalde von Gerunde,
Berhtrame und Gîbert
und den wirt – die viere in *dûhten* wert
265 des palas an eine sîten.
wer an den selben zîten
bî der küneginnen saeze
und wer dâ mit ir aeze?
5 daz tet der alde Heimrîch.
dâ ergie ein dienest zühte rîch
von den, die ez vür truogen.
an nihte si gewuogen,
daz dâ dehein zadel möhte sîn.
10 môraz, klâret und*e* wîn
si heten und*e* spîse guot.
doch was ir williger muot
vil bezzer danne diu spîse gar.
dâ sâzen vrouwen lieht gevar

die fand man wehrhaft tapfer.
Da sie's für uns gerettet haben,
sollt ihr es alle nehmen, 10
jeder, wie er wünscht,
die Fürsten, Grafen, der und jener,
die Barone und die andern Ritter alle.
Auf Mangel müßt ihr keine Rücksicht nehmen:
Orange ist gut versorgt 15
von denen, die vor uns hier wirkten.
Die sind auf Alischanz geblieben,
ihr Tod hat uns hierher getrieben:
verzehren wir, was sie uns ließen!
Freuen wir uns ihrer Hinfahrt: 20
wo sie hingegangen sind,
da ist ihr Schatz gemehrt.«
Geschäftig ging der alte Fürst
von den Fürsten weiter.
Andern Fürsten, seinen Söhnen, 25
die noch nicht plaziert sind,
wies er ihre Plätze an:
Ernald von Gironde,
Bertram und Gibert
und dem Burgherrn – die vier hielt er für würdig,
265 eine Wand des Palas einzunehmen.
Wer da
bei der Königin saß
und mit ihr speiste?
Der alte Heimrich. 5
Da wurde in aller Form bedient
von denen, die die Speisen brachten.
Man vermißte
nichts.
Maulbeertrank, Klaret und Wein 10
und gute Speise hatten sie.
Doch war ihr guter Wille
besser als das ganze Essen.
Da saßen schöne Frauen,

15 in minneclîcher ahte.
der selben undertrahte
Heimrîch, der alde, gerte niht.
ir neheiniu was dâ sô lieht,
der sô wol an im gelunge,
20 daz si sînen muot betwunge,
wan sînes sunes wîp al eine.
diu zwei âzen kleine
von maneger vrâge, diu dâ geschach
umb der küneginnen ungemach,
25 daz er von herzen klagete,
dô si'z im und*e*rsagete.
niht anders si sich nerte,
wan daz *si ot* vröude zerte
mêre danne ir *selber* spîse.
daz wid*e*rriet ir der wîse.

266 dô man ûf dem palas
vil gap unt genuoc gegeb*e*n was,
Heimrîch, der alders blanke
und niht der muotes kranke,
5 az minner denne ein and*e*r man,
sît er vrâgen began
die künegîn, die wîle man az,
welh heiden dâ den groezisten haz
âne Tîbalden trüege gein ir.
10 si sprach: »die werden alle mir
erzeigeten zorn, swaz ich ir dâ weiz,
niuwan mîn sun *Ehmereiz*.
der hete doch rîter hie genuoc:
von sîme ringe man nie getruoc
15 gein mir bogen, schilt noch swert.
dar zuo dûhte er sich ze wert,
swaz volkes im ist undertân, S. 636a
solt ich angest gein dem hân.
zwêne künege ûf Alischanz den lîp
20 verluren: die santen dar diu wîp.
her ze Oransche kom ir klagende her:

lieblich anzusehen. 15
Solche Zwischenspeise
wünschte der alte Heimrich nicht.
So schön war keine da von ihnen,
daß sie ihn
erobert hätte 20
außer seines Sohnes Frau.
Die zwei aßen wenig,
weil er soviel fragte
nach dem Leid der Königin,
über das er von Herzen klagte, 25
als sie es ihm sagte.
Nicht anders speiste sie:
sie verzehrte mehr an Freude
als von ihrem Essen.
Der Erfahrene versuchte, ihr das auszureden.

266 Als man in dem Palas
vieles auftrug und schon aufgetragen hatte,
aß Heimrich, altersweiß,
doch ungebrochen,
weniger als alle andern, 5
weil er
die Königin, indes gegessen wurde, fragte,
welcher Heide
außer Tibalt ihr am meisten zugesetzt hätte.
Sie sagte: »Alle Edlen, 10
die ich kenne, haben gegen mich gewütet,
nur nicht Emereiß, mein Sohn.
Obwohl er viele Ritter hatte,
hat man aus seinem Lager niemals
Bogen, Schilde oder Schwerter gegen mich geführt. 15
Er hielt's für unter seiner Würde,
daß ich seine Leute
fürchten sollte.
Zwei Könige sind auf Alischanz
gefallen: die hatten Frauen hingesandt. 20
Ihr klagendes Heer zog vor Orange:

mîne porten, wîchûs und diu wer
erleit von in deheinen pîn.
von Oraste Gentesîn
25 brâhte ir ein teil Noupatrîs.
Tesereizes her durh sînen prîs
jach, ez waere der wîbe gebot,
dâ von ir herre laege tôt:
gein mir und gein al der wîpheit
solt ungerochen sîn ir leit;
267 swâ der marcrâve in braehte strît,
dâ koeme alrêste ir râche zît.
Noupatrîs*es* rîterschaft
was hie mit grôzer *herkraft.
5 die der minne gerende ûz brâhte,
sêre daz den versmâhte,
der sich gein mir armen vrouwen
in sturme lieze beschouwen,
sît dis*e*s landes herre was überstrit*e*n
10 und der nâch helfe was gerit*e*n:
si jâhen, gein werden wîben
solten werde man belîben,
daz si immer diens*tes* werten
und ir lônes wider gerten.
15 hie was vil her*e*s herrenlôs,
von den ich starken haz erkôs,
wan Noupatrîs*es* diet
und Tesereizes her sich schiet
ûz den andern, als ich hân gesag*e*t.
20 ich waene, si wâren doch unverzag*e*t.
hie tâten zehen bruod*e*r mîn
ir ungenâde gein mir schîn.
von Griffâne und von *Uriende*
manec rîter ellende
25 was hie durh mîner swest*e*r sun:
swaz die mohten mir getuon,
Poidjus*es* und ander*e*r mîner mâge haz
was *ot* gein mir niht ze laz.

meine Tore, Türme, Mauern
wurden von ihnen nicht behelligt.
Aus Oraste Gentesin
hatte Naupatris die einen hergeführt. 25
Das Heer des Tesereiß erklärte (und ehrte sich damit),
es hätte auf Befehl der Frauen
ihr Herr den Tod gefunden:
nicht an mir, an keiner Frau
wollten sie ihr Unglück rächen;
267 erst wenn der Markgraf wieder kämpfte gegen sie,
wär es Zeit für ihre Rache.
Von Naupatrises Ritterschaft
war hier ein großes Heer.
Sie, die der Minneritter hergeführt hatte, 5
hielten es für höchst verächtlich,
mich arme Frau
zu attackieren,
da der Landesherr besiegt
und nach Hilfe fortgeritten war: 10
sie sagten, gegenüber edlen Frauen
sollten sich edle Männer so verhalten,
daß sie immer dienten
und sich um ihren Lohn bemühten.
Hier hatten viele Heere ihren Herrn verloren, 15
die mich schwer bedrängten,
nur Naupatrises Volk
und Tesereißes Heer sonderten sich,
wie ich sagte, von den andern ab.
Doch waren sie nicht feige, denk ich. 20
Zehn meiner Brüder zeigten mir hier
ihren Haß.
Aus Griffane und aus Orient
weither gekommen waren viele Ritter hier
im Gefolge meines Schwestersohns: 25
was immer die mir antun konnten,
der Haß des Poidjus und meiner anderen Verwandten
hat mich nicht geschont.

hie was al Tîbaldes art
mit krefteclîcher hervart.
268 ich hete dâ gerne vriunde mêr:
nû sprechent's ûf mich herzesêr.«
sus saz diu klagende vrouwe,
mit dem herzen touwe,
5 daz ûz'er brust durh *diu* ougen vlôz,
ir liehten blicke ein teil begôz.
dô sprach ir gedienter vater
hin ze ir alsus: mit zühten bat er,
daz si ir weinen lieze sîn verholen:
10 dâ solten kurz*e*wîle dolen
der wirt und sîne geste S. 636b
âne jâmers überleste.
si sprach: »swenne ir gebietet,
mîn munt sich lachens nietet.
15 wirt aber hie schimpf von mir getân,
sô muoz doch daz herze jâmer hân.«
er sprach: »nû nemt sô jâmers war,
daz iuwer site rehte var
und daz niemen drab erschrecke.
20 der zage unt der quecke
eteswenne bî ein and*e*r sint.
ich geloube wol, daz mîniu kint
dem ellen niht entwîchen.
dar mac ich niht gelîchen,
25 die man mir vür genôze zelt:
etslîch vürste ist niht erwelt
ze der scharpfen rîterlîchen tât.
wir sulen hôhen muotes rât
den liuten künden unde sag*e*n:
guot trôst erküenet manigen zag*e*n.«
269 *m*ac sölh gelübde ein ende hân, [Buch VI]
diu des âbendes wart getân,
dô der marcgrâve schiet
von Oransche, als im geriet
5 Gîburc, diu in selbe bat

Tibalts ganze Sippe
war hier mit großer Heeresmacht.
268 Mehr Freunde hätt ich gerne da gesehen:
sie aber wollen nur mein Unglück.«
So saß die klagende Frau,
mit dem Herzens-Tau,
der ihr aus der Brust durch die Augen drang, 5
trübte sie den hellen Blick.
Ihr wohlverdienter Vater wandte sich
zu ihr und bat sie freundlich,
ihr Weinen zu verbergen:
Kurzweil sollten doch 10
der Burgherr und die Gäste haben,
unbeschwert von Kummer.
Sie sagte: »Wenn ihr es befehlt,
dann lacht mein Mund.
Doch wenn ich hier auch scherze, 15
bleibt mein Herz betrübt.«
Er sagte: »Trauert so,
daß ihr kein Ärgernis erregt
und niemand sich erschrickt.
Mutige und Feige 20
sitzen manchmal beieinander.
Ich bin sicher, meine Söhne
lassen ihren Mut nicht sinken.
Von meinen Genossen 25
kann ich das nicht sagen: 24
viele Fürsten
sind für harte Kämpfe nicht geschaffen.
Wir müssen
die Leute fest und zuversichtlich machen:
Zuspruch macht manchen Feigling mutig.«
269 Soll das Gelübde jetzt erledigt sein, [Buch VI]
das an dem Abend abgelegt wurde,
als der Markgraf
Orange verließ, wie
Giburg ihm geraten hatte, die ihn selber bat, 5

nâch helfe rîten ûz der stat
in der Franzoiser lant,
ob in dâ des rîches hant,
vater, bruoder und mâge
10 sus wolten lân in wâge,
daz er genâde wurb an sie?
ir helf er vant – nû sint si hie.
sîn dan scheiden und ir kom*en*
mugt ir wol bêdiu haben vernom*en*.
15 er mac nû ezzen mêr denne brôt:
Gîburc ist vîentlîcher nôt
erlôst, want daz si et jâmer twanc.
der marcgrâve az unde tranc
vil gerne, swaz man vür in truoc.
20 Rennewart, sîn vriunt, der knappe kluoc,
vür die geste gie durh sînen prîs.
er truoc sîn ungevüegez rîs
in der hende als einen trumzûn.
den Burgunzois, den Bertûn,
25 den *Flaeminc* und den Engelois,
den Brâbant und den Franzois
nam wunder, waz er wolde tuon.
în gienc des rîchesten mannes sun,
des houbet krône bî der zît
truoc (daz was gar âne strît).

270 mitten durh den palas
manec marmelsûl gesetzet was.
under hôhe pfîlaere
Rennewart die stangen swaere
5 *und*er* ein gewelbe leinde. S. 637a
si nam wunder, waz er meinde,
dô er sô wiltlîchen sach.
eteslîche vorhten ungemach
âne schult von im erlîden.
10 daz kund er wol vermîden,
er wurde ê drûf gereizet.
dâ sîn vel was besweizet

aus der Stadt nach Hilfe
ins Franzosenland zu reiten
auf die Hoffnung, daß die Hand des Reiches,
Vater, Brüder und Verwandte
ihn 10
mit ihrer Hife aus der Not befreiten?
Sie sagten ihm die Hilfe zu – jetzt sind sie hier.
Von seinem Abschied, ihrer Ankunft
habt ihr gehört.
Mehr als Brot darf er jetzt essen: 15
Giburg ist von Feindesnot
erlöst, doch Kummer quälte sie.
Der Markgraf aß und trank
begierig, was immer man ihm auftrug.
Rennewart, sein Freund, der prächtige Knappe, 20
trat, ehrbegierig, zu den Gästen.
Er trug sein ungefüges Reis
in der Hand wie einen Lanzensplitter.
Burgunder, Bretonen,
Flamen und Engländer, 25
Brabanter und Franzosen
nahm wunder, was er wollte.
Hereingekommen war der Sohn des
unbestreitbar 30
mächtigsten Herrschers jener Zeit. 29

270 Mitten durch den Palas
gingen viele Marmorsäulen:
zwischen hohe Pfeiler
lehnte Rennewart die schwere Stange
unter ein Gewölbe. 5
Man wundert sich, was er wollte,
als er so grimmig dreinsah.
Manche fürchteten, er
könnte ihnen aus heiterm Himmel etwas tun.
Das lag ihm fern, 10
solang man ihn nicht reizte.
Wo seine Haut mit Schweiß beronnen

und der stoup was *drûf* gevallen,
dô er vor den anderen allen
15 kom, als im sîn manheit riet,
etswâ ein sweizic zaher schiet
den stoup von sînem klâren vel.
Rennewartes, des knappen snel,
sîn blic gelîchen schîn begêt,
20 als touwic spitzic rôse stêt
und sich ir rûher balc her dan
klûbet: ein teil ist des noch dran.
wirt er vor roste immer vrî,
der heide *glanz* wont im ouch bî.
25 der starke, niht der swache
truoc ougen als ein trache
vor'em houbte, grôz, lût*e*r, lieht.
gedanc nâch prîse erliez in niht,
sît *der von Munlêûn ûf die vart
schiet, im wuohs sîn junger bart.

271 er enhete der jâre doch niht sô vil,
diu reichent gein des bartes zil:
Alîzen kus het in gequelt.
man het im wol die gran gezelt:
5 diene drungen den munt niht sêre.
man kôs der muoter êre
an im, diu sölhe vruht gebar.
al sîn antlütze gar
ze wunsche stuont und al diu lit.
10 sîn klârheit warp der wîbe vrit:
ir neheiniu haz gein im truoc.
ich sag iu lobs von im genuoc,
genâhet er baz dem prîse,
und bin ich dannoch sô wîse.
15 eines dinges mir geloubet:
er was des unberoubet,
sîn blic durh rost gap sölhiu mâl,
als dô den jungen Parzivâl
vant mit sîner varwe glanz

und Staub darauf gefallen war,
als er vor allen andern
herlief, wie sein Mut ihn trieb, 15
hatte hier und da ein Tropfen Schweiß
den Staub von seiner hellen Haut gewaschen.
Rennewarts, des schnellen Knappen,
Schönheit leuchtet
wie eine taubenetzte Rosenknospe, 20
deren rauher Balg sich
grade löst.
Wird er je vom Schmutz befreit,
leuchtet er wie eine Blumenwiese.
Der Starke, gar nicht Schwache, 25
hatte Augen wie ein Drache
in seinem Kopf: groß und klar und blitzend.
Ruhmbegierde trieb ihn um,
seit er Laon
verlassen hatte, war ihm sein junger Bart gewachsen.
271 Er war noch nicht alt genug
für einen Bart:
hervorgetrieben hatte den Alices Kuß.
Leicht hätte man die Haare seines Barts gezählt:
nicht allzusehr bedrängten sie den Mund. 5
Sein Aussehn pries die Mutter,
die so ein Kind geboren hatte.
Sein Gesicht,
all seine Glieder waren herrlich.
Seine Schönheit ließ die Frauen freundlich sein: 10
keine war ihm feind.
Ich preise ihn euch sehr,
wenn er zu Ruhm gelangt
und ich es noch vermag.
Glaubt mir eines: 15
keiner konnte es ihm nehmen,
daß seine Schönheit unterm Schmutz hervorblitzte
wie beim jungen Parzival, als diesen
im Schimmer seiner Schönheit

20 der grâve Karnahkarnanz
ane venje in dem walde.
jeht Rennewart al balde
als guoter schoene, als guoter kraft –
und der tumpheit geselleschaft!
25 ir newed*er* was nâch arde erzog*en*:
des was ir edelkeit betrog*en*.
zer künegîn sprach dô Heimrîch:
»wer ist sô starc, sô manlîch
dâ her în vür uns gegangen S. 637b
mit einer sô grôzen stangen?«

272 Gîburc, die man bî güete ie vant,
sprach: »herre, ez ist ein sarjant,
dem sîner kurzen jâre leb*en*
ze rehte, ich waene, ist niht gegeb*en*.
5 mich dunket, man sold in halden baz.
sîn snelheit, diu ist niht ze laz:
er kom ze vuoz vor den, die rit*en*,
und wolde gerne hân gestrit*en*
an den selben stunden,
10 het *er* vîende vunden.
herre, mir jach der markîs,
in gaebe im der künic Lôîs.
er enist niht ungehiure.
sît Karl, der lampriure,
15 und der hôhe Bâligân erstarp,
in ir awed*er*s rîche erwarp
nie muoter sît sô klâre vruht.
er hât ouch kiuschlîche zuht.
man mac in ziehen als ein maget:
20 er leistet gerne, swaz man im saget.
mîn herze *giht* eteswes ûf in,
dar umbe ich dicke siufzic bin
sît hiut morgen, daz ich in sach:
mir sol vreude od*er* ungemach
25 vil schiere von sîner kumft geschehen.
ich muoz im antlützes jehen,

der Graf Karnakarnanz 20
knien sah im Wald.
Ihr könnt gerne glauben, daß Rennewart
genauso schön und stark –
und kindlich war.
Beide waren nicht nach Stand erzogen: 25
ihr angeborener Adel war daran betrogen.
Da sagte Heimrich zu der Königin:
»Wer ist der Starke, Kühne,
der zu uns hereinkam
mit einer derart großen Stange?«

272 Giburg, immer gütig,
sagte: »Herr, er ist ein Serjant,
dem man in seinen jungen Jahren
nicht das Leben gönnte, das ihm zusteht.
Man hätt ihn, mein ich, besser halten müssen. 5
Seine Schnelligkeit ist groß:
er kam zu Fuß vor den Berittenen
und hätte gerne
gleich gekämpft,
wären Feinde dagewesen. 10
Herr, mir sagte der Marquis,
er hätte ihn von König Louis.
Er ist durchaus nicht schrecklich.
Seit dem Tode Karls, des empereur,
und des hohen Baligan 15
hat in ihren beiden Reichen
keine Mutter ein so schönes Kind geboren.
Er ist auch sanft und fügsam.
Man kann ihn lenken wie ein Mädchen:
er tut gern, was man ihm sagt. 20
Mein Herz vermutet in ihm etwas,
das mich seufzen läßt,
seit ich ihn heute morgen sah:
Freude oder Kummer
wird mir bald sein Kommen bringen. 25
Wie aus dem Gesicht geschnitten

als eteslîch mîn geslehte hât.
mîn herze mich des niht erlât,
ich ensî im holt, ich enweiz durh waz –
sô treit er lîhte gein mir haz.«

273 Rennewart, der junge sarjant,
gienc, dâ er sînen herren vant.
dem marcrâven wart dô schiere kunt,
daz sîn vriunt vor im dâ stuont.
5 dem bôt er *minneclîchen* gruoz.
er sprach: »gein dir ich werben muoz,
genc ze hove vür die wirtîn
unt vür in, der sô blanken schîn
dort hât: si sint beidiu dienst*e*s wert.
10 nû sich, wie leb*e*lîch er gert!
erne ist mir niht unmaere:
der selbe mûzaere
ervlüge den kranech wol, würf ich in dar:
erne ist niht zeg*e*lîch gevar.«
15 »herre«, sprach dô Rennewart,
»im belîbet mîn *dienst* ungespart
und allen den, die *es* geruochent,
die ez güetlîchen versuochent.«
dô gie der ellens rîche
20 vür die wirtîn zühteclîche.
Heimrîch rief an den wirt:
»waz ob dîn gast nû niht verbirt,
ern erbiete uns sînen zorn? S. 638a
den hân wir âne schult erkorn.«
25 »ich lîde vür dich, swaz dir tuot
sîn unbescheidenlîcher muot«,
sprach dô des landes herre.
»er was mit mir der erre
hiute morgen dâ her în.
er kan wol vriunt und vîent sîn.«

274 diu tavel was kurz und*e* breit.
Heimrîch durh gesellekeit
bat Rennewarten sitzen dort

ist er manchem meiner Verwandten.
Mich zwingt mein Herz,
ihm hold zu sein, ich weiß nicht warum –
und er haßt mich vielleicht.«
273 Rennewart, der junge Serjant,
ging zu seinem Herrn.
Der Markgraf bemerkte gleich,
daß sein Freund vor ihm stand.
Freundlich hieß er ihn willkommen. 5
»Ich bitt dich«, sagte er,
»geh zu den Hohen, tritt vor die Herrin
und vor den dort mit dem weißen Haar:
sie sind es beide wert, daß man ihnen dient.
Sieh nur, wie er lebhaft giert! 10
Er ist mir lieb und wert:
dieser Falke
holte mir im Flug den Kranich, ließ ich ihn drauf los:
er sieht nicht feige aus.«
»Herr«, sagte Rennewart darauf, 15
»mein Dienst ist ihm bereit
und allen, die ihn wünschen
und freundlich darum bitten.«
Da trat der Kühne
höflich vor die Herrin. 20
Heimrich rief zum Burgherrn:
»Was, wenn dein Gast
seine Wut an uns ausläßt?
Die haben wir nicht verdient.«
»Ich nehme alles auf mich, was 25
sein Unverstand dir tut«,
sagte da der Landesherr.
»Er war mit mir als erster
heut morgen in der Stadt.
Freund und Feind kann er sein.«
274 Schmal und lang war die Tafel.
Heimrich
bat Rennewart, zu bleiben und sich

ûf den teppich an der tavelen ort
5 bî der küneginne nâhen.
daz enkund ir niht versmâhen.
Rennewart saz mit zühten dar.
Heimrîch nam sîner lider war.
der knappe wart von schame rôt,
10 daz man'z im dâ sô wol erbôt.
diu küneginne des niht verdrôz,
daz tischlachen si gein sîner schôz
güetlîchen bôt: dar zuo er sweic,
wan daz er mit zühten neic.
15 swie diu küneginne ob im saz,
sîn houbet was vil hoeher baz:
daz muose von sîner groeze sîn.
sîn und ir, ir bêder schîn
sich kunde alsus vermaeren,
20 als ob si bêde waeren
ûf ein insigel gedrucket
und gâhes her abe gezucket:
daz underschiet niht wan sîn gran.
mir waere noch liep, waeren die her dan:
25 man ersaehe den man wol vür daz wîp:
sô *gelîche* was ir bêd*e*r lîp.

mit môraz, mit wîne, mit klârete
durh des alden Heimrîches bete
wart sîn gepflegen aldâ ze stunt
baz, danne im dâ vor ie wart kunt.
275 er verschoup alsô der wangen want
mit spîse, die er vor im dâ vant,
*daz drîn iht dorfte snîen.
ez enheten zehen bîen
5 ûz den napfen niht sô vil gesog*e*n,
mich enhabe diu âventiure betrog*e*n.
si bêde wênic âzen,
die'z im dâ heten lâzen
ûf der tavelen gestanden.
10 si wâren mit sorgen banden

am Tafelende auf den Teppich
zur Königin zu setzen. 5
Das war ihr sehr lieb.
Rennewart nahm höflich Platz.
Heimrich sah seine Glieder an.
Der Knappe wurde rot: es machte ihn verlegen,
daß man so höflich zu ihm war. 10
Freundlich breitete die Königin
das Tischtuch über seinen Schoß:
schweigend ließ er das geschehen,
machte aber eine höfliche Verbeugung.
Obwohl die Königin höher saß, 15
überragte er sie weit:
das kam, weil er so groß war.
Nun zeigte sich: 19
sie sahen aus, 18
als hätte man sie beide 20
auf eine Siegelform gedrückt
und schnell wieder abgezogen:
nur sein Bart machte einen Unterschied.
Ich wünschte, der wär weg gewesen:
dann hätte man den Mann für die Frau genommen: 25
so sahen sie sich gleich.
Mit Maulbeertrank, mit Wein, mit Klaret
wurde er da auf Befehl des alten Heimrich
gleich versorgt
wie nie zuvor in seinem Leben.
275 Er stopfte so die Backen zu
mit der Speise, die er vor sich hatte,
daß es nicht hätt hineinschnein können.
Zehn Bienen hätten
aus den Bechern nicht so viel gesogen, 5
wenn es stimmt, was die Geschichte mir gesagt hat.
Die beiden aßen wenig,
die's ihm
auf der Tafel hatten stehen lassen.
In Sorgenfesseln waren sie 10

verstricket – merket, wie dem sî:
ir gebaerden was doch vreude bî.
vil knappen kom gegangen,
die wolten sîne stangen
15 dan hab*e*n gerucket od*e*r getrag*e*n:
sô müese ein swacher öwenzwag*e*n
drunder sêre krachen. S. 638b
Rennewart begunde lachen
und sprach hin z'in: »ir spottet mîn.
20 wan lât ir sölhez schimpfen sîn,
daz ir mit der stangen tuot?
od*e*r ich erzürne eteslîches muot.
ir welt se hab*e*n als iuweren tot*e*n.
des swer ich bî dem zwelftem bot*e*n,
25 der wont in Galizîâ
(Jâkob heizent si den dâ),
welt ir niht mîden sölhez spil,
es wirt eteslîchem gar ze vil.
jâ zert ich dirre spîse
mêr danne ein kleiniu zîse,
276 möht ich vor iuwerem schimpfe.
nû hüetet iuch vor ungelimpfe!«
Rennewarte was zer spîse gâch.
dâne dorfte niemen nîgen nâch,
5 daz er von der tavelen sente.
siropel mit pigmente,
klâret und dar zuo môraz,
die starken wîne im gevielen baz
danne in der küchen daz wazzer.
10 die spîse *ungesmaehet* az er.
ouch lêrt in ungewonheit:
daz starke trinken überstreit
sîne kiusche zuht und lêret in zorn,
den edelen, hôhen wol geborn.
15 vil knappen, der jungen,
sich mit der stangen drungen,
unze si se nider valt*e*n

geschlagen – hört aber, wie:
sie gaben sich nach außen heiter.
Eine Schar von Knappen kam,
die wollten seine Stange
wegzerren oder -tragen: 15
doch hätt ein Wägelchen
sehr unter ihr geächzt.
Rennewart lachte
und rief ihnen zu: »Ihr wollt mich verspotten.
Könnt ihr nicht diese Scherze 20
mit der Stange lassen?
Ich mach sonst den und jenen wütend.
Für euer Taufkind haltet ihr sie wohl?
Das schwöre ich bei dem Apostel,
der in Galizien wohnt 25
(Jakobus nennen sie ihn da),
wenn ihr dieses Spiel nicht laßt,
werden's manche büßen müssen.
Ich wollte hier mehr essen
als ein Zeisig,
276 wenn mich eure Scherze ließen.
Hütet euch vor üblen Taten!«
Rennewart fiel über's Essen her.
Da brauchte niemand sich für etwas zu bedanken,
das er von der Tafel sandte. 5
Gewürzter Rotwein,
Klaret, Maulbeertrank,
die starken Weine waren ihm viel angenehmer
als das Wasser in der Küche.
Er war kein Kostverächter. 10
Da er's nicht gewöhnt war,
kämpfte dieses starke Trinken
seine Sanftmut nieder, ließ ihn zornig werden,
den hochgeborenen Edlen, Stolzen.
Eine Schar von jungen Knappen 15
drängte sich um die Stange,
bis sie sie niederwarfen

und den palas erschalten.
Rennewart spranc von der tavelen dar.
20 die knappen entwichen im sô gar,
daz er ir wênic bî im vant.
er nam die stangen mit einer hant.
ein knappe was entwichen
und al vlühtic geslichen
25 hinder ein sûl von marmel blâ.
den selben sach er iedoch dâ:
er tet nâch im einen sölhen swanc,
daz dez viuwer ûz der siule spranc
hôhe ûf gein dem dache.
jener vlôch von dem gemache.
277 alsus beleip der palas,
daz dâ wênic knappen inne was.
von in zer tür ûz was gedranc,
ieslîcher vür den andern spranc.
5 tischlachen wurden geslag*en*
zesamene und niht hin dan getrag*en*:
si vluhen, die *des pflâgen*,
sine getorsten'z niht gewâgen
hin ûf ze Rennewarte,
10 gein sînem ungevüeg*e*m zarte.
ûf stuonden, die dâ heten gâz.
diu künegîn niht lenger saz:
si bat die vürsten an ir gemach S. 639a
varn. z'in allen si *sô sprach:
15 »heizet iuwer gesinde hie ûf nem*en*
al, *daz si künne gezem*en*
von trinken und von spîse!«
dô sprach Heimrîch, der wîse:
»ez ist âne last*er* genom*en*,
20 dem sîne wegne niht sint kom*en*.
swes ir gert, man gît's iu vil.
iu allen ich daz râten wil.«
die vürsten vuoren z'ir ringen.
der marcgrâve hiez im bringen

und den Palas dröhnen ließen.
Rennewart tat einen Satz von der Tafel.
Die Knappen rissen vor ihm aus, 20
keinen konnte er erwischen.
Er nahm die Stange mit einer Hand.
Ein Knappe hatte sich davongemacht
und sich still verkrochen
hinter einer blauen Marmorsäule. 25
Doch entdeckte er ihn da:
er schlug so fürchterlich nach ihm,
daß Funken aus der Säule
hochauf zur Decke stoben.
Der Knappe floh die Art von Pflege.
277 Verlassen war der Palas
von den Knappen.
Sie hatten sich aus der Tür gezwängt,
jeder sich vor den andern gedrängt.
Tischtücher wurden 5
zusammengelegt und nicht hinausgetragen:
die das sonst taten, waren weggelaufen
und hatten nicht den Mut,
zu Rennewart hinauf zu gehn,
zu seiner rauhen Zärtlichkeit. 10
Wer gegessen hatte, stand nun auf.
Die Königin behielt nicht länger Platz:
sie bat die Fürsten, sich
zurückzuziehn. Zu ihnen allen sagte sie:
»Heißt eure Diener, hier 15
alles mitzunehmen, was sie
an Getränken und an Essen brauchen!«
Heimrich, der Kluge, sagte:
»Es ist keine Schande, wenn es einer nimmt,
dessen Troß noch nicht gekommen ist. 20
Was ihr wollt, man gibt euch viel davon.
Ich bitt euch alle, tut's!«
Die Fürsten ritten in ihr Lager.
Ein Pferd ließ sich der Markgraf bringen

25 ein ors und reit mit in her nider.
sus reit er vür und wider,
hie ûf wisen, dort ûf velt.
was unberâten kein gezelt,
er hiez den liuten drunder tragen,
daz si keinen zadel dorften klagen.

und ritt hinab mit ihnen. 25
So ritt er hin und her,
hier auf Wiesen, dort auf Feldern.
War ein Zelt noch nicht versorgt,
ließ er den Leuten drunter soviel bringen,
daß sie keinen Mangel zu beklagen hatten.

278 Der marcgrâve begunde biten,
dô er hin ab was geriten,
al die werd*e*n ime her,
daz si pflaegen rîlîcher zer
5 und ir gemach heten al den tac:
»sô man den morg*e*n kiesen mac,
hoeret messe in der kappellen mîn!
dâ wil ich in iuwerem râte sîn.«
daz lobt*e*n und*e* leisten sie.
10 vürsten, grâven, dise unt die,
und swen man vür den barûn sach
und al die, den man *rotte jach*,
die wâren ze velde gar gevarn.
Gîburc dort inne wil bewarn
15 ir liebisten vater Heimrîch.
manec juncvrouwe minneclîch
vor sînem bette stuonden,
die werd*e*n dienest kunden,
in einer kemenâten,
20 die ez mit guoten willen tâten.
Heimrîch sich leite dar an.
Gîburc vür den grîsen man
nid*e*r ûf den teppich saz.
juncvrouwen entschuohten in umbe daz,
25 daz Gîburc im erstriche S. 639b
sîniu bein, ê si im entwiche,
wand er die naht gewâpent reit.
diu müede und klagende arbeit
in schiere slâfen lêrten,
ê daz si von im kêrten.
279 des landes herre (ich mein den wirt)
kom wid*e*r ûf, der niht verbirt,
erne *naeme ouch die gesellekeit,
dâ von er liep und leit

278 Als er hinabgeritten war, 2
bat der Markgraf 1
alle Würdenträger in dem Heer,
gut zu speisen
und sich den Tag lang auszuruhn: 5
»Bei Sonnenaufgang
hört bei mir in der Kapelle Messe!
Dort will ich mich mit euch beraten.«
Das versprachen und das taten sie.
Fürsten, Grafen, die und jene, 10
die Barone
und alle Truppenführer
hatten sich aufs Feld begeben.
In der Burg will Giburg
ihren hochgeliebten Vater Heimrich pflegen. 15
Viele schöne junge Damen,
vertraut mit vornehmer Bedienung, 18
standen um sein Bett 17
in einer Kemenate 19
und waren gern zu Diensten. 20
Heimrich legte sich darauf.
Giburg ließ sich vor dem Greis
auf den Teppich nieder.
Junge Damen streiften ihm die Schuhe ab, damit
Giburg seine Beine massieren konnte, 25
eh sie von ihm ging:
er war die Nacht in voller Rüstung durchgeritten.
Müde und von Leid und Sorge angegriffen,
schlief er bald ein,
bevor sie ihn verließen.

279 Der Herr des Lands (ich mein den Burgherrn)
kam zurück, der nicht
auf das Beisammensein verzichtet,
von dem er schon viel Glück und Leid

5 ê dicke het enpfangen.
an ein bette wart gegangen,
dâ er und diu küneginne
pflâgen sölher minne,
daz vergolten wart ze bêd*er* sît,
10 daz in ûf Alischanz der strît
hete getân an mâgen:
sô geltic si lâgen.
dô der milte Anfortas
in Orgelûsen dienest was,
15 ê daz er von vreuden schiet,
und der Grâl im sîn volc beriet,
dô diu küneginne Sekundille
(daz riet ir herzen wille)
mit minne an *in* ernante
20 und im *Kundrîen* sante
mit einem alsô tiuwerem krâm,
den er von ir durh minne nam
und *in* vürbaz gap durh minne –
aller krônen gewinne
25 und al Sekundillen rîche,
diene möhten sicherlîche
mit des Grâles stiure niht widerweg*en*
der grôzen vlust, der muose pfleg*en*
ûf Alischanz der markîs.
an sînem arm ein swankel rîs
280 ûz der süezen minne reblüete.
*G*îburc mit kiuscher güete
sô nâhe an sîne brust sich want,
daz im nû gelten wart bekant:
5 allez, daz er ie verlôs,
dâ vür er si ze gelte kôs.
ir minne im sölhe helfe tuot,
daz des marcgrâven trûric muot
wart mit vreuden undersnit*en*.
10 diu sorge im was sô verre entriten,
si möhte erreichen niht ein sper.

empfangen hatte. 5
Sie gingen an ein Bett,
wo er und die Königin
sich solche Liebe gaben,
daß ihm und ihr vergolten wurde,
was sie der Kampf auf Alischanz 10
gekostet hatte an Verwandten:
so vergeltend, lagen sie.
Als der freigebige Anfortas
um Orgeluse diente,
eh ihn das Glück verließ, 15
und ihm der Gral sein Volk ernährte,
als die Königin Sekundille
(ihr Herz trieb sie dazu)
ihm ihre Liebe anzutragen wagte
und ihm Kundrie sandte 20
mit so teuren Waren,
die er von ihr aus Liebe nahm
und weitergab aus Liebe –
die Erträge aller Königreiche
und das ganze Reich der Sekundille 25
und alles, was der Gral abwarf, 27
das hätt zusammen sicher nicht 26
die Verluste aufgewogen, die
der Marquis auf Alischanz erlitten hatte.
In seinen Armen
280 ließ die süße Liebe ein schlankes Reis erblühen.
In reiner Liebe
schlang Giburg sich so nah an seine Brust,
daß er nun entschädigt wurde:
für alles, was er je verlor, 5
nahm er sie als Entschädigung.
Ihre Liebe gibt ihm solche Hilfe,
daß des Markgrafen Betrübnis
sich mit Freude untermischte.
Die Sorge war so weit von ihm geritten: 10
kein Speer hätt sie erreichen können.

Gîburc was sîner vreuden wer.
nâch trûren sol vreude etswenne kom*e*n.
sô hât diu vreude an sich genom*e*n
15 einen vil bekanten site,
der mannen und wîben volget mite.
wan *jâmer* ist unser urhap,
mit jâmer kom wir in daz grap.
ine weiz, wie jenez leb*e*n ergêt: S. 640a
20 alsus dis*e*s leb*e*ns orden stêt.
diz maere bî vreuden selten ist.
ich müese haben guoten list,
swenne ich vreude drinne vunde,
swie wol ich nû guotes gunde
25 den, die mir niht habent getân
und mir niht *tuont*: die sint erlân
von mir kumberlîcher tât.
ein wîser man gap mir den rât,
daz ich pflaege, swenne ich möhte,
sölher güete, diu mir getöhte,
281 ûzerhalp der valschen wîse:
des möht ich komen ze prîse.
*d*ar *an niemen sol verzagen,
er enmüeze vreude und angest tragen.
5 swer z'aller zît mit vreuden vert,
dem wart nie *ungemach beschert.
jâ sol diu manlîch arbeit
werben liep und leit.
die zwêne geselleclîche site
10 ouch der wâren wîpheit volgent mite.
sît daz man vreude ie trûrens jach
z'einem esterîche und z'einem dach,
neb*e*n, hinden, vür zen wenden,
grôz trûren sol niemen schenden:
15 want hât sich's iemen noch erwert,
bî sîner vreude ez nâhe vert.
der marcgrâve kurz*e*wîle pflac.

Giburg war Bürgin seiner Freude.
Auf Leid soll hin und wieder Freude folgen.
So hat die Freude
eine wohlbekannte Gewohnheit angenommen, 15
die alle, Mann und Frau, betrifft:
wehklagend kommen wir zur Welt,
wehklagend fahren wir ins Grab.
Von jenem Leben weiß ich nichts:
dieses ist so eingerichtet. 20
Wenig hat mit Freude die Geschichte hier zu tun.
Ich müßte schon viel Scharfsinn haben,
um Freude in ihr aufzuspüren;
dabei gönn ich allen Gutes,
die mir nichts taten 25
und nichts tun: denen
tu ich nichts zuleid.
Ein weiser Mann gab mir den Rat,
ich sollte
nach besten Kräften
281 ehrlich gut sein:
Ruhm und Ansehn brächt mir das.
Niemand soll daran verzagen,
die Freude und das Leid zu tragen.
Wer alle Zeit in Freude lebt, 5
der hat nie Leid erfahren.
Männliches Mühen muß
zu Leid und Freude führen.
Und es gehören beide – voneinander nicht zu trennen –
auch zum rechten Frauenleben. 10
Da, wie man immer sagt, das Leid doch
Boden, Dach
und – seitlich, hinten, vorne – Wand der Freude ist,
soll keiner großes Leid verfluchen:
denn hat einer das bewältigt, 15
ist er schon der Freude nah.
Der Markgraf hatte seine Freude.

al sîn her ouch schône lac,
sô daz si heten guot gemach,
20 wan Rennewarten man noch sach
mit arbeiten ringen:
dicke loufen, sêre springen.
vil knappen daz niht liezen,
dine kunde niht verdriezen:
25 etlîcher sîn mit würfen pflac.
der jaget er manigen al den tac.
sus het er schimpflîchen strît
unze hin nâch der vesper zît.
er entet ir keinem drumbe wê,
als er ze Munlêûn het ê
282 geschimpfet ungevuoge.
in müeten hie genuoge,
die niht bekanten sînen zorn:
der wart ouch gar von *im* verborn.
5 dô begunde nâhen ouch diu naht.
der edel mit der hôhen slaht
huop sich vlühtic von in dan.
sîne stangen truoc der junge man,
im was ze bergen vor in gâch.
10 si hardierten vaste hinden nâch.
bî einer wîle si des verdrôz.
dô twanc in diu müede grôz:
sîn edelkeit des geruohte, S. 640b
daz er die küchen suohte.
15 dâ leit er sich slâfen în.
sîn lindez wanküsselîn
daz was sîn hertiu stange.
er enruowete dâ niht ze lange.
sîner swester sun Poidjus
20 was selten doch geleg*e*n sus,
der künic von *Uriende
(dar zuo diente ouch sîner hende
Griffâne, Trîande und Koukesas):
ich waene, im baz gebettet was,

Auch sein Heer lag wohlversorgt,
so daß es ihnen gut ging;
nur den Rennewart 20
sah man sich noch mühen:
eifrig laufen, mächtig springen.
Knappenhorden konnten es nicht lassen
und wurden gar nicht müde:
manch einer warf nach ihm. 25
Die jagte er den ganzen Tag.
So kämpfte er im Scherz
bis gegen Abend.
Er tat keinem etwas an dafür
wie seinerzeit in Laon
282 mit seinem groben Scherzen.
Ihn plagten viele hier,
die seinen Zorn nicht kannten:
den hatte er ganz aufgegeben.
Da kam die Nacht. 5
Der Edle, Hochgeborene
lief von ihnen weg.
Seine Stange trug der Junge,
wollte sie vor ihnen retten.
Sie verfolgten, attackierten ihn. 10
Nach einer Weile hatten sie genug.
Ihn übermannte große Müdigkeit:
der Hochgeborene geruhte,
sich nach der Küche umzusehn.
Dort legte er sich schlafen. 15
Sein weiches Wangenkisslein
war seine harte Stange.
Er ruhte da nicht lange.
Poidjus, sein Schwestersohn,
hatte niemals so gelegen, 20
der König von Uriende
(dem dienten auch
Griffane und Triande und der Hindukusch):
ich denke, daß dem besser das Bett bereitet war,

25 swenne er slâfen wolte,
des oeheim hie dolte,
des er gar erlâzen waere,
swer doch diu rehten maere
wiste, wie sîn hôher art
von ammen brust *verstolen* wart,
283 ûz rîcheit *brâht* in armuot.
diu saelde künsteclîchen tuot.
*d*az kindel kouft*e*n koufman
und heten'z, unz ez sich versan.
5 nâch horde *stuot ir aller sin:
si dûhte, *ein groezlîch gewin
laege an sînem geslehte.
si *nanten* im vil rehte
niuwen rîche, dâ sîn vat*e*r truoc
10 krône, und sageten im genuoc,
daz al die hoehsten Sarrazîn
ze sînem gebote müesen sîn,
norden, sûden, ôsten, wester,
und daz zwô sîner swester
15 trüegen krône und *waeren* alsô gevar,
daz si den prîs an schoene heten gar.
si sageten *im mêr* besunder
von rîcheit wâriu wunder,
zehener sîner bruoder lant
20 und wie si selbe waeren genant.
die koufman wâren kurtois:
si lêrten daz kint franzois.
eines dinges si gedâhten:
daz si in ze gebe brâhten
25 dem, der roemischer krône pflac.
sölh klârheit an dem kinde lac:
man muos im des mit wârheit jehen,
schoener antlütze wart nie gesehen
sît des tages, daz Anfortas
von der vrâge genesen was.

wenn er schlafen wollte, 25
dessen Onkel hier erlitt,
was ihm erspart geblieben wäre,
wenn man
gewußt hätt, wie der Hochgeborene
der Amme von der Brust gestohlen wurde

283 und aus dem Reichtum in die Armut kam.
Gottes Wege sind wunderbar.
Das Kindlein kauften Händler
und behielten es, bis es verständig war.
Sie dachten alle nur an Geld: 5
sie meinten, seine hohe Abkunft
werfe viel Gewinn ab.
Sie nannten ihm genau
die neun Reiche, wo sein Vater
herrschte, und erklärten ihm ausführlich, 10
daß dem die höchsten Heiden alle
unterstünden
in Nord und Süd und Ost und West
und daß er zwei Schwestern hätte,
die als Königinnen herrschten und 15
als die schönsten Frauen gälten.
Sie sagten ihm noch mehr
von unerhörter Macht und unerhörtem Reichtum:
nannten die Länder von zehn Brüdern, die er hätte,
und sagten, wie die hießen. 20
Die Händler waren courtois:
Französisch lehrten sie das Kind.
Sie verfielen drauf,
ihn dem Mann zu schenken,
der die römische Krone trug. 25
Von solcher Schönheit war das Kind:
man mußte es ihm lassen,
daß man ein schönres Antlitz nie gesehen hatte
seit dem Tag, als Anfortas
durch die Frage heil geworden war.

284 *d*ie koufman lêrten'z kint verdagen,
ez ensolte niem*e*n rehte sagen,
ez waere man oder wîp,
wolt ez behalten sînen lîp,
5 in welhem lande ez waere genom*e*n.
si waeren ir koufes wider kom*e*n,
die von Sammargône. S. 641a
dô hiez sîn pflegen schône
von Rôme der künec Lôîs.
10 daz kint an schoene hete prîs.
nû was ouch Alîse, diu mag*e*t,
schoen, als ich iu hân gesag*e*t.
dô man'n ir z'einem gespilen gap,
ir zweier liebe urhap
15 *volwuohs*: die brâhten's an den tôt
und liten nâch ein and*e*r nôt.
der künec wolt in hân getoufet
(er was von Tenabrî verkoufet):
des wert er sich sêre.
20 dô muos er von der êre
Alîsen gesellekeit
varn: daz was ir beider leit.
Alîse was triuwen rîche:
dar ûf ir tougenlîche
25 daz kint al sînes geslehtes jach,
dô man se gesellecîche sach.
dâ muose er sich dô scheiden von
sîner hôhen art in swache won,
niht wan durh toufes twingen
mit smaehen werken ringen.
285 *d*er knappe sînem vater haz
und sînen mâgen umbe daz
truoc, daz si in dâ niht lôsten:
in dûhte, daz si verbôsten
5 ir triuwe. sîn haz unrehte giht,
wande sine wist*e*n sîn dâ niht.

284 Die Händler befahlen dem Kind zu schweigen:
es sollte niemand sagen,
keinem Mann und keiner Frau,
wenn ihm sein Leben lieb wär,
in welchem Land man es gestohlen hatte. 5
Den Kaufpreis hatten
die aus Samarkand wieder eingebracht.
Da befahl, ihn sorgsam zu erziehen,
König Louis von Rom.
Schön über alles war das Kind, 10
schön auch Alice, das Mädchen,
wie ich euch schon sagte.
Als man ihn der zum Spielfreund gab,
war das der Anfang ihrer Liebe:
die trugen sie bis in den Tod 15
und litten umeinander Not.
Der König wollt ihn taufen lassen
(er war in Tenabri erworben worden):
dagegen wehrte er sich heftig.
Da nahm man ihm die Ehre 20
des Umgangs mit Alice:
das war beiden leid.
Alice war treu und zuverlässig:
im Vertrauen darauf hatte ihr im Stillen
das Kind verraten, wer es war, 25
als sie beieinander waren.
Da mußte er
den ihm gemäßen Umgang mit einem niederen
vertauschen,
weil man ihn zur Taufe zwingen wollte,
und sich mit niedrer Arbeit plagen.

285 Der Knappe haßte seinen Vater
und seine anderen Verwandten,
weil sie ihn nicht befreiten:
er hielt sie
für treulos. Unrecht hat sein Haß: 5
sie wußten nicht, daß er dort war.

waere kein sîn bote an si kom*e*n,
wolt iemen hort hab*e*n genom*e*n,
sölher gâbe waere nâch im gepfleg*e*n:
10 Franzoiser möhten golt noch weg*e*n.
sîner hôhen mâge vil verlôs
den lîp durh smaehe, die er kôs.
sîn hant vaht sige der kristenheit.
sus rach er *smaehlîchez* leit,
15 des er vor Alîsen pflac:
ir minne an prîse im *gap* bejac.
sîn dinc sol immer sus niht varn:
Alîsen minne in sol bewarn.
swaz man ie smaehe an im gesach,
20 Alîsen minne die von im brach
dar nâch in kurzen zîten
in tôtlîchen strîten.
den kochen was daz vor gesag*e*t,
daz waere bereit*e*, sô ez tag*e*t,
25 vil spîse, swer die wolte,
und daz ieslîch vürste solte
enbîzen ûf dem palas.
durh daz vil manic kezzel was
über starkiu viuwer gehangen.
dâ wart ein dinc begangen,
286 deis dem küchenmeister was ze vil. S. 641b
der warp, als ich iu nû sagen wil:
er nam einen glüendigen brant
und gienc vil rehte gein der want,
5 dâ er Rennewarten slâfen sach.
von alsô *smaehlîchem* gemach
dorft in niemen scheiden dan.
der koch besanct im sîne gran
und verbrant im's mundes ouch ein teil.
10 sîn lôsheit warp im unheil.
dem er sus stôrte sînen slâf,
der bant im, sam er waer ein schâf,

Hätt er einen Boten schicken können
und hätt man Schätze angenommen,
dann hätte man für ihn soviel gegeben:
die Franzosen wären noch dabei, das Gold zu wiegen. 10
Vielen seiner hohen Verwandten
nahm die Schmach das Leben, die er litt.
Seine Hand erfocht dem Christenheer den Sieg.
So rächte er die Schmach und Kränkung,
die er vor Alice leiden mußte: 15
Liebe zu ihr errang ihm Ruhm.
Sein Leben wird sich ändern:
die Liebe zu Alice wird für ihn sorgen.
Von aller seiner Schmach
befreite ihn schon bald 21
die Liebe zu Alice 20
in gnadenlosen Kämpfen.
Die Köche waren informiert,
daß sie zu Tagesanbruch
reichlich Essen zu bereiten hätten für alle, die es 25
wollten,
und daß alle Fürsten
im Palas speisen sollten.
Eine Menge großer Kessel hatte man deshalb
über starken Feuern aufgehängt.
Da wurde etwas angestellt,
286 das überstand der Küchenmeister nicht.
Der tat, was ich euch jetzt berichte:
er nahm ein Scheit, das glühend war,
und ging zu der Wand,
wo Rennewart im Schlaf lag. 5
Ihn von so schlechter Ruhestätte
zu vertreiben, hatte keiner einen Grund.
Der Koch versengte ihm sein Barthaar
und verbrannte ihm den Mund.
Sein Übermut bekam ihm schlecht. 10
Den er so aus dem Schlaf gerissen hatte,
der schnürte ihm, als wäre er ein Schaf,

elliu vieriu an ein bant
und warf in al zehant
15 und*e*r einen kezzel in grôzen rôst:
sus wart er's lebens dâ erlôst.
er enhiez ûf in niht salzes holn,
er rach über in brende und koln.
herre Vogelweide von brâten sanc:
20 dirre brâte was dicke und lanc –
ez hete sîn vrouwe dran genuoc,
der er sô holdez herze ie truoc.
Rennewart al eine dort beleip:
grôz angest die andern von im treip.
25 si vorhten, diu zeche gienge an sie.
dort vlôch ein koch, der and*e*r hie.
si luogeten durh die want dar în
und hôrten, wie *er die grane sîn,
Rennewart, der junge, klagete
und waz er al klagende sagete.

287 er sprach: »nû wând ich armer man,
daz ich von band*e*n waere verlân,
dô mich des roemischen künges hant
dem gap, der vor ûz ist bekant
5 zer hoehsten eskelirîe
und der vür wâr der vrîe
ist aller valschlîchen tât.
daz man mich niht geniezen lât
der grôzen triuwe, als ich im *sage!
10 bekant er mich, daz waere sîn klage.
mîne grane, die mir sint an gezunt,
gesaet ir minne ûf mînen munt,
diu mir stiure ûf dise vart
mit kusse gap. den selben bart
15 hât *ûz* mîme kinne
noch mêr gezog*e*n ir minne
danne mîner kurzen zîte jâr
oder danne der smaehlîche vâr,
des mich ir vater wente.

alle Viere mit einem Seil zusammen
und warf ihn auf der Stelle
unter einen Kessel in die starke Glut: 15
so wurde er das Leben los.
Er verlangte nicht nach Salz, um ihn zu würzen,
er scharrte Glut und Kohlen über ihn.
Herr Vogelweide sang einmal von einem Braten:
der Braten hier war dick und lang – 20
der hätt gereicht für seine Dame,
die er immer so verehrt hat.
Rennewart blieb dort allein zurück:
große Angst vertrieb von ihm die andern.
Sie fürchteten, die Reihe käm an sie. 25
Ein Koch floh dort, der andre hier.
Sie spähten durch die Wand hinein
und hörten, wie er seinen Bart,
der junge Rennewart, beklagte
und was er unter Klagen sprach.

287 Er sagte: »Jetzt hab ich armer Mann gedacht,
ich wär befreit,
als mich der römische König
dem gab, der vor den andern
die höchste Eskelirschaft innehat 5
und der wahrlich frei
von aller Falschheit ist.
Daß man mir
seine große Güte nicht gönnt!
Wenn er wüßte, wer ich bin: er würde das beklagen. 10
Die Haare, die mir angezündet wurden,
hat mir ihre Liebe auf den Mund gesät,
die mich für diese Fahrt
mit einem Kuß gerüstet hat. Diesen Bart
zog mir aus meinem Kinn 15
ihre Liebe
mehr als meine Jugend
oder als die Kränkung,
die mir ihr Vater antat.

20 ich getrûwe ir wol, si sente
umbe mich, ze swelher zît si sach,
daz der künic sîne zuht an mir zebrach
*und ich spehte die gelegenheit
der rîterlîchen arebeit
25 in *turnoi und in strîten S. 642a
(dar lief ich ze manigen zîten),
wie man ein ors mit künste rite,
gein wîben gebâren ouch die site.
swenne ich was bî werdeclîcher won,
dâ sluoc man mich mit staben von.

288 dis*es* landes herre ist geschant,
daz mich sîn koch sô hât verbrant.
dar zuo an mir gehoenet sint
des kreftigen Terramêr*es* kint,
5 der zehene gewalteclîchen
tragent krône in wîten rîchen,
die hôhe künege hab*e*nt ze man.
dis*es* *lasters* müezen pflihte hân,
die ich mir vür wâr ze bruodern weiz,
10 Fâbors und Utreiz,
Mâlarz und Malatras,
ob sölh geburt mit triuwen was,
daz uns alle ein muoter truoc;
nâch mir trûrens hât genuoc
15 Glôrîax unde *Passigweiz*,
Karrîax und Matreiz,
Marabiax und Margoanz.
sî *wir* reborn ûz triuwe ganz,
die zehene lêret missewende
20 mîn armeclîch ellende.
mich solt der künec von Kordes
lân geniezen sînes hordes.
dem dient Hap und Suntîn,
Gorgozâne unde Lumpîn,
25 *Poie* und Tenabrî
(nû stên ich sîner helfe vrî!),

Ich weiß: sie hat für mich gelitten, 20
wenn sie sah,
daß der König schändlich an mir handelte
und ich zu erfahren suchte, was
Ritterarbeit ist
in Turnier und Kampf 25
(immer wieder lief ich hin),
wie man kunstgerecht zu Pferd sitzt
und wie man sich verhält zu Damen.
Wenn ich bei den Edlen war,
trieb man mich mit Stöcken weg.
288 Der Landesherr hier ist entehrt,
daß sein Koch mich so verbrannt hat.
Entehrt sind auch
die Söhne Terramers, des mächtigen,
von denen zehn gewaltig 5
in weiten Ländern herrschen,
die hohe Könige zu Vasallen haben.
Die Schande trifft die mit,
die ich als meine Brüder kenne,
Fabors und Utreiß, 10
Malarz und Malatras,
wenn es wahr ist,
daß wir alle Kinder einer Mutter sind;
Gloriax und Passigweiß, 15
Kariax und Matreiß, 16
Marabiax und Margoanz 17
trauern sehr um mich. 14
Wenn reine Treue unser Erbteil ist,
dann schmerzt die zehn
mein armes Leben in der Fremde. 20
Mir sollte der König von Córdoba
mit seinem Reichtum helfen.
Dem dienen Aleppo und Suntin,
Gorgozane und Lumpin,
Poie und Tenabri 25
(und er hilft mir nicht!),

Semblî und Muntespîr.
daz im sîn edelen eskelîr
an mir niht sagent sîn missevarn!
ich bin doch Terramêr*es* barn.«

289 durh die want si in hôrten alsus klag*en*.
dô begund *ez* alsô sêre tag*en*,
daz de sunne durh die wolken brach.
vürsten riten ûf. dô daz geschach,
5 dô sanc man messe got und in.
der marcgrâve *der sante hin,
ob daz ezzen dannoch waere bereit.
die tôtlîchen arbeit
vluhen, die vür koche wâren benant:
10 dâne schürte niemen viuwer noch brant.
dem marcgrâven man dô sagete,
daz harte sêre klagete
sîne besancten grane Rennewart.
eteslîche heten sîne hôhen art
15 vernomen, und iedoch niht gar.
er sante die küneginne dar
und bat si senften sînen zorn:
»der küchenmeist*e*r ist verlorn.
nemet mînen vriunt mit vuogen dan!« S. 642b
20 dô gienc si nâch dem jungen man,
dar ir vuoz nie mêr getrat.
vil zühteclîchen si in des bat,
er solte durh ir willen
sînen schaden stillen
25 unt niht wan semftes willen pflegen
und ungemüetes sich bewegen.
dô sprach er: »vrouwe, ir sît sô guot:
swaz râtes ir gein mir getuot,
des volg ich. seht: wie *bin ich erzog*e*n!
ez ist vil liute an mir betrog*e*n.«

290 diu künegîn vuorte den knappen dan.
si bôt im bezzer kleider an
in einer kemenâten,

Sembli und Muntespir.
Daß ihm seine edlen Eskelire
nicht sagen, wie er sich an mir vergeht!
Ich bin doch der Sohn von Terramer!«

289 So hörten sie ihn durch die Wand hin klagen.
Da war es schon so früh,
daß die Sonne durch die Wolken brach.
Fürsten ritten auf die Burg. Als sie gekommen waren,
sang man zu Gottes Preis und ihrem Heil die Messe. 5
Der Markgraf gab Befehl zu fragen,
ob das Essen schon bereit wär.
Aus der Gefahr für Leib und Leben
waren die Köche fortgerannt:
da schürte niemand Feuer oder Glut. 10
Dem Markgrafen sagte man,
daß schmerzlich
Rennewart den angesengten Bart beklagte.
Manche hatten das gehört von seiner hohen Abkunft,
allerdings nicht alles. 15
Er schickte die Königin zu ihm
und bat sie, seinen Zorn zu stillen:
»Der Küchenmeister ist dahin.
Holt meinen Freund schicklich dort weg!«
Da ging sie zu dem jungen Mann an einen Ort, 20
den sie sonst nie betrat.
Höflich bat sie ihn,
um ihretwillen
seinen Schaden nicht mehr zu beklagen,
friedlich zu sein 25
und seinen Zorn zu lassen.
»Herrin«, sagte er, »ihr seid so gut:
was ihr mir ratet,
will ich tun. Seht: wie hat man mich aufgezogen!
Viele sind mit mir betrogen.«

290 Die Königin führte den Knappen fort.
In einer Kemenate, 3
in der Schneider 4

dâ snîdaere nâten
5 maneger slahte wâpenkleit.
dô sprach er: »vrouwe, mir ist leit,
daz ir sô verre gienget nâch mir.
iuweriu kleider gebet ir,
swem ir gebietet, âne mînen haz.
10 swie arm ich sî, doch bedarf ir baz
vil maneger und*e*r disem her.
lât mir die stangen mîn ze wer!«
die het er mit im dar getragen.
Gîburc begunde sêre klag*e*n
15 sîne grene, die besancten.
ir ougen im nie gewancten:
eteswaz si an im erblicte,
dâ von ir herze erschricte.
dô sprach si: »trût geselle mîn,
20 möht ez mit dînen hulden sîn,
sô vrâgt ich, wannen dû waerest erborn,
woldest dû'z lâzen âne zorn.«
dô sprach er: »vrouwe, geloubet mir,
ich bin ein armer betschelier
25 und doch vil werder liute vruht.
des muoz ich jehen, hân ich zuht.
vrouwe, durh iuwer êre,
nû vrâget mich niht mêre
(daz vüeget sich uns beiden wol)
und lât mich sîn in swacher dol!«
291 *d*er knappe dennoch vor ir stuont.
der vrouwen tet ir herze kunt,
daz si niht ervuor wan lange sid*e*r.
si bat in zuo z'ir sitzen nid*e*r,
5 ir *mantels* swanc si umbe in ein teil.
dô sprach er: »vrouwe, dis*e*s waere geil
der beste rît*e*r, der ie gebant
helm ûf houbet mit sîner hant.
swer mich alsus sitzen siht,
10 vil unvuoge er mir giht

alle Arten Waffenkleider nähten, 5
bot sie ihm bessre Kleider an. 2
Er sagte: »Herrin, es tut mir leid,
daß ihr nach mir so weit gegangen seid.
Gebt eure Kleider,
wem ihr wollt: das ist mir recht.
Zwar bin ich arm, doch brauchen 10
viele hier im Heer sie noch viel dringender.
Laßt mir als Waffe meine Stange!«
Die hatte er mit sich genommen.
Giburg beklagte
seinen Bart, den angesengten. 15
Sie ließ die Augen nicht von ihm:
etwas hatte sie an ihm erblickt,
vor dem ihr Herz erschrocken war.
Sie sagte: »Lieber Freund,
wenn du erlaubtest, 20
fragte ich, woher du stammst,
wenn es dich nicht zornig machte.«
Er sagte: »Herrin, glaubt mir,
ich bin ein armer Knappe
und doch das Kind vornehmer Leute. 25
Wenn ich ehrlich bin, muß ich das sagen.
Herrin, bei eurer Ehre,
dringt nicht weiter in mich
(das ist für uns beide gut)
und laßt mich die Erniedrigung ertragen!«
291 Der Knappe stand noch immer vor ihr.
Es sagte ihr ihr Herz,
was sie viel später erst erfuhr.
Sie bat ihn, sich zu ihr zu setzen,
schwang einen Teil von ihrem Mantel um ihn. 5
»Das würde, Herrin«, sagte er,
»den besten Ritter glücklich machen, der jemals
einen Helm aufband.
Wer mich so sitzen sieht,
der denkt, ich wüßte nicht, was sich gehört, 10

und nimt mich drumb in sînen spot:
des erlât mich, vrouwe, durh iuweren got!«
si sprach zuo dem jungem man: S. 643a
»waz gotes solt ich anders hân
15 wan einen, den diu maget gebar?
nimstû sîner krefte iht war?«
dâ mit ervuor diu künegîn,
ob er waere ein Sarrazîn.
wie sîn geloube stüende,
20 des enhete si deheine künde.
er sprach: »mir sint *drî* got erkant:
der heilige Tervagant,
Mahumet und Apolle.
ir gebot ich gerne ervolle.«
25 diu künegîn sûfte, ê daz si sprach.
an in si staeteclîchen sach:
ir herze spehte rehte,
daz er ûz ir geslehte
endelîche waere erborn,
swie er halt danne waere verlorn.

292 *s*i tet, als ez ir zuht wol zam:
in ir hende sîne hant si nam,
si sprach: »lieber vriunt vil guoter,
hâstû vater oder muoter,
5 bruoder oder swester?
wis dîner worte vester
und sage mir gar ân allez scham*e*n
etswaz dînes geslehtes nam*e*n!«
Rennewart sprach alsus hin z'ir:
10 »man gap eteswâ ze swester mir
ob aller klârheit den lob*e*s kranz,
ein maget, diu nam der sunne ir glanz,
sô man si bêde des morgens sach
und diu sunne durh die wolken brach.
15 diu wart gegeben einem man,
der hât ouch an mir missetân
(der hât sô manegen prîs bejag*e*t),

und verspottet mich dafür:
bei euerm Gott, erlaßt mir's, Herrin!«
Sie sagte zu dem jungen Mann:
»Was für einen Gott sollt ich denn haben
als den einen, der geboren wurde von der Jungfrau? 15
Kennst du nicht seine Macht?«
Damit erkundete die Köngin,
ob er ein Heide wäre.
Sie wußte nicht, 20
was er für einen Glauben hatte. 19
»Drei Götter«, sagte er, »sind mir bekannt:
der heilige Tervagant,
Mohammed und Apollo.
Ihr Gebot erfüll ich gerne.«
Die Königin seufzte, eh sie sprach. 25
Unverwandt sah sie ihn an:
ihr Herz erspähte richtig,
daß er aus ihrem eigenen Geschlecht
– es gab da keinen Zweifel – stammte,
wie immer er verlorenging.
292 Sie tat, was nicht unziemlich war:
nahm seine Hand in ihre Hände,
sagte: »Lieber, edler Freund,
hast du Vater oder Mutter,
Bruder oder Schwester? 5
Sprich mutiger
und nenn mir ohne Scheu
den einen oder andern deiner Leute!«
Drauf Rennewart zu ihr:
»Ich hatte einst zur Schwester 10
die Krone aller Schönheit,
eine Jungfrau, deren Glanz die Sonne überstrahlte,
wenn man sie beide morgens sah
und die Sonne durch die Wolken brach.
Die wurde einem Mann gegeben, 15
der hat sich auch an mir versündigt
(dabei ist er hochberühmt),

sît bruoder an mir sint sus verzag*e*t,
daz er mich liez sô lange in nôt,
20 sît wâriu milte des niht gebôt.
dem selbem und mînem geslehte,
trag ich grôzen haz mit rehte,
sît *si* mich scheident von ir got*e*n
und mir noch deheinen boten
25 durh mîne nôt gesanden
und ir prîs an mir geschanden.«
*d*ô sprach er: »vrouwe marcgrâvîn,
eteslîcher mîner swester schîn
möht ir wol in der jugende trag*e*n,
muoz ich ez iu mit hulden sag*e*n.
293 und waeret ir rîch, alsô si sint,
ir möhtet wol sîn des selben kint,
der an mir hât entêret sich,
gein dem ouch immer mîn gerich
5 sol kriegen durh mîniu herzesêr.
mâge und vater sint mir ze hêr:
ûf iuwer zuht mîn munt des giht, S. 643b
deste baz sult ir mich halden niht.
dirre maere swîget stille!
10 mîn swacheit ist *ir wille*.
bin ich von werd*e*r diet erborn,
die hab*e*nt ir saelde an mir verlorn.«
Gîburc in vrâgete durh sînen prîs,
ob von Provenze der markîs
15 sîne helfe solte hân vür wâr.
dô sprach *er*: »vrouwe, âne allen vâr
gestên ich sîner werdekeit.
ich riche ouch scham*e*lîchiu leit,
dâ von mich die heiden
20 solten lange hân gescheiden.«
si sprach: »sô wil ich dir harnasch geb*e*n,
dar inne dû dîn jungez leb*e*n

daß wahre Güte ihn nicht antrieb, 20
mich zu befreien aus der Not, 19
wo mir die Brüder schon nicht helfen. 18
Den und mein Geschlecht
haß ich sehr mit Recht:
sie trennten mich von ihren Göttern
und sandten mir noch keinen Boten,
mir aus meiner Not zu helfen, 25
und haben ihren Ruhm an mir befleckt.
Markgräfin«, sagte er,
»es möchte sein,
daß ihr in eurer Jugend meinen Schwestern ähnlich
saht,
wenn ihr erlaubt, daß ich das sage.
293 Und wärt ihr reich, wie sie es sind,
dann könntet ihr die Tochter dessen sein,
der sich an mir entehrt hat,
den immer meine Rache
für mein Herzens-Leid verfolgt. 5
Die eigenen Verwandten und der Vater sind zu hoch
für mich:
seid ihr darum so gütig
und wollt mich nicht besser halten.
Sagt es nicht weiter!
Sie wollen, daß ich niedrig sei. 10
Bin ich von Vornehmen geboren,
dann haben die ihr Heil an mir verloren.«
Giburg fragte ihn, um seinen Ruhm besorgt,
ob dem Marquis von Provence
seine Hilfe sicher wär. 15
»Herrin«, sagte er da, »rückhaltlos
steh ich dem Edlen bei.
Ich räche auch die Kränkung,
von der die Heiden mich
schon lang befreien sollten.« 20
Sie sagte: »Eine Rüstung will ich dir dann geben,
in der du dein junges Leben

behaltest, swâ dû kumst in strît.
ez ist dir wol ze mâze wît
25 und wol geworht mit sinnen.
sô nemac dich niht gewinnen,
swaz man strîtes mac gein dir getuon.
ez truoc der künic Sînagûn
in dem sturme, dô er den markîs vienc,
dâ diu grôze tschumpfentiure ergienc,
294 dô der künic Tîbalt wart entworht.
Willehalm, der unervorht,
sô verre nâch jagete,
daz der küene und der verzagete,
5 die nidern und die oberen
sich sêre begunden koberen.
heiden arme und rîche
wurben gar genendeclîche.
den markîs sicherheit betwanc
10 Sînagûn, der ie nâch prîse ranc,
want er den getouften was entriten.
sus wart er âne sig überstriten
und gevüeret in Tîbaldes lant.
sîne boien und and*e*r sîn îseren bant
15 sach ich an im ungerne.
mîn houbet ze Todjerne
krône truoc von erbeschaft.
dô het in manegen landen kraft
der milte künic Tîbalt von Kler
20 (er vüert noch hiute grôze her):
der gap mir krône dâ ze Arâbî.
ich enweiz, wer nû dâ vrouwe sî.
mîn neve, der künec Sînagûn,
Halzebieres swester sun,
25 sîn selbes harnasch und den man
liez er bî mir, der hât getân
sô manegen hôchlîchen prîs.
daz harnasch und*e* der markîs
sint mit mir beide entrunnen.
sus diz harnasch wart gewunnen.«

in jedem Kampf behältst.
Sie ist groß genug für dich
und mit Kunst geschmiedet. 25
Dann kann dich keinerlei
Attacke überwinden.
König Sinagun hat sie getragen
in dem Kampf, in dem er den Marquis gefangennahm,
wo's zu der schweren Niederlage kam,
294 als König Tibalt unterlag.
Willehalm, der Unverzagte,
jagte ihm soweit nach,
daß alle: Tapfere und Feige,
Niedere und Hohe, 5
neuen Mut gewannen.
Alle Heiden, arm und reich,
kämpften tapfer.
Sinagun, stets ruhmbegierig, 10
zwang den Marquis, sich zu ergeben: 9
der hatte sich zu weit vom Christenheer entfernt.
So wurde er zwar nicht besiegt, doch überwunden
und in Tibalts Land gebracht.
Der Anblick seiner Fesseln und der Eisenketten
war mir schmerzlich. 15
Die Herrschaft in Todjerne
hatte ich geerbt.
In vielen Ländern herrschte mächtig
der freigebige König Tibalt von Kler
(noch heute hat er große Heere): 20
der gab mir die Krone in Arabi.
Wer jetzt dort Herrin ist, das weiß ich nicht.
Mein Vetter, König Sinagun,
Halzebiers Schwestersohn,
ließ seine Rüstung bei mir und den Mann, 25
der durch seine Taten
so hohen Ruhm errungen hat.
Rüstung und Marquis
sind mit mir entflohen.
So kam ich in Besitz der Rüstung.«

295 si hiez daz harnasch vür in tragen. S. 644a
Schoiûse was vil drûf geslagen.
nû was daz harnasch sô wert:
Schoiûse und ieslîch ander swert,
5 der ecken ez sich werte.
der huot was lieht und herte,
tief gein den *ahselen* her ze tal,
mit edelen steinen über al
wol gezieret an sînen orten,
10 geriemet mit edelen borten.
hosen und halsberc wâren blanc,
daz swert lieht unde lanc,
ze beiden sîten wol gereht,
valze und ecke im wâren sleht,
15 *daz gehilze guldîn, starc und wît:*
ze Nördelingen kein dehsschît
hât dâ niemen alsô breit.
mit dem swerte prîs erstreit
Sînagûn, der unverzagete.
20 Rennewart ez niht behagete:
in dûhte diu selbe klinge
sîner grôzen kraft ze ringe.
er zôch ez ûz und warf ez hin.
dô sprach er: »vrouwe marcgrâvin,
25 lât mich et mîne stangen tragen!
dar zuo wil ich iu niht versagen:
swie wênic ich dar inne kan,
heizet mir diz harnasch legen an!«
juncvrouwen und daz klâre wîp
wâpenden Rennewartes lîp.

296 dô er daz harnasch gar het an,
zwêne starke schuohe der junge man
bant über die îserkolzen.
sîn muot begunde im stolzen:
5 gein prîse truoc er staeten muot.
sîn surkôt was niht ze guot:

295 Sie ließ die Rüstung zu ihm bringen.
Schoiuse war gewaltig drauf geschlagen worden.
Doch war die Rüstung derart edel:
den Schneiden von Schoiuse und jedem andern
Schwert
hatte sie widerstanden. 5
Der Helm war blank und hart,
tief herabgezogen zu den Schultern,
überall an seinen Kanten 9
schön geschmückt mit Edelsteinen, 8
die Riemen aus kostbaren Bändern. 10
Beinschutz und Kettenpanzer glänzten,
das Schwert war blitzend, lang,
beidseitig gut zu brauchen,
Fälze und Schneiden glatt geschliffen,
der Griff vergoldet, stark und lang: 15
in Nördlingen hat keiner
so eine breite Dechsel.
Ruhm hatte mit dem Schwert erkämpft
Sinagun, der Unverzagte.
Rennewart gefiel es nicht: 20
ihm schien diese Klinge
zu leicht für seine große Kraft.
Er zog's heraus und warf es hin.
»Markgräfin«, sagte er,
»laßt mich nur meine Stange tragen! 25
Sonst will ich euch nichts abschlagen:
so hinderlich sie für mich ist,
laßt mir die Rüstung überziehen!«
Die jungen Damen und die schöne Frau
legten Rennewart die Rüstung an.
296 Als alles saß,
band der junge Mann zwei starke Schuhe
über die Eisenhosen.
Er wurde hochgemut und stolz:
er dachte nur an Ruhm. 5
Sein Surkot war nicht allzu gut:

daz wart iedoch sîn wâppenroc.
im wart bedecket ieslîch loc
mit dem tiuren huote herte.
10 »nû sî *mîn geverte
diz swert: daz sol her umb*e* mich!
der marcgrâve mac wol troesten sich
mîn, swaz ich im gedienen mac,
gevüeget er *mir* strîtes tac.«
15 Gîburc, diu künegîn,
bat al diu juncvrouwelîn,
daz si in naemen in ir gesellekeit
und daz si im semften gar sîn leit.
»ich kum her wider schiere zuo dir.
20 ein gên solt dû erlouben mir
zer kirchen âne dînen haz.«
Rennewart zuo den juncvrouwen saz,
gewâpent rehte ûf einen strît.
si begunden kürzen im die zît.
25 diu messe was gesungen.
die alten und die jungen,
vürsten, grâven, swie si wâren benant, S. 644b
swer ze rottenmeister was bekant,
die wâren genomen an einen rât,
dâ man noch die werden gerne hât.

297 *G*îburc mit urloube dran
gie zuo manegem werdem man.
die wurben sus – nû hoeret, wie:
diu küneginne saz, als tâten sie.
5 der marcgrâve al eine stuont.
er sprach: »ich tuon iu allen kunt –
die mîne genôze hinne sîn,
mîn vat*e*r und die bruoder mîn
und die mir ze mâgen sîn benant
10 und die 'es rîches herre hât gesant
ze wern den touf und unser ê,
ruochet alle erkennen, wie'z mir stê!
mîn sweher ist ûf mich ger*i*t*en*,

doch trug er ihn als Waffenrock.
Seine Locken wurden alle
mit dem teuren Helm bedeckt.
»Nun sei mein Begleiter 10
dieses Schwert: man binde es mir um!
Auf mich kann der Markgraf bauen,
nach besten Kräften dien ich ihm,
gibt er mir Gelegenheit zu kämpfen.«
Giburg, die Königin, 15
bat die jungen Damen,
Rennewart bei sich zu lassen
und ihn zu trösten über seinen Kummer.
»Ich komm bald wieder zu dir.
Sei so freundlich und erlaube mir, 20
daß ich zur Kirche geh.«
Rennewart saß zu den jungen Damen,
kampfbereit gerüstet.
Sie vertrieben ihm die Zeit.
Die Messe war gesungen. 25
Die Alten und die Jungen,
Fürsten, Grafen, was sie waren,
alle Truppenführer
hatte man im Rat versammelt,
wo man noch heut die Edlen gerne sieht.

297 Giburg durfte
auch im Kreis der edlen Männer sein.
Die taten dies – hört was:
die Königin nahm Platz, sie auch.
Nur der Markgraf stand. 5
Er sagte: »Ich tu euch allen kund –
meine Genossen hier im Saal,
mein Vater, meine Brüder,
meine Verwandten
und jene, die der Herr des Reiches 10
zur Verteidigung des Glaubens, unsrer Religion,
gesandt hat, nehmt alle wahr, wie's um mich steht!
Mein Schwiegervater hat mich heimgesucht,

den getouften wîben sint gesniten
15 ab die brüste, gemarteret sint ir kint,
die man in gar erslagen sint
und ûf gesetzet ze manegem zil:
swer dar zuo schiezen wil,
den hânt die heiden deste baz.
20 alsus hât Tîbalt sînen haz
und Terramêr, der starke,
volbrâht ûf mîner marke.
ez sint ehte mîner mâge
gevangen, die ûf die wâge
25 mit mir riten, als ir triuwe gebôt.
mir lâgen ouch sib*e*n vürsten tôt
der hoehsten von unserem rîche.
ich bite iuch al gelîche,
daz ir mich vreuden armen
iuch alle lât erbarmen.

298 *d*ie Franzoiser muoz ich manen,
dô ich vome rîche nam mit vanen
mîn lant, dâ Tîbalt sprichet nâch,
waz mir ze stiure von im geschach:
5 dâ lobte mir des rîches hant
und swuoren *zwelve*, die wâren benant
in Francrîche an die hoehsten kraft,
daz si mit guoter rîterschaft
mich des jâres lôsten z'einer zît,
10 swenne überlüede mich der strît.
des hân ich siben jâr gebiten.
nû hât mich Tîbalt überstriten:
dem hân ouch ich genuoc getân.
ich was sô lange ein koufman,
15 unze *ich Nîmes* gewan, die guoten stat,
mit *wagen. dar nâch ich bat
in gevancnisse ir minne
sîn wîp, die küneginne.
ir güete mich gewerte

den Christenfrauen wurden
die Brüste abgeschnitten, gefoltert wurden ihre Kinder, 15
die Männer wurden ihnen alle totgeschlagen
und als Zielscheiben benutzt:
wer drauf schießt,
erwirbt sich Ansehn bei den Heiden.
So haben ihren Haß Tibalt 20
und Terramer, der Mächtige,
in meiner Mark verfolgt.
Acht meiner Verwandten sind
gefangen, die
treu mit mir im Kampf ihr Leben wagten. 25
Sieben Fürsten habe ich verloren,
die zählten zu den Höchsten unsres Reichs.
Ich bitt euch alle,
daß ihr mit mir in meinem Unglück
Mitleid habt.

298 Die Franzosen muß ich dran erinnern,
was mir, als ich vom Reich mit Fahnen
mein Land zu Lehen nahm, das Tibalt haben will,
an Hilfe zugesichert wurde:
da hat die Hand des Reichs mir zugesagt 5
und es haben zwölf geschworen,
die Mächtigsten in Frankreich,
daß sie mit gutem Heer und Kampf
mich in Jahresfrist befreiten
von der Überlast des Krieges. 10
Das hab ich sieben Jahre nicht beansprucht.
Jetzt hat mich Tibalt überrannt:
dem hab ich auch genug getan.
Ich ging solang als Kaufmann,
bis ich mit Wagen Nîmes gewann, die gute Stadt. 15
Danach warb ich
im Gefängnis um die Liebe
seiner Frau, der Königin.
Ihre Güte gab mir

20 al, des ich an si gerte:
daz tet si durh den touf noch mêr, S. 645a
mit mir danne ir überkêr,
denne durh mîne werdekeit.
sît hât mir herzebaeriu leit
25 der künec Tîbalt vil dicke brâht.
die den hoehsten got hab*e*nt gesmâht,
noch bî uns ime lande sint.
nû êret an mir der meide kint,
ob ich sô müeze sprechen:
helfet mîne mâge rechen,
299 daz wir von den heiden sölhiu pfant
gewinnen, diu Berhtrames bant
ûz prisûne sliezen!
mac ich nû geniezen
5 sippe und eide, die mir sint gesworn,
mîn vreude ist noch vil unverlorn.
*m*în vater, mîne bruoder die sprechen ê;
dâ nâch sprechen, als ir ellen stê,
mâge und lantherren mîn,
10 die tuon ir triuwe an mir nû schîn.
swenne ir gebietet, daz ich ez verdage,
mîn reht ist, daz ich nimmer klage.
ein ieslîch rît*e*r sîner êre
gedenke, *als in* nû lêre,
15 dô er dez swert enpfienc, ein segen:
swer rîterschefte wil rehte pflegen,
der sol witwen und*e* weisen
beschirmen von ir vreisen!
daz wirt sîn endelôs gewin.
20 er mac sîn herze doch kêren hin
ûf dien*e*st nâch der wîbe lôn,
dâ man lernet sölhen dôn,
wie sper durh schilde *krachen*,
wie diu wîp dar umbe lachen,
25 wie *vriundîn* vriunds unsemftekeit
semftet. zwei lôn uns sint bereit:

alles, was ich von ihr wollte: 20
das tat sie
und kam mehr um der Taufe willen
als wegen meines Ruhms herüber.
Darauf hat
König Tibalt mir viel Herzens-Leid gebracht. 25
Die den Höchsten Gott gelästert haben,
sind immer noch bei uns im Land.
Nun ehrt an mir das Kind der Jungfrau,
wenn ich das so sagen darf:
helft mir meine Verwandten rächen,
299 daß wir den Heiden Pfänder
nehmen, die Bertrams Fesseln
im Gefängnis lösen!
Helfen mir jetzt
die Verwandtschaft und die mir geschworenen Eide, 5
ist mein Glück noch nicht verloren.
Als erste mögen mein Vater, meine Brüder sprechen;
dann, wie ihr Mut sie drängt,
meine Verwandten und die Herren aus meinem Land:
die mögen mir jetzt ihre Treue zeigen. 10
Wenn ihr mir befehlt zu schweigen,
hab ich die Pflicht, nicht mehr zu klagen.
Jeder Ritter soll an seine Ehre
denken, wie ihn jetzt
die Segensformel seiner Schwertumgürtung lehrt: 15
ein rechter Ritter
soll Witwen und Waisen
in jeder Not beschützen!
Das erwirbt ihm ewigen Gewinn.
Doch ist es ihm erlaubt, sein Herz 20
an Dienst um Frauenlohn zu kehren,
wo man lernt, wie sich das anhört,
wenn Lanzen durch die Schilde krachen,
wie die Frauen dabei lachen,
wie die Freundin ihrem Freund die saure Mühe 25
süß macht. Zweifacher Lohn erwartet uns:

der himel und werd*er* wîbe gruoz.
bin ich sô vrum, dâ nâch ich muoz
ûf Alischanz nû werben
oder ich wil drumbe ersterben.«
300 ûf stuont der alte Heimrîch.
sîn rede dem sune was veterlîch.
der sprach: »dû maht wol sitzen nû.
mîn reht ist, daz ich *grîfe* zuo
5 antwurte: ich bin der eltiste hie.
mîne genôze, vürsten, dise und die,
nûne habt ez vür deheine smâcheit,
daz ich vor iu spriche. mînes sunes leit
sol er niht tragen eine:
10 ich hân ez mit im gemeine.
ich enlougen's durh sînen kumber niht:
mîn herze sîn ze kinde giht.
doch lât in sîn mîn lantman,
des mich got wol hât erlân,
15 ich wolt im doch sicherlîche S. 645b
helfen, sît er dem rîche
sô manegen prîs hât erstriten
und noch mit manlîchen siten
des rîches êre wirbet.
20 swes *saelde* niht verdirbet,
der wert die roemischen edelkeit
mit ellenthafter arbeit.
sît Terramêr von Tenabrî
unze an *Uriende* uns vüeret bî,
25 swaz werd*er* diet gesezzen was,
von Marsilie unze an Koukesas,
wir vinden pfand*es* deste mêr.
er enhât deheinen künec sô hêr
mit im brâht her über mer,
er müge verliesen wol sîn her.«

der Himmel und die Gunst der edlen Frauen.
Wenn ich so tüchtig bin, werd ich mich
jetzt auf Alischanz darum bemühen
oder dafür sterben.«

300 Nun stand der alte Heimrich auf.
Väterlich sprach er zum Sohn.
Er sagte: »Setz dich nun.
Es ist an mir, dir zu
erwidern: ich bin hier der Älteste. 5
Standesgenossen, Fürsten, alle,
seid nicht gekränkt,
wenn ich vor euch das Wort ergreife.
Nicht alleine soll mein Sohn sein Unglück tragen:
ich trage es mit ihm. 10
Sein Kummer bringt mich nicht dazu, daß ich es leugne –
mein Herz erklärt: er ist mein Kind.
Nehmt aber an, er wär nur einer meiner Ritter
– es ist gottlob nicht so –,
auch dann würd ich ihm, keine Frage, 15
helfen, denn er hat für das Reich
schon soviel Ruhm erkämpft
und sorgt noch voller Tapferkeit
für des Reiches Geltung.
Wer sein Heil behalten will, 20
der schützt die römische Würde,
indem er tapfer kämpft.
Da Terramer
die Edlen alle 25
von Tenabri bis nach Uriende, 24
von Marseille bis zum Hindukusch zu uns geführt hat,
finden wir umso mehr an Pfändern.
Kein König, den er
übers Meer hierher gebracht hat, ist so mächtig,
daß er nicht sein Heer verlieren könnte.«

301 ûf stuont Bernart, der flôrîs,
*dô sprach: »bruoder markîs,
mîn sun Berhtram truoc dînen vanen:
der getorste wol die sîne manen;
5 ich waen, er selbe ouch ellen truoc.
nû hânt si ungemach genuoc,
siben and*e*r vürsten, die noch sint
gevangen dâ bî *mîme* kint.
die uns ze dienste nû her *sint* kom*e*n
10 und die des rîches solt hânt genom*e*n
oder sus mit vürstenlîcher kraft
hie sint mit grôzer rîterschaft
beide durhz rîche und ouch durh uns,
helde, nû helfet, daz wir mînes suns
15 Berhtrames bant zebrechen
und Vîvîanzen rechen!
ich trag al mîner bruoder munt.
der triuwe ist mir sô verre kunt,
daz unser herzen sint al ein:
20 durh daz ensprach noch ir dehein.
die geste sulen sprechen nû
(dâ grîfent ellenthafte zuo),
die her von Francrîche
sint geriten krefteclîche.
25 unser mâge ich niht vür geste hân:
sô het diu sippe missetân.
den getrûwet mîn vat*e*r und ouch wir.
Franzoiser, nû sprechet ir,
wes wir uns hin z'iu sülen versehen,
und lât uns iuwer ellen spehen!«

302 *d*er dis*e* âventiuwer bescheiden hât,
der tuot iu kunt, durh waz man lât,
daz die vürsten niht sint benant,
die der roemisch künic dar hât gesant:
5 want eteslîche wider wanden,
die ir vürstîe schanden.
si enpfiengen's mit zept*e*r od*e*r mit vanen.

301 Bernhard, le florissant, stand auf
und sagte: »Bruder Marquis,
Bertram, mein Sohn, trug deine Fahne:
der war Manns genug, die Seinen anzufeuern;
ich denk, er war auch selber mutig. 5
Jetzt geht es ihnen schlecht,
den sieben andern Fürsten, die
mit meinem Sohn gefangen sind.
Wer gekommen ist, Gefolgschaftsdienst zu leisten,
und wer den Sold des Reiches angenommen hat 10
oder sonst als Fürst
mit vielen Rittern hier ist
für das Reich und uns –
Helden, helft,
die Fesseln meines Sohnes Bertram zu zerreißen 15
und Vivianz zu rächen!
Ich sprech für alle meine Brüder.
Von deren Treue weiß ich soviel,
daß unsre Herzen völlig eins sind:
darum hat keiner sonst gesprochen. 20
Es mögen jetzt die Gäste sprechen
(geht es mutig an!),
die mit Heeresmacht aus Frankreich
hergeritten sind.
Unsre Verwandten zähle ich nicht zu den Fremden: 25
schlechte Verwandtschaft wär das.
Mein Vater und auch wir vertrauen ihnen.
Franzosen, sagt jetzt ihr,
was wir von euch erhoffen können,
und zeigt uns, daß ihr mutig seid!«

302 Der die Geschichte hier erzählt hat,
nennt euch den Grund, warum
die Fürsten ungenannt bleiben,
die der römische König hergesandt hatte:
manche kehrten wieder um, 5
entehrten ihre Fürstenwürde.
Sie hatten sie empfangen mit Zepter oder Fahne.

swer si des lasters noch wil manen,
dâ geschach iedoch ein widervart: S. 646a
10 die wante der junge Rennewart
an der enge ze Pitit Punt,
vünfzehen tûsent z'einer stunt,
zwischen Oransche und Alischans.
der die starken stangen dans,
15 den habt ir tumber danne ein rint:
er was doch des rîchsten mannes kint,
der bî den zîten krône truoc.
die rede lât sîn! hie saz genuoc
vürsten, die des jâhen,
20 swem daz kunde smâhen,
daz Oransche waere von in erlôst,
daz im der naeme bezzeren trôst.
si wolten nind*e*r vürbaz varen
mit ir vartmüeden scharen.
25 *si* waeren des âne schande,
sît die heiden vome lande
hin z'ir schiffen waeren gerit*e*n,
ob si belib*e*n ungestrit*e*n.
»swer uns den gegenmarket tuot,
die gevangen loese wir umb guot.«

303 von Berbest*e*r Berhtram
sprach: »dem werden nie gezam,
daz *er* ûz prîse traete:
swer in dar umbe baete,
5 dem solt er nimmer werd*e*n holt.
nû denket, helde, ir habt gedolt
in Francrîche mangen prîs!
ob ir nû den markîs
liezet in sus grôzer nôt,
10 iuwer neheines vriundîn daz gebôt.
iuch hazzet ouch drumbe (daz ist mir kunt),
der daz swert in sînem munt
vür treit ame urteillîchen tage,
dâ mite der küene und der zage

Man soll sie dafür nicht beschimpfen,
denn sie sind zurückgekommen:
der junge Rennewart drehte sie um 10
an der Klamm von Pitit Punt,
fünfzehntausend Mann auf einmal,
zwischen Orange und Alischanz.
Der die schwere Stange trug,
scheint euch dümmer als ein Rindvieh: 15
er war jedoch der Sohn des mächtigsten
Herrschers jener Zeit.
Laßt es gut sein! Hier saßen viele
Fürsten, die erklärten,
wem es nicht genug sei, 20
daß sie Orange befreiten,
möge bessere Hilfe suchen.
Sie wollten nicht mehr weiterziehen
mit ihren reisemüden Truppen.
Es kränke ihre Ehre nicht, 25
daß sie nicht gefochten hätten: 28
die Heiden seien ja vom Land 26
zu ihren Schiffen hingeritten. 27
»Wenn sie mit uns Geschäfte machen,
kaufen wir die Gefangenen frei.«

303 Bertram von Berbester
sagte: »Es stand dem Edlen niemals an,
den Pfad des Ruhmes zu verlassen:
forderte ihn einer dazu auf,
den sollte er für immer hassen. 5
Denkt doch, ihr Helden, dran, daß ihr
in Frankreich hochberühmt seid!
Ließet ihr jetzt den Marquis
in derart großer Not im Stich,
keine Freundin hat euch das befohlen. 10
Auch haßt euch dafür der (ich weiß es),
der mit dem Schwert in seinem Mund
am Jüngsten Tag erscheint,
das den Tapferen wie den Feigen

15 bêde getschumpfieret sint.
wol in, die er dâ hât vür sîniu kint,
dâ wir schouwen vümf wunden,
die noch sint unverbunden!
sîn bluot er durh uns rêrte.
20 swer sich von got nû kêrte,
des ende wurde gesmaehet
und diu sêle der helle genaehet.
sîn verh hât uns den segen erstriten,
der unvlühteclîchen kom geriten.
25 ûf einem esele man in kom*e*n sach
aldar, dâ in sît ein blinde erstach:
er waere den gesehenden wol enpfarn.
swer's kriuzes segen wil wol bewarn,
den jâmer, wie er an dem kriuze hienc
*alsus, dô er den tôt durh uns enpfienc.«

304 dô sprach Buove von Kumarzî:
»Franzoise, iu was ie manheit bî,
deswâr, die liezet ir noch ze vruo.
ein ieslîch manlîch rîter tuo,
5 als in nû lêre sîn bestiu werdekeit!« S. 646b
Franzoiser wurden al bereit,
daz si sich baz bespraechen
und Vîvîanzen raechen
an dem grôzen ungevüegem her.
10 ein ieslîch getouftiu hant ze wer
vant vümfzehen ander hende,
verre brâht ûz ellende.
Franzoiser dô sus gevuoren:
des ze Munlêûn si swuoren
15 und ze Orlens vor dem roemischen vog*e*t,
daz enwart niht lenger vür gezog*e*t.
si jâhen, daz al die Sarrazîn
in ir hazze müesen sîn.
si nâmen daz kriuze über al.
20 hin ûz inz her kom ouch der schal:
des *was manec rîter vrô.

niederschlägt. 15
Wohl denen, die er da als seine Kinder annimmt,
wo wir fünf Wunden schauen,
die noch immer offen sind!
Sein Blut hat er für uns vergossen.
Wer sich jetzt von Gott abkehrte, 20
dessen Ende wäre schmachvoll,
dessen Seele ging zur Hölle.
Mit seinem Fleisch und Blut erstritt er uns das Heil,
der mutig hergeritten kam.
Auf einem Esel sah man ihn 25
dorthin kommen, wo ihn ein Blinder dann erstach:
er wär den Sehenden leicht entronnen.
Wer des Kreuzes Heil bewahren will,
den erbarm's, wie er am Kreuze hing,
als er für uns den Tod empfing.«

304 Da sagte Buove von Commercy:
»Franzosen, ihr wart immer mannhaft,
das habt ihr, wahrlich, zu früh aufgegeben.
Jeder tapfere Ritter handle so,
wie seine höchste Ehre es ihm rät!« 5
Die Franzosen entschlossen sich,
sich besser zu beraten
und Vivianz zu rächen
an dem großen, ungeheuren Heer.
Jede Christenhand mußte gegen 10
fünfzehn andre Hände
aus fernen fremden Ländern kämpfen.
Die Franzosen taten dies:
was sie in Laon und Orléans geschworen hatten
vor dem Schutzherrn Roms, 15
das wurde nicht mehr aufgeschoben.
Sie sagten, alle Sarazenen
seien ihre Feinde.
Alle nahmen sie das Kreuz.
Das Lärmen drang hinaus ins Heer: 20
viele Ritter freuten sich darüber.

die werden wurben'z alle sô,
daz si des kriuzes gerten,
des si vil priest*er* werten,
25 hie *den* rîter, dort *den sarjant*.
swaz man guoter turkopel vant,
beidiu arme und rîche,
nâmen daz kriuze al gelîche.
ir herzen si *gereinden*,
den hoehsten got si meinden.
305 *i*n der siben bruod*er* sund*er* her
eteslîche bereiten sich ze wer.
sumelîche vant man slâfen;
sô *schouten* die andern wâfen
5 an schilden und an banieren;
sô begunden die andern zieren
ir harnasch, daz si'z machten wîz;
sô kêrten die andern al ir vlîz,
daz *si* die helme geflôrten.
10 swaz riemen und snüere gehôrten
d*er* zuo, der wart vergezzen niht.
man sach dâ manegez harte lieht:
zimierde und*e* harnasch,
daz sît von bluote gar verlasch.
15 sich môvierten ze *orsen die,
sô riten die andern banken hie
ûf schoenen runzîden.
dâ muose ouch angest lîden
manec unverzag*e*t küener man,
20 der sich rehte des versan,
daz ir strît niht mêre galt,
wan daz bereite was gezalt
dem tôde ir leben ze bêder sît.
ûf Alischanz der êrste strît,
25 der Pînele gap den rê,
des mâge sît tâten drumbe wê
ûf Alischanz getoufter diet.
Vîvîanzes tôt ouch sider schiet

Die Edlen baten alle
um das Kreuz,
das ihnen viele Priester gaben,
hier dem Ritter, dort dem Serjant. 25
Die edlen Turkopolen,
arme ebenso wie reiche,
nahmen alle auch das Kreuz.
Sie reinigten ihr Herz
und wandten sich zum Höchsten Gott.

305 In den Heeren, die die sieben Brüder führten,
bereitete sich mancher auf die Kämpfe vor.
Einige sah man schlafen;
andre sahen sich die Wappen
an Schilden und an Bannern an; 5
andere polierten
ihre Rüstung;
andre wandten allen Eifer
an den Schmuck der Helme.
Die Riemen und die Schnüre, 10
die dazu gehörten, wurden nicht vergessen.
Man sah da vieles prächtig funkeln:
Helmzier und Rüstung,
das dann im Blut erlosch.
Die einen übten sich auf schweren Rössern, 15
die anderen
auf schönen leichten Pferden.
In Furcht war da auch
mancher tapfere, kühne Mann,
der sich darauf besann, 20
daß ihr Kampf nichts andres kostete,
als daß sie beiderseits dem Tod 23
ihr Leben bar bezahlten. 22
Der erste Kampf auf Alischanz,
in dem Pinel das Leben ließ – 25
dafür gab später seine Sippe
auf Alischanz den Christen Leid und Schmerz.
Auch brachte darauf Vivianzes Tod

manegen werden heiden von sînem leb*en*. S. 647a
sus râche wid*er* râche wart gegeb*en*.

306 *d*urh Gîburge al diu nôt geschach.
diu stuont ûf. mit zuht si sprach,
ê daz sich schiet der vürsten rât:
»swer zuht mit triuwen hinne hât,
5 der ruoche hoeren mîniu wort!
got weiz wol, daz ich jâmers hort
sô vil inz herze hân geleit,
daz in der lîp unsamfte treit.«
die gein ir ûf begunden stên,
10 die bat si sitzen und nind*er* gên.
dô si gesâzen über al,
si sprach: »der tôtlîche val,
der hie ist geschehen ze bêd*er* sît,
dar umbe ich der getouften nît
15 trag und ouch der heiden,
daz bezzer got in beiden
an mir, und sî ich schuldic dran.
die roemischen vürsten ich hie man,
daz ir *kristenlîch êre mêret.
20 ob iuch got sô verre *gêret,
daz ir mit strîte ûf Alischanz
rechet den jungen Vîvîanz
an mînen mâgen und an ir her
(die vindet ir mit grôzer wer),
25 und ob der heiden schumpfentiur ergê,
sô tuot, daz saelekeit wol stê:
hoeret eines tumben wîb*es* rât,
schônet der gotes hantgetât!
ein heiden was der êrste man,
den got machen began.

307 *n*û geloubet, daz Elîas und Enoch
vür heiden sint behalten noch.
Nôê ouch ein heiden was,
der in der arken genas.

viele edle Heiden um ihr Leben.
So stand Rache wider Rache.
306 Giburg war der Grund für all das Leid.
Die erhob sich. Mit gesetzten Worten sagte sie,
bevor der Fürstenrat sich trennte:
»Wer hier weiß, was sich geziemt, und wer ein Herz hat,
hör mich an! 5
Gott ist mein Zeuge, daß ich soviel Leid
in mein Herz gelegt hab,
daß der Körper es kaum trägt.«
Die sich vor ihr erhoben,
bat sie, sich zu setzen und nicht fortzugehn. 10
Als alle saßen,
sagte sie: »Das große Sterben,
das hier geschah auf beiden Seiten,
das mir den Haß der Christen
und der Heiden eingetragen hat, 15
vergelte beiden Gott
an mir, wenn ich dran schuldig bin.
Die römischen Fürsten hier ermahn ich:
mehrt das Ansehn des Christentums!
Erweist euch Gott die Ehre, 20
daß ihr im Kampf auf Alischanz
rächt den jungen Vivianz
an meinen Verwandten und ihrem Heer
(ihr werdet sie sehr wehrhaft finden),
und wenn die Heiden unterliegen, 25
dann handelt so, wie es das Heil des Christentums
erfordert! Hört auf die Lehre einer ungelehrten Frau:
schont die Geschöpfe aus Gottes Hand!
Ein Heide war der erste Mensch,
den Gott erschuf.
307 Glauben sollt ihr, daß Elias und Enoch
Heiden waren und doch gerettet wurden.
Ein Heide war auch Noah,
der in der Arche überlebte.

5 Jôp vür wâr ein heiden hiez,
den got dar umbe niht verstiez.
nû nemt ouch drîer künege war,
der heizet einer Kaspar,
Melchîor und *Balthasân*;
10 die müezen wir vür heiden hân,
diene sint zer vlüste niht benant:
got selb enpfie mit sîner hant
die êrsten gâbe ane muot*er* brust
von in. die heiden hin zer vlust
15 sint alle niht benennet.
wir hân vür wâr bekennet,
swaz müeter her sît Even zît
kint gebâren, âne strît
gar heidenschaft was ir geburt:
20 etslîchez der touf hiet umbegurt.
getouf*e*t wîp den heiden treit,
swie daz kint der touf hab umbeleit.
der juden touf hât sund*er* sit*e*: S. 647b
den begênt si mit einem snit*e*.
25 wir wâren doch alle heidnisch ê.
dem saeldehaften tuot vil wê,
ob von dem vater sîniu kint
hin zer vlust benennet sint:
er mac sich erbarm*e*n über sie,
der rehte erbarmekeit truoc ie.

308 nû geloubet ouch, daz diu mennescheit
den engelen ir stat ab erstreit,
dâ si gesetzet wâren,
die unser künne vâren,
5 ze himele in den zehenden kôr.
die erzeigeten got alsölhen bôr,
daz sîn werdiu kraft vil staetec
von *in* wart anraetec.
die selb*e*n nôtgestallen
10 von gedanken muosen vallen:
got enlie si niht zen werken kom*e*n,

Hiob war zweifellos ein Heide 5
doch hat Gott ihn darum nicht verstoßen.
Denkt auch an drei Könige,
Kaspar,
Melchior, Balthasar;
die müssen wir zu den Heiden zählen, 10
und sie sind nicht verdammt:
Mit seiner Hand nahm Gott
noch an der Mutterbrust die ersten Gaben
an von ihnen. Nicht alle Heiden
sind verdammt. 15
Wir wissen:
alle Kinder, die die Mütter seit Evas Zeit
geboren haben, sind ohne Zweifel
als Heiden auf die Welt gekommen:
viele hatte ein getaufter Mutterleib umschlossen. 20
Die Leibesfrucht getaufter Frauen ist heidnisch,
ungeachtet ein getaufter Leib das Kind umgibt.
Die Juden haben eine eigne Taufe:
sie vollziehen sie mit einem Schnitt.
Wir waren doch einst alle Heiden. 25
Wer im Heil ist, leidet
unter dem Gedanken, daß der Vater seine Kinder
zum Verlust der Seligkeit verdammt:
es steht in seiner Macht, sich ihrer zu erbarmen,
der zu allen Zeiten wahre Barmherzigkeit besaß.

308 Glauben sollt ihr, daß die Menschheit
jenen Engeln,
die unserem Geschlecht nachstellen, 4
ihren Platz abkämpfte, der ihnen zugewiesen war, 3
den zehnten Chor im Himmel. 5
Die empörten sich so gegen Gott,
daß sie seine ewige Kraft und Herrlichkeit
verrieten.
Diese Kampfgenossen
fielen schon durch die Gedanken: 10
Gott ließ sie nicht zu Taten kommen,

der gedank*e* weiz wol unvernom*e*n.
dar umbe des mennisch*e*n wart erdâht.
sich heten mennisch und engel brâht
15 beidiu in den gotes haz:
wie kumt, daz nû der mennisch baz
dan der engel gedinget?
mîn munt daz maere bringet:
der mennisch wart durh rât verlorn,
20 der engel hât sich selb erkorn
zer êwigen vlüste
mit sîner âküste,
und alle, die *im gestuonden*,
die selben riuwe vunden.
25 die varent noch hiute dem mennische bî,
als ob der kôr ir erbe sî,
der den ist ze erbe lâzen,
die sich des kunnen mâzen,
daz gotes zorn erwirbet,
des saelde niht verdirbet.

309 swaz iu die heiden hânt getân,
ir sult si doch geniezen lân,
daz got selbe ûf die verkôs,
von den er den lîp verlôs.
5 *ob* iu got *sigenunft* dort gît,
*lât ez iu erbarm*e*n ime strît!
sîn werdeclîchez leb*e*n bôt
vür die schuldehaften an den tôt
unser vater Tetragramatôn.
10 sus gap er sînen kinden lôn
ir vergezzenlîcher sinne.
sîn erbarmede rîchiu minne
elliu wund*e*r gar besliuzet,
des triuwe niht verdriuzet,
15 sine trage die helfeclîche hant,
diu bêde wazzer und*e* lant
vil künsteclîch alrêst *entwarf*, S. 648a

der die Gedanken kennt, bevor sie ausgesprochen sind.
Deshalb ist der Mensch erschaffen worden.
Mensch und Engel hatten sich
gleichermaßen Gottes Feindschaft zugezogen: 15
wie kommt es, daß der Mensch nun
auf Vergebung hoffen darf, der Engel nicht?
Ich will es sagen:
der Mensch ist einem bösen Rat erlegen,
der Engel hat sich selbst aus eignem Antrieb 20
in den ewigen Tod gegeben
mit seiner Hinterlist,
und allen, die es mit ihm hielten,
ging's genau so schlecht.
Noch heut umschleichen sie den Menschen, 25
als ob der Chor ihr Erbteil wär,
den jene erbten,
die zu meiden wissen,
was Gott erzürnt,
dessen Heil ohn Ende ist.

309 Was euch die Heiden Schlimmes taten,
laßt ihnen doch zugute kommen,
daß Gott selbst bereit war,
seinen Mördern zu vergeben.
Wenn Gott euch dort den Sieg gewährt, 5
habt im Kampf Erbarmen!
Sein hohes Leben opferte
für die Schuldbeladnen
unser Vater Tetragramaton.
So hat er seinen Kindern 10
vergolten, daß sie ihn vergaßen.
Sein liebendes Erbarmen
kann jedes Wunder wirken,
in seiner treuen Liebe
hält er stets die Hand zur Hilfe hin, 15
die Wasser und Erde
kunstreich erschuf

und des al diu krêatiure bedarf,
die der himel *umbesweifet* hât.
20 diu selbe hant die plânêten lât
ir poind*e*r vollen gâhen
bêdiu verre und nâhen,
swie si *nimmer* ûf gehaldent.
si warment und*e* kaldent,
25 etswenne *daz îs si schaffent*,
dar nâch si boume *saffent*,
sô diu erde ir gevidere rêret
und si der meie lêret
ir mûze alsus volrecken,
nâch den rîfen bluomen stecken.
310 ich diene der künsteclîchen hant
vür der heiden *got* Tervagant.
ir kraft hât mich von Mahumeten
und*e*r des toufes zil gebeten.
5 des trag ich mîner mâge haz
und der getouften umbe daz:
durh menneschlîcher minne gît,
si waenent, daz ich vuogete disen strît.
dêswâr, ich liez ouch minne dort
10 und grôzer rîcheit manegen hort
und schoeniu kint, bî einem man,
an dem ich niht geprüeven kan,
daz er kein untât ie begienc,
sît ich krône von im enpfienc.
15 Tîbalt von Arâbî
ist vor aller untaete vrî:
ich trag al eine die schulde
durh des hoehisten gotes hulde,
ein teil ouch durh den markîs,
20 der bejaget hât sô manegen prîs.
ei, Willehalm, rehter *punschûr*,
daz dir mîn minne ie wart sô sûr!
waz werd*e*r diet ûz erkorn
in dîme dienste hânt verlorn

und alles, was die Geschöpfe brauchen,
die der Himmel umgibt.
Die Hand läßt die Planeten 20
ihre Kampfbahn rasch durchlaufen,
fern und nah,
und doch nicht zur Ruhe kommen.
Wärme bringen sie und Kälte,
zu Zeiten schaffen sie das Eis 25
und geben dann den Bäumen Saft,
wenn die Erde ihr Gefieder abwirft
und der Mai sie dazu bringt,
daß sie sich vollends mausert
und nach dem Rauhreif Blüten aufsteckt.
310 Ich diene der kunstreichen Hand
und nicht dem Heidengott Tervagant.
Ihre Macht hat mich von Mohammed
ins Christentum gebracht.
Das hat mir meiner Verwandten Haß 5
und den Haß der Christen zugezogen, denn
sie meinen: für Sinnenlust
hätt ich den Krieg verursacht.
Wahr ist: ich ließ auch Liebe dort
und großen Reichtum, 10
schöne Kinder von einem Mann,
von dem ich nicht sehen kann,
daß er jemals Böses tat,
seit ich die Krone von ihm empfing.
Tibalt von Arabi 15
ist ohne jeden Fehl:
ich trag allein die Schuld,
es ging mir um des Höchsten Huld
– und auch um den Marquis,
der soviel Ruhm erworben hat. 20
Ach Willehalm, du rechter Krieger,
daß dir meine Liebe je so bitter wurde!
Wieviele edle, auserwählte Männer
sind für dich

25 ir lîp genendeclîche!
der arme und der rîche,
nû geloubet, daz iuwer*er* mâge vlust
mir sendet jâmer in die brust.
vür wâr, mîn vreude ist mit in tôt.«
si weinde vil: des twanc si nôt.

311 des wirtes bruoder Gîbert
ûf *spranc*: die küneginne wert
an sîne brust er dructe.
ir herze durh *diu* ougen ructe
5 vil wazzers an diu wangen.
von dem râte wart gegang*en*.
die vürsten *ûf den* palas
giengen, dâ verdecket was
manec tavel hêrlîche.
10 Heimrîch, der zühten rîche,
z'al den vürsten sund*er* sprach: S. 648b
»als man iuch gester sitzen sach,
ieslîche haben die selben want.«
nâch den juncvrouwen wart gesant.
15 die kômen und ouch Rennewart.
dem was besenget sîn junger bart,
des harnasch was tiuwer und*e* klâr,
er selbe *was starc und wol gevar.
er leite sîne stangen nidere.
20 dar gie manec rîter sidere.
ieslîches kraft sich sô verbarc:
ir n*e*heiner was sô starc,
der's hüebe von der erde,
wan Willehalm, der werde,
25 der zucte's ûf unz über diu knie.
daz miten die andern, dise und die.
Rennewart daz drum nam in die hant:
die stangen swanc der sarjant
umbz houbet als ein sumerlat*en*.
sîn kraft den kristen kom ze stat*en*.

tapfer in den Tod gegangen! 25
Glaubt mir alle, arm und reich,
der Tod eurer Verwandten
preßt mir Jammer in die Brust:
wahrlich, mit ihnen starb mein Glück.«
Sie weinte sehr in ihrer Not.

311 Da sprang des Burgherrn Bruder Gibert
auf: er drückte die edle Königin
an seine Brust.
Durch die Augen trieb ihr Herz
viel Wasser auf die Wangen. 5
Man verließ den Rat.
Die Fürsten gingen in den Palas,
wo auf
vielen Tafeln prächtig aufgedeckt war.
Heimrich, ganz Herr der Etikette, 10
sagte zu jedem Fürsten:
»Nehmt wie gestern Platz,
jeder an derselben Wand.«
Man sandte nach den jungen Damen.
Die kamen, Rennewart mit ihnen. 15
Dem war sein junger Bart besengt,
kostbar und glänzend seine Rüstung,
er selber stark und schön.
Er legte seine Stange ab.
Viele Ritter gingen zu ihr hin. 20
Jedem blieb die Kraft so aus:
keiner war so stark,
sie vom Boden aufzuheben,
nur Willehalm, der Edle,
riß sie hoch bis über die Knie. 25
Das schaffte keiner von den andern.
Rennewart ergriff das Trumm:
der Serjant schwang die Stange
um den Kopf wie einen jungen Schößling.
Hilfreich sollte seine Kraft den Christen sein.

312 *d*ô des schimpfes was genuoc,
den vürsten man daz wazzer truoc
und maneg*e*r vrouwen wol gevar,
dar zuo den werden rîtern gar.
5 ieslîcher saz an sîne stat.
Heimrîch dô Rennewarten bat
zer küneginnen sitzen dort
ûf'en teppich an der taveln ort.
dô der nider was gesezzen,
10 er muose gewâpent ezzen.
man muoz des sîme swerte jehen:
het ez her Nîthart gesehen
über sînen geubühel trag*e*n,
er *begund* ez sînen vriund*e*n klag*e*n:
15 daz lie der marcgrâve âne haz,
swie nâhe er bî der küneginne saz.
in einem alsô verherten lant
wart nie bezzer spîse erkant
und alsô willeclîche gegeb*e*n.
20 swer guotes willen kunde leb*e*n,
den gap wirt und wirtîn.
ir neheiner truoc mit sünden hin,
swaz er spîse mohte aldâ verzern,
der sich den vîenden wolde wern.
25 *d*ô man ezzens dâ verpflac,
ez was wol mitter morgens tac.
die vürsten urloup durh daz
nâmen: si wold*e*n vürbaz
kêren: strîtes si luste.
Gîburc si weinende kuste.
313 ê si z'ir ringen waeren kom*e*n,
gezelt wâren elliu ab genom*e*n
und daz her gerottieret,
daz velt al über gezieret
5 mit maneger baniere. S. 649a
Gîburc diu kom schiere
in diu venster durh schouwen

312 Als man sich lang genug belustigt hatte,
brachte man das Wasser zu den Fürsten,
zu vielen schönen Damen
und zu all den edlen Rittern.
Jeder setzte sich an seinen Platz. 5
Heimrich bat da Rennewart,
sich dort zur Königin zu setzen,
am Tafelende auf den Teppich.
Als er Platz genommen hatte,
mußte er in Rüstung essen. 10
Seinem Schwert muß man das lassen:
hätte es Herr Neidhart
über seinen Dorfberg tragen sehen,
hätt er geklagt bei seinen Freunden:
der Markgraf hatte nichts dagegen, 15
wie nah auch Rennewart der Königin zur Seite saß.
In einem so verheerten Land
fand man niemals bessere Speise
und so gern gereichte.
Die der gute Wille sättigte, 20
denen gaben Wirt und Wirtin.
Da versündigte sich keiner,
der mit den Feinden kämpfen wollte, 24
wenn er mit sich nahm, was er verzehren konnte. 23
Als das Mahl beendet war, 25
war es hoher Vormittag.
Die Fürsten nahmen Abschied,
denn sie wollten weiter:
es drängte sie zum Kampf.
Weinend küßte Giburg sie.

313 Noch eh sie in die Lager kamen,
waren alle Zelte abgebrochen
und das Heer formiert,
das ganze Feld geschmückt
mit Bannern über Bannern. 5
Giburg eilte
mit einer Schar von jungen Damen 8

mit maneger juncvrouwen,
wie mit vürstenlîcher krefte
10 maneger gesellescheften
daz velt wart überdecket.
allenthalben zuo getrecket
ûf die strâzen gein dem mer
kom ein sô *kreftigez her,
15 daz ez die engel möhten sehen,
kunden si zimierde spehen.
si heten an den stunden
ûf die helme gebunden
manec tiuwer zimierde klâr.
20 ouch sach man her und dar
daz velt al übergleste*n*
mit pfellen, den beste*n*,
an *den* hôchgemuoten werden.
ûf al kristenlîcher erden
25 wart manlîcher zuokome*n*
von wirtes vriunden nie vernome*n*.
diz ist ir dan scheiden:
si wellent nû gein den heiden.
got wald's, sît er's alles pflig*e*t:
der weiz nû wol, wer dâ gesig*e*t.

in die Fenster, um zu sehen, 7
wie die
vielen Fürstenheere 10
das ganze Feld bedeckten.
Allenthalben zogen
auf die Straße, die zum Meer hinführte,
derart starke Truppen:
es hätten sie die Engel sehen können, 15
wenn die wüßten, was Zimiere sind.
Sie hatten
viele teure, leuchtende Zimiere 19
auf den Helmen festgebunden. 18
Auch sah man hinauf, hinunter 20
das ganze Feld
von bester Seide überstrahlt,
die die Edlen, Stolzen trugen.
In der ganzen Christenwelt
bekam niemals ein Herr von Freunden 26
derart mannhaft Zuzug. 25
Dies ist ihr Aufbruch:
gegen die Heiden wollen sie jetzt.
Das walte Gott – in seinen Händen liegt ja alles:
der weiß schon jetzt, wer da gewinnt.

314 Rennewarten des ze sehen zam,
wie dirre den schilt ze halse nam
und wie der and*er* helm ûf houbet bant
und wie *ir wartman wurden gesant
5 nâch den vîend*e*n durh des heres pflege.
bêde ûf velde und ûf dem wege
sund*er* rotte dar zuo wâren genom*e*n,
ob die vîende wid*er* wold*e*n kom*e*n,
daz si vund*e*n widersaz.
10 Terramêr*e*s huove kraz
was harte breit und nind*er* smal.
bêde ane berge und ane tal
Rennewart lief allez mite,
daz er den manegen sund*er* site
15 gerne hete bekant.
dô er sînen herren vant,
si wâren wol raste lanc gevarn. S. 649b
zuo dem markîse Terramêr*e*s barn
kom geloufen, niht gegangen.
20 der vrâget in nâch sîner stangen:
»wes sol mich dîn helfe troesten?«
»dâ sult ir mich vür den boesten
und*er* allen disen rotten zelen,
welt ir einen ribalt wel*e*n.«
25 Rennewart sich schamte sêre:
ez dûhte in grôz unêre,
daz der stangen was vergezzen.
er was halt von dem ezzen
geloufen durh busîne krach
und dô er ûf den helmen sach
315 sô spaehe wunder manecvalt:
ez enist dehein wîp sô alt,
der ez dicke vür si vuorte,

314 Rennewart verfolgte fasziniert,
wie der den Schild zum Hals hochnahm
und dieser sich den Helm festband
und wie sie ihre Späher
zu den Feinden sandten, um das Heer zu sichern. 5
Im freien Feld und auf den Wegen
waren Einzeltrupps postiert,
damit die Feinde, wenn sie wiederkommen sollten,
Gegenwehr zu spüren kriegten.
Die Hufspur Terramers 10
war äußerst breit, an keiner Stelle schmal.
Über Berg und Tal
lief Rennewart beständig mit,
weil er die Besonderheiten der verschiedenen
Verbände
kennenlernen wollte. 15
Als er seinen Herrn entdeckte,
waren sie eine gute Raste weit gezogen.
Der Sprößling Terramers
stürzte auf den Marquis zu.
Der fragte ihn nach seiner Stange: 20
»Womit willst du mir helfen?«
»Ihr könnt mich als den Übelsten betrachten
in allen diesen Trupps,
wenn ihr euch einen Strolch aussuchen wollt.«
Rennewart schämte sich sehr: 25
er hielt's für eine große Schande,
daß die Stange vergessen war.
Er war halt vom Essen
weggelaufen, als er die Trompeten hörte
und auf den Helmen
315 so viele Wunderdinge sah:
es ist kein Weib so alt,
dem nicht bei solchem Anblick

ir jugende muot si ruorte,
5 daz si ir ougen lieze swingen dar.
vil manec geflôriertiu schar
Rennewarten dar zuo brâhte,
daz er gar überdâhte,
ob er ie stangen herre wart:
10 sô gâch was im ûf die vart.
doch truoc er umbe sich sîn swert.
zem markîse sprach der knappe wert:
»herre, ich wil die stangen holen.
lât mich schamende arbeit dolen:
15 wan pflaege ich manlîcher site,
diu stange waere mir gevolget mite.
ich hân *iuch* schiere ergâhet.
ob halt diu naht uns nâhet,
ich vinde iedoch wol iuwer spor
20 und der heiden, die dâ riten vor.«
der markîs sprach ze Rennewart:
»dîn wid*e*rreise wirt nû gespart.
eines andern boten ich dich wer,
der uns die stangen bringet her.«
25 ein wol geriten sarjant
nâch der stangen wart gesant:
der reit hin'z Oransche wid*e*r,
dâ diu stange was geleit nid*e*r.
eintwed*e*r karre od*e*r ein wag*e*n
nâch dem her die stangen muose trag*e*n.

316 *H*eimrîch und sîniu kint
und ouch die andern vürsten sint
kom*e*n an eine schoene stat,
aldâ man'z her sich legen bat.
5 wol gehêret wart daz velt:
preimerûn und manc gezelt,
ekube, treif unt tulant
man vil dâ ûf geslagen vant.
ê *daz* her sich gar geleite nider,

der Enthusiasmus seiner Jugend wiederkäme,
so daß es hingerissen starrte. 5
Scharen über Scharen, prächtig aufgeputzt,
hatten Rennewart dazu gebracht,
daß es ihm völlig aus dem Sinn kam,
daß er jemals Herr einer Stange war:
so eilig hatte er's, dorthin zu kommen. 10
Doch trug er sein Schwert am Gürtel.
Der edle Knappe sagte zum Marquis:
»Herr, ich will die Stange holen.
Laßt mich die Schande und die Mühe auf mich
nehmen:
hätt ich mich wie ein Mann verhalten, 15
hätt die Stange mich begleitet.
Rasch hab ich euch wieder eingeholt.
Und auch wenn's Nacht wird,
find ich eure Spur doch gut
und die der Heiden, die da vorher ritten.« 20
Der Marquis zu Rennewart:
»Du läufst mir nicht zurück.
Ich stell dir einen andern Boten,
der uns die Stange herbringt.«
Ein wohlberittener Serjant 25
wurde nach der Stange gesandt:
der ritt nach Orange zurück,
wo die Stange deponiert war.
Einen Karren oder Wagen
brauchte man, um sie den Truppen nachzutragen.

316 Heimrich, seine Söhne
und die andern Fürsten sind
an einen schönen Platz gekommen,
wo man dem Heer befahl, das Lager aufzuschlagen.
Herrlichen Schmuck bekam das Feld: 5
Preimeruns und viele andre Zelte,
Aucubes, Trefs, Tulants
sah man da zahlreich aufgeschlagen.
Noch hatten sich nicht alle hingelegt,

10 Rennewarte kom sîn stange wider
mit der nâchhuote: S. 650a
des was im wol ze muote.
aldâ lâgen si die naht.
des morgens gein der heiden maht
15 sich daz her begunde enboeren.
man moht dâ wund*e*r hoeren
von pusînen und von anderm schalle.
nû wolte si aber alle
Rennewart umbe gâhen,
20 die verren und die nâhen,
dort eine storje, die andern hie.
er wolte prüeven dise und die,
schilde und ir baniere baz,
unz er der stangen aber vergaz.
25 die herberge wurden an gezunt.
dô si verre gevuoren, nû wart kunt
mit zorne dem jungen sarjant,
daz diu stange in sîner hant
niht dannen was gevolget mite.
in sînem herzen wuohs unsite:
317 schamt er sich gestern sêre,
des wart hiute zwir mêre.
er sprach: »nû hât mir tumpheit
alrêste gevüeget herzen leit:
5 diu scheidet selten sich von mir.
der dem grimmen vederspil die gir
verhabt (daz hân ich doch gesehen),
man muoz im dâ nâch blûwikeit jehen.
wan ich hân mîn selb*e*s gir verhab*e*t.«
10 wid*e*r ûf die strâzen wart gedrab*e*t:
snelheit erzeigeten sîniu bein.
der *knappe* huop sich dan al ein.
ein ors von sölhen kalopeiz
müese rêren sînen sweiz,
15 daz im gevolget solte hân:
sô gâch was im wid*e*r dan.

als mit der Nachhut 11
die Stange zu Rennewart zurückkam: 10
der war darüber froh.
Dort verbrachten sie die Nacht.
Am Morgen machte sich
das Heer, der Heidenmacht entgegen, auf. 15
Unglaublich war
das Schmettern der Trompeten und der andre Lärm.
Sie alle wollte wieder
Rennewart umkreisen,
die Fernen und die Nahen, 20
dort einen Trupp, den andern hier.
Er wollt sie ganz genau betrachten, die und jene,
ihre Schilde, ihre Banner –
und vergaß die Stange wieder.
Die Unterkünfte wurden angezündet. 25
Als sie schon weit geritten waren, sah
der junge Serjant voller Zorn,
daß die Stange nicht in seiner Hand
mitgekommen war.
Unmut stieg in ihm auf:
317 hatte er sich gestern sehr geschämt,
schämte er sich heute zweimal mehr.
Er sagte: »Jetzt erst hat die Torheit mir
wirklich etwas angetan:
die verläßt mich nie. 5
Wenn man dem scharfen Falken, der auf Beute stoßen
will, die Gier verhält (ich hab es doch gesehn),
dann wird er zahm.
Ich hab mir ganz allein die eigne Gier verhalten.«
Auf die Straße wurde wiederum getrabt: 10
Schnelligkeit bewiesen seine Beine.
Der Knappe machte sich allein davon:
ins Schwitzen wär 14
ein Pferd gekommen von dem Galopp, 13
wenn es ihm hätte folgen sollen: 15
so eilig hatte er's zurück.

er truoc harnasch ob al den liden.
sîn zuht daz kunde niht gevriden:
sîn manheit hete grôzen zorn
20 ze gesellen vür hôhen muot erkorn.
er sprach: »waz wunders mac ditze sîn,
daz ich der starken stangen mîn
nû zem drittem mâle vergaz?
daz mir diu werdekeit ir haz
25 niht anders mac erzeigen,
ich waene, daz sol die veigen
bringen under's tôdes zil.
waz, ob mich versuochen wil,
der aller wunder hât gewalt,
und ob mîn manheit sî balt?

318 ich liez durh zuht und durh scheme,
daz ich ze disem noch ze deme
niht sprach mîn wider kêren.
daz sol mîn laster mêren:
5 si waenent, ich sî in entrunnen. S. 650b
ich hân mich des versunnen:
wirt mîn herre dort bestanden,
mîner grôzen houbetschanden
sulen mîne mâge pflihte hân:
10 *daz* hoenet manegen edelen man,
die erboren sint von mîner art.
man waenet, daz mîn widervart
sî durh zageheit erdâht:
dâ mit der kus waere gesmâht,
15 den mir gap sîner swester kint,
bî dem in strîte bêdiu sint
mîn herze und des herzen wille.
swîge ich dises maeres stille,
ez wirt doch âne mich gesaget.«
20 nû kom der junge unverzaget,
dâ die hütten von loube,
mit rôre und von schoube
wâren verbrunnen und begunden brinnen.

Er war von Kopf bis Fuß gepanzert.
Seine Selbstbeherrschung konnte nicht verhindern,
daß seine Kühnheit sich mit Zorn
verband anstatt mit hochgemutem Stolz. 20
Er sagte: »Was mag das für ein Wunder sein,
daß ich meine starke Stange
nun zum dritten Mal vergaß?
Daß mir die Ehre ihren Haß
nicht anders zeigen kann, 25
das wird, denk ich, die Todbestimmten
unter die Erde bringen.
Was, ob mich der versuchen will,
der aller Wunder mächtig ist,
ob ich kühn und tapfer bin?

318 Weil es sich nicht gehört und ich mich schäme,
hab ich niemandem gesagt,
daß ich umkehr.
Das wird mir noch mehr Schande bringen:
sie denken, ich sei desertiert. 5
Ich bin fest entschlossen:
wird mein Herr dort angegriffen,
sollen an meiner großen Schmach
meine Verwandten Anteil haben:
das bringt vielen Edlen Schande, 10
die aus meiner Sippe stammen.
Man glaubt, ich sei aus Angst
zurückgelaufen:
damit wär der Kuß geschmäht,
den mir dessen Schwestertochter gab, 15
bei dem im Kampf
mein Herz ist und der Wille meines Herzens.
Wenn ich nicht davon rede,
so reden doch die anderen davon.«
Da kam der Junge, Unverzagte 20
zu der Stelle, wo die Hütten aus Laub,
aus Binsen und aus Stroh
in Asche lagen oder eben Feuer fingen.

er enkunde sich niht versinnen,
25 wâ sîn starkiu stange lac:
vil umbesweifes er dô pflac.
besenget was diu stange.
ez sûmte in harte lange,
unz er si verloschen vant.
si was swarz als ein and*e*r brant.
319 nû neruochet, *was* si ê waeher –
si ist nû vester und zaeher.
er *zucte's* ûz'em viure
und lief gein âventiure.
5 *d*er marcgrâve was sô nâhe kom*e*n:
ûf einen berc het er genom*e*n
sîner helfaere vil durh schouwen.
ane *halden* und an ouwen
hiez er stille hab*e*n sîn her.
10 zwischen dem gebirge und dem mer
bî Larkant lac Terramêr,
der kreftige, von arde hêr
und von sîner hôhen rîcheit.
ûf Alischanz, dem velde breit,
15 sîne kraft man mohte erkennen.
solt ich's iu alle nennen,
die mit grôzem here dâ lâgen
und sund*e*r ringe pflâgen,
liute und lant mit namen zil,
20 sô het ich arbeite vil.
sô beherberget was daz velt:
niht wan mer und gezelt
sâhen, die des nâmen war.
des begunde zwîvelen etslîche schar,
25 die vil genendeclîche
ê dicke in Francrîche
bejageten prîs und ungemach.
der marcgrâve z'in allen sprach:
»*v*riunde herze und vîende kraft S. 651a
nû prüeve ein ieslîch geselleschaft.

Er konnt sich nicht erinnern,
wo seine starke Stange lag. 25
Er lief hin und her.
Angesengt war die Stange.
Es dauerte sehr lange,
bis er sie erloschen fand.
Sie war schwarz wie Kohle.

319 Laßt's gut sein, wenn sie vorher schöner war –
fester ist sie jetzt und zäher.
Er riß sie aus dem Feuer
und lief los: ins Abenteuer.
Der Markgraf war so nah herangekommen: 5
auf die Höhe eines Berges hatte er
viele seiner Helfer mitgenommen, um zu spähen.
An den Hängen, auf den Auen
ließ er sein Heer verharren.
Zwischen dem Gebirge und dem Meer 10
lag am Larkant Terramer,
der Mächtige, hochberühmt durch Abkunft
und durch Reichtum.
Auf Alischanz, dem breiten Feld,
war seine Macht zu sehen. 15
Sollt ich sie euch alle nennen,
die mit großem Heer da lagen
und eigene Lager unterhielten,
mit ihren Namen Land und Leute,
dann hätt ich viel zu tun. 20
S o war das Feld mit Unterkünften überzogen:
nichts als Meer und Zelte
sahen, die da Ausschau hielten.
Da fingen viele an zu zweifeln,
die tapfer 25
einst in Frankreich noch und noch
Mühsal ertragen, Ruhm erworben hatten.
Zu ihnen allen sprach der Markgraf:
»Der Freunde Herz, der Feinde Macht
soll jetzt jede Schar erwägen.

320 die hie durh got sint und durh mich,
ein ieslîch man bedenke sich,
waz er mit strîte welle tuon.
dort lît der Kanabêus sun,
5 Terramêr, der rîche,
alsô krefteclîche,
daz wir vür wâr dâ vinden strît.
nû muoz ich vrâgen (des ist zît),
wer vehtens welle ernenden.
10 got sol iu allen senden
in iuwer herze sölhen muot,
daz ir iu selben rehte tuot.
ze iuwer keinem hân ich daz ervorht,
doch wurde daz gotes her entworht,
15 hüeb unser deheiner hie die vluht.
ein ieslîch man durh sîne zuht
spreche, als er'z ime herzen weiz.
als uns nû vil manec puneiz
ze gegenstrîte dringet,
20 swen denne sîn herze twinget
wid*e*r hinder sich und niht hin vür,
der *hât hie baz and*e*r kür,
daz er nû wider kêre,
danne er die vluht dort mêre.
25 ein ieslîch vürste *sîne* man
spreche. swem got der saelden gan,
daz er mit strîtes urteil
umbe daz endelôse heil
noch hiute wirbet, wol dem wart
sîner her komenden vart.«

321 *L*ôîs, der roemische krône truoc,
hete vürsten dar genuoc
mit grôzer rîterschaft gesant:
die wurden almeistic dâ geschant.
5 genuoge nâmen in ir muot,
dô si der heiden sölhe vluot
dort vor in ligen sâhen,

320 Die für Gott und mich hier sind,
ein jeder Mann bedenke sich,
ob er kämpfen will.
Dort liegt Kanabeus' Sohn,
Terramer, der Mächtige, 5
mit einer so gewaltigen Armee,
daß es uns an Kampf gewiß nicht fehlen wird.
Nun muß ich fragen (es ist Zeit),
wer Mut genug zu kämpfen hat.
Euch allen sende Gott 10
in Eure Herzen den Entschluß
zu tun, was eure Pflicht ist.
Ich fürchte es von keinem unter euch,
doch würde Gottes Heer vernichtet,
wenn von uns einer fliehen wollte. 15
Ein jeder Mann soll, bitte,
sagen, was er im Herzen denkt.
Bedrängen uns jetzt die Attacken
um die Wette,
wen dann sein Herz 20
zurück und nicht nach vorne treibt,
der entschließt sich besser hier,
jetzt umzukehren,
als dort die andern mitzureißen.
Ein jeder Fürst berate sich mit den Vasallen. 25
Wem Gott die Gnade schenkt,
daß er sich zum Kampf entschließt
und um die ewige Seligkeit
sich noch heute müht, der ist
zu seinem Heil hierher gekommen.«

321 Louis, der die römische Krone trug,
hatte dorthin viele Fürsten
mit starker Ritterschaft gesandt:
die meisten fielen da in Schande.
Viele faßten den Entschluß, 5
als sie dort solche Flut der Heiden
vor sich liegen sahen,

si wolten wider gâhen
gein dem lande ze Francrîche.
10 sich bereiten sumelîche
und nâmen urloup ze varen wid*e*r.
daz gerou si mit schame sid*e*r.
swaz ze Oransche ûf'em palas
bete gein in ergangen was,
15 michel mêr man's hie bat.
si nâmen urloup an der stat
und jâhen, bî ir zîten
in *turnoi und in strîten
möhten si dâ heime behalten prîs:
20 sine wolten niemens terkîs
dâ sîn deheine wîle,
daz iemen sîne pfîle
in si dâ dorfte stecken. S. 651b
si begunden wider trecken.
25 ir schemlîch wider wenden
diu kriuze *solte* schenden,
diu an si wâren gemachet.
ich dinge, daz ir niht lachet,
als ir nû vreischet, wie'z in ergêt,
aldâ si Rennewart bestêt.

322 der manlîch unverzag*ete*,
der manegen prîs bejag*ete*
(nû mein ich aber den markîs),
der sprach: »den endelôsen prîs
5 werbent, die nû dâ sîn belib*en*.
dine werdent nimmer vertrib*en*
von der durhslagenen zeswen hant,
diu vür *diu* hellec lîchen pfant
ame kriuze ir bluot durh uns vergôz.
10 die selben hant noch nie verdrôz:
swer'z mit einvaltem dienst erholt,
si *teilet* den endelôsen solt.
die belibene sint zer saelde erwelt.
swer die schalen vor hin dan schelt,

schleunigst
nach Frankreich umzukehren.
Manche machten sich bereit 10
und nahmen Abschied zu der Rückfahrt.
Das sollte sie noch reuen und beschämen.
Wieviele Bitten auf dem Palas zu Orange
an sie gerichtet worden waren,
man bat sie hier viel mehr. 15
Sie nahmen auf der Stelle Abschied
und sagten, daß, solang sie lebten,
sie in Turnier und Kampf
zuhause ihren Ruhm bewahren könnten:
sie wollten keinen Augenblick 21
hier irgendjemands Köcher sein, 20
daß da einer seine Pfeile
in sie stecken könnte.
Sie brachen auf zum Rückzug.
Ihr schmähliches Umkehren 25
schändete die Kreuze,
die ihnen angeheftet waren.
Ich hoff, daß ihr nicht lacht,
wenn ihr jetzt hört, wie's ihnen geht,
wo Rennewart sie stellt.

322 Der tapfer Unverzagte,
der viel Ruhm errungen hatte
(ich mein jetzt wieder den Marquis),
der sagte: »Nach dem ewigen Ruhm
streben, die jetzt hier geblieben sind. 5
Die werden nie vertrieben
von der durchschlagnen rechten Hand,
die, um die Höllenpfänder auszulösen,
am Kreuz ihr Blut für uns vergoß.
Noch nie hat diese Hand gezögert: 10
wer es erwirbt mit redlich-reinem Dienst,
dem gibt sie den ewigen Lohn.
Die Hiergebliebnen sind zum Heil erwählt.
Wenn man die Schale ablöst,

15 der siht alrêste den *kernen.*
noch hiute sulen wir *lernen,*
wie diu gotes zeswe uns lôn*e*s giht.
dehein stern*e* ist sô lieht,
ern vürbe sich eteswenne:
20 enruochet, lât sîn – waz denne,
sint uns die hârslihtaere entriten?
sint diu wîp dâ heime in rehten siten,
si *teilent* in dar umbe sölhen haz,
daz in stüende hie belîben baz.
25 *wir mugen hie sünde büezen*
und behaben hie werder wîbe grüezen.
vater und bruoder, nû nemet war«,
sprach er, »und seht, wie manege schar
wir wellen hab*e*n mit der zal.
daz stêt nû an der wîsen wal.«
323 der roemischen küneginne solt
wart nû mit prîse *aldâ* geholt,
und die von Paveie Irmenschart
het erkoufet ûf die vart –
5 der newed*e*r von den heiden
durh vluht wolden scheiden:
sîner swester und sîner muoter her
bî dem marcgrâven belib*e*n ze wer.
die dâ vor ê dicke ernanten
10 und die manegen sturm erkanten,
rasûnten sich ze vünf scharn.
innen des die vlühtigen wâren gevarn
an die enge ze Pitit Punt.
widersaz wart in dâ kunt.
15 al die wîle si zogeten her,
maneger slahte was ir ger:
eteslîcher wolde sehen wîp;
sô wolde der and*e*r sînen lîp
eisieren mit maneger sache S. 652a
20 nâch dem grôzen ungemache,
daz er unsanfte was geleg*e*n;

dann sieht man erst den Kern. 15
Noch heute werden wir erfahren,
wie uns die Rechte Gottes lohnt.
Es ist kein Stern so hell,
daß er sich nicht auch einmal trübt:
vergeßt es, kümmert euch nicht drum – was soll's, 20
wenn uns die Scheitelzieher weggeritten sind?
Sind sich zuhaus die Frauen ihrer Pflicht bewußt,
dann hassen sie sie so,
daß sie besser hiergeblieben wären.
Wir können hier die Sünden büßen 25
und uns die Gunst der edlen Frauen sichern.
Vater und Brüder, seht jetzt zu«,
sagte er, »und bedenkt, wieviele Scharen
wir haben wollen.
Das müssen die Erfahrenen entscheiden.«

323 Der Sold der römischen Königin
wurde nun ruhmvoll da verdient,
und jene, welche Irmschart von Pavia
angeworben hatte für den Zug –
nicht die einen, nicht die andern 5
wollten vor den Heiden fliehen:
die Heere seiner Schwester, seiner Mutter
blieben wehrhaft bei dem Markgrafen.
Die oft schon Mut bewiesen
und manchen Kampf gesehen hatten, 10
bildeten fünf Scharen.
Die Fliehenden hatten unterdessen
die Klamm von Pitit Punt erreicht.
Da stießen sie auf Widerstand.
Indem sie so daher gezogen kamen, 15
wünschten sie sich dies und das:
mancher wollte Frauen sehen;
der andre wollte sich
auf jede Weise pflegen
nach der Unbequemlichkeit 20
der harten Lagerstätten;

dâ wid*e*r der and*e*r wolde pfleg*e*n
vintûsen an sich setzen
und arbeit sich ergetzen.
25 der jach, daz nie sô guot gezelt
koem ûf wisen noch ûf velt,
ern naeme eine kemenâten
dâ vür, wol berâten
mit senften pflûmîten;
tôren solten strîten
324 mit sô *manegen* Sarrazînen:
»wir sulen ûz disen pînen,
dâ wir gemach vinden grôz.
jâ sint der Sarrazîne geschôz
5 gelüppet sam diu nateren *gebiz.«
si wolten, daz kein bilwiz
si dâ schüzze durh diu knie.
dô Rennewart sach vlühtic sie,
im was mit zorne gein in gâch.
10 ê daz er z'ir deheinem iht sprach,
ir lâgen wol vümf und vierzec tôt.
sine mohten von der grôzen nôt
niht entwîchen an der enge.
ez dûhte si harte lenge,
15 ê si gewunnen künde,
war umbe er die grôzen sünde
âne schult hin z'in begienge.
war umbe er'z sus an vienge,
des vrâgeten die rîchen.
20 er liez et nâher strîchen
sînes êrsten strîtes urhap:
alze vil er in des gap.
si wâren sunder harnasch blôz.
genuoge der wer aldâ verdrôz,
25 eteslîcher begunde sich *wern:
der enwederz mohte si ernern.
swaz er ir mohte erlangen
mit sîner grôzen stangen,

ein andrer wieder wollte
Schröpfköpfe an sich setzen
und sich erholen von der Mühsal.
Der sagte, niemals sei 25
auf Wiesen oder Felder ein so gutes Zelt gekommen,
daß er nicht lieber eine Kemenate
dafür nähme, gut versorgt
mit weichen Kissen;
Narren sollten kämpfen
324 mit so vielen Sarazenen:
»Fliehen wir aus den Strapazen
ins bequeme Leben!
Sind doch die Sarazenen-Pfeile
giftig wie die Schlangenzähne.« 5
Sie wollten da von keinem Bilwiß
durch die Knie geschossen werden.
Als Rennewart sie fliehen sah,
lief er zornig auf sie zu.
Eh er mit einem etwas sprach, 10
waren fünfundvierzig tot.
Aus der schrecklichen Gefahr
konnten sie nicht fliehen an der Klamm.
Lange kam es ihnen vor,
bis sie in Erfahrung brachten, 15
warum er diese große Untat
grundlos gegen sie beging.
Warum er das täte,
fragten die hohen Herren.
Er drang stärker auf sie ein 20
in seinem ersten Kampf:
massiv ging er sie an.
Sie trugen keine Rüstung.
Viele wehrten sich da nicht,
manche leisteten Widerstand: 25
keins von beiden konnte ihnen helfen.
Die er
mit seiner großen Stange treffen konnte,

der wart vil wênic von im gespart.
dô gerou si diu widervart.
325 genuoge und*er* in begunde jehen,
in waere al rehte geschehen:
si slüege aldâ diu gotes hant,
von der si vlühtic waeren gewant:
5 »wir hab*en* niht sölher wîte,
daz wir gein disem strîte
uns ze wer *niht mugen berüeren.
wolte Rennewart uns vüeren
in sînem dienest hinnen,
10 er möht an uns gewinnen
widersaz gein der heiden her.
hie sî wir blôz mit kranker wer.«
nû het ouch Rennewart gevalt S. 652b
ze bêder sît*e* ungezalt
15 des volkes âne mâze
iewed*er*halp der strâze.
die rîchen und die armen
begunden im erbarmen.
dô er reswanc wol diu lide,
20 er lie si sprechen nâch dem vride,
unz daz er vernaeme,
wie ir widervart gezaeme.
dô sprach und*er* in ein wîse man:
»dû hâst uns âne schult getân
25 dise grôzen ungevüegen nôt.
hie lît maneger vor dir tôt,
der nie deheine schult getruoc
an smâcheit, *der* dir bôt genuoc
von Rôme der künic Lôîs,
der an dir verkrancte sînen prîs.
326 *n*û volge, als wir dich lêren:
dû solt mit uns wider kêren!
wir hoehen dîne werdekeit,
sô daz dîn schemlîchez leit
5 nâch dînem willen wirt gestalt.

die wurden von ihm nicht verschont.
Da reute sie die Umkehr.
325 Viele von ihnen sagten da,
es wäre ihnen recht geschehen:
sie schlüge da die Gottes-Hand,
die sie im Stich gelassen hätten:
»Wir haben nicht den Raum, 5
uns in diesem Kampf
zu wehren.
Wenn uns Rennewart
als seine Diener von hier führen wollte,
könnte er an uns 10
Kämpfer gegen das Heidenheer gewinnen.
Hier sind wir ungerüstet wehrlos.«
Nun hatte aber Rennewart
zahlloses
Volk 15
erschlagen beiderseits der Straße.
Die Reichen und die Armen
fingen an, ihn zu erbarmen.
Als er sich getummelt hatte,
ließ er sie um Frieden bitten, 20
bis er erfahren hätte,
daß ihre Umkehr akzeptabel wär.
Ein Schlauer unter ihnen sagte da:
»Du hast uns ohne Grund
so Fürchterliches angetan. 25
Hier liegen viele tot von deiner Hand,
die niemals schuldig waren
an der Schmach, die
König Louis von Rom dir reichlich antat,
der sich an dir selbst entehrte.
326 Hör auf das, was wir dir sagen:
kehre mit uns um!
Wir helfen deinem Ansehn auf,
daß aus der Schande, die dich quält,
das wird, was du dir wünschst. 5

wil dû *dienstes* wesen balt
den wîben nâch ir minne,
dîner vreuden gewinne
sulen grôzem trûren an gesig*e*n.
10 wiltû aber in tavern*en* lig*e*n,
dâ wirt geisier*e*t sô dîn lîp:
swaz vreuden möhten geben wîp,
diu waere hie gein ze nihte,
als ich dich nû berihte:
15 wir sulen trinken manegez kunnen
und in die klâren brunnen
hâhen gutt*e*rel von glase,
dâ grüener klê und and*e*r wase
und*e*r boume schaten müge sîn.
20 wir sulen ouch parrieren den wîn
mit guoter salveien.
sus suln wir'z leb*e*n heien.
wir sulen ouch hoeren klingen
den wîn vome zapfen springen
25 als den hirz von ruore.
in der hitze bî disem muore
sî wir gar ze ellende:
dort haben wir manec geslende,
dâ mite wir sulen den lîp gelab*e*n.
an die widervart soltû dich hab*e*n!
327 daz râtent alle, die hie sint.
der marcgrâve vaehte umbe den wint.
doch ist den wîsen allen kunt,
küen eber zagehaften hunt
5 vliuh*e*t z'eteslîcher zît.
swâ der marcgrâve vunde strît,
daz waere diu kurz*e*wîle sîn,
als ein kint, daz snellet vingerlîn. S. 653a
er wil aber ein niuwe her verliesen.«
10 »mac ich niht and*e*rs kiesen
an iu deheine manheit?«,
sprach Renn*e*wart. mit in er streit.

Wenn's dich zum Dienst
um Frauenliebe zieht,
dann macht dein Glücksgewinn
das große Unglück wett.
Willst du jedoch in Kneipen sitzen, 10
da wirst du so verwöhnt:
das ganze Glück, das Frauen geben könnten,
wäre nichts dagegen –
ich will es dir erklären:
Wir werden jede Menge trinken 15
und in klare Quellen
Flaschen hängen,
wo's grünen Klee und Rasen
im Schatten von Bäumen gibt.
Auch werden wir den Wein 20
mit gutem Salbei mischen.
So werden wir genießen.
Auch werden wir den Wein rauschen hören,
wenn er vom Zapfen springt
wie der aufgescheuchte Hirsch. 25
In der Hitze dieses Sumpfs
sind wir völlig fehl am Platz:
zuhause haben wir die feinsten Sachen,
an denen wir uns laben können.
Kehr um!

327 Das raten alle hier.
Der Markgraf kämpfte noch um Luft.
Doch wer Erfahrung hat, der weiß:
der kühne Eber
flieht bisweilen vor dem feigen Hund. 5
Wo der Markgraf kämpfen könnte,
wär das ein Zeitvertreib für ihn,
ganz wie ein Kind, das Ringlein schnellt.
Er wird wieder ein Heer zugrunde richten.«
»Kann ich denn 10
an euch gar keine Tapferkeit entdecken?«,
sagte Rennewart. Er attackierte sie.

der junge, unverzagete
den vrid in widersagete.
15 sich huop alrêst ir and*e*r val.
gegen der brücke was ein tal
mit velsen hôch ze bêder sît.
ir deheiner mohte von dem strît
niht enpfaren noch entvuor;
20 ietwederhalp der brücken ein muor,
dâ nemohte ir deheiner kom*e*n durh.
Renn*e*wart die tôtlîche vurh
mit sîner grôzen stangen ier.
er rief hin z'in: »welt ir mir
25 iuwer helfe gein den heiden swern,
daz mac *iuch* vor mir wol ernern.«
durh den vrid von sîner stangen
die eide wâren schiere ergangen.
si zoget*e*n wid*e*r al gelîche,
beidiu arme und*e* rîche.

328 dô si quâmen über al
ûz an die *wîte* vür daz tal,
Renn*e*wart quam dâ *vor sie.
si zogeten nâch im, dis*e* und die.
5 ze vuoz huop er sich vor in dan.
ab was genom*e*n des rîches van
durh daz, wand in d*e*s rîches her
was entwichen von der wer.
ein tiuwer sterne von golde,
10 als der markîs wolde,
in eime samîte gar blâ
obe sîner schar swebt aldâ.
Arnalt von Gerunde
reit bî dem markîse dar unde.
15 nû hete der alte Heimrîch
die and*e*r schar krefteclîch.
wer der dritte scharherre sî?
der rîche Buove von Kumarzî

Der Junge, Unverzagte
sagte ihnen den Frieden auf.
Zum zweiten Mal, und jetzt erst richtig, wurden sie geschlagen. 15
Zur Brücke hin zog sich ein Tal
mit hohen Felsen beiderseits.
Keiner konnte vor dem Kampf
entfliehen, und so riß auch keiner aus;
rechts und links der Brücke war ein Sumpf, 20
da konnte keiner durch.
Mit seiner großen Stange 23
pflügte Rennewart die Todesfurche. 22
Er rief ihnen zu: »Wollt ihr mir
schwören, daß ihr gegen die Heiden helft, 25
kann euch das vor mir retten.«
Für Frieden vor der Stange
waren die Eide rasch geschworen.
Sie zogen allesamt zurück,
die Armen wie die Reichen.

328 Als sie alle
in die Weite vor das Tal gekommen waren,
setzte Rennewart sich an die Spitze.
Alle zogen sie ihm nach.
Er lief zu Fuß vor ihnen los. 5
Die Fahne des Reichs war eingezogen worden,
weil das Aufgebot des Reichs
aus ihrem Heer entwichen war.
Ein kostbar goldner Stern
in blauem Brokat, 11
so hatte der Marquis befohlen, 10
flog da über seiner Schar. 12
Arnalt von Gironde
ritt darunter an der Seite des Marquis.
Der alte Heimrich führte 15
die zweite starke Schar.
Wer der dritte Führer ist?
Der mächtige Buove von Commercy

und der küene Bernart von Brûbant:
20 die wâren genendic bêde erkant.
diu vierde schar ze herren nam
Gîbert und Bertram.
wer der vümften schar herre was?
der schêtîs und der von Tandarnas.
25 die selben heten sich beweg*en*,
26 si wold*en* vorvehtens pfleg*en*.
wie manic tûsent ieslîch schar
het, des wil ich geswîgen gar:
waz touc diu hant vol genant
gein dem her ûz al der heiden lant?

329 der marcgrâve herzeichens ruof
ieslîcher schar *besund*er* schuof.
»Munschoie« al die sîne
schrîten in grôzer pîne
5 gein starker vîende überkraft.
Heimrîches, des alden, geselleschaft,
der krîe was »Nerbôn«,
*der vîende ein angestlîcher dôn. S. 653b
diu dritte schar rief »Brûbant«.
10 Bernhards vanen an sîner hant
vuorte der starke *grâve* Landrîs:
der hete ervohten manegen prîs.
wie *diu* vierde *schar schrîte
gein überlast in strîte?
15 der krîe was »Berbest*er*«.
eteslîch durh des andern swest*er*
dâ tet rîterlîche tât:
hôhe minne gît ellenthaften rât.
diu vümfte schar rief »Tandarnas«:
20 der schêtîs âne lant noch was.
nû kom geloufen Renn*e*wart,
ê daz si gein ir strîtes vart
mit scharen riten ûf Alischans.
sîne stangen er al bluotic dans
25 und begunde vrâgen maere,

und der kühne Bernhard von Brubant:
beide berühmt für ihren Mut. 20
Die vierte Schar bekam als Führer
Gibert und Bertram.
Der Führer der fünften Schar?
Der Schetis und der von Tandarnas.
Die hatten sich 25
den ersten Angriff vorgenommen.
Wieviel tausend Mann in jeder Schar
waren, will ich gar nicht sagen:
was hätte es für einen Sinn, die Handvoll aufzuzählen,
in Anbetracht des Heers aus allen Heidenländern?

329 Der Markgraf teilte
jeder Schar ihren Schlachtruf zu.
»Munschoie« schrien die Seinen
in großer Not
der Übermacht des starken Feinds entgegen. 5
Heimrichs, des Alten, Leute,
deren Schlachtruf war »Narbonne«,
schrecklich zu hören für die Feinde.
Die dritte Schar rief »Brubant«.
Bernhards Fahne hielt in seiner Hand 10
der starke Graf Landris:
der hatte schon viel Ruhm erworben.
Was die vierte Schar
der Übermacht im Kampf entgegenschrie?
Deren Schlachtruf war »Berbester«. 15
Da tat für des andern Schwester
mancher ritterliche Taten:
hohe Liebe rät zu Kühnheit.
Die fünfte Schar rief »Tandarnas«:
der Schetis hatte noch kein Land. 20
Jetzt kam Rennewart gelaufen,
bevor sie abgeritten waren
in Formation zum Kampf auf Alischans.
Seine Stange trug er – die war blutbeschmiert –
und fragte, 25

wâ sîn herre waere.
der hielt ûf Volatîn.
er sprach: »herre, lât nû wesen mîn,
die man durh vluht hie hât vür zagen!
si wellent durh mich nû prîs bejagen.
330 ir untât hânt si erkant.
grôze werdekeit hât in gesant
in ir *herzen sölech gir,
daz si wellen helfen vehten mir
5 gein dem *milden künege Tîbalt von Kler.
den nemac gevrumen dehein sîn wer,
ez sî swert oder boge.
ich was sô lange ir mag*e*zoge,
unz ich mit disem rîse
10 si twanc widervart nâch prîse.«
der marcgrâve sach die wârheit:
Renn*e*wartes her dem velde breit
gap manegen stoup von storjen grôz.
er sach vil swertes blicke blôz;
15 und manegen *wol gezimierten helm
sach er glest*e*n durh den melm;
*und manec wol gevarwet sper
sach er gein im vüeren her,
dâ bî manege scharfe lanze.
20 sant Dîonîse de Franze
gunde sîme lande des lasters niht.
si *müet* noch sêre, swâ man's giht,
die werden Franzeise,
diu vlühteclîche reise.
25 in tet daz wid*e*r kom*e*n baz.
ich hete ouch ê der vlühte haz.
der marcgrâve sprach ze Renn*e*wart:
»ob *disiu* wider komende vart
durh dînen willen ist getân,
sô wol mich dan, daz ich dich hân! S. 654a

wo sein Herr sei.
Der hielt auf Volatin.
Er sagte: »Herr, laßt sie mir,
die man für feige hält, weil sie geflohen sind!
Sie wollen jetzt um meinetwillen Ruhm erwerben.
330 Sie haben ihre Untat eingesehen.
Edelsinn hat ihnen
in die Herzen das Verlangen eingegeben,
mir im Kampf zu helfen
gegen den freigebigen König Tibalt von Kler. 5
Dem hilft nichts von seinen Waffen,
kein Schwert und auch kein Bogen.
Ich war so lange ihr Erzieher,
bis ich sie mit dieser Gerte
zur Rückkehr zwang, sich Ruhm zu holen.« 10
Der Markgraf sah, daß er nicht log:
Staubwolken wirbelte die Truppe Rennewarts
mit ihren Reiterhaufen auf das weite Feld.
Viele blanke Schwerter sah er blitzen;
und viele schön zimierte Helme 15
sah er schimmern durch den Staub;
und viele bunt bemalte Speere
sah er – sie kamen auf ihn zu –
und dabei viele scharfe Lanzen.
Saint Denis de France 20
wollte keine Schande für sein Land.
Den edlen Franzosen 23
ist diese Flucht 24
noch immer peinlich, wenn man davon spricht. 22
Angenehmer war für sie die Rückkehr. 25
Ich war auch wütend über die Flucht.
Der Markgraf sagte zu Rennewart:
»Wenn diese Rückkehr
dir verdankt wird,
wohl mir dann, daß ich dich habe!

331 bistû von sölher art erkant,
daz dich rîchen sol mîn hant,
ich meine: und*e*r mir und niht obe,
sô bring ich dich zuo sölhem lobe,
5 gan diu hoehste hant ze lebene mir,
daz nie vürsten soldier
baz wart vür dich geêret.
dîn wirde wirt gemêret.
bist aber dû hôher, dan ich bin,
10 sô trag ich dir dienstlîchen sin
und allez mîn geslehte:
daz erteil ich in von rehte.«
Renn*e*wart sprach zem markîs:
»herre, mac mîn hant dâ prîs
15 an den Sarrazînen bejag*e*n,
den lôn wil ich von *iu* trag*e*n
und einen solt, den ich noch hil:
mir ist halt gedanke dar ze vil.
nemt ir mich von herzesêre,
20 daz mac iu vüegen êre.«
die Franzoise mit maneg*e*n scharn
dar zuo kômen gevarn.
der marcgrâve nam die hoehsten dan.
er sprach: »sît iuch nû ellen man,
25 daz ir iuch selben habt erkant,
und iuch her wid*e*r hât gesant
grôze saelde ân ende
zer *durhslagen hende,
diu die helleporten brach,
der Adâm urloesunge jach
332 und sîner nâchkom*e*n genuoc –
durh die selben hant man sluoc
einen grôzen ungevüegen nagel:
daz was der helle wuochers hagel.
5 ir sît *in zwîvel ê gesehen,
nû muoz man prîs und ellen jehen
durh reht ieslîchem Franzois.

331 Bist du von solcher Abkunft,
daß ich dich beschenken kann,
ich meine: unter mir, nicht drüber,
dann bring ich dich zu solchem Ansehn
(läßt mir die Höchste Hand das Leben), 5
daß nie der Krieger eines Fürsten
zu höhern Ehren kam als du.
Dein Ansehn wird gemehrt.
Bist du aber höher, als ich bin,
dann will ich dir dienen 10
und mit mir meine ganze Sippe:
mit Recht verpflicht ich sie dazu.«
Rennewart sagte zum Marquis:
»Herr, kann ich da Ruhm
bei den Sarazenen holen, 15
einen Lohn will ich dann von euch haben
und einen Sold, von dem ich noch nichts sage:
nicht einmal daran denken darf ich.
Befreit ihr mich von Herzens-Leid,
dann mehrt das euer Ansehn.« 20
In vielen Scharen kamen die Franzosen
angeritten.
Der Markgraf nahm die Höchsten an die Seite.
Er sagte: »Da jetzt die Tapferkeit euch dazu bringt,
daß ihr euch auf euch selbst besinnt, 25
und euch die ewige Seligkeit 27
zurückgeschickt hat 26
zur durchschlagnen Hand,
die die Höllenpforten brach,
der Adam die Erlösung dankte
332 und viele, welche nach ihm kamen –
durch diese Hand geschlagen hat man
einen großen, ungefügen Nagel:
das verhagelte die Saat der Hölle.
Ihr hattet vorher Angst, 5
jetzt kann man mit Recht von den Franzosen 7
sagen, daß sie Ruhm besitzen, tapfer sind. 6

Pêter, des himels portenois,
der gotes tougen vil vür wâr
10 heinlîche erkant*e* manec jâr,
dar zuo er si offenlîche sach,
von zwîvel im drîstunt geschach,
daz er an got verzagete.
hôhen prîs er sît bejagete:
15 ir neheines helfe was sô wert
ân in, der zucte dâ sîn swert
bî Jêsuse gein den juden ze wer.
alsam wil der Franzoiser her
in die gotes helfe kêren
20 und ir saelekeit gemêren.
*bindet die mart*e*r wider an!
billîch sol des rîches van
daz kriuze tragen, dar nâch gesniten,
dâ unser heil wart an erstriten. S. 654b
25 dô uns des rîches her entreit,
dem vanen wir buten smâcheit,
daz wir in schuben in einen sac.
iuwer kunft uns saeliget disen tac:
diu *bringet* des kriuzes werdekeit.«
er gap in wider ir vanen breit.

333 »sît ir iuch vehtens habt bedâht«,
sprach er, »rottieret alle iuwer maht
ze einer schar: diu wirt kreftelîch.
iuwer*e*r helfe troest ich mich.
5 Rennwart sî und*e*r *iuwerem* vanen.
ir sult ein and*e*r ellens manen:
iuwer herzeichen sî bekant,
als Renn*e*wart ist genant.«
dâ newart von knehten niht gespart,
10 si *schrîten* lûte: »Rennewart,
die vlühtigen soltû haben dir!«
ein der küneginnen soldier
ûz dem here durh sînen prîs

Petrus, der Himmelspförtner,
der viele Wunder Gottes
vertraulich über Jahre kannte 10
und sie auch offen sah,
hat Gott aus Angst dreimal
verraten.
Hohen Ruhm erwarb er dann:
keiner half 15
wie er, der da sein Schwert
an Jesu Seite zückte, um die Juden abzuwehren.
So will das Franzosenheer
Gott zu Hilfe kommen
und sein Seelenheil befördern. 20
Bindet wieder auf das Kreuz!
Des Reiches Fahne zeigt mit Recht
das Kreuz als Abbild jenes Kreuzes,
an welchem unser Heil erstritten wurde.
Als das Reichsheer von uns wegritt, 25
schmähten wir die Fahne
und stopften sie in einen Sack.
Daß ihr kommt, macht uns zum Glückstag diesen
Tag:
das bringt dem Kreuz die Ehre.«
Ihre breite Fahne gab er ihnen wieder.
333 »Da ihr euch entschlossen habt zu kämpfen«,
sagte er, »vereinigt alle eure Truppen
in einer Schar: die wird gewaltig.
Auf eure Hilfe baue ich.
Rennewart soll unter eurer Fahne sein. 5
Spornt euch gegenseitig an:
euer Schlachtruf laute
wie der Name Rennewarts.«
Die Soldaten waren da nicht faul,
sie schrien kräftig: »Rennewart, 10
führe du die Flüchtigen!«
Ein Soldat der Königin
stahl sich, ruhmbegierig, aus dem Heer,

sich verstal von dem markîs,
15 des man im sît vür ellen jach.
einen wartman er halden sach,
ûz der heiden her al dar geriten.
dâne wart tjustieren niht vermiten.
in hete dâ niemen mê gesehen.
20 dô muost ein tjost aldâ geschehen,
des der Franzois und der Sarrazîn
beide geêret müezen sîn.
der heiden sînen puneiz
sô sêre nam ûz dem galopeiz,
25 daz sîn tjost wart mit krache hel.
der Franzois reit ein ors vil snel,
daz er mit sporen sô sêre treip,
daz sîn sper dem Sarrazîne beleip
durh den arm, ê durh den schilt,
mit hurt unz ûf die brust gezilt.
334 der Franzois vuort des heidens sper
in sîme schilde wider her.
*d*es Sarrazînes kêre
was wider gein Terramêre.
5 dâ die vier nagel sint bekant,
durh sînen schilt ein sper man vant.
sus sol der wartman wider komen.
schiere daz maere wart vernomen
an Terramêres ringe,
10 daz die Kerlinge
mit scharen riten ûf Alitschans.
Tesereiz und Vîvîans
gerochen wart ze bêder sît.
ez nâhet der urtellîchen zît,
15 daz man mit swerten muoz bejagen,
swer sigenunft wil dannen tragen.
der wartman mit zorne sprach,
dô er Terramêren sitzen sach: S. 655a
»swaz al iuwerem here geschiht,
20 daz welt ir haben doch vür niht.

fort von dem Marquis,
wofür ihm später Mut bescheinigt wurde. 15
Einen Späher sah er halten,
hergeritten aus dem Heidenheer.
Da ging's nicht ohne Tjoste ab.
Sonst hatte keiner ihn gesehen.
Da wurde eine Tjost geritten, 20
die dem Franzosen und dem Sarazenen
Ruhm einbrachte.
Der Heide führte die Attacke
so stark aus dem Galopp,
daß sein Speerstoß dröhnend krachte. 25
Der Franzose ritt ein äußerst schnelles Pferd,
dem er so sehr die Sporen gab,
daß sein Speer im Arm des Heiden stecken blieb,
nachdem er durch den Schild gefahren war,
im Stoß bis auf die Brust geführt.

334 Der Franzose trug den Speer des Heiden
wieder her in seinem Schild.
Der Sarazene ritt
zurück zu Terramer.
Wo die vier Nägel sitzen, 5
sah man einen Speer durch seinen Schild gestochen.
So soll ein Späher wiederkommen.
Bald hörte man
im Lager Terramers,
daß die Karlinge 10
in Formation nach Alischanz geritten kamen.
Tesereiß und Vivians
wurden beiderseits gerächt.
Jetzt kommt die Stunde der Entscheidung,
daß man mit den Schwertern feststellt, 15
wer den Sieg davonträgt.
Der Späher sagte zornig,
als er Terramer sitzen sah:
»Was euerm ganzen Heer geschieht,
ist euch offenbar egal. 20

ir lît hie ungewarnet,
daz ir noch hiute erarnet.
seht, waz iuwer kraft des tuo:
die Franzoiser rîtent zuo!
25 ir *solt iuch's vor wol hân bedâht.
hînte was de dritte naht,
Franzoiser hardieren
uns kunde wol punieren
immer, swâ diu enge was.
die selb*en* schrîeten ›Tandarnas‹.
335 dâ verlurt ir liute und and*er* habe.
ich wart aldâ gestochen abe
bî des mânen schîne.
mîn tjost ouch lêrte pîne
5 einen rîter, der mich valte nider:
daz selbe tet ich im hin wider.
swaz kumbers iemen durh *iuch* neme,
daz aht ir, als ein kleine breme
viele ûf einen grôzen ûr.
10 Willelm, der küene *punjûr*,
vüert ûz der Franzoiser lant
manegen tjustiur, nâch prîs erkant.
ich bin'z der schahteliur von Kler.
gein der Franzoiser her
15 hân ich einlefstunt gestrit*en*:
daz enwirt ouch hiute niht vermit*en*.
Tîbalt ist der herre mîn:
der sol noch hiute der êrste sîn
an die rîter, ob ir erloubt ez im.
20 daz urloup von iu ich nim.«
Terramêr zem wartman sprach:
»helt, mich müet dîn ungemach:
dîn kursît ist bluotes naz.
man sol durh reht dich halden baz
25 dan einen, der die tjost verlac,
der dîn hôher muot dort pflac.
dû *bringes* wartmannes mâl.

Ihr liegt hier ungerüstet,
das werdet ihr noch heute büßen.
Seht zu, wie eure Leute darauf reagieren können:
die Franzosen reiten an!
Ihr hättet's vorher überlegen sollen. 25
Drei Nächte ist es her,
daß uns die Franzosen
noch und noch bedrängten
mit ihren Lanzen an der Klamm.
Die schrien ›Tandarnas‹.

335 Ausrüstung und Leute habt ihr da verloren.
Ich wurde dort
beim Schein des Monds vom Pferd gestochen.
Doch war auch meine Tjost
dem Ritter schmerzlich, der mich fällte: 5
ich tat ihm dasselbe an.
Was man um euretwillen leidet,
beachtet ihr so wenig
wie ein großer Auerochse einen Bremsenstich.
Willehalm, der kühne Krieger, 10
bringt aus Frankreich
viele Tjosteure, kampferprobte.
Ich bin der châtelain von Kler.
Gegen das Franzosenheer
habe ich elfmal gekämpft: 15
auch heut verzicht ich nicht darauf.
Tibalt ist mein Herr:
der wird noch heut der erste sein
am Feind, wenn ihr es ihm gestattet.
Ich bitte euch um die Erlaubnis.« 20
Zu dem Späher sagte Terramer:
»Held, mich schmerzt dein Schaden:
dein Kursit ist blutgetränkt.
Mit Recht wird man dich höher schätzen
als einen, der die Tjost verschlief, 25
die du so stolz und kühn dort ausgetragen hast.
Späher-Male bringst du mit.

*sage mir, helt, al sund*e*r twâl
der Franzoise gelegenheit!
ob si *mir entrünnen, ez waere mir leit.«

336 »*geloube mir«, sprach der schahteliur,
»Willelms *her* durh âventiur
noch hiute wâget manegen lîp.
daz Arab*e*l, mînes herren wîp,
5 ie von brüsten wart genom*e*n,
daz mac uns wol ze unstaten kom*e*n.
ir seht si schiere zuo iu varn
mit sehs geflôrierten scharn.
dâ koment die gerenden inne
10 nâch prîses gewinne.
daz beweinet eteslîches amîe.
ieslîcher schare krîe S. 655b
hân ich besund*e*r dort gehôrt.
des rîches vane haldet dort:
15 die rüefent alle ›Renn*e*wart‹ –
daz gehôrt ich nie mêr ûf ir vart.
Franzoiser wellent ez wâgen:
iuweren mannen und iuwern mâgen
und von *Oriente den gesten
20 wil hiute ze schaden erglesten
der sterne in des marcgrâven vanen.
nû sult ir Ehmereizen manen:
vierzehen künege mit sund*e*r her
brâht er mit im über mer,
25 der wurden im sibene alhie erslag*e*n.
wil der tôten künege her nû klag*e*n
genendeclîch ir herren tôt,
des koment die Franzoise in nôt.
wir hab*e*n dannoch *heres* mêr
in dem selben herzesêr.«

337 Terramêr, der rîche,
sîme rehte sprach gelîche:
»bistû'z von Kler der schahteliur,
der sô manec âventiur

Sag mir Held, sogleich,
wie es mit den Franzosen steht!
Es wär mir schmerzlich, wenn sie mir entkämen.«
336 »Glaub mir«, sagte der châtelain,
»Wilhelms Ritter werden heut ihr Glück erproben
und massenhaft ihr Leben wagen.
Daß Arabel, meines Herrn Gemahlin,
je von der Mutterbrust genommen wurde, 5
das bringt uns großen Schaden.
Ihr werdet sie bald zu euch reiten sehen
in sechs geschmückten Scharen.
In denen kommen die
Ruhmbegierigen. 10
Manches Manns amie wird das noch beweinen.
Den Schlachtruf jeder Schar
hab ich dort gehört.
Dort hält des Reiches Fahne:
die rufen alle ›Rennewart‹ – 15
das hörte ich noch nie in ihren Kriegen.
Die Franzosen wollen's wagen:
eueren Verwandten und Vasallen
und den Fremden von Oriente
wird heut zum Schaden erglänzen 20
der Stern in des Markgrafen Fahne.
Gemahnt jetzt Emereiß daran:
vierzehn Könige mit eignen Heeren
hat er übers Meer gebracht,
sieben wurden ihm hier erschlagen. 25
Beklagen die Heere der toten Könige
jetzt ihrer Herren Tod mit Mut,
dann wird es schwer für die Franzosen.
Und wir haben noch mehr Heere
mit demselben Leid.«
337 Terramer, der Mächtige,
sagte, wie es ihm gebührte:
»Bist du der châtelain von Kler,
der ritterlich so viel

5 mit speren hât versuochet,
swes dan dîn wille ruochet
ane mich mit lêhne oder mit gebe,
des wart ûf mich, die wîle ich lebe.
dar zuo hâstû der wîbe lôn,
10 in manegen landen hellen dôn,
dâ man sprichet dîne werdekeit:
diu ist beidiu hôch und breit.
sage mêre«, sprach der von Tenabrî:
»waere dû den Franzoisen sô nâhen bî,
15 daz dû ir krîe hôrtes sund*er*?
kumt Lôîs dar und*er*,
des houbet roemisch krône treit?
dar umbe wirt al mîn maht erweit.
dû gihes, dâ kome des rîches vane:
20 durh reht ich gein des künfte mane
rîche und arme, *swen* ich mac.
uns ist erschinen der geldes tac,
daz wir Pînelles tôt
sulen klagen mit der getouften nôt.
25 Tesereiz und Noupatrîs,
die zwêne künege manegen prîs
heten und der bruoder mîn,
Arofel: des muoz ich sîn
âne vreude, ine gereche sie.
ich bite iuch alle, dise und die,
338 vürsten und der künege her,
die durh unser gote alhie ze wer
und durh *diu* wîp den lîp verlurn,
die ir tôt ûf Alitschans erkurn,
5 iuwer deheinen des betrâge:
rechet herren und*e* mâge! S. 656a
ir habet alle wol vernom*en*
der schuldehaften zuo kom*en*.
in mîner jugent kund ich den lîp
10 wol zimieren durh *diu* wîp:
daz erteil ich noch den jungen.

in Lanzenkämpfen wagte, 5
was du dann willst
von mir an Lehen oder an Besitz,
ich geb es dir, solang ich lebe.
Dazu hast du den Lohn der Frauen,
und es erklingt dein Name laut in vielen Ländern, 10
wo man von deinem Ruhm erzählt:
der ist hoch und breit.
Sag mehr«, so der von Tenabri:
»warst du so nah an den Franzosen,
daß du jeden Schlachtruf hörtest? 15
Kommt Louis mit ihnen,
der die römische Krone trägt?
Für die wird meine ganze Kriegsmacht eingesetzt.
Du sagst, da kommt des Reiches Fahne:
um diese zu empfangen, rufe ich mit Recht 20
Reich und Arm zusammen, wen ich kann.
Der Vergeltungstag ist da,
daß wir Pinels Tod
beklagen mit dem Leid der Christen.
Tesereiß und Naupatris, 25
die beiden Könige hatten großen Ruhm,
mein Bruder auch,
Arofel: darum bin ich
ohne Freude, wenn ich sie nicht räche.
Ich bitt euch alle, die und jene,
338 Truppen der Fürsten und der Könige,
die im Kampf für unsre Götter
und die Frauen hier gefallen,
auf Alischanz gestorben sind,
daß keiner von euch sich entzieht: 5
rächt Herren und Verwandte!
Ihr alle habt gehört:
die Schuldigen rücken an.
Als ich noch jung war, wußte ich
mich für die Frauen schön zu schmücken: 10
das, sag ich den Jungen, sollen sie jetzt tun.

dô mir êrste die granen *sprungen,
mich nam diu minne in ir gebot
noch sêr*er* dan dehein mîn got.
15 durh die gote und durh die minne
nâch prîses gewinne
suln wir noch hiute werben
alsô, daz vor uns sterben
Lôîs Rômaere,
20 dâ ich billîcher waere
künec. ir hoert mich'z lange klag*en*:
mîn houbt solde roemisch krône trag*en*,
dar umbe mîn veter Bâligân
verlôs manegen edelen man.
25 ûf roemisch krône sprich ich sus:
der edele Pompêjus,
von des gesleht ich bin erborn
(ich enhân die vorderunge niht verlorn),
der wart von roemischer krône vertrib*en*
z'unreht. *manec künic ist belib*en*
339 dâ sît ûf mînem erbe:
ich waen, ez noch manegen sterbe.«
vür Terramêren was gebot*en*
bî al der heidenschefte got*en*
5 und bî Terramêr*es* kraft
maneger rîchen gesellescaft.
*k*ünege von manegen landen
die sprâchen von den schanden,
die der heilige Tervagant
10 und Mahmet het erkant
und ir werd*er* got Apolle.
si sprâchen ouch von dem zolle,
den si dem tôde müest*en* geb*en*.
si jâhen, in waere unmaere daz leb*en*,
15 sine geraechen noch ir schaden baz.
an disem râte maneger saz,
eskeliere und emerale,

Kaum war mir der Bart gewachsen,
nahm mich die Liebe in den Dienst,
mehr noch als alle meine Götter.
Für die Götter, für die Liebe 15
sollen wir, um Ruhm zu holen,
heut uns so bemühen,
daß von unsern Händen
Louis' Römer sterben,
deren König rechtens ich 20
sein sollte. Ihr hörtet mich schon lang darüber klagen:
ich sollte die römische Krone tragen,
für die mein Onkel Baligan
viele Männer, hochgeborene, verlor.
Das ist mein Anspruch auf die römische Krone: 25
der hochgeborene Pompeius,
dessen Nachkomme ich bin
(ich hab die Forderung nicht aufgegeben),
wurde widerrechtlich von der Krone Roms
vertrieben.
Viele Könige saßen
339 seither dort auf meinem Erbe:
ich glaub, das bringt noch vielen Tod.«
Vor Terramer befahl man
bei allen Heidengöttern
und bei Terramers Gewalt 5
viele mächtige Herren.
Könige aus vielen Ländern
sprachen von der Schande,
die der heilige Tervagant
und Mohammed erlitten hatten 10
und ihr hoher Gott Apoll.
Sie sprachen auch von dem Zoll,
den sie dem Tod entrichten müßten.
Ihr Leben, sagten sie, sei ihnen nichts,
wenn sie die Verluste nicht noch besser rächten. 15
Viele saßen an dem Rat,
Eskelire und Emire,

amazûre al zemâle
und die hoehsten künege über al daz her.
20 eteslîcher über daz vünfte mer
mit maneger rotte dar was kom*e*n.
heten marnaere von den iht genom*e*n,
daz enaht ich niht vür wunder.
dâ sâzen ouch besunder
25 vil vürsten, die dâ heten verlorn
ir herren. durh daz wart gesworn
ein hervart ûf die kristenheit.
si wolden rechen herzenleit
und al ir goten vüegen prîs.
Oransche und Pârîs S. 656b
340 si gar zestoeren solten.
dar nâch si vürbaz wolten
ûf die kristenheit durh râche.
Terramêr den stuol dâ ze Ache
5 besitzen wolde und dannen ze Rôme varen,
sînen goten prîs alsô bewar*e*n,
*swer Jêsus helfe wolde leb*e*n,
daz *der dem tôde wurde geb*e*n.
sus wold er roemische krône
10 vor sînen goten schône
und vor al der *heidenschefte* tragen.
dô der wartman sus begunde sagen,
diu hervart wart wendec.
Terramêr was doch genendec.
15 er sprach: »iuwer aller helfe ich ger.
der Karels sun dâ gein mir her
vert. sît daz des rîches van
von den kristen ist gebunden an,
si bringent ir rehten houb*e*tman,
20 des vater mir vil hât getân.
nemt alle mîns gebotes war!
ich wil hab*e*n zehen schar,
der ieslîch baz gerîtert sî
dan der groesten schar*e* drî,

alle Almansure
und die höchsten Könige im Heer.
Über fünf Meere waren manche 20
mit vielen Scharen hergekommen.
Nahmen Schiffer Geld von ihnen,
wundert mich das nicht.
Da saßen, Mann für Mann, auch
viele Fürsten, die da 25
ihren Herrn verloren hatten. Deshalb wurde
eine Heerfahrt gegen die Christenheit geschworen.
Sie wollten schweren Kummer rächen
und allen ihren Göttern Ruhm und Ansehn holen.
Orange und Paris
340 sollten sie vernichten.
Noch weiter wollten sie danach
die Christenheit mit Rache überziehen.
Den Thron in Aachen wollte Terramer
besetzen, sich von dort nach Rom begeben, 5
seinen Göttern Ruhm und Ansehn dadurch wahren,
daß alle, die für Jesus kämpfen wollten,
dem Tod anheimgegeben würden.
So wollte er die römische Krone
herrlich vor den Augen seiner Götter 10
und der Heidenvölker tragen.
Nach dem Bericht des Spähers
setzte man die Heerfahrt aus.
Doch war Terramer nicht feige.
Er sagte: »Ich fordre euer aller Hilfe. 15
Der Sohn von Karl zieht gegen mich.
Da des Reiches Fahne
von den Christen aufgezogen wurde,
ist ihr höchster Herr bei ihnen,
dessen Vater mir viel angetan hat. 20
Hört alle meinen Befehl!
Zehn Scharen will ich haben,
mit mehr Rittern jede
als zusammen drei der größten Scharen,

25 die mîn veter Bâligân
in sturme gein Karle ie gewan.
swie vil mir hers sî tôt gevalt,
ich hân noch her*e*s ungezalt,
daz nieman wol geprüeven mac.
swem herre oder *mâge hie tôt belac
341 oder sus sîn liep geselle,
der rech ez, ob er welle,
dar nâch als in sîn ellen mane.
neve Halzebier, nû sol dîn vane
5 hiute der êrste an die rîter sîn.
ich getrûwe wol der manheit dîn.
die vürsten zuo dir dar und*e*r nim
Pînels von Assim,
den mir Kâtor sande
10 werdeclîch ûz sîme lande:
er hete kind*e*s niht wan in.
Pînels ich immer jaem*e*rc bin.
der vater ist mit dem sun erslag*e*n –
ich meine: sô sêre beginnet er klag*e*n.
15 ich schaffe *zuo *dem* vanen dîn
die von Oraste Gentesîn,
die der milte *Noupatrîs*
brâhte. die hânt maneg*e*n prîs
erstriten mit roerîn*e*n spern.
20 die beginnent hiute hie tjost*e* gern.
ir herren herze truoc ein wîp:
durh die verlôs er hie den lîp.
den vürsten ûz dem lande ze Kânach
an Galafrê alsam geschach. S. 657a
25 von Sêres Eskalibôn
und von Boctâne der künic Talimôn,
der minne *gerenden* künege her
alle vünf*e* schaff ich dir ze wer.
ir herren ie nâch minnen striten,
unz si der tôt hât überriten.«

die mein Onkel Baligan 25
im Kampf mit Karl je aufgeboten hat.
So viele Leute mir getötet wurden,
ich hab noch ungezählte,
die keiner überblicken kann.
Wem hier der Herr, wem ein Verwandter
341 oder sonst ein lieber Freund gefallen ist,
der räch es, wenn er will,
wie seine Tapferkeit ihn treibt.
Neffe Halzebier, dein Banner soll
heut am Feind das erste sein. 5
Ich baue ganz auf deinen Mut.
Nimm unter deine Fahne die Fürsten
Pinels von Assim,
den Kator mir,
herrlich gerüstet, aus seinem Land gesandt hat: 10
er war sein einziges Kind.
Um Pinel ist mir immer leid.
Der Vater wurde mit dem Sohn erschlagen –
ich meine: so sehr wird er klagen.
Deiner Fahne unterstelle ich 15
die Truppen aus Oraste Gentesin,
die Naupatris, der Schenker,
hergeführt hat. Die haben sich viel Ruhm
erkämpft mit Bambusspeeren.
Die gieren heute hier nach Tjosten. 20
Das Herz ihres Herrn trug eine Frau:
für die verlor er hier das Leben.
Den Fürsten aus dem Lande Ghana
ging es mit Galafré genauso.
Von Seres Eskalibon 25
und von Boctane König Talimon –
die Heere dieser Könige, die um Liebe rangen,
stell ich dir alle fünf zum Kampf.
Ihre Herren kämpften stets um Liebe,
bis der Tod sie überwand.«

342 Halzebier sich vreute sêre:
ez dûht in groezlîch êre,
daz er solde gâhen,
die vîende vor enpfâhen.
5 âne sîn selbes *her* über vünf lant
diu her ze helfe im wâren benant.
Terramêr sprach ze Tîbalt:
»gedenke, helt, dû waere ie gezalt
zer unverzaget*e*n manheit:
10 lâ dir hiute wesen leit,
daz dich mîn tohter ie verliez,
alse si ir unsaelde hiez!
dîne milde und dîne güete
und dîn rîterlîch gemüete
15 und dînen vlaeteclîchen lîp –
den möht ein saeldehaftez wîp
immer gerne minnen,
diu sich wîpheit kunde versinnen,
und dîn rîcheit und dîn hôhen art:
20 rehte minne waer *an dir bewart.
nû soltû manlîchen tuon,
dû und Emereiz, dîn sun!
ir habt hie her*e*s grôze vluot.
Ehmereiz, dîn hôher muot,
25 swederthalp der edelt hin,
daz wirt an prîse dîn gewin,
nâch dînem vater oder nâch mir.
dînes vater ellen râte ich dir:
sô bistû in allen landen
bewart vor houbetschanden.«
343 der manlîch und der kurtois,
Tîbalt, der Arbois,
sprach: »herre, ir sprechet iuwer zuht,
doch hât diu werdekeit ir vluht
5 nû lange an mir rezeiget.
hete ich prîs, der wart geneiget.
ir gâbet mir, des ich iuch bat:

342 Halzebier war hocherfreut:
es war ihm eine große Ehre,
vorauszujagen
und die Feinde zu empfangen.
Außer seinen eignen Truppen waren ihm die 5
Truppen aus fünf Ländern zur Unterstützung zugeteilt.
Zu Tibalt sagte Terramer:
»Held, bedenke, daß du immer
als unverzagt und tapfer galtest:
laß es dir heute leid sein, 10
daß meine Tochter dich verließ,
wie ihr Unglück sie getrieben hat!
Deine Freigebigkeit und Güte,
deinen ritterlichen Sinn
und deinen schönen Leib – 15
den müßte eine echte Frau, 18
auf der Heil und Segen ruht, 16
stets von Herzen lieben, 17
und deinen Reichtum, deine hohe Abkunft:
gut wär rechte Liebe bei dir aufgehoben. 20
Jetzt sollst du tapfer kämpfen,
du und Emereiß, dein Sohn!
Ihr habt hier eine Flut von Truppen.
Emereiß, dein hoher Sinn,
nach welcher Seite der auch schlägt, 25
nach deinem Vater oder mir, 27
es bringt dir Ruhm. 26
Ich rate dir: sei mutig wie dein Vater;
dann bist du überall
bewahrt vor Schmach und Schande.«

343 Der Tapfere, le courtois,
Tibalt, der Araber,
sagte: »Herr, höflich redet ihr,
indes sind Ruhm und Ansehn
schon lang von mir geflohen. 5
Besaß ich Ruhm, der ist erniedrigt worden.
Ihr gabt mir, was ich von euch wollte:

diu gâb al mîner *vreuden mat
und mîme hôhen prîse sprach,
10 dâ man mich bî etwenne sach.
mîn las*ter* ist nû lange breit,
doch hân ich *eteslîche herzenleit
iuwer*er* tohter sît nâch gesendet,
diu mich sus hât geschendet.
15 bî mîme sune Ehmereiz
sô krefteclîch her ich weiz,
suln wir bî ein and*er* varn,
daz wir uns zuo z'ein and*er* scharn, S. 657b
wir geben al den getouften strît,
20 swaz ir dâ kumt ze bêder sît,
durh daz rîche und durh den markîs.«
geflôriert in manegen wîs
wart der von Todjerne.
si bêde striten gerne,
25 Tîbalt unde Ehmereiz:
kreftic wart ir puneiz.
der *heiden* schar sint nû zwuo.
Franzoiser riten sanfte zuo.
Halzebier durh strîten kom gein in:
dâ wuohs dem jâmer sîn gewin.

344 *d*er künec von Bailîe,
Sînagûn, der valsches vrîe,
der dritten schar was houb*e*tman.
ich wil iu nennen, ob ich kan,
5 wen Terramêr zuo z'im dô schuof,
vil maneger krîe sunder ruof.
daz her des künec Tampastê
und die der künec Fausabrê
brâhte ûz Alamansurâ,
10 die wâren gezimieret noch aldâ:
si kunden rîterschaft wol tuon.
und die der künic Turpîûn
brâhte von Valturmiê,
ir strît tet den getouften wê.

die Gabe hat mein ganzes Glück
und meinen hohen Ruhm,
die ich einst hatte, mattgesetzt. 10
Schon lang ist meine Schande breit,
doch habe ich viel Herzens-Leid
eurer Tochter seither nachgesandt,
die mir solche Schmach antat.
Ich weiß, daß Emereiß, mein Sohn, 15
ein so großes Heer befehligt:
wenn wir miteinander
in einer Schar verbunden reiten,
bestehn wir alle Christen,
so viele auch für beide Seiten kommen, 20
für das Reich, für den Marquis.«
Der von Todjerne wurde 23
reich geschmückt. 22
Sie waren beide kampfbegierig,
Tibalt und Emereiß: 25
gewaltige Attacken ritten sie.
Zwei Heidenscharen sind jetzt aufgestellt.
Langsam rückten die Franzosen an.
Ihnen ritt zum Kampf Halzebier entgegen:
das Leid zog daraus viel Gewinn.

344 Der König von Bailie,
Sinagun, der Treue,
war Herr der dritten Schar.
Ich will euch sagen, wenn ich's kann,
wen ihm Terramer da zuwies, 5
das Feldgeschrei von vielen Trupps.
Da waren noch das Heer des Königs Tampasté
und die Truppen, die der König Fausabré
aus Alamansura gebracht hatte,
prachtvoll gerüstet: 10
die verstanden sich aufs Kämpfen.
Und die, die König Turpiun
aus Valturnié gebracht hatte,
deren Kämpfen tat den Christen weh.

15 die brâhte der künec Arfiklant
und des bruoder Turkant,
ouch bî Sînagûne riten:
von den wart dâ wol gestriten.
in Sînagûns puneiz
20 vuor daz her des künec Poufemeiz,
von Ingalîe des geflôrten:
elliu ôren nie gehôrten
von im nie valschlîchen site;
der wîbe lôn im wonte mite
25 unz an sînen rîterlîchen tôt;
der minne er sich ze dienste erbôt.
disiu her wâren elliu herrenlôs.
diu kristenheit von in verlôs
manegen rîter, ê der sturm ergienc:
die sêle got in den himel enpfienc.

345 *T*erramêr von Suntîn
sprach: »die zehen süne mîn,
ir sult hab*e*n die vierden schar.
nemt mînes unverzageten ellens war,
5 daz ich in iuweren jâren truoc,
dô man mir prîs*e*s jach genuoc!
ir sît künege über zehen rîchiu lant:
iuwer ieslîchem sunder ist benant
vil künege, die niht versmâhent,
10 daz si krône von iu enpfâhent.
gein den getouften werd*e*n
sult ir unseren goten ir erden S. 658a
mit sig*e*nunft gebreiten.
ir sult ouch bî iu leiten
15 iuwers vetern her schône:
die von Sammargône
und die vürsten gar ûz Persîâ.
Arofel hât si *dicke aldâ*
vil rîterlîche gelêret,
20 daz ir prîs wart gemêret.
an des ringe ir lâget hie,

Die der König Arfiklant gebracht hatte 15
und sein Bruder Turkant,
die ritten auch bei Sinagun:
die kämpften ausgezeichnet da.
In Sinaguns Abteilung
ritt das Heer von König Paufemeiß, 20
le florissant, aus Ingulie:
kein Ohr hat je gehört,
daß er einmal treulos war;
der Lohn der Frauen war ihm sicher
bis an sein ritterliches Ende; 25
dem Dienst der Liebe hatte er sich hingegeben.
All diese Heere waren herrenlos.
Die Christenheit verlor durch sie
viele Ritter, eh die Schlacht zuende ging:
die Seelen nahm Gott in den Himmel auf.

345 Terramer von Suntin
sagte: »Meine Söhne, alle zehn,
nehmt ihr die vierte Schar!
Bedenkt, wie unverzagt und tapfer ich
in euerm Alter war, 5
als man mich sehr gerühmt hat!
Über zehn reiche Länder seid ihr Könige:
jedem von euch sind
viele Könige unterstellt, die es nicht verschmähen,
von euch die Krone zu empfangen. 10
Breitet gegen die edlen Christen
die Herrschaft unsrer Götter
siegreich aus.
Führt auch gut in eurer Schar
die Truppen eures Onkels: 15
die Samarkander
und aus Persien alle Fürsten.
Oft hat sie dort Arofel
zu ritterlichen Taten angetrieben,
daß ihr Ruhm vergrößert wurde. 20
In dessen Lager ihr hier lagt,

nû denket hiute, daz er ie
iuwer ieslîchen ze sun erkôs,
unz er den lîp durh iuch verlôs!
25 ach, wer sol nû minne pflegen,
sît sô hôher prîs ist tôt gelegen?
waz wunders tet der Persân!
kunnen diu wîp iht triuwe hân,
sît wir alle sîn von wîben komen,
ir jâmer wirt nâch im vernomen.

346 gebt iuwerer jugende hôhen muot!
ir habt hôhen art und alsölhez guot:
ir muget wol volkes herren sîn.
wîbe süeze und ir minneclîcher schîn
5 sol iuch hiute lêren
iuweren prîs bî vîenden mêren
gein den, die gein iu vüerent prîs.
durh waz wart der markîs
genant ›Willehalm, der ponschûr‹?
10 dâ ist im vil dicke worden sûr
iuwerer swester minne
mit prîses gewinne
gein der rehten manheit geburt.
ir sult noch hiute den strîtes vurt
15 alle zehene vor mir versuochen.
wellent wîp des geruochen,
etslîchiu gît iu drumbe ir lôn.
der alde dâ von Narbôn
gein mir hetzet sîniu kint:
20 mîner süne zehne sint,
die *ich* im z'enpfâhne sende.
Poidjus von *Uriende*
und von Griffâne der rîche,
nû wirp hiute rîterlîche:
25 diu vünfte schar sol wesen dîn.
Tesereizes her, des neven mîn,
die küenen Seziljoise,

denkt heute daran, daß er immer
jeden von euch hielt wie einen Sohn,
bis er für euch gefallen ist!
Ach, wer huldigt jetzt der Liebe, 25
da so hoher Ruhm gestorben ist?
Welche Wunder tat der Perser!
Gibt es Treue bei den Frauen,
hört man sie um ihn klagen: 30
wir sind doch alle von Frauen geboren. 29

346 Verbindet hochgemuten Stolz mit eurer Jugend!
Ihr seid hochgeboren und habt entsprechenden Besitz:
gut könnt ihr Herrscher über Völker sein.
Die Süße und die Lieblichkeit der Frauen
soll euch heute Ansporn sein, 5
bei den Feinden euern Ruhm zu mehren
gegen jene, die euch ruhmbedeckt entgegentreten.
Wofür wurde der Marquis
genannt ›Willehalm, der Krieger‹?
Weil ihm immer wieder 10
die Liebe eurer Schwester
sauer wurde und ihn Ruhm erwerben ließ
gegen wahrhaft tapfere Männer.
Noch heute werdet ihr die Furt des Kampfes,
alle zehn, vor mir erkunden. 15
Wenn die Frauen gnädig sind,
gibt euch dafür manche ihren Lohn.
Der Alte von Narbonne
hetzt seine Söhne auf mich:
Zehn Söhne habe ich, 20
die ich ihm zum Empfang entgegenschicke.
Poidjus, Mächtiger von Uriende
und Griffane,
sei heut tapfer:
die fünfte Schar soll deine sein. 25
Das Heer des Tesereiß, meines Verwandten,
die kühnen Sizilianer,

suln hiute die Franzoise
und*er* dînen vanen dringen,
dâ swert durh helm erklingen.

347 Tesereizes vürst*en* nim zuo dir!
geloube in allen und ouch mir,
Grikuloisen und den Latriset*en*,
ir herren herze was erjet*en*,
5 daz man nie valsch dar inne vant!
er was künec über vünf lant. S. 658b
durh dîn ellende,
daz dû uns koeme ûz *Uriende*,
und durh sippe und die triuwe sîn,
10 niht durh die rîcheit dîn,
was er dir diens*tes* undertân
in der mâze, als ob er waere dîn man.
den soltû hiute rechen,
von des tôde müezen sprechen
15 immer guotiu wîp ir klage.
von dem êrst erschinenem tage
unz an des jungesten tages schîn
muoz Tesereiz geprîset sîn
vür al Adâmes geslehte,
20 swer prîs wil prüeven rehte.
nû sît ir mîner kinde kint,
die hie mit maneger storje sint,
Poidjus und Ehmereiz:
swâ ich iuch bêde in strîte weiz
25 und ouch die zehen süne mîn,
mîn herze hât den selben pîn:
dâ sleht man ûf mîn selbes verh.
diu rede ist wâr und nind*er* twerh:
Halzebier und Sînagûn,
iewed*er* ist lieb*e*halp mîn sun.

348 *m*îner mâge sol noch mêr hie sîn.
von Ganfasâsche Aropatîn,
dîn rîche hât vil wîte:
dû solt hiute gein dem strîte

sollen heute die Franzosen
unter deine Fahne treiben,
wo die Schwerter durch die Helme dröhnen.
347 Nimm die Fürsten des Tesereiß zu dir!
Glaub ihnen allen und auch mir,
den Grikuloisen und den Latriseten,
das Herz ihres Herrn war ausgejätet:
Untreue fand man nie darin! 5
König von fünf Ländern war er.
Weil du weither
von Uriende kamst,
und aus Verwandtschaft und aus Treue,
nicht weil du so mächtig bist, 10
unterstellte er sich dir,
als wär er dein Vasall gewesen.
Den sollst du heute rächen,
dessen Tod
die edlen Frauen allezeit beklagen müssen. 15
Vom ersten
bis zum letzten Tag der Welt
muß Tesereiß den Ruhm
vor allen Adamssöhnen haben,
wenn man recht bedenkt, was Ruhm bedeutet. 20
Ihr seid meine Kindeskinder,
hier mit vielen Truppen,
Poidjus und Emereiß:
wenn ich euch
und meine zehne irgendwo im Kampf weiß, 25
hat mein Herz dieselbe Qual:
da haut man in mein eignes Fleisch.
Es ist wahr und nicht gelogen:
Halzebier und Sinagun,
jeder ist der Liebe nach mein Sohn.
348 Hier sind noch mehr aus meiner Sippe.
Aropatin von Ganfasasche,
dein Reich ist groß und weit:
führe du heut in die Schlacht

5 die sehsten schar*e* vüeren.
die dîne hervart swüeren,
künege und vürsten, dîne man,
die mahtû gerne bî dir hân.
ez stêt wol dîner krône,
10 ob dû nâch der gote lône
und nâch dîn selbes prîse,
ob dich's diu minne wîse,
noch hiute in strîte kumb*e*r dolst
und der wîbe lôn ze reht erholst,
15 dâ man hurte nimt und hurte gît.
stêt dîn herze in den strît,
dû hâst sô manegen rîter guot:
den Franzoisen schaden tuot
dînes hurteclîchen poind*e*rs krach
20 *sol* si wol lêr*e*n ungemach.
kreftelîch an dîme ringe ich weiz
den künec Matribleiz:
der hât vil her*e*s bî dir dâ,
brâht ûz Skandinâvîâ;
25 in Gruonlant und in *Gaheviez*
der werden er dâ keinen liez.
hie ist der künec von Askalôn
durh dich, der stolze Glôrîôn.
gip manlîch ellen dîner jugent:
daz lêrt dich in dem alt*e*r tugent!« S. 659a

349 *T*erramêr sprach dô: »helt Josweiz,
nû denke, ob dir ie guot geheiz
von guotes wîbes munde
ie ze keiner stunde
5 *widervüere* durh rîterlîche tât:
lâ dir *minne geben rât!
des küenen Matusalezes barn,
dû solt hiute der gote prîs bewarn.
Matusalez dich sande mir.
10 mîne mâge und ich getrûwe dir:
dû bist mîner kinde oeheimes sun.

die sechste Schar! 5
Die dir Heeresfolge schwuren,
Könige und Fürsten, deine Lehensleute,
stolz kannst du sein, daß du die hast.
Gut steht es deiner Krone an,
wenn du für den Lohn der Götter 10
und für deinen eignen Ruhm,
wenn dich das die Liebe lehrt,
noch heute in der Schlacht dich mühst
und dir Frauenlohn verdienst,
wo man Lanzenstöße nimmt und gibt. 15
Steht dir der Sinn nach Kampf,
du hast so viele gute Ritter:
den Franzosen bringt Verlust
das Krachen deiner Speer-Attacken,
das wird sie Kummer lehren. 20
In deinem Lager ist mit starken Kräften, wie ich weiß,
der König Matribleiß:
der hat da viele Truppen bei dir,
aus Skandinavien hergebracht;
in Grönland und in Gahevieß 25
ließ er nicht einen edlen Mann zurück.
Hier ist der König von Askalon
um deinetwillen, Glorion, der Stolze.
Verbinde Tapferkeit mit deiner Jugend:
dann bist du auch im Alter tüchtig.«

349 Weiter sagte Terramer: »Held Josweiß,
nun denk daran, wenn
eine edle Frau dir
je
für ritterliche Tat Avancen machte. 5
Folg dem Rat der Liebe!
Sohn des kühnen Matusales,
behaupten sollst du heut den Ruhm der Götter.
Dich sandte mir Matusales.
Ich und die Meinen bauen auf dich: 10
du bist der Sohn des Onkels meiner Kinder.

die von Hippipotitikûn
unz an Agremuntîn
sitzent, die müezen sîn
15 diensthaft dîner krône.
nâch der gote lône
solt dû hiute arbeiten
und die sibenten schar*e* leiten.
von Janfûse Korsant
20 sîne krône hât von dîner hant
und von Nouriente Rûbbûâl:
der selbe künec hât al diu mâl,
diu ich an geprîstem herzen weiz.
her kom ouch durh dich Bohereiz,
25 der künec von Etnîse,
der gerende nâch dem prîse,
und der künec von Valpinôse,
Talimôn, der gar unlôse:
wan swâ er gein vîenden hete haz,
hôhes muotes er dâ niht vergaz.
350 *d*ie viere künege hie durh dich
sint. nû sol dîn gerich
über dîner basen tohter sîn.
diu was etswenne diu tohter mîn,
5 ê si sich Jêsuse ergap:
sît wuohs ir unsaelden urhap.
Franzoise und Alemâne
durh si ûf dîsem plâne
mich *suochent* hie mit rîterschaft,
10 daz ich mîner wîten kraft
niht mac geniezen unt der gote.
Poidwîz von Raabs, ze dîme gebote
solt dû hân die ahten schar.
under dînen vanen schaffe *ich* dar
15 daz her des künec Tenabruns,
des werden von Liwes Nugruns:
ir herre ûz prîse nie getrat.
Libiluns her von Rankulât

Die Leute von Hippipotitikun
bis nach Agremuntin
sind
deiner Krone untertan. 15
Für den Lohn der Götter
sollst du dich heut mühen
und die siebte Schar anführen.
Korsant von Janfuse
empfing aus deiner Hand die Krone, 20
so auch Rubbual von Nauriente:
alle Zeichen trägt der König,
die, wie ich weiß, ein edles Herz anzeigen.
Um deinetwillen kam auch Bohereiß hierher,
der König von Etnise, 25
der Ruhmbegierige,
und der König von Valpinose,
Talimon, der Gute: so genannt,
weil er, wo er den Feind bekämpfte,
immer Großmut zeigte.

350 Die vier Könige sind hier um deinetwillen.
Nun soll deine Rache
die Tochter deiner Tante treffen.
Die war einmal meine Tochter,
eh sie sich Jesus überließ: 5
daraus kam dann ihr Unheil.
Franzosen und Deutsche
bekriegen mich 9
auf diesem Feld hier ihretwegen, 8
daß mein großes Heer 10
und meine Götter mir nichts nützen.
Poidwiß von Raabs, führ du
die achte Schar!
Unter deine Fahne stell ich
das Heer des Königs Tenabruns, 15
des Edlen von Liwes Nugruns:
ihr Herr verließ niemals den Pfad des Ruhms.
Das Heer des Libilun von Rankulat

sol dînes vanen ouch warten:
20 die sulen noch hiute scharten
houwen durh vil herten helm,
dâ von begozzen *wirt* der melm.
bî dir sol rîterschaft ouch tuon
daz her des künec Rûbîûn: S. 659b
25 von Azagouc diu swarze diet
sint poinders hurte geinbiet.
dû hâst ouch turkople vil
und bist wol in der krefte zil:
âne mich deheines küneges her
hât hie sô maneger slahte wer.
351 mîn tohter vrumt mir herzesêr,
Arable«, sprach dô Terramêr,
»daz klag ich guoten vriunden.
mîne schar die niunden
5 soltû vüeren, künec Marlanz
von Jêrikop: ûz strîte ganz
dû sper noch *schilt* nie brâhtes,
swâ dû vîenden ie genâhtes.
nû tuo'z durh dîne werdekeit:
10 hilf hiute rechen *mîniu leit!
ich schaffe *dînem* vanen bî
den sun des künec Ankî;
und der künec Margot von *Bozzidant*
under dînen vanen ouch sî benant
15 und der künic Gorhant von Ganjas
(lûter grüene als ein *gras*
ist im hürnîn gar sîn vel;
sîn volc ist küene und*e* snel).
dû maht die vîende wênic sparn:
20 die gote müezen dich bewarn.«
nû wârn ouch die getouften kom*e*n.
des wart ûf Alischanz vernom*e*n
von speren manec lûter krach:
trumzûne wurden's veldes dach.
25 die tjostiure ze bêder sît

soll auch deiner Fahne folgen:
die sollen heut noch Scharten 20
durch harte Helme hauen,
so daß der Staub begossen wird.
Auch soll an deiner Seite kämpfen
das Heer des Königs Rubiun:
das Mohrenvolk aus Azagauc 25
hält jedem Ansturm stand.
Auch hast du viele Turkopolen
und eine solche Streitmacht:
kein König hat hier außer mir in seinem Heer
soviel verschiedne Kampfverbände.

351 Meine Tochter schafft mir Herzens-Leid,
Arabel«, sagte Terramer,
»das klag ich guten Freunden.
Führ du meine neunte Schar,
König Marlanz 5
von Jerikop: du hast noch nie aus einer Schlacht
Speer oder Schild intakt gebracht,
wo immer du auf Feinde trafst.
Tu's jetzt deinem Ruhm zuliebe:
hilf mir heut, mein Leid zu rächen! 10
Ich stelle unter deine Fahne
den Sohn des Königs Anki;
auch König Margot von Bossidant
sei deiner Fahne zugewiesen
und vom Ganges König Gorhant 15
(aus leuchtend grasgrünem
Horn ist seine ganze Haut;
sein Volk ist kühn und schnell).
Schone die Feinde nicht:
die Götter mögen dich beschützen.« 20
Jetzt waren die Getauften da.
So hörte man auf Alischanz
gewaltig Lärm von Lanzenstößen:
Splitter bedeckten das ganze Feld.
Die Tjosteure beiderseits 25

mit einem buhurte huoben strît,
Franzois unde Sarrazîn*e*.
Jêsus hab die sîn*e*:
die anderen ûz al der heiden lant,
der müeze pflegen Tervagant.

352 den selben got hiez Terramêr
und and*e*r sîne gote hêr
setzen ûf manegen hôhen mast.
daz was iedoch ein swaerer last:
5 *karroschen* giengen drunder,
die zugen dâ besunder
gewâpendiu merrinder.
starke liute (ez enwâren niht kinder)
menten si mit garten.
10 Terramêr begunde warten,
wie von golde und mit gesteine
lûter und*e* reine
sîne gote wâren geflôrt.
er selbe was vertôrt,
15 daz er an si geloubte
und sîn alt*e*r wîsheit roubte,
als ob er waere nâch jugende var.
nû wart alrêst sîn zehendiu schar S. 660a
gerottier*e*t krefteclîche.
20 »niun künecrîche«,
sprach er, »ze mînen handen sint,
âne diu dâ habent mîniu kint.
swaz vürsten mir dar ûz sint kom*e*n,
under mînen vanen die sîn genom*e*n
25 und al der tôten künege diet,
der herre hie von lebne schiet,
ân die ich vor *mir hân benant
in die schar, die ich vür mich hân gesant«,
sprach Terramêr von Suntîn:
»die andern warten alle mîn.

eröffneten den Kampf mit einem Buhurt,
die Franzosen und die Sarazenen.
Jesus sei mit den Seinen:
die anderen aus allen Heidenländern
mag Tervagant beschützen.
352 Terramer ließ diesen Gott
und seine andern heiligen Götter
auf viele hohe Masten setzen.
Das waren freilich schwere Lasten:
Fahnenkarren liefen drunter, 5
jeden zogen
Orient-Ochsen, schwer gepanzert.
Starke Männer (keine Kinder)
trieben sie mit Stöcken an.
Terramer besah, 10
wie seine Götter im Schmuck 13
aus Gold und Edelsteinen 11
ungetrübt erstrahlten. 12
Er selber war ein Narr,
daß er an sie glaubte 15
und seinem Alter Weisheit raubte,
als wär er noch ein junger Spund.
Jetzt erst wurde seine zehnte Schar
formiert aus starken Kräften.
»Neun Königreiche«, 20
sagte er, »stehen unter meiner Herrschaft
(die meiner Söhne nicht gerechnet).
Die Fürsten, die von dort zu mir gekommen sind,
die kämpfen unter meiner Fahne
und ebenso die Leute aller toten Könige, 25
deren Herren hier gefallen sind,
außer jenen, die ich vorher
den Scharen zuwies, die ich mir vorausgesandt habe«,
sagte Terramer von Suntin:
»die andern folgen alle mir.

353 Ector von Salenîe,
ich waene, dehein amîe
dich sande her«, sprach Terramêr,
»ich waene doch, dînen umbekêr
5 âne den tôt sol niem*e*n hie gesehen.
man muoz dir manheite jehen:
mîn vater ie ungerne vlôch,
Kanabêus, der dich zôch.
dû treist krône von *mînem* vanen:
10 des *lêhens* muoz ich dich hiute manen.
nû nim den vanen in dîne hant!
der gote scherm sî den benant,
die bî dir drunde rîten
und durh mich hiute strîten.
15 swaz künege ouch belêhent sîn
zuo dem harnasche mîn,
die bringen'z al bereite her:
rîterschaft ist mîn ger.«
ein tiuwer pfelle von golde,
20 gesteppet, als er wolde,
von palmât ûf ein matraz,
dar ûf Terramêr dô saz
vor sîme gezelde ûf den plân.
von Ormaleriez Puttegân
25 dar kom, der wol geborne.
der truoc krône von dem horne,
daz er blâsen solde,
sô er wâpen tragen wolde,
der süezen Gîburge vater.
Brahâne, sîn ors, verdecken bat er.

354 Terramêr, der wîse man,
sprach: »mich waenet erslichen hân
der Karl*e*s sun Lôîs,
als mir tet sîn markîs:
5 der kom ûf Alitschanz geriten.
dâne wart sô lange niht gebiten,

353 Ector von Salenie,
soviel ich weiß, hat keine amie
dich hierher gesandt«, sagte Terramer,
»trotzdem, glaub ich, wird
dich keiner hier umkehren sehen – wenn du nicht fällst. 5
Man muß dir lassen, daß du tapfer bist:
mein Vater ist niemals geflohen,
Kanabeus, der dich aufgezogen hat.
Du trägst die Krone als mein Fahnenträger:
an dieses Lehen muß ich dich heut mahnen. 10
Nun nimm die Fahne in die Hand!
Die Götter mögen die beschützen,
die bei dir drunter reiten
und heute für mich kämpfen.
Die Könige, die ihr Lehen haben, 15
um meine Rüstung zu besorgen,
die bringen alles zugerüstet her:
es zieht mich in den Kampf.«
Kostbare golddurchwirkte Seide,
aufgesteppt, wie er befohlen hatte, 20
auf ein Palmatkissen,
darauf setzte sich da Terramer
auf den Boden vor sein Zelt.
Puttegan von Ormalerieß
trat heran, der Hochgeborene. 25
Der trug die Krone für das Horn,
das er zu blasen hatte,
wenn der süßen Giburg Vater 29
kämpfen wollte. 28
Brahane, sein Roß, hieß der bedecken.
354 Terramer, der Kluge,
sagte: »Überrumpelt, meint
der Karls-Sohn Louis, hat er mich,
wie's sein Marquis mit mir gemacht hat:
der kam auf Alischanz geritten. 5
Da wurde nicht so lang gewartet,

unz ich mich sô bewarte,
daz ich mîn her gescharte:
dâ von enpfienc ich herzenleit.
10 al mîner gote heilekeit
solte erbarmen und guotiu wîp,
daz ich sô manegen werden lîp S. 660b
ûz mîme geslehte alhie verlôs.
mîn selbes bruod*er* ouch hie kôs
15 sîn rîterlîchez ende,
mir ist gesaget, von des hende,
den mîn tohter minnet,
diu sich niht versinnet,
waz si durh in hât verlorn,
20 daz si unser gote hât verkorn
und ir wîtiu lant und ir rîchez leb*en*
hât umbe armuot hie gegeb*en*.
si liez ouch Tîbalden,
den süezen, einvalden,
25 den milten unt den rîchen
und den klâren, manlîchen,
der enpfienc nie valscheit enkein.
wie vert sunne durh *den edeln* stein,
daz er doch scharten gar verbirt?
alsô wênic hât ie verirt
355 Tîbalden, den genenden,
swaz man sagt von missewenden:
sîn herze was vor valsche ie blint.
durh daz kôs ich in z'eime kint.
5 ich gap *dem* ellens vesten
der sunnen wider glesten,
Arablen, die vil klâren,
in ir beider jungen jâren,
der schaden ich nû schaffe:
10 ûz mînes herzen saffe
ist doch ir liehter blic erblüet.
*alrêste mich nû müet:
ich hân gelesen, daz Dâvît

bis ich dafür sorgen konnte,
daß mein Heer formiert war:
das brachte mir viel Leid.
Die Heiligkeit all meiner Götter 10
und die edlen Frauen sollte es erbarmen,
daß ich so viele edle Männer
meiner Sippe hier verlor.
Auch mein eigner Bruder fand hier
sein ritterliches Ende, 15
wie man mir sagte: von der Hand des Mannes,
den meine Tochter liebt,
die nicht begreift,
was sie für ihn verloren hat,
indem sie unsern Göttern abschwor 20
und ihre weiten Länder und ihr reiches Leben
für Armut hier getauscht hat.
Sie verließ auch Tibalt,
den Herrlichen, den Guten,
den Freigebigen, Reichen 25
und den Schönen, Tapferen,
der niemals treulos war.
Wie dringt der Sonnenstrahl durch einen Edelstein,
so daß der keinen Schaden nimmt?
So wenig hat je
355 irgendeine Untat 2
Tibalt, den Tapferen, vom rechten Weg gebracht: 1
sein Herz war immer blind für Falschheit.
Darum nahm ich ihn zum Sohn.
Ich gab dem allzeit Mutigen 5
den Widerschein der Sonne,
die herrliche Arabel
– da waren sie noch beide jung –,
die ich jetzt vernichten will:
aus den Säften meines Herzens 10
ist ihre Schönheit doch erblüht.
Jetzt erst geht mir das nah:
ich hab gelesen, daß auch David

gein sîme kinde ouch hete strît.
15 Dâvît smaehen sig erkôs:
dô Absalôn den lîp verlôs,
dô waere er gerne vür in tôt.
nû ist künftec mir diu selbe nôt.
wirt Lôîs noch hiute entworht,
20 die râche ich vürhte und hân ervorht,
daz mîn tohter Arable
under sîme swerte erzable.
vür wâr, sine mugen mîn sterben
ninder ê gewerben.
25 tragent mir die getouften haz,
sô stêt iedoch den werden baz,
daz si ir prîs sus êren
und gein mir selben kêren,
swaz si mugen gehazzen,
unt sich dar an niht lazzen.«

356 sus der *getriuwe saz
al klagende ûf sînem matraz.
îsernhosen und senftenier
brâht im der künec Grôhier
5 von Nomadjentesîn.
die hosen gâben blanken schîn. S. 661a
*guote kolzen unde haberjoel
(Artûs bî dem Plimizoel
in sîme her niht bezzers vant)
10 brâht im der künec Oquidant
(der was von Imanzîe).
der künec von Barberîe
brâht im einen halsberc:
in Jazeranz daz selbe werc
15 worhte, der'z wol kunde.
in Assigarziunde
was ein tiuwer helm geworht:
den brâht ein künec unrevorht,
Samirant von Boitendroit.
20 den selben helm worhte Schoit,

mit seinem Kind im Krieg gelegen hat.
Davids Sieg war ohne Ruhm: 15
als Absalon das Leben ließ,
wär er gern für ihn gestorben.
Dasselbe Leid steht mir bevor.
Wenn Louis heut geschlagen wird,
fürcht ich die Rache (fürchtete sie immer), 20
daß Arabel, meine Tochter,
zappelt unter seinem Schwert.
Wahr ist: sie können mich
auf keine Weise eher töten.
Wenn mich die Getauften hassen, 25
steht's doch den Edlen besser an,
ihren Ruhm nicht zu beflecken
und auf mich selber
ihren Haß zu richten
und damit nicht zu zögern.«

356 So saß
auf seinem Kissen bitter klagend der Getreue.
Beinschutz und Polster
brachte ihm der König Grohier
von Nomadjentesin. 5
Der Beinschutz glänzte hell.
Gute Strümpfe und ein gutes Panzerhemd
(Artus fand am Plimizoel
in seinem Heer nichts Besseres)
brachte ihm der König Oquidant 10
(der war aus Imanzie).
Der König von Barberie
brachte ihm einen Kettenpanzer:
Ein Meister hatte 15
dieses Stück in Jasseranz geschmiedet. 14
In Assigarziunde
war ein Helm geschmiedet worden, äußerst kostbar:
den brachte ein unerschrockener König,
Samirant von Boitendroit.
Schoit hatte diesen Helm geschmiedet, 20

des wîsen Trebuchetes sun.
von Hipipotitikûn
der künec brâht im einen schilt.
ez hete einen armen man bevilt
25 sölher dienaere.
ein lanze scharpf, niht swaere,
geworht in Siglimessâ
(ir snîde was ein grîfenklâ)
die brâhte der künec Bohedân
von *Schipelpunte*, ein werder man.

357 *d*er künec von Marroch Akkarîn
ein *tarkîs ûz eime rubîn
im brâhte und einen bogen starc.
ir deheines bringen er verbarc:
5 er leit'z et gar an sînen lîp.
im sanden wênic dar diu wîp:
zimierde het er sich bewegen,
des liez er junge rîter pflegen.
dô spien im umbe sîne sporn
10 Klabûr, ein künec wol geborn:
der was von Tîbaldes art.
dô Terramêr gewâpent wart,
ûf stuont der werde rîche.
dô sprach der manlîche,
15 des küenen *Kanabêus* sun:
»wie sul wir rîterschaft getuon
vor *der* getouften sarken?
mîne poind*e*r, die starken,
mugen niht ze vrumen voldrucken
20 noch hinder sich gerucken
den Rômaere Lôîs.
die getouften hânt vür prîs,
daz der zoub*e*raere Jêsus
ir velt hât bestreu*e*t sus
25 mit manegem sark*e*steine.
ir verh und ir gebeine
dar inne lît: si sint doch ganz.

der Sohn des weisen Trebuchet.
Der König von Hipipotitikun
brachte ihm einen Schild.
Ein Armer hätt sich nicht
solche Diener leisten können. 25
Eine leichte, scharfe Lanze,
in Siglimessa hergestellt
(ihre Schneide eine Greifenklaue)
brachte der König Bohedan
von Schipelpunte, ein edler Mann.
357 Der König Akkarin von Marrakesch
brachte ihm einen Köcher aus Rubin
und einen starken Bogen.
Was sie ihm brachten, tat er nicht beiseite:
er legte alles an. 5
Die Frauen hatten ihm nichts hergesandt:
auf Kampfschmuck hatte er verzichtet,
den überließ er jungen Rittern.
Da schnallte ihm die Sporen
Klabur um, ein hochgeborener König, 10
ein Verwandter Tibalts.
Als Terramer gewappnet war,
stand der Hohe, Mächtige auf.
Der Tapfere sagte da,
der Sohn des kühnen Kanabeus: 15
»Wie sollen wir denn kämpfen
vor den Särgen der Getauften?
Meine starken Kampfverbände
können keinen Druck ausüben
und den Römer Louis 21
nicht nach hinten werfen. 20
Die Getauften fühlen sich geehrt,
daß der Gaukler Jesus
ihr Feld
mit vielen Särgen so bestreute. 25
Ihr Fleisch und ihr Gebein
liegt in diesen – doch sind sie heil und ganz.

der den dürnînen kranz
ame kriuze ûf hete, den rûhen huot,
durh si alsölhiu wunder tuot. S. 661b

358 al, die mîn harnasch brâhten hie«,
sprach Terramêr, »dise und die,
den ich wîtiu lant dar umbe lihe
und ir houbten dar umbe krônen gihe,
5 die dienen hiute ir lêhen,
daz si die getouften vêhen.
ir ahte vüeret hie grôziu her.
iuwer volc hât ouch vil ze wer:
swert, bogen, lanzen, hâschen.
10 zuo der gote karraschen
rîtet bî mîner zeswen hant.
dâ ist Apollo und Tervagant,
Mahumet und Kahûn.
der pflege mit iu Kanlîûn,
15 der künec von Lanzesardîn.
daz ist der *edelste sun mîn,
von mînem êrsten wîbe erborn.
zuo den goten hân ich den erkorn
durh sîn ellen in mîn selbes schar:
20 ir und mîn er nimt wol war.
die niun künege rîten
ze mîner zeswen sîten.
sô rîte ze mîner *lenken* hant
in der schar der künec *von* Nûbîant
25 mit den vierzehen sünen sîn.
Purrel tuot hiute manheit schîn
und die stolzen Kordîne
und die puntschûr Poitwîne
und Kliboris, der starke,
der künec von Tananarke.

359 der künec von Bêâterre Samirant,
von Nôrûn der künec Oukidant,
die scharn sich winsterthalben mir,
und der künic Krôhir

Der am Kreuz die Dornenkrone
trug, den Stachel-Hut,
tut für sie solche Wunder.

358 Alle, die hier meine Rüstung brachten«,
sagte Terramer, »diese und jene,
von mir dafür belehnt mit weiten Ländern
und zu Königen gemacht,
sollen sich ihr Lehen heut verdienen, 5
indem sie die Getauften niederhauen.
Ihr acht führt große Heere hier.
Auch haben eure Leute viele Waffen:
Schwerter, Bogen, Lanzen, Äxte.
Reitet bei den Götter-Karren 10
rechterhand von mir.
Da sind Apoll und Tervagant,
Mohammed und Kahun.
Die hüte mit euch Kanliun,
der König von Lanzesardin. 15
Das ist mein vornehmster Sohn,
von meiner ersten Frau.
Zum Schutz der Götter hab ich den
in meine eigene Schar geholt, weil er so tapfer ist.
Sie und mich beschützt er gut. 20
Die neun Könige sollen
zu meiner Rechten reiten.
Zu meiner Linken reite
in der Schar der König von Nubiant
mit seinen vierzehn Söhnen. 25
Purrel zeigt heut Kühnheit
und die stolzen Córdobaner
und die Poitwiner Kämpfer
und Kliboris, der Starke,
der König von Tananarke.

359 Der König Samirant von Beaterre,
der König Aukidant von Norun,
die sollen sich zu meiner Linken sammeln,
dazu der König Krohir

5 von Oupatrîe:
maneger slahte krîe
sol man hoeren in sîme her.
der künic Sâmûêl ze wer
sî bî mîner winstern hende
10 und der künec *Môrende*:
der ist jenhalp Katus Erkules
*mir kumen, geloubet des.
dô ich mîne sam*e*nunge sprach,
über sehs jâr diu geschach:
15 swer mir in den zîten wolde kom*e*n,
der mohte si wol hân vernom*e*n.
bî dem strîte der künec *Fâbûr*:
der hât manegen *amazûr*
über Fîsônen brâht.
20 ich hân ouch Haropîns gedâht,
des alten *Tananarkois*,
zuo sîme sune, *dem kurtois*,
Kliborisen, den ich zôch.
ir newed*e*r nie gevlôch: S. 662a
25 swâ man poind*e*rs hurte vernam,
dâ was ir wilde wol sô zam,
daz si ir biten ime schalle.
dise werden künege alle
sulen schildeshalp zuo mir scharn,
mînen lîp und ir prîs bewarn.«

360 Terramêr, der rîche, sprach
ze eime künege, dem er jach,
daz er krône dâ von trüege,
daz er würfe und*e* slüege
5 tûsent rotumbes hel.
Zernubilê von Ammirafel
gebôt daz den sînen.
aht hundert pusînen
hiez blâsen der künic kalopeiz.
10 in sîme lande man noch weiz,
daz pusînen dâ wart erdâht:

von Aupatrie: 5
vielerlei Feldgeschrei
wird man hören in seinem Heer.
Der König Samuel
soll zu meiner Linken kämpfen,
König Morende ebenso: 10
von jenseits der Säulen des Herkules
kam der zu mir: ihr könnt es glauben.
Als ich zu meinem Kriegszug aufrief,
setzte ich sechs Jahre Frist:
wer zu mir kommen wollte in der Zeit, 15
dem konnte dieser Aufruf nicht entgehen.
An dessen Seite soll der König Fabur kämpfen:
der hat viele Almansure
über den Phison hergeführt.
Auch Haropin vergaß ich nicht, 20
den alten Tananarker,
mit seinem Sohn, le courtois,
Kliboris, den ich aufgezogen habe.
Die beiden sind niemals geflohen:
wo man Speerattacken hörte, 25
war ihre Wildheit derart zahm,
daß sie im Lärm geduldig darauf warteten.
Diese edlen Könige alle
sollen sich schildseits bei mir sammeln,
mich und ihren Ruhm bewahren.«

360 Terramer, der Mächtige, hieß
einen König, der von ihm
dafür die Krone trug,
tausend rasselnde Tamburine 6
in die Luft zu werfen und zu schlagen. 5
Zernubilé von Ammirafel
befahl das seinen Leuten.
Achthundert Trompeten
ließ der König blasen zum Galopp.
In seinem Land ist überliefert, 10
daß die Trompeten dort erfunden wurden:

ûz Tûsîe die wâren brâht.
dô zôch man Brahâne dar.
unz ûf den huof daz ors vil gar
15 gewâpent was mit kovertiur.
ein pfellel glestende als ein viur,
mit kost geworht in Suntîn,
der lac ûf der îserîn.
ûf saz der von Tenabrî.
20 im reit ze bêden sîten bî
manec unverzag*e*t rîter guot.
ir etslîchem wîp gâben muot,
daz er sich nâch in sente.
diu merrinder man dô mente,
25 *diu* die karroschen zugen.
swen die gote dâ betrugen,
die drûf wâren gemachet,
des geloube was verswachet.
nû lât Terramêren rîten –
hoeret, wie die êrsten strîten!

361 sîn helfe kumt in doch ze vruo.
nû hoeret, wer sölhe tât dâ tuo,
daz man in drumbe prîse
(ob mich's diu âventiure wîse,
5 der sol ich nennen iu genuoc,
swer dâ sô *hôhez* herze truoc),
daz er sich prîse nâhte,
dô man diu maere brâhte
uns in *toufbaeriu lant!
10 wîp heten dar gesant
ze bêd*e*r sît alsölhe wer,
dâ von daz kristenlîche her
und diu vluot der Sarrazîne
enpfiengen hôhe pîne,
15 die sich sô vür genâmen,
dô der tôt sînen sâmen
und*e*r si gesaete,
daz man von ir taete

S. 662b

die hier stammten aus Tusie.
Da zog man Brahane her.
Bis zu den Hufen war das Pferd
gewappnet mit der Couverture. 15
Seide, die wie Feuer gleißte,
mit großem Aufwand in Suntin gewirkt,
lag über der Eisendecke.
Der von Tenabri saß auf.
Zu beiden Seiten ritten 20
viele tapfre, edle Ritter bei ihm.
Von denen sehnte mancher
sich nach einer Frau.
Die Orient-Ochsen trieb man an,
die die Karren zogen. 25
Wen die Götter da betrogen,
die darauf befestigt waren,
zuschanden wurde dessen Glaube.
Laßt Terramer nun reiten –
hört, wie die ersten kämpfen!

361 Sie wollen nicht, daß er sie unterstützt.
Hört nun, wer da Taten tut,
daß man ihn dafür preisen kann
(sagt es mir die Geschichte,
dann nenne ich euch viele), 5
der ein so kühnes Herz da hatte,
daß er zu Ruhm und Ansehn kam,
als man uns die Berichte
in die Christenländer brachte!
Auf beiden Seiten hatten 10
Frauen eine Kriegsmacht hergesandt,
von der dem Heer der Christen
und der Flut der Sarazenen
großes Leid geschah,
die sich so bewährten, 15
als der Tod seinen Samen
in ihre Reihen säte,
daß man jetzt ihre Taten

mit êren nû gesprechen mac.
20 daz was in ein werder endes tac.
vil maneger kom zer tjoste vür;
man sach ouch maneg*en* an der kür,
der ze muoten wid*er* geworfen hât,
daz er rebeite pontestât,
25 daz der ganze poind*er* ûf in stach.
etslîcher sus sîn sper zebrach,
der den puneiz sô volracte,
daz er sich selben *stacte*
in die rîterschaft der heiden
sô daz swert in die scheiden.

rühmend verkünden kann.
Das war ein ehrenvoller letzter Tag für sie. 20
Viele ritten vor zur Tjoste;
auch sah man viele,
die ihr Pferd zum Kampf im Stand herumgeworfen
hatten,
um den Angriff zu erwarten,
daß der ganze Haufen auf ihn stach. 25
Mancher brach auch seinen Speer,
indem er derart attackierte,
daß er sich selbst
ins Heer der Heiden steckte
wie das Schwert in die Scheide.

362 Ditze kunden si ze bêder sît.
sus samelierte sich der strît.
die tjostiure ûz vünf scharn
und der *schêtîs* kom gevarn
5 und der künec von Tandarnas
und, swer dâ mit in beiden was,
an den künec von Valfundê.
Halzebiere was vor jâmer wê
umbe Pînels tôt von Ahsim.
10 des manlîch her reit dâ bî im,
geflôriert mit maneger koste.
der getouften tjoste
umbe gelt wart von in genom*e*n.
mit Halzebiere was ze orse kom*e*n
15 der mêr, die tjoste ouch *gerten*,
die Gîburge *werten*
ze Oransche deheiner strîte:
an des marcgrâven kümfte zîte
si dûhte, ir râche hête prîs.
20 der künec Noupatrîs
von *Oraste Gentesîn*
wart mit speren roerîn
manlîche dâ gerochen.
sô diu sper wâren zebrochen,
25 der trumzûn schilte noch harnasch meit:
des rôres scherpfe beidiu sneit.
swer sölhe tjoste wolde urborn,
der bedorfte wol der sporn
und daz ûz dem kalopeiz
von rabîne waere sîn puneiz. S. 663a
363 *d*es küneges her von Kânach
man sô bî Halzebiere sach:
ir strît tet den getouften wê.
ir herre, der künec Galafrê,

362 Das konnten sie auf beiden Seiten.
So kamen sie zur Schlacht zusammen.
Die Tjosteure aus fünf Scharen
und der Schetis
und der König von Tandarnas 5
und die Leute dieser beiden
attackierten den König von Valfundé.
Halzebier schmerzte sehr
der Tod des Pinel von Assim.
Dessen tapfres Heer ritt da bei ihm, 10
geschmückt mit großem Aufwand.
Die Tjoste der Getauften
zahlten sie zurück mit gleicher Münze.
Noch mehr waren mit Halzebier herangeritten,
die auch tjostieren wollten, 15
die Giburg
in Orange keinen Kampf geliefert hatten:
jetzt, da der Markgraf hier war,
meinten sie, wär ihre Rache rühmlich.
Der König Naupatris 20
von Oraste Gentesin
wurde da mit Bambusspeeren
kühn gerächt.
Wenn die Speere abgebrochen waren,
ging der Stumpf an Schild und Harnisch nicht vorbei: 25
das scharfe Rohr durchschnitt sie beide.
Wer solche Tjoste führen wollte,
mußte Sporen geben
und den Stoß aus dem Galopp
in der Karriere führen.
363 Das Heer des Königs von Ghana
sah man so bei Halzebier:
ihr Kampf war den Getauften schmerzlich.
Ihr Herr, der König Galafré,

5 dem von Vîvîanzes hant
sîn werlîch sterb*en* *wart* erkant,
hôhe vürsten, sîne man,
die gedâhten nû dar an:
ir râche gap dâ sterbens lôn.
10 von Sêr*e*s der künec *Eskalibôn*,
dem ouch der junge Vîvîanz
sîn leben nam ûf Alitschanz,
der wart mit maneger tjost geklag*e*t
und ouch mit swerten, sô man sag*e*t.
15 die von Boctâne
wol striten ûf dem plâne
under Halzebieres vanen.
sine dorfte niemen râche manen
umbe ir herren Talamônen:
20 sine kunden *niemen schônen.
dô enpfienc des schêtîs*e*s her
von den gest*e*n über mer
grôzen kumber schiere:
der sînen soldiere
25 und der *massnîde von Tandarnas
wart vil gevellet ûf *daz* gras.
Halzebier dâ selbe streit:
swaz der getouften im gereit,
*dâ nâmen von sîner hende
ûf den gotes solt ir ende.

364 *n*û kom der künic Tîbalt von Kler
mit wol geflôriertem her
unt des sun von Todjerne.
si kêrten, dâ der sterne
5 schein ûz des marcgrâven vanen.
Ehmereiz begunde manen
künege unde vürsten gar,
die dâ riten an sîner schar,
daz si *gedaehten* an ir prîs.
10 si kêrten gein dem markîs.
die stolzen Franzoise

der durch Vivianz 5
den Heldentod erlitten hatte –
hohe Fürsten, seine Lehensleute,
dachten jetzt daran:
Todeslohn verteilte ihre Rache.
König Eskalibon von Seres, 10
dem auch der junge Vivianz
das Leben nahm auf Alischanz,
mit vielen Tjosten wurde der beklagt
und auch mit Schwertern, wie man sagt.
Die Leute aus Boctane 15
kämpften auf dem Feld vorzüglich
unter der Fahne Halzebiers.
Niemand mußte sie zur Rache mahnen
für ihren Herrn, den Talamon:
sie verschonten niemand. 20
Da kam übers Heer des Schetis
von den Gästen aus Übersee
rasch großes Leid:
von seinen Söldnern
und dem Gefolge aus Tandarnas 25
wurden viele auf das Gras gefällt.
Halzebier selber kämpfte da:
wer ihn von den Christen anritt,
fand durch seine Hand
den Tod – und bekam den Gottes-Sold.

364 Nun kam von Kler der König Tibalt
mit einem schön geschmückten Heer
und dessen Sohn, der König von Todjern.
Sie ritten dorthin, wo der Stern
aus des Markgrafen Fahne strahlte. 5
Emereiß ermahnte
alle Könige und Fürsten
seiner Schar,
an ihren Ruhm zu denken. •
Sie wandten sich zu dem Marquis. 10
Die stolzen Franzosen

vürriten die Arâboise,
die zuo des rîches vanen wâren geschart.
der starke, süeze Rennewart
15 ûf der heiden rossen sach
von pfellen manec tiuwer dach.
Tîbalt und die sîne,
Ehmereizes Sarrazîne
vuorten an ir lîb*en*,
20 des man danken sol den wîb*en*.
bî Ehmereizes kursît
der heide glanz in d*e*s meien zît,
mit touwe behenket,
an prîse waere verkrenket: S. 663b
25 sô klâr was er gemachet,
daz die bluomen *waeren* verswachet.
der pfellel der hiez pôfûz.
al sîniu eier het ein strûz
d*er* bî wol ûz gebrüetet,
waeren's anders wol behüetet.

365 Gîbôiz, der burcrâve von Kler,
pflac des vanen in Tîbaldes her.
dô der gehôrte und ersach,
wie man dâ sluoc und stach,
5 in müete, daz sînes herren schar
niht streit vor den anderen gar,
want er wol strît getorst getuon.
Trohazzabê von Karkassûn
Ehmereizes vanen vuorte,
10 des herze nie geruorte
sölhe site, dâ von ein man verzag*e*t:
der wart nie von im gesag*e*t.
swelhes tages er deheinen vîent sach,
bî vriunden het er ungemach.
15 dô si die vanen geneig*e*ten
unt ze bêder sît erzeig*e*ten
die helde dar unde,
wer getorste und*e* kunde

unter der Fahne des Reichs 13
griffen die Araber an. 12
Der starke, schöne Rennewart
bemerkte auf den Heidenpferden 15
viele teure Seidendecken.
Tibalt und die Seinen
und die Sarazenen Emereiß'
trugen an ihrem Leib,
wofür man Frauen danken muß. 20
Neben Emereiß' Kursit
hätt der taubedeckte 23
Maienglanz der Heide 22
keinen Ruhm erworben:
er war so glänzend schön gemacht, 25
daß er die Blumen in den Schatten stellte.
Pofuß hieß die Seide.
Gut hätt ein Strauß all seine Eier
daneben ausgebrütet,
wären sie nur sonst behütet.

365 Giboiß, Burggraf von Kler,
trug in Tibalts Heer die Fahne.
Als der sah und hörte,
wie man da schlug und stach,
war es ihm schmerzlich, daß die Schar seines Herrn 5
nicht vor allen andern kämpfte,
denn er war sehr kampfesmutig.
Emereiß' Fahne führte 9
Trohassabé von Carcassonne, 8
dessen Herz 10
die Feigheit nie berührte:
das wurde nie von ihm gesagt.
An einem Tag, an dem er keine Feinde sah,
fühlte er sich unwohl bei den Freunden.
Als sie die Fahnen senkten 15
und die Helden beiderseits
darunter zeigten,
wer es wagte und vermochte,

lîp und êre aldâ gewern
20 und ûf sîn selbes verh gezern,
nû hoeret, waz Rennewart nû tuo!
wackerlîchen greif er zuo:
er sluoc beidiu ros und man,
want er sich rehte niht versan,
25 gein wem er'z solte wâgen:
dô sô tiuwer pfellel lâg*en*
ûf der heiden râvîten,
er wânde solde strîten
mit den rossen als mit den liuten.
ine mac niht wol bediuten,

366 wie dâ wart gevohten,
manec poinder gevlohten
hurteclîchen in ein and*er*.
daz werc von salamand*er* –
5 ist iht wîzers danne der snê,
het ich daz gehoeret ê,
sô möht ich wol gelîchen dar,
daz Tîbalt an im hete gar.
salamand*er* was sînes schildes dach,
10 swaz man an im ob'em îser sach,
kursît und kovertiure:
ân der wîbe stiure
was sîn wâpenkleit mit kost.
er was selbe ouch gein der tjost
15 vür kom*e*n ûf dem plân*e*.
der grâve von Schampân*e*,
der hôch gemuote Tschampânois,
kom gein dem miltem Arâbois, S. 664a
Gandalûz, der vürste rîch.
20 mir ist gesag*e*t, rîterlîch
wart dâ diu tjost von in getân,
des si bêde prîs müezen hân.
innen des streit Ehmereiz.
Tîbaldes grôzer puneiz

Ruhm und Leben da zu wahren
und alles einzusetzen, 20
hört, was Rennewart jetzt tut!
Tüchtig war er bei der Hand:
er schlug Roß und Reiter tot,
weil er nicht wußte,
gegen wen er's wagen sollte: 25
als so teure Seidendecken
auf den Heidenpferden lagen,
meinte er, er sollte
mit den Pferden ebenso wie mit den Menschen
kämpfen.

Ich kann nicht ausführlich erzählen,
366 wie sie da kämpften
und viele Trupps
im Ansturm sich verflochten.
Das Gewirk von Salamander –
ist etwas weißer noch als Schnee, 5
hätte ich davon gehört,
dann könnt ich das mit dem vergleichen,
das Tibalt an sich trug von Kopf bis Fuß.
Salamander war die Decke seines Schilds
und was man überm Eisen an ihm sah, 10
Kursit und Couverture:
kostbar auch ohne Frauenhilfe
war sein Waffenkleid.
Er war auch selber zu der Tjost
auf dem Feld nach vorn gekommen. 15
Der Graf von Champagne,
der hochgemute, stolze Champagneser,
stieß auf den freigebigen Araber,
Gandaluß, der reiche Fürst.
Man sagte mir, daß 20
sie die Tjost da ritterlich vollführten,
wofür man beide rühmen müsse.
Inzwischen war auch Emereiß im Kampf.
Tibalts großer Haufe

25 was niht volleclîchen kom*e*n her nâch,
die, den man rotte jach,
amazûre und eskelîre.
zwischen Wîzsant und Stîre
niht sô manec rîter wâppen treg*e*t,
sô Tîbalt het ûf ze orse erweg*e*t,

367 *d*ie von sîn eines ringe
riten ûf *den* gedinge,
daz Gîburc, diu künegîn,
dannoch ir vrouwe müese sîn,
5 daz si pfant dar umbe erwurben
oder bî ir herren ersturben.
nâch pfande dur âventiur,
Gîbôez, der schahtaliur,
mit dem vanen punierte.
10 manlîch er kundewierte,
die nâch Gîburge striten,
daz si mit hurte kôm*e*n geriten.
si wânden, daz der künic Lôîs
dâ waere durh den markîs.
15 dâ wart unverdrozzen
durhriten und umbeslozzen
von Sarrazînen des rîches schar.
sich samelierten dicke dar
aber die Franzoise wid*e*r
20 und valten manegen rîter nid*e*r.
der herzoge *Trohazzabê*
was an die Franzoiser ê
mit Ehmereizes vanen kom*e*n.
dâ wart Ehmereiz *genomen*
25 in den zoum und dan geleitet ûz.
der tiure pfellel pôfûz
gap gein der sunnen sölhez brehen,
daz des küneges kumb*e*r muosen sehen
diu vluot der Sarrazîne:
doch *beschutten* in die sîne.

hatte nicht ganz aufgeschlossen, 25
seine Truppenführer:
die Almansure und die Eskelire.
Zwischen Wissant und der Steiermark
tragen nicht so viele Ritter Waffen,
wie Tibalt Reiter aufgeboten hatte,
367 die allein aus seinem Lager
in der Hoffnung ausgeritten waren,
Pfänder dafür zu erlangen, 5
daß Giburg, die Königin, 3
noch einmal ihre Herrin würde, 4
oder an der Seite ihres Herrn zu fallen.
Um Pfänder zu erwerben, kämpfte wagemutig
Giboeß, der châtelain,
mit der Fahne in der Hand.
Mannhaft conduierte er die Truppen, 10
die um Giburg kämpften,
so daß sie attackierend angeritten kamen.
Sie meinten, König Louis
sei hier, um dem Marquis zu helfen.
Da wurde unverdrossen 15
durchritten und umschlossen
die Schar des Reichs von Sarazenen.
Immer wieder sammelten
von neuem die Franzosen sich
und fällten viele Ritter nieder. 25
Der Herzog von Trohassabé
war zuvor auf die Franzosen
mit der Fahne Emereiß' gestoßen.
Da griff man Emereiß
in den Zaum und führte ihn hinaus. 25
Die teure Pofuß-Seide
gleißte derart in der Sonne,
daß die Flut der Sarazenen 29
des Königs Not bemerken mußte: 28
doch beschützten ihn die Seinen.

368 manec unverzag*e*t kristen hant
wurb*en* umbe sölhiu pfant,
die Berhtram möhte machen quît.
dâ warp ouch Ehmereizes strît
5 nâch pfande umb *die*, diu in gebar.
dô kom Sinagûn mit schar,
der puntschûr und der stanthart.
ouge noch ôre nie innen wart,
daz sîn herze ie enpfienge wanc,
10 daz er gelernete den gedanc,
der sich dem prîse virret.
er was des unverirret. S. 664b
sîn hant, sîn *sper, sîn lanze
het im die drî schanze
15 dicke ertoppelt sêre
und and*e*rs manec êre:
ein schanze daz was miltekeit;
diu and*e*r ellen, swâ er streit;
diu dritte manlîch güete.
20 sus stuont sîn gemüete.
von im seit diu âventiure mir,
sîn ors hiez *Passilifrier*.
daz was snel und trachenvar,
als im mit viuwers vanken gar
25 gefurrieret wâren sîniu mâl.
ez gie mit sprungen sund*e*r twâl
und*e*r im vor sîner schar.
swelh wîp in hete dar
mit ir werschaft gesendet:
ir bote was ungeschendet.
369 *v*on Bailîe Sînagûn,
der künec, getorste wol getuon,
daz »scharpfer strît« ist noch benant:
dâ vür sîn manheit was bekant.
5 er kêrte ouch gein der herte,
dâ lîp und êre werte
und Gîburge minne

368 Viele unverzagte Christenhände
mühten sich um Pfänder,
die dann Bertram lösen könnte.
Da mühte sich auch Emereiß im Kampf
um Pfänder für die Frau, die ihn geboren hatte. 5
Da kam Sinagun mit seiner Schar,
der Kämpfer, die Standarte.
Kein Ohr, kein Auge hatte wahrgenommen,
daß sein Herz je schwankend wurde,
daß ihm ein Gedanke kam, 10
der sich vom Ruhm entfernt.
Auf solchen Abweg war er nie geraten.
Seine Hand, sein Speer und seine Lanze
hatten ihm drei Trefferwürfe
oft erwürfelt 15
und auch sonst viel Ansehn:
der erste Wurf Freigebigkeit;
der zweite Kühnheit, wo er kämpfte;
der dritte wahre Männlichkeit.
So war er gesonnen. 20
Von ihm sagt mir die Geschichte:
sein Pferd hieß Passilifrier.
Das war schnell, sah wie ein Drache aus,
als wär die Zeichnung seines Fells 25
mit Feuerfunken unterfüttert. 24
In Sprüngen ging es hurtig
unter ihm vor seiner Schar.
Die Frau, die ihn dorthin
mit ihren Gaben sandte:
ihr Bote hatte keine Schande.
369 Von Bailie Sinagun,
der König, wagte, das zu tun,
was noch heute »scharfer Kampf« heißt:
dafür war seine Tapferkeit bekannt.
Er ritt dorthin, wo's hart zuging, 5
wo der Markgraf Leben, Ansehn
und die Liebe Giburgs

und des landes gewinne
der marcgrâve, als er kunde,
10 und Ernalt von Gerunde:
die zwêne heten eine schar.
Sînagûn strebte allez dar,
dâ der sterne mit sîme glaste
sô rîlîchen vaste
15 ûz'es marcgrâven vanen schein.
dâ vür habe daz iuwer dehein,
daz ez der sterne waere,
von dem *man* sagt daz maere,
der die drî künege leite:
20 dirre stern alhie *bereite*
vil tjoste die Sarrazîne.
Sînagûn, der manege pîne
durh wîbe grüezen dolte,
ein tjost ze vorderst holte
25 ûf Passilifrier.
daz ors was sneller denne ein tier.
ein grâve ûz Ernaldes lant
(Giffleiz was der genant)
die tjost*e* von dem künege nam,
als ez in bêden wol gezam.

370 *d*ô Sînagûn kom mit scharn
gein dem markîse gevarn,
bî der zwei*er* schar*e* houb*e*tman
wart sô mit rîterschaft getân,
5 des got sol danken und diu wîp.
manec hôchgemüetic lîp
und doch niht vor jâmer vrî,
die riten Sînagûne bî, S. 665a
die rehten jâmers *tac* erkurn,
10 dô si herren und mâge verlurn.
daz selbe ouch dise klaget*en*:
dâ von si bejageten
ze bêder sît noch vlüste mêr
und aber niuwe herzesêr

und das erworbne Land
verteidigte, so gut er konnte,
neben Ernalt von Gironde: 10
die beiden hatten eine Schar.
Sinagun ritt immer nur dorthin,
wo der Stern mit seinem Glanz
so stark und prächtig
aus des Markgrafen Fahne schien. 15
Denkt nicht,
es sei der Stern gewesen,
von dem berichtet wird,
daß er die Drei Könige führte:
der Stern hier brachte 20
den Sarazenen viele Tjoste.
Sinagun, der viel erlitten hatte
für die Gunst der Frauen,
holte zuvorderst eine Tjoste
auf Passilifrier. 25
Das Pferd war schneller als jedes Wild.
Ein Graf aus Ernalts Land
(Giffleiß hieß er)
nahm so die Tjoste von dem König,
daß es beiden Ehre machte.

370 Als Sinagun mit seinen Truppen
an den Marquis geritten war,
wurde bei den Führern der zwei Scharen
so gekämpft,
daß sie Gottes und der Frauen Dank verdienten. 5
Viele Ritter, stolz und hochgemut
und doch betrübt,
die einen wahren Kummer-Tag gesehen hatten, 9
als sie verloren Herren und Verwandte, 10
ritten neben Sinagun. 8
Dasselbe hatten diese zu beklagen:
drum holten sie
auf beiden Seiten sich noch mehr Verluste
und neuerliches Herzens-Leid

15 von den, die ez tuon getorsten.
man hôrt ûz manegen vorsten
den walt dâ sêre krachen.
die sper kunden machen,
die waeren nütze dâ gewesen.
20 si mugen aber sus vil baz genesen,
dâ si die schefte schiften drîn:
solten's in dem puneize sîn,
ir wurde minner von in geworht.
manec rîter unervorht
25 ûz sehs künege landen
sich bewarten dâ vor schanden.
Sînagûns gesellschaft
von manegem vürsten hete kraft,
der die vlust an sîme herren kôs
und ouch sich *selben* nû verlôs.

371 dâ tet vil scharpfer râche schîn
daz her ûz Naroclîn
umbe ir herren, den künec Tampastê;
und daz her ûz Valturmîê,
5 daz Turpîûn brâhte dar,
wol streit *in* Sînagûn*e*s schar.
wol râchen *Fausabrên* aldâ
die vürsten ûz Alamansurâ,
den Terramêr*e*s swest*e*r sun.
10 dâ getorste ein her wol râche tuon,
des milten Turkandes
und des süezen Arfiklandes:
von Torkânîe wâren die.
den sehsten künec ich nenne hie,
15 des her bî Sînagûne ouch reit
und wol gein den getouften streit:
von Ingalîe *Poufemeiz*,
von dem disiu âventiure weiz,
daz sîn jugent, die *wîle* er leb*e*te,
20 ie nâch hôhem prîse streb*e*te.
die getouften muosen kumber doln

von denen, die es wagten. 15
Man hörte da aus vielen Forsten
die Bäume heftig krachen.
Speermacher
hätte man da brauchen können.
Doch leben die dort besser, 20
wo sie die Schäfte in die Spitzen stecken:
wenn sie im Kampfgewühl hier wären,
kämen sie nicht zum Speeremachen.
Viele Ritter ohne Furcht
aus den Ländern von sechs Königen 25
bewahrten sich vor Schande da.
Das Aufgebot des Sinagun
war verstärkt durch viele Fürsten,
die ihren Herrn verloren hatten
und sich jetzt auch selbst verloren.

371 Bitterste Rache übte da
das Heer aus Naroclin
für seinen Herrn, den König Tampasté;
so kämpfte auch das Heer aus Valturmié,
von Turpiun hierher geführt, 5
tapfer in der Schar des Sinagun.
Da rächten tapfer Fausabré
die Fürsten aus Alamansura,
den Schwestersohn des Terramer.
Da rächte kühn und tapfer sich das Heer 10
des freigebigen Turkant
und des schönen Arfiklant:
aus Torkanie waren die.
Den sechsten König nenn ich hier,
dessen Truppen auch mit Sinagun ritten 15
und tapfer gegen die Christen kämpften:
von Ingalie Paufemeiß,
von dem die Geschichte weiß,
daß seine Jugend bis zum Tod
stets um hohen Ruhm sich mühte. 20
Die Getauften mußten leiden

und diu zwei*er* slahte lôn erholn:
die ir leben dannen brâhten,
werdiu wîp in lôns gedâhten;
25 die aber dâ nâmen ir ende,
die vuoren gein der hende,
diu des soldes hât gewalt,
der vür allen solt ist gezalt.
diu selbe hant ein vog*et* ist
und ein scherm vür des tievels list.

372 *i*ne mac *niht* wol benennen gar
allen den ruoft der heiden sund*er* schar, S. 665b
waz si kragierten,
sô si pungierten.
5 »Munschoi« wart ouch dâ niht verdag*et*.
nû kôm*en* manlîch und unverzag*et*
Gîburge bruod*er* alle zehene.
hôhe künege nâch grôzem lêhene
reit bî Terramêrs kinden vil
10 und eskeliere an der vürsten zil,
*emerale ungezalt.
allêrste nû donrete der walt
von lanzen krache und der sper.
dâ kom in galopeize her
15 von den zehen künegen jungen
manec storje umbetwungen
von aller zageheite:
hôchmuot was ir geleite.
Bernart von Brûbant,
20 der ie genendic was bekant,
und Buove von Kumarzî
die riten einem vanen bî.
Fâbors von Meckâ
kom vür durh tjostieren dâ;
25 Glôrîax, Mâlarz und Utreiz
kom vor dem grôzem puneiz.
die geflôrierten künege viere,
iu enmöhte niemen schiere

und die zwei Arten Lohn erwerben:
denen, die ihr Leben retteten,
lohnten edle Frauen;
die aber, die zu Tode kamen, 25
fuhren zu der Hand,
die über jenen Sold verfügt,
der mehr als jeder andre gilt.
Die Hand ist Schutz
und Schirm vor Teufelslist.

372 Ich kann nicht
alle Rufe der Einzeltrupps der Heiden nennen,
was sie schrien,
wenn sie attackierten.
Auch »Munschoi« wurde nicht verschwiegen. 5
Jetzt kamen tapfer, unverzagt
Giburgs Brüder, alle zehn.
Für große Lehen ritten viele hohe Könige
mit den Söhnen Terramers
und Eskelire, mächtig wie die Fürsten, 10
und Emire ohne Zahl.
Jetzt erst donnerte der Wald
von Speer- und Lanzenkrachen.
Da kamen im Galopp
von den zehn jungen Königen 15
viele Trupps heran,
von keiner Feigheit überwunden:
Stolz und Mut war ihr Geleit.
Bernhard von Brubant,
der immer tapfer war, 20
und Buove von Commercy
ritten unter einer Fahne.
Fabors von Mekka
ritt da vor, um zu tjostieren;
Gloriax, Malarz und Utreiß 25
ritten vor dem großen Haufen.
Die vier Könige in ihrem Flor –
niemand könnte euch in kurzem

ir zimierde benennen:
die muose man tiure bekennen.
373 der starke grâve Landrîs
huop den vanen hôhe durh sînen prîs.
der herzoge Bernart
mit grôzem poind*e*r ungespart
5 kêrte gein den kinden:
er wolte gîsel vinden
vür sînen sun Berhtram.
die tjost von Fâbors er nam
und greif in in den zoum.
10 daz ors truoc einen werden soum,
daz *Bernhart* zôch an der hant:
in dûhte, er hete gaebez pfant
vür sîne mâge und vür den sun.
waz mugen die Sarrazîne nû tuon,
15 si beschutten Fâborsen?
allez sîn flôrsen
ûf helme und ûf kursît*e*
wart von *dem* *strît*e*
mit swerten gar zerhouwen.
20 *man moht dâ strîten schouwen:
hurtâ, wie die getouften
borgeten und verkouften
manegen wehsel âne tumbrel!
etslîches wâge was sô snel,
25 daz si in sancte nid*e*r unz in den tôt.
ze bêder sîte si dolten nôt, S. 666a
Sarrazîne und ouch die kristen.
dâne kund*e*n niht gevristen
des werden Buoven hende
der heiden hôch gebende.
374 diu kint sint dâ bestanden
von den, die ûz banden
gerne lôsten Gibelîn,
Berhtramen und Gaudîn
5 mit andern ir mâgen,

ihren Schmuck beschreiben:
der war kostbar.

373 Der starke Graf Landris
hielt die Fahne hoch zu seinem Ruhm.
Der Herzog Bernhard
ritt ungesäumt mit einem großen Trupp
auf die Jungen zu: 5
er war auf Geiseln aus
für Bertram, seinen Sohn.
Er nahm die Tjost von Fabors
und griff ihm in den Zaum.
Das Pferd trug eine edle Last, 10
das Bernhard mit der Hand wegzog:
er hielt das für ein gutes Pfand
für seine Verwandten und den Sohn.
Was bleibt den Sarazenen übrig,
als Fabors zu beschützen? 15
All sein Schmuck
auf Helm und auf Kursit
wurde von dem Kampf
mit Schwertern ganz zerhauen.
Da war ein Kampf zu sehen: 20
hei, wie die Getauften
borgten und verkauften
viele Waren ohne Fuhrwerk!
Manch eines Waage war so schnell,
daß sie ihn niedersenkte bis zum Tod. 25
Auf beiden Seiten litten sie,
die Sarazenen und die Christen.
Da schonten nicht
des edlen Buove Hände
die Turbane der Heiden.

374 Die Jungen werden attackiert
von denen, die
drauf brannten, Gibelin,
Bertram und Gaudin aus den Fesseln zu befreien
und ihre anderen Verwandten, 5

die dâ gevangen lâgen.
daz wart versuochet sêre.
nû sult ir Terramêre
danken, daz er ê beriet
10 sîniu kint mit wer, die niem*e*n schiet
von in mit den swerten.
die selb*e*n ouch dâ gerten
râche um daz in was getân.
Aroff*e*l, der Persân,
15 was in ûf Alitschanz erslag*e*n.
die sîne begund*e*n in dâ klag*e*n
mit den ecken und mit dem dône:
ir krîe »Samargône«
in manegem poind*e*r wart geschrît.
20 Aroff*e*ls wart in dem strît
von den sînen manlîch gedâht,
der si selbe dicke hete brâht
an die vîende werdeclîche.
ûz Aroff*e*ls rîche
25 vil vürsten dâ mit kreft*e*n sint.
sîn selb*e*s darbten doch diu kint,
want er ir and*e*r vat*e*r was.
wed*e*r starp noch genas
getriuwer *künec* nie dehein,
den tages lieht ie überschein.

375 dâ wart manec helm versniten
von den, die manlîchen striten
bî Terramêr*e*s kinden.
sölh suochen und*e* vinden
5 was dâ ze bêder sît genuoc.
ein poind*e*r stach, der and*e*r sluoc.
turkople wurden ouch des enein,
von in wart manec slehter zein
durh den schuz unz an den pfîl gezog*e*n:
10 dâ begund*e*n snateren die bog*e*n
sô die storche in'me neste.
dô der strît scharpf und veste

die gefangen waren.
Das wurde angestrengt versucht.
Nun sollt ihr Terramer
dafür danken, daß er vorher
seine Söhne mit einer Wehr versehen hatte, die 10
keiner mit dem Schwert von ihnen trennte.
Die brannten auch darauf,
zu rächen, was ihnen angetan war.
Ihnen war Arofel, der Perser,
auf Alischanz erschlagen worden. 15
Da beklagten ihn die Seinen
mit den Schneiden und dem Schrei:
ihr Schlachtruf »Samarkand«
erklang in vielen Trupps.
Arofels wurde in dem Kampf 20
mannhaft gedacht von seinen Leuten:
er hatte sie oft selber
ruhmvoll an den Feind geführt.
Aus Arofels Reich
sind da mit ihren Truppen viele Fürsten. 25
Ihn selbst vermißten doch die Jungen:
er war für sie ein zweiter Vater.
Nie starb, nie überlebte
ein treuerer König,
den die Sonne je beschien.

375 Da wurde mancher Helm zerhauen
von denen, die da tapfer kämpften
bei den Söhnen Terramers.
Solches Suchen, solches Finden
gab's da genug auf beiden Seiten. 5
Ein Haufe stach, der andre schlug.
Die Turkopolen
zogen viele glatte Pfeile,
um sie loszuschießen, bis zur Spitze an:
da klapperten die Bogen 10
wie im Nest die Störche.
Als das Ringen scharf und hart

was ûf dem plâne,
Poidjus von Griffâne
15 dâ kom mit her*e*s vlüete.
die getouften got behüete!
der ouch künec dâ ze *Uriende* was,
Tasmê, Trîande und Koukesas
dienden sîner hende gar.
20 sus kom mit krefteclîcher schar S. 666b
Terramêr*e*s tohter sun.
sînen vanen vuorte Tedalûn,
der burgrâve von Tasmê.
über den walt Lingnâlôê
25 der selbe ouch vorstmeist*e*r was.
er hete den slac an Koukesas,
den zehenden an *maniger* wilden habe:
swaz dâ goldes *was gebrochen abe
von der grîfen vüezen,
daz kund im armuot büezen.

376 *d*â wart von Poidjus*es* schar
daz velt wol überliuhtet gar
von manegem pfellel tiure:
von sunnen noch ûz viure
5 dorfte groezer *blicke niht gên.
man moht an sînem her verstên,
daz er dâ heime rîcheit pflac,
want in grôze kosten ringe wac,
Poidjus, der selbe truoc
10 an sîme lîbe des genuoc,
daz ich der koste niht tar gesagen:
sus kan mîn *armuot* verzagen.
ob er's geruochet, ein rîcher munt
solt iu diz maere machen kunt,
15 wie sund*e*r was gezieret,
mit *kost al überwieret*
daz dach ob sînem harnasch.
ander koste dâ bî verlasch.
von den vüezen unz an sîn houbet,

war auf dem Feld,
kam mit einer Heeresflut 15
Poidjus von Griffane. 14
Gott behüt die Christen!
Ihm, der auch König in Uriende war,
dienten 19
Tasmé, Triande und der Hindukusch. 18
So kam mit einem großen Heer 20
der Tochtersohn des Terramer.
Seine Fahne führte Tedalun,
der Burggraf von Tasmé.
Forstherr war der auch 25
über den Wald Lingnaolé. 24
Ihm gehörte der Holzschlag am Hindukusch,
der Zehnte aus vielen natürlichen Häfen:
was da an Gold
durch Greifenfüße abgerissen war,
bewahrte ihn vor Armut.

376 Da wurde durch die Schar des Poidjus
das Feld ganz überstrahlt
von Mengen teurer Seide:
nicht die Sonne, nicht ein Feuer
hätte stärker leuchten können. 5
An seinem Heer war klar zu sehen,
daß er zuhause reich war:
denn leicht bestritt er großen Aufwand,
Poidjus, der selbst
an seinem Leib gerüstet war, 10
daß ich mich nicht zu sagen trau, wie kostbar:
meine Armut streckt die Waffen.
Wenn er will, dann soll ein reicher Mund
euch auseinandersetzen,
wie exquisit geschmückt, 15
mit Gold und Edelsteinen kostbar überzogen
der Mantel über seinem Harnisch war.
Davor verblaßte jeder andre Prunk.
Was er von Kopf bis Fuß

20 niemen mir'z geloubet,
waz er hete an sînem lîbe.
ob im von guotem wîbe
sölh zimierde wart gesant,
ob daz gediende niht sîn hant,
25 het er ir minne künde,
dâ mite warp er sünde,
tet er durh si niht sölhe tât,
die man noch vür hôhez ellen hât.
*P*oidjus, der künec unervorht,
sîn helm mit listen was geworht
377 ûz dem steine antraxe.
grôze koste ringe *wac se*,
sîn volc hôchgemüetic und gogel.
nû seht, ob vunde ein antvogel
5 ze trinken in dem Bodemsê,
trünk er'n gar, daz taet im wê.
sus *prüev* ich Poidjus*es* her,
daz dâ kom über daz vünfte mer:
solt*en*'s alle ir rîcheit
10 hab*en* geleit an ir wâppenkleit,
sô möhten d'ors si niht getrag*en*.
von *Uriende* hoer ich sag*en*,
swaz man in dem lande
der wazzer bekande, S. 667a
15 *diu* dâ vliezent von Koukasas,
ieslîchez gefurrieret was
mit edelen steinen maneger slaht:
eteslîcher tagete bî der naht
mit sînem liehte, daz er gap.
20 maneger rîcheit urhap
hete d*er* künec von Griffâne,
und guldîne muntâne
im dienden. stüende sô mîn muot,
ich möht einen loubînen huot
25 wol gewinnen in'me *Spehtshart*,
sô der meie waere rehte bewart

an seinem Leib trug, 21
glaubt mir niemand. 20
Wenn ihm von einer edlen Frau
dieser Waffenschmuck gesandt war
und er von ihrer Liebe wußte 25
und seine Hand das nicht verdiente 24
mit Taten, 27
die man heute noch als tapfer rühmt, 28
dann hätt er sich versündigt. 26
Poidjus, der König ohne Furcht,
kunstvoll war sein Helm
377 aus Karfunkelstein geschnitten.
Leicht fiel ihnen großer Aufwand,
seinen Leuten, stolz und übermütig.
Nun seht: tränk eine Ente
im Bodensee 5
und leerte ihn, bekäm sie Magenschmerzen.
Damit vergleich ich Poidjus' Heer,
das über die fünf Meere hergekommen war:
hätten sie all ihren Reichtum
an ihren Waffenkleidern angebracht, 10
hätten sie die Pferde nicht mehr tragen können.
Von Uriende hör ich sagen,
alle Flüsse 14
in dem Land, 13
die im Hindukusch entspringen, 15
waren
mit Edelsteinen aller Art durchsetzt:
mancher leuchtete taghell bei Nacht
mit seinem Licht, das er verströmte.
Quellen großen Reichtums 20
hatte der König von Griffane,
und goldene Gebirge
unterstanden ihm. Wenn ich wollte,
könnt ich mir
im Spessart einen Laub-Kranz holen 25
in einem rechten Mai

mit touwe und mit süezem lufte:
wer jaehe mir des ze gufte?
iht mêre daz Poidejuse wac,
swenne er grôzer koste pflac.

378 *o*b sich der walt nû swende
von dem von *Uriende*
von tjost*e* ûf dem plâne
und von den von Griffâne,
5 des hât ir rîcheit êre.
in truoc wol vor die lêre
grôz her, daz zuo z'im was geschart,
vor aller zageheite bewart.
die Gîburge ze Oransche vride
10 gâben, die ruorten hie diu lide.
si dûhte, ir strît hete prîs
nû gein der kumft des markîs.
daz was Tesereizes her,
der ie gein schanden was ze wer
15 unt dem diu minne nam den lîp.
noch solten gerne guotiu wîp
mit triuwen âne wenken
sîner werdekeit gedenken,
sît daz sîn herze nie verdrôz,
20 sîn dienest waere gein in sô grôz,
daz *vor* andern sînen genôzen
was gezilt und gestôzen
sîn hôher prîs sô verre vür:
bî sîner zît an lob*e*s kür
25 man jach dem stolzem Latriseten,
daz er gewünne nie geweten,
der im sô geziehen möhte,
daz gein sînem prîse iht töhte.
er verlôs ouch wîbe hulde
nie mit valschlîcher schulde.

379 *d*urh rîcheit und ouch sus durh ruom
ûz manegem wîtem herzentuom
und ouch maneger marke

mit Tau und milder Luft:
wer wollte mich deswegen Prahler nennen?
Genauso leicht war es für Poidjus,
wenn er großen Aufwand trieb.
378 Wird der Wald jetzt abgeholzt
von dem aus Uriende
und den Leuten aus Griffane 4
mit Tjosten auf dem Feld, 3
dann macht das ihrem Reichtum Ehre. 5
Ihnen ging mit gutem Beispiel
ein großes Heer voran, das man ihm zugeordnet hatte,
frei von aller Feigheit.
Die Giburg vor Orange nicht behelligt
hatten, kämpften hier nun eifrig. 10
Sie hielten es für rühmlich,
jetzt in die Kämpfe einzugreifen gegen den Marquis.
Das war das Heer des Tesereiß,
der stets vor Schande auf der Hut war
und den die Liebe um sein Leben brachte. 15
Noch heute sollten edle Frauen voller Inbrunst
unverbrüchlich treu
seiner Herrlichkeit gedenken,
da es sein Herz niemals verdroß,
daß er ihnen soviel diente, 20
daß sein hoher Ruhm 23
den andern Fürsten 21
derart weit als Ziel gesteckt war: 22
solang er lebte,
ließ man es dem stolzen Latriseten, 25
daß er keinen Genossen hätte,
der ihm so ebenbürtig wäre,
daß etwas seinen Ruhm tangierte.
Auch verlor er nie die Huld der Frauen
durch Untreue.
379 Für reichen Lohn und auch für Ruhm
hatte der starke Poidjus 4
aus vielen großen Herzogtümern 2

Poidjus, der starke,
5 manegen vürsten vuorte,
der her die hende ruorte,
dô si kômen in den strît.
des in nû wid*e*rwehsel gît S. 667b
Bertram unde Gîbert:
10 die sint noch strîtes ungewert.
hurtâ, waz in nû strîtes kumt!
wie ze bêder sît dâ wart gevrumt
trumzûne sprîzen in den luft
durh wîbe lôn oder sus durh guft!
15 daz tâten tjostiure.
weder vert noch hiure,
wil ich der wârheite jehen,
sône hân ich ninder gesehen
sô manegen gezimierten man,
20 sô guote rîterschaft getân.
war umbe solt ich des verzag*e*n?
ich getar'z als wol gesag*e*n,
sô si den strît getorsten tuon.
der goldes rîche Tedalûn,
25 von Lingnâlôê der vorhtier,
*er vuorte ezidemôn, daz tier,
des Feirafîz ze wâppen pflac:
in Poidjus vanen daz lac,
mit grôzer koste dar gesniten.
der vane mit hurte kom geriten
380 in des küenen Tedalûns hant.
der warp nâch Gîburge umbe pfant,
diu sînes herren muome was.
ze bêder sît wart ûf'ez gras
5 manec rîter dâ gevellet.
die schar hânt sich gesellet
mit hazze z'ein and*e*r.
swer daz suohte, daz vand *e*r:
ein puneiz slac, der and*e*r stich.
10 nâch Vîvîanze wart gerich

und auch aus vielen Marken 3
viele Fürsten hergeführt, 5
deren Heere die Hände rührten,
als sie in die Schlacht eintraten.
Mit gleicher Münze zahlen's ihnen
Bertram und Gibert zurück:
die haben bis jetzt noch nicht gekämpft. 10
Hei, was an Kampf jetzt auf sie zukommt!
Wie auf beiden Seiten
Lanzensplitter in die Luft gewirbelt wurden
für Frauenlohn, aus Lust am Kampf!
Das taten Tjosteure. 15
Nicht letztes und nicht dieses Jahr
– soll ich die Wahrheit sagen –
habe ich
so viele ritterlich geschmückte Männer,
so guten Kampf gesehen. 20
Was sollt ich da die Waffen strecken?
Ich traue mich nicht weniger, es zu erzählen,
als sie sich trauten, sich im Kampf zu rühren.
Der goldesreiche Tedalun,
der Forstherr von Lingnaloé, 25
führte das Ezidemon,
das Feirafiß im Wappen trug:
in Poidjus' Fahne war es,
kostbar drauf appliziert.
Die Fahne kam herangestürmt
380 in der Hand des kühnen Tedalun.
Der war auf Pfänder aus für Giburg,
die Tante seines Herrn.
Auf beiden Seiten wurden
viele Ritter auf das Gras gefällt. 5
Die Scharen haben sich
im Kampf verbunden.
Wer das suchte, fand es:
der eine Haufe Schlag, der andre Stich.
Rache für Vivianz 10

von dem kristen her erzeiget,
der nimmer sô geveiget,
daz sîn lop müg ersterben.
swer saelde welle erwerben,
15 der sol dich êren, Vîvîanz:
vor got*e* dû bist lieht und glanz.
wie mich dîn tôt erbarmet,
swie doch nimmer erwarmet
dîn sêle in helleviure!
20 sölh kumber ist dir tiure,
dû sun sîner swest*er*,
Berhtrams von Berbest*er*
und des manlîch Gîbert.
des wart erklenget manec swert
25 von ir zweier massenîe.
herre und amîe
sölhes strîtes solten lônen,
ob si triuwe kunden schônen,
der dâ ze bêder sît geschach,
als uns diz maere wider jach.

381 dâ lac vil sper zebrochen.
dâ wart ouch wol *gerochen* S. 668a
an der selb*e*n wîle
der klâre, süeze Mîle
5 al nâch der heiden herzesêr,
den der hôhe, rîche Terramêr
mit der tjost*e* sluoc ûf Alischans:
der was muomen sun Vîvîans.
si begiengen an den liuten:
10 ob si stocke solten riuten,
sine dorften hart*er* houwen niht.
den getouften henden man des giht:
von *Uriende* ab den gesten
ir tiuweren pfellel glesten
15 manec swertes ecke aldâ begôz,
daz bluot über die blicke vlôz:
si wurden almeistic rôt gevar.

übte das Christenheer,
der dem Tod nie so verfallen wird,
daß auch sein Ruhm dahinstirbt.
Wer Seelenheil erwerben will,
der soll dich preisen, Vivianz: 15
vor Gott bist du in hellem Glanz.
Wie mich dein Tod erbarmt,
obwohl doch
deine Seele nie im Höllenfeuer brennt!
Solche Pein ist dir erspart, 20
Sohn seiner Schwester,
Bertrams von Berbester
und des kühnen Gibert.
Deshalb ließen viele Schwerter
die Leute dieser beiden klingen. 25
Herren und amies,
die ihre Treue wahren können, 28
sollten solchen Kampf belohnen, 27
der da beiderseits geschah,
wie die Geschichte uns erzählte.

381 Viele Speere lagen da zerbrochen.
Da wurde auch
zur selben Zeit
der schöne, süße Mile gut gerächt
mit Herzens-Leid der Heiden, 5
den Terramer, der Hohe, Mächtige,
mit der Tjost auf Alischanz getötet hatte:
der war der Sohn von Vivianz' Tante.
Sie gingen mit den Menschen derart um:
um Wurzelstöcke auszuhacken, 10
hätten sie nicht härter schlagen müssen.
Von den getauften Händen sagt man:
den Fremden aus Uriende
begossen ihren teuren Seidenglanz
die Schneiden vieler Schwerter, 15
daß Blut floß übers Gleißen:
sie wurden überall ganz rot.

der getouften schûr nû kom mit schar,
von Ganfassâsche Aropatîn.
20 swaz junge und alt dâ mohten sîn
durh got und durh der wîbe lôn
und durh des sun von Narbôn,
Aropatîn der hete wol gestrit*en*
(mit sölher kraft er kom gerit*en*)
25 al des marcgrâven helfe.
nû müeze in als Welfe,
dô der *ze* Tüwingen *vaht*,
gelingen, aller sîner maht:
sô *vert er dannen âne sige.
alsus ich sîn mit wunsche pflige.
382 ich waene, alsus ergêt ez doch.
in sînem vanen stuont ein roch:
daz bedûte sînen wîten grif,
daz im diu erde *und* diu schif
5 vollecîche gâben rîchen zins.
zwischen Gêôn und Poinzaclins
diu lant wâren dem jungen
dienestlîch gar betwungen.
dar zuo sîn houbet krône
10 vor manegem vürst*en* schône
von arde in Ganfassâsche *truoc*:
des het er rît*er* dâ genuoc.
waz busîne vor im erklanc!
wie man *bî im ûf mit künste swanc
15 manec rotumbes mit zûnel!
dâ *wâren floitierre hel.
sîn schar, des künec Aropatîn,
mit koste geflôret muoste sîn
mit maneger sund*er* zierde.
20 in selben *kondewierde*
sîn manlîch herze und des gedanc,
daz er nâch wîbe gruoze ranc:
er vuor *ir* lône ouch wol gelîch.

Nun kam mit seiner Schar der Hagelschlag für die Getauften,
Aropatin von Ganfassasche.
Wer hier war, jung und alt, 20
für Gott und für den Lohn der Frauen
und für den Sohn des Narbonnesers,
Aropatin hätt es leicht aufgenommen
(mit solcher Heeresmacht kam er geritten)
mit allen Truppen des Markgrafen. 25
Nun mag es ihnen gehn wie Welf,
als der bei Tübingen kämpfte,
seiner ganzen Heeresmacht:
dann geht er ohne Sieg davon.
Das ist mein Wunsch für ihn.

382 Ich denk, so kommt es doch.
In seiner Fahne war ein Schach-Turm:
der stand für seinen weiten Umgriff,
daß ihm die Erde und die Schiffe
in Fülle reichen Zins abgaben. 5
Vom Geon bis zum Poinzaclins
war dem Jungen alles Land
dienstpflichtig unterworfen.
Auch herrschte er als König
herrlich an der Spitze vieler Fürsten 10
in seinem Erbreich Ganfassasche:
so hatte er genügend Ritter hier.
Was an Trompeten vor ihm her erscholl!
Wie man an seiner Seite kunstvoll
viele Schellentamburine in die Luft warf! 15
Da spielten laut die Flötenbläser.
Seine Schar (die Schar König Aropatins)
war kostbar aufgeputzt
mit vielem exquisitem Schmuck.
Ihn selber conduierte 20
sein kühnes Herz und dessen Streben,
daß er sich mühte um die Gunst der Frauen:
er verdiente ihren Lohn.

nû was der alde Heimrîch
25 mit sîner krefteclîchen schar
strîtes dannoch erlâzen gar. S. 668b
*m*it Aropatîne was aldâ
der künec von Skandinâvîâ
und der künec von Askalôn.
die kôm*e*n an den von Narbôn,
383 des *küenen* marcgrâven vat*e*r.
die sîne gein dem strîte bat *e*r,
als er si ê dicke het ermant.
dâ von wart harnasch zetrant
5 mit tjost von maneger lanzen.
vil schilde der ganzen
wurden dâ zervüeret,
manec helm alsô gerüeret,
daz diu swert d*e*rdurh klungen.
10 Aropatîn, den jungen,
sus enpfieng*e*n die von Narbôn
und den stolzen künec Glôrîôn
und den staeten Matribleiz
mit manegem starkem puneiz.
15 den von Ganfassâsche
Mahumeten karrasche
mac lîhte sîn ze verre:
seht, ob *in* daz iht werre!
dâ streich der alde Heimrîch
20 mit swerten den wiserîch,
der im dicke was gewerbet.
der alte hete gerbet
sîne süne mit sölhen urborn:
sît er ze sune het erkorn
25 einen andern denne die sîne,
des gâben und*e* nâmen pîne
in andern landen sîniu kint.
die von Ganfassâsche sint
*mit kumber mit der mêrr*e*n kraft
von Heimrîches gesellescahft.

Noch war der alte Heimrich
mit seiner starken Schar 25
vom Kampf verschont geblieben.
Da waren mit Aropatin
der König von Skandinavien
und der König von Askalon.
Die stießen auf den Narbonneser,
383 des kühnen Markgrafen Vater.
Er befahl den Seinen anzugreifen,
wie er sie oft schon aufgerufen hatte.
So wurden Rüstungen zerfetzt
von vielen Speeren in der Tjost. 5
Viele ganze Schilde
wurden da zerstückelt,
viele Helme so getroffen,
daß die Schwerter dröhnend durch sie fuhren.
Aropatin, den Jungen, 10
und den stolzen König Glorion 12
und den treuen Matribleiß 13
empfingen so die Narbonneser 11
mit heftigen Attacken.
Den Ganfassaschern 15
mag der Karren Mohammeds
leicht zu weit entfernt sein:
seht, ob das schädlich für sie war!
Da spielte der alte Heimrich
mit Schwertern zu dem Reigen auf, 20
den man oft schon für ihn drehte.
Der Alte hatte
seinen Söhnen den Erwerb vererbt:
da er zum Sohn
einen andern als die eignen angenommen hatte, 25
brachten und empfingen seine Söhne Kampfesnot
in andern Ländern.
Die Ganfassascher sind
bei aller Übermacht bedrängt
von Heimrichs Leuten.

384 *s*eht, ob der rîche Aropatîn
strîtes gewert müge sîn!
er het ouch dâ besunder
mit der zal *der* storje ein wunder.
5 sîn hôhez herze in lêrte,
daz er selbe kêrte
immer, swâ diu herte was.
blanke bluomen und daz grüene gras
wurden rôt von sîner slâ.
10 daz *her* ûz Skandinâvîâ
wol streit und daz von Askalôn.
man hôrte dâ manegen kraches dôn,
swâ der grôze puneiz ergienc.
swem dâ schilt ze halse hienc,
15 der in ze rehte vuorte
durh den stoup unz in die hurte,
schildes ampt er tet sîn reht.
ûf Alischanz, dem velde sleht,
sölh strît mit swerten geschach:
20 swaz man von Etzelen ie gesprach S. 669a
und ouch von Erm*e*nrîche,
ir strît wac ungelîche.
ich hoere von Witegen dicke sag*e*n,
daz er eines tages habe durhslag*e*n
25 ahtzehen tûsent als einen swamp,
helm*e*: der als manec lamp
gebund*e*n vür in trüege,
ob er's eines tages erslüege,
sô waere sîn strît genuoc snel,
ob *halp beschoren waeren ir vel.
385 man sol dem strîte tuon sîn reht:
dâ von diu maere werdent sleht,
wan urliuge und minne
bedurfen beidiu sinne.
5 einez hât semfte und*e* leit,

384 Seht, ob Aropatin, der Reiche,
jetzt zum Kämpfen kommt!
Er hatte da allein
an Kampfverbänden ungeheure Mengen.
Sein edles, stolzes Herz trieb ihn dazu, 5
immer selbst dorthin zu reiten,
wo man am schwersten kämpfte.
Die weißen Blumen und das grüne Gras
wurden rot von seiner Spur.
Das Heer aus Skandinavien 10
kämpfte tapfer, so auch das aus Askalon.
Man hörte da viel Krachen,
wo der große Aufprall war.
Wer da den Schild am Halse hängen hatte
und ihn, wie es recht ist, 15
durch den Staub zum Aufprall führte,
der tat Ritterspflicht.
Auf dem Feld von Alischanz
kämpfte man mit Schwertern so:
was man von Etzel je erzählte 20
und auch von Ermenrich,
deren Kämpfe kamen dem nicht gleich.
Ich höre oft von Witege erzählen,
er hätt an einem Tag
achtzehntausend Helme durchgehauen wie die Pilze: 25
hätte man soviele Lämmer
gebunden vor ihn hingetragen
und hätt er sie an einem Tag erschlagen,
dann hätte er rasant genug gekämpft,
auch wenn man ihnen ihre Felle zur Hälfte
abgeschoren hätte.

385 Man muß vom Kampf erzählen, wie es angemessen
ist,
dann wird die Erzählung klar,
denn für Kampf und Liebe
braucht's Verstand.
Leid und Freude bringt das eine, 5

daz and*er* gar unsemftekeit.
swer wîbe lôn ze reht erholt,
eteswenne der grôzen kumb*er* dolt:
ob denne der minne süeze
10 sölhen kumb*er* büeze,
swâ der site wirt begangen,
dâ ist der minne solt enpfangen.
Heimrîch, der alte vürste,
wol was in der getürste,
15 daz er den jungen minne riet.
mit sîme râte nie geschiet
von wîbe gruoze werd*er* man.
von den sînen wart ez dâ sô getân:
solt ez ein keiser gelten,
20 sölhe *soldier* vunde er selten,
die sich *gaeben* in sô starke nôt,
daz si liten durh in den tôt.
dâ was gemezzen niht der vride.
die sîne reswungen wol diu lide
25 gein maneger krîe, die man dâ schrei.
von Kitzingen ein turnei
het unhôhe aldâ geweg*en*:
man muos es dort al and*er*s pfleg*en*
mit den ecken bluotvar.
ze bêder sît die helde gar
386 âne gevaterschaft dâ sint.
*n*û was Matussales*es* kint,
der minne gerende Josweiz,
z'orse kom*en*. des puneiz
5 was von maneger storje starc.
beidiu *erde unde sarc
wart getret*et* al gelîche.
Matussales, der rîche,
mit kraft ûz sande sînen sun.
10 von Hippipotitikûn
ein vürste vuorte sînen vanen:
dar inne sach man einen swanen,

das andere nur Ungemach.
Wer auf rechte Weise Frauenlohn erwirbt,
der muß dabei auch bitter leiden:
wenn dann der Liebe Süße
solches Leiden wieder gutmacht, 10
wo das geschieht,
hat man der Liebe Lohn empfangen.
Heimrich, der alte Fürst,
war kühn genug,
den Jungen Liebe anzuraten. 15
Mit seinem Rat verzichtete
kein edler Mann auf Frauengunst.
Da kämpften seine Leute so:
mit seinem ganzen Reichtum
fänd ein Kaiser solche Söldner nicht, 20
die
für ihn ihr Leben gäben.
Da schloß man keinen Frieden.
Tüchtig rührten sich die Seinen
gegen manchen Schlachtruf, der da geschrien wurde. 25
Ein Kitzinger Turnier
hätt da nichts gegolten:
ganz anders mußte man's dort machen
mit blutbeschmierten Schneiden.
Die Helden beider Seiten
386 sind da einander nicht gut Freund.
Nun war Matusaleses Sohn,
der Minneritter Josweiß,
herangeritten. Dessen Heer
war groß: es hatte viele Trupps. 5
Hufschläge gingen gleichermaßen 7
über Land und Sarg. 6
Matusales, der Mächtige,
hatte seinen Sohn mit starken Truppen ausgesandt.
Ein Fürst aus Hippipotitikun 10
führte seine Fahne:
in dieser sah man einen Schwan,

gesniten mit kosteclîchem vlîz.
der swan was anderswâ al wîz, S. 669b
15 wan snabel unde vüeze rabenvar,
durh daz: Matussales was gar
an velle und an hâre blanc,
ein moerinne ûz Jetakranc
Josweizen bî im gebar.
20 der swan ist zwei*e*r slahte gevar:
alsô was ouch Josweizes art.
durh daz die selben hervart
Josweiz den swanen truoc,
und landes herren mit im genuoc
25 mit dem wâppen was bevangen:
ze halse gehangen
zwelf vürsten *sîne* schilte
truogen durh sîne milte,
durh rîchtuom und durh edelkeit.
selbe vümfte künege er dâ zuo reit.

387 Josweiz von Ametiste,
mit kostlîchem liste
was sîn schilt, sîn helm, sîn kursît.
diz maere *giht*, daz gein dem strît
5 in twunge hôhiu minne.
het ich nû die sinne,
daz ich sîner klârheit, sîner jugent,
sîner milte und and*e*r sîner tugent
gespraeche ir reht, sît âne vâr
10 sô stuonden sîner zîte jâr,
daz sîn herze was genendic!
sîne schar ouch wâren unbendic:
ez wart sô sêre von in gestreb*e*t.
ir deheiner doch bî mir nû leb*e*t,
15 dem ich'z ze liebe kôse.
der künec von Valpinôse
mit den sînen ûz der schar dâ brach.
nâch dem künege man dô var*e*n sach
von Janefûse Korsant.

kostbar appliziert.
Der Schwan war überall ganz weiß,
nur Schnabel, Füße rabenschwarz, 15
darum: Matusales war überall
an Haut und Haaren hell
und eine Mohrenfrau aus Jetakranc
hatte ihm Josweiß geboren.
Zwei Farben hat der Schwan: 20
so sah auch Josweiß aus.
Deshalb trug auf diesem Kriegszug
Josweiß den Schwan,
und mit ihm
führten viele Landesherrn das Wappen: 25
an den Hals gehängt
trugen zwölf Fürsten seine Schilde
wegen seiner Freigebigkeit,
seines Reichtums, seines Adels.
Begleitet von vier Königen, ritt er heran.

387 Josweiß von Ametiste,
kostbar und kunstvoll war sein
Schild gefertigt und sein Helm und sein Kursit.
Die Geschichte sagt, daß ihn
hohe Liebe trieb in diesen Kampf. 5
Wär ich jetzt doch so verständig,
daß ich seine Schönheit, seine Jugend,
Freigebigkeit und alle andern schönen Züge
gebührend schildern könnte: stand es doch ungelogen
um sein junges Leben so, 10
daß sein Herz voll Kühnheit war!
Auch seine Truppen waren nicht zu halten:
so heftig strebten sie zum Kampf.
Ich schmeichle damit keinem: 15
es lebt ja keiner mehr von ihnen. 14
Der König von Valpinose
brach da mit den Seinen aus der Schar.
Nach dem König sah man da
Korsant von Janfuse reiten.

20 nâch dem künege vuor al zehant
von Nouriente Rûbbûâl.
nâch dem künege vuor dô sund*e*r twâl
der stolze künec Bohereiz
mit krefteclîchem puneiz:
25 der was von Etnîse
und warp dâ wol nâch prîse.
dar nâch vuor dô Josweizes schar,
al die sîne mit swerten bar:
sît die tjoste wâren von in *verlegen*,
der sper wolt ir deheiner pfleg*e*n.

388 Josweizen müete sêre,
daz er Terramêre
gevolget hete, daz sehs schar
vor im gestriten heten gar:
5 mit zorne er vuor bî sînem vanen.
ob *ieman sach den tiuwern swanen
blicken wîz sô den snê?
er kêrte, dâ Trohazzabê S. 670a
ob Ehmereize was verlad*e*n.
10 dâ heten ungevüegen schad*e*n
die stolzen Franzoise
gein Tîbalde, dem Arâboise,
und gein Ehmereize begangen.
Renn*e*wart mit *sîner* stangen
15 sich selben het ergetzet,
daz er dicke was geletzet
maneger wirde in Francrîche.
er tet wol dem gelîche,
daz er der heiden hete haz.
20 swer im dâ z'ors*e* vor gesaz,
z'einem hûfen er den sluoc.
dâ beleip der heidenschaft genuoc
tôt vor Rennewartes hant.
er warp niht and*e*rs umbe pfant:
25 Berhtram was im sippe niht.
Rennewarten man dort siht

Nach diesem König ritt sogleich 20
Rubual von Nauriente.
Und nach diesem König ritt da ohne Zögern
der stolze König Bohereiß
mit einem starken Heer:
der war aus Etnise 25
und erwarb da Ruhm.
Danach ritt Josweißes Schar,
all die Seinen mit gezognen Schwertern:
die Tjoste hatten sie versäumt
und wollten daher keine Speere führen.

388 Josweiß verdroß es sehr,
daß er Terramer
zugestimmt hatte, daß sechs Scharen
vor ihm kämpften:
wütend ritt er neben seiner Fahne. 5
Ob jemand jenen teuren Schwan
schneeweiß blitzen sah?
Er wandte sich dorthin, wo Trohassabé,
Emereiß beschützend, in Bedrängnis war.
Schlimmen Schaden hatten da 10
die stolzen Franzosen
Tibalt, dem Araber,
zugefügt und Emereiß.
Mit seiner Stange hatte Rennewart
sich selbst dafür entschädigt, 15
daß man ihn
in Frankreich oft erniedrigt hatte.
Er zeigte klar,
daß er die Heiden haßte.
Wer ihm zu Pferd entgegenkam, 20
den schlug er platt zu Boden.
Da fanden viele Heiden
den Tod durch Rennewart.
Er wollte keine Pfänder haben:
Bertram war nicht mit ihm verwandt. 25
Dort sieht man Rennewart

vor sînen schargenôzen.
mit starken slegen grôzen
Franzoiser wurden ouch niht gespart.
si begunden schrîen »Rennewart«
389 *und wolden vrist*e*n gerne ir leb*e*n.
daz herzeichen was in gegeb*e*n,
dô si der marcgrâve scharte
und des rîches vanen bewarte.
5 *Franzoisen* wart dâ kumber kunt.
waeren's über Pitit Punt
mit gemache heim gevarn,
sône waeren si mit sô manegen scharn
sô ungevuoge niht *getrettet*.
10 dâ wart Ehmereiz *errettet*
und sîn vat*e*r, Tîbalt von Kler,
von des stolzen Josweizes her.
der solt ez ouch billîche tuon:
Josweizes basen toht*e*r sun
15 was der künec Ehmereiz.
sînes rîchen mâg*e*s puneiz
was im dâ ze staten kom*e*n.
dâ wart gegeb*e*n und genom*e*n
don*e*rs hurte als diu wolkenrîz.
20 nû kom von Raabs Poidwîz,
der manlîch und der hôch gemuot:
der vuorte manegen rîter guot.
wir hoeren von sînem ellen jehen:
er wart bî vîenden nie gesehen,
25 erne *schiede* ouch dannen geprîset.
manec tjost in hete gewîset,
dâ sîn volliu hant wart laere.
z'einem vorstaere
kür ich ungerne sîne hant,
sît der walt sô vor im verswant.
390 man tuot von sînen tjosten kunt,
der *Swarzwalt* und Virgunt S. 670b
müesen dâ von oede lig*e*n.

an der Spitze seiner Leute.
Starke, ungefüge Schläge
gingen auch auf die Franzosen.
Sie schrien »Rennewart«

389 und wollten gern ihr Leben retten.
Den Schlachtruf hatten sie erhalten,
als der Markgraf sie formierte
und des Reiches Fahne wieder aufzog.
Hier mußten die Franzosen leiden. 5
Wenn sie über Pitit Punt
gemütlich heimgeritten wären,
wären nicht so viele Scharen
so heftig über sie getrampelt.
Da wurde Emereiß gerettet 10
und sein Vater, Tibalt von Kler,
vom Heer des stolzen Josweiß.
Es war nur recht, daß er das tat:
Josweißes Tanten-Tochter-Sohn
war der König Emereiß. 15
Der Angriff seines mächtigen Verwandten
hatte ihm geholfen.
Da wurde ausgeteilt und hingenommen
Aufprall-Donner wie Gewitterstürme.
Poidwiß von Raabs kam jetzt, 20
der Kühne, Stolze, Hochgemute:
der führte viele tapfre Ritter an.
Von seiner Kühnheit hören wir:
nie wurde er am Feind gesehen
und zog nicht ruhmbedeckt davon. 25
Viele Tjoste hatten ihn dorthin geführt,
wo seine volle Hand sich leerte.
Zum Förster
hätt ich seine Hand nicht gern,
da so vor ihm der Wald verschwand.

390 Man erzählt von seinen Tjosten,
es könnten Schwarzwald und Virgunt
von ihnen kahlgeschlagen sein.

daz liegen solt ich hân verswig*en*,
5 beginnet etslîcher sprechen.
wan lât der selbe brechen
den walt einen andern man?
und habe er verre dort hin dan!
der künic Poidwîz von Raabs,
10 weder stapf*e*s noch drabs
kom er gevarn in den strît:
er vuor rehte, als *man* dâ gît
den *orsen* wunden mit den sporn.
im was ûf Terramêren zorn,
15 daz er in nâch sib*e*n scharn
alrêste *gein* rîterschaft hiez varn.
er sprach: »het ich nie strît getân,
ich vüere sô manegen werden man
ûz ander*er* künege rîchen,
20 daz ich billîchen
den buhurt solte hân erhab*e*n.
man darf mich harte wênic lab*e*n
nâch maneger quatschiure,
die ich durh âventiure
25 in *dem* puneize solte hân genom*e*n.
ich bin ze disem strîte kom*e*n
sô der schûr an die halme.«
von pusînen galme
was vor im grôz gesnarren.
dâne kunde niht geharren
391 sîn vane mit grôzem *kundewiers*
kom gevarn ze triviers
mit ungevüeger her*e*s kraft
beneb*e*n an die rîterschaft,
5 dâ mit strîte ê sêre was *gekrîet
und noch enwederthalp *geswîet.
dâ was versperret niht diu biunt:
dâ wart der vîent und der vriunt
mit vollelîcher hurte,
10 dâ Poidwîz în ruorte,

So sollte ich nicht lügen,
sagen manche jetzt. 5
Warum lassen die
nicht einen andern Wälder schlagen?
Soll er dann in der Ferne bleiben!
König Poidwiß von Raabs,
nicht im Schritt und nicht im Trab 10
kam er in den Kampf geritten:
er ritt so, wie man
den Pferden Wunden beibringt mit den Sporen.
Er hatte Wut auf Terramer,
daß der ihn erst nach sieben Scharen 15
in den Kampf beorderte.
»Und hätt ich«, sagte er, »noch nie gekämpft,
ich hab so viele edle Männer
aus den Reichen andrer Könige,
daß ich mit Fug und Recht 20
den Buhurt hätt eröffnen sollen.
Man braucht mich nicht zu pflegen
wegen vieler Wunden,
die ich, mein Glück versuchend,
bei der Attacke abbekommen hätt. 25
Ich bin in diesen Kampf gekommen
wie Hagelschlag aufs Stoppelfeld.«
Von Trompetenschall
war vor ihm viel Geschmetter.
Da konnte seine Fahne nicht verharren,
391 sie kam mit großer conduite
à travers geritten
mit ungeheurer Heeresmacht
seitlich an die Ritter,
wo man kämpfend laut geschrien hatte 5
und noch auf keiner Seite still geworden war.
Da waren keine Felder abgezäunt:
da wurden Feind und Freund
in vollem Aufprall dort,
wo Poidwiß in die Reihen ritt, 10

vaste ûf ein ander geschoben
und manec puneiz entzwei gekloben.
dâ nam von Poidwîzes druc
al daz her sô grôzen ruc,
15 daz die kristen und die heiden gar
gedigen alle z'einer schar,
swaz ir dâ was ze bêder sît,
die wâppen truogen ime strît,
swaz man der dâ wesse,
20 als ob si in einer presse
zesamne waeren getwungen,
die *alten* mit den jungen,
rîch und arme über al.
daz was ein wîter nôtstal,
25 mit swerten verrigelet.
manec leben wart dâ übersigelet S. 671a
mit des tôdes hantveste.
von strîtes überleste
dâ mohte maneger sprechen.
dâ was slahen unde stechen
392 und hurteclîchez dringen.
si kunden sich baz bringen
z'ein ander, denne ich ez künne sagen.
deheinen haz wil ich dem tragen,
5 swer'z iu baz nû künde.
seht, wie des meres ünde
*kan walgen ûf und ze tal:
sus vuor der strît über al,
hie ûf slihte, dort ûf lê.
10 si dolten ach und wê,
die mit Poidwîz kômen in den strît,
driu her, den man vil prîses gît:
daz eine der künec Tenabruns
brâhte ûz Liwes Nugruns;
15 des küneges her von *Rankulât*
mit swerten hiewe dâ manegen pfat;
und diu rîterschaft von Azagouc,

mit Wucht zusammengeschoben
und viele Trupps gespalten.
Da ging von Poidwiß' Druck
durchs ganze Heer ein solcher Ruck,
daß all die Christen und die Heiden 15
zu einer Schar zusammenschmolzen,
alle, die auf beiden Seiten
kämpften,
samt und sonders,
als wären sie in einer Presse 20
zusammengezwungen,
die Alten und die Jungen,
die Reichen und die Armen alle.
Das war ein großer Notstall,
mit Schwertern verriegelt. 25
Es wurden da besiegelt
viele Leben mit der Unterschrift des Todes.
Von einer Überlast des Kampfes
konnten viele sprechen.
Da war Schlagen, Stechen,
392 stoßendes Bedrängen.
Sie kamen heftiger
zusammen, als ich sagen könnte.
Ich bin keinem böse,
der es euch besser schilderte. 5
Seht, wie die Flut des Meeres
auf und nieder wogt:
so ging hin und her die Schlacht,
hier auf dem Feld, dort auf den Hügeln.
Sie litten Ach und Weh, 10
die mit Poidwiß in den Kampf gekommen waren,
drei vielgerühmte Heere:
das eine hatte König Tenabruns
aus Liwes Nugruns hergeführt;
das Heer des Königs von Rankulat 15
schlug da mit Schwertern viele Schneisen;
die Ritterschaft aus Azagauc,

daz dritte her, niht râche louc
umb ir herren, den künec Rûbîûn.
20 waz mugen die kristen liute tuon,
sine weren sich, al die wîle si leb*e*n?
got selbe mac in trôst wol geb*e*n.
Poidwîz kom in alze vruo:
ir her nam ab und ninder zuo.
25 diu kristenheit sich rêrte,
diu heidenschaft sich mêrte
ûf Alitschanz, dem anger.
ob ie her wart swanger,
des möhte ich jehen der heiden schar:
ob einiu die andern niht gebar,

393 *s*ô ist wund*e*r, wannen in koeme diu vluot,
diu sô grôze rîterschaft dâ tuot.
der strît begunde vellen
eteslîchem sînen gesellen,
5 disem *den* herren, dem *den* mâc.
waz hers ze bêd*e*r sît dâ lac,
die von dem strîte *teuten*!
wie si den rossen streuten
mit manegem gezimiertem man!
10 die *waeren's* dâ heime wol erlân:
dâ sint diu müeden ors vil vrô,
der wirfet und*e*r si ein trucken strô.
waz wund*e*r orse dâ nider sig*e*n!
etslîchez wolde ûf vürsten lig*e*n,
15 etslîchez ûf dem amazûr.
Poidwîz was nâchgebûr
dâ worden der kristenheit:
mit den man ê doch vaste streit,
sîn strît si dorfte lützel müejen.
20 nû alrêste sach man'z velt erblüejen S. 671b
mit *rîterschaft*, der werd*e*n,
als ob gâhes ûz der erd*e*n
wüehs ein krefteclîcher walt,
dar ûf touwec *manecvalt*

das dritte Heer, blieb nicht die Rache schuldig
für ihren Herrn, den König Rubiun.
Was können die Christenleute tun, 20
als sich, solange sie am Leben sind, zu wehren?
Gott kann ihnen Hoffnung geben.
Poidwiß schädigte sie sehr:
ihr Heer nahm ab, durchaus nicht zu.
Die Christenreihen wurden schütter, 25
die Heidenreihen wurden dichter
auf Alischanz, dem Anger.
Wenn ein Heer je schwanger
wurde, dann die Schar der Heiden:
wenn die eine nicht die andere gebar,
393 dann ist es rätselhaft, wo sie die Flut hernahmen,
die da so mächtig kämpft.
Das Kämpfen fällte
manchem seinen Schlachtgefährten,
dem den Herrn, dem den Verwandten. 5
Wie viele lagen beiderseits am Boden,
tödlich verwundet von dem Kampf!
Wie sie den Pferden Streu
aus vielen schön geschmückten Männern gaben!
Zuhause hätten die das nicht bekommen: 10
da sind die müden Pferde sehr zufrieden,
wenn man ihnen trocknes Stroh streut.
Wieviele Pferde gingen da zu Boden!
Manches wollte auf Fürsten liegen,
manches auf einem Almansur. 15
Poidwiß war zum Nachbarn
für die Christen da geworden:
mit denen man zuvor doch schwer gerungen hatte,
die mußte jetzt sein Kampf nicht mehr bekümmern.
Jetzt sah man erst das Feld 20
von edlen Rittern blühen,
als schösse aus der Erde auf
ein riesenhafter Wald,
auf dessen Bäumen Tau in vielen Farben

25 sund*e*r klâre blicke.
breit, *lanc* und dicke
kom diu schar des künec Marlanz
von Jêrikop mit zierde glanz
und mit maneger sund*e*r rotte.
dô der keiser Otte
394 ze Rôme truoc die krône,
kom der alsô schône
gevaren nâch sîner wîhe,
mîne volge ich dar zuo lîhe,
5 daz ich im *gihe*, des waere genuoc.
âvoi, wie maneg*e*n rîter kluoc
der künec Marlanz brâhte!
niht ze sêre er gâhte.
in dûhte, er hete wol erbiten
10 *den, die vaste vor im striten:
wie si'z heten überhouwen,
daz wolt er gerne schouwen.
der zimmerman muoz warten,
wie er mit der barten
15 nâch der ackes müeze snîden:
daz wolt ouch er niht vermîden.
Poidwîz al and*e*rs vuor:
er kunde wênic nâch der snuor
houwen, nâch ir marke.
20 ob der getouften sarke
nû mit starken huofsleg*e*n
iht wol getret*et* werden meg*e*n?
jâ vür wâr, ê daz diu schar
mit ir poind*e*r voldrucke gar,
25 des künec Marlanz von Jêrikop.
sîn manheit dâ gedienet lop.
unsamfte ich mac der sunnen
sô liehtes blickes gunnen,
alsô dâ heten die sîne
von ir zimierde schîne

funkelte. 25
Breit und lang und dichtgedrängt
kam die Schar des Königs Marlanz
von Jerikop, im Kampfschmuck glänzend
und mit vielen Einzeltrupps.
Als der Kaiser Otto
394 in Rom die Krone trug –
wenn der in solcher Pracht
von seiner Weihe kam,
dann gebe ich
ihm gerne zu: es wär genug gewesen. 5
Hei, wie viele gute Ritter
führte König Marlanz her!
Er eilte nicht zu sehr.
Es schien ihm richtig, die Attacke derer abzuwarten,
die heftig vor ihm kämpften: 10
wie sie mit Hieb und Stich das Feld durchritten,
das wollte er gern sehen.
Der Zimmermann muß achten,
wie er mit dem Beil
der Axt nachschneiden kann: 15
so wollte er verfahren.
Ganz anders war Poidwiß geritten:
der konnte nicht entlang
der Schnurmarkierung hauen.
Ob die Särge der Getauften 20
jetzt mit starken Hufschlägen
getreten werden könnten?
In der Tat, und zwar bevor die Schar
des Königs Marlanz von Jerikop 25
voll mit dem Angriff durchgedrungen ist. 24
Seine Tapferkeit erwarb da Ruhm.
Schwerlich kann ich
solchen Glanz der Sonne zugestehen,
wie ihn da die Seinen hatten
vom Leuchten ihres Kampfschmucks,

395 ab ir tiuren pfellelmâlen.
niht langer wolde twâlen
der künec von Orkeise:
der bezzerte die reise.
5 daz was Margot von Bozzidant,
den man gezimieret vant
eine jumenten rîten,
dar ûf er wolde strîten,
mit *îserkovertiur verdact*.
10 ûf daz îsern was *gestract*
ein pfellel, des ir was ze vil.
der orse muoter man niht wil
sô hie ze lande zieren:
wir kunnen de ors punieren. S. 672a
15 Margot einen künec dar brâhte,
dem daz niht versmâhte:
al des her âne ors dâ was.
der hiez Gorhant von Ganjas.
si wâren aber sneller sus ze vuoz.
20 die tâten in'me strîte buoz
des leb*e*ns manegen kristen man.
niht and*e*r wâppen si moht*e*n hân:
ir vel was horn in grüenem schîn;
die truogen kolben stehelîn.
25 bî dem künege Margotte
vuor diu hürnîne grôziu rotte.
der was geschart zuo Marlanz.
diu schar beleip niht langer ganz.
Margot, der verre komende dar,
er unt die sîne punschierten gar,
396 ê si den puneiz vollen trib*e*n,
dâ von daz velt begunde erbib*e*n.
nû kumt dem zwickel hie sîn schop,
dâ der künic Marlanz von Jêrikop
5 mit hurteclîches poind*e*rs kraft
sich stacte in die rîterschaft,
dâ von diu swert erklungen.

395 der teuren Seidenstoffe.
Nicht länger wollte
der König von Orkeise warten:
der forcierte seinen Anmarsch.
Das war Margot von Bossidant, 5
den man, zum Kampf geschmückt,
eine Stute reiten sah,
auf der er kämpfen wollte,
mit einer Eisencouverture.
Auf der Eisendecke lag 10
ein Seidenüberwurf: das war zuviel für sie.
Stuten will man
hierzulande nicht so schmücken:
wir spornen Hengste in den Kampf.
Margot hatte einen König hergeführt, 15
der das nicht für Schande hielt,
daß sein ganzes Heer da ohne Pferde war.
Der hieß Gorhant vom Ganges.
Sie waren schneller so zu Fuß.
Die erleichterten im Kampf 20
viele Christen um ihr Leben.
Sie führten keine andern Waffen:
ihre Haut war leuchtend grünes Horn;
Eisenkeulen trugen sie.
Dem König Margot 25
folgte die hornbewehrte große Truppe.
Geschart war der zu Marlanz.
Die Schar blieb nicht länger ganz.
Margot, der von weither kam,
er und die Seinen hatten alle schon gekämpft,
396 bevor sie die Attacke ganz vollführten,
von der das Feld erbebte.
Jetzt kommt hier auf den Keil der Hammer,
wo König Marlanz von Jerikop
sich im Ansturm 5
in die Ritterscharen bohrte,
wovon die Schwerter klangen.

was ê dâ vil gedrungen,
doch niuwes gedranges pflâgen sie,
10 beide dise unt die.
bî dem künege Margotte von Bozzidant
streit daz her des künec Gorhant
mit den stehelînen kolb*en*.
die *virste* und die wolb*en*
15 begunden's ûf die helme leg*en*
mit starken ungevüegen sleg*en*.
ich hete ungerne hiute
sölhe *zimmerliute*:
ine möht in niht gelônen.
20 vil *schiere ûz manegen dônen
si schrîeten, ûz maneger sprâche.
nû mac die vart hin'z Ache
mit êren mîden Terramêr.
almeiste die roemischen vürsten hêr
25 *sint* gein im kom*en* ûf Alitschanz.
si wolden im künd*en*, daz Vîvîanz
und der edele Mîle *in* waere erslag*en*:
wolt er ze Rôme krône trag*en*,
sô solt er in daz rihten,
wolt er z'ir dienste pflihten.

397 von den hürnînen schalken
wart mit kolben dâ gewalken
vil manec werlîch rîter guot.
wie möht ein *Berhartshûser* huot
5 hart*er* ûf ein and*er* kom*en*?
des twanc si nôt: nû wart vernom*en*
von den kristen liuten über al
sehs herzeichen lût erschal. S. 672b
ein ir ruof was »Narbôn«;
10 sus hal dâ der and*er* dôn
durh koverunge: »Brûbant«;
dô was der dritte ruof benant
den Franzoisen: »Rennewart«
(harte kleine was der zart,

Wie sehr man sich bis jetzt schon drängte,
sie sorgten noch für weiteres Gedränge,
die und jene. 10
Bei König Margot von Bossidant
kämpfte das Heer des Königs Gorhant
mit den Eisenkeulen.
Dachfirste und Walmdächer
gaben sie den Helmen 15
mit starken, ungefügen Schlägen.
Ich hätte ungern heute
solche Zimmerleute:
ich könnt sie nicht bezahlen.
Sie schrien sogleich in vielen Lauten, 20
vielen Sprachen.
Nun kann Terramer den Aachen-Zug
in Ehren bleiben lassen.
Fast alle hohen römischen Fürsten
sind zu ihm nach Alischanz gekommen. 25
Sie wollten ihm melden, Vivianz
und der edle Mile wären ihnen totgeschlagen:
wenn er in Rom die Krone tragen wollte,
sollte er ihnen das bezahlen,
wenn er ihre Dienste haben wollte.

397 Von den Horn-Halunken
wurden mit den Keulen
viele tapfre, edle Ritter da gewalkt.
Ein Beratzhauser Filzhut
könnt nicht mehr gepreßt sein. 5
Man hörte jetzt – die Not zwang sie dazu –
von allen Christen
sechsfaches Kampfgeschrei, das laut erscholl.
Der eine ihrer Rufe war »Narbonne«;
so klang da der zweite Ruf 10
zum Sammeln: »Brubant«;
der dritte Ruf war
den Franzosen zugewiesen: »Rennewart«
(nicht sehr zärtlich ging man

15 der gein *in* dâ begangen was);
der vierde ruof was »Tandarnas«;
»Berbest*er*« was der vümfte
gein Marlanzes kümfte;
dône mohte diu schar des markîs
20 vermîden niht deheinen wîs,
sine schrîeten »*Muntschoie*«
in gedrange, als ob ein boie
von îser waere umb si gesmit.
dâ wart mit swerten wol gewit.
25 die getouften kôm*e*n kûme
mit den ecken sô ze rûme,
daz si sich samelierten.
die wol gezimierten
ir brücke wâren über bluot*e*s vurt,
etslîcher ûz Terramêrs geburt.

398 *d*ie kristen sint zuo ein and*er* kom*e*n.
waz denne, und hânt si schaden genom*e*n?
si suln ouch schaden erzeigen nû.
dâ greif mit sîner stangen zuo
5 mit grôzen slegen Rennewart.
die ê sund*er* wâren geschart,
nû bî ein and*er* vâhten:
die krîe zesamene si brâhten
*von der drûch, die in brâhte Poidwîz.
10 maneger slahte sund*er* glîz
die kristen müete dicke:
der heiden pfellen blicke
gein sunnen kunde vlokzen.
der strît begunde tokzen,
15 als ûf dem wâge tuot diu gans.
dâ muose daz velt Alitschans
mit bluote betouwen.
den herren und den vrouwen
wart dâ wol gedienet beiden.
20 der houbtman al der heiden
nû saz ûf Brahâne.

da mit ihnen um); 15
der vierte Ruf war »Tandarnas«;
»Berbester« war der fünfte,
der Marlanz entgegenscholl;
die Schar des Marquis
schrie unablässig 20
»Muntschoi«,
derart eingezwängt, als wäre eine Kette
aus Stahl um sie geschmiedet.
Da wurde mit den Schwertern fest geflochten.
Kaum schufen sich die Christen 25
mit den Schneiden Raum,
um sich zu sammeln.
Die schön Geschmückten
– manche verwandt mit Terramer – 30
waren ihre Brücke über einen Strom aus Blut. 29

398 Die Christen haben sich gesammelt.
Was macht's schon, wenn sie Schaden nahmen?
Sie fügen jetzt auch Schaden zu.
Mit seiner Stange legte da
Rennewart mit starken Schlägen Hand an. 5
Die zuvor in Scharen aufgegliedert waren,
kämpften jetzt zusammen:
die Rufe hatten sie vereinigt
durch die Schlinge, welche Poidwiß um sie legte.
Viel starkes Gleißen 10
quälte immerzu die Christen:
der Glanz der Heiden-Seide
blitzte flackernd in der Sonne.
Das Kampfgetümmel schwankte
wie auf den Wellen eine Gans. 15
Das Feld von Alitschans
betaute Blut.
Den Herren und den Damen
diente man da gut.
Der Führer aller Heiden 20
saß nun auf Brahane.

gein der funtâne,
dâ bî Vîvîanz lac tôt,
des endes sich der strît erbôt.
25 nû was diu schar von manegem lant
über daz wazzer Larkant
und die karroschen mit den goten.
nû hete bî der wide geboten
des küenen Kanabêus barn,
*die solten bî den goten varn,
399 die der zuo wâren *geschaffet*.
si wurden *des gaffet: S. 673a
Mahumet und Kahûn
in mohten kranke helfe tuon
5 oder swaz man anderer gote dâ vant,
ez waere Apollo oder Tervagant.
ôwê, daz er nû komen sol,
durh den diu sorclîchiu dol
und daz angestlîche lîden
10 die getouften niht wil mîden!
nû mein ich Terramêren,
der wol nâch herzesêren
den getouften kunde werben.
lât sîn: ê daz si ersterben,
15 er beginnet ouch schaden von in genemen,
des *jâmert* und dar zuo muoz schemen
sîn herze unt des gemüete.
von sîner zehenden schar vlüete
möht ich prüevens wol gedagen.
20 doch müese er manegen zapfen tragen,
der des regens zaher besunder
verschübe (daz waere ein wunder):
sus aht ich den von Suntîn.
man mohte iewedernthalben sîn,
25 dar zuo vor im unde hinden
vil grôzer storje vinden,
mit der sprâche ein ander gar unkunt.
dâ vuor manec sunder munt,

Zur Quelle hin,
wo Vivianz gefallen war,
bewegte sich der Kampf.
Die Scharen aus den vielen Ländern hatten jetzt 25
den Larkant überquert,
auch die Karren mit den Göttern.
Bei Todesstrafe mit dem Strang
hatte des kühnen Kanabeus Sohn befohlen,
es sollten bei den Göttern reiten,
399 die dazu beordert waren.
Das machte sie zu Narren:
Mohammed und Kahun
konnten ihnen wenig helfen,
auch nicht die andern Götter da, 5
Apollo oder Tervagant.
Ach, daß der jetzt kommen muß,
mit dem schmerzliches Leid,
qualvolle Not
die Christen nicht verschonen wollen! 10
Ich meine Terramer,
der Herzens-Leid
den Christen bringen konnte.
Laßt's gut sein: eh sie sterben,
nimmt auch er von ihnen Schaden, 15
der sein ganzes Herz 17
mit Leid und Scham erfüllt. 16
Wie groß die Flut war, seine zehnte Schar,
könnte ich nicht sagen.
Doch bräuchte einer viele Pfropfen, 20
der im Regen jeden Tropfen
abdichten wollte (was ein Wunder wär):
so schätze ich das Heer des Herrn von Suntin.
Zu seinen beiden Seiten
und vor und hinter ihm 25
sah man viele große Trupps,
die ihre Sprachen nicht verstehen konnten.
Da ritt mancher, der nur seine Sprache sprach

der niht wesse, waz der ander sprach,
ob er erge oder güete jach.
400 ôwê kristen liute,
guoter wîbe getriute
und ir gruoz und ir minne
und *die hoehern* gewinne
5 (ich meine die ruowe âne ende)
*nû wirt von maneger hende
ûf iuch gestochen unt geslagen!
swer triuwe hât, der solt iuch klagen.
ir sît durh triuwe in dirre nôt.
10 sît man von êrste iu strîten bôt,
daz was gar um sus gestriten:
ir habt nû rehtes strîtes erbiten.
hie kumt der von Tenabrî,
sînen goten nâhen bî.
15 dâ wart geworfen und geslagen,
als ir mich ê hôrtet sagen,
tûsent rotumbes
sleht (ir neheiniu krumbes),
und aht hundert pusînen snar
20 man hôrte dâ mit krache gar.
von dem biben und von dem schallen
möhte daz tiefe mer erwallen.
ich mac wol sprechen, swenn ich wil,
von grôzer koste zimierde vil
25 dâ vuor in Terramêres schar:
sô und sus gevar S. 673b
maneger slahte kunder
nâch al *dem* merwunder
heten's ûf gemachet,
an koste niht verswachet,
401 nâch vogelen und nâch tieren.
maneger slahte kreigieren
si brâhten mit in in den sturm.
der truoc den visch, der den wurm
5 ûf ir wâppenkleit gesniten.

und nicht wußte, was der andre sagte,
Böses oder Gutes.

400 Ach, ihr Christen,
die Zärtlichkeit der edlen Frauen,
ihre Gunst und ihre Liebe
und der höhere Gewinn
(ich mein die Ruhe, die nicht endet) 5
wird jetzt von vielen Händen
auf euch gestochen und geschlagen!
Wer treu ist, sollte euch beklagen.
In dieser Not seid ihr aus Treue.
Was euch bisher an Kampf geboten wurde, 10
war noch gar nichts:
jetzt erst bekommt ihr Kampf.
Hier kommt der von Tenabri
an der Seite seiner Götter.
Da wurden hochgeworfen und geschlagen, 15
wie ihr vorher von mir hörtet,
tausend Tamburine,
straff bespannte (keines schlaff),
und das Schmettern von achthundert Trompeten
war da mit lautem Schall zu hören. 20
Von dem Beben und dem Lärm
hätt das tiefe Meer aufwallen können.
Ich kann berichten, wenn ich will,
von vielen kostbaren Zimieren,
die fuhren in der Schar des Terramer: 25
ganz verschiedne
Ungeheuer, viele Arten,
Meerwunder jeder Sorte,
hatten sie sich aufgesetzt,
äußerst kostbar,

401 Vögel, wilde Tiere.
Vielfaches Feldgeschrei
brachten sie in den Kampf.
Der trug einen Fisch, jener einen Drachen
auf seinem Waffenkleid. 5

diu schar mit kreften kom geri*ten*
ûf Alitschanz, dem plâne.
al die steine gamâne
sint niht sô manegen wîs gesehen,
10 sô man zimierde muose jehen,
die de minne gerend*en* truogen.
die getouft*en* si vil durhsluogen,
swâ nâch ez gemachet was.
nûne dorfte der künec von Tandarnas
15 und der pôver schêtîs
niht vür gâhen durh ir prîs:
swen ie sîn herze in strît getruoc,
der vunde dâ strîtes noch genuoc.
von Salemîe Ector
20 vuorte den vanen hôhe enbor,
ob's die getouften gerten,
daz si in doch mit den swerten
mohten niht erlangen.
mit steh*e*lînen spangen
25 was der schaft vaste umbeworht.
Ector was unervorht.
der künec von Salemîe
Terramêr*es* krîe
*begunde rüefen: »Kordes«.
 ôwê nû des mord*es*,
402 der dâ geschach ze bêder sît,
dô der vane kom in den strît,
der brâhte den grôzen swertklanc!
dâ was von storjen grôz gedranc
5 gein *dem* strîte durh vür kom*en*,
die doch heten wol vernom*en*,
swer die schar dâ braeche,
mit der wide daz raeche
Terramêrs gerihte.
10 dâ wart des tôdes pflihte
in dem strîte wol bekant:
ze bêd*er* sît si sazten pfant,

Mächtig kam die Schar geritten
auf Alischanz, der Ebene.
Alle Kameen dieser Welt
bieten nicht so viele Bilder
wie die Zimiere, 10
die die Minneritter trugen.
Die Getauften schlugen
sie in Mengen durch, all das Getier.
Jetzt mußten der König von Tandarnas
und der pauvre Schetis 15
nicht nach vorne eilen, um sich Ruhm zu holen:
wen je sein Herz zum Kampf hin trüge,
der fände da noch Kampf genug.
Ektor von Salemie
hielt die Fahne hoch empor, 20
daß sie die Getauften, sollten sie's versuchen,
mit den Schwertern
nicht erreichen konnten.
Mit stählernen Spangen
war die Stange fest umspannt. 25
Ektor war ohne Furcht.
Der König von Salemie
rief den Schlachtruf Terramers:
»Córdoba«.
Ach, die Schlächterei,
402 die da beiderseits geschah,
als die Fahne in den Kampf kam,
die das große Schwerterklingen brachte!
Da drängten sich die Trupps gewaltig,
um in die Schlacht voranzukommen, 5
und hatten doch genau gehört,
daß Terramers Gericht 9
es mit dem Strang bestrafte, 8
wenn einer aus der Schar ausbrechen sollte. 7
Da nahm der Tod 10
im Kampf sein Recht wahr:
auf beiden Seiten gab man Pfänder,

diu nimmer mugen werd*en* quît
vor der urtellîchen zît,
15 dâ al der werelde wirt ir leb*en*
wider and*er*stunt gegeb*en*.
dâ was manec sund*er* grâzen.
swer si kan an gelâzen,
als ez der rîterschefte gezem*e*,
20 mit mînem urloube der nem*e* S. 674a
*daz maere an sich mit worten,
ime gedrenge und an den orten
oder swâ die muotes rîchen riten,
wie wurde aldâ von den gestriten
25 nâch wîbe lôn und umb ir gruoz
und wie ein puneiz den anderen muoz
nâch koverunge werb*en*.
swer nû lieze niht verderb*en*
dirre âventiure maere,
deste *holder* ich dem waere.

die werden niemals ausgelöst
vor dem Jüngsten Tag,
wo aller Welt ihr Leben 15
zum zweiten Mal gegeben wird.
Da waren viele wie von Sinnen.
Wer es versteht, sie aufeinander loszulassen,
wie es dem Rittertum gebührt,
dem geb ich die Erlaubnis, 20
die Geschichte weiter zu erzählen,
im Gedränge, an den Rändern,
wo auch die Hochgemuten ritten,
wie die da kämpften
um Lohn und Gunst der Frauen 25
und wie ein Sturmangriff den andern
nach neuer Sammlung in Bewegung setzt.
Wär einer hier,
der die Erzählung weiterführen wollte,
dem wär ich sehr verbunden.

403 Ei Gîburc, heilic vrouwe,
dîn saelde mir die schouwe
noch vüege, daz ich dich gesehe,
aldâ mîn sêle ruowe jehe.
5 durh dînen prîs, den süezen,
wil ich noch vürbaz grüezen
dich selben und *die* dich werten,
sô daz si wol ernerten
ir sêle vor's tiuvels banden
10 mit ellenthaften handen.
waz half nû **Heimrîch* und sîniu kint,
daz die sibne und ir vat*e*r sint
bî ein and*e*r und diu kristen diet?
der grôze puneiz si doch schiet
15 und der starke krach der pusîn,
und daz der tûsent muosen sîn,
rotumb*e*s, die man dâ sluoc:
dâ von *erwegete genuoc
Larkant, daz wazzer, und der plân,
20 als dâ der werde Gâwân
an Lît marvâle lac:
sölhes bibens Alitschanz nû pflac.
man sach dâ wunder gogelen
von tieren und von vogelen
25 ûf manegem helme veste,
boume, zwîe und ir este,
mit koste geflôrieret.
dâ kom gezimieret
manec Sarrazîn durh wîbe lôn
gein des sune von Narbôn.
404 diu was sneller, diu was lazzer:
über Larkant, daz wazzer, S. 674b
*h*urtâ, *hurtâ*, hurte,
wie dâ ûz manegem vurte

403 Heilige Giburg, Herrin,
deine Seligkeit erwirke mir
dereinst den Anblick: dich zu sehn,
wo meine Seele Ruhe findet.
Zum Ruhme deiner Heiligkeit 5
will ich dich weiter preisen
und die, die für dich kämpften
und so mit tapfren Händen 10
ihre Seele retteten 8
vor des Teufels Stricken. 9
Was half es jetzt Heimrich und seinen Söhnen,
daß die sieben und ihr Vater
und die Christenschar beisammen sind?
Sie trennte doch der große Ansturm
und das starke Schmettern der Trompeten 15
und daß da tausend
Tamburine waren, die man schlug:
davon erbebte mächtig
der Fluß Larkant, die Ebene,
so wie es bebte, wo der edle Gawan 20
auf dem Lit marvale lag:
so zitterte jetzt Alischanz.
Man sah da wahre Wunder schwanken
an wilden Tieren und an Vögeln
auf vielen festen Helmen, 25
Bäume mit Zweigen, Ästen,
kostbar verziert.
Im Kampfschmuck ritten
viele Sarazenen für Frauenlohn
zum Angriff auf den Sohn des Narbonnesers.

404 Die war schneller, die war träger:
über den Larkant, den Fluß,
heia, heia, hei,
wie da aus Furten über Furten

5 manec sund*e*r storje strebete,
diu niht volleclîchen lebete,
unz ir der tac braehte die naht!
dâ kom diu *ellenthaftiu* maht.
dô kêrte diu schar grôze
10 gein manegem ambôze,
den der touf het überdecket.
der puneiz wart volrecket,
von rabîne mit den sporn getrib*e*n,
daz die karrotschen al eine belib*e*n
15 und dar ûf die gote hêre.
dâ vuor mit Terramêre
der künec von Lanzesardîn.
der liez die gote ouch eine sîn.
daz was der werde Kanlîûn.
20 dem vat*e*r volgete dâ der sun
michel gerner danne den goten.
der den Rîn und den Roten
vierzehen naht verswalte
und den tam dervon schalte,
25 dine gaeben sô grôzer güsse niht,
alsô man Terramêre giht:
er umbevluot ot al daz her.
noch was diu kristenheit ze wer,
sô daz man von ir tât
den endes tac ze sprechen hât
405 und dâ zwischen al der jâre zal:
sô grôz wart dâ der heiden val.
*d*och von ir überlaste
wart der puneiz sô vaste
5 ûf manegem schoenem kastelân
alsô hurteclîch getân,
daz die sehs vanen *der* kristenheit
ieslîcher dô besund*e*r reit.
eteslîcher kleine gezoc behielt.
10 harte ungelîche man si spielt
von ein and*e*r mit gedrange.

Abteilung um Abteilung strebte, 5
die es nicht intakt erlebte,
daß ihr der Tag die Nacht zuführte!
Da kam die tapfere Heeresmacht.
Das Riesenheer ritt los
auf Ambosse in großer Zahl, 10
einst zugedeckt vom Wasser in der Taufe.
Die Attacke wurde vorgetragen,
getrieben in Karriere mit den Sporen,
daß die Karren alleine blieben
und die hohen Götter drauf. 15
Da ritt bei Terramer
der König von Lanzesardin.
Der ließ die Götter auch allein.
Das war der edle Kanliun.
Dem Vater folgte da der Sohn 20
viel lieber als den Göttern.
Wenn man Rhein und Rhone
vierzehn Tage staute
und dann den Damm entfernte,
die machten nicht so eine Überschwemmung, 25
wie man von Terramer erzählt:
der umflutete das ganze Heer.
Doch wehrte sich die Christenheit,
daß man von ihren Taten
noch am jüngsten Tag zu sprechen hat
405 und alle Jahre bis dahin:
so mächtig war der Fall der Heiden.
Von deren Übermacht indessen
wurde die Attacke
auf vielen schönen Kastilianern 5
so gewaltig vorgetragen,
daß die sechs Fahnen der Christenheit
wieder einzeln ritten.
Manche behielt nur wenig Mannschaft.
Ganz ungleichmäßig wurden sie 10
voneinander abgespalten im Gedränge.

sus si vuoren lange,
daz dâ manec getoufter man
ander warte muose hân
15 _dan_ des vanen, der *in was benant.
wol werte ieslîch kristen hant,
swâ der sehs vanen dehein
ob im ime strîte erschein.
ir krîe ouch wâren gemeine.
20 Heimrîch al eine
mich nû dâ erbarmet sêre,
daz die endelôsen êre
sô tiuwer sîn alt_e_r koufte
und anderstunt sich toufte
25 sîn geslehte dâ in bluote.
wie was im dô ze muote, S. 675a
dâ sîniu kint und kinde kint
und er selbe in sölhen noeten sint,
dar zuo mâge unde man?
sîn herze muose jâmer hân.

406 bî dem jâmer was doch ellen.
in selb_e_n und sîne gesellen,
die sîne schilde truogen,
diene kunde niht genuogen,
5 swaz si der heiden valten.
an Heimrîch, dem alten,
was von samîte ein kasagân.
ein pfellel drunde was getân,
îser und palmât
10 dâ zwischen gesteppet und genât,
zwêne hantschuohe des selben dran.
ez muose ein kollier ouch hân,
daz sich gein der kel zesamene vienc.
der slitz unz ûf den gêren gienc.
15 smareit und rubîn,
daz wâren dran diu knöpfelîn,
vor und hinden drûf sîn seg_e_n
(des wolt er *mit strîte pfleg_e_n),

Lange ging es so,
daß da viele Christenritter
sich anders orientieren mußten
als an der Fahne, die ihnen zugewiesen war. 15
Sich wehrte tapfer jeder Christ,
wo eine der sechs Fahnen
über ihm im Kampf erschien.
Er übernahm dann auch den Schlachtruf.
Vor allen anderen erbarmt mich Heimrich 20
da jetzt sehr,
daß er in seinem Alter 23
den ewigen Ruhm so hoch bezahlen mußte 22
und seine Sippe dort im Blut 25
zum zweiten Mal sich taufte. 24
Was ging da in ihm vor,
wo seine Kinder, Kindeskinder
und er selbst in solchen Nöten sind,
dazu Verwandte und Vasallen?
Sein Herz mußte in Kummer sein.

406 Doch war bei dem Kummer Mut.
Ihm selbst und seinen Leuten,
die seine Schilde trugen,
konnte nicht genug sein,
was sie an Heiden fällten. 5
Heimrich, der Alte, trug
einen Reitrock aus Brokat.
Ein Seidenfutter war darunter,
Eisenstäbe sowie Palmatseide
dazwischen eingesteppt und eingenäht, 10
zwei Handschuhe derselben Machart angestückt.
Auch ein Halsschutz war daran,
geschlossen an der Kehle.
Der Schlitz des Rockes reichte bis zum Schoß.
Smaragde und Rubine 15
waren dran die Knöpfchen,
an Brust und Rücken drauf sein Segenszeichen
(für dieses kämpfte er):

gesniten ûz einem borten
20 ein kriuze mit drîen orten,
geschaffen sô der buochstap,
den got den Israhêlen gap
mit dem lambe bluote
ze schrîben durh die huote
25 an *bîstal* und an übertür.
dâ muose diu râche kêren vür,
swâ man den selben buochstap vant,
diu den schuldehaften was benant.
wir hân mit wârheit daz vernum*e*n:
daz kriuze was mit drîen drum*e*n
407 (swie *manegez* dernâch gevieret sî),
dâ der meide sun unsanfte bî
was, unze daz sîn mennischeit
durh uns den tôt dar an erleit.
5 *d*em selbem kriuze Heimrîch
ame kasagân ouch truoc gelîch
ûf einem *grüenem samît,
dô den überlesteclîchen strît
im brâhte sînes sun*e*s sweher.
10 iuwer iegeslîchen hât diu heher
an geschrîet ime walde:
alsô wart ouch dort der alde
durh sînen strît beruofen.
er und die sîne schuofen
15 sölhen rûm mit den swerten,
daz dâ manec storje gerten
balder von in ze kêren,
denne ir schad*e*n dâ ze mêren.
mit hurte dô brâhte ein tropel
20 Zernubilê von Ammirafel. S. 675b
der selbe künec krône
von rotumb*e*s dône
truoc in wîtem rîche.
der kom gein Heimrîche.
25 sô guot*e*r rîterschaft er pflac:

aus einem Seidenband geschnitten
ein Kreuz mit drei Enden, 20
wie der Buchstabe geformt,
den Gott die Israeliten
mit dem Blut des Lammes
zu ihrem Schutz
an Pfosten und an Balken ihrer Türen schreiben hieß. 25
Die den Schuldigen bestimmte 28
Rache mußte da vorübergehn, 26
wo man dieses Zeichen sah. 27
Wir haben zuverlässig sagen hören:
das Kreuz hatte drei Enden
407 (wie viele man später auch mit vieren zeigte),
an dem der Sohn der Jungfrau qualvoll
hing, bis seine menschliche Natur
für uns den Tod daran erlitt.
Das Zeichen dieses Kreuzes 5
trug am Reitrock Heimrich,
auf grünem Brokat,
als ihm den überschweren Kampf
der Schwiegervater seines Sohnes brachte.
Jeden von euch hat der Häher 10
im Wald schon angeschrien:
so wurde dort der Alte
wegen seiner Kampfwut ausgerufen.
Er und die Seinen schufen
mit den Schwertern solchen Raum, 15
daß es vielen Trupps da eilig war,
schneller von ihnen weg zu kommen,
als ihren Schaden dort zu mehren.
Da führte einen Trupp im Sturm heran
Zernubilé von Ammirafel. 20
Dieser König trug
als Lehen für den Klang der Tamburine
in einem großen Reich die Krone.
Der ritt Heimrich an.
So ein guter Kämpfer war er: 25

in dûhte, er hete in einen sac
al die kristen wol verstricket.
mit den ecken wart verzwicket
des selben küneges zuo komen.
dâ wart grôz swerte klanc vernomen.

408 *d*ô kêrte der künic Zernubilê
gein dem, der wîz sô den snê
ime strîte truoc den bart,
mit der vintâlen niht bewart.
5 Heimrîch was undern ougen blôz:
diu barbier ez niht umbeslôz,
sîn helm et hete ein nasebant.
Zernubilê manec kriuze vant
gesniten ûf ir waete,
10 die mit rîterlîcher taete
sînen puneiz vor gehielten
und dâ manec houbet spielten,
daz die zungen in den munden
deheine krîe enkunden.
15 Mahumeten liez er's walten:
dô kêrte gein dem alten
mit sporen getribener hurte
Zernubilê. der vuorte
ûf helme und ûf kursît
20 vil, des durh minne gît
ir vriunt diu werde vriuntîn.
holt er an prîse dâ gewin,
daz geschach im nimer dâ nâch.
sîner tohter sun dâ rach,
25 den *werden Vîvîanzen,
an Zernubilê, dem glanzen,
der sô manege zimierde truoc,
der von Narbôn den künec sluoc
durh den helm unz ûf die zene.
ob ich mich nû dar umbe sene,

er glaubte,
alle Christen fest im Sack zu haben.
Mit den Schneiden wurde
der Anritt dieses Königs festgekeilt.
Man hörte dort die Schwerter dröhnen.

408 Da ritt der König Zernubilé
zu dem, der weiß wie Schnee
im Kampf den Bart trug
ohne Mundschutz.
Heimrich war unter den Augen bloß: 5
die Barbiere deckte es nicht ab,
an seinem Helm war nur ein Nasenband.
Zernubilé sah viele Kreuze
auf den Gewändern derer,
die mit tapferm Kampf 10
gegen seinen Ansturm hielten
und da viele Köpfe spalteten,
daß die Zungen in den Mündern
kein Kampfgeschrei mehr machen konnten.
Er gab es Mohammed anheim: 15
da ritt gegen den Alten
in sporngetriebnem Sturm
Zernubilé. Der führte
auf dem Helm und dem Kursit
vieles, was als Liebespfand 20
dem Freund die edle Freundin gibt.
Hatte er da Ruhm geholt,
dann geschah's ihm niemals wieder.
Da rächte seinen Tochtersohn,
den edlen Vivianz, 25
an Zernubilé, dem Leuchtenden,
der so viel Kampfschmuck trug,
der Narbonneser den König schlug
durch den Helm bis auf die Zähne.
Gräme ich mich jetzt darum,

409 daz ist ein verre sippez klag*e*n.
die ir leb*e*n dannen solten trag*e*n,
ob si nimer strîtes gegert*e*n
mit lanzen noch mit swert*e*n,
5 die ze bêder sît dâ dolten nôt,
si waeren doch alle sid*e*r tôt.
dô der künic Zernubilê
was tôt gevellet ûf den klê,
daz wart mit schaden gerochen:
10 verhouwen und durhstochen
wart von den sînen manec kristen lîp,
die dâ heime klageten werdiu wîp.
Bernarten von Brûbant
man noch bî Heimrîche vant. S. 676a
15 bî sînem vat*e*r der beleip,
dô der grôze puneiz die andern treip
von im mit hurte krache.
nû kom vlokzende als ein trache
Kliboris von Tananarke.
20 ûf des helme was ein *barke*.
manec and*e*r zimierde sîn
gap kostebaeren sund*e*r schîn:
durhliuhtic edele steine,
etslîcher niht ze kleine,
25 an gespunnenem golde hiengen,
die gein sunnen blic begiengen,
swenne im'z houb*e*t wolde wanken,
als ob im viuwers vanken
vlügen ûz dem munde
glüendic ob und unde.

410 sus kom mit hurte Kliboris.
Bernart von Brûbant was gewis,
er braehte im sînen endes tac.
der getouften sô vil vor im lac
5 beide erslagen unde wunt:
solt ich se iu alle machen kunt,
wer dâ tôt wart gevalt,

409 dann klage ich um einen sehr entfernt Verwandten.
Auch wenn die Überlebenden,
die da auf beiden Seiten litten, 5
nie mehr hätten kämpfen wollen 3
mit Lanzen oder Schwertern, 4
wären sie jetzt alle tot. 6
Als der König Zernubilé
tot gefällt war auf den Klee,
wurde das gerächt, daß es Verluste gab:
zerhauen und durchstochen 10
wurden viele Christenleiber von den Seinen,
um die zuhause edle Frauen klagten.
Bernhard von Brubant
sah man noch an Heimrichs Seite.
Der hatte sich bei seinem Vater halten können, 15
als der große Sturm die andern von ihm trieb
im Krach des Aufpralls.
Jetzt kam flatternd-flackernd wie ein Drache
Kliboris von Tananarke.
Auf dessen Helm war eine Barke. 20
Der reiche Kampfschmuck, den er sonst noch hatte,
glänzte äußerst kostbar:
schimmernd reine Edelsteine,
darunter gar nicht kleine,
hingen an Goldgespinst 25
und blinkten in der Sonne,
wenn sich sein Kopf bewegte,
als ob ihm Feuerfunken
glühend oben und unten 30
aus dem Munde flögen. 29
410 So stürmte Kliboris heran.
Bernhard von Brubant war sich sicher,
er brächte ihm sein Ende.
So viele Christen lagen vor ihm
erschlagen und verwundet: 5
sollt ich sie euch alle nennen,
wer da zu Tod gefällt war,

wie der and*e*r sînen mâc dâ galt,
wie der mit rotte kom gevarn,
10 wie der and*e*r kunde niht gesparn
wed*e*r ors noch den man
und wer dâ hôhen prîs gewan
ime her an allen sîten –
solt ich ir sunder strîten
15 bescheidenlîchen nennen,
sô müese ich vil bekennen.
der künec von Tananarke dranc
an den von Brûbant: hin er swanc
im's helmes breiter danne ein hant,
20 daz ez ûf'em hersniere erwant.
waere der halsberc niht dublîn,
ez müese aldâ sîn ende sîn.
Bernart zôch ûf ein swert,
dem wâren sîne ecke bêde wert:
25 Prezjôsen, daz der *künec* truoc,
den der keiser Kar*e*l sluoc.
daz wart genom*e*n ze Runzevâl;
dannen kom ez alsô lieht gemâl
mit den Franzoisen wid*e*r;
Bernharte wart ez sid*e*r,

411 der manheit wol getorste tuon.
des wart der *Haropînes* sun
durh barken und durh helm erslag*e*n.
wîbe lôns enpfâher solten klag*e*n
5 sîner zimierde liehten glast.
der klâre, junge, starke gast
underm orse tôt belac.
in die barken gie der bluotes wâc: S. 676b
swer marnaere drinne waere gewesen,
10 *dâ möhte unsanfte sîn genesen.
der sun des künec Oukîn,
Poidwîz, tet ouch wol schîn,
daz er hête bejag*e*t
hôhen prîs dicke unverzag*e*t

wie der eine den Verwandten rächte,
wie der mit einem Trupp heranritt,
wie der andre 10
weder Roß noch Reiter schonte
und wer da hohen Ruhm erwarb
im Heer an allen Seiten –
sollt ich, wie jeder kämpfte,
ganz genau erzählen, 15
dann müßt ich viele kennen.
Der König von Tananarke drang
auf den Herrn von Brubant ein: er schlug ihm
mehr als eine Handbreit ab vom Helm,
so daß der Hieb im Kopfschutz stecken blieb. 20
Ohne seinen Doppel-Panzer
hätt er da den Tod gefunden.
Bernhard riß ein Schwert hoch,
dessen Schneiden waren beide scharf:
Prezjose, das der König trug, 25
den Kaiser Karl erschlagen hatte.
Das war in Roncesvals erbeutet worden;
von dort kam es, so prachtvoll glänzend,
zurück mit den Franzosen;
später ging's an Bernhard,
411 der kühn und tapfer war.
So wurde Haropines Sohn
durch die Barke und den Helm erschlagen.
Wer Frauenlohn empfangen hat, der sollte
um das Blinken seines Kampfschmucks klagen. 5
Der schöne, junge, starke Fremde
lag tot unterm Pferd.
In die Barke schoß die Woge: Blut –
wer Seemann drin gewesen wäre,
hätte da kaum überlebt. 10
Der Sohn des Königs Aukin,
Poidwiß, zeigte auch,
daß er
unverzagt oft hohen Ruhm erworben hatte

15 gein maneger tjoste mit den spern.
der kunde ouch mit dem swerte wern
des tôdes Kîûnen von Bêâvois
und vünf rîter kurtois,
Franzoise, sîner gesellen.
20 die begund er tôt dâ vellen
und*er* d'ros ûf ez gras,
dâ Heimrîch, der junge, was.
mit zorne der an in ruorte.
er nam in vür mit hurte
25 und kêrt in umbe schiere
gein dem künege Grohiere
durh des rinc vür sîn gezelt.
dâ gap er mit dem tôde gelt
umbe den burcgrâven Kîûn.
den rach Heimrîches sun
412 billîch: er was sîn mâc.
Poidwîz ouch tôt belac
der manlîchen tjostiure.
durh hôhe minne ûf âventiure
5 *brâhte* er dicke sînen lîp.
sîne mâge und grôz gemuotiu wîp
mohten bî den zîten
in manegen landen wîten
sînes tôdes riuwic sîn.
10 *von* Raabs der künec Oukîn
moht ouch Poidwîzen klag*e*n,
sînen werden sun, von dem man sag*e*n
muoz durh guot*e* rîterschaft.
waz half sîn grôziu her*e*s kraft,
15 die im sîn vat*er* schuof ze wer,
manege sund*er* rotte, über mer?
ûz den het er sich erstriten,
daz er in ze verre was entriten.
swer die sînen ie verkôs,
20 der wart ouch eteswenne sigelôs.
daz in der schêtîs eine sluoc,

in vielen Tjosten mit den Speeren. 15
Der schenkte mit dem Schwert
den Tod an Kiun von Beauvais
und fünf courtoise Ritter
aus dessen Trupp, Franzosen.
Die fällte er zu Tode 20
unter die Pferde auf das Gras,
wo der junge Heimrich war.
Der sprengte zornig auf ihn los.
Er griff ihn heftig an
und schlug ihn alsbald in die Flucht 25
zu dem König Grohier hin,
durch dessen Lager vor sein Zelt.
Da bezahlte er mit dem Tod
für den Burggrafen Kiun.
Den rächte Heimrichs Sohn
412 mit Fug und Recht: er war verwandt mit ihm.
Auch Poidwiß fand den Tod
durch die kühne Tjost.
Für hohe Liebe
hatte er als Ritter viel gewagt. 5
Seine Verwandten und hochgesinnte Frauen
in vielen weiten Ländern 8
hatten damals Grund, 7
ihn zu betrauern.
König Aukin von Raabs 10
mußte Poidwiß auch beklagen,
seinen edlen Sohn, den man
für gute Rittertaten rühmen muß.
Was hatte seine große Heeresmacht geholfen,
die ihm sein Vater mitgegeben hatte übers Meer, 15
viele Einzeltrupps, zu seinem Schutz?
Von denen hatte er sich kämpfend losgelöst
und war zu weit von ihnen weggeritten.
Wer je die Seinen aus den Augen ließ,
wurde früher oder später auch besiegt. 20
Daß der Schetis ihn allein erschlug,

daz kom dâ von. daz ors in truoc
durh den rinc des künec Grohier.
dâ was im durh daz tehtier
25 d*ez houbetstüedel* ab geslag*en*:
ez mohte des zoumes niht getrag*en*.
des wart er umbe gewant
von des schêtîs*es* hant,
daz er den rücke kêrte
dem, der in sterb*en* lêrte.

413 *lâzâ* klingen! waz dô swerte erklanc
und waz dâ viuwers ûz helm*en* spranc, S. 677a
dâ der vogt von Baldac
selbe strîtes sich bewac!
5 der getorste und*e* mohte.
lützel iemen daz *getohte*,
daz er im gaebe *gegenstrît*.
iedoch an der selben zît
ein rîter und*er*'s rîches vanen
10 begunde die Franzoise manen
und sînen vriunt Rennewart.
er nam daz ors ungespart
mit den sporen sêre.
er rief gein Terramêre:
15 »her an mich, alt grîser man!
dû hâst uns schad*en* *ze vil getân.
ich gib dir strît, sît dû des gers.«
grâve Mîlôn von Nivers
was der manlîche man genant.
20 des rîchen Terramêr*es* hant
im'z leb*en* ûz'em verhe sneit.
diu tât was Rennewarte leit.
den dûhte der schade alze grôz
umbe sînen werd*en* schargenôz.
25 den rach er alsus schiere:
er sluoc werd*er* künege viere,
Fâbûren und Samirant,
Sâmûêlen und Oukidant.

das kam davon. Das Pferd trug ihn
durchs Lager König Grohiers.
Da war dem Pferd durch seinen Panzer
das Kopfgestell herabgeschlagen: 25
es konnte den Zaum nicht länger tragen.
So wurde er herumgedreht
von der Hand des Schetis,
so daß er dem den Rücken kehrte,
der ihn sterben lehrte.

413 Laß klingen! Was an Schwertern da erklang
und was an Feuer dort aus Helmen sprang,
wo der Schirmer Bagdads
selber in den Kampf eingriff!
Der wagte es und war dem auch gewachsen. 5
Noch keinem hatte es genützt,
ihm Widerstand zu leisten.
Da aber
spornte ein Ritter unter der Fahne des Reiches
die Franzosen an 10
und seinen Kameraden Rennewart.
Schonungslos gab er dem Pferd
die Sporen.
Er rief zu Terramer:
»Zu mir her, Alter! 15
Du hast uns allzusehr geschädigt.
Ich biete dir den Kampf, da du das willst.«
Graf Milon von Nevers
hieß der tapfere Mann.
Die Hand des mächtigen Terramer 20
schnitt ihm das Leben aus dem Leib.
Das schmerzte Rennewart.
Der Schaden schien ihm allzugroß,
der Tod des edlen Kampfgefährten.
Auf der Stelle rächte er ihn so: 25
er schlug vier edle Könige tot,
Fabur und Samirant,
Samuel und Aukidant.

winsterhalp an sînes vat*e*r schar
nam er des vünften küneges war:
414 der hiez Môrende.
von Renn*e*wartes hende
wart der selbe ouch tôt gevalt.
alsus er Mîlônen galt.
5 von sînem ungevüegen glâz
huop sich vor im ein fîâz.
des hers ûz Valfundê
kêrt ein teil geime sê:
si mohten langer strîten niht.
10 ir herren Halzebier man giht,
daz er des tages mit sîner schar
alrêst der vîende naeme war,
daz er des sturmes begunde.
hie der müede, dort der wunde
15 entwichen schône iedoch mit wer
hin'z ir schiffen gein dem mer.
nâch den was Renn*e*warte gâch.
des marcgrâven volc im zogete nâch
mit swertslegen unz an den stat,
20 des er doch ir deheinen bat,
die »Monschoie« schrîten.
an den selb*e*n zîten
der pfallenzgrâve Bertram
daz herzeichen wol vernam
25 in einer sentîne
und sibne der mâge sîne, S. 677b
dâ si gevangen lâgen
und grôzes kumbers pflâgen.
»Munschoie« wart von in bekant.
ir hüetaere wârn von Nûbîant.
415 »Munschoie« ouch si dort unden
schrîten, die gebunden.
dô Rennewart, der starke,
kom, dâ diu barke
5 vome kiele unz an den stat

Linkerhand in der Abteilung seines Vaters
machte er den fünften aus:
414 der hieß Morende.
Von Rennewarts Hand
kam der auch zu Tode.
So rächte er Milon.
Seine grobe Kampfmanier 5
brachte ihm Pfui-Rufe ein.
Ein Teil des Heers aus Valfundé
wandte sich zur See:
sie konnten nicht mehr weiterkämpfen.
Man sagt von ihrem Kommandanten Halzebier, 10
daß er an diesem Tag mit seiner Schar
als erster auf den Feind gestoßen war
und den Kampf eröffnet hatte.
Hier die Müden, dort die Verletzten
flohen aber wehrhaft und geordnet 15
hin zu ihren Schiffen auf das Meer zu.
Rennewart lief ihnen nach.
Das Heer des Markgrafen folgte ihm,
die Schwerter schwingend, bis zum Strand:
er hatte keinen drum gebeten von ihnen, 20
die »Monschoie« schrien.
Da
hörten Pfalzgraf Bertram
und sieben seiner Verwandten 26
ganz genau den Schlachtruf 24
im Kielraum eines Schiffes, 25
wo sie
elend gefangen lagen.
Den Ruf »Munschoie« erkannten sie.
Ihre Wächter waren aus Nubiant.
415 Auch sie dort unten
schrien »Munschoie«, die Gefesselten.
Als Rennewart, der Starke,
dorthin gekommen war, wo das Beiboot
zwischen Schiff und Land 5

reichte und er dar în getrat,
er *schufte* dâ manegen über bort.
si vluhen unz an des kieles ort,
etslîche unz in die sentîn:
10 dâ wolten si genesen sîn.
er brach die dillen nâch in dan,
unz er si gar her vür gewan.
»Munschoie« schriren dise ehte:
er marcte ir stimme rehte,
15 daz si schrîten nâch der franze.
manec unsüeze schanze
wart getoppelt dâ der heidenschaft.
er warf ir vil mit sîner kraft
al gewâpent in d*e*z mer.
20 harte kleine half ir wer.
dô twanc er die von Nûbîant,
daz si sluzzen ûf diu bant,
armîsen, îsenhalten.
sus kund er zühte walten,
25 daz er der hüetaere keinen sluoc:
die heten angest doch genuoc.
aldâ wart ledic Gibelîn,
Bertram und Gaudîn,
Hûnas unde Samsôn.
ir hüetaere enpfiengen lôn

416 dâ mit, daz er *die leb*e*n liez:
von arde ein zuht in daz hiez,
sît si âne wer dâ lâgen
und swert noch bogen pflâgen.
5 dâ belib*e*n die von Nûbîant.
ûz durh die barken ûf'ez lant
dise aht vürsten kêrten,
die der heiden schaden mêrten:
Bertram und Gêrart,
10 Hûwes unde Wischart,
Sansôn unde Gaudîn,
Hûnas von Sanctes und Gibelîn.

lag und er hineingetreten war,
stieß er viele über Bord.
Sie flohen zuhinterst in das Schiff,
einige bis in den Kielraum:
dort glaubten sie sich sicher. 10
Er brach die Planken hinter ihnen auf,
bis er sie allesamt herausgezogen hatte.
»Munschoie« schrien jene acht:
er hörte auf die Stimmen und erkannte,
daß sie französisch schrien. 15
Viele bittere Würfe
wurden den Heiden da gewürfelt.
Mit seiner Kraft warf er von ihnen viele
voll gerüstet in das Meer.
Sie wehrten sich vergeblich. 20
Da zwang er die aus Nubiant,
die Fesseln aufzuschließen,
Armeisen und Beinschellen.
So ritterlich war er,
daß er keinen Wächter totschlug: 25
doch fürchteten die sich genug.
Befreit wurden da Gibelin,
Bertram und Gaudin,
Hunas und Samson.
Er belohnte ihre Wächter
416 damit, daß er sie leben ließ:
angeborener Ritter-Sinn ließ ihn das tun,
da sie da wehrlos lagen
und weder Schwert noch Bogen hatten.
Die von Nubiant blieben dort. 5
Hinaus durchs Beiboot an das Land
gingen die acht Fürsten,
die die heidnischen Verluste steigerten:
Bertram und Gerhard,
Huwes und Witschart, 10
Sanson und Gaudin,
Hunas von Saintes und Gibelin.

ê die gewunnen harnasch,
bî liehter sunnen dâ verlasch
15 manegem Sarrazîne sîn lieht:
dise ehte mohten strîten niht,
ê daz in gap strîtes kleit,
der mit der stangen vor in streit.
der sluoc der heiden dâ genuoc,
20 manegen, der sölh harnasch truoc: S. 678a
sich möhte ein keiser wâpen drîn,
swâ der in sturme solte sîn.
dise ehte vürsten wol geborn –
îsenhosen unde sporn,
25 halsberge, helme und*e* swert,
der heten wel die helde wert.
niht wan orse in gebrast.
Rennwart wol schutte sînen ast,
ich meine sîner stangen swanc,
der ûf helmen und ûf schild*e*n klanc,

417 daz man und ors dar und*e*r starp.
dô der orse dâ sô vil verdarp,
daz widerriet im Bertram.
des vürsten rât er sus vernam:
5 »dû solt die rîter stôzen,
die gewâpenden und die blôzen,
mit der stangen ûf die erden.
lâz uns *der* ors*e* werden
sô vil, daz wir gerîten:
10 sô helfen wir dir strîten
ze orse baz dan ze vuoz.«
»des râtes ich dir volgen muoz«,
sprach der junge Rennewart.
mit stôzen was dô ungespart
15 vil der Sarrazîne.
er dâhte: »ob ich die mîne
ze orse möhte bringen,
die liezen swert erklingen.«
swaz er dô rîter nider stiez,

Bis sie Rüstungen bekamen,
erlosch da vielen Sarazenen am hellen Tag
ihr Licht: 15
die acht konnten nicht kämpfen,
bevor der ihnen Kampfgewänder gab,
der vor ihnen mit der Stange kämpfte.
Der schlug genügend Heiden tot,
viele, die eine Rüstung trugen, 20
die einem Kaiser angestanden hätte
in jeder seiner Schlachten.
Die acht hochgeborenen Fürsten –
Beinschützer, Sporen,
Kettenpanzer, Helme, Schwerter, 25
die edlen Helden hatten davon reiche Auswahl.
Nur Pferde fehlten ihnen.
Rennewart schüttelte seinen Ast,
ich mein die Hiebe seiner Stange,
die auf Helmen und auf Schilden dröhnten,
417 daß Mann und Pferd darunter umkam.
Als da so viele Pferde starben,
riet ihm Bertram, es nicht länger so zu machen.
Er hörte von dem Fürsten diesen Rat:
»Du sollst dic Ritter, 5
ob sie Panzer tragen oder nicht,
mit der Stange auf die Erde stoßen.
Verschaffe uns so viele Pferde,
daß wir reiten können:
wir können dir 10
zu Pferde besser kämpfen helfen als zu Fuß.«
»In diesem Rat muß ich dir folgen«,
sagte der junge Rennewart.
Da blieben
viele Sarazenen von Stößen nicht verschont. 15
Er dachte: »Könnt ich meine Leute
auf Pferde bringen,
ließen sie Schwerter klingen.«
Wie viele Ritter er da niederstieß,

20 der guoten orse er dâ niht liez,
er zôch se disen ehten dan.
lantgrâve von Düringen Herman
het in ouch lîhte ein ors gegeb*e*n:
daz kund *e*r wol al sîn leb*e*n
25 halt an sô grôzem strîte,
swâ der gerende kom bezîte.
der rede sî hie nû ein ort:
nû hoert ouch, wie si striten dort.
Esserê, der emeral,
mit zimierde lieht gemâl,

418 ein vürste ûz Halzebieres her,
der hielt mit rotte aldâ ze wer
dennoch unbetwungen.
Rennewart kom gedrungen,
5 daz er in möht erlangen.
er stiez in mit der stangen
durh den lîp, der wâpen truoc,
wol klâftern lanc: des was genuoc.
des ors wart dô Gibelîn,
10 dar ûf er maneg*e*n Sarrazîn
verschriet. nû sint dise ehte
ûz *Willehalms* geslehte
ze orse und wol bereite.
in den strît gap in geleite S. 678b
15 ir nifteln Alîzen soldier.
nû ersâhen si, daz Halzebier
vor in als ein eber vaht.
doch was sîn ellenthaftiu maht
müede, wand er al den tac
20 z'orse und ze vuoz der strîte pflac,
des noch sîn prîs hât lobes lôn.
nû bekant in Samsôn
bî dem schilte (des was doch wênic ganz):
dâ wart gerochen Vîvîanz
25 mit den swerten sêre

die guten Pferde ließ er nicht zurück, 20
er zog sie fort zu diesen acht.
Landgraf Hermann von Thüringen
hätt ihnen sicher auch ein Pferd gegeben:
das tat er gern sein ganzes Leben –
selbst bei so großem Ansturm, 25
wenn nur der Bittende beizeiten kam.
Nicht weiter davon:
hört, wie sie dort kämpften.
Esseré, der Emir,
in schimmerndem Waffenschmuck,
418 ein Fürst aus Halzebiers Abteilung,
hielt da mit seiner Truppe wehrhaft
und bis jetzt noch unbesiegt.
Rennewart drang heran,
um ihn zu erreichen. 5
Er stieß ihn mit der Stange
durch den Leib, der einen Panzer trug,
gut klaftertief: das war genug.
Das Pferd kam da an Gibelin,
der auf ihm viele Sarazenen 10
zerfetzen sollte. Jetzt sind diese acht
aus Willehalms Geschlecht
zu Pferd und wohlgerüstet.
Geleit gab ihnen in den Kampf
der Söldner der Alice, ihrer Base. 15
Nun sahen sie, daß Halzebier
vor ihnen wie ein Eber kämpfte.
Doch war der Tapfere und Starke
müd: er hatte schon den ganzen Tag
zu Pferde und zu Fuß derart gekämpft, 20
daß sein Heldentum noch heut mit Ruhm belohnt
wird.
Samson erkannte ihn jetzt an dem
Schild (obwohl von dem nicht mehr viel da war):
da wurde Vivianz
mit den Schwertern hart gerächt, 25

und daz er Terramêre
dise ehte gevangen gap.
wan daz des sturmes urhap
des tages von sîner hant geschach,
sô heten groezer ungemach

419 dise ehte von im gewunnen.
des strîtes wart begunnen
an den künec von Valfundê.
si tâten im, er tet in wê.
5 ei got, daz dû's verhanctes:
Hûnas von Sanctes
lac von sîner hende tôt!
von wunden harte grôze nôt
die sibene enpfiengen, swaz der was,
10 ê daz si tôt ûf'ez gras
den starken künec gevalten.
ime sweize muose erkalten
sîn werd*er* lîp, ê der erstarp,
der ie nâch sölhem prîse warp,
15 des andern künegen was ze vil.
er stiez sô kostebaeriu zil
mit manheit und mit milte,
daz es durh nôt bevilte
ander künege, sîne gnôze.
20 sus starp der schanden blôze
ân alle missewende.
man giht, daz sîne hende
wol getorsten strîten und geb*en*.
zuht mit triuwen: al sîn leb*en*
25 al dise werdeclîchen site
unz an den tôt im wonten mite.
ûz sehs her*en*, der er pflac,
manec vürste umbe in gestreu*e*t lac,
die s'morgens zuo z'im wâren geschart.
gerne het in Terramêr bewart.

gerächt auch, daß er
die acht in Terramers Gefangenschaft gegeben hatte.
Hätt er nicht den Kampf
an diesem Tag eröffnet,
hätten
419 diese acht mehr Not mit ihm gehabt.
Sie eröffneten den Kampf
gegen den König von Valfundé.
Sie setzen ihm, er setzte ihnen zu.
Ach Gott, daß Du das zugelassen hast: 5
Hunas von Saintes
kam um durch seine Hand!
Schwere Wunden
empfingen alle sieben,
bevor sie tot aufs Gras 10
den starken König fällten.
In Schweiß gebadet, wurde
der Leib des Edlen kalt, eh der verschied,
der stets um solchen Ruhm sich mühte,
der andren Königen zu schwierig zu erringen war. 15
So hohe Ziele setzte er
mit Tapferkeit und Schenken,
daß sie unerreichbar waren
für andre Könige, seine Genossen.
So starb der Schanden-Bloße 20
ohne jeden Tadel.
Man sagt, daß seine Hände
kühn beim Kämpfen und beim Schenken waren.
Treue und höfische Gesittung: all sein Leben
hielt er sich an diese edlen Tugenden, 25
bis in den Tod.
Aus sechs Heeren, die er führte,
lagen viele Fürsten rings um ihn verstreut,
die man ihm am Morgen zugeordnet hatte.
Gern hätt ihn Terramer gerettet.

420 man hôrt dâ manege krîe.
dâ *ergienc* ein temperîe,
als *wir* gemischet nennen:
man moht unsamft erkennen
5 den getouften bî dem Sarrazîn.
Alitschanz muoz immer saelic sîn,
sît ez sô manec bluot begôz,
daz ûz ir reinem verhe vlôz, S. 679a
die vor got*e* sint genesen.
10 nû *müeze* wir teilnüftic wesen
ir mart*e*r und ir heilekeit!
wol im, der dâ sô gestreit,
daz sîn sêle sig*e*nunft enpfienc!
saeleclîche ez dem ergienc.
15 hurtâ, wie der markîs
den bêden leben warp dâ prîs:
dis*e*s kurzen leb*e*ns lobe
und dem, daz hôh*e* uns ist obe.
swâ die gezimierten
20 ûf in punierten,
ungezalt valt er se nider.
ez wart ouch Renn*e*wart*e* sider
ein ors, hiez Lignmaredî.
daz lief mit laerem satel bî
25 dem künege Oukîne.
*er *mante* al die sîne,
er sprach: »ôwê, wâ ist Poidwîz,
an dem lac mîner *vreuden* vlîz?
hie kumt sîn ors, daz er reit,
daz er mit sîner hant erstreit
421 vor dem berge ze Agremuntîn.
ouwê«, sprach er, »sun mîn,
sol ich dich immer gesehen?
dîne vriunt, dîne vîende müezen jehen,
5 daz dîn hant manegen sig ervaht.
dir was der sig ouch wol geslaht
von mir: ich wart nie sigelôs

420 Schlachtrufe hörte man da viele.
Da kam's zu einer Temperie,
das heißt zu einer Mischung:
man konnte kaum
den Christen von dem Sarazenen unterscheiden. 5
Geweiht ist Alischanz für immer,
da so viel Blut das Feld begoß,
das aus jenen Reinen floß,
die vor Gott gerettet sind.
Mögen wir jetzt Anteil haben 10
an ihrer Marter, ihrer Heiligkeit!
Wohl dem, der dort so kämpfte,
daß seine Seele Sieg errang!
Höchstes Glück hat der gewonnen.
Hei, wie da der Marquis 15
für beide Leben Preis erwarb:
für den Ruhm des kurzen Lebens hier
und für das Leben in der Höhe über uns.
Wo immer die Geschmückten
ihn mit den Lanzen attackierten, 20
fällte er sie zahllos nieder.
Rennewart bekam dann später auch
ein Pferd: Lignmaredi hieß das.
Es lief mit leerem Sattel
neben König Aukin her. 25
Der fragte bang all seine Leute:
»Weh, wo ist Poidwiß,
an dem all mein Glück lag?
Hier kommt sein Pferd, auf dem er ritt,
das er mit eigner Hand erkämpfte
421 vor dem Berg Agremuntin.
Ach«, sagte er, »mein Sohn,
werd ich dich jemals wiedersehn?
Deine Freunde, deine Feinde müssen es dir lassen,
daß deine Hand Sieg über Sieg erkämpfte. 5
Das Siegen hattest du
von mir: ich hatte keine Niederlage

wan hiute, ob ich dich verlôs,
gein dem roemischem künege Lôîs.
10 ob die getouften dînen prîs
bekanten, in waere leit
dîn sterb*e*n, ob si sicherheit
kunnen nem*e*n und ob *si dîne tugent
wist*e*n. ich vriesch nie in dîner jugent
15 dînen gelîchen ûf der erden.
ich muoz ertoetet werden,
ich enversuoche, war dû sîst getân.«
sus kom der klagende grîse man
ûf den marcgrâven gevarn.
20 der kunde in dâ *vor* wol bewarn,
daz er dar nâch iht dorfte klag*e*n.
doch wart sîn helm alsô durhslag*e*n
von der Oukîn*e*s hant,
daz man in bluotic dürkel vant,
25 swer in dar nâch wolte sehen.
der marcgrâve muose jehen,
daz in ein helt dâ bestuont,
dem elliu wâfen wâren unkunt
sînem verhe schadehaft.
mit guoter kunst, mit starker kraft
422 was al sîn harnasch geworht.
er was ouch selbe ie unervorht S. 679b
in manegem sturme erkennet.
sîn prîs was *hôch* genennet.
5 ûz der jugent unz in sîns alt*e*rs tage
ranc sîn hant nâch dem bejage
mit milte, mit manlîcher tât,
dâ von man lop ze redene hât.
sîn lîp nie zageheit erschrac.
10 manegen ellenthaften slac
enpfienc von sîner werden hant
der vürste ûz Provenzâlen lant.
Willelm sich muose wern,
ob er den lîp dâ wolte ernern.

bis heute, wenn ich dich verlor,
gegen den römischen König Louis.
Wenn die Christen deinen Ruhm 10
kennen würden, schmerzte sie
dein Tod, machten sie Gefangene
und wüßten sie, was für ein Mensch du bist.
Ich hab in deinen jungen Jahren nie gehört
von einem, der dir gleichkam auf der Erde. 15
Den Tod verdien ich,
wenn ich nicht erkunde, wo du hingekommen bist.«
So stieß der klagende greise Mann
auf den Markgrafen.
Der konnte ihn davor bewahren, 20
danach noch zu klagen.
Doch wurde ihm sein Helm
von Aukins Hand derart durchschlagen,
daß ihn blutig und durchlöchert fand,
wer ihn hinterher betrachten wollte. 25
Der Markgraf mußte eingestehen,
daß sich mit ihm ein Held da maß,
der keine Waffe kannte,
die ihm ans Leben hätte gehen können.
Kunstvoll und stark
422 war seine ganze Rüstung.
Immer furchtlos hatte man ihn selber auch
in vielen Schlachten sehen können.
Groß war sein Ruhm.
Von der Jugend bis ins Alter 5
kämpfte seine Hand
mit Schenken und mit tapfren Taten um die Beute,
die man Ruhm nennt.
Niemals ist er aus Furcht erschrocken.
Viele heldenhafte Schläge 10
empfing von seiner edlen Hand
der Fürst aus der Provence.
Willehalm mußte sich wehren,
wenn er sein Leben retten wollte.

15 Schoiûse wart geswenket,
dâ der schilt was gehenket
bî des helm*e*s snüere stricke.
si wâren bêdiu dicke:
von palmât ein kollier,
20 von stahel ein veste hersenier.
daz half niht al sîn herte:
reht als ein *swankel* gerte
wart ez hin ab gehouwen.
den lîp man mohte schouwen
25 âne houbet ime satel sîn.
dâ viel dem künege Oukîn
d*e*z houbet und der schilt ze tal,
dar nâch der lîp über al
underz ors ûf die molten.
sus starp der umbescholten.

423 der künec Arestemeiz
und der künec *von* Belestigweiz
und der starke künec Haropîn
(die getorsten wol in sturme sîn)
5 dô *kômen* mit rotte sund*e*r.
er moht dâ kiesen wund*e*r,
swer'z müezic was ze schouwen.
ir her almeistic vrouwen
mit zimierde santen dar.
10 der drîer künege, ir keines schar
was dennoch an die rîter kom*e*n.
dâ hete si Larkant von genom*e*n,
manec enger *vurt*, den si rit*e*n.
si kôm*e*n alrêste nû, dâ si strit*e*n.
15 innen des ruowete ouch Rennewart.
ob sîn besenget junger bart
mit sweize iht waere behangen
und ob in sîne stangen
waere ind*e*r swertes slac geschehen?
20 jâ! man mohte an ir wol sehen,
daz dran diu stehelîniu bant

Schoiuse wurde hart dorthin geschwungen, 15
wo der Schild
nah am Helmschnurknoten umgehängt war.
Sie waren beide dick:
ein Halsschutz aus Palmat,
aus Stahl ein fester Kopfschutz. 20
Dem half all seine Härte nichts:
wie eine dünne Gerte
wurde er abgehauen.
Man sah den Körper
ohne Kopf im Sattel sitzen. 25
Da fielen König Aukin
Kopf und Schild herunter,
danach der ganze Leib
in den Staub unters Pferd.
So starb der Tadelsfreie.

423 Der König Arestemeiß
und der König von Belestigweiß
und der starke König Haropin
(die waren mutig in der Schlacht)
kamen da einzeln mit ihren Truppen. 5
Da konnte Wunder sehen,
wer Zeit zu schauen hatte.
Fast ihre ganzen Heere hatten Damen
mit Kampfschmuck hergesandt.
Die Schar von keinem der drei Könige 10
war schon zu den Christenrittern vorgedrungen.
Der Larkant hatte sie davon zurückgehalten,
manche schmale Furt, durch die sie ritten.
Jetzt erst kamen sie an ihren Kampfplatz.
Unterdessen hatte auch Rennewart sich ausgeruht. 15
Ob sein versengter junger Bart
mit Schweiß behangen
und ob in seine Stange
ein Schwertschlag irgendwo geführt war?
Ja! Man konnte an ihr sehen, 20
daß die stählernen Bänder dran

von'me drume unz an die hant
vaste wâren verschrôten.
man mohte si vür die tôten
25 wol zel*e*n, die daz tâten.
nû was der strît gerâten S. 680a
z'einem alse verrem rucke
von der drîer künege drucke,
daz sêre entweich diu kristenheit.
diu tât was Rennewarte leit.

424 der sach den wehsel an der diet:
swâ müediu schar ûz *strîten schiet,
sô kom manec *anderiu* mit kraft.
sô vil was der heidenschaft,
5 daz nie geprüevet wart ir zal.
manec hurte dâ sô lûte erhal,
dâ von daz kristenlîche her
begunde müeden an der wer.
ze helfe kom *im Rennewart.
10 er kêrte hin, dâ Gêrhart
wol vaht und die mâge sîn
gein dem starken künege Haropîn,
dem altem Tananarkois.
zuo des burcrâven von Bêâvois
15 rotte wâren *si* dâ kom*e*n.
die heten schaden ê genom*e*n
an ir herren, der was erslag*e*n.
si getorsten werdeclîchen trag*e*n
noch sîne baniere.
20 Rennewart si schiere
bekande und daz des rîches vane
von in was entwichen dane
durh dise geruoweten schar*e* drî.
Iwân von Rôems *ûz* Normandî
25 was, der's rîches vanen truoc.
starc und manlîch genuoc
was des herze und al sîn lide.
er hete des tages âne vride

von der Spitze bis zum Griff
sehr zerschnitten waren.
Zu den Toten konnte man sie
zählen, die das taten. 25
Nun ging durch die Schlacht
ein so tiefer Ruck
durch den Druck
der drei Könige, daß die Christen sehr weit wichen.
Das schmerzte Rennewart.

424 Der sah die Ablösung der Truppen:
wo eine müde Schar die Schlacht verließ,
kamen viele andere mit frischer Kraft.
So groß war das Aufgebot der Heiden,
daß man sie nie gezählt hat. 5
Attacke um Attacke donnerte da so heran,
daß das Heer der Christen
in der Abwehr müde wurde.
Rennewart kam ihm zu Hilfe.
Er wandte sich dorthin, wo Gerhard 10
und seine Verwandten tapfer kämpften
gegen den starken König Haropin,
den alten Tananarker.
Auf die Schar des Burggrafen von Beauvais
waren sie da gestoßen. 15
Die hatten vorher
ihren Herrn verloren: totgeschlagen war er.
Tapfer waren sie und trugen ehrenvoll
sein Banner noch.
Rennewart erkannte sie sogleich 20
und sah auch, daß die Fahne des Reichs
von ihnen abgekommen war
unterm Ansturm der drei ausgeruhten Scharen.
Iwan von Rouen aus der Normandie
trug die Fahne des Reiches. 25
Stark und äußerst tapfer
waren sein Herz und alle seine Glieder.
Unermüdlich war er diesen Tag

durh manege schar gedrungen,
dâ swert ûf im erklungen.
425 dô *der* Rennewart ersach,
in dûhte, daz er nie ungemach
des tages in sturme enpfienge,
swie ez dar nâch ergienge.
5 sich koberten die getouften gar
und nâmen niuwes schaden war.
dô kom der künec von Nûbîant,
*sîne süne, vierzehen, erkant
ze künegen in sundern landen.
10 die getouften rîter wând*e*n,
daz dâ *snîten* rîter ûz'em luft.
sîn bart was grâwer dan der tuft,
des alten künec Purrel.
gezimier*e*t manec rîter snel
15 geschart mit sînen sünen zuo riten.
si hânt noch umb'*e*n wurf gestriten,
alle die getouften dâ.
was ir iht mêr anderswâ,
diene sâhen sölhes kumb*e*rs niht,
20 als uns diz maere dannen giht. S. 680b
des *küneges* schar von Nûbîant
was diu hinderst über Larkant.
nû ist der schûr gar her vür.
got wald's an der siges kür!
25 Purrel, der künec rîche,
was gewâpent wunderlîche.
sîn halsberc einer hiute was,
der hâr schein grüener dan daz gras,
daz stêt bî der wisen zûne.
der wurm hiez neitûne,
426 dâ diu *hût* was ab geschunden:
diu was sô hert ervunden
in gelîcher art dem adamas.
ein schilt ouch drûz gemachet was,

durch Schar um Schar gedrungen,
wo Schwerter auf ihm dröhnten.
425 Als der Rennewart erblickte,
war ihm, als hätte er
an diesem Tag im Kampf noch nichts gelitten,
was auch danach geschehen mochte.
Die Getauften sammelten sich wieder 5
und erlitten wiederum Verluste.
Da kamen der König von Nubiant
und seine vierzehn Söhne,
alle Könige in eignen Ländern.
Die Getauften meinten, 10
daß Ritter da vom Himmel schneiten.
Sein Bart war grauer als der Nebel –
der des alten Königs Purrel.
Viele tapfere geschmückte Ritter sprengten
in Formation heran mit seinen Söhnen. 15
Noch haben sie mit ihrem Kämpfen erst darum
gewürfelt, wer das Spiel beginnt,
alle Christen, die da waren.
Gab es anderswo noch welche,
die sahen solches Leiden nicht,
wie die Geschichte uns davon erzählt. 20
Die Schar des Königs von Nubiant
überquerte als letzte den Larkant.
Nun ist das ganze Hagelwetter aufgezogen.
Gott entscheide, wer da siegt!
Purrel, der mächtige König, 25
war wunderbar gewappnet.
Aus einem Fell bestand sein Panzer,
dessen Haare grüner waren als das Gras
am Wiesenzaun.
Neitun hieß das Schlangentier,
426 dem man es abgezogen hatte:
das Fell war hart
wie Diamant.
Auch ein Schild war draus gemacht,

5 an allen orten veste,
immer ein der beste,
der ûz der schar kom vîenden bî.
smareit und achmardî,
der beider grüene was ein niht
10 gein der grüene, als man dem schilde giht.
ein and*e*r wurm hiez muntunzel,
dar ûz dem künec Purrel
ein helm was erziuget.
diz maere uns niht betriuget,
15 daz sult ir hân vür ungelog*e*n:
reht alsô die regenbog*e*n
in vier slaht*e* blicke gevar
was des selben wurmes hâr;
alsô was sîn swarte ouch innen;
20 dine kunde niht gewinnen
weder schuz noch slac noch stich.
der künec mohte troesten sich,
daz er âne wunden
belibe z'allen stunden,
25 swenn er dar under waere.
niht ze dicke, niht ze swaere
wâren die selben wurmes hiute.
ez wâren spaehe liute,
die worhten sölhe sarwât,
der man ûf dem Sande wênic hât.

427 *sus* kom der künec Purrel
mit maneger pusînen hel:
über al daz her schal der dôz.
die getouften durh nôt verdrôz
5 sô maneger niuwen starken schar.
sich samelierten aber gar
ir sehs vanen z'ein and*e*r.
Purrels sun Alezand*e*r
und ein sîn sun Bargîs
10 und Purrel selbe wâren gewis,
in waere der sig behalten.

an allen Rändern feste, 5
stets der allerbeste,
der im Kampf getragen wurde.
Smaragd und Achmardi:
deren Grün war gar nichts
gegen das, das man dem Schild zuschreibt. 10
Ein andres Schlangentier hieß Muntunzel,
aus dem war König Purrel
ein Helm verfertigt worden.
Die Geschichte hier lügt uns nichts vor,
ihr sollt's für bare Münze nehmen: 15
ganz wie die Regenbogen
blitzten in vier Farben
die Haare dieses Schlangentiers;
ebenso war innen seine Haut;
die konnte 20
weder Schuß noch Schlag noch Stich durchdringen.
Der König konnte sicher sein,
immer unverletzt
zu bleiben,
solang sie ihn bedeckte. 25
Nicht zu dick und nicht zu schwer
waren diese Schlangenhäute.
Es waren kunstreiche Leute,
die solche Rüstungsstücke machten,
die man auf dem Sand nicht hat.

427 So kam der König Purrel
mit vielen schmetternden Trompeten:
übers ganze Heer erklang der Schall.
Den Christen mußten
so viele neue starke Scharen unwillkommen sein. 5
Wiederum vereinigten sich alle
sechs Fahnen, die sie hatten.
Purrels Söhne Aleßander
und Bargis
und Purrel selber waren sicher, 10
der Sieg sei ihnen vorbehalten.

die jungen vor dem alten
alle vierzehene sprancten.
ob werdiu wîp des dancten S. 681a
15 den, die ir leben dan
brâhten, daz was guot getân.
dienten si nâch minne,
sô het ich z'ir gewinne
unsanfte dâ gepflihtet.
20 si wurden des berihtet,
wie man in stürm*e*n dienen muoz
hôhe minne und den werd*e*n gruoz.
Purrel dâ mohte schouwen
sîniu kint verhouwen
25 und and*er* sînes her*e*s vil.
diu gebot an sölhem topelspil
kund er wol strîchen und*e* leg*e*n.
er was mit stichen und mit sleg*e*n
ûz der jugende unz in sîn alt*er* kom*e*n:
sperkraches het er vil vernom*e*n.

428 *g*ein der rehten manheite
sîn herze im gap geleite.
swâ man des vil von künegen sag*e*t,
dâ *wirt* arem mannes tât verdag*e*t.
5 arme rîter solten strîten;
ein künec wol möhte bîten,
unz er vernaeme diu maere,
wie der vurt versichert waere.
der Bâligân*e*s tohter *nam,
10 Purrel ie hôhen prîs gewan,
swenn er mit dem swerte
strît enpfie und strîtes werte.
nû wart *er* wol innen des,
daz ein sîn sun Palprimes
15 gein des rîches vanen kumber leit.
der vuorte sô tiuweriu wâpenkleit,
daz man ûz maneger schar
nam sîner zimierde war.

Die Jungen sprengten vor dem Alten,
alle vierzehn.
Wenn edle Frauen
denen dafür dankten, die es 15
überlebten, war das richtig.
Wenn sie um Liebe dienten,
hätte ich von dem Gewinn
nichts verlangen dürfen.
Es wurde ihnen beigebracht, 20
wie man in Schlachten dienen muß
um hohe Minne und den teuren Gruß.
Purrel mußte ansehn,
wie seine Söhne
und viele Ritter seines Heers zerhauen wurden. 25
Bei solchem Würfelspiel
war er gut im Bieten und im Nehmen.
Mit Stichen und mit Schlägen hatte er
von der Jugend bis ins Alter sein Leben zugebracht:
das Krachen vieler Speere hatte er gehört.

428 Zur wahren Tapferkeit
gab ihm sein Herz Geleit.
Wo man Könige in hohen Tönen rühmt,
schweigt man von der Tat des Armen.
Arme Ritter mußten immer kämpfen; 5
ein König hätt auch warten können,
bis ihm gemeldet wurde,
daß die Furt gesichert sei.
Baligans Schwiegersohn
Purrel errang stets hohen Ruhm, 10
wenn er mit dem Schwert
Kampf empfing und Kampf verteilte.
Nun bemerkte er,
daß einer seiner Söhne, Palprimes,
durchs Reichsheer in Bedrängnis kam. 15
Der trug so teure Waffenkleider,
daß aus vielen Scharen
sein Kampfschmuck in die Augen stach.

Purrels ors mit hurt in truoc
20 dem sune ze helfe, dâ er sluoc
Kîônen von Munsurel
und Rêmônen, des lop was hel,
ûz Danjû den barûn.
sus beschutt er sînen sun.
25 dâ lac ouch tôt von sîner hant
der werde ûz Purdel, Gîrant.
von *Poitouwe Anshelm* lac dâ tôt.
des vat*e*r leit die selben nôt,
der hiez Hûc von Lunzel.
die *vünfe* sluoc dâ Purrel.

429 noch groezer schade von im geschach.
den künec von Nûbîant man sach
eine strâze houwen durh daz wal.
der getouften viel sô vil ze tal,
5 daz wît*e*r rûm umb in wart.
in den rinc spranc Rennewart,
daz er die stangen möht erbürn:
man begunde ouch sîne slâ dâ spürn. S. 681b
dô reit der künec Purrel
10 starc, küene und snel
ein ors, gewâpent ûf den huof,
daz dicke hurteclîchen schuof
sînen willen, swenn er's gerte.
Rennewart in werte
15 noch mêr, denn er im schuldic was.
gein dem schilte grüener dann ein gras
diu stange hôhe wart erzog*e*n –
der helm gelîchte dem regenbog*e*n –
dâ wart ungesmeichet
20 helm und schilt erreichet
mit einem alsô starkem swanc,
daz diu stange gar zerspranc.
ob der trunzûn swaere
ûf in den luft iht waere?
25 jâ! *dô* er sich nider liez,

Den König Purrel trug sein Pferd im Sturm
dem Sohn zu Hilfe dorthin, wo er 20
Kion von Munsurel erschlug
und den hochgerühmten Remon,
den Baron aus Danju.
So beschützte er seinen Sohn.
Auch starb da von seiner Hand 25
der Edle aus Bordeaux, Girant.
Anselm von Poitou fiel da.
Sein Vater litt dasselbe Schicksal,
Huc von Lunzel.
Die fünf erschlug da Purrel.

429 Noch größern Schaden richtete er an.
Man sah den König von Nubiant
durchs Schlachtfeld eine Straße hauen.
So viele Christen stürzten nieder,
daß um ihn weiter Raum entstand. 5
Rennewart sprang auf den Kampfplatz,
um die Stange zu erheben:
man spürte seine Fährte da.
Der König Purrel ritt
ein starkes, kühnes, schnelles 10
Pferd, gepanzert bis zum Huf;
im Sturmlauf hatte das schon oft
getan, was er von ihm verlangte.
Mehr gab ihm Rennewart,
als er ihm schuldig war. 15
Gegen den Schild, grüner als Gras,
wurde die Stange hochgezogen –
der Helm glich einem Regenbogen –
da wurden unzart
Helm und Schild getroffen 20
von einem derart starken Hieb,
daß die Stange auseinanderbrach.
Ob das abgebrochne Stück
hoch in die Lüfte flog?
Ja! Als es herunterkam, 25

durh den helm er einen rîter stiez.
Purrele erkracheten gar diu lit.
Kîûn von Munlêûn, der smit,
mit vlîze worhte die stangen,
doch zerbrasten gar ir spangen.
430 wan daz harnasch würmîn,
der künec Purrel müeste sîn
von dem slage gar zerstob*en*.
sîne vriunt diu wâpen mohten lob*en*.
5 seht, ob er drûf iht dolte nôt:
des einen slags daz ors lac tôt,
und der künec lac unversunnen.
schiere kom gerunnen
ûz munde *und ûz ôren und ûz nasen,
10 daz machet al rôt den grüenen wasen.
mit der viuste Renn*e*wart dô streit,
swaz Purrels her*e*s im gereit,
mit der viuste vaht er vürbaz,
sîns edelen swertes er vergaz
15 in der scheiden an der sîten.
ir engesâhet nie viuste strîten
manlîcher denne daz sîn.
zuo z'im hurte Gibelîn
ûf dem orse, daz Esserê
20 ime sturme was genom*en* ê.
der bat in zucken daz swert.
der bet er schiere was gewert.
hurtâ, wie daz versuochet wart!
vor sînen ecken ungespart
25 beleip dô harnasch und*e* man.
swelher im dâ niht entran,
des leb*en* muoste sîn ein pfant.
er warf ez umbe in der hant,
er lobt im valze und ecken sîn,
er sprach: »diu starke stange mîn

bohrte es sich einem Ritter durch den Helm.
Dem Purrel krachten alle Glieder.
Kiun von Laon, der Schmied,
hatte die Stange mit Sorgfalt gemacht,
trotzdem zerbrachen ihre Spangen.
430 Wär die Schlangenrüstung nicht gewesen,
wär von dem Schlag der König Purrel
ganz zerstoben.
Seine Freunde konnten diese Rüstung loben.
Seht, ob's ihm schlecht ging auf dem Pferd: 5
von dem einen Schlag verendete das Tier
und verlor der König das Bewußtsein.
Auf der Stelle rann ihm
aus dem Mund, den Ohren und der Nase,
was die grüne Wiese rötete. 10
Mit Fäusten kämpfte sich da Rennewart
durch Purrels Reiter,
mit Fäusten focht er weiter:
er hatte sein gutes Schwert vergessen
in der Scheide an der Seite. 15
Nie saht ihr einen kühneren Boxkampf
als den seinen.
Zu ihm stürmte Gibelin
auf dem Pferd, das Esseré
vorher im Kampf genommen war. 20
Das Schwert zu zücken, bat der ihn.
Die Bitte wurde ihm sogleich gewährt.
Hei, wie wurde das erprobt!
Seine Schneiden schonten
Rüstungen und Männer nicht. 25
Wer ihm da nicht entrann,
der zahlte mit dem Leben.
Er warf es in der Hand herum,
er lobte seine Fälze und die Schneiden,
er sagte: »Meine starke Stange

431 was mir ein teil ze swaere.
dû bist lîht und doch strîtbaere.« S. 682a
ob'em künege Purrel geschach
ze bêder sît grôz ungemach,
5 den kristen und den heiden.
dâ ergienc von in beiden
hurteclîchez kriegen.
si liezen gêre vliegen
mit anderem ir geschôze.
10 von getouften bluotes vlôze
und von den werden tôten
daz velt begunde rôten.
Purrels her reit âne sper,
wan die durh der minne ger
15 dâ wol *getûret riten.
etslîcher hât noch dâ gebiten,
wie sîn vrouwe künne lônen.
ir nekunde niht geschônen
Rennewart, dem ouch nâch minne
20 stuonden sîner vreuden sinne.
Purrel, der grîse künec alt,
wart dan getragen mit gewalt
ze vuoz von den sînen.
si liezen dâ wol schînen,
25 daz si wâren unverzaget.
ûf sîme schilte, ist uns gesaget,
truoc in manec rîter wunt
anz mer ûf einen tragemunt
verre über eine heide.
si sâhen an im leide.
432 der rîche ellende
hete dâ mit sîner hende
sînem alter prîs errungen.
die vierzehen jungen,
5 des künegs süne von Nûbîant,
ir neve Sînagûn dô vant
vil nâch si umbe gekêret.

431 war mir etwas zu schwer.
Du bist leicht und trotzdem gut zum Kämpfen.«
Überm König Purrel gab es
dann auf beiden Seiten großes Leiden,
bei Christen und bei Heiden. 5
Von den einen wie den andern
wurde hart gekämpft.
Sie ließen Spieße fliegen
und ihre anderen Geschosse.
Vom Strom des Christenbluts 10
und von den edlen Toten
rötete sich das Feld.
Purrels Heer ritt ohne Speere
außer denen, die als Minneritter
kostbar gerüstet ritten. 15
Da war mancher, der noch auf
den Lohn seiner Dame wartete.
Keinen konnte
Rennewart verschonen, der
sein Glück auch in der Liebe finden wollte. 20
Purrel, der alte graue König,
wurde unter Kämpfen
zu Fuß davon getragen von den Seinen.
Sie bewiesen da,
daß sie tapfer waren. 25
Auf seinem Schild, ist uns berichtet,
trugen ihn viele verletzte Ritter
ans Meer auf einen Treimund
weit übers flache Land.
Sein Anblick schmerzte sie.

432 Der Mächtige, Weithergekommene
hatte da mit seiner Hand
seinem Alter Ruhm errungen.
Die vierzehn Jungen,
die Söhne des Königs von Nubiant – 5
ihr Vetter Sinagun fand
sie da beinah in die Flucht geschlagen.

si wâren alsô versêret:
waer er mit sîner müeden schar
10 ûf sînem orse trachenvar
niht in ze helfe zuo geriten,
si heten Franzoise überstriten.
dô sach der rîche Terramêr
an sînen mâgen herzesêr.
15 der begunde al die sîne manen.
wol truoc des admirât*e*s vanen
von Salenîe Ector.
Poidjus sach ê dâ vor,
daz Halzebier was erslag*e*n.
20 daz begunde *er* Terramêr*e* sag*e*n,
der mêr noch schaden dâ vernam.
Renn*e*wart sluoc Golliam,
den künec von Belestigweiz.
manegen hurteclîchen puneiz
25 Renn*e*wart dâ vor gestuont.
von im wart Gîbôiz ouch wunt, S. 682b
der werde burcrâve ûz Kler.
dâ entweich Tîbalt und al des her.
von Karkassûn Trohazzabê
gevlohen hete wênic ê,

433 *d*er Ehmereiz*e*s vanen truoc,
unz er resach, daz dâ sluoc
der herzoge Bernart
Ector, der ie bewart
5 was vor aller zageheit.
des wart diu schumpfentiure breit,
dô der vane *nider lac,
den der vogt von Baldac
bevalh dem künege Ector.
10 des rîches vane swebt enbor;
als *tet* der vane von Brûbant,
den Landrîs vuorte an der hant;
hôch was der Provenzâle vane,
dâ der stern von golde ane

Sie waren so verwundet:
wär er mit seiner müden Schar
auf seinem drachenfarbnen Pferd 10
nicht herangesprengt, um ihnen beizustehn,
sie hätten die Franzosen überrannt.
Da sah Terramer, der Mächtige,
Schmerzliches an den Verwandten.
Der spornte all die Seinen an. 15
Hoch trug die Fahne des Admirat
Ector von Salenie.
Poidjus hatte zuvor gesehn,
daß Halzebier erschlagen war.
Das meldete er Terramer, 20
der noch von weiteren Verlusten hörte.
Rennewart tötete Golliam,
den König von Belestigweiß.
Vielen harten Speerattacken
hatte Rennewart standgehalten. 25
Auch Giboeß verletzte er,
den edlen Burggrafen von Kler.
Da flohen Tibalt und sein ganzes Heer.
Trohassabé von Carcassonne
war nie geflohen,
433 der Emereißes Fahne trug,
bis er sah, daß da
der Herzog Bernhard
Ector tötete, der
keine Feigheit kannte. 5
Alles brach zusammen,
als die Fahne sank,
die der Schirmer Bagdads
dem König Ector übergeben hatte.
Des Reiches Fahne flog empor; 10
desgleichen Brubants Fahne,
die Landris trug;
hoch stand die Fahne der Provenzalen,
in der der Goldstern

15 lac der rîcheit gelîch;
sînem van*e*n, des alten Heimrîch,
und dem vanen von Tandarnas,
dâ der schêtîs und*e*r was –
den vünf vanen wol gelanc
20 gein mangem kumb*e*r, der si twanc.
Bertram und Gîbert,
der zwei*e*r vane man*e*c swert
volgete nâch bluotvar.
Terramêr*e*s kinde schar
25 wart von in umbe gewant.
was half sîn her ûz manegem lant?
die muosen mit im lîden nôt.
der heiden strît*e*s *herte* tôt
was, Poidwîz und Halz*e*bier.
dâ vlôch manec edel soldier.

434 swer den keiserlîchen nam*e*n hât,
den die heiden nennent admirât,
derst ouch vogt ze Baldac.
Terramêr der beid*e*r pflac:
5 er was vogt und admirât.
seht, waz *man roemischem* keiser lât
ze Rôme an roemischer pfaht*e*!
hôch mit hôher aht*e*
hât roemische krône vor ûz den strît,
10 daz ir niht ebenhiuze gît.
sô scharpf ist roemisch krône ervorht.
swaz ander*e*r krône sint geworht,
die ûf getouften houbten sint,
ir aller kraft gein dirre ein wint
15 ist: sine mug*e*n's et niht getuon.
als het der Kanabêus sun
hoehe über alle d'heidenschaft
beidiu von arde und ouch von kraft,
und diu erbeschaft von Bâligân
20 het im gemachet undertân — S. 683a
vil künege dienstlîche.

prangte; 15
die Fahne des alten Heimrich
und die Fahne von Tandarnas,
unter der der Schetis ritt –
die fünf Fahnen triumphierten
über Leid und Not, die sie gepeinigt hatten. 20
Bertram und Gibert –
den Fahnen dieser beiden
folgten viele blutbeschmierte Schwerter.
Die Schar der Söhne Terramers
trieben sie zur Flucht. 25
Was halfen seine Truppen aus den vielen Ländern?
Sie mußten mit ihm leiden.
Die stärksten Heidenkämpfer
waren tot: Poidwiß und Halzebier.
Da flohen viele hochgeborene Söldner.

434 Der den Kaisertitel trägt
– die Heiden sagen: Admirat –,
der ist auch Schirmer Bagdads.
Beide Ämter hatte Terramer:
er war Admirat und Schirmer. 5
Seht, welcher Rang dem römischen Kaiser
in Rom verliehen wird nach römischem Gesetz!
Hoch mit hohem Ansehn
hat die römische Krone Vorrang,
kennt keinerlei Rivalen. 10
So sehr gefürchtet ist die römische Krone.
Was sonst an Kronen
Christenhäupter schmückt,
deren Macht ist gegen sie ein Nichts:
sie können nicht rivalisieren. 15
S o stand Kanabeus' Sohn
hoch über aller Heidenwelt
durch Abkunft und durch Macht;
auch hatte ihm das Erbe Baligans
viele Könige 21
unterworfen. 20

waer er noch als rîche,
dennoch hât mêr Altissimus.
der schuof iz in dem strîte alsus:
25 swaz amazûre und eskelîr
dâ wâren mit dem von Muntespîr,
al sîne künege und emeral
mit schumpfentiure von'me wal
muosen *vlühtic* rîten
mit vlust an allen sîten.

435 *ir* saelekeit si mêrten,
mit den swerten umbe kêrten
die kristen *al* die heidenschaft,
der verren und der nâhen kraft.
5 dâ vür wil ich'z hân erkant:
mit der wârheit diu gotes hant
des gap die besten stiure.
manlîcher schumpfentiure
nie geschach in manegen jâren.
10 sus wurben, die dâ wâren
verdecket mit der toufe,
sô der edele vorloufe,
der sîner verte niht verzag*e*t
und ungeschütet nâch jag*e*t,
15 swenn er *geswimmet* durh den wâc.
dennoch manec koberunge *lac*
an der *rîterschaft* der Sarrazîn.
dâ tet wol ûf der vlühte schîn
Fâbors und Kanlîûn
20 und Ehmereiz, Tîbald*e*s sun,
daz si wol kobern kunden.
swâ si bekumbert vunden
bêde ir mâge und ir man,
alsô hulfen si den dan,
25 des ir rîterschaft hât êre.
dannoch *hardierten* sêre
die getouften et *mit* kalopeiz.
möht ir volleclîcher puneiz

Und hätte er noch einmal soviel Macht:
Altissimus hat mehr.
Der lenkte so die Schlacht:
was an Almansuren, Eskeliren 25
hier war mit dem Herrn von Muntespir,
all seine Könige und Emire
mußten überall besiegt vom Schlachtfeld
fliehen
unter Verlusten.

435 Sie sorgten für ihr Seelenheil,
mit den Schwertern drehten
die Christen alle Heiden um,
die Vorderen und die Hinteren.
Ich bin überzeugt: 5
es war tatsächlich Gottes Hand,
die sie dazu befähigte.
Tapferer
ist nie ein Sieg errungen worden.
S o machten's 10
die Getauften:
wie der edle Jagdhund,
der nicht von seiner Spur läßt
und, ohne sich zu schütteln, weiter jagt,
wenn er durch ein Wasser schwimmt. 15
Noch formierte sich
die Ritterschaft der Sarazenen immer wieder.
Da bewiesen auf der Flucht
Fabors und Kanliun
und Emereiß, Tibalts Sohn, 20
daß sie die Kräfte sammeln konnten.
Wo sie
Verwandte und Vasallen in Bedrängnis fanden,
halfen sie denen so davon,
daß ihr Rittertum damit geehrt ist. 25
Noch immer griffen im Galopp
die Getauften heftig an.
Hätten sie mit voller Kraft

ûf den wunden orsen sîn getân,
sô waere dâ pfandes mêr verlân.

436 hin vlôch der admirât
(des was et *doch dehein ander rât)
ûf sînem orse Brahâne.
gein der muntâne
5 kêrte sînes hers genuoc,
des man sît dâ vil ersluoc,
etlîche ouch gein des meres stade.
al gewâpent hin zem bade
man manegen vürsten kêren sach,
10 des hant nie kosten *brach.
etlîche vluhen ouch inz muor.
*manc sîdîn gezelt, sîdîn snuor
wart ûf der slâ enzwei getret.
dâ wart man und ors gewet S. 683b
15 in dem wazzer Larkant.
dennoch dâ manc getoufte hant
vant vil werlîchen strît.
wan swâ die lücken wâren wît,
dâ si durh mohten brechen,
20 slahen unde stechen
was under Josweizes vanen,
des hôch gemuoten, der den swanen
truoc in vanen und ûf schilte.
der werde künec milte
25 muose ab 'em vurte entwîchen,
doch unlasterlîchen.
werlîche er dicke kêrte,
sînen prîs er hôch gemêrte:
er beschutte manegen Sarrazîn,
der dâ beliben müeste sîn.

437 der sehs herzeichen ruof,
die man's morgens den getouften schuof,
wart etswâ nû vergezzen,
dô mit swerten was gemezzen
5 diu schunpfentiure sô wît, sô grôz.

auf den verletzten Pferden attackieren können,
wären noch mehr Pfänder da geblieben.

436 Hin floh der Admirat
(er hatte keine Wahl)
auf seinem Pferd Brahane.
Zum Gebirge
wandte sich die Masse seiner Truppen, 5
von denen man dort später viele tötete,
manche auch zum Strand.
In voller Rüstung
sah man viele Fürsten ins Badewasser steigen:
sonst hatte ihnen nie ein Badequast gefehlt. 10
Manche flohen auch ins Moor.
Viele Seidenzelte, Seidenschnüre
wurden auf der Spur der Fliehenden zertreten.
Da wurden Roß und Reiter
in den Larkant getrieben. 15
Noch immer fanden viele Christen
mannhaften Widerstand.
Denn in den breiten Lücken,
durch die sie brechen konnten,
gab's ein Hauen und ein Stechen 20
unter Josweißes Fahne,
des Hochgemuten, Stolzen, der den Schwan
auf Schild und Fahne führte.
Der edle, freigebige König
mußte weichen von der Furt, 25
doch ohne jede Schande.
Er kehrte immer wieder um,
vermehrte seinen Ruhm gewaltig:
er beschützte viele Sarazenen,
die sonst dort geblieben wären.

437 Die sechs Rufe,
den Christen morgens zugewiesen,
wurden nun vergessen,
als die Niederlage mit den Schwertern
so groß und weit geschnitten war. 5

man hôrt dâ mangen niuwen dôz:
swannen ie der man was benant,
alsô schrei er al zehant
in vürten und *ûf* plâne.
10 *Gandalûz* von Schampâne
und die sînen schrîten »Prôvîs«.
Jofreit von Sâlîs
ouch sîner krîe niht vergaz.
»Iper« und »Arraz«
15 schrîten Flaeminge.
manges swertes klinge
erklanc, sô man die *krîe* schrei.
vaste ûf der slâ »Nanzei«
schrîten Lahreine.
20 al über die *sarkes steine,
dâ die gehêrten lâgen,
die ze himele ruowe pflâgen,
mit swerten an den vurt gement
wart manc eskelîr, der ungewent
25 was, daz er vliehen solte.
der admirât nû dolte
von den roemischen vürsten schande.
sîne künege ûz mangem lande,
man swuor dâ bî ir hulde niht,
als uns diz maere dannen giht.

438 von herren, von mâgen beiden
schiet ân urloup man*e*c heiden
von strîtes überlaste.
vollelîche lanc drî raste
5 ein kiel an'em andern stuont,
urssier, kocken, tragamunt,
die kleinen und die grôzen,
mit banieren überstôzen. S. 684a
swâ der rotte anker heten grunt,
10 daz tet ir baniere schône kunt.
etslîche nâmen unkunden rûm,
swenne si durh den vrischen pflûm

Man hörte viele neue Töne:
ihre Herkunftsnamen
schrien alsbald alle
in den Furten, auf dem Feld.
Gandaluß von Champagne 10
und die Seinen schrien »Provins«.
Jofreit von Senlis
vergaß auch seinen Schlachtruf nicht.
»Ypern« und »Arras«
schrien die Flamen. 15
Die Klingen vieler Schwerter
klangen, als man die Rufe schrie.
»Nancy« brüllten auf der Spur
die Lothringer.
Über all die Särge, 20
wo die Erhöhten lagen,
die im Himmel ruhten,
wurden mit Schwertern in die Furt getrieben
viele Eskelire, die es nicht gewöhnt
waren zu fliehen. 25
Der Admirat erlitt nun
von den römischen Fürsten Schande.
Seine Könige aus vielen Ländern –
man schwor da nicht bei ihrer Huld,
sagt uns die Geschichte hier davon.

438 Von Herren und Verwandten
nahmen grußlos viele Heiden Abschied
unter der Überlast des Kampfes.
Drei volle Rasten lang
lag ein Schiff am andern, 5
Urssiere, Koggen und Treimunde,
kleine, große,
mit aufgesteckten Bannern.
Die Ankerplätze der Verbände
zeigten deutlich ihre Banner an. 10
Manche verirrten sich,
wenn sie durch den starken Strom

vluhen unz an den salzsê.
swer begreif die barken ê,
15 der beite sîn*e*s bruoder niht.
etslîchem esklîre man noch giht,
er vrâgte wênic maere
umbe sînen marnaere.
dâ muosen künege selbe varn,
20 wolten si den lîp bewarn,
etslîche âne segel ûf gezog*e*n.
sîner manheit was umbetrog*e*n
al der heiden admirât,
der werlîche gekêr*e*t hât
25 vor sîner schiffunge an dem mer.
ich sag iu, wer dâ hielt ze wer:
Sînagûn und Ehmereiz,
Bruanz und Utreiz,
Iseret und Malatons,
Marjadox und Malakrons.

439 ê truogen vörhen rôtiu mâl:
rôt wurden vische über al
von dem strîte in Larkant.
ouch wart der Provenzâlen lant
5 von manger vlühteclîchen schar
ûf der slâ al rôt gevar
alsô der berc Tahenmunt.
dâ vlôch manc rîter sêre wunt,
verhouwen durh sîn harnasch.
10 Renn*e*wart kom durh den pfasch
ze vuoz geheistieret her nâch,
dâ er mit manger rotte sach
sînen vater, den alten,
der jugent gelîch*e* halten
15 mit unverzagetem muote.
meister Hildebrands vrou Uote
mit triuwen nie gebeite baz,
denn er tet maneger storje naz,
mit bluote begozzen.

ans Meer geflohen waren.
Wer zuerst ans Beiboot kam,
wartete nicht auf seinen Bruder. 15
Von manchem Eskelir sagt man noch heute,
daß er nicht
nach seinem Schiffsmann fragte.
Da mußten Könige selber fahren,
wenn sie ihr Leben retten wollten, 20
manche sogar ohne Segel.
Tapfer wie immer war
der Admirat aller Heiden,
der kampfmutig gewendet hat
am Meer vor seiner Flotte. 25
Ich sage euch, wer da zur Abwehr hielt:
Sinagun und Emereiß,
Bruanz und Utreiß,
Iseret und Malatons,
Marjadox und Malakrons.

439 Rote Flecken hatten früher die Forellen:
alle Fische wurden rot
von dem Kampf im Larkant.
Auch färbte sich das Land der Provenzalen
auf der Fluchtspur 6
vieler Scharen rot 5
wie Tahenmunt, der Berg.
Da flohen viele Ritter, schwer verletzt,
zerhauen durch die Rüstung.
Rennewart kam durch die Enge 10
hinterher zu Fuß dorthin gehastet,
wo er
seinen alten Vater
halten sah mit vielen Trupps wie einen Jungen
in ungebrochnem Kampfmut. 15
Frau Ute hat auf Meister Hildebrand
nie treulicher gewartet
als er auf viele nasse,
blutüberströmte Trupps.

20 werlîch und unverdrozzen
hielt der vogt von Baldac.
hie der stich, dort der slac,
swenne ie der niuwen storje stôz
sich hurteclîchen în geslôz:
25 sus kom daz kristenlîche kum*e*n.
ich mag's wol jehen ûf die vrum*e*n:
ine mac iu von den zagen
an dirre unmuoze niht gesagen.
ich sag et von getürste,
wie der Provenzâle vürste,
440 Willelm, der markîs,
und sîne helfaere wurben prîs. S. 684b
der kom mit manegem Franzois.
der herzoge ûz Vermendois
5 und der herzoge Bernart,
sîn bruoder, kom ûf der vart
mit heller stimme nâch gejag*e*t,
und Buove, der unverzag*e*t,
der lantgrâve ûz Komarzî.
10 dem jagete dô aller naeheste bî
des alten Heimrîches vane.
nû was der heidenschefte bane
von huofslegen sô wît erkant,
daz man si kuntlîche vant.
15 des küneges vane von Tandarnas
alrêst ûz den getouften was
durh den vurt nâch den Sarrazîn.
Bertram und Gibelîn
erhiewen die êrsten lücken.
20 lâzâ nâher tücken!
waz man baniere und vanen sach
ûf der slâ zogen nâch!
die sehs vanen der kristenheit,
eteswâ gezerret, etswâ niht breit,
25 nû gar durh vürte wâren.
*ir gevrieschet in manegen jâren

Wehrhaft und unverdrossen 20
hielt der Schirmer Bagdads aus.
Hier Stich, dort Schlag,
wenn sich der Anprall eines neuen Trupps
mit Wucht hineinschob:
so kam das Kommen der Christen. 25
Ich spreche von den Tapferen:
von den Feigen kann ich euch
in diesem Wirrwar nicht berichten.
Ich erzähl von Kühnheit,
wie der Provenzalenfürst,

440 Wilhelm, der Marquis,
und seine Helfer Ruhm erwarben.
Der kam mit vielen Franzosen.
Der Herzog von Vermendois
und der Herzog Bernhard, 5
sein Bruder, kamen auf dem Ritt
mit lautem Schreien nachgejagt,
und Buove, der Unverzagte,
der Landgraf von Commercy.
Ganz nah an dessen Seite jagte da 10
die Fahne des alten Heimrich.
Nun war der Weg der Heiden
von Hufschlägen so breit,
daß man ihn deutlich sah.
Die Fahne des Königs von Tandarnas 15
war als erste von den Christen
durch die Furt, den Sarazenen nach.
Bertram und Gibelin
schlugen die ersten Lücken.
Weiter, weiter, näher ran! 20
Was man an Bannern und an Fahnen
auf der Spur nachrücken sah!
Die sechs Fahnen des Christenheers,
hier zerfetzt, dort schmal geworden,
waren jetzt alle durch die Furt. 25
Ihr würdet lange brauchen,

sô hert enpfâhen, sô **swaerez* kom*en*,
als ze bêder sît dâ wart vernom*en*
von Terramêr*es* tragamunt.
des wart manec rîter ungesunt.

441 *d*er marcrâve nû niht des lât,
ern dringe et gein dem admirât.
daz riet sîns herzen gebot.
nû sach er Kahûnen, den got,
5 ûf eime grîfen gemâl,
als in Bâligân ze Runzevâl
gein dem keiser Karel truoc.
Terramêres schilt genuoc
was dennoch mêr gehêret.
10 des wart manec helt versêret,
dô der marcrâve diu wâpen kôs,
dar under Bâligân verlôs
den lîp und *Malprimes*, sîn sun.
ir werder got Kahûn
15 ûf ir schilte den grîfen reit,
dar unde ouch Terramêr hie streit.
im wâren diu wâpen wol geslaht:
er erbete ir rîcheit und ir maht.
Volatîn mit sporn betwungen
20 wart, dâ vil swerte erklungen.
vil künege ûz der heiden her
wâren vor ir admirât ze wer,
*etslîcher sîn kint und manec sîn mâc.
hie vome stiche, dort von'me slac
25 geschach dâ vil der wunden:
siech wurden die gesunden. S. 685a
dâ was diu ruowe strenge.
von maneger hurte enge
*w*art ûf dem wîten plâne.
Terramêr ûf Brahâne

442 mit vollelîcher hurte
an den marcrâven ruorte.
er sluoc *in* durh den helm sîn

um so grimmiges Empfangen, peinigendes Kommen
zu hören, wie man's von den beiden Seiten hier
auf Terramers Treimund vernahm.
Das schlug vielen Rittern Wunden.

441 Der Markgraf zögert nicht,
den Admirat zu attackieren.
Dazu trieb ihn sein Herz.
Jetzt sah er Kahun, den Gott,
auf einem leuchtenden Greifen, 5
wie ihn Baligan in Roncesvals
getragen hatte gegen Kaiser Karl.
Der Schild des Terramer
war aber noch viel prächtiger.
Es brachte vielen Helden Wunden, 10
als der Markgraf das Wappen sah,
darunter Baligan
gefallen war und Malprimes, sein Sohn.
Ihr hoher Gott Kahun
ritt auf ihrem Schild den Greifen, 15
unter dem auch Terramer hier kämpfte.
Das Wappen war ihm sehr gemäß:
er hatte ihren Reichtum, ihre Macht geerbt.
Die Sporen trieben Volatin dorthin,
wo viele Schwerter klangen. 20
Viele Könige aus dem Heidenheer
verteidigten den Admirat,
Söhne und Verwandte.
Hier von Stichen, dort von Schlägen
gab's da viele Wunden: 25
krank wurden die Gesunden.
Da war die Ruhe sauer.
Es wurde eng von vielen Sturmattacken
auf dem weiten Platz.
Terramer ritt auf Brahane

442 in vollem Ansturm
auf den Markgrafen los.
Er schlug ihn durch den Helm

noch sêrre, denne in Oukîn
5 dâ vor hete verhouwen.
man moht ouch dâ nâch schouwen,
daz dâ sêre wart zetrant
der halsberc ûz Jaszerant.
durh den grîfen und durh Kahûn
10 *wunt* wart Kanabêus sun,
der edele hôhe recke.
diu Schoiûsen ecke
in durh al sîn harnasch sneit.
den strît mit hurte underreit
15 der künec von Lanzesardîn:
Kanlîûn tet dâ wol schîn,
daz er sînen vater sach
ungern in sölhem ungemach.
an den kom dô Renn*e*wart.
20 des was der bruoder ungespart:
von dem wart Kanlîûn erslag*e*n.
sine kunden niht ein and*e*r sag*e*n
von deheiner künde ê.
Rennwart den künec Gîbûê
25 unz ûf *den swertvezzel* schriet.
durh al der sarringe niet
er sluoc den künec Malokîn.
Kâdor muose der vierde sîn.
und *dem* jungen künec Tampastê
tet er ouch mit dem tôde wê.
443 *des vater sluoc ouch Vîvîanz*
in dem êrsten strît ûf Alischanz.
*w*ie diu vluht dô geriet?
wie daz kint von sîme vater schiet?
5 wie schiet der vater von'me kint?
seht, wie den stoup der starke wint
her und dar zetrîbe!
wer dâ schiet *von lîbe,
wer dâ ze ors und ze scheffe entran,
10 über al ich des niht kan

noch stärker, als ihn vorher Aukin
getroffen hatte. 5
Doch zeigte sich danach,
daß auch der Panzer aus Jaszerant 8
sehr zerhauen war. 7
Durch den Greif und durch Kahun
wurde Kanabeus' Sohn verletzt, 10
der hochgeborene Held.
Schoiuses Schneide
schnitt ihn durch die ganze Rüstung.
In den Kampf hinein fuhr
der König von Lanzesardin: 15
da zeigte Kanliun,
daß er seinen Vater
nicht gern in solcher Not sah.
An ihn kam Rennewart.
So blieb der Bruder nicht geschont: 20
von seiner Hand fiel Kanliun.
Sie hatten nicht Gelegenheit,
sich vorher bekannt zu machen.
Rennewart zerspaltete den König Gibué
bis auf den Gürtel, wo das Schwert hing. 25
Durch die Nieten aller Panzerringe
erschlug er König Malokin.
Kador kam als vierter dran.
Den jungen König Tampasté
tötete er auch.

443 Dessen Vater war von Vivianz erschlagen worden
in der ersten Schlacht auf Alischanz.
Wie da die Flucht gelang?
Wie sich der Sohn vom Vater trennte?
Und wie der Vater von dem Sohn? 5
Seht, wie der starke Wind den Staub
hierhin und dorthin treibt!
Wer da umgekommen ist,
wer da mit Pferd und Schiff entkam,
das kann ich euch nicht alles 10

iuch z'eim ende bringen
und die nennen sunderlingen.
wan der admirât wart sêre wunt
geleit ûf sînen tragamunt,
15 der *niemer* schunpfentiur enpfienc.
hoeret, wer mit im ûz sturme gienc:
von Bailîe Sînagûn
und *Bargîs*, Purrels sun,
und des bruoder Tenebreiz.
20 gefurrier*e*t was ir sweiz:
an diu schef truoc man*e*c rîter guot
geparrieret sweiz und bluot: S. 685b
diu kleider wurden dâ gesniten.
dâ wart niht langer dô gebiten:
25 mit vluht ein ende nam der strît.
daz klagete al sîne kumenden zît
Terramêr, der werde.
sus schiet von roemischer erde,
der dâ vor dicke ûf Rôme sprach,
ê daz diu schumpfentiure geschach.

444 der goldes rîche Dedalûn
und Terramêr*e*s tohter sun,
Poidjus von *Uriende*,
ieweder *sîner* hende
5 ûf der vluht getrûweten sô wol:
von ir verhe enpfiengen zol
dennoch manec getoufter soldier.
ezidemôn, daz tier,
in Poidjus*es* vanen lac.
10 dô Dedalûn der vlühte pflac,
er wolte des vanen niht langer pfleg*e*n
ûf sînen vlühteclîchen weg*e*n.
der tiure pfellel von Trîant,
den Tedalûn vuorte an der hant,
15 und der schaft lignâlôê
und daz sper, geworht in Tasmê,
dâ mit enpfienc Gandalûz

ganz genau erzählen
und jeden einzelnen mit Namen nennen.
Nur dies: den Admirat verbrachte man,
den bisher Unbesiegten, 15
schwerverletzt auf seinen Treimund. 14
Hört, wer mit ihm die Schlacht verließ:
Sinagun von Bailie
und Bargis, Purrels Sohn,
und dessen Bruder Tenebreiß.
Ihr Schweiß war unterfüttert: 20
auf die Schiffe brachten viele edle Ritter
ein Flickenwerk aus Schweiß und Blut:
so wurden da die Kleider zugeschnitten.
Da harrte man nicht länger aus:
Flucht beendete die Schlacht. 25
Sein Lebtag klagte drüber
Terramer, der Edle.
So schied vom Boden Roms,
der immer wieder Rom beansprucht hatte
vor dieser Niederlage.

444 Der goldreiche Dedalun
und Terramers Tochtersohn,
Poidjus von Uriende,
die vertrauten ihren Händen
auf der Flucht so sehr: 5
von ihrer Kraft bekamen
da noch viele Christensöldner Zoll.
Ezidemon, das Tier,
war auf Poidjus' Fahne.
Als Tedalun die Flucht ergriff, 10
wollte er die Fahne
auf dem Rückzug nicht mehr schützen.
Die teure Seide von Triant,
die Tedalun in seiner Hand trug,
und der Schaft aus Lignaloé 15
und die Spitze, in Tasmé geschmiedet –
Gandaluß bekam damit

eine sölhe tjost: sînes bluotes vluz
den tiuren pfellel gar begôz.
20 diu tjoste *was* hurteclîche sô grôz,
dâ von der Schampaneis lac tôt.
daz selbe gelt hin wider bôt
Renn*e*wart: der unverzagete
ze vuoz snellîchen jagete
25 Tedalûn*en* er resluoc,
der ime sturme manlîche truoc
sînes swestersun*es* vanen.
dô begund er Poidjusen manen,
daz er wider kêrte an in.
des tet er niht: daz lêrt in sin.

445 Rennwart den grôzen schaden sach,
der an dem vürsten dâ geschach
ûz Schampâne, dem gêrten,
und wie die sînen mêrten
5 ob im den jâmer alsô grôz.
wart ie jâmer des genôz,
daz muose vil ougen arnen
und ir herzen sich des warnen,
vil wazzers dar ze lîhen
10 und der vreuden sich *ze verzîhen.
swâ sô werder tôte laege,
wer dâ lachens pflaege?
ungern ich iemen des dâ zige.
der marcrâve hiet den sige
15 mit grôzem schaden errungen
und jâmers dâ betwungen S. 686a
manec getouf*e*t herze.
der kristenlîche smerze
was in sîn her geteilet.
20 vil wunden noch ungeheilet
die sînen vuorten ûf'ez wal.
dâ heten siuftebaeren schal
die *minren* und die merr*en*.
het ich einen herren,

eine solche Tjost: sein Blutschwall
übergoß die ganze teure Seide.
So gewaltig war die Tjost, 20
daß der Champagneser starb.
Mit gleicher Münze zahlte
Rennewart zurück: der Unverzagte
jagte zu Fuß heran,
Tedalun erschlug er, 25
der mannhaft in der Schlacht
die Fahne seines Schwestersohns getragen hatte.
Da forderte er Poidjus auf,
zu ihm zurückzukommen.
Das tat er nicht: Klugheit gab ihm das ein.
445 Rennewart sah den schmerzlichen Verlust,
den Tod des Fürsten
von Champagne, des Gerühmten,
und sah auch, wie die Seinen
über seiner Leiche klagten. 5
Gab es jemals gleichen Jammer,
mußten viele Augen drunter leiden
und sich ihre Herzen rüsten,
viel Naß dorthin zu liefern
und auf Freude zu verzichten. 10
Wo so ein edler Toter lag,
wer da lachte?
Das möcht ich da von keinem sagen.
Der Markgraf hatte seinen Sieg
mit viel Verlust errungen 15
und vielen Christenherzen 17
Leid gebracht. 16
Der Christenschmerz
war in sein ganzes Heer verteilt.
Viele Wunden, unverheilt, 20
brachten seine Leute auf das Schlachtfeld.
Da klagten laut
die Hohen und die Niedern.
Hätt ich einen Herrn,

25 vor sîme hazze selten vrî,
ob ich ime sturme waere dâ bî,
dâ der sînen lîp verlüre,
ob man mich saehe in jâmers küre,
des müese ich trüg*e*lîche jehen:
daz moht aldâ niht geschehen.

446 dâ was gewunnen und verlorn.
etslîche heten vreude erkorn,
sô heten die andern jâmers hort.
daz was der site hie und dort
5 an den selben zîten
ime her an allen sîten.
swen dâ leben liez der tôt,
swie grôz wart anders dâ des nôt,
der hete sich selben vunden.
10 ieslîcher sînen kunden
suochte ûf dem wal und ûf der slâ.
sô vant der sînen vater dâ,
sô vant der sînen bruoder hie
(des pflâgen dise und*e* die),
15 sô vant der herre sînen man.
mêr vindet, der wol suochen kan,
denne der suochens sich bewig*e*t
und durh sîne trâcheit stille lig*e*t.
ob nû gar mîne sinne
20 solten sprechen von gewinne,
waz manger rîcheit dâ bestuont,
mir waere diu zal dannoch unkunt.
dâ wurden die armen rîche,
die dâ tâten dem gelîche,
25 daz si nemen wolten,
als si billîchen solten.
der rîche, der arme, dirre und der
vant mêr danne nâch sîns herzen ger.
ine bin niht, der'z iu sunder zelt,
waz ieslîch hant dâ hât gewelt.

der mich immer drangsalierte, 25
und wär ich in der Schlacht dabei,
wo er zu Tode käm,
wenn man mich dann jammern sähe,
wäre das geheuchelt:
das kam dort nicht vor.

446 Da war gewonnen und verloren.
Manche waren froh,
andre mit Jammer überladen.
So war es
damals hier und dort 5
überall im Heer.
Wen der Tod da hatte leben lassen,
der hatte sich bei aller Pein
doch selbst gefunden.
Jeder suchte seinen Bekannten 10
auf dem Schlachtfeld, auf dem Fluchtweg.
So fand der seinen Vater da,
so fand der seinen Bruder hier
(das taten die und jene),
so fand der Herr den Lehensmann. 15
Wer gut zu suchen weiß, der findet mehr
als einer, der nicht sucht
und faul auf seiner Haut liegt.
Wenn ich jetzt
berichten sollte von der ganzen Beute, 20
wie viele Schätze da geblieben waren,
ich könnt es nicht beziffern.
Da wurden die Armen reich,
die sich da
bedienten, 25
wie es ihnen zustand.
Reich und arm, der und jener
fanden mehr, als da ihr Herz begehrte.
Ich zähl es euch nicht einzeln auf,
was jede Hand da wählte.

447 Bernart von Brûbant
blies *sîn horn, daz Olifant
an Ruolandes munde
nie ze keiner stunde
5 an deheiner stat sô lûte erhal.
daz kristen her het ûf dem wal
beide vreude unde klage.
nû was diu sunne an dem tage
harte sêre ze tal gesigen,
10 manc getouftiu sêl hin ûf gestigen.
ez begunde et nâhen der naht. S. 686b
wer in die spîse hete brâht
an manegem ringe schône?
die von Samargône;
15 ûz Indîâ, von Trîant
man wunder dâ von spîse vant;
vil spîse ûz Alamansurâ,
vil spîse ûz Kânach vant man dâ;
vil spîse brâht ûz Suntîn;
20 dâ muose ouch mêr der spîse sîn
von Todjerne und von Arâbî.
ob roemischer keiser waeren drî,
ieslîcher mit sunder her,
die heten volleclîche zer
25 dâ vunden ûf ir reise.
vil spîse ûz Orkeise,
vil spîse ûz Adramahût.
dâ wart manec verhouwen hût
mit unkunder spîse erschoben.
sölhe herberge kunde ich loben,
448 swenn ich'z gerne taete,
dâ ich vunde alsölh geraete.
ine mac niht geben sunder namen
*der ir spîse, dem wilden und dem zamen,
5 und ir trinken maneger slahte
von kostenlîcher ahte,
môraz, wîn, *siropel.*

447 Bernhard von Brubant
blies so sein Horn, daß Olifant
an Rolands Mund
nie
irgendwo so laut erklungen war. 5
Das Heer der Christen hatte
Leid und Freude auf dem Schlachtfeld.
Nun war an jenem Tag die Sonne
tief herabgesunken,
viele Christenseelen aufgestiegen. 10
Es ging der Nacht entgegen.
Wer ihnen aufgetragen hatte,
reichlich, an vielen Lagerstätten?
Die aus Samarkand;
aus Indien, aus Triant 15
fand man da Speise über Speise;
viel Speise aus Alamansura,
viel Speise aus Ghana fand man da;
viel Speise aus Suntin;
und noch mehr Speise war da 20
aus Todjerne und aus Arabi.
Wenn es drei römische Kaiser gäb
und jeder hätt ein eignes Heer,
die hätten da genügend Proviant
auf ihrem Zug gefunden. 25
Viel Speise aus Orkeise,
viel Speise aus Hadramaut.
Da wurde manche durchlöcherte Haut
mit fremder Speise vollgestopft.
So ein Gasthaus könnt ich loben,

448 wenn ich wollte,
wo ich solchen Vorrat fände.
Ich kann nicht sagen, wie sie alle hießen,
ihre Speisen, Wild und Schlachttier,
und ihre vielerlei Getränke, 5
die sehr edel waren,
Maulbeertrank und Wein und Rotwein.

Kiper und Vinepopel
hânt sô guoter trinken niht gewalt,
10 als si dâ vunden manecvalt.
geleschet nâch der hitze
wart dâ maneger, daz sîn witze
niht gein Salomône wac.
dâ was ir naht und ir tac
15 ungelîch an der arbeit.
etslîcher tranc, daz gar sîn leit
mit liebe nam ein ende.
swaz al der heiden hende
ime sturme heten im getân,
20 diu klage muost ein ende hân.
in dûhte, er hete si alle erslag*e*n
und daz alle helde zag*e*n
waeren, wan sîn eines herze.
sîn selbes wunden smerze
25 was im reht ein meien tou.
weder der noch dirre in rou:
ez waere sîn vater oder sîn mâc,
ern ruochte, *wer* dâ tôt belac,
ern ruochte ouch, wer dâ leb*e*te.
sus der nâch prîse streb*e*te.

449 die de wirtschaft dâ besâzen,
den was almeistic lâzen
zer âdern oder sus zem verhe.
vant man dâ rede twerhe,
5 diu wart s'morgens lîhte sleht. S. 687a
dâ hete der *herre* und der kneht
sô genuoc, daz in niht gebrach.
daz was en tiuschen »guot gemach«,
en franzois heten's »eise«.
10 hie der kurteise
und *dâ der ungehofte man,
ieslîcher dâ genuoc gewan
von rîcheit, die si vunden.
etslîcher grôze wunden

Zypern und Philipoppel
haben nicht so gute Weine,
wie sie da fanden, viele Sorten. 10
Da wurden nach der Hitze viele so gelöscht,
daß ihr Verstand
dem Salomons nicht gleichkam.
Da waren für sie Tag und Nacht
ungleich an Beschwernis. 15
Mancher trank, daß all sein Leid
in Wonne endete.
Was ihm die Hände aller Heiden
im Kampf getan hatten,
darüber klagte er nicht mehr. 20
Es kam ihm vor, als hätt sie alle er erschlagen
und alle Helden wären Hasenfüße
außer ihm.
Der Schmerz von seiner Wunde
war ihm ein rechter Maientau; 25
er trauerte um niemand:
der Vater oder ein Verwandter –
es war ihm gleich, wer da gefallen war,
und egal, wer lebte.
So strebte der nach Ruhm.

449 Fast alle, die da tafelten,
hatte man zur Ader gelassen
oder ihnen sonstwie Blut gezapft.
Hörte man da wirre Reden,
die ordneten sich morgens leicht. 5
Da hatten Herr und Knecht
so viel, daß ihnen gar nichts abging.
Das war auf Deutsch »Behagen«,
französisch hatten sie »aise«.
Hier der Courtoise 10
und da der Gemeine –
sie erbeuteten da alle jede Menge
Kostbarkeiten.
Mancher achtete auf große Wunden

15 ahte als einer brâmen kraz.
die heiden von ir koufschaz
heten vil gegeb*e*n ze zolle.
ir werder got Appolle,
wolt er zürnen, und ir admirât,
20 des heten dise guoten rât,
swenne si ir hulde enbaeren,
ob si in ir hazze waeren.
Mahumet und Tervagant,
Kahûn, swie si wâren genant,
25 al der heidenschefte gote,
ûf dem wal die naht wart z'ir gebote
lützel dâ gestanden.
in toufbaeren landen
hânt si halt noch vil kleinen prîs.
in diende ouch wênic der markîs:
450 Jêsus mit der hoehesten hant
die klâren Gîburc und daz lant
im des tages in dem sturme gap.
er brâht den prîs unz in sîn grap,
5 daz er nimmer mêr wart sig*e*lôs,
sît er ûf Alitschanz verlôs
Vîvîanzen, sîner swester kint,
und der mêr, die noch vor got*e* sint
die endelôsen wîle.
10 sîner swester sun Mîle
wart wol gerochen an dem tage.
maneger zunge sprâche klage
dâ rewurben vil ze klagene
und dâ heime nôt ze sagene.
15 die nie toufes künde
enpfiengen, ist daz sünde?
daz man die sluoc alsam ein vihe,
grôzer sünde ich drumbe gihe:
ez ist gar gotes hantgetât,
20 zwuo und sibenzec sprâche, die er hât.
der admirât Terramêr

wie auf einen Dornenkratzer. 15
Von ihren Waren hatten die Heiden
viel als Zoll gegeben.
Wenn ihr hoher Gott Apollo
und ihr Admirat hätten zürnen wollen,
das hätte denen gleich sein können, 20
wenn sie ihre Huld entbehrt
und ihren Haß getragen hätten.
Mohammed und Tervagant,
Kahun, und wie sie alle hießen,
all die Heidengötter – 25
auf dem Schlachtfeld wurde ihnen diese Nacht
nicht viel gedient.
In den Christenländern
gelten sie halt nichts bis heute.
Auch der Markgraf diente ihnen nicht:
450 ihm hatte Jesus mit der höchsten Hand
die schöne Giburg und das Land
an diesem Tag im Kampf gegeben.
Er brachte diesen Ruhm ins Grab:
daß er nie wieder unterlag, 5
seit er auf Alischanz
Vivianz verloren hatte, seinen Schwestersohn,
und mehr von denen, die
in Ewigkeit bei Gott sind.
Glorreich war Mile, sein Schwestersohn, 10
gerächt an diesem Tag.
Da bekamen viele Sprachen
viel zu klagen
und daheim von Leid zu sagen.
Wenn Menschen nichts vom Christentum 15
erfuhren, ist das Sünde?
Daß man die erschlug wie Vieh,
das nenn ich eine große Sünde:
sie alle sind von Gottes Hand gemacht,
die zweiundsiebzig Völker, die er hat. 20
Terramer, der Admirat,

mit manegem rîchem künege hêr
wolte bringen al die sprâche
ûf den stuol hin'z Ache
25 und dannen ze Rôme vüeren.
si *kunden'z* anders rüeren
mit den ecken, die daz werten
und ûf ir verh sô zerten,
des nû ir sêle sint vil lieht: S. 687b
sine ahtent ûf kumber niht.

451 s'morgens, dô ez begunde tagen,
an manegen hûfen getragen
wart diu reine kristenlîchiu diet,
den ir saelde daz geriet,
5 daz si ime sturme ir lîp verlurn.
die hôhen si sunder kurn.
der vürste, der grâve, der barûn,
swer durh Heimrîches sun
dâ was belegen ame rê,
10 ir neheine*s* sêle wirt nimmer wê.
die armen wurden dâ begrab*e*n
und die edelen ûf bâre gehab*e*n,
die si ze lande wolten
vüeren. waz si dolten
15 jâmers, dô man schouwen
si muose alsô verhouwen!
swâ man sach ir wunden,
die wurden an den stunden
mit balsem gestiuwert.
20 rîchiu pflaster, wol getiuwert
(müzzel und zerbenzerî,
arômâte und amber was d*e*rbî),
swâ der pflaster deheinez lac,
dâ was immer süezer smac.
25 der balsem lât si vûlen niht:
swelhe lîche man sô besiht,
gebalsemt vleisch, hût und bein,
der sint tûsent jâr al ein,

wollte alle diese Völker 23
mit vielen mächtigen, hohen Königen 22
zum Thron nach Aachen führen
und von dort nach Rom. 25
Sie konnten's anders wenden
mit den Schneiden, die es abgewehrt
und so ihr Leben hingeopfert haben,
daß jetzt ihre Seelen hell erstrahlen:
nichts beschwert sie.

451 Im Morgengrauen
trug man zu vielen Haufen
die reine Christenschar zusammen,
die so selig war,
im Kampf ihr Leben zu verlieren. 5
Die Hohen legte man besonders.
Der Fürst, der Graf und der Baron –
wer da für Heimrichs Sohn
gefallen war,
dessen Seele leidet niemals Pein. 10
Einfache Ritter wurden da begraben,
die Hochgeborenen aufgebahrt,
die sie nach Hause
überführen wollten. Was sie
an Jammer hatten, als man sie 15
so zerhauen sah!
Alle ihre Wunden
wurden auf der Stelle
mit Balsam eingerieben.
Kostbare Pflaster, äußerst wertvoll 20
(Moschus und Terebinthe,
Gewürz und Ambra war daran) –
wo eines dieser Pflaster lag,
duftete es immer süß.
Der Balsam läßt sie nicht verfaulen: 25
für eine Leiche, die man so versorgt,
Fleisch, Haut, Knochen balsamiert,
sind tausend Jahre so,

als ob si laege die êrsten naht.
sölh art hât balsemlîchiu maht.

452 die vürsten und ir hôhen man
sich bereiten umb ein kêr*e*n dan
mit gemeinem râte.
si zogeten niht ze drâte,
5 ir tagereise was niht lanc.
etslîchen manec wunde twanc,
sanfte dan ze rîten.
wer solt dâ langer bîten?
si muosen dannen scheiden.
10 jâ lac sô vil der heiden,
dâ der *sturm* was geschehen:
si muosen anderswâ besehen
herberge ein lützel dannen baz,
dâ waere von bluote niht sô naz.
15 der vürste ûz Provenzâlen lant
klagete sêre, daz er niht vant
sînen vriunt Rennewart.
im was leit diu dannenvart.
er sprach: »ine hân noch niht vernum*e*n,
20 war mîn zeswiu hant sî kum*e*n.
ich mein in, der ze bêder sît
den prîs behielt, dô diu zît
kom und der urteillîche tac, S. 688a
daz ich von im des siges pflac
25 und von der hoehsten hende.
alrêste mîn ellende
ist groezer, denn ich waere aldâ
in der stat ze Siglimessâ
und dannen verkoufet ze Tasmê.
mir ist hie vor jâmer als*e* wê.

453 ei starc lîp, klâriu jugent,
wil mich dîn manlîchiu tugent
und dîn süez einvaltekeit
und dîn prîs hôch und breit
5 dir niht dienen lâzen,

als läge sie die erste Nacht.
So wirkt die Kraft des Balsams.
452 Die Fürsten und ihre hohen Lehensleute
machten sich bereit zum Rückmarsch
nach gemeinsamem Beschluß.
Sie zogen nicht zu schnell,
ihr Tagespensum war nicht groß. 5
Manchen zwangen viele Wunden,
vorsichtig abzureiten.
Wer sollte da noch länger bleiben?
Sie mußten sich entfernen.
Es lagen ja so viele Heiden, 10
wo die Schlacht gewesen war:
sie mußten anderswo
Lagerstätten suchen, etwas weiter weg,
wo's nicht so naß von Blut war.
Der Fürst aus der Provence 15
klagte sehr, daß er
seinen Freund Rennewart nicht fand.
Ihm war der Abmarsch schmerzlich.
»Ich habe«, sagte er, »noch nicht erfahren,
wo meine rechte Hand hinkam. 20
Den mein ich, der auf beiden Seiten
den Preis davontrug, als die Zeit
gekommen war und der Entscheidungstag,
daß ich durch ihn den Sieg errang
und durch die Höchste Hand. 25
Jetzt bin ich verlassener,
als ich
in Siglimessa wäre
und von dort verkauft nach Tasmé.
Solcher Jammer quält mich hier.
453 Ach, starker Leib und schöne Jugend,
will mich deine Tapferkeit
und deine süße Güte
und dein hoher, breiter Ruhm
dir nicht dienen lassen, 5

sô bin ich der verwâzen.
hât dich der tôt von mir getân?
soltû nû niht mîn dienest hân
und al, daz teilen mac mîn hant?
10 wan dû revaehte mir ditze lant,
dû behabtes hie mîn selbes lîp
und Gîburge, daz klâre wîp.
wan dîn ellen ûz erkorn,
mîn alt*e*r vater waere verlorn.
15 ieslîch mîn helfaere,
wan dû, verloren waere,
al mîne mâge und mîne bruoder.
dû waere mîns kiel*e*s ruoder
und der rehte segelwint,
20 dâ von al Heimrîch*e*s kint
hânt gankert roemische erde.
in alsô hôhem werde
kom nie mannes prîs geswеb*e*t
bî der diete, diu hiute leb*e*t.
25 dû machtes mîne mâge quît.
dû vaehte an der selben zît
ûf dem mere und ûf dem lande.
mîn triuwe het des schande,
ob niht mîn herze kunde klag*e*n
und der munt nâch dir von vlüste sag*e*n.

454 *dû* braeht*e* der Franzoiser her
mir ze helfe um die gotes wer,
die ûf der vluht wâren gesehen.
ich mac wol dînem ellen jehen,
5 daz alle getouften liute
dich solten klagen hiute
und dich vürbaz klagen al die zît,
die got der werelt ze lebene gît.
dû hâst dem toufe prîs bejag*e*t.
10 vil manegiu jâr man noch sag*e*t,
wie dû vaehte ûf Alitschanz.
Mîle und*e* Vîvîanz,

dann bin ich verdammt.
Hat dich der Tod von mir genommen?
Sollst du jetzt meinen Dienst nicht haben
und alles, was ich geben kann?
Du hast mir doch dies Land erkämpft, 10
bewahrtest mir mein Leben hier
und die schöne Giburg.
Ohne deine unerhörte Kühnheit
wär mein alter Vater tot.
Alle meine Helfer 15
wären ohne dich verloren,
all meine Verwandten, meine Brüder.
Du warst das Ruder meines Schiffs
und der rechte Segelwind,
mit dessen Hilfe alle Heimrich-Söhne 20
in römischem Grund geankert haben.
So hoch, in derart hohem Ansehn
flog keines Mannes Ruhm
bei denen, die jetzt leben.
Die Verwandten hast du mir befreit. 25
Du hast da
auf dem Meer und auf dem Land gekämpft.
Schande wär's für meine Treue,
wenn mein Herz nicht klagte
und der Mund von dem Verlust nichts sagte.

454 Du hast mir das Franzosenheer,
das man auf der Flucht sah, 3
zur Hilfe zugeführt im Glaubenskampf. 2
Deine Tapferkeit verdient es,
daß alle Christen 5
heute um dich klagen
und um dich klagen all die Zeit,
die Gott die Welt erhält.
Ruhm hast du dem Christentum errungen.
Lange Jahre noch erzählt man, 10
wie du kämpftest auf Alischanz.
Mile und Vivianz,

duo ich iuch und al mîn her verlôs,
sô grôze vlust ich dâ niht kôs.
15 got, hât dîn erberme kraft,
al d'engele in ir gesellescchaft
müezen mîne vlust erkennen. S. 688b
diz sî mîn hellebrennen,
daz diu sêle mîn deheine nôt
20 vürbaz enpfâhe, sît mir tôt
des lîbes vreude ist immer mêr.
Altissimus, sît sölhiu sêr
mir hânt gegeb*e*n die heiden,
nû bewar mich vor dem scheiden
25 von dir am urtellîchem tage
und vor der endelôsen klage,
der dû niht pfligest ze wenden!
dîn erbarme müeze senden
mir sô trôstlîchen trôst,
des diu sêle ûz banden werde erlôst.

455 *m*an mac an mîme helme sehen,
daz ime sturme ist geschehen
ûf mich manc ellenthafter slac.
ouwê, daz ich niht tôt belac
5 von des admirâtes handen!
dô der keiser Ruolanden
verlôs vor Marssiljen her
und Olivieren, der wol ze wer
was, und der bischof Turpîn –
10 noch ist diu vlust groezer mîn.
ist mich von Kareln ûf erborn,
daz ich sus vil hân verlorn?
der was mîn herre und niht mîn mâc,
dehein sîn sippe an mir lac.
15 von wem ist mich ûf geerbet,
daz ich sus bin verderbet?
waz touc mir nû vürsten name?
mîn tôtiu vreude, niht diu lame,
ime herzen ist verswunden.

als ich euch und all mein Heer verlor,
war mein Verlust nicht derart groß.
Gott, wenn Du Erbarmen hast, 15
dann müssen alle Engelscharen
meinen Verlust erkennen.
Das sei mein Höllenbrennen,
daß meine Seele keine Pein
mehr leide, da 20
mein Lebensglück für immer abgestorben ist.
Altissimus, da
mir die Heiden solches Leid bereitet haben,
bewahr mich vor der Trennung
von Dir am Jüngsten Tage 25
und vor der ewigen Klage,
die Du nicht beendest!
Dein Erbarmen sende
mir so helfende Hilfe,
die die Seele aus Fesseln befreit.

455 An meinem Helm kann man es sehen,
daß auf mich im Kampf
viele harte Schläge gingen.
Ach, daß ich nicht umkam
von der Hand des Admirat! 5
Als der Kaiser Roland
verloren hatte durch Marsiljes Heer
und Olivier, der sich zu wehren
wußte, und den Bischof Turpin –
mein Verlust ist noch viel größer. 10
Hab ich das von Karl geerbt,
daß ich so viel verloren habe?
Der war mein Herr, nicht mein Verwandter,
nicht mein Fleisch und Blut.
Wer hat mir das vererbt, 15
daß ich so ruiniert bin?
Was nützt mir jetzt mein Fürstenrang?
Mein Glück ist tot, nicht bloß gelähmt,
verschwunden aus dem Herzen.

20 die vremden und die kunden,
von den bin ich gunêret,
sît mir sus ist verkêret
al mîns hôhen muotes kraft.
manec trûrec man kumberhaft
25 hie vreude enpfienc von mîner hant,
dô ich der Provenzâlen lant
mit grôzen vreuden hie besaz.
jâ dorfte ninder vürbaz
der kumberhafte ellende,
niht wan gein mîner hende.

456 mîner vlust maht dû dich scham*en*,
der meide kint! in *dîme* nam*en*
was mîn verh, mîn habe geveilet.
diu lücke ist ungeheilet,
5 die mir jâmer durh'ez herze schôz.
stêt dîn tugent vor wanke blôz,
dû solt an mir niht wenken
und mîne vlust bedenken,
sît entwarf dîn selbes hant,
10 daz der vriunt vriundinne vant
an dem arme sîn durh minne. S. 689a
reht manlîche sinne
dienent ûf wîplîchen lôn.
manegen sperkraches dôn
15 hân ich gehôrt umb ein wîp,
diu nû leider mînen lîp
mac dirre vlust ergetzen niht.
mîn herze iedoch ir minne giht.
wan dîn helfe und ir trôst,
20 ich waere immer unrelôst
vor jâmers gebende.
aller künege hende
möhten mit ir rîcheit
niht erwenden mir mîn leit.«
25 dô der vluz sîner ougen regen
het der zeher sô vil gepflegen,

Fremde und Bekannte 20
schmähen mich,
da sich meine stolze Freude 23
so verkehrt hat. 22
Viele betrübte Arme
empfingen Glück aus meiner Hand, 25
als ich im Provenzalenland
in Glück und Freude herrschte.
Nicht weiter
mußte der arme Fremde gehn
als bis zu meiner Hand.

456 Mein Verlust ist Deine Schande,
Sohn der Jungfrau! In Deinem Namen
wurde mein Besitz, mein Leben feilgeboten.
Die Scharte ist noch unverheilt,
die mir der Jammer in das Herz geschossen hat. 5
Ist Deine Gnade zuverlässig,
dann laß mich nicht im Stich
und sieh meinen Verlust,
da Deine eigne Hand es eingerichtet hat,
daß der Freund die Freundin fand 10
in seinem Arm zur Liebe.
Der rechte Mann dient
um den Lohn der Frau.
Ich hörte viele Speere krachen
im Kampf für eine Frau, 15
die mir den Verlust nun leider
nicht ersetzen kann.
Dennoch liebt sie mein Herz.
Ohne Deine Hilfe, ihren Trost
käm ich nie mehr los 20
aus Jammer-Fesseln.
Die Hände aller Könige
könnten mich mit ihrem Reichtum
nicht von meinem Leid befreien.«
Als seines Augen-Regens Strom 25
so viele Tränen ausgegossen hatte,

daz ir zal was umbekant,
dô kom Bernart von Brûbant.
der strâfte *in* und *nam* in ab*e*
von sîner grôzen ungehab*e*.

457 *d*ô der herzoge in trûrec sach,
zem *marcrâven* er dô sprach:
»dû bist niht Heimrîches sun,
wiltû nâch wîbes siten tuon.
5 grôz schade bedarf genendekeit.
über al diz her wirt ze breit
der jâmer durh dich einen,
wiltû hie selbe weinen
reht als ein kint nâch der brust.
10 süeze vinden, manege sûre vlust:
niht anders erbes muge wir hân.
dû selp sibender starker man,
an den sô hôher art ist schîn,
wir müezen lande herren sîn:
15 wer liez uns lant und lande hort
âne bluot und swertes ort?
Tîbaldes lant und des wîp
dû hâst, dar umbe manegen lîp
noch gein uns wâgen sol sîn vâr.
20 dû weist wol, über sehs jâr
sprach al der heiden admirât
sîne sam*e*nunge, diu nû hât
unser verh hie niht gespart.
um dînen vriunt Renn*e*wart
25 *mîn herz und diu ougen* jâmerc sint,
wand er lôste ouch mir mîn kint:
den pfallenzgrâven Bertram
und siben vürsten er dâ nam
in prisûn ûz îsern bant,
aldâ er si beslozzen vant.

daß sie nicht zu zählen waren,
da kam Bernhard von Brubant.
Der wies ihn zurecht und riß ihn
aus seinem unbeherrschten Klagen.

457 Als ihn der Herzog traurig sah,
sagte er zum Markgrafen:
»Du bist nicht Heimrichs Sohn,
wenn du dich wie ein Weib aufführst.
In großem Unglück braucht es Mut. 5
Im ganzen Heer nimmt
nur durch dich der Jammer überhand,
wenn du hier greinst
wie ein Säugling nach der Brust.
Süßes Finden und viel bitterer Verlust: 10
das ist unser Erbteil.
Du und sechs andre starke Männer,
die so hochgeboren sind,
wir müssen Landesherren sein:
wer ließ uns wohl die Länder und der Länder Reichtum 15
ohne Blut und Schwert?
Tibalts Land und seine Frau
hast du: er setzt gegen uns dafür
noch viele Männer ein.
Du weißt genau: sechs Jahre hatte 20
der Admirat aller Heiden anberaumt,
um sein Aufgebot zu sammeln, das jetzt
unser Fleisch und Blut hier nicht geschont hat.
Um deinen Freund Rennewart
jammert es mein Herz und meine Augen, 25
denn er hat meinen Sohn befreit:
den Pfalzgraf Bertram
und sieben Fürsten holte er
aus Eisenbanden im Gefängnis,
wo er sie angekettet fand.

458 der rîche, der arme, ieweder giht,
unser leger sî hie enwiht.
wol ûf: herbergen von dem wal!
wir sulen an berge und an tal
5 Renn*e*warten suochen heizen S. 689b
und ûf schoenem velde erbeizen,
dâ niht sô vil der tôten lige.
wir haben mit schaden disen sige
errungen gein der überkraft,
10 an stolzer werden heidenschaft.
nû haben manlîchen muot!
nâch den gelîche denne maneger tuot,
den hie vil kumbers twinget
und ouch mit jâmer ringet.
15 wâ ervaht ie vürste dîn genôz
schunfentiure alsô grôz?
diu ist sît Adâmes zît
alsô breit unt alsô wît
an deheiner stat vor uns geschehen.
20 wir muosen halt die heiden sehen
ûf ir vluht gar unverzag*e*t:
waz, ob uns ûf dem nâchjag*e*t
Rennwart ist ab gevangen?
ist ez im sus ergangen,
25 dâ engegen hab wir gaebez pfant:
gevangen ist in Larkant
der künec von Skandinâvîâ,
der wol ze wer hielt aldâ;
wir hân zweinzec od*e* mêr
hôher vürsten und künege hêr,

459 der etslîcher ist sô wert,
des Terramêr hin wider gert:
gein den wirt Renn*e*wart wol quît.
nû soltû werben, des ist zît,
5 daz man dir antwurte,
die ûf velde und in vurte,
ûf dem mer *in* al den schiffen

458 Der Reiche, Arme, alle sagen,
daß wir hier nicht lagern können.
Auf also: lagern wir abseits vom Schlachtfeld!
Auf den Bergen, in den Tälern wollen wir
Rennewart suchen lassen 5
und auf schönem Feld absitzen,
wo nicht so viele Tote liegen.
Wir haben diesen Sieg mit Schaden
errungen gegen eine Übermacht,
gegen stolze, edle Heiden. 10
Seien wir nun tapfer!
Den Tapfern folgen dann die vielen,
die hier großer Kummer peinigt
und die sich auch mit Jammer quälen.
Wo kämpfte je ein Fürst wie du 15
den Feind in eine solche Niederlage?
Seit Adams Zeit
gab's vor uns nirgends eine 19
von diesem Ausmaß. 18
Wir haben ja gesehen, wie die Heiden 20
auf ihrem Rückzug unverdrossen kämpften:
was, wenn uns bei der Verfolgung
Rennewart gefangen wurde?
Wenn's ihm so ergangen ist,
dann haben wir dagegen gute Pfänder: 25
gefangen wurde im Larkant
der König Skandinaviens,
der dort tapfer kämpfend aushielt;
in unserer Gewalt sind zwanzig oder mehr
hohe Fürsten, große Könige,
459 darunter so bedeutende,
daß Terramer sie wiederhaben will:
gegen die wird Rennewart leicht eingelöst.
Bemüh dich jetzt darum – es eilt –,
daß man dir die Heiden übergibt, 5
die auf dem Feld und in der Furt,
auf dem Meer in all den Schiffen

der heiden sî begriffen.
ze scherme dîme lande
10 soltû gern alsölher pfande.
gihe, dû newellest ir schatzes niht!
ieslîch vürste hie wol siht,
welh nôt dich dar zuo *twinge*.
nû rîte an alle ir ringe!
15 dîn vater und die bruoder dîn
sulen mit dir an der rede sîn.
wir hân ir doch daz merre teil.
nû wis mit andaehte geil:
got hât dich hie wol geêret
20 und dînen prîs gemêret.«
Willelm an Bernarten sach –
zem herzogen er dô sprach:
»got weiz wol, waz er hât getân.
nû geloube, manlîch wîser man,
25 ob dû sîst sô gehiure,
dirre sige mir schunfentiure
hât ervohten in dem herzen mîn,
sît ich guoter vriunde muoz âne sîn,
an den al mîn vreude lac. S. 690a
ôwê tac und ander tac!

460 ein tac, dô mir Vîvîans
wart erslagen ûf *Aleschans*
selbe sibende vürste und al mîn her,
wan daz ich selbe entreit mit wer.
5 mîn bestiu helfe aldâ beleip.
diu grôze vlust mich dar zuo treip,
daz ich dîne genâde suochte
und maneges, der des ruochte,
daz er sîne triuwe erkante
10 und in mîne helfe ernante.
gestern was mîn ander tac.
von den beiden ich wol sprechen mac,
daz mîn vreude ist verzinset dran,
swaz der mîn herze ie gewan.

festgenommen wurden.
Zum Schutze deines Lands
verlange diese Pfänder! 10
Sag, daß du nichts von ihren Schätzen willst!
Jeder Fürst hier sieht genau,
welche Not dich dazu zwingt.
Reit jetzt zu jedem in sein Lager!
Dein Vater, deine Brüder 15
begleiten dich zu den Gesprächen.
Die meisten haben wir ja selber.
Nun sei froh und danke Gott:
der hat dich hier erhöht
und deinen Ruhm gemehrt.« 20
Wilhelm blickte Bernhard an –
zu dem Herzog sagte er:
»Gott wird schon wissen, was er tat.
Glaub das, kühner, kluger Mann,
wenn du ein Herz hast, 25
dieser Sieg hat mich
besiegt in meinem Herzen,
da mir die edlen Freunde fehlen,
die meine ganze Freude waren.
Weh über diesen Tag und jenen!
460 Den einen Tag, an dem mir Vivianz
auf Alischanz erschlagen wurde
mit sechs andern Fürsten und dem ganzen Heer –
nur ich allein schlug mich heraus.
Dort blieb meine beste Hilfe. 5
Mich trieb der riesige Verlust,
daß ich bei dir Hilfe suchte
und bei vielen, die sich,
ihrer Treuepflicht bewußt,
ermannten, mir zu helfen. 10
Gestern war mein zweiter Tag.
Von den beiden muß ich sagen:
an ihnen wurde meine Freude weggegeben,
alle, die mein Herz jemals gewann.

15 iedoch stêt ez mir alsô:
ich muoz gebâren, als ich vrô
sî, des ich leider niht enbin.
ez ist des houb*e*tmannes sin,
daz er genendeclîche lebe
20 und sîme volke troesten gebe.
dû solt mit mir rîten
inz her an allen sîten.
sô nû geherberget wirt,
ich getrûwe im wol, daz niht verbirt
25 dehein*e*s ringes herre, ern gebe
mir, swaz heidenschaft dran lebe.«
si riten und erwurben gar,
swaz ûz al der heiden schar
der hôhen dâ gevangen was,
daz man's im brâhte ûf bluomen gras
461 vür Heimrîches preimerûn.
der behielt se sîme sun.
Willelm, der markîs,
moht des jehen vür hôhen prîs:
5 er het ze sînen handen,
swaz ûz al der heiden landen
der hôhen was gevangen dâ.
der künec von Skandinâvîâ
was wol von sîner tugende erkant.
10 al der heiden sunder lant
behalten heten *ninder* wîp,
diu *sô kürlîchen lîp
sît Even zît gebaere:
daz wâren von dem diu maere.
15 der marcrâve nam des sicherheit.
die andern *wurden* al bereit
beslozzen in îsern bant.
ze landes herren ir bekant
wârn vünf und zweinzec mit der zal.
20 dô si entwichen von dem wal,
si wâren ergriffen an dem mer

Doch steht es so um mich: 15
ich muß tun, als ob ich froh
wär, und bin's doch leider nicht.
Es macht den Kommandanten aus,
daß er tapfer ist
und seinen Leuten Hoffnung gibt. 20
Du sollst mit mir reiten
durch das ganze Heer.
Wenn jetzt das Lager aufgeschlagen wird,
dann bin ich sicher,
daß die Herren jedes Zeltrings 25
mir die Heiden übergeben, die drin sind.«
Sie ritten und bekamen alle Großen,
die aus den heidnischen Verbänden
da gefangen waren:
man sollte sie ihm auf die Blumenwiese
461 vor Heimrichs Preimerun bringen.
Der nahm sie in Gewahrsam für den Sohn.
Wilhelm, der Marquis,
konnte das als hohe Ehre ansehn:
er hatte in den Händen alle Großen 5
aus der ganzen Heidenwelt,
die man da gefangen hatte.
Der König Skandinaviens
war hochberühmt als vorbildlicher Ritter.
In keinem Heidenland 10
gab's eine Frau,
die einen derart Ausgezeichneten
seit Evas Zeit gebar:
das sagte man von ihm.
Der Markgraf nahm sein Wort. 15
Die andern schloß man auf der Stelle
in Eisenfesseln.
Unter ihnen waren
fünfundzwanzig Landesherren.
Nach ihrer Flucht vom Schlachtfeld 20
waren sie am Meer ergriffen worden

bî ir admirâtes *wer*.
mit zuht des marcrâven munt S. 690b
sprach: »mir ist ein dinc wol kunt
25 an iu, künec Matribleiz,
daz ich die wâren sippe weiz
zwischen iu und dem wîbe mîn.
durh si sult ir hie gêr*e*t sîn
von allen den, die ich's mac erbiten.
ir habt mit werdeclîchen siten

462 *iu*wer zît gelebt sô schône,
daz *nie* houb*e*t und*e*r krône
ob küneges herzen wart erkant,
den beiden vor ûz waere benant
5 sô manec hôchlîcher prîs.
ich mac iuch lob*e*n in allen wîs:
zer manheit und zer triuwe
und zer milte âne riuwe
und zer staete, diu niht wenken kan.
10 ich künd iu, wol gelobter man,
mînen willen, des ich bit*e*
(ich getrûwe iu wol, ir sît d*e*rmit*e*):
nemt dirre gevangen liute ein teil
(die ûf ir eit und ûf ir heil
15 niht wan die rehten wârheit sagen),
swaz hie künege lige erslagen,
daz ir die suochet ûz dem wal
und rehte nennet über al
beide ir namen und ir lant.
20 die sol man heb*e*n al zehant
schône von der erden,
daz si iht ze teile werden
deheime wolf, deheime rab*e*n.
wir sulen si werdeclîcher hab*e*n
25 durh die, diu von *in* ist erborn.
swaz *Gîburge* mâge ist hie verlorn,
die sol man arômâten,
mit balsem wol berâten

bei der Verteidigung des Admirats.
Der Markgraf sagte höflich:
»Mir ist eins von euch bekannt,
König Matribleiß: 25
ich weiß, ihr seid verwandt
mit meiner Frau.
Um ihretwillen sollt ihr hier geehrt sein
von allen, die ich darum bitten kann.
Vorbildlich
462 habt ihr so gelebt:
nie gab es ein gekröntes Haupt
über eines Königs Herzen,
die beide weit vor allen andern
so viel hohen Ruhm erwarben. 5
Ich kann euch in allem loben:
für Tapferkeit und Treue,
Freigebigkeit, die nichts bereut,
Beharrlichkeit, die niemals wankt.
Ich sag euch, hochgelobter Mann, 10
was ich will, um was ich bitte
(ich bin sicher, ihr seid einverstanden):
nehmt einige von den Gefangenen
(die auf ihr Wort bei ihrem Heil
nichts als die Wahrheit sagen sollen) 15
und sucht die Könige, die hier getötet liegen,
aus dem Schlachtfeld heraus
und stellt vollständig und genau
ihren Namen und ihr Land fest.
Die soll man unverzüglich 20
sorgsam vom Boden heben,
daß sie nicht die Beute
von Wölfen und von Raben werden.
Wir wollen sie würdiger behandeln
ihr zu Ehren, die von ihnen abstammt. 25
Die gefallenen Verwandten Giburgs
soll man mit Spezereien salben,
mit Balsam gut bestreichen

und bâren künneclîche,
als ob in sîme rîche
463 dâ heime ieslîcher waere tôt.«
Matribleiz zehant sich bôt
ze tal gein sînen vuozen nider.
der wart schiere ûf gehab*e*n sider.
5 dô dankt er dem markîs
und sprach alsô, daz al sîn prîs
mit der tât waere beslozzen
und sîn triuwe mit *lobe* begozzen,
des sîn saelde immer blüete
10 und sîn unverswigeniu güete.
Matribleiz sprach aber mêr:
»unser wer und unser gote hêr
half niht, wir enmüesen unverholen
die wâren schunfentiure dolen.
15 daz unser vluht ie wart ersehen,
des mac mîn herze unsanfte jehen.
mîn werder got Kahûn wol weiz, S. 691a
sîn dien*e*stman Matribleiz
wart zer *vlühte* nie geborn.
20 ich was ie wol zer wer erkorn,
giht *des* daz getoufte her.
ich wart ergriffen an der wer
und in Larkant gedrungen,
der vluht gar unbetwungen.
25 mîn ein*e*s rüemen hilfet niht,
sît man mich *hie gevangen* siht.
het wir uns alle baz gewert,
des waere der heiden mêr ernert
und der admirât sô hinnen kum*e*n,
daz im niht prîs*e*s waere genum*e*n.«
464 *d*er marcrâve tet im kunt
um einen *senelîchen* vunt,
den er hete vunden:
»dô was überwunden
5 an dem mer der Kanabêus sun,

und königlich aufbahren,
als ob jeder
463 daheim gestorben wär in seinem Reich.«
Matribleiß warf sich sogleich
zu seinen Füßen nieder.
Er wurde auf der Stelle aufgehoben.
Er dankte dem Marquis 5
und sagte, allem Ruhm, den er erworben habe,
sei mit dieser Tat die Krone aufgesetzt
und mit Lob begossen seine Treue,
so daß sein Heil zu allen Zeiten blühe
und seine offenbare Güte. 10
Matribleiß fuhr fort:
»Unser Kämpfen, unsre hohen Götter
bewahrten uns nicht
vor der klaren Niederlage.
Daß man uns jemals fliehen sah, 15
beschwert mein Herz.
Mein hoher Gott Kahun weiß wohl,
daß sein Diener Matribleiß
nicht zur Flucht geboren ist.
Ich war immer tapfer, 20
das geben selbst die Christen zu.
Kämpfend wurde ich ergriffen
und in den Larkant gedrängt,
nicht in die Flucht geschlagen.
Doch hilft es nichts, wenn ich allein mich rühme, 25
da ich hier gefangen bin.
Hätten wir uns alle tüchtiger gewehrt,
wären von den Heiden mehr gerettet worden
und der Admirat so aus der Schlacht gekommen,
daß er seinen Ruhm behalten hätt.«
464 Der Markgraf erzählte ihm
von einer traurigen Entdeckung,
die er gemacht hatte:
»Als
der Kanabeus-Sohn am Meer geschlagen war, 5

swer dô mit nemen iht wolde tuon,
daz tet wol ieslîch kristen hant.
an sîme ringe ich stênde vant
ein preimerûn hôch und wît
10 gar von blankem samît.
ûz der heiden ê ein priester
was dar under meister.
ich was durh mînen helm versnit*e*n:
al teuwende ich drunder kom gerit*e*n,
15 niht durh nemens vâre.
ich vant drî und *zweinzec* bâre,
alsô manegen tôten künec dâ ligen
gekroent. ir namen sint *unverswigen*:
ze ende ieslîcher bâre drum
20 hât ir eppitafium
an breiten tavelen, die sint golt.
ich geloube im wol, er waere in holt,
swer die koste durh si gap.
dar an was ieslîch buochstap
25 mit edelen steinen verwieret,
al die bâre wol gezieret.
man lis*e*t dâ kuntlîche
ir nam*e*n und ir rîche,
wannen ieslîcher was erborn
und wie er hât den lîp verlorn.

465 *mich* gerou, daz ich dar under was.
iedoch ein teil ich dâ las
und vrâgete den priester maere,
von wem diu koste waere.
5 des jach er ûf den admirât.
mîn van ez dâ beschirmet hât:
den hiez ich stôzen d*e*rvür
und bat sîn pflegen, daz iht verlür
der priester dar unde.
10 sölh vinden schuof mîn wunde.
ich sach dâ manec balsemvaz. S. 691b
her künec, ich sag ez iu umbe daz:

da machten alle Christen gründlich Beute, 7
die das wollten. 6
In seinem Lager sah ich
einen hohen, weiten Preimerun
ganz aus weißem Brokat. 10
Ein Heidenpriester
war der Herr darin.
Ich war durch meinen Helm verletzt:
todwund ritt ich hinein,
nicht um zu plündern. 15
Ich sah dreiundzwanzig Bahren,
darauf ebensoviel Könige
mit Kronen. Ihre Namen werden mitgeteilt:
jede Bahre trägt am obern Ende
ein Epitaph 20
auf einer breiten goldnen Tafel.
Ich glaube ihm: er wollte ihnen wohl,
der diesen Aufwand für sie trieb.
Daran war jeder Buchstab
mit Edelsteinen eingelegt, 25
die ganze Bahre schön geschmückt.
Genau verzeichnet liest man dort
ihre Namen, ihre Reiche,
woher jeder stammte
und wie er umgekommen ist.
465 Es tat mir leid, daß ich darin war.
Doch las ich dies und jenes da
und fragte den Priester,
vom wem der Reichtum komme.
Er sagte mir, er sei vom Admirat. 5
Meine Fahne schützt das Zelt:
ich befahl, sie davor aufzupflanzen,
und gab Order, es zu hüten, daß
dem Priester drinnen nichts genommen würde.
Meine Wunde führte mich zu der Entdeckung. 10
Balsamgefäße sah ich viele da.
Herr König, ich sage euch das deshalb:

ob wir balsem sulen hân,
den sol iu der priester lân
15 und dar zuo, swaz dar under sî:
daz sî der pflege von mir nû vrî.
nû vüert die tôten werden
von der toufbaeren erden,
dâ man si schône nâch ir ê
20 bestate. ich sol iu schaffen ê
starke mûle, die si tragen,
künege, die hie sint erslagen,
und liute, die der bâre pfleg*e*n
ûf brücke, in vurte und an den weg*e*n.
25 ob ir's geruochet und*e* gert,
sô sît noch mêr von mir gewert.
ir sult hie unbetwungen sîn.
sprechet selbe: swaz ist mîn,
daz sult ir nem*e*n al bereit.
sît ledec iuwer sicherheit!

466 her künec, als ich iuch ê bat,
nû rîtet ûf die walstat
und ûf die bluotvarwen slâ.
swaz ir künege vindet dâ,
5 die bringet Terramêre,
der die grôzen überkêre
tet âne mîne schulde,
des genâde und des hulde
ich gerne gediende, getorst ich's biten,
10 swie er gebüte, wan mit den siten,
daz ich den hoehsten got verküre
und daz ich mînen touf verlüre
und wider gaebe mîn klârez wîp.
vür wâr ich liez ê manegen lîp
15 verhouwen, als ist hie geschehen.
her künec, ir muget im dort wol jehen,
ich ensende's im durh vorhte niht,
swaz man hie tôter künege siht:
ich êre d*e*rmit et sînen art,

wenn wir Balsam brauchen,
soll ihn euch der Priester geben
und dazu alles, was im Zelt ist: 15
das gebe ich jetzt frei.
Führt nun die toten Edlen
aus dem Christenland dorthin,
wo man sie nach ihrer Religion
würdig bestatten mag. Ich will euch 20
starke Muli stellen, die sie tragen sollen,
die Könige, die hier getötet wurden,
und Leute, die sich um die Bahren kümmern
auf den Brücken, in den Furten, auf den Wegen.
Wenn ihr es wollt und wünscht, 25
geb ich euch auch noch mehr.
An nichts soll's euch hier fehlen.
Sagt es selbst: was mir gehört,
das sollt ihr auf der Stelle nehmen.
Seid von euerm Wort entbunden!

466 Herr König, reitet nun, wie ich euch vorhin bat,
auf das Schlachtfeld
und auf die blutbedeckte Spur.
Die Könige, die ihr dort findet,
bringt zu Terramer, 5
der die große Überfahrt
getan hat ohne meine Schuld,
dessen Gnade, dessen Huld
ich gern verdiente (wagte ich, darum zu bitten),
wie er befehlen wollte, nur nicht so, 10
daß ich den Höchsten Gott aufgäbe
und mein Christentum verlöre
und meine schöne Frau zurückerstattete.
Wahrlich, ich ließe eher viele Männer
zerhauen, wie es hier geschah. 15
Herr König, richtet ihm dort aus,
ich sende sie ihm nicht aus Furcht,
die toten Könige hier.
Ich ehre damit sein Geschlecht,

20 des mir ze kurz*e*wîle wart
an mînem arm ein süezez teil,
dâ von ich trûric und*e* geil
sît dicke wart, sô kom der tac,
daz Tîbalt gein mir strîtes pflac.
25 vor dem möht ich hie wol genesen,
swenne ze Baldac wolte wesen
bî dem bâruc der admirât,
der mich nû hie gesuochet hât.
ich bevilh *iuch*, künec Matribleiz,
dem, der d*e*r sterne zal weiz
467 *u*nt der uns gap des mânen schîn.
dem müezet ir bevolhen sîn,
daz er iuch bringe ze Gaheviez.
iuwer herze tugende nie verliez.«
5 der marcrâve guot geleite dan S. 691 u. Rand
gap dem hôch gelobten man
und den tôten künegen, die man vant.
sus rûmt er Provenzâlen lant.
ûz dem her sîn kund*e*wier*e*n was
10 ab dem blüemînem gras
von manegem rîter sêre wunt.
nû wart im gemachet kunt,
war er solde kêren.
alrêst begunde mêren
15 der marcrâve die sînen klage.
nû was ez ame dritten tage,
daz der *sturm* was erliten.
der marcrâve mit jâmers siten
alrêst umb'en wurf dô warf.
20 »sölher site niht bedarf«,
sprach der wîse Gîbert,
»den got her*e*s hât gewert,
daz er troesten solte
. . .«

aus dem zu meiner Freude mir 20
in meinem Arm ein süßes Teil geworden ist,
von dem ich später oftmals froh und traurig wurde,
als der Tag gekommen war,
daß Tibalt mich bekriegte.
Vor diesem hätt ich hier bestehen können, 25
wenn nur der Admirat in Bagdad
bei dem Baruch hätte bleiben wollen,
der mich jetzt hier heimgesucht hat.
Ich befehl euch, König Matribleiß,
dem, der die Zahl der Sterne weiß
467 und uns das Licht des Mondes gab.
Dem sollt ihr anbefohlen sein:
er bringe euch nach Gahevieß.
Ritterlicher Sinn wich nie aus euerm Herzen.«
Sicheres Geleit zum Rückzug gab der Markgraf 5
diesem hoch gerühmten Mann
und den toten Königen, die man gefunden hatte.
So räumte er das Land der Provenzalen.
Aus dem Heer geleiteten ihn
von der Blumenwiese 10
viele schwerverletzte Ritter.
Nun wurde ihm erklärt,
wohin er sich zu wenden hatte.
Jetzt erst begann
der Markgraf recht zu klagen. 15
Es war nun der zweite Tag
nach der Schlacht.
Mit seiner Klage
würfelte der Markgraf erst um den Beginn.
»Der braucht nicht zu klagen«, 20
sagte der kluge Gibert,
»dem Gott ein Heer geschenkt hat,
dem er Hoffnung geben sollte
. . .«

KOMMENTAR

WOLFRAMS WILLEHALM

DER DICHTER UND DIE ENTSTEHUNG DES WERKS

Wolfram von Eschenbach galt den Zeitgenossen und gilt der modernen Forschung als der bedeutendste Dichter der mittelhochdeutschen Klassik. Sein Werk umfaßt Epik (außer dem *Willehalm* den *Parzival*-Roman und das Romanfragment *Titurel*) und Lyrik (erhalten ist eine Handvoll kostbarer erotischer Lieder). Wie die anderen großen Epiker seiner Zeit – Hartmann von Aue, Gottfried von Straßburg und der Dichter des *Nibelungenlieds* – wird er in keiner Urkunde erwähnt. Was wir über sein Leben zu wissen glauben, beruht auf Hinweisen in seinem Werk und in Werken späterer Dichter. Seine Lebenszeit ergibt sich aus der erschließbaren Abfassungszeit der Romane: der *Parzival* ist im ersten, der *Willehalm* und der *Titurel* sind wahrscheinlich im zweiten Jahrzehnt des 13. Jahrhunderts entstanden. Über Wolframs Herkunft ist nichts Sicheres bekannt, doch legen persönliche und geographische Anspielungen die Annahme nahe, daß mit *Eschenbach* das heutige Städtchen Wolframs-Eschenbach in Mittelfranken gemeint ist. Welchem Stand er von Geburt angehörte, wissen wir nicht. Sicher ist, daß er seine Werke professionell im Auftrag mächtiger und wohlhabender Gönner verfaßte; möglich, daß er sich auch aufs Waffenhandwerk verstanden und es zu Zeiten ausgeübt hat. Umstritten bleibt, über welche Bildung er verfügte, d. h. ob er an einer (geistlichen) Ausbildungsstätte Lesen und Schreiben und damit auch Latein gelernt hat und mit der lateinischen Literaturtradition in Berührung gekommen ist oder nicht. Da er sich in polemischer Wendung gegen die buchgelehrten Dichter vom Schlage Hartmanns von Aue und Gottfrieds von Straßburg vehement als einen ungelehrten Bücherverächter präsentiert, meinen viele, er sei Analphabet gewesen, hätte also seine Werke nicht selber schreiben, sondern nur diktieren können. Die Vorstellung ist für das Mittelalter nicht so absurd, wie sie uns zunächst erscheinen mag, doch spricht mehr für die Annahme, daß die Hinweise auf die Unbildung des Dichters – wie auch wiederholte Hinweise auf seine Armut und andere persönliche Lebensumstände – Teil einer Stilisierung der Autor-Rolle sind.

Unter Wolframs Gönnern spielt die wichtigste, für den *Willehalm* entscheidende Rolle der Landgraf Hermann I. von Thüringen (1190-1217). Einer der ersten Fürsten des Reiches, war Hermann der bedeutendste Förderer der deutschen Dichtung seiner Zeit. Außer Wolfram haben u. a. auch Heinrich von Veldeke, der Begründer des höfischen Romans in Deutschland, und Walther von der Vogelweide für ihn gedichtet. Er hat Wolfram die französische Quelle des *Willehalm* verschafft (3,8f.) und ihm mit an Sicherheit grenzender Wahrscheinlichkeit den Auftrag erteilt, die deutsche Bearbeitung anzufertigen (daß die Geschichte des Reichsfürsten Willehalm, in dessen Hand die Wohlfahrt des Reiches lag und der ein Heiliger wurde, das besondere Interesse des Reichsfürsten Hermann finden mußte, liegt auf der Hand). Gegen Ende des *Willehalm* wird Hermann (wahrscheinlich) als Verstorbener erwähnt (417,22ff.), und so kann sein Todestag ein Datum für die Bestimmung der Entstehungszeit des Werks liefern: Wolfram hat vor dem 25. April 1217 mit der Arbeit begonnen und sie danach noch eine Zeitlang weitergeführt. Im übrigen bleibt ein Spielraum von mehreren Jahren: für den Beginn der Arbeit darf man wohl bis zum Beginn des zweiten Jahrzehnts (kaum darüber hinaus) hinaufgehen; das Ende kann noch in den Beginn des dritten fallen. (Weitere Daten, auf die man gewöhnlich verweist, führen nicht weiter oder sind nicht tragfähig. So besagt die Erwähnung der Kaiserkrönung Ottos IV. in den Versen 393,30ff. nicht mehr, als daß die Passage nach dem 4. Oktober 1209 gedichtet wurde: was ohnehin mehr als wahrscheinlich ist, denn sie steht keine tausend Verse vor der Erwähnung des verstorbenen Landgrafen. Mehr Aussagekraft hätte die Nennung der Belagerungsmaschine *drîboc* in Vers 111,9, also relativ früh im Werk, wenn sie, wie manche aufgrund einer Chronik-Notiz annehmen, erst 1212 in Deutschland bekanntgeworden wäre: das läßt sich jedoch nicht beweisen und ist noch nicht einmal wahrscheinlich.)

Der *Willehalm* endet nach knapp 14000 Versen, ohne daß die Handlung in allen Erzählsträngen abgeschlossen wäre. Das Ende liegt in den meisten Handschriften bei Vers 467,8, der wie ein Schlußsatz klingt (*sus rûmt er Provenzâlen lant*), in den wichtigen Handschriften G und V 15 Verse weiter mitten in einem Satz und einem Reimpaar. Die Forschung hat dieses Faktum kontrovers beurteilt: die Meinung, Wolfram habe das Werk mit Vers 467,8 für vollendet im Sinne seiner Konzeption angesehen, ist ebenso vertreten worden wie die Meinung, er habe mehr schlecht als recht einen provisorischen Schluß formuliert (dem Werk ein »Notdach« aufgesetzt), und schließlich die Meinung, er habe die Arbeit aus inneren oder äußeren Gründen abgebrochen oder abbrechen müssen. Wüßten wir, daß die 15 Schlußverse in G und V von Wolfram stammen, wäre diese dritte Möglichkeit bewiesen, doch ist Sicherheit hier nicht zu gewinnen. Immerhin gibt es ein formales Indiz dafür, daß auch Vers 467,8 nicht als Schlußvers gedacht ist, nicht als von vornherein angestrebter und auch nicht als behelfsmäßiger: Wolfram bedient sich im *Willehalm* konsequent eines Gliederungssystems, das auf Gruppen von jeweils dreißig Versen beruht, und man darf wohl annehmen, daß er das Werk auf jeden Fall mit einem vollen Dreißiger abgeschlossen hätte. Auch sonst spricht nichts gegen und manches (wie Vorausdeutungen auf Vorgänge, die nicht mehr erzählt sind) dafür, daß Wolfram gezwungen war, die Arbeit abzubrechen – kaum aus inneren Gründen (weil er konzeptionell in eine Sackgasse geraten war), sondern sehr wahrscheinlich aus äußeren, weil er über der Arbeit starb oder weil ihm die Mittel entzogen wurden (im Zusammenhang mit dem Tod des Gönners?).

INHALT

Der *Willehalm* erzählt, wie Markgraf Willehalm von Orange sein Land und seine Gemahlin Giburg gegen die Sarazenen behauptet. Willehalm hat als Vasall des fränkischen Königs und römischen Kaisers – zuerst Karls des Großen, dann seines Sohnes und Nachfolgers Ludwig – die Südflanke des Reiches: die Provence gegen die Sarazenen zu verteidigen. Im Zuge seiner unablässigen Kämpfe in deren Gefangenschaft geraten, war er mit der Königin Arabel, der Tochter des obersten Sarazenen-Herrschers Terramer und Gemahlin des mächtigen Königs Tibalt, zusammengekommen. Aus Liebe zu ihm und zum Christengott war die Fürstin mit ihm geflohen, hatte sich auf den Namen Giburg taufen lassen und ihn geheiratet. Um sich zu rächen, boten Terramer und Tibalt eine riesige Streitmacht auf, die dem Markgrafen Frau und Land abnehmen sollte. Mit der Landung der Invasionstruppen in der Provence setzt die Handlung des *Willehalm* ein. In einer ersten Schlacht auf dem Feld von Alischanz (bei Arles) wird Willehalm vernichtend geschlagen. Er entkommt als einziger, schlägt sich nach Orange zu Giburg durch und macht sich von dort nach kurzer Rast auf den Weg zum König, um Hilfe zu holen. Giburg hält unterdessen mit ihren Frauen die Festung. Willehalms Weg führt über Orleans nach Laon (nördlich von Paris), wo König Ludwig einen festlichen Hoftag hält. Die Hofgesellschaft schneidet den abgekämpften und in seinem Äußeren heruntergekommenen Mann, der sich merkwürdig unhöfisch verhält. Die Königin, seine Schwester, läßt die Tore der Residenz vor ihm versperren. Es gelingt ihm jedoch, vor die versammelte Hofgesellschaft zu treten, wo er in einem maßlos wütenden Auftritt den König beschimpft, der Königin die Krone vom Kopf schlägt und nur mit Mühe daran gehindert werden kann, sie zu töten. Der schönen, liebenswerten Königstochter Alize gelingt es, ihn zu besänftigen. Die Stimmung schlägt zu seinen Gunsten um: der König und die Königin, seine Mutter, sein Vater und seine Brüder, die ebenfalls anwesend sind, sagen ihm Hilfe in Form von Geld und Truppen zu. Der König erklärt den Kampf gegen die Invasoren zur Reichssache und gibt Willehalm den Befehl über das Reichsheer. Noch in Laon macht Willehalm Bekanntschaft mit dem riesenhaften Küchenjungen Rennewart – einem Sohn Terramers, der, aus seiner Heimat verschleppt, unerkannt am Hof des Königs lebt und der jungen Alize in Liebe zugetan ist. Willehalm erkennt instinktiv den Adel des Jungen und macht ihn zu seinem Helfer. Wiederum über Orleans kehrt Willehalm an der Spitze des Reichsheers zurück nach Orange, wo die Sarazenen soeben die vergebliche Belagerung aufgehoben haben. Willehalm und Giburg sind wieder vereint. Willehalms Vater und Brüder treffen nacheinander mit ihren Hilfstruppen ein. Im Kriegsrat hält Giburg eine ergreifende Rede, in der sie die Christen mahnt, in den heidnischen Gegnern Gottes Geschöpfe zu ehren. Die vereinten christlichen Heere treten den Sarazenen auf Alischanz entgegen und schlagen sie. Der Erfolg ist vor allem Rennewart zu danken, der die desertierenden französischen Truppen zur Rückkehr zwingt und mit seiner schrecklichen Waffe, einer riesigen Stange, Rosse und Reiter in Massen niederschlägt. Die überlebenden Sarazenen fliehen teils ins Gebirge, teils auf ihre Schiffe. Als man die Lage überblickt, stellt sich heraus, daß Rennewart verschwunden ist. Willehalm beklagt den vermeintlich verlorenen Freund, dessen Schicksal im unklaren bleibt (in der Vorlage hat er sich bei der Verfolgung der Sarazenen vom Schlachtfeld entfernt, kehrt zurück und heiratet schließlich die Königstochter). Mit einer großen Geste des siegreichen Markgrafen endet Wolframs Erzählung: Willehalm entläßt den gefangenen Heidenkönig Matribleiz mit den Leichen gefallener Heidenkönige in ehrenvollem Geleit nach Hause.

STOFF, QUELLE, GATTUNG

Quelle des *Willehalm* ist eine Chanson de geste, ein französisches Heldenepos: *Aliscans*. Das Werk ist Teil eines umfangreichen Epenzyklus um den Grafen Guillaume von Orange, genannt *al cort nes* (»mit der kurzen Nase«), und seine Sippe. Hinter der Epengestalt steht eine historische Person: Graf Wilhelm von Toulouse, ein Enkel Karl Martells, der unter Karl dem Großen und dessen Sohn Ludwig dem Frommen die Spanische Mark verteidigte, dabei erfolgreich gegen Basken und Sarazenen kämpfte und im Jahre 801 an der Eroberung Barcelonas durch Karl beteiligt war. Im Dezember 804 gründete Wilhelm in den Bergen nordwestlich von Montpellier das Kloster Gellone (heute Saint-Guilhem-le-Désert), in das er selbst am 29. Juni 806 eintrat und wo er am 28. Mai 812 gestorben ist. Er ist 1066 heiliggesprochen worden und wird noch heute in der Diözese Montpellier verehrt (vgl. LThK X, Sp. 1126: Wilhelm von Aquitanien).

Der Kranz der Wilhelmsepen, der im 12. und 13. Jahrhundert entstanden ist, umfaßt alles in allem mehr als zwanzig Werke. Das zyklische Reihungsprinzip, nach dem sie in der Überlieferung aufeinander bezogen sind, mag die Handschrift A^1 (Paris, Bibliothèque Nationale, fr. 774) aus der Mitte oder zweiten Hälfte des 13. Jahrhunderts verdeutlichen. Sie enthält den »kleinen Zyklus«: er beginnt mit Guillaumes Jugendtaten (*Enfances Guillaume*), schließt daran mit dem *Couronnement Louis* (»Krönung Ludwigs«), dem *Charroi de Nîmes* (»Wagentransport von Nîmes«) und der *Prise d'Orange* (»Einnahme von Orange«) den zyklischen Kern (Verbindung Guillaumes mit dem König Louis, Übernahme der Sarazenenkämpfe, Erwerb der Gemahlin Orable); dann tritt Guillaumes Neffe Vivien auf den Plan mit seinen Jugendtaten (*Enfances Vivien*), seiner Aristie und seinem Tod (*Chevalerie Vivien* [»Rittertat Viviens«], *Aliscans*); es folgt – in einer Weiterbildung von *Aliscans* – Viviens Neffe (*Folque de Candie*); den Zyklus beschließen die Geschichten vom Klosterleben (»Moniage«) und Ende Rainouarts (Rennewarts) und Guillaumes (*Moniage Rainouart*, *Moniage Guillaume*). Als ältestes erhaltenes Wilhelmsepos gilt die *Chanson de Guillaume*, die unzyklisch in einer Handschrift des 13. Jahrhunderts überliefert ist. Die Chanson läßt die ältere epische Grundlage des *Aliscans*-Epos erkennen, das gegen Ende des 12. Jahrhunderts entstanden sein soll. Seine Überlieferung (13 vollständige Handschriften und einige Fragmente) ist stark divergent: offenbar gab es, wie auch sonst in der Heldendichtung, niemals eine kanonische Fassung. Diejenige, die Wolfram vorlag, ist nicht erhalten, so daß es schwierig bleibt, seine Intention und Leistung im Vergleich des *Willehalm* mit der Quelle festzustellen (am nächsten soll Wolframs Text die in franko-italienischem Dialekt geschriebene Fassung der Handschrift M – Venedig, Codex Marcianus fr. VIII [= 252] – aus dem 14. Jahrhundert stehen). Inwieweit Wolfram über *Aliscans* hinaus mit der Wilhelmsepik vertraut war und ob er vor dem Problem stand, die Handlung aus ihrer Einbindung in den Zyklus herauszulösen, ist strittig. Es gibt jedoch eine Reihe von Indizien, die es nahelegen, mit weitergehender Kenntnis der französischen Tradition beim Dichter und seinem Publikum zu rechnen.

Bei aller Problematik des Textvergleichs im einzelnen kann man sagen, daß Wolfram die Vorlage so tiefgreifend verändert hat, daß am Ende eine völlig neue Dichtung dastand. Die Neukonzeption wird entscheidend bestimmt von einer Aufwertung der Gemahlin Willehalms: nicht der Markgraf ist der Held des Werks, sondern das Paar Willehalm und Giburg. Diese wird ihrem Gemahl nicht zuletzt insofern gleichberechtigt an die Seite gestellt, als Wolfram sie zur Heiligen gemacht hat: wie am Anfang des Werks ein Gebet zum heiligen Willehalm, so steht an seinem Ende (am Beginn der mutmaßlichen Schlußpartie, dem sog. IX. Buch) ein Gebet an die heilige Giburg. Die Aufwertung der Frau und die Betonung der Heiligkeit des Protagonistenpaars zeigt einen Gattungswandel an: Wolfram hat das Heldenepos, das ihm vorlag, mit Elementen des Romans (Liebeshandlung zwischen Willehalm und Giburg, Minnerittertum) und der Legende überformt und umgeformt. Man kann von einem Legenden-Roman sprechen, muß sich freilich bewußt halten, daß damit nicht eine Gattungstradition bezeichnet ist, an die Wolfram hätte anknüpfen können: in seiner spezifischen Mischung von Elementen aus Heldenepik, Roman und Legende war der *Willehalm* etwas ganz Neues.

GRUNDLINIEN DER SINNGEBUNG

Von den beiden Momenten her: der Aufwertung der Frau und der Heiligkeit des Heldenpaars lassen sich auch die Grundlinien der Sinngebung des Werks ausziehen.

Die Kämpfe im *Willehalm* kommen von weither. Sie bieten einen Ausschnitt aus dem Ringen zwischen Christen und Sarazenen, das – in Anknüpfung an die historischen Kämpfe der Franken gegen die spanischen Sarazenen (und z. T. auch gegen die Normannen) im 8. und 9. Jahrhundert – Gegenstand eines Gutteils der französischen Heldenepik der Chansons de geste ist. Das zentrale Werk ist die *Chanson de Roland*, die zu Beginn der siebziger Jahre des 12. Jahrhunderts auch ins Deutsche übertragen wurde (*Rolandslied* des Pfaffen Konrad). Hier stehen sich Karl der Große und Terramers Onkel Baligan in einem Kampf gegenüber, der als Kampf zwischen dem Reich Gottes und dem Reich des Bösen um die Herrschaft auf der Welt angelegt ist und von den Christen als Kreuzzug aufgefaßt wird, in dem alles darauf ankommt, die heidnische Teufelsbrut auszurotten. Die Schlachten im *Willehalm* führen diese Auseinandersetzung eine Generation später fort. Der Markgraf steht als Heidenkämpfer im Dienst des Christenherrschers, und die zweite Schlacht akzentuiert die welthistorische Dimension, indem der private Anlaß der Rache für die Flucht Arabel-Giburgs überlagert wird von der politisch-religiösen Konstellation des *Rolandsliedes*: dem Heer des höchsten Heidenherrschers steht neuerlich das Reichsheer gegenüber, und der Heidenherrscher begründet ausdrücklich und ausführlich seinen Anspruch auf das römische Reich, das er zu unterwerfen beabsichtigt.

Wolfram hat weit über die Quelle hinaus die Beziehungen der Geschichte zum *Rolandslied* herausgearbeitet und damit die Folie ausgespannt, vor deren Hintergrund er sein Verständnis des Heidenproblems artikulieren konnte. Angelpunkt seiner Darstellung ist jener private Anlaß des Krieges, ist das Schicksal Giburgs. Sie bleibt ihren heidnischen Verwandten – zumal ihrem Vater Terramer, ihrem Mann Tibalt und ihren Kindern aus der Ehe mit diesem – auch nach ihrer Flucht und Konversion in Liebe und Achtung verbunden und steht so auf schreckliche Weise zwischen den Fronten: wer immer siegt, sie kann nur verlieren. In ihrer Haltung und in ihrem Leid wird glaubhaft und nachvollziehbar, wie der Erzähler die Heiden generell sieht: als vorbildliche Ritter, die wie die Christen für ihre Religion kämpfen, die sie für wahr und gut halten, und sich als Kämpfer im höfischen Minnedienst bewähren. Diese »Doppelschau« (Bodo Mergell), die das Recht und das Leid beider Seiten im Blick hält und den Tod der heidnischen Helden nicht minder zum Anlaß bewegter Klagen nimmt wie den der christlichen, steht in scharfem Kontrast zur aggressiven Kreuzzugsideologie des *Rolandsliedes*, die die Heiden verteufelt. Giburg verkörpert und lebt diese neue Sicht nicht nur, sie begründet sie auch theologisch in ihrer berühmten Rede im Kriegsrat (306,1ff.), der gegen Ende ein Erzählerkommentar korrespondiert, der scharf und kompromißlos als Sünde erklärt, was im *Rolandslied* propagiert wurde: die Heiden abzuschlachten wie Vieh (450,15ff.).

Das Verwandtschaftsmotiv, aus dem heraus Wolfram Giburgs Stellung zwischen Christen und Heiden entwickelt hat, ist das Vehikel, mit dessen Hilfe er das menschliche und theologische Problem des Heidenkampfes neu formuliert (anknüpfend an die Behandlung des Problems der ritterlichen Schuld im *Parzival*, die ebenfalls vom Verwandtschaftsmotiv ausgeht). So ist es bezeichnend, daß Willehalm am Ende den König Matribleiz und die gefallenen Heidenkönige ehrenvoll behandelt, weil sie Giburgs Verwandte sind (man hat in dieser Geste den Endpunkt einer Entwicklung des Helden zur Humanität sehen wollen, die das Werk vorführe: es spricht nichts für und vieles gegen diese Auffassung, derzufolge Willehalm am Ende ein anderer wäre als zu Beginn). Zugleich wird damit die versöhnende und erlösende Kraft der Liebe deutlich, denn es ist ja die Liebe zu Giburg, die Willehalm so handeln läßt – eine Liebe, die Wolfram in einer außerordentlichen Kühnheit humanen Denkens in hocherotischen Szenen als geschlechtliche schildert und zugleich als Analogon zur göttlichen Liebe verständlich macht.

Um die Bedeutung des Verwandtschaftsmotivs würdigen zu können, muß man wissen, daß die Familie für die Menschen im Mittelalter eine unvergleichlich größere Rolle spielte als für uns: sie war die wesentliche Grundlage der sozialen Verankerung des einzelnen (wie man im *Willehalm* sehr schön an der Wichtigkeit sehen kann, die die Hilfe der Familie für Willehalm hat). Das ist der Boden, auf dem der schon biblische Gedanke fruchtbar werden konnte, daß die Menschen Kinder Gottes sind und mithin allemal, unabhängig von jeder biologischen Bindung, miteinander verwandt als Brüder und Schwestern. Dogmatisch streng genommen, gilt das freilich nur für die Christen: die Verwandtschaft zwischen Gott und dem Menschen wird, wie im *Willehalm*-Prolog dargelegt, durch die Taufe begründet. Doch geht Wolfram in Giburgs Rede im Kriegsrat mindestens soweit, den Gedanken, daß auch die Heiden Gottes Kinder sind, denkbar zu machen (siehe den Stellenkommentar zu 307,26-30). Das wäre ein theologisch gefaßter Toleranz-Gedanke, der weit über das hinaus ginge, was dem Mittelalter und seiner Theologie sonst möglich war.

Jedenfalls pocht Wolfram gegenüber der mörderisch intoleranten Kreuzzugsideologie seiner Zeit auf »das Recht des anderen« (Karl Bertau) und stellt schonungslos das Leid heraus, das der Mensch dem Menschen – der Bruder dem Bruder – im Krieg antut. Das begründet den Rang des *Willehalm* als eines der großen Dokumente der Menschlichkeit – und seine Aktualität. Eine Lösung freilich bringt der vorliegende Text nicht, jedenfalls nicht explizit (doch deutet Willehalm, erstaunlich genug, die Möglichkeit einer friedlichen Koexistenz von Christen und Heiden auf der Basis gegenseitigen Respekts an: 466,8ff.). Es dominiert das Motiv des ungeheuren Leids, das alle betrifft und das gerade am Schluß in Willehalms Klagen um Rennewart (die sichtlich den Klagen um Vivianz nach der ersten Schlacht entsprechen) noch einmal voll ausgespielt wird. Auch läßt Wolfram bei allem Verständnis für das Recht der Heiden keinen Zweifel daran, daß der Kampf gegen diese im Kreuzzug auch in seiner Sicht verdienstvoll ist: »Kreuzzugsidee und religiöser Friedensgedanke sind in Wolframs Dichtung nicht in ein Verhältnis harmonischer Ergänzung gebracht« (Joachim Bumke). Dennoch wäre nichts verkehrter als anzunehmen, Wolfram habe aus einer tragischen Weltsicht heraus die Dissonanzen für unauflösbar, das Leid für unüberwindlich gehalten. Der Dichter ist vielmehr erfüllt von einer tiefen christlichen Heilsgewißheit, die als solche jede Tragik ausschließt. Das Heil ist verbürgt »durch Gottes herrliches Wirken in der Natur« (Walter Haug), das schon der Prolog beschwört und auf das leitmotivartig immer wieder verwiesen wird, vor allem aber dadurch, daß Willehalm und Giburg als Heilige vorgestellt sind: der Leser weiß von Anfang an, daß es für sie in der Gnade Gottes doch einen Ausweg aus Leid und Verstrickung gegeben hat und daß sie über diese Gnade heilbringend zurückwirken können in die Welt. Insofern ist der *Willehalm* ganz wesentlich Legende. Von deren Gattungstradition setzt er sich allerdings dadurch ab, daß der Weg, der Willehalm und Giburg aus der Not des Diesseits ins Glück des Jenseits führt, nicht sichtbar gemacht wird.

ÜBERLIEFERUNG UND WIRKUNG

Man zählt heute nicht weniger als 76 Handschriften des *Willehalm*, 12 vollständige und 64 fragmentarische (dazu kommt eine Prosafassung des 15. Jahrhunderts und eine noch nicht recht überschaubare Streuüberlieferung einzelner Passagen, vor allem in der *Weltchronik* des Heinrich von München aus dem 14. Jahrhundert – s. u. S. 1118). Damit ist der *Willehalm* zusammen mit dem *Parzival* (über 80 Textzeugen) das mit Abstand am besten überlieferte Werk der mittelhochdeutschen Erzählliteratur der klassischen Zeit (zum Vergleich: vom *Nibelungenlied* und von Hartmanns *Iwein* sind jeweils 34, von Gottfrieds *Tristan* 29, von Hartmanns *Erec* 4 Textzeugen bekannt). Diese Überlieferung, die sich zeitlich über drei Jahrhunderte erstreckt (vom 13. bis ins 15. Jahrhundert), bezeugt, daß das Werk eine außerordentliche Resonanz hatte.

Es wäre schön, wenn man annehmen dürfte, daß sich diese Resonanz Wolframs neuer Sicht der Heidenfrage verdankte, doch ist das offenbar nicht so. In den vierziger Jahren des 13. Jahrhunderts hat im staufisch-schwäbischen Literaturkreis Ulrich von Türheim das Werk auf der Grundlage neubeschaffter französischer Vorlagen zuende gedichtet und fortgesetzt (*Rennewart*). Und etwa zwei bis drei Jahrzehnte später hat Ulrich von dem Türlin für König Ottokar II. von Böhmen eine Vorgeschichte verfaßt (neuerdings *Arabel* genannt), die aus Wolframs Angaben einen Bericht von Willehalms Jugend, seiner Gefangenschaft bei den Heiden, der Flucht mit Arabel, deren Taufe und Hochzeit zusammenspinnt. Damit ist ein dreiteiliger Zyklus von über 60000 Versen entstanden, als dessen Mittelstück Wolframs *Willehalm* seither meistens gelesen wurde. Der Gedanke daran ist schwer erträglich, denn nicht nur sind Vorgeschichte und Fortsetzung künstlerisch belanglos, sie huldigen auch ungerührt jener fatalen Kreuzzugsideologie, die Wolfram gerade aufgebrochen hatte. Die Einsicht ist unabweislich: was für uns die Größe des Werks ausmacht, hat das mittelalterliche Publikum nicht gesehen oder nicht akzeptiert. Ihm scheint es ganz auf den Stoff angekommen zu sein, der als historisch galt und als legendarisch eine besondere Aura besaß. Eine Aura, die übrigens auch späterhin das Interesse gerade von Fürsten auf sich zog: sowohl für einen Nachfolger von Wolframs Mäzen Hermann von Thüringen als auch für einen Nachfolger von Türlins Mäzen Ottokar ist im 14. Jahrhundert eine dreiteilige Prachthandschrift angefertigt worden, 1334 für Landgraf Heinrich II. von Hessen die Kasseler, 1387 für König Wenzel I. die (zweite) Wiener Handschrift (Ka und W).

LITERATURHINWEIS

Die Literatur zu Wolfram insgesamt und zum *Willehalm* im besonderen ist Legion. Hier sei nur auf wenige grundlegende Titel verwiesen, denen das oben Gesagte besonders verpflichtet ist und mit deren Hilfe es sich vertiefen und weiter verfolgen läßt: Joachim Bumke, *Wolfram von Eschenbach* (Sammlung Metzler, 36), Stuttgart [6]1991, S. 207-274; Kurt Ruh, *Höfische Epik des deutschen Mittelalters*, Teil 2 (Grundlagen der Germanistik, 25), Berlin 1980, S. 154-195; Karl Bertau, *Über Literaturgeschichte*, München 1983, S. 80-108; Walter Haug, *Literaturtheorie im deutschen Mittelalter* (Germanistische Einführungen), Darmstadt 1985, S. 174-190. Ausführliche Dokumentationen bieten Bumke und Ruh; die Neuerscheinungen verzeichnet laufend die seit 1988 in den Wolfram-Studien veröffentlichte Bibliographie von Renate Decke-Cornill.

TEXTGRUNDLAGE UND TEXTGESTALTUNG

1. Die vorliegenden Handschriften überliefern den Text des *Willehalm* nicht in der originalen Fassung und nicht einheitlich. Die Verwandtschaftsbeziehungen, die zwischen ihnen bestehen, dürfen heute (vor allem durch die Forschungen Heinz Schanzes) in den großen Linien als geklärt gelten. Gleichwohl ist es nicht möglich, das vorauszusetzende Original sicher und umfassend zu rekonstruieren.

2. Die vorliegende Ausgabe strebt einen Text an, der diesem Original auf der Ebene des Aussagesinns wenigstens so nahe kommt, wie dies nach Maßgabe der Überlieferung möglich ist (vgl. Heinzle, Editionsprobleme, S. 227ff.).

Auf der Ebene der sprachlichen Gestaltung hingegen verwendet sie ein standardisiertes Laut- und Orthographiesystem (»Normalmittelhochdeutsch«) und vertraut sich im übrigen einer Handschrift an (Leithandschrift). Sie verzichtet also bewußt darauf, bestimmte sprachliche Phänomene des Originals (Gebrauch der Negationspartikel, das Verfahren bei Doppelformen wie *gienc* / *gie*, *sagete* / *seite* etc.) rekonstruieren zu wollen (auch sprachgeschichtliche Übergangsphänomene wie das Nebeneinander der Imperativformen *lâz* und *lâze* werden in der Regel beibehalten). Obwohl es in einzelnen Fällen durchaus möglich ist, hinter den überlieferten Formen und Fügungen Wolframs Sprachgebrauch auszumachen, läßt sich daraus doch keine Handhabe für eine generelle sprachliche Wiederherstellung seines Originaltextes gewinnen. Im übrigen darf mit Fug bezweifelt werden, daß dieser Text – der, den Wolfram selbst konzipiert und vielleicht auch vorgetragen hat – in all seinen sprachlichen Details jemals als verbindlich im Sinne moderner Vorstellungen von der Unantastbarkeit des Dichterworts angesehen wurde (vgl. Heinzle, Editionsprobleme, S. 235f.).

Entsprechendes gilt für die metrische Gestaltung der Verse. Die Überlieferung läßt auch hier ein umfassendes Regelsystem des Originals nicht erkennen, und dies wird wiederum nicht bloß die Folge bedauernswerter Mängel des Tradierungsprozesses sein, sondern auch damit zu tun haben, daß man den Vortragenden einen – im einzelnen gewiß unterschiedlich großen, im ganzen wohl recht beträchtlichen – Realisierungsspielraum zugestanden hat, den sie frei nutzen konnten (vgl. Lomnitzer). Die Ausgabe verzichtet daher – mit einer Ausnahme: Ergänzung verkürzter Formen (s. u.) – auf bloß metrisch begründete Eingriffe in den Text der Leithandschrift.

3. Leithandschrift ist die älteste vollständige und anerkanntermaßen beste Handschrift G (vgl. Schröder, S. XXIIf.; Karin Schneider, *Gotische Schriften in deutscher Sprache*, Bd. 1, Wiesbaden 1987, S. 133-142; Schirok, S. VIIff.):

St. Gallen, Stiftsbibliothek, cod. 857;

Sammelhandschrift, enthaltend: Wolfram von Eschenbach, *Parzival* (S. 5-288); *Nibelungenlied* (S. 291-416); *Nibelungenklage* (S. 416-451); Stricker, *Karl der Große* (S. 452-558); Wolfram von Eschenbach, *Willehalm* (S. 561-691); Friedrich von Sonnenburg, 5 Spruchstrophen (S. 693) (früher S. 694ff. noch Konrad von Fußesbrunnen, *Kindheit Jesu*, und Konrad von Heimesfurt, *Himmelfahrt Mariae* – 5 Blätter des *Kindheit Jesu*-Teils heute in der Staatsbibliothek Preußischer Kulturbesitz Berlin, Ms. germ. 2° 1021 – vgl. Michael Redeker, *Konrad von Heimesfurt und Konrad von Fussesbrunnen im Sangallensis 857*, in: ZfdA 119 [1990], S. 170-175) (1-4: Vorsatzblätter, s. u.; 289, 290, 559, 560, 692 leer bzw. Federproben und jüngere Einträge);

318 Pergamentblätter mit fehlerhafter Bibliothekspaginierung (1780 [?], durch den nachmaligen Stiftsbibliothekar Ildefons von Arx) 5-693 (Sprung von 206 auf 261 und von 413 auf 415; nach 456 zwei Seiten nicht gezählt [jetzt 456a und 456b]; 1-4 zwei Papier-Vorsatzblätter, von denen eines heute fehlt), Blattgröße durchschnittlich 31,5 × 21,5 cm, Schriftraum 25,5 × 16,5 cm;

Schrift: gotische Minuskel aus der Mitte des 13. Jahrhunderts (eher nach als vor 1250 [gegen Schneider]), Grundstock von 6 oder 7 Schreibern (der *Willehalm* bis 467,4 von Schreiber 3, die Verse 467,5-467,23 – S. 691 auf dem unteren Rand nachgetragen – möglicherweise von einem 7. Schreiber; die Sonnenburg-Strophen von jüngerer Hand [?] nachgetragen; bisweilen Unterstreichung oder Randnotierung von Namen durch Ägidius Tschudi [s. u.]); Schreibsprache: südöstliches Alemannisch / südwestliches Bairisch (Südtirol?); Provenienz unbekannt (im 16. Jahrhundert im Besitz des Glarner Humanisten Ägidius Tschudi; aus dessen Nachlaß 1768 von Fürstabt Beda Angehrn für die Stiftsbibliothek erworben);

zweispaltig, im Willehalm 54 Zeilen pro Seite, Verse abgesetzt (durchgehend Reimpunkte; gelegentlich Punkte im Versinnern; gelegentlich erster Buchstabe des Verses auf den Rand gezogen: vgl. Schirok, S. XVIIff.), im Willehalm zweifache Gliederung: durch 14 Schmuckinitialen (13 große: 1,1. 58,1. 71,1. 106,1. 126,1. 162,1. 185,1. 215,1. 246,1. 278,1. 314,1. 362,1. 403,1, eine kleine: 5,15) und durch abwechselnd rote und blaue Lombarden im Abstand von in der Regel 30 Versen (s. u.).

4. Die Ausgabe bietet grundsätzlich den Text der Handschrift G in normalisierter Form unter Auflösung aller Abkürzungen und – soweit nicht Besonderheiten der mittelhochdeutschen Syntax entgegenstehen – mit moderner Interpunktion.

Die Normalisierung orientiert sich an derjenigen Schröders (S. LXVIIIff. – dort auch Übersicht über die Schreibformen der Handschrift). Anders als diese bezeichnet sie Vokallänge mit Zirkumflex (im Bewußtsein, daß die Entscheidung, vor allem bei den Eigennamen, in gewissem Umfang unsicher ist und daher willkürlich sein muß); setzt stets *pf* für die labiale Affrikata; schreibt *marcgrâve* für *marchgrave*, *marhgrave*, *marhcrave* und behält handschriftliches *margrave* bei; macht – soweit es zur bequemen Identifizierung der Formen hilfreich scheint – Wortverschmelzungen durch Apostroph in der Fuge kenntlich (wobei ein Vokal, der ebenso zur ersten wie zur zweiten Form gehören könnte, in der Regel der zweiten zugeschlagen wird, z. B.: *s'in*, nicht *si'n*); zieht – außer bei der Negationspartikel *en* / *ne* – zusammengerückte Wörter auseinander (Fälle, die als Zusammenrückung oder als Verschmelzung interpretiert werden können, sind als Zusammenrückung behandelt, z. B. *vuort er*, nicht *vuort'er* für handschriftliches *vuorter*; die Aufhebung von Zusammenrückungen scheut auch unebene Reimbilder nicht, z. B. *vater*: *bat er*). Auch bezieht sie die Fremd- und Lehnwörter und die Eigennamen stärker in das Normalisierungssystem ein (so wird z. B. statt *y* immer *i*, statt *ch-* in der Geltung von Verschlußlaut *k* / *c* geschrieben und werden die Anlautschwankungen *B-*/*P-* und *G-* /*C-* / *Ch-* / *K-* in den Namen ausgeglichen).

Die mehrdeutige Schreibung *-ie* / *-ye* in der Ableitungssilbe von Wörtern und Namen französischen Ursprungs des Typs *storie*, *Boctanie* (entsprechend *storje* oder *storîe*, *Boctânje* oder *Boctânîe*) wird grundsätzlich mit *-je* wiedergegeben.

Die Normalisierung wird, außer bei den Eigennamen (s. u.), grundsätzlich stillschweigend durchgeführt. Ausnahmen, bei denen das betreffende Wort kursiv gesetzt und die handschriftliche Form im Variantenverzeichnis (S. 1116ff.) nachgewiesen wird, betreffen: (1) problematische Fälle wie die handschriftliche Schreibung *a* für *ae* (Schröder [S. LXX] faßt sie offenbar als fehlerhaft auf, doch ist nicht auszuschließen, daß es sich um eine »korrekte« Orthographievariante handelt), (2) Grenzfälle zwischen Laut- und Formphänomen wie handschriftlich *jehet* für *giht*.

5. Die zu Beginn der Kleinabschnitte öfters fehlenden Anfangsbuchstaben (Lombarden – s. u.) werden ergänzt und kursiv gesetzt (vor 129,1 ist auf dem Rand die Vorzeichnung des betreffenden Buchstabens: *i* für den Rubrikator auf dem Rand sichtbar; ein entsprechendes *f* auf dem Rand vor 128,1 könnte von jüngerer Hand stammen). Nicht eigens gekennzeichnet werden die Fälle, bei denen der betreffende Buchstabe doppelt: als Lombarde und als Anfangsbuchstabe des ersten Wortes steht (vgl. Schanze, Beobachtungen, S. 176).

6. Absolute Fehler – d. h. Fehler, durch die der Text in sich sinnlos geworden ist (z. B. *dar* statt *daz*) – und relative Fehler – Lesungen, die zwar in sich sinnvoll sind, aber sicher oder mit großer Wahrscheinlichkeit nicht im Original gestanden haben – werden verbessert, die verbesserten Formen im Text kursiv gesetzt und die handschriftlichen Formen im Variantenverzeichnis nachgewiesen (in bestimmten Fällen unter Verzeichnung der Parallelüberlieferung und des Textes der älteren Ausgaben: vgl. S. 1116). Kursivsatz von Verszahlen verweist auf Störungen in Versfolge oder Versbestand.

Relative Fehler lassen sich nur selten mit hinreichender Sicherheit feststellen (z. B. dann, wenn ein in der sonstigen Überlieferung gegebener prägnanter Bezug zu Wolframs Quelle verdunkelt ist). Man wird davon ausgehen müssen, daß die Handschrift, für uns nicht erkennbar, auch in nicht wenigen weiteren Fällen fehlerhaft ist: die Dunkelziffer bestimmt das Maß der Entfernung der Ausgabe vom Original. Umgekehrt gilt grundsätzlich, daß die Leithandschrift auch gegen das übereinstimmende Zeugnis aller anderen Handschriften die originale Lesung bewahrt haben kann. Als Konsequenz daraus ergibt sich für unsere Ausgabe, daß diese sehr weitgehend der Leithandschrift folgt – deutlich weitergehend als die drei älteren kritischen Ausgaben von Lachmann, Leitzmann und Schröder (vgl. Heinzle, Editionsprobleme, S. 232). Um die Besonderheit der Ausgabe in diesem Punkt kenntlich zu machen, sind alle Sinnvarianten und eine Reihe interessanter Formvarianten, bei denen sie gegen alle drei bei der Leithandschrift bleibt, mit einem Sternchen markiert. Und da es sich hier um Stellen handelt, bei denen vorrangig mit relativen Fehlern zu rechnen sein dürfte, sind jeweils im Variantenverzeichnis die Parallelüberlieferung und der Text der älteren Ausgaben verzeichnet. Ebenso wird verfahren bei weiteren schwierigen Stellen, deren Erläuterung einen Rückgriff auf die Überlieferung erforderlich macht.

7. Ein besonderes Problem bei der Textherstellung ergibt sich aus der Neigung der Handschrift, Formen durch Aus-

bzw. Abstoßung eines *e* zu verkürzen (vgl. Schröder, S. LXXIf. und LXXVIIff.). Ich restituiere dieses *e* und setze es kursiv: bei Ausstoßungen des Typs *nemn* für *nemen* oder *orss* für *orses*, die wohl bloß graphischer Art sind; bei Ausstoßungen in nur einem Reimwort; schließlich in allen Fällen, bei denen ich beim Vortrag das *e* lesen würde (vgl. Heinzle, Editionsprobleme, S. 238 – eine umfassende metrische Regulierung ist damit nicht angestrebt und wäre auch nicht zu erreichen: so bleiben leichte, kaum wahrnehmbare Nuancen der Aussprache betreffende Varianzen wie *arbeit* neben *arebeit* oder *bewarn* neben *bewaren* in der Kadenz stehen). Metrisch bedingt ist auch die Behandlung der Abbreviatur *vn̄* für *und* / *unde*: ich löse sie zweisilbig auf und kursiviere das *e*, wo ich zweisilbig lesen würde (ausgeschriebenes einsilbiges *vnd* ist 223,11; 223,30; 241,4; 265,10,11; 305,13; 311,17; 338,6; 360,4; 375,4 ergänzt). In einigen wenigen Fällen bedingt die Ergänzung des *e* eine weitergehende Veränderung der Form, z. B. 50,6 und 171,22 *ampt* 〉 *ambet*; hier wird das gesamte Wort kursiv gesetzt und die handschriftliche Form im Variantenverzeichnis mitgeteilt.

Was für die um ein *e* verkürzten Formen gilt, gilt auch für Schrumpfformen des Typs *Vivians* für *Vivianses*, *brüet* für *brüetet*: hier setze ich gegebenenfalls die ergänzte Buchstabenfolge kursiv.

Zu betonen ist, daß die Ergänzungen aus metrischen Gründen (bzw. der Verzicht auf sie) nur Vorschlagscharakter haben. Dem informierten Leser steht es frei, unter Beachtung der Grundprinzipien der mhd. Grammatik und Verslehre von Fall zu Fall anders zu lesen (vgl. auch Schröder, S. LXXXIVff.).

8. Bei den Eigennamen werden grundsätzlich a l l e handschriftlichen Formen, die von den Textformen abweichen, nachgewiesen, und zwar (1) normalisierte und als solche im Text nicht besonders markierte Formen im Namenverzeichnis, (2) korrigierte und als solche im Text kursivierte Formen im Variantenverzeichnis. Ausgenommen von der Verzeichnung der Formen unter (1) bleiben die Fälle, bei denen sich

die Textform bloß durch rundes *u* statt spitzem *v* (und umgekehrt) bzw. *i* statt *y* von der handschriftlichen unterscheidet.

9. Beibehalten bzw. kenntlich gemacht werden die beiden Gliederungen der Handschrift (s. o.).

Jeder der Großabschnitte, die in der Handschrift durch Schmuckinitialen markiert sind, beginnt nach Leerraum auf neuer (Doppel-)Seite. Die Ausgabe unterscheidet sich darin grundlegend von ihren Vorgängerinnen. Diese arbeiten mit einer Großgliederung in 9 »Bücher«, die Lachmann in Anlehnung an die überlieferte Abschnittsgliederung frei kombinierend entwickelt hat (Buch I: 1-57, Buch II: 58-105, Buch III: 106-161, Buch IV: 162-214, Buch V: 215-268, Buch VI: 269-313, Buch VII: 314-361, Buch VIII: 362-402, Buch IX: 403-467). Ob Wolfram je eine Großgliederung vorgesehen hat, und wenn ja: welche, wissen wir nicht. Doch darf man sagen, daß die Gliederung der Handschrift den Erzählfluß sinnvoll und für das Verständnis des Textes hilfreich zäsuriert. Die Lachmannsche Einteilung zu ignorieren, verbietet sich indes aus forschungsgeschichtlichen und praktischen Gründen: ich verweise auf sie per Kolumnentitel (der Übergang von Buch V zu Buch VI, der mitten in einen Abschnitt der Handschrift fällt, ist durch Vermerk auf dem rechten Rand markiert).

Das zweite Gliederungssystem der Handschrift: die Folge der (grundsätzlich) durch Lombarden bezeichneten Kleinabschnitte, wird durch Einrücken der jeweiligen Anfangszeile markiert. Das System zielt auf eine Aufteilung des Werks in jene Blöcke zu jeweils 30 Versen (s. o. S. 806), die nicht unbedingt Sinneinheiten darstellen müssen. Was es damit auf sich hat, ist unklar. Wir können nur konstatieren, daß Wolfram das System während der Arbeit am *Parzival* erfunden und dann auch im *Willehalm* verwendet hat. Auf den Dreißigerabschnitten beruht die Verszählung, die wiederum Lachmann eingeführt hat. Sie geht freilich nicht ganz auf (Abschnitt 57 umfaßt nur 28 Verse – Lachmann vermutete wohl mit Recht Ausfall von zwei Versen vor 57,27: s. Komm.

z. St.), und die von den Handschriften (durchaus nicht einheitlich) überlieferten Abschnitte stimmen nicht durchweg mit den abgezählten überein: man muß wohl annehmen, daß Wolframs System in der Überlieferung schon früh gestört worden ist (zur Praxis der Lombardensetzung in G vgl. Schanze, Beobachtungen, und Schirok, S. XXIff.).

10. Am rechten Rand des Textes wird jeweils der Spaltenwechsel der Handschrift vermerkt.

STELLENKOMMENTAR

1,1-5,14 *Ane valsch ⟨. . .⟩ hie*] Eine Vorrede des Autors, ein Prolog, eröffnet die Dichtung. Daß dieser Prolog mit einem Gebet beginnt und weithin Gebet bleibt, kennzeichnet den Willehalm als geistliches Werk: als Legenden-Roman (vgl. S. 797f.). Wolfram setzt sich damit von der Quelle ab, die nach heldenepischer Tradition direkt mit der Erzählung anhebt: *A icel jor, ke la dolor fu grans|Et la bataille orible en Aliscans* . . . »An jenem Tag, als das Leid groß war und schrecklich die Schlacht auf Aliscans . . .« (Al. 1f.). Mit dem Gebets-Prolog und mit der Gattungstransformation vom Heldenepos zur Legende, die er markiert, dürfte Wolfram vor allem an das deutsche Rolandslied anknüpfen, das – ebenfalls im Gegensatz zu seiner heldenepischen Quelle – einen ähnlichen (allerdings viel kürzeren) Gebetseingang aufweist und auf das der Willehalm stofflich und thematisch in vielfältiger Weise bezogen ist (vgl. S. 798f.). Inwieweit Wolfram darüberhinaus auf die Tradition des Legendenprologs zurückgreifen konnte und inwiefern er daneben der Tradition des weltlichen (Roman-)Prologs verpflichtet ist, hat die Forschung noch nicht recht deutlich machen können (vgl. Ochs, S. 18, Anm. 2, und 110, mit Thelen, S. 281f.; Bertau, Literatur, S. 1132f.). Die theologischen Vorstellungen, die Wolfram im Prolog entwickelt, sind durchaus konventionell (sie lassen sich sehr weitgehend auch in der deutschen geistlichen Dichtung des 12. Jahrhunderts nachweisen: vgl. Ochs; und es unterstreicht ihre Konventionalität, daß Teile des Prologs lateinisch und deutsch separat in geistlichem Kontext überliefert sind: vgl. Kleinschmidt, Prolog; Jakobi [s. o. S. 1118]). Neu und einzigartig ist hingegen die Verknüpfung der konventionellen Vorstellungen zu einem kunstvollen Gedankengewebe, das den Hörer oder Leser auf die Erzählung einstimmt (die Hauptgedanken durchziehen dann in vielfacher Responsion das ganze Werk: vgl. Mergell, Quellen, S. 7f.; Thelen, S. 282ff.). Damit wird die Perspektive angelegt, in der die Dichtung verstanden sein will: der Mensch ist, in all dem grauenhaften Leid, das ihm widerfährt und das er verursacht, doch aufgehoben in der Gnade des allmächtigen Gottes, des Schöpfers und Erlösers (vgl. Haug, Literaturtheorie, S. 187ff.; Joachim Heinzle, *Die Entdeckung der Fiktionalität*, in: Beitr. 112 [1990], S. 55-80, hier S. 72f.; auch o. S. 801). Bemerkenswert ist, daß der Prolog schon vom ersten Vers an dezidiert auf die erzählte Geschichte bezogen ist: das läuft einer verbreiteten Ansicht zuwider, derzufolge der mittelalterliche Prolog zweigeteilt ist in einen ersten, allgemeinen Teil, der ohne Bezug auf das jeweilige Werk die Redesituation etabliert, und einen zweiten Teil, der in das Werk einführt (vgl. Haug, Literaturtheorie, S. 12ff.). So klar die Grundlinie der Gedankenführung ist, so kontrovers wird der Aufbau des Prologs im einzelnen beurteilt: es gibt eine erstaunliche Zahl einander widersprechender Gliederungsvorschläge, die nur den einen Schluß zuläßt, daß dem Text kein Ordnungssystem zugrunde liegt, das sich mit einem schlichten Dispositionsschema fassen ließe (kritische Übersichten u. a. bei Ochs, S. 106ff., Lutz, S. 344ff., und Thelen, S. 276ff.; jüngster Versuch: Röll).

1,1 *Ane valsch dû reiner*] Gott kennt keine Falschheit, er ist die Treue selbst: der Mensch kann auf sein helfendes Erbarmen vertrauen. Und Gott ist »rein«, d. h. vollkommen im Sinne völliger Sündlosigkeit (an anspruchsvollere theologische Spekulation über Gott als »reine Substanz« u. ä. ist wohl nicht zu denken). Vgl. Ochs, S. 19f.; Ruh, Voten, S. 287, Anm. 14.

1,3 *schepfaere* ⟨. . .⟩ *geschaft*] Wörtlich: »Schöpfer über alles Geschaffene« bzw. »über alle Geschöpfe« (*geschaft* kann sowohl Akkusativ Singular als auch Akkusativ Plural sein). Die Richtungskonstruktion mit *über* zur Bezeichnung der Überordnung, der Herrschaft über jemanden oder etwas (Typus: *herre überz land* »Herr des Landes«) ist geläufig: vgl. Wiessner, Richtungsconstructionen II, S. 57.

1,4f. *âne ⟨. . .⟩ belîbet]* Wörtlich: »deine ohne Anfang seiende stete Kraft bleibt auch ohne Ende«. Gottes Wirken ist der Zeit enthoben: es war immer und wird immer sein. – »Die *kraft* Gottes, von der im folgenden Vers die Rede ist, hat man meist mit der Trinitätsformel *potentia, sapientia, bonitas* in Zusammenhang gebracht, da in Wolframs Gebet auch noch *wisheit* (1,27) und *güete* (2,23) erscheinen« (Ochs, S. 29): die *kraft* stünde dann als *potentia* für den Vater, die *wîsheit* als *sapientia* für den Sohn, die *güete* als *bonitas* für den Heiligen Geist. Wolfram mag sich von ferne an diesem Schema der sog. Appropriationen orientiert haben, theologisch präzise gefaßt und – wie man gemeint hat – zur Grundlage einer strengen Gliederung des Prologs gemacht hat er es nicht: vgl. Ruh, Voten, S. 283ff. – In der Bestimmung *staete* könnte sich die Vorstellung der immerfort wirkenden und das Geschaffene erhaltenden Schöpferkraft mit der der Zuverlässigkeit im Sinne des *âne valsch* verbinden: vgl. Ochs, S. 33f.

1,7 *vlüstic]* Wörtlich: »Verlust bringend«. Gemeint ist der Verlust der ewigen Seligkeit. Vgl. Ochs, S. 34.

1,9 *hôch ⟨. . .⟩ edelkeit]* Interpunktion mit Leitzmann (nach Paul, Willehalm, S. 325), wörtlich: »hochadlig über allem Adel stehend«. Als Kind Gottes ist der Mensch von einer Abstammung, die hoch über allem diesseitigen (Geburts-)Adel steht. Anders Lachmann und Schröder, die Punkt nach 1,8 *kint* und Komma nach 1,9 *edelkeit* setzen, mithin 1,9 als Anrede Gottes auffassen: »du, der du adliger (herrlicher, erhabener) bist als aller Adel (alle Herrlichkeit, Erhabenheit)«. Für die erste Lösung spricht entschieden der Zusammenhang der Aussage: der Akzent liegt darauf, daß der (Christen-)Mensch durch die Verwandtschaft mit Gott seine Würde und sein Heil bezieht. Auch ist die zweite Lösung syntaktisch zumindest fragwürdig. Vgl. Ochs, S. 38f.; dagegen einhellig die neuere Kritik, u. a.: Kartschoke, Rez. Ochs, S. 429; Ganz, Rez. Ochs, S. 415; Nellmann, Prolog, S. 405; Freytag, S. 153; Kleinschmidt, Prolog, S. 100; Lutz, S. 314f.

1,10 *tugende]* Eigentlich »Tauglichkeit« bzw. »Tüchtigkeit«, in Beziehung auf Gott dessen Wunderkraft, Barmherzigkeit, Gnadenwillen. Vgl. Bumke, Willehalm, S. 33; Ochs, S. 39f.; Ganz, Rez. Ochs, S. 415; Freytag, S. 153; Kleinschmidt, Prolog, S. 102.

1,14f. *swaz ⟨. . .⟩ wünne]* Als einem Kind Gottes ist dem Christen ein Anrecht auf das Heil (*saelde*) der ewigen Freude im Jenseits (*endelôse wünne*) verliehen: er »hat Gewißheit, daß er an der grundsätzlich bereits abgeschlossenen Erlösung auch persönlich teilhaben wird« (Lutz, S. 315, Anm. 26). Vgl. Ochs, S. 44ff.

1,16 *künne]* »Geschlecht«, »Sippe«, »Verwandter«, steht hier wohl zur emphatischen Betonung des mit der Gotteskindschaft gegebenen Verwandtschaftsverhältnisses zwischen Gott und dem Menschen, kaum differenzierend im Sinne von »Bruder« (Kartschoke; Ganz, Rez. Ochs, S. 415; Unger, S. 263).

1,17 *bescheidenlîche]* »aufgrund von Belehrung gewiß« (Lutz, S. 316), kaum: »in aller Demut, bescheiden« (Ochs, S. 47). Vgl. Kartschoke, Rez. Ochs, S. 429; Nellmann, Prolog, S. 405.

1,18 *arm ⟨. . .⟩ rîche]* Die formelhafte Kontrastkoppelung hebt im weitesten Sinne auf »die Bedingtheit des Menschen gegenüber Gottes Unbedingtheit« ab (Freytag, S. 153). Spezifizierungen wie »unwürdig« (Schröder, Armuot, S. 521) oder »gebrechlich« (Ochs, S. 47) verkürzen unzulässig. Vgl. auch Schwietering, Demutsformel, S. 200f.

1,19-22 *dîn ⟨. . .⟩ erkennet]* Ich interpungiere wie Lachmann und Schröder und fasse *dîner gotheit* als gemeinsame genitivische Bestimmung zum Vorhergehenden und zum Folgenden auf, wörtlich: »Deine Menschennatur gibt mir Verwandtschaft Deiner Gottesnatur (d. h. in Bezug auf Deine Gottesnatur) – als ein anerkanntes (*erkennet*: Partizip) Kind Deiner Gottesnatur benennt mich ohne Bestreitung das Vaterunser«. Möglich wohl auch: Punkt nach 1,19 *gît* (Leitzmann), kaum: Punkt nach 1,20 *gotheit*. Vgl. Ochs, S. 49f.; Kartschoke, Rez. Ochs, S. 429f.; Gärtner, apo koinou, S. 220ff.; Nellmann, Prolog, S. 405f.; Freytag, S. 153f.; Kleinschmidt, Prolog, S. 100f.; Unger, S. 263. – Als von Christus selbst den Menschen anempfohlen (Matthäus 6,9ff.), verbürgt die Anrede Gottes als *pater noster* »unser Vater« sicher (*âne strît*), daß die (Christen-)Menschen Gottes Kinder sind.

1,23-28 *sô ⟨...⟩ kristen*] fortführung des Verwandtschaftsarguments: daß der Mensch in der Taufe den Namen Christi empfängt und so zum Namensbruder Gottes wird, besiegelt die durch die Menschwerdung Gottes gestiftete Verwandtschaft zwischen Mensch und Gott; dies gibt dem Dichter die Zuversicht, daß Gott den Menschen als seinen Verwandten nicht im Stich lassen wird. – *zwîvel* steht hier in prägnanter theologischer Bedeutung: »Zweifel/Verzweiflung an Gottes Bereitschaft, den sündigen Menschen zu retten«. Vgl. Ochs, S. 51ff.; Freytag, S. 154. – Den Satz 1,25 fasse ich als Explikation und Bekräftigung des in 1,24 Ausgesagten auf: Freiheit von *zwîvel* ist die Gewißheit des Glaubens an den gnädigen Gott, die der *sin* verleiht. Anders die Herausgeber, die Doppelpunkt nach 1,24 *erlôst* und Komma (Lachmann, Leitzmann) oder kein Zeichen (Schröder) nach 1,25 *sin* setzen: »ich glaube fest, daß ich Deinen Namen trage« (Kartschoke). Aber kann das Tragen des Christennamens Gegenstand von Glauben oder Unglauben sein? – Der Begriff *sin* im Prolog (außer 1,25 noch 2,18; 2,22; 2,25) ist umstritten. Auszugehen ist jedenfalls von der Grundbedeutung: »Erkenntnisvermögen bzw. Fähigkeit, aus der gewonnenen Erkenntnis heraus zu handeln«. Die Frage ist, ob man dies geistlich oder weltlich zu verstehen hat: »Organ der Wahrnehmung Gottes (des Heiligen Geistes) bzw. schöpferische Fähigkeit als Gnadengabe aus dieser Wahrnehmung« (vgl. Ohly, S. 482ff.) oder: »menschliche *ratio*« (Schröder, kunst, S. 240). In den Versen 2,18 und 2,25 ist der Begriff eindeutig geistlich determiniert, und das spricht für seine geistliche Interpretation zumindest auch in dem in engster Nachbarschaft stehenden Vers 2,22, aber wohl auch in Vers 1,25 (dagegen Schröder, kunst, S. 239, und Ochs, S. 53: *geloubhafter sin* bloß umschreibend für *geloube*). Die Übersetzung meidet indes bewußt eine interpretierende Festlegung und behilft sich mit dem neutralen Terminus »Einsicht«. Vgl. auch Ohly, S. 515f.; Ochs, S. 64f.; Lutz, S. 328ff.; Haug, Literaturtheorie, S. 184f.; Schröder, Rez. Lutz, S. 24f. – Mit *list* scheint das erlernbare Buchwissen gemeint zu sein, das der in Christus (gemäß der Appropriationen-Lehre: Komm. zu 1,4f.) verkörperten Weisheit unterlegen ist. Vgl. Trier, S. 274; Scheidweiler, S. 74; Ohly, S. 499 (mit 504), und Ochs, S. 53ff.; anders Freytag, S. 154 (»Fähigkeit des schöpferisch planenden Geistes, der ins Werk setzt«), und Lutz, S. 319 (»*wisheit* und *list* wohl synonym verwendet«); undeutlich Röll, S. 418, Anm. 12.

1,29-2,1 *dîner* ⟨. . .⟩ *ende*] Ich fasse *hoehe*, *breite* und *antreite* als Dative auf und verstehe *dîner tiefen antreite* (wörtlich: »deiner tiefen Ordnung«) als Umschreibung für »deiner Tiefe«. Doch ist es gut möglich, daß man mit den Handschriften KaL(Fr[44]) *tiefe* zu lesen hat (so Leitzmann nach Paul, Wilehalm, S. 325): »Ordnung Deiner Höhe, Deiner Breite, Deiner Tiefe« (wobei *antreite* sowohl Dativ als auch Nominativ sein kann). Der Gedanke ist biblisch, s. vor allem Jesus Sirach 1,2: *altitudinem caeli et latitudinem terrae et profundum abyssi quis mensus est* »die Höhe des Himmels, die Breite der Erde und die Tiefe des Abgrunds, wer hat sie ausgemessen?«. Vgl. Ochs, S. 55f.; Kartschoke, S. 267.

2,2-4 *ouch* ⟨. . .⟩ *vâhen*] Das mittelalterliche (auf antiker Tradition beruhende) Bild des Universums: um die (von Wolfram als Scheibe gedachte: 35,5ff.) Erde bewegt sich als ungeheure Kugel der Fixsternhimmel in rasender Rotation; zwischen ihm und der Erde rotieren in entgegengesetzter Richtung die sieben Planeten: Mond (!), Merkur, Venus, Sonne (!), Mars, Jupiter, Saturn; der Gegenlauf der Planeten bremst die Rotationsgeschwindigkeit des Fixsternhimmels ab und sorgt so für Stabilität des ganzen Systems. Die Formulierung mag an Apokalypse 1,16 orientiert sein: *et habebat in dextera sua stellas septem* »und hielt in seiner Rechten sieben Sterne«. Vgl. Sattler, S. 8ff.; Deinert, S. 33, 46ff., 139, 155f.; Kartschoke, S. 267; Ochs, S. 56ff.; Lutz, S. 321.

2,5 *luft, wazzer, viur und erde*] Die vier Elemente (Urstoffe) gemäß antik-mittelalterlicher Lehre. Vgl. LMA III, Sp. 1800ff.

2,6 *in dînem werde]* Oder: »in Deiner Wertschätzung«? Vgl. Ochs, S. 58. Ganz anders – und durchaus unwahrscheinlich – Kleinschmidt, Prolog, S. 102 (»verharren für deine Herrlichkeit« im Sinne von: »verharren, um deine Herrlichkeit zu preisen«), und Röll, S. 427 mit Anm. 34 (erwägt, *werde* substantivisch zu fassen: »in Deinem [Schöpfungswort] ›es werde‹« – so schon Matthias).

2,7f. *ze* ⟨. . .⟩ *gêt]* Wörtlich: »unter Deinem Befehl steht alles, womit die wilden und die zahmen Tiere umgehen«. Man möchte meinen, es gehe um die Herrschaft Gottes über das Tierreich: »alles steht zu Deinem Gebot, was an wildem und zahmem Getier umherläuft«, doch erlaubt der mhd. Text eine solche Übersetzung nicht (unmöglich auch die Übersetzung von Ochs, S. 58, die auf den Lebensraum abhebt: »alles, in dem wildes und zahmes Getier herumgeht«). Vielleicht steht »umgehen mit« im Sinne von »sich ernähren von, fressen« und ist die Pflanzenwelt gemeint: nach Genesis 1,30 hat Gott den Tieren die Pflanzen als Nahrung zugewiesen, von deren Erschaffung Genesis 1,11f. die Rede ist, unmittelbar vor der Installation von Sonne und Mond, auf die sich offenbar auch die folgenden Verse beziehen. Vgl. auch Haug, Literaturtheorie, S. 183: »Deinem Gebot unterliegt alles, wessen die Tiere, wilde und zahme, hier bedürfen«.

2,12 *mit den sternenlouften beiden]* Wörtlich: »mit den beiden Sternenläufen«. Gemeint sein wird der Lauf der Sonne und des Mondes nach Genesis 1,16ff.: *fecitque Deus duo magna luminaria, luminare maius ut praeesset diei, et luminare minus ut praeesset nocti et stellas, et posuit eas in firmamento caeli ut lucerent super terram et praeessent diei ac nocti et dividerent lucem ac tenebras* »und Gott schuf zwei große Lichter, ein größeres Licht, das den Tag regieren sollte, und ein kleineres Licht, das die Nacht regieren sollte, und die Sterne, und er setzte sie an den Himmel, damit sie über die Erde leuchteten und den Tag und die Nacht regierten und Licht und Finsternis schieden«. – Anders die Herausgeber: *mit der sunnen louften beiden* (Lachmann) bzw. *mit der sunnen louft in beiden* (Leitzmann, Schröder). Da schwer vorstellbar ist, »daß Wolfram an zwei Läufe der einen Sonne gedacht habe« (Ochs, S. 59), gäbe Lachmanns Lösung wohl nur einen Sinn, wenn man an zwei »Sonnen« dächte, womit Sonne und Mond im Sinne von Genesis 1,16f. gemeint sein müßten (vgl. Lutz, S. 206 und 322): dann empfiehlt es sich indes, die der Leithandschrift nähere Fassung unseres Textes zu wählen (daß Sonne und Mond als »Sterne« bezeichnet werden können, ergibt sich aus 2,3). Gegen die Lösung Leitzmanns und Schröders sprechen die Entfernung von der Leithandschrift und die Schwierigkeit, das *in beiden* zu übersetzen (»ihnen beiden«, nämlich für *wilt unt zam*? oder: »in beiden«, nämlich am Tag und in der Nacht?): vgl. Kartschoke, S. 268; Ochs, S. 59f.

2,14 *al ⟨. . .⟩ wâz]* Gott kennt die geheimsten Wirkkräfte der Natur, wie sie sich in (Edel-)Steinen und Kräutern kundtun (daß Edelsteine wie bestimmte Pflanzen besondere Wirkungen ausüben, bannende, heilende etc. Macht besitzen, ist traditionelle Anschauung). Vgl. Ohly, S. 505; Ochs, S. 61; Freytag, S. 155; Lutz, S. 322f., Anm. 55.

2,16f. *der ⟨. . .⟩ gesterket]* Die Stelle – wohl die umstrittenste des Prologs – ist ungeklärt. Für die Wendung *rehte schrift* ist vor allem mit drei Bedeutungen zu rechnen: 1. »Heilige Schrift« (Bibel), 2. »rechtes (glaubwürdiges, wahres) Schreiben / Schriftwerk« (im weitesten Sinne, also auch die Werke der Dichter und mithin Wolframs Wh. einbegreifend), 3. »richtige (zuverlässige) Quelle« (auf jeden Fall muß *rehten* als Adjektivattribut zu *schrift* aufgefaßt werden – ein Vorschlag Kleinschmidts, Prolog, S. 103f., die Form als Substantiv zu verstehen, ist abwegig: »*schrift*, *dôn* und *wort* der Gerechten«). Hoffnungslos bleiben auch die Versuche, den Doppelterminus *dôn* – *wort* zu verstehen; zur Debatte stehen vorrangig zwei Möglichkeiten: 1. »Wortlaut/Klanggestalt – Wortsinn«, 2. »Buchstabensinn – geistiger Sinn« (gemäß einer grundlegenden Unterscheidung der Bibelexegese). Die Übersetzung entscheidet sich willkürlich für die Annahme, daß an die (im feierlichen Liturgieton vorgetragene) Verkündigung der Heiligen Schrift gedacht ist: Gott offenbart sich dem Menschen nicht nur in der Natur, sondern auch in der Heiligen Schrift. Vgl. Ochs, S. 62ff.; Kartschoke, S. 268; Kartschoke, Rez. Ochs, S. 430; Ganz, Rez. Ochs, S. 415f.; Nellmann, Prolog, S. 406; Freytag, S. 155; Lutz, S. 323ff.; Thelen, S. 266ff.

2,18 *mîn ⟨. . .⟩ merket]* Wörtlich: »meine Erkenntnisfähigkeit bemerkt Dich als kräftig seiend«, kaum: »nimmt Dich auf kräftige Weise wahr«. Vgl. Ohly, S. 482; Ochs, S. 64f.; Kleinschmidt, Prolog, S. 104f.; Komm. zu 1,23-28.

2,19-22 *swaz ⟨. . .⟩ sin]* Wörtlich wohl: »Was in den Büchern geschrieben steht, davon bin ich ohne *kunst* geblieben (d. h. ich habe es zur Kenntnis genommen und es hat mir nichts genützt); nicht anders bin ich gelehrt, außer (*wan*) so: habe ich *kunst*, gibt mir die der *sin*«; möglich aber auch: ». . . in Bezug darauf bin ich ohne *kunst* geblieben . . .«, d. h. »es fehlt mir an kenntnis gelehrter bücher« (Carl von Kraus, *Die ›latînischen buochstabe‹ der Klage*, in: PBB 56 [1932], S. 60-74, hier S. 67). In jedem Fall erteilt der Dichter dem erlernbaren Wissen und Können (beides umfaßt der Begriff der *kunst*: vgl. Schröder, kunst, S. 240ff.) eine Absage zugunsten der Inspiration durch Gott (den Heiligen Geist), die er über sein Erkenntnisvermögen (*sin*) empfängt: eine traditionelle (an der Auslegung von Psalm 70,15 orientierte) Form der Selbststilisierung geistlicher Autoren, in der sich Demut und Ambition eigentümlich verschränken. Wenn man will, kann man aus dem Bekenntnis auch eine Polemik gegen die »gelehrten«, d. h. in der Tradition des lateinischen Schulwissens stehenden Dichter wie Hartmann von Aue und Gottfried von Straßburg heraushören (vgl. Komm. zu 4,24). Daß Wolfram Analphabet war, ist ihm nicht zu entnehmen. Vgl. Bumke, Willehalm, S. 201f.; Ohly, S. 462ff., 482ff.; Ochs, S. 65ff.; Nellmann, Prolog, S. 407f.; Schröder, kunst, S. 220ff., 243; Lutz, S. 331ff.; Schröder, Rez. Lutz, S. 24; Komm. zu 1,23-28.

2,23-25 *diu ⟨. . .⟩ wîse]* Der Terminus *güete* bringt – gemäß der Appropriationenlehre – wieder den Heiligen Geist ins

Spiel. Vgl. Komm. zu 1,4f.; Ochs, S. 71. – Zu *sin* vgl. Komm. zu 1,23-28. – Röll, S. 420f., liest mit einem Teil der Handschriften *die* statt *diu* (»sende die Hilfe Deiner Güte in mein Herz«), setzt Komma nach 2,24 *gemüete* und faßt 2,25 *wîse* als Verbum auf (»lenke ... *ûnlôsen sin* so«).

2,27 *rîter]* Das Wort »Ritter« bezeichnet (1) ganz allgemein den bewaffneten Kämpfer, (2) speziell den adligen Krieger, dem in feierlicher Zeremonie das Ritterschwert verliehen wurde (»Schwertleite«: vgl. Komm. zu 63,8). In dieser zweiten Bedeutung ist »Ritter« im Hochmittelalter eine Art Ehrenname des adligen Mannes vom kleinsten Freiherrn bis zum Kaiser. Einen »Ritterstand« als rechtlich definierte Gesellschaftsschicht gibt es erst im Spätmittelalter. – Im Mhd. ist mit drei Formen des Wortes zu rechnen: *ritter*, *rîter* und *riter* (in der vorliegenden Ausgabe werden die *riter*-Formen der Leithandschrift G immer in *rîter* umgesetzt). – Vgl. Bumke, Ritterbegriff (zur Form S. 19ff.; dagegen, mit unzulänglicher Argumentation, Reiner Hildebrandt, *rîter versus ritter?*, in: *Studien zu Wolfram von Eschenbach. Festschrift für Werner Schröder zum 75. Geburtstag*, hg. von Kurt Gärtner und Joachim Heinzle, Tübingen 1989, S. 33-49); Bumke, Kultur I, S. 64ff.

2,28f. *swenn 〈...〉 dingen]* *gediende* ist gewiß Indikativ, nicht Optativ (Bumke, Willehalm, S. 103: »wann immer er mit *sündehaften dingen* deinen *haz* verdient hätte«). Die Aussage, daß Willehalm gesündigt hat, zielt wohl allgemein auf die Disposition zur Sünde, der jeder Mensch naturgemäß unterworfen ist und erliegt. Es spricht nichts dafür, sie auf einzelne Taten Willehalms in der folgenden Geschichte zu beziehen oder gar von hier aus solche Taten moralisch abzuqualifizieren (etwa die Tötung Arofels oder den zornigen Auftritt in Munleun). Vgl. Maurer, S. 194f.; Bumke, Willehalm, S. 103f.; Schröder, Entwicklung, S. 269f.; Ochs, S. 76; Lofmark, S. 141f., Anm. 2; Thelen, S. 273.

3,1f. *an 〈...〉 bereit]* Wörtlich: »an die Werke, daß seine Mannheit Deiner Huld zu Wiedergutmachung bereit (fähig) war«. Gemeint sind wohl die Heidenkämpfe, die als Kreuzzug aufgefaßt werden (vgl. etwa 322,25). Vgl. Ochs, S. 75ff.; anders Bertau, Literatur, S. 1132.

3,5 *der sêle]* Gemeint ist der Verlust des Seelenheils, doch ist der erzählten Geschichte nicht zu entnehmen, daß Willehalm in dieser Hinsicht gefährdet war. Der Ausweg, *sêle und lîp* als formelhafte Umschreibung der Person aufzufassen (»er wagte alles auf Leben und Tod«), ist nicht gangbar: der religiöse Ernst des Prologs verbietet es, ein Wort wie *sêle* anders als in der ganzen Schwere seiner Bedeutung zu verstehen. Vgl. Johnson, S. 14; Maurer, S. 194f.; Bumke, Willehalm, S. 104, Anm. 18; Kartschoke, S. 270; Ochs, S. 77ff.; Kartschoke, Rez. Ochs, S. 431; Nellmann, Prolog, S. 408; Freytag, S. 156; Knapp, Rennewart, S. 21f.; Kleinschmidt, Prolog, S. 106f.; Komm. zu 2,28f.

3,6 *durh 〈...〉 wîbes]* Die Bestimmung bezieht sich zugleich auf 3,4(f.) zurück und auf 3,7 voraus. Vgl. Ochs, S. 77; Gärtner, apo koinou, S. 213.

3,8 *lantgrâve von Düringen Herman]* Landgraf Hermann I. von Thüringen (1190-1217) war einer der mächtigsten Reichsfürsten und der bedeutendste Förderer der deutschen Literatur seiner Zeit. Wolfram hat für ihn auch Teile des Pz. und wahrscheinlich den Tit. verfaßt. Vgl. Joachim Bumke, *Mäzene im Mittelalter*, München 1979, S. 159ff.; auch o. S. 792.

3,9 *diz maere]* Gemeint ist der (in Form der französischen Quelle, also schriftlich) vermittelte Stoff der Erzählung, sicher nicht Wolframs eigenes Werk. Vgl. Nellmann, S. 59, Anm. 44 (gegen Singer, S. 5f.); Düwel, S. 113 (gegen Schröder, maere, S. 284.).

3,16 *unverzagete]* Wohl im Sinne von »zuverlässig«. Vgl. Ochs, S. 81.

3,18 *harnaschvar]* Wörtlich: »nach der Rüstung aussehend«, meint entweder: »mit Schmutz (Rost) von der Rüstung befleckt« oder: »die Rüstung tragend«. Die erste Bedeutung liegt sicher 175,24 und 243,29 vor; an der vorliegenden Stelle sowie 227,17 und 229,26 sind beide Bedeutungen möglich: die Übersetzung entscheidet sich willkürlich ebenfalls für die erste. Vgl. Ochs, S. 82f.; dagegen Kleinschmidt, Prolog, S. 109 (meint, sicher irrtümlich, *harnaschvar* bedeute ursprünglich soviel wie »glänzend«, »weiß«).

3,19 *stric]* Die Verknüpfung, der Knoten, mit dem der Riemen des Helms unterm Kinn befestigt wird. Vgl. Martin zu Pz. 444,20 sowie die Belege BMZ II/2 Sp. 681a (im Wh. 422,17!).

3,20 *der]* Auf 3,19 *stric* zu beziehen, kaum (mit Paul, Parzival, S. 65) auf 3,19 *sîn* (». . . die Hand dessen, der . . .«).

3,21 *gein 〈. . .〉 koste]* Wörtlich: »der Bezahlung mit seinem Leben entgegen«, kaum: »gegen die Bezahlung mit seinem Leben«, d. h. »zum Schutz seines Lebens« (Kartschoke). Vgl. Ochs, S. 83 (die vorschlägt, den Vers zum Folgenden zu ziehen: Punkt nach 3,20 *bant*, kein Zeichen nach 3,21 *koste*); Titurel-Kommentar, S. 154.

3,22 *tjoste]* Aus afrz. *joste*; bezeichnet den ritterlichen Zweikampf, bei dem sich »zwei Gegner einzeln gegenüberstanden, die mit eingelegten Lanzen aufeinander zusprengten und sich gegenseitig abzustechen versuchten« (Bumke, Kultur I, S. 360), bzw. (wie hier) den Lanzenstoß, der bei diesem Kampf geführt wurde. Vgl. auch Vorderstemann, S. 315ff.

3,24 *der 〈. . .〉 dach]* Wörtlich: »von seiner Abstammung her war der Schild seine Bedeckung«, d. h. er war aufgrund seiner adligen Geburt zum Ritterhandwerk bestimmt.

3,25f. *man 〈. . .〉 spehen]* Die Tempusdifferenzierung zwischen Haupt- und Nebensatz ist merkwürdig. Vielleicht gehört 3,26 schon zur indirekten Rede (*kunde* Konjunktiv, Ausdruck des Sagens oder Wissens zu ergänzen): »man hört in Frankreich sagen: wer immer sein Geschlecht gekannt hätte (der hätte sagen müssen, hätte gewußt), daß . . .« (in diesem Sinne W.J. Schröder, S. 402, und Passage).

3,27f. *daz 〈. . .〉 gelîche]* Wörtlich: »daß (*daz* Konjunktion!) über all ihr (d. h. der Franzosen) Reich hin dieser Fürsten Rang (Macht) in gleicher Weise dagestanden hätte (d. h. das gleiche gegolten hätte«), kaum: »das (d. h. das Geschlecht – *daz* Demonstrativpronomen!) hätte über all ihr Reich hin dem Fürstenrang ebenbürtig dagestanden (d. h. sie wären fürstlichen Rangs gewesen)«, d. h. »sein geschlecht gelte an einfluss im ganzen reiche dem von fürsten gleich« (Wiessner, Richtungsconstructionen II, S. 38). Vgl. Ochs, S. 83f.

4,5 *hoehsten hant]* Bezeichnung Gottes im Pz. und Wh., von Wolfram geprägt? Vgl. Ochs, S. 87f.; Freytag, S. 156.

4,7 *in]* Von Ochs, S. 88, auf die »oben erwähnten Ritter« bezogen: »hilf ihnen und auch mir, die wir Hilfe von Dir erhoffen«.

4,9-11 *sît 〈...〉 dort]* Daß die Heiligen im Himmel als Fürsten leben, ist eine traditionelle Vorstellung. »Das Besondere an« Willehalm »ist, daß er auch auf Erden ein Fürst war, daß er Ritter und Heiliger zugleich war« (Bumke, Willehalm, S. 105; dagegen zu unrecht Hellmann, S. 173f.). Vgl. auch Ochs, S. 89f.; Nellmann, Prolog, S. 408; Kleinschmidt, S. 597, 641. – Thelen, S. 275, Anm. 1126, bezieht 4,9-11 als Begründung auf das Folgende: Punkt statt Komma nach 4,8 *dir*, Komma statt Punkt nach 4,11 *dort*. Ich kann nicht sehen, daß dies dem Verständnis des Zusammenhangs förderlich wäre (zumal die syntaktische Einbindung *als 〈...〉 dort* unklar bleibt: Parenthese?).

4,15 *schrîet]* Traditioneller Ausdruck inbrünstigen Gebetsanrufs. Vgl. Friedrich Ohly, *Bemerkungen eines Philologen zur Memoria*, in: *Memoria*, München 1984 (Münstersche Mittelalter-Schriften 48), S. 24f., Anm. 36.

4,21 *des 〈...〉 wîste]* Wörtlich: »was seine Geschichte mir anwies« oder (Hauptsatz – Punkt nach *wîste*): »dazu wies mich seine Geschichte an« (in diesem Sinne Ochs, S. 93). Die Quellenberufung ist Teil der Verteidigung Wolframs gegen seine Kritiker: er behauptet, keine Wahl gehabt zu haben, die Geschichte von Parzival anders zu erzählen (in Wahrheit ist er sehr frei mit seiner Quelle umgesprungen). – Zur Bedeutung und Bedeutungsentwicklung von *âventiure* (aus afrz. *aventure*, nhd. »Abenteuer«), das im Wh. außer für »(Quelle der) Erzählung« noch für »ritterliches Wagnis« und »glückliches Geschick« (nur 109,4) steht, vgl. Jacob und Wilhelm Grimm, *Deutsches Wörterbuch*, Neubearbeitung, Bd. 1, Leipzig 1983, Sp. 150ff.; ergänzend Vorderstemann, S. 39ff.

4,24 *unde ⟨...⟩ waehten*] Wörtlich: (1) »und ihre Dichtung schöner gemacht haben« (*waehten* Indikativ) oder: (2) »und besser ihre Dichtung schön gemacht hätten (d. h. besser daran getan hätten, ihre eigenen Werke kunstgerecht zu gestalten)« (*waehten* Konjunktiv) oder: (3) »und besser ihre Rede schön gemacht hätten (d. h. besser daran getan hätten, sich freundlich zu äußern)« (*waehten* Konjunktiv). – Die erste Möglichkeit, die unserer Übersetzung zugrunde liegt, ist die gängige. Sie nimmt an, daß Wolfram sich von den buchgelehrten Dichtern absetzt, die ihre Werke mit rhetorischen Mitteln schmücken (*waehen*). Das kann – muß aber nicht – polemisch abqualifizierend gemeint sein (*waehen* etwa im Sinne von »bloß äußerlich herausputzen« oder »aufdonnern«). Den Adressaten der Replik sieht man in Gottfried von Straßburg, der in seinem Tristan Wolframs Dichten scharf als unverständlich angegriffen hatte (grundlegend dazu jetzt Nellmann, Kyot): vgl. Ochs, S. 93ff.; Ganz, Rez. Ochs, S. 416; Freytag, S. 156; Komm. zu 2,19-22. – Bei der zweiten Möglichkeit wäre eine Wendung gegen eine bestimmte Art von Dichtern nicht erkennbar. – Merkwürdig bleibt im ersten wie im zweiten Fall, daß Wolfram von vielen Dichter-Kritikern sprechen soll: wer da außer Gottfried in Frage kommen könnte, ist nicht zu sagen. Daher wird man auch die dritte Möglichkeit im Blick behalten müssen: daß *rede* hier nicht »Dichtung« meint, sondern (wie meist im Mhd.) schlicht »Rede« im Sinne von: »das, was man sagt«.

4,25-29 *gan ⟨...⟩ gestôzen*] Das Programm des Wh.: die Geschichte, die der Dichter erzählen wird, wenn Gott ihm genügend Lebenszeit gibt, handelt von Liebe und von dem Leid (der Gefahr, der Sorge, dem Schmerz), das Mann und Frau (in erster Linie Willehalm und Giburg) in Treue auf sich nahmen, weil Christus im Jordan getauft wurde, d. h. um des Christentums willen (das nach traditioneller Meinung mit der Taufe Christi begründet wurde). Das *ander* steht wohl pleonastisch: vgl. Nellmann, S. 117, und Komm. zu 163,9; anders Schröder, Minne, und Ochs, S. 94ff. (hier S. 99: »werde ich von (leidvoller) Minne und anderer Not berichten«) sowie Unger, Prolog (hier S. 65: »ich werde berichten der Minne (Klage) und andre Klage«). – 4,28 *sît* ist von der Forschung – darunter allen Übersetzern außer San Marte – meist temporal verstanden worden: »seit Jesus . . .« (vgl. Schröder, Minne, S. 310f.; Unger, Prolog, S. 66f., gegen Ochs, S. 97). Mit dem offenbar intendierten Sinn der Stelle wäre das nur mühsam zu vereinbaren, wenn man annähme, es sei darauf abgehoben, das Leid der Christen im Wh. sei das Leid aller Christen zu allen Zeiten (womit sich 4,28 *wîp und man* nicht mehr vorrangig auf Willehalm und Giburg beziehen ließe). – Abwegig ist der Gedanke, die Ankündigung von *minne und ander klage* entwerfe ein Gegenprogramm zur Liebeskonzeption in Gottfrieds Tristan: Ernst Soudek, *Wolframs ›Klage‹: Zu Willehalm 4,25-9*, in: Seminar 11 (1975), S. 187-198.

5,1 *diutscher rede]* Partitiver Genitiv (abhängig von *deheine*), und als solcher wohl pluralisch: »irgendeine von den deutschen Dichtungen«. Vgl. Ochs, S. 99; für Singular dagegen Nellmann, Prolog, S. 408.

5,2 *die ich nû meine]* Wörtlich: »(die Dichtung,) auf die ich jetzt meinen Sinn richte«. Gemeint ist wohl Wolframs eigenes Werk, nicht die Quelle. Vgl. Ochs, S. 99f.

5,3 *ir letze ⟨. . .⟩ ir beginnen]* Gemeint wohl: die Dichtung ist von Anfang bis Ende, in allen ihren Teilen und in jeder Hinsicht, unvergleichlich. Anders Kartschoke, der *letze* und *beginnen* als Akkusative, abhängig von *meine*, auffaßt: »die ich jetzt von Anfang bis Ende im Sinn habe«.

5,4 *werdekeit]* Auch möglich, aber nicht wahrscheinlich: »Würdigkeit der *âventiure*« oder: »Würdigkeit des Helden der Geschichte«. Vgl. Ohly, S. 480; Freytag, S. 156; Bertau, Literatur, S. 1134.

5,7 *diu ⟨. . .⟩ gesten]* Wörtlich: »die bewegt sich hier im Kreis der Fremden (Gäste)«, d. h. »sie ist eine Fremde« – sicher nicht: »sie bringt die Gäste gleich mit« (Schröder, Gyburc, S. 42), »nur Fremde (Franzosen) kennen sie hier« (Ochs, S. 101), »die ist hier durch Franzosen bekannt geworden« (Ruh, Voten, S. 296, Anm. 38). Gemeint ist: wer auf seine Reputation wert legt, muß Fremden Gastrecht gewähren – also die fremde Geschichte (in Wolframs Fassung) freundlich anhören.

5,10 *süezer rede]* Der Terminus bestimmt das Werk als geistliche Dichtung: als heilige, heilbringende, erbauliche Geschichte. Vgl. Ochs, S. 101ff.; Ohly, Süße Nägel, S. 491f.

5,11 *mit wirde noch mit wârheit]* Ochs, S. 103, will die Bestimmung differenzierend auf die zwei Seiten des Erzählten beziehen: Ritterruhm (*wirde*) und religiöse *wârheit*. Eher dürfte die Geschichte als ganze in ihrer Würde und Wahrheit angesprochen sein. Vgl. auch Freytag, S. 156f.

5,12f. *underswanc ⟨. . .⟩ nie]* Man möchte annehmen, daß – entsprechend einer gut bezeugten Formel – gemeint ist, die Geschichte sei im Zuge ihrer Tradierung weder verkürzt noch erweitert worden. Doch ist nicht recht zu erkennen, wie die seltsamen Termini *underswanc* »Dazwischen-Schwung (des Schwertes?)« und *underreit* »Dazwischen-Ritt« (?) darauf zu beziehen wären. Vgl. Wilhelm Braune, *Zu Wolfram von Eschenbach*, in: Beitr. 27 (1902), S. 565-570, hier S. 569f.; Ochs, S. 103f.; Nellmann, S. 59.

5,15 *Diz ⟨. . .⟩ wunderlîch]* Wörtlich: »Diese Geschichte (Begebenheit) ist wahr, wenn sie auch befremdlich ist«; auf die im folgenden erzählte Enterbung der Söhne Heimrichs von Narbonne zu beziehen, die Wolfram offenbar aus Chanson-Überlieferung außerhalb seiner Hauptquelle Al. bekannt war. Vgl. Ochs, S. 104f.; Schröder, maere; zur Quellenfrage Bacon, S. 39ff., und Kolb, Chanson, S. 193ff.

5,18f. *bürge ⟨. . .⟩ rîcheit]* Drei Formen herrschaftlichen Besitzes: Burgen bzw. (befestigte) Städte (beides umfaßt der Begriff *burc*), abgabenpflichtiges Nutzland (*huobe*) und allgemein Grundbesitz bzw. Territorialgewalt (*der erde rîcheit*, wörtlich: »Reichtum an Land«). Vgl. DRWb II, Sp. 576f., und III, Sp. 165f.; V, 1581ff.; HRG II, Sp. 248ff.

5,20 *man]* Hier Rechtsterminus im Rahmen des Lehnswesens, der grundlegenden Rechts- und Besitzordnung der hochmittelalterlichen Gesellschaft, die auch die Welt des Wh. prägt: »eine Gesamtheit von Institutionen . . ., die zwischen einem Freien, genannt ›Vasall‹« (mhd. *man*), »und einem anderen Freien, genannt ›Herr‹ ... Verbindlichkeiten zweifacher Art schaffen und regeln: der ›Vasall‹ ist dem ›Herrn‹ gegenüber zu Gehorsam und Dienst – vor allem zum Waffendienst – verpflichtet und der ›Herr‹ dem ›Vasallen‹ gegenüber zur Gewährung von Schutz und Unterhalt. Meistens genügte der Herr seiner Unterhaltspflicht durch Verleihung eines Gutes, genannt ›Lehen‹« (Ganshof, S. XIVf.). Vgl. auch HRG II, Sp. 1725ff.

5,29 *stieze* 〈...〉 *zil*] Wörtlich: »wenn das Glück geeignete Zielscheiben für sie aufsteckte«. Vgl. Martin zu Pz. 2,25; Zimmermann zu Pz. 390,6.

6,1 *welt* 〈...〉 *lîp*] Wörtlich: »wenn ihr euern Leib als Zinsgut nutzen wollt«. Vgl. Mersmann, S. 69.

6,2 *hôhen* 〈...〉 *wîp*] Nämlich ihre Liebe, ihre Hand und ihr Land. Hier deutet sich zum ersten Mal die eigentümliche Konzeption der höfischen Liebe an, die im Wh. für Christen und Heiden gleichermaßen verbindlich ist und vor allem auch das Verhältnis Willehalms zu Giburg prägt: der Mann gibt sich als Diener der Frau und vollbringt seine Rittertaten, für die sie ihn prächtig ausrüstet, in ihrem Dienst. In der Formulierung *hôher lôn* klingt der Zentralbegriff dieser Liebeskonzeption an: *hôhiu minne* (im Wh. 36,21. 64,6. 95,13. 329,18. 387,5. 412,4. 427,22). Gemeint ist damit die höchste, edelste Form der Liebe, die im Liebenden alle guten Eigenschaften weckt und entwickelt. Vgl. Bumke, Kultur II, S. 507ff.; Titurel-Kommentar, S. 5f.

6,6 *nâch hôhem muote*] Die Liebe der Frauen vermittelt *hôhen muot*, eine spezifische, »die höfische Ritterkultur um 1200 kennzeichnende Geisteshaltung der freudigen Hochgestimmtheit und Selbstgewißheit, bei der die Komponente des Willens, des Strebens nach Idealität kennzeichnend ist« (Decke-Cornill zu 112,13). Vgl. August Arnold, *Studien über den hohen Mut* (Von deutscher Poeterey, 9), Leipzig 1930 (zur vorliegenden Stelle S. 38).

6,8 *an* 〈...〉 *pflihten*] Wörtlich: »Anteil an ihrer Hilfe haben«, kaum im Sinne von »ihnen helfen« (so die Übersetzer außer Unger): *helfe* dürfte hier zugleich in materiellem und erotischem Sinn (*minnen helfe*: vgl. Titurel-Kommentar, S. 97) gebraucht sein.

6,9 *tugent]* Sammelbegriff für hervorragende Fähigkeiten und Eigenschaften, in Verbindung mit Karl dem Großen formelhaft. Vgl. Johnson, S. 27.

6,25 *der vierde]* Wenn – wie wohl wahrscheinlich – die Aufzählung der Brüder nach deren Alter geordnet sein soll, liegt ein Widerspruch zu 249,19 vor, wo Heimrich als der jüngste Sohn bezeichnet wird. Vgl. Bernhardt, S. 45.

6,26 *des ⟨. . .⟩ zierde]* Wörtlich: »dessen Vortrefflichkeit viele Länder zierte« (d. h. der sich in vielen Ländern bewährt hatte) oder: ». . . geziert hätte« (d. h. dessen Vortrefflichkeit so groß war, daß sie allein für viele Länder gereicht hätte: vgl. 15,9ff.).

6,30 *höfsch]* »Hauptbegriff für die adlige Gesellschaftskultur, die im 12. Jahrhundert an den großen Höfen entstanden ist«; »Programmwort für ein Gesellschaftsideal, in dem äußerer Glanz, körperliche Schönheit, vornehme Abstammung, Reichtum und Ansehen mit edler Gesinnung, feinem Benehmen, ritterlicher Tugend und Frömmigkeit verbunden waren« (Bumke, Kultur I, S. 78, 80). Neben dem deutschen Wort gebraucht Wolfram auch das entsprechende französische Wort *kurteis* / *kurtois*, »courtois«: vgl. Vorderstemann, S. 170ff.

7,1-12 *wie ⟨. . .⟩ sparn]* Möglich auch: Keine Interpunktion nach 7,7 *sach*, 7,8-10 in Parenthese und dahinter Komma (so Leitzmann nach Paul, Willehalm, S. 325).

7,6f. *und ⟨. . .⟩ sach]* Wörtlich: »und oft den Tag so hinbrachten, daß man sie in hohem Ruhm sah«.

7,14 *den ⟨. . .⟩ meinen]* Wörtlich: »auf den die Geschichte ihre Aufmerksamkeit richten will«. Vgl. Schröder, maere, S. 282.

7,20f. *denne ⟨. . .⟩ gewan]* Wörtlich: »als mit Almosen« (*almuosens* instrumentaler Genitiv: PMS, S. 293) »dort gewann« oder: »als an Almosen« (*almuosens* partitiver Genitiv) »dort gewann« (das gute Werk gewissermaßen als erworbener Besitz). Der Terminus *almuosen* läßt erkennen, daß Heimrichs Verhalten als *donatio pro anima* (»Stiftung für das Seelenheil«) aufzufassen ist, die als Rechtsinstitut das Erbrecht der Verwandten bis zu einem gewissen Grad außer Kraft setzte (aber schwerlich die vollständige Enterbung bzw. Verstoßung der Söhne decken konnte): vgl. Fehr, S. 136; Mersmann, S. 48.

7,23-26 *ir* ⟨. . .⟩ *vlôch]* »Eine befriedigende Erklärung der Verse steht aus« (Bumke, Willehalm, S. 12, Anm. 9). Für den unbefangenen Leser sind sie kaum anders zu verstehen, als daß der Dichter voraussetzt, »seinen zuhörern sei der anfang von Wilhelms und Arablen geschichte bekannt« (Lachmann, S. XXXVIII). Da es indes keinerlei Zeugnis für eine ältere deutsche Fassung der Geschichte gibt, müßte man wohl annehmen, Wolframs Publikum sei mit der französischen Chanson-Tradition vertraut gewesen (so u. a. Singer, S. 5; Johnson, S. 29; Knapp, Rennewart, S. 295f.; Lofmark, S. 224, Anm. – Johnson und Knapp plädieren für Doppelpunkt nach 7,26 *vlôch*). Möglich – aber unwahrscheinlich – ist auch, daß Wolfram hier gar nicht die Geschichte von Willehalm und Giburg im Auge hat, sondern nur sagen will, das Publikum kenne (andere) Geschichten, in denen von unglücklichen Folgen des Ritterdienstes die Rede sei, und eine solche sei auch die jetzt folgende (in diesem Sinn Kartschoke – vgl. San Marte, Rittergedicht, S. 30, und Seeber, S. 5; dazu Bumke, Willehalm, S. 12, Anm. 9, und Johnson, S. 30f.).

7,29 *im* ⟨. . .⟩ *gehiez]* Möglich auch: »die Liebe ihm gewährte und zuvor versprochen hatte« (vgl. Johnson, S. 31; Kartschoke, S. 273). – Die Geschichte der Verbindung Willehalms (Guillaumes) mit der schönen Heidenkönigin Arabel (Orable) ist Gegenstand der Chanson von der Prise d'Orange: der Markgraf liegt als Gefangener der Heiden in dem von diesen beherrschten Orange; dort verliebt sich Arabel, die Gemahlin des Heidenkönigs Tibalt (Tiebaut) in ihn, verhilft ihm zur Freiheit und zur Einnahme Oranges, läßt sich taufen und wird seine Frau. Wolfram gibt eine andere Version der Geschichte: demnach wurde Willehalm durch den Heidenkönig Sinagun besiegt und in Arabi gefangen gesetzt, wo Arabel ihn befreite und mit ihm floh (vgl. 192,6ff.; 220,14ff.; 293,28ff.). Woher Wolfram diese Version kannte, ist umstritten. Möglicherweise hat er sie aus Andeutungen in Al. gezogen, nach denen Guillaume von Sinagon in Palerne (Palermo!) gefangen gehalten wurde (354ff.; 5076ff.). Vgl. Bacon, S. 81ff.; Minckwitz, S. 45ff.

7,30 *Gîburc]* Der christliche Name der Heldin ist der der Gemahlin des historischen Wilhelm von Toulouse (*Witburgh / Guitburg* – vgl. S. 796). Anders als in Wolframs Roman lautet er auch im Frz. der Quelle an den des Markgrafen an (*Guiborc / Guillaume*), gliedert somit seine Trägerin in die »Sippe ihres Gemahls« ein und bringt »zugleich die innige Verbundenheit der Ehegatten zum Ausdruck« (Schmolke-Hasselmann, S. 79, Anm. 34). Vgl. auch Dittrich / Vorderstemann, S. 179.

8,7 *bürge und lant]* Möglich auch: »Städte und Länder«: vgl. Komm. zu 5,18f. – Die Zusammenhänge von Tibalts Landverlust sind nicht leicht aufzuhellen. Aus verstreuten Angaben im Wh. kann man sie sich etwa so zurechtlegen: Tibalt erhob von seinem *oeheim* Marsilie her Erbansprüche u. a. auf die halbe Provence und Arles (vgl. Komm. zu 221,11-19), und anscheinend unterstanden ihm auch entsprechende Gebiete, die Willehalm eroberte (vgl. 298,13-16) und dann vom Kaiser zu Lehen nahm (vgl. zu 146,8). Die Eroberungen Willehalms (Guillaumes) sind Gegenstand der Chansons vom Charroi de Nîmes (vgl. Komm. zu 298, 14-16) und von der Prise d'Orange (vgl. Komm. zu 7,29). Vgl. Bernhardt, S. 53ff.; Schmid, S. 263ff.

8,8f. *sîn . . . Indîâ]* Wörtlich: »seine Klage wurde mit Jammer bis ins äußere Indien bekannt«. Wohl ein erster Hinweis auf die ungeheure Größe des aus allen Winkeln der Heidenwelt zusammengezogenen Invasionsheers: Tibalts Klage, die der Grund für den großen Krieg war, verursachte noch im fernsten Orient *jâmer* bei den Angehörigen der Kämpfer, die dorther stammten. Möglich wäre indes auch die Übersetzung: »seine jammervolle Klage erscholl bis in das äußerste Indien« (Fink / Knorr, S. 11). Doch spricht das folgende Verspaar für die vorgeschlagene Lösung: wie im äußersten

Orient bringt der Krieg auch im Christenland *jâmer*. Das Darstellungsprinzip der »Zweischau«, in dem der Erzähler »symmetrisch Christen- und Heidenheer, französische und sarazenische Helden« übersieht (Mergell, Quellen, S. 10), ist charakteristisch für Wolframs Neugestaltung des Stoffes. – Die *ûzern Indîâ* oder *India superior* (Al. 30: *Inde Superior*) meint das eigentliche Indien im Unterschied zur *India inferior*, d. i. Äthiopien: vgl. Kunitzsch bei Schröder, S. 637; Marly II, S. 3. Ebenfalls Indien dürfte mit *Indîant* (41,16), dem Land am Ganges (35,12), gemeint sein: vgl. Heinzle, Frabel.

8,10 *her und dâ*] Eigentlich sprachwidrige Verbindung eines Richtungsadverbs (»her«) mit einem Lageadverb (»da«); im Wh. noch 56,16. 105,25. 193,1. 200,6. Vgl. Wiessner, Richtungsconstructionen II, S. 48f.

8,15-21 *nû* 〈. . .〉 *künne*] Wörtlich: »nun wuchs der Sorge ihr Reichtum, wo das Zinsland der Freude einst breit war: das ist mit wahren Schnitten des Jammers so getreten und überritten worden: vom Glück haben sie es bekommen, wenn noch Samen der Freude das Geschlecht der Franzosen hat«. – 8,16 *vreuden* ist entweder schwacher Genitiv Singular (was darauf hindeuten könnte, daß die *vreude* personifiziert gedacht ist) oder starker Genitiv Plural (»Einheitsplural«): vgl. BMZ III, Sp. 418b; Behaghel I, S. 468f. – Die Übersetzung von 8,19 geht davon aus, daß *gelücke* hier soviel wie »Zufall« bedeutet (»die Franzosen konnten von Glück sagen . . .«): vgl. Scharmann, S. 74; Pretzel, S. 13. Es könnte aber auch die göttliche Vorsehung gemeint sein (»nur mit Gottes Hilfe haben die Franzosen . . .«): vgl. Salzer, S. 46f.; Sanders, S. 56; Emrich-Müller, S. 131.

8,24 *marcgrâve*] Als Herr über eine »Mark«, ein (gefährdetes) Grenzland, hat Willehalm den Rang eines »Markgrafen« inne und gehört als solcher zum Kreis der Reichsfürsten. Vgl. HRG III, Sp. 316ff. – Statt des deutschen Begriffs gebraucht Wolfram gelegentlich das französische Pendant *markîs* (»Marquis«). Vgl. Vorderstemann, S. 188ff.

8,25 *des* 〈. . .〉 *jach*] Wörtlich: »was er für hohes Glück erklärte«.

9,2f. *kielen* ⟨. . .⟩ *kocken*] *kiele* und *treimunde* (afrz. *dromon[t]*) sind große, unter Segel gehende (See-)Schiffe, *urssiere* (afrz. *[h]ussier*, mlat. *usserius*) geräumige Transportschiffe mit einem Tor am Heck zum Einschiffen der Pferde, *kocken* breit gebaute Schiffe »mit rundlichem vorder- und hintertheil« (DWb V, Sp. 1565). Vgl. Schultz II, S. 316f., 325ff.; Meißner; Vorderstemann, S. 324f., 336f.

9,4-6 *swer* ⟨. . .⟩ *geschehen*] Wörtlich:»wer sich anmaßt zu behaupten, er hätte ein größeres Heer gesehen, das ist ihm seither nie widerfahren«.

9,8 *liebisten got Mahmeten*] Die Meinung, der Prophet Mohammed werde von den Heiden als Gott verehrt, ist im Mittelalter verbreitet. An der Existenz dieses und der anderen heidnischen Götter zweifelte man nicht, sondern faßte sie als »Emanationen des Teufels« auf (Richter, S. 117). Vgl. auch Denecke, S. 78. – Die Bedeutung des Superlativs *liebist* ist hier (wie 162,19) zweifelhaft: vergleichend (»liebster«) oder nur hervorhebend (»sehr geliebt« – so sicher 252,29 und 278,15)?

9,14f. *diu* ⟨. . .⟩ *worden*] Wörtlich: »die mit der Taufe vielen Augen sichtbar geworden war«, doch kann (das vor Wolfram nicht bezeugte) *kurc* auch »ausgezeichnet, ausgewählt« heißen (in diesem Sinn etwa Unger: »daß als Getaufte hoch geschätzt in vieler Menschen Blick sie stehe«). Vgl. Zimmermann zu Pz. 339,6.

9,17 *diu edel küneginne*] Kann auch zum Vorhergehenden gezogen werden: Komma nach 9,16 *orden*, Punkt nach *küneginne* (so Leitzmann und Schröder).

9,18f. *durh* ⟨. . .⟩ *hant*] Die Formulierung mit *durh* (»um willen«) ist ambivalent: »weil sie den Geliebten und Gott liebte« bzw. »weil sie der Liebe des Geliebten und Gottes teilhaftig sein wollte«.

9,26 *wol* ⟨. . .⟩ *gedâhten*] Wohl im Sinne von: »sie bedachten es gut« auf das Folgende zu beziehen. Vgl. Paul, Wolfram, S. 555.

9,29 *und daz*] Wohl Wechsel der Konstruktion: »erst bloss logische, dann auch grammatische abhängigkeit« der Periode von 9,26 (Paul, Wolfram, S. 555). Anders Kartschoke, S. 273, der *und daz* konsekutiv auffaßt: »so daß . . .«.

9,30 *durh* 〈. . .〉 *lône]* Wörtlich: »aufgrund von Mannschaft als Vergeltung«; *manneschaft* (*homagium*) bezeichnet als Terminus des Lehnswesens die Rechtsakte der *immixtio manum* (vgl. Komm. zu 146,2f.) und der mündlichen Willenserklärung von Lehnsmann und Lehnsherr, *lôn* meint hier offenbar das im Gegenzug zur *manneschaft* erteilte Lehen (in Gestalt von Königreichen). Vgl. Ganshof, S. 73ff.

10,17 *Alitschanz]* Der Schauplatz der beiden Schlachten, im Mündungsgebiet der Rhone gedacht, trägt den Namen eines ausgedehnten spätantiken Gräberfeldes bei Arles (Les Alyscamps). Vgl. Schmidt zu 403,22; Heinzle, Beiträge, S. 426.

10,18-20 *dâ* 〈. . .〉 *mort]* Wörtlich: »da wurde solche Ritterschaft getan, soll man die mit dem rechten Wort belegen, so kann sie wahrlich ein Gemetzel heißen«. Mhd. *mort* hat hier (und 162,14) nicht die moralische Bedeutung von nhd. »Mord«: vgl. Schröder, mort.

10,22 *swaz* 〈. . .〉 *gesprach]* Wohl auf den Pz. zu beziehen. Vgl. Singer, S. 9f.; Désilles-Busch, S. 194f.; Green, Homicide, S. 26f.

10,23 *nâher]* Wörtlich: »weiter abliegend vom eigentlichen werte, unter dem werte oder preise« (DWb VII, Sp. 286f.)?

10,27 *man* 〈. . .〉 *sicherheit]* Indem er *sicherheit* (»Gelübde«, »feierliche Zusage«), afrz. *fiance* (*fîanze*: 87,3. 105,1), leistet, gibt sich der Besiegte in die Gewalt des Siegers, um sein Leben zu retten. Im höfisch-ritterlichen Zweikampf wurde gewöhnlich *sicherheit* genommen, d. h. der Sieger schonte den Besiegten, der sich ergab; in der Schlacht auf Alischanz ging es dagegen um Leben und Tod (doch wurden auch Gefangene gemacht). Vgl. Désilles-Busch, S. 66ff.; Vorderstemann, S. 342f.

10,29 *den* 〈. . .〉 *erlôst]* Wörtlich: »den man doch teuer (d. h. mit hohem Lösegeld) ausgelöst hätte«.

11,4f. *die* 〈. . .〉 *vlust]* Wörtlich: »die stellten sehr der

Waage sowohl Finden als auch Verlieren anheim«, d. h. sie setzten sich voll dem Risiko des ungewissen Ausgangs aus. Selbstverständlich auf die bevorstehende Schlacht zu beziehen, nicht »auf die früheren Kämpfe zwischen Heiden und Christen um die spanische Mark« (W.J. Schröder, S. 408, mit falscher Übersetzung nach Fink / Knorr, S. 12). Vgl. Martin zu Pz. 757,6; Wiessner, Richtungsconstructionen II, S. 4f.

11,16 *Tervagant]* Die Herleitung dieses Götternamens (antike Gottheit? lateinische Bezeichnung für Allah?) ist umstritten. Vgl. Denecke, S. 79ff.; Grégoire; Pellat; Kartschoke, S. 273; Graf, S. 18; Kunitzsch, Anmerkungen, S. 267.

11,19 *unvuoget 〈. . .〉 genuoget]* Präsens? Vgl. Förster, S. 7.

11,22 *bescheidenlîch 〈. . .〉 wil]* Wörtlich: »verständig (wie ich bin) will ich sagen«, kaum: »unverblümt . . .« (Unger) bzw. »deutlich« (Nellmann, Prolog, S. 405).

11,23f. *swen 〈. . .〉 verlür]* Bezug des Erzählten auf die persönliche Lebenswelt des Erzählers ist ein Charakteristikum von Wolframs Stil. Das Bild des Erzählers, das dabei entsteht, muß als Moment der fiktionalen Werkstruktur wahrgenommen werden; inwieweit es der biographischen Identität des Dichters Wolfram entspricht, entzieht sich unserer Kenntnis. Vgl. Nellmann, S. 13ff.

11,25 *ehkurneis]* frz. *au court nez*, »mit der kurzen Nase«, Beiname Willehalms, dem nach dem Bericht der Chanson vom Couronnement Louis einst der Riese Corsolt die Nase verstümmelt hatte. Vgl. Komm. zu 91,27-92,3; ferner: Lofmark, S. 8; Schmolke-Hasselmann, S. 31, Anm. 6; sowie zum Sprachlichen: Knapp, Lautstand, S. 208, und Vorderstemann, S. 81ff.

11,27-29 *des 〈. . .〉 gebot]* Wörtlich: »dessen würde eine Frau noch (heute) bedürfen, daß sie einen derart Vortrefflichen um der Liebe willen unter ihren Befehl brächte«. Ich beziehe *des* voraus auf 11,28f.; anders (und unwahrscheinlich) Kartschoke, der es auf 11,27 zurückbezieht: »daß er selbst es sein müßte, wollte heute eine Frau einen gleich ausgezeichneten Mann unter das Gebot ihrer Liebe zwingen« (so auch die Herausgeber, die Komma nach 11,26 setzen?).

12,1 *ez ⟨. . .⟩ mac]* Wörtlich: »jetzt muß es rollen, wie es kann«, d. h. wohl »wie es bestimmt ist« (Fink / Knorr, S. 12). Hinter der Wendung steht die Vorstellung vom Glücksrad, dessen ständige Drehung Sinnbild für den ständigen Wechsel des Glücks ist: vgl. Sanders, S. 22ff.; Michael Schilling, *Rota Fortunae*, in: *Deutsche Literatur des späten Mittelalters*, hg. von Wolfgang Harms und L. Peter Johnson, Berlin 1975, S. 293-313; zum Terminus *walzen* in diesem Zusammenhang Martin zu Pz. 335,30 und DWb XIII, Sp. 1411f.

12,2f. *etswen ⟨. . .⟩ erschein]* Wohl nur allgemeiner Hinweis auf den Wechsel des Glücks, nicht gezielte Vorausdeutung auf das V. und VI. Buch (Mergell, Quellen, S. 108) oder ein – von Wolfram nicht mehr ausgeführtes – glückliches Ende der Geschichte (Wolff, S. 519). Vgl. Nellmann, S. 118.

12,16f. *daz ⟨. . .⟩ waere]* Verbindung der aus der Bibel (Ezechiel 11,19; 36,26) bekannten Metapher vom steinernen, d. h. verhärteten Herzen mit der volkstümlichen Vorstellung vom »Donnerstein« oder »Donnerkeil«: »nach dem volksglauben fährt mit dem zündenden blitz aus der wolke zugleich ein schwarzer keil tief wie der höchste kirchthurm in den erdboden nieder. so oft es aber von neuem donnert, beginnt er der oberfläche näher zu steigen, nach sieben jahren ist er wieder oben auf der erde zu finden« (Jacob Grimm, *Deutsche Mythologie*, Bd. 1, Göttingen ^{3}1854, S. 163f.). Wenn an unserer Stelle mit *wahsen* dieses Aufsteigen gemeint ist, wäre wohl wörtlich zu übersetzen: »ein Herz, das aus im Donner gewachsenem (Kiesel-)Stein wäre«, nicht: »ein Herz, das im Donner aus (Kiesel-)Stein gewachsen wäre«.

12,25 *schar]* Der Wh. kennt eine reich ausgebildete Terminologie zur Bezeichnung von Heeresabteilungen. Eine präzise Differenzierung ist nicht möglich, doch zeichnet sich für die relative Größe der Verbände in groben Zügen ein geordnetes Bild ab: Das »*her* als vollständiges Aufgebot einer Partei umfaßt eine begrenzte Anzahl von *scharn*, ihnen wiederum ordnen sich *storje* und *rotte* als kleinere Kampfeinheiten unter. *Puneiz* und *poynder* können gleichfalls Kontingente bezeichnen; ihre Größe schwankt jedoch« (Pütz, S. 129). Vgl.

auch Komm. zu 20,8 (*storje*), 21,3 (*poinder*), 29,24 (*rotte*), 34,8 (*puneiz*).

12,28f. *dâ* ⟨. . .⟩ *tambûr*] Wörtlich: »war da Lärm von Trompeten und vielen Trommeln«. Die *busîne* ist eine (bis über einen Meter) lange, gerade, dünnwandige Trompete, die *tambûr* eine flache Handtrommel; die *busîne* erzeugt einen hohen, durchdringenden Ton, die *tambûr* »ein trockenes, schnarrendes Geräusch . . ., das in rhythmischen Motiven die Melodien der führenden Instrumente begleitet« (Treder, S. 13). Vgl. Treder, S. 13f., 20ff.; Vorderstemann, S. 69ff., 306ff.; Relleke, S. 49ff., 120ff.; Kunitzsch, Anmerkungen, S. 268.

12,30 *Gîburge süeze*] D. h. alles, was sie auszeichnete: Schönheit, Anmut, Liebenswürdigkeit etc. Vgl. Schröder, Gyburc, S. 46ff.

13,4 *an ir urteillîchem tage*] Die Wendung *urteillîcher tac* bzw. *urteillîche zît* bedeutet allgemein: »Tag (Zeitpunkt) der Entscheidung« (so 134,23 im Hinblick auf die Befreiung Giburgs, 334,14 und 452,23 im Hinblick auf den Ausgang der zweiten Schlacht), speziell »Tag (Zeitpunkt) des Jüngsten Gerichts« (166,7; 303,13; 402,14; 454,25). An der vorliegenden Stelle könnte gemeint sein: »Tag, der über das Leben der Kämpfer entschied«, und dies könnte auf Christen und Heiden gleichermaßen bezogen sein. Doch spricht 13,2 *nû* für Bezug auf das Folgende und damit auf die Christen (vgl. auch die Interpunktion Leitzmanns: Punkt nach 13,3 *sage*, kein Zeichen nach 13,4 *tage*). Dies läßt auch hier an die Bedeutung »Jüngstes Gericht« denken: die Christen sterben in dem als Kreuzzug aufgefaßten Kampf gegen die Heiden als Märtyrer, denen »sogleich der ewige Lohn zuteil wird« (LThK VII, Sp. 129), so daß für sie im Augenblick ihres Todes das Jüngste Gericht gewissermaßen vorweggenommen ist. Vgl. Komm. zu 17,16 und 39,28f.; ferner Erdmann, S. 317, zur Auffassung, daß »der Tod auf der Kreuzfahrt als Martyrium . . . oder doch als sicherer Eintritt ins Paradies« betrachtet wurde. – Anders Haacke, S. 235, Anm. 16, Kartschoke und Schmidt zu 452,23: »Entscheidungsschlacht« (doch wird der Krieg in der ersten Schlacht gar nicht entschieden).

13,10 *si ⟨...⟩ lân]* Wörtlich: »sie hätten's ungern unterlassen«.

13,12-14 *die ⟨...⟩ vant]* Wörtlich: »die starke Dienste aus seiner Hand genommen hatten, an denen er nichts als Treue fand«. Die Wendung *dienst nemen von* ist nicht ganz klar. Die Übersetzung geht von der Bedeutung: »sich jemandem gegenüber zu Dienst verpflichten« aus, doch könnte wohl auch gemeint sein: »von jemandem Dienste empfangen« (vgl. BMZ I, Sp. 371b: »er hatte ihnen große dienste geleistet«), wobei *dienst* vielleicht im Sinne von »Lehen« (Land auf dem bestimmte Dienste lasten, die dem Inhaber des Lehens zugute kommen: vgl. DRWb II, Sp. 855ff., besonders 872f.) gebraucht ist (so Unger: »die genommen gutes Lehn aus seiner Hand«).

13,15 *vanen]* *vane* bezeichnet im Wh. »die führende Fahne einer g r o ß e n Heeresabteilung«, in der sich »außerdem noch viele Fahnen und Fähnlein – *baniere* – von untergeordneter Bedeutung« befinden (Zimmermann, S. 28). Bisweilen steht das Wort auch für die Heeresabteilung selbst.

13,17 *pfalenzgrâve]* Der Pfalzgraf war im fränkischen Reich der Leiter der königlichen Hofhaltung; später verbinden sich mit dem Amt verschiedene, vor allem auch richterliche Funktionen; im Zusammenhang mit Bertram bezeichnet der Titel einen nicht näher bestimmten Fürstenrang. Vgl. HRG III, Sp. 1667ff.; Hellmann, S. 199.

13,22 *gans]* Als Schimpfwort auch für Personen männlichen Geschlechts im älteren Deutsch durchaus üblich (bei Wolfram noch Pz. 247,27. 515,13. 599,2 – mit dem Begriff wird primär die Tierart, nicht das Geschlecht des Tiers assoziiert). Vgl. DWb IV/1/1, Sp. 1264; Martin zu Pz. 247,27.

13,23 *wizzenlîchen]* BMZ III, Sp. 792a: »verständigen«.

14,7 *wîplîcher sorgen]* »Frauensorgen«, hier wohl die Art, wie Frauen unter dem Krieg zu leiden haben: Sorge um die kämpfenden, Leid um die gefallenen Männer. Vgl. 14,12ff.

14,9 *himels niuwe sunderglast]* Wörtlich: »des Himmels neuer besonderer Glanz«; *himels* ist entweder lokaler Genitiv mit einer in *erschein* steckenden Richtungsvorstellung

(»strömte mit seinem Leuchten dem Himmel zu«: vgl. PMS, S. 293) oder Bestimmung zu *sunderglast* (»Himmelsglanz«).

14,10f. *dô* ⟨...⟩ *vlouc*] Die gefallenen Christen kommen als Märtyrer direkt in den Himmel. Vgl. Komm. zu 13,4.

14,12-15 *ir* ⟨...⟩ *kômen*] Die Satzfügung kann auch anders aufgefaßt werden: Punkt nach 14,12 *trouc*, Komma nach 14,15 *kômen* (so Leitzmann).

14,16-19 *ist* ⟨...⟩ *ganz*] »es ist seltsam, dass *prîs* und *werdekeit* erst gänzlich identificiert werden und dann wider so bestimmt unterschieden und besonders seltsam ist der schluss, der aus der identität gezogen wird« (Paul, Willehalm, S. 323, der vorschlägt, in Vers 14,18 mit der gesamten Überlieferung außer G *diu zwei sint* statt *der zweier ist* zu lesen – so Leitzmann). Die »Seltsamkeit« liegt jedoch ganz auf der Linie von Wolframs Stil: »Wolfram seems to be playing with two terms which have practically identical meanings« (Johnson, S. 39). Vgl. auch Schanze, Verhältnis, S. 193; Kartschoke, S. 274.

14,26 *Hûwesen von Meilanz*] Huwes befindet sich 416,10 in einer Gruppe christlicher Fürsten, die Rennewart aus heidnischer Gefangenschaft befreit, und wird zuvor 258,24 in einer entsprechenden Gefangenenliste genannt. Daß hier sein seliger Tod erwähnt wird, hat nur einen Sinn, wenn man annehmen darf, daß er in der ersten Schlacht gefallen ist (von Mile steht das fest, über das Schicksal von Gwigrimanz und Jozeranz gibt es weiter keine genaue Angabe). Wolfram hat sich also geirrt. Vgl. auch Komm. zu 47,3-6.

15,2 *mit dem blanken hâr*] *blanc* ist gewöhnlich die Farbbezeichnung für altersweißes Haar (vgl. 145,14; 251,10; 266,3; 273,8), doch hat man im Hinblick auf 386,17 wohl auch mit der Bedeutung »(weiß)blond« zu rechnen, die im Falle Gibalins näherliegt (so auch die Übersetzer).

15,4-6 *ob* ⟨...⟩ *vieren*] Eine für Wolfram typische Volte: der Erzähler beglaubigt die Authentizität der Namen bzw. Gestalten gerade dadurch, daß er sie, dem Publikum eine Mitverantwortung für die Richtigkeit seiner Ausführungen zuschiebend, relativiert. Vgl. Nellmann, S. 61f., 68.

15,9f. *swer* ⟨. . .⟩ *in*] Wörtlich: »wer an Ruhm das geringere hatte unter ihnen«. Der Komparativ *minner* hat superlativische Bedeutung: vgl. Martin zu Pz. 5,10.

15,26 *die* ⟨. . .⟩ *sparten*] Kann auch zum Folgenden gezogen werden: Punkt nach 15,25 *scharten*, Komma nach 15,26 *sparten* (so Leitzmann).

15,28 *der rehten Franzois*] Das »Adj. *reht* deutet darauf, daß auch *Provenzâl* und *Burgunjoys* im weiteren Sinn als *Franzoys* verstanden sind, im Unterschied zu den *rehten Franzoysen*, den Nordfranzosen aus dem Herzogtum Franzien. Man kann aber auch daran denken, daß die Provence und Burgund zu Wolframs Zeit zum Teil Reichslehen waren, und daß der Unterschied zu den *rehten Franzoysen* daher rührt« (Bumke, Willehalm, S. 128f.).

15,30 *dô* ⟨. . .⟩ *kêr*] Wörtlich wohl: »als der unverzagte Markgraf die Wendung derer ritt, die Schaden haben« (d. h. sich auf den Weg des Unglücks begab), kaum: »zu denen hinritt (hingeritten war), die Schaden hatten« (nämlich zu den Heiden: Kraus, Willehalm, S. 541, oder – nach der Schlacht – zu den Verwundeten: DWb V, Sp. 401). In beiden Fällen wäre *kêr* Akkusativ des starken Maskulinums *kêr*, doch könnte auch der apokopierte Genitiv des starken Femininums *kêre* vorliegen: ». . . die schadenbringende Wendung ritt« (lokaler Genitiv: PMS, S. 293) oder (ganz unwahrscheinlich): »als der in Bezug auf den schadenbringenden Durchritt durch das feindliche Heer unverzagte« (d. h. der die Heiden nicht fürchtende) »Markgraf ausritt« (vgl. Kartschoke, S. 274). – Der Satz kann auch als Hauptsatz aufgefaßt werden (Punkt statt Komma nach 15,29: »Da ritt . . .« – so Leitzmann nach Paul, Willehalm, S. 326; Panzer, Willehalm, S. 227; Kraus, Willehalm, S. 540f.).

16,2f. *sus* ⟨. . .⟩ *sach*] Interpunktion nach Paul, Willehalm, S. 326 (Leitzmann, Schröder). Möglich auch Komma nach *gesagt*, Punkt nach *sach* (Lachmann).

16,4 *samîtes*] Nicht unser Samt, sondern ein schweres, brokatartiges Seidengewebe. Vgl. Vorderstemann, S. 274f.

16,5 *pfelle*] Sammelbegriff für kostbare Stoffe, vor allem Seide. Vgl. Lunzer, S. 52ff.; Vorderstemann, S. 220ff.

16,6-9 *innerhalp 〈. . .〉 sîdîn*] Interpunktion nach Paul, Willehalm, S. 326 (Leitzmann) gegen Lachmann und Schröder, die kein Zeichen nach *gezelt* setzen und so den syntaktischen Bezug von 16,7 in der Schwebe lassen. Vgl. auch Wiessner, Richtungsconstructionen I, S. 479. – *zindâl* oder *zendâl* (so 96,17) ist ein leichter, taftartiger Seidenstoff. Vgl. Vorderstemann, S. 362ff.

16,10-14 *ir 〈. . .〉 besunder*] Die exotischen Bilder (*snite*, d. h. die »Bildschnitte« der applizierten Figuren) auf den heidnischen Bannern werden mit den Darstellungen auf geschnittenen Steinen (Kameen) verglichen, die erhaben sind und so gewissermaßen aus dem Stein herauswachsen. Vgl. Heinzle, Stein.

16,19 *gekiesen durh die lüfte*] »der präpositionale ausdruck bezeichnet . . . hier nicht das ziel von *kiesen*, sondern gehört eng zum obj. *sterne* und bezeichnet deren verbreitung ›in den lüften‹« (Wiessner, Richtungsconstructionen I, S. 506f.).

16,20f. *niht 〈. . .〉 mant*] Wörtlich: »ich rühme mich nicht mehr, als die Quelle von mir fordert«. Die Quellenberufung ist offenbar fingiert: »In Aliscans we hear nothing about camps on either side in the first battle« (Bacon, S. 15).

16,29 *ir werlîchen sinne*] Genitiv, abhängig von 16,26 *mante*, parallel zu 16,27 *vil manheit*: »gemahnte sie an ihre wehrhafte Gesinnung«.

17,6 *des toufes rouben*] Willehalm unterstellt, daß die Heiden die Christen zwingen wollen, ihrem Glauben abzusagen. Vgl. Bumke, Willehalm, S. 68f.; Mersmann, S. 98f.

17,9f. *ob 〈. . .〉 pflegen*] Wörtlich: »wenn wir das Segenszeichen aufgäben, das wir mit dem Kreuz vollführen«.

17,11 *kriuzes wîs*] Wörtlich: »in Kreuzesform«.

17,16 *ir 〈. . .〉 gar*] Christi Todeswappen ist das Kreuz, das Zeichen der Passion und der Erlösung. Die christlichen Kämpfer haben Kreuze auf ihren Gewändern angebracht und sind dadurch als Kreuzzugsritter gekennzeichnet. Vgl. 31,23ff. 304,19ff. 321,25ff. 406,17ff. 408,8f.; dazu Singer, S. 16; Erdmann, S. 317ff.; Zips, S. 127.

17,20 *Apollo*] Die Einreihung des antiken Gottes in die

von den Christen imaginierte heidnische Götterwelt des Orients ist traditionell. Vgl. Denecke, S. 78f.; Pellat; Richter, S. 116f.; Kunitzsch, Anmerkungen, S. 267.

17,30 *soldier]* *soldiere* sind Berufskrieger, die – im Gegensatz zu den aufgrund von Lehnsbindungen (vgl. Komm. zu 5,20) zur Heerfolge verpflichteten Lehnsrittern – gegen Geld, »Sold«, angeworben werden. In der historischen Wirklichkeit spielten Söldnerheere seit dem 11. Jahrhundert eine zunehmend wichtige Rolle. – Außer in dieser prägnanten Bedeutung wird der Terminus im Wh. auch im weiteren Sinn von »Krieger, Soldat« gebraucht: so wenn Rennewart, der ja kein Soldritter ist, *soldier* genannt wird (202,13; 331,6 – anders 418,15: s. Komm. z. St.). Vgl. Bumke, Ritterbegriff, S. 43ff., 56ff.; zum Sprachlichen Vorderstemann, S. 298ff.

18,1 *amazzûr]* Heidnischer Fürstentitel, nach arab. *al-mansūr* »der Siegreiche«: so hieß ein berühmter Kalif von Cordoba (Ende 11. Jahrhundert), von dessen Namen der Titel abgeleitet sein soll. Vgl. Vorderstemann, S. 31ff.; Kunitzsch, Anmerkungen, S. 265.

18,2-7 *die* 〈. . .〉 *vluot]* Es dürfte eine freie Konstruktion vorliegen, wörtlich: »die schätzten gering: da sie Fürsten hießen, wollten sie Nutzen haben von ihrer Macht und ihrem Adel, so daß ihnen der Preis bereit wäre vor der andern Flut des Heers« (vgl. Martin zu Pz. 19,10). Versuche, die Wendung syntaktisch präzis einzubinden, überzeugen nicht (Komma nach *untûr*, Bezug auf 18,3: »ihnen war nicht genug, Fürsten zu heißen« [Kartschoke]; Komma nach *untûr*, 18,3-5 in Parenthese, Bezug auf 18,6: »die gaben wenig darauf, daß sie hätten Ruhm erwerben können« – vgl. Johnson, S. 46). – Den Kampf eröffnen zu dürfen, galt als besonders ehrenvoll und konnte ein eifersüchtig gehütetes Vorrecht sein (»Vorstreitrecht«). Vor Beginn der zweiten Schlacht wird Halzebier förmlich mit dem Vorstreit betraut (341,4ff.). Vgl. Rosenau, S. 114f.; Komm. zu 26,13 und 328,25f.

18,13 *sarjande]* Die Bedeutung von mhd. *sarjant* (aus afrz. *serjant*) im Verhältnis zu *ritter* ist nicht immer klar. »Häufig bezeichnet das Wort . . . den niederen Krieger, der zu Fuß oder zu Pferde neben dem Schwergepanzerten kämpft, zuweilen in besonderen Heeresverbänden« (Zimmermann zu Pz. 351,10). Doch ist, »wo *ritter* und *sarjante* zusammen genannt sind, ... in den meisten Fällen keine Unterscheidung beabsichtigt, sondern es ist eine formelhafte Umschreibung für das ganze Heer« (Bumke, Ritterbegriff, S. 37): so wohl auch hier. Vgl. auch Vorderstemann, S. 275ff.

18,17 *turkopel]* Aus afrz. *turcoples*, eigentlich »Türkensöhne«; Bezeichnung für leichte, in der Regel mit Bogen bewaffnete Reiterei, wie sie die Kreuzfahrer im byzantinischen Heer kennengelernt und dann ihrerseits aus der einheimischen Bevölkerung rekrutiert hatten. Im Wh. kämpfen *turkopel* auf beiden Seiten (bei den Heiden: 18,17. 350,27 und 375,7; bei den Christen: 170,19. 185,1. 304,26). Vgl. Vorderstemann, S. 333ff.; Zimmermann zu Pz. 351,12; Kolb, Kreuz, S. 271.

18,18 *die ⟨. . .⟩ lâgen]* Kann mit Leitzmann auch auf das Folgende bezogen werden (Punkt nach 18,17 *pflâgen*, Komma nach *lâgen*). – Die berittenen Bogenschützen sind in kleinen, rasch beweglichen Trupps überall verteilt und überschütten die Christen von allen Seiten mit einem Pfeilhagel. Vgl. Hatto, S. 53.

18,22 *wenken ⟨. . .⟩ vliehen]* Gemeint sind taktische Ausweich- und Rückzugsbewegungen (ebenso Pz. 386,9): die Schützen fliehen scheinbar und greifen dann unvermutet von anderer Seite her wieder an – eine auch historisch bezeugte, den Zeitgenossen aus den Kreuzzügen vertraute Kampfweise der Araber. Vgl. Hatto, S. 53f.; Zimmermann zu Pz. 351,12.

18,23 *wart ⟨. . .⟩ vergolten]* D. h.: sie bekamen gleichwertige Gegenwehr zu spüren.

18,28 *si ⟨. . .⟩ Tervigant]* Neben diesem generellen Schlachtruf scheinen die Heiden in der ersten Schlacht auch Sonderrufe einzelner Abteilungen gebraucht zu haben: vgl. 207,1ff.; dazu Rosenau, S. 133, Anm. 3.

19,1 *Monschoi]* *Monjoie*, der Schlachtruf der Franzosen, ist in der Chanson de geste-Tradition seit der CR geläufig. Es ist bezeugt, daß er im französischen Heer tatsächlich verwendet wurde. Was das Wort ursprünglich bedeutet, ist umstritten. In lateinischer Form erscheint es in den Quellen als *Meum Gaudium* »Meine Freude«. Abgeleitet von ihm ist offenbar der Name des Schwertes, das Karl der Große in der Chanson de geste-Tradition (ebenfalls seit der CR) trägt: *Joiuse.* Als *Gaudiosa* wurde dieser Name 1271 auf das französische Staatsschwert übertragen. – Im Wh. führt der Held den Schlachtruf (*Monschoi* / *Munschoi*) und das Schwert (*Schoiûse*). Nach 117,1ff. und 212,19ff. wurde ihm der Schlachtruf von König Ludwig verliehen, der ihn seinerseits von seinem Vater Karl geerbt hatte. – Vgl. Bertau, Literatur, S. 238 mit 1237; Decke-Cornill, S. 58.

19,2 *die* ⟨. . .⟩ *geschuof*] Wörtlich: »die Gott zum Dienst dorthin gebracht hatte«. Zur Konstruktion vgl. Wiessner, Richtungsconstructionen I, S. 406.

19,5-7 *die* ⟨. . .⟩ *sêre*] Die beiden Heere sind frontal aufeinander gestoßen und haben sich gegenseitig durchdrungen.

19,11 *lac* ⟨. . .⟩ *tôt*] Die im Wh. oft gebrauchte Wendung ist – wie hier – meistens doppeldeutig: »blieben tot liegen« oder »stürzten tot zu Boden«.

19,13 *ê* ⟨. . .⟩ *durhbrâchen*] Die Christen sind kämpfend durch das gesamte Heidenheer hindurchgeritten.

19,17 *gotes soldieren*] »*gotes soldier* als Übersetzung von *miles Dei* oder *miles Christi* ist die offizielle Bezeichnung des Kreuzritters« (Kartschoke, S. 275).

19,18f. *sold* ⟨. . .⟩ *riten*] Wörtlich: »sollte ich« (als Erzähler) »sie« (in meiner Erzählung) »mit Waffenschmuck aufwendig ausstatten, wie sie ritten. . .« Zum Terminus *zimier* vgl. Komm. zu 29,28.

19,25 *kursît*] Aus afrz. *corset*; Bezeichnung für einen gewöhnlich wohl ärmellosen Überrock, der – auch kombiniert mit einem weiteren Überkleid, dem *wâpenroc* – über der Rüstung getragen wurde (wie sich die beiden Überkleider zueinander verhalten, ist nicht ganz klar – nach 125,15ff. trägt Willehalm das *kursît* über dem *wâpenroc*). Vgl. Schultz II, S. 57ff.; Vorderstemann, S. 169f.

20,8 *storje]* Aus afrz. *estoire* »Kriegerschar, Schlachthaufe«; dazu *sunderstorje* »Einzelabteilung eines Heers« bzw. »selbständige Truppe«. Vgl. Vorderstemann, S. 303ff.; Komm. zu 12,25.

20,13f. *si ‹. . .› hân]* Vgl. Herzog Ernst B (hg. von Karl Bartsch, Wien 1869) 5562ff.: *die heiden wâren meistic blôz. | des wurden ir vil manige schar | von den cristen verswendet gar* (»Die Heiden trugen überwiegend keine Rüstung. So wurden sie scharenweise von den Christen vernichtet«). Wolfram könnte diese Stelle gekannt haben. Vgl. Singer, S. 12; Johnson, S. 48f. – Daß nur wenige Heiden eine Eisenrüstung tragen, erklärt sich (nach Hinweis von Jürgen Schulz-Grobert) wohl nicht aus mangelhafter Kriegsvorbereitung, sondern daraus, daß sie, anders als die Christen, in erster Linie auf leicht bewegliche Reiterei setzten, deren Kampfweise eine schwere Panzerung nicht zuließ. Vgl. Hans Delbrück, *Geschichte der Kriegskunst im Rahmen der politischen Geschichte*, Bd. 3, Berlin 1907, S. 219f.

20,23 *gebende]* »Bandwerk«, allgemein Bezeichnung für aus Stoff geschlungene Kopfbedeckungen (besonders für die Haube der verheirateten Frau). Vgl. DWb IV/1/1, Sp. 1725ff.; Schultz I, S. 237ff.

20,24 *harnasch]* Aus afrz. *harnais*, bezeichnete »zuerst die ganze Ausrüstung des Ritters«, dann »speziell den ritterlichen Panzer« (Bumke, Kultur I, S. 212). Hier sind offensichtlich die Rüstungsteile gemeint, die den Kopf schützten: Helm und *hersenier* bzw. *goufe* (vgl. Komm. zu 127,27). Vgl. auch Siebel, S. 53ff.; Vorderstemann, S. 106ff.

21,3 *poinder]* Auch *punder*, aus afrz. *poindre* »Ritt, Reiterangriff«, bezeichnet (wie *puneiz*: vgl. Komm. zu 34,8) offenbar dreierlei: die Reiterattacke mit eingelegter Lanze; den derart attackierenden Reitertrupp; die Wegstrecke, die bei dem Anritt bis zum Zusammenprall mit dem Gegner zurückgelegt wird (ein »Roßlauf« [ca. 100 m? – vgl. BMZ II/1, Sp. 528b; Martin zu Pz. 31,28]). Vgl. Vorderstemann, S. 231ff.; Komm. zu 12,25.

21,13-17 *der ‹. . .› Brahâne]* Interpunktion mit Leitzmann

und Schröder. Anders Lachmann, der 21,14 und 15 auf Willehalm bezieht: 21,13 *der was vil rîche* in Parenthese; Punkt nach 21,14; 21,15 nicht in Parenthese, Punkt am Versende. Aus dem Zusammenhang ergibt sich, daß *gâhes rîterlîche* (wörtlich: »eilends in Ritterweise«) auf Terramer bezogen ist: der heidnische Imperator unterstreicht seine Vorrangstellung in einem persönlichen Einzelkampf, in dem er sich als Ritter bewährt. Zur militärtechnischen Beurteilung dieses Vorstoßes vgl. Jones, S. 433. – Zum Verständnis des Wortes *rîterlîch(e)* ist zu beachten, daß es in der Werte-Welt des höfischen Rittertums (vgl. Komm. zu 2,27) für alles Positive steht, für prächtige Kleidung und Waffen oder für glänzende körperliche Vorzüge etwa ebenso wie für vorbildliches Verhalten und vorbildliche Gesinnung. Da die Bedeutung von nhd. »ritterlich« demgegenüber stark eingeengt ist, muß sich die Übersetzung jeweils mit kontextbezogenen Umschreibungen behelfen, von denen keine in der Lage ist, den ganzen Sinngehalt und die emotionale Bedeutung, die das Wort für das höfische Publikum haben mußte, wiederzugeben. Vgl. Bumke, Ritterbegriff, S. 96ff.

21,19 *buhurt]* Aus afrz. *bohort*; bezeichnet im weitesten Sinne den Formationsritt einer Reiterschar, hier (wie sonst im Wh.) speziell die Formationsattacke des geschlossenen Reiterheers mit eingelegter Lanze. Vgl. Vorderstemann, S. 66ff.; Bumke, Kultur I, S. 357ff. – Terramer will durch sein Auftreten den Massenangriff der Christen »wenden«, d. h. ihn zurückschlagen: ein tollkühnes Unterfangen.

21,30 *ringe]* Der »Ring« ist hier wohl das (aus ringförmig aufgestellten Zelten bestehende) Feldlager, in das sich Terramer zurückzieht und von dem aus er später den Großangriff vorträgt (28,16ff.). Doch könnte auch »Kriegerschar, Abteilung« gemeint sein. Vgl. Zimmermann zu Pz. 350,25.

22,6 *barken]* Der Terminus *barke* bezeichnet teils allgemein ein »seeschiff« bzw. – wie hier – ein »großes frachtschiff«, teils – wie 415,4; 416,6; 438,14 – speziell »das schiffsboot, das zum laden und löschen benutzt und während der fahrt aufs schiff genommen wird« (Meißner, S. 260f.). Vgl. auch Vorderstemann, S. 53f.

22,22 *dar ⟨. . .⟩ gesant]* Man würde erwarten: »von dort verjagt, hierher gesandt«, doch läßt der überlieferte Text nur unsere Übersetzung zu. Vielleicht ist mit Wackernagel (bei Lachmann im Apparat z. St.) und Leitzmann das erste *dar* in *dan* »von dannen« zu ändern.

22,26f. *von ⟨. . .⟩ was]* Auf dem Helm war als Helmschmuck (*zimier*: vgl. Komm. zu 29,28) eine aus einem Rubin geschnittene Krone befestigt, die Noupatris als König kennzeichnete. Kronenhelme sind in der historischen Wirklichkeit gut bezeugt. Die – unrealistische – Vorstellung, daß größere Gegenstände wie Krone, Helm (vgl. 376,30f.), Köcher (vgl. 357,2) aus einem einzigen Edelstein gearbeitet sein können, entspringt literarischer Tradition. Vgl. Martin zu Pz. 24,12; Schwietering, Zimier, S. 295ff.; Friedrich Ohly, *Diamant und Bocksblut*, in: Wolfram-Studien 3 (1975), S. 72-188, hier S. 118f., Anm. 147; Engelen, S. 131.

23,5 *mosec]* Eigentlich: »moosig, morastig, sumpfig«.

23,10 *wîse]* Klugheit / Weisheit (*sapientia*) gehört neben Stärke / Tapferkeit (*fortitudo*) zum traditionellen Idealbild des Helden. Vgl. Ernst Robert Curtius, *Europäische Literatur und lateinisches Mittelalter*, Bern / München [5]1965, S. 179ff.

23,22 *sîn ⟨. . .⟩ sper]* Wörtlich: »sein in der (Tülle der) Speerspitze steckender Speerschaft war aus Rohr«. Der Speer bestand aus dem Schaft und der mit einer Tülle auf diesen gesteckten Eisenspitze (nur diese meint hier das Wort *sper*). Der Schaft war gewöhnlich aus Holz; die hier angesprochene Bauart aus Rohr – wahrscheinlich ist Bambus gemeint – ist eine orientalische Spezialität. Solche Rohrspeere waren denen mit massivem Schaft insofern überlegen, als sie bei hinreichender Festigkeit wesentlich leichter waren. Vgl. Schultz II, S. 21ff.; Schwietering, Speer, S. 72; Michael Murjanoff, *Roerîn sper*, in: Wolfram-Studien 1 (1970), S. 188-193; Zimmermann zu Pz. 385,7.

23,24 *mit volleclîchem poinder]* Oder sollte die Strecke gemeint sein: »einen ganzen Roßlauf« (also wohl ca. 100 m)? Vgl. Komm. zu 21,3.

24,1 *als ⟨. . .⟩ wolde]* Wörtlich: »weil er tjostieren wollte«.

24,2f. *von ⟨. . .⟩ vermiten]* Wörtlich: »an Gold und Edelsteinen war kostbarer Aufwand nicht unterlassen worden«.

24,4-6 *in ⟨. . .⟩ gêre]* Das Banner war unterhalb der Lanzenspitze befestigt (vgl. 25,14ff.), die Darstellung darauf aufgestickt oder aus Tuch ausgeschnitten und aufgenäht (*gesniten*). Das Bild des Liebesgottes mit dem Wurfspeer (*gêr*), mit dem er die Liebeswunden schlägt, und mit der Salbenbüchse (25,15), mit der er sie heilt, kannte Wolfram aus Heinrichs von Veldeke Eneide (9910ff.). Dort trägt Amor (nach Ovid, Metamorphosen I 468ff.) zwei Speere: einen aus Gold und einen aus Blei. Wen der goldene Speer trifft, »der liebt treu und müht sich in der Liebe« (9924f.: *vele stadelike he minnet | ende levet bit arbeide*); wen aber der Speer aus Blei trifft, »der ist der rechten Liebe immer ungehorsam« (9932f.: *de is der rechter minnen | immer ungehorsam*). Daß die Darstellung auf dem Banner des Noupatris nur den goldenen (*tiuweren*, wörtlich: »kostbaren«) Speer zeigt, ist also programmatisch gemeint: es demonstriert, daß der Heidenkönig nach rechter Liebe strebt. Vgl. Schultz II, S. 27f., und Zimmermann zu Pz. 339,22 (zur Lanzenfahne); DWb IX, Sp. 1261, und Wiessner, Richtungsconstructionen II, S. 32f. (zum Terminus *snîden*); Schwietering, Speer, S. 94ff. (zum Terminus *gêr*); Singer, S. 14, Palgen, S. 231, und Johnson, S. 52f. (zur Amor-Darstellung).

24,8 *von rabîne]* Nach afrz. *de ravine* »mit Wucht«, Bezeichnung für die schnellste Gangart des Pferdes (»Karriere«). Vgl. Martin zu Pz. 174,26; Vorderstemann, S. 253f.

24,25 *daz ⟨. . .⟩ wart]* Der Tod bürgte für die Wirksamkeit des gegenseitigen *versnîdens*: dieses war für beide tödlich.

24,26 *vast ungespart]* Wörtlich wohl: »auf gewaltige Weise ohne Schonung«, *ungespart* dabei im Sinne von: »ohne zu verfehlen«: vgl. Al. 226 *Mais Viviëns ne l'a pas meschosi* »doch Vivianz verfehlte ihn nicht«. Vom mhd. Sprachgebrauch her auch möglich: »ohne im geringsten zu sparen« im Sinne von: »mit voller Kraft« oder »ohne auch nur einen Augenblick zu säumen« (vgl. BMZ II/2, Sp. 485bf.); kaum: »selbst schwer verwundet« (Kartschoke).

25,1f. *ergie 〈. . .〉 angesiht*] Wörtlich: »es gab ein leidvolles Sehen von den Seinen«, »sie mußten etwas Leidvolles ansehen«.

25,4 *si 〈. . .〉 gâhen*] *helfe* ist Genitiv; wörtlich: »sie wollten eilends (eifrig) Hilfe betreiben«. Vgl. Zimmermann zu Pz. 348,1.

25,6f. *ungesehen 〈. . .〉 tôt*] Wörtlich: »ungesehen und ungehört war für viele Heiden da sein Tod«.

25,11 *gebruoder*] Daß Sanson ein Bruder Witscharts (und damit auch Gerharts) ist, wird nur in den Handschriften G und L und nur an dieser Stelle gesagt. Möglicherweise liegt ein Überlieferungsfehler vor: vgl. Schanze, S. 85f.; Komm. zu 93,14.

25,15 *bühse 〈. . .〉 gêr*] Vgl. Komm. zu 24,4-6.

26,2f. *Tîbaldes 〈. . .〉 gespilt*] *Tîbaldes râche und des nît* ist als Name eines Spiels aufgefaßt, bei dem zunächst ausgeknobelt wurde, wer beginnen darf (*um den wurf spiln* ist in diesem Sinne Terminus technicus der Spielersprache: »darum spielen, wer anwerfen, das spiel anfangen soll« [BMZ II/2, Sp. 506b; DWb XIV/2, Sp. 2145]): »Bei dem Spiel: ›Rache und Haß des Tibalt‹ hat man erst darum gewürfelt, wer anfängt«, d. h. »das ist erst der Anfang von dem, was die Rache des betrogenen Ehemannes noch alles anrichten wird« (Kühnemann, S. 43).

26,10 *ûf'es lîbes zer*] »mit der Verpflichtung ihr Leben aufzuopfern, hinzugeben« (Martin zu Pz. 87,13).

26,11 *wâren 〈. . .〉 tjostiure*] Die *tjostiure* – die mit der Reiterlanze im Einzelkampf Mann gegen Mann kämpfenden Ritter (vgl. Komm. zu 3,22 und Vorderstemann, S. 319f.) – erscheinen hier als Elitetruppe (Vorkämpfer: 26,13) der heidnischen Ritterschaft, in die man offenbar eigens berufen (*benant*) werden mußte. Vgl. Komm. zu 26,13 und 18,2-7; ferner Jones, S. 437. – Johnson, S. 56, liest – sicher zu Unrecht – *vürtjostiure*: »those who the honor of being the first to fight« (keine Parallelstellen).

26,13 *vorvlüge*] Wörtlich: »das Voranfliegen«, gemeint ist wohl der Vorstreit: vgl. Komm. zu 18,2-7 sowie Martin zu Pz. 349,22 und Zimmermann zu Pz. 349,21-23.

26,22 *ich* ⟨..⟩ *nâchgebûr*] Wörtlich: »ich habe viele Nachbarn«.

26,25-27,4 *von* ⟨...⟩ *wîsen*] Möglich auch: Punkt nach 26,27 *enpfie*; 26,28f. nicht in Parenthese, Punkt nach 26,29 *wê*; 27,1 nicht in Parenthese, Punkt nach 27,1 *swan* (Lachmann, Schröder – abweichend davon und nicht überzeugend Leitzmann: Komma nach 26,27 *enpfie*). Vgl. Kraus, Willehalm, S. 543, gegen Panzer, Willehalm, S. 228; dazu Johnson, S. 56f.

27,1 *der* ⟨...⟩*swan*] Auf die Hautfarbe zu beziehen, die dadurch als besonders schön gekennzeichnet wird (wie z. B. Pz. 257,13: *ir hût noch wîzer denn ein swan*): polemische Wendung gegen die Quelle im Zuge der Aufwertung der Heiden durch Wolfram? Vgl. Singer, S. 15.

27,10 *benennen*] »zusprechen, zuteilen«. Vgl. Kraus, Willehalm, S. 543f., gegen Panzer, Willehalm, S. 228.

27,26f. *durh* ⟨...⟩ *slac*] Obwohl er »doch um der Minne willen ausgeritten war, streckte ihn nun die Unminne ... zu Boden« (Madsen, S. 243). Das Wortspiel ist im Nhd. nicht nachzuahmen. – Paul, Wolfram, S. 555 erwägt, das Komma nach *valt* zu streichen (so Leitzmann): »in folge der unminne (ungunst) der minne brachte ihn ein lanzenstoss und ein schlag zum fall«. Dagegen mit Recht Kartschoke, S. 276.

27,30-28,1 *dô* ⟨...⟩ *jage*] Wörtlich: »da wurde der Heereszug / das Heer breit, nicht von flüchtigem Jagen« (kaum: »... nicht von der Verfolgung Fliehender«). Der Sinn der beiden Verse ist undeutlich. Nach Unger soll gemeint sein, daß neue Truppen (der Heiden?) vorrücken, obwohl die bisher eingesetzten nicht wanken (»jetzt drangen neue Scharen vor, wenn auch die Früheren noch sich wehrten« – vgl. 237,15, wo es von Willehalms Heer heißt, daß es sich *breite* »durch Zuzug größer wurde«). Dagegen denkt W.J. Schröder an ein taktisches Bewegungsmanöver der Heiden: »in der kritischen Situation brechen sie den Kampf vorübergehend ab, sie bilden eine breite Front« (S. 418, Anm. 65). Eine ganz andere Lösung ergibt sich, wenn man nach *reise* nicht interpungiert (Leitzmann): »die Kampfhandlungen griffen nicht durch Fluchtbewegungen aus«, d. h. niemand floh (vgl.

Johnson, S. 60: »Instead of scattering in pursuit of the heathens, the Christians make a concentrated attack on the main heathen army (cf. 28,8-9)«).

28,7 *der milte]* *milte* »Freigebigkeit« galt als eine der wichtigsten Herrschertugenden. Vgl. Bumke, Kultur II, S. 386.

28,11 *huot]* Assoziiert werden soll hier wohl der *huot* im militärischen Sinn: der Helm oder die Eisenhaube, die man unter dem Helm trug. Vgl. Komm. zu 295,6f.

28,16 *emeraln]* Der heidnische Fürstentitel *emeral*, den Wolfram aus Al. übernommen hat, geht wie Terramers Titel *admirât* (vgl. Komm. zu 432,16) auf arabisch *amīr* »Befehlshaber, Fürst« zurück. Vgl. Vorderstemann, S. 26ff., 83f.; Kunitzsch, Anmerkungen, S. 265.

28,28 *an der tremîe]* Das sonst anscheinend nicht belegte Wort *tremîe*, das die Handschriften G und K überliefern (in G wohl als Name mißverstanden – Großschreibung: *Tremye*), könnte eine französisierende Bildung zu *dram* »Durcheinanderlaufen der Streitenden, Schlachtgewoge, Getümmel« bzw. zu dem wohl damit verwandten Verbum *tremen* »sich hin und her bewegen, drängen« sein. Vgl. Heinzle, Editionsprobleme, S. 232f.

29,4 *amîe]* frz. *amie* »Freundin, Geliebte«. Vgl. Vorderstemann, S. 35f.

29,7f. *nû ⟨. . .⟩ streit]* Wörtlich: »während ein König bereit war, kämpfte unterdessen der andere«. Terramer läßt die Könige (mit ihren Heeren) einzeln nacheinander antreten. Vgl. Komm. zu 38,17-19.

29,15 *ze muoten ⟨. . .⟩ zer tjost]* Die beiden Termini gehören in einen Katalog von Formen des Lanzenkampfs, der Pz. 812,9ff. zusammengestellt ist: *zem puneiz*, *ze triviers* (*treviers, trevirs, trevers*) (im Wh. 87,4. 88,17. 391,2), *zentmuoten* bzw. *ze muoten* (im Wh. noch 361,23), *ze (rehter) tjost* (im Wh. noch 361,21), *zer volge* (im Wh. 56,29. 57,11. 88,17). »Über die Bedeutung dieser Begriffe ist viel gestritten worden. Einigermaßen klar ist, was die drei französischen Wörter meinen: *zem puneiz* ist der Angriff von vorn in geschlossenem Verband; *ze triviers* ist der Anritt von der Seite; *ze rehter tjost* meint wahrscheinlich das Einzelrennen mit eingelegter Lanze. Schwieriger ist es, die Bedeutung der beiden deutschen Begriffe festzulegen: *zentmuoten* ... oder *ze muoten* ... bedeutet vielleicht den Lanzenkampf ohne Anlauf, aus dem Stand, oder aber den gleichzeitigen Kampf gegen mehrere; *zer volge* ist ... der Anritt von hinten« (Bumke, Kultur I, S. 353f.). Die Kampfweisen *ze tjost* und *ze muoten* sind auch 361,21ff. einander gegenübergestellt; der Kontext (361, 24ff.) legt die Annahme nahe, daß der Ritter beim Kampf *ze muoten* den Ansturm einer Mehrzahl von Gegnern wartend, d. h. wohl im Stand, abzufangen hatte (der Terminus könnte sich dann von mnd. *(ont)moeten* »begrüßen, empfangen« herleiten). An der vorliegenden Stelle ist die Kontrastkoppelung wohl kollektivierend gemeint: es soll gesagt werden, daß Arofel »in allen Sätteln gerecht« war. Vgl. Martin zu Pz. 812,11,12,13,14,16; zu den französischen Termini Vorderstemann, S. 243ff. (*puneiz*), 326f. (*ze treviers*), 315ff. (*tjost*).

29,24 *rotte]* Aus afrz. *rote* »Schar, Heeresabteilung, Gefolge«; im Wh. werden die Termini *rotte* und *sunderrotte* in etwa gleichbedeutend mit *storje* und *sunderstorje* gebraucht: vgl. Komm. zu 20,8 und 12,25; ferner Vorderstemann, S. 260ff., und Zimmermann zu Pz. 340,16.

29,28 *zimier] zimier* oder *zimierde*, aus afrz. *cimier*, bezeichnet im engeren Sinne – wie hier – den figürlichen Helmschmuck: plastische Darstellungen von Gegenständen, Tieren, Fabelwesen etc., die man auf dem Helm befestigte; im weiteren Sinne steht das Wort für den gesamten Waffenschmuck des Ritters (so auch wiederholt im Wh. [anders Vorderstemann, S. 369, der Siebel, S. 188, mißverstanden hat, und Schröder, S. 615f.]). Vgl. Schwietering, Zimier; Siebel, S. 141ff., 182ff.; Vorderstemann, S. 365ff.

30,1 *daz ⟨...⟩ hân]* Unklar, schon die wörtliche Übersetzung des ersten Satzes ist mehrdeutig: »das war dessen Verpflichtung / das war dessen Veranlassung / der Grund war dieser: er konnte es haben«. Ich beziehe die Aussage auf die Tatsache, daß Arofel ein so großes Aufgebot heranführte (mit Johnson, S. 62, und Gibbs / Johnson, S. 30). Doch könnte auch auf die Pracht der Zimiere abgehoben sein – so etwa Unger: »Er war ja reich – es kam durch ihn« und Kartschoke (S. 276): »das hatte er veranlaßt, ihm stand es zu«.

30,5 *sunder ⟨. . .⟩ lant*] Die beiden Begriffe könnten auch Bestandteile ein und desselben Satzzusammenhanges sein (Komma oder kein Interpunktionszeichen zwischen ihnen): zugleich Objekt (Akkusativ) zu 30,4 *underschiet* und Subjekt (Nominativ) zu 30,6 *was benant* (apo koinou): so Lachmann; vgl. Gärtner, apo koinou, S. 222ff.

30,14 *mit zühte siten*] *zuht* bezeichnet den »inbegriff des durch die höfische erziehung gebotenen verhaltens« (DWb XVI, Sp. 262). »Der einem Substantiv beigesetzte Genitiv von *zuht* gibt bei Wolfram an, daß das regierende Wort (eine Haltung u. ä.) der *zuht* entspringt oder mit ihr (notwendig) verbunden ist« (Zimmermann zu Pz. 367,5) – hier also: »ihr Verhalten (*site*) entsprang und entsprach den Anforderungen höfischer Erziehung«, die in diesem Fall Gehorsam gegenüber dem Onkel verlangt.

30,28f. *ir ⟨. . .⟩ siht*] *der in diu herze siht* ist eine biblische Umschreibung für Gott: *cordis scrutator* »Herzensdurchsucher« (u. a. Weisheit 1,6 – vgl. Schleusener-Eichholz, S. 1092). – Wenn *verlorn* – wie wohl anzunehmen – den Verlust der ewigen Seligkeit meint (vgl. Johnson, S. 64; Schröder, Alterswerk, S. 210; Bertau, Recht, S. 254), ist hier die Möglichkeit angedeutet, daß Gott die Heiden begnadigt: vgl. Bertau, Recht, S. 258; Komm. zu 307,26-30. – Ein Vorschlag Pauls, Wolfram, S. 555 (danach Leitzmann), Punkt statt Komma nach *verlorn*, Komma statt Punkt nach *siht* zu setzen, verdankt sich wohl nur einem Lesefehler: 30,29 *dîn* statt *diu*.

30,30 *mîn ⟨. . .⟩ giht*] Wörtlich: »mein Herz sagt (im Sinne von: erklärt) dir (seine) Ungunst«. Möglich aber auch: »mein Herz legt dir Übles bei«, d. h. es erklärt dein Tun bzw. deine Existenz für etwas Übles (vgl. Kartschoke: »so wird mein Herz dich noch grausam schimpfen«); kaum: »mein Herz sagt dir Mißgeschick (voraus)« (in diesem Sinne Matthias – nach BMZ I, Sp. 34a, und Lexer II, Sp. 1894?).

31,4 *unschuldic ⟨. . .⟩ künegîn*] Man hat in diesem Freispruch eine »theoretisch-dogmatische Rechtfertigung« Giburgs gesehen, »wonach der Bruch einer Heidenehe keine Sünde ist, schon weil eine Heidenehe im rechtlichen Sinne gar keine Ehe ist« (Ruh, Epik, S. 166). Doch trifft dies juristisch auf Giburgs Fall nicht ohne weiteres zu: vgl. Schröder, Ehebruch, S. 316f., und Komm. zu 217,4f.

31,7 *der ⟨. . .⟩ wart]* Nämlich Jesus Christus: nach Johannes 1,14 geschah die Inkarnation, die Menschwerdung Gottes in Jesus Christus, als »Selbstaussage des Wortes Gottes« (LThK V, Sp. 678): *verbum caro factum est et habitavit in nobis* »das Wort ist Fleisch geworden und hat unter uns gewohnt«.

31,9 *diu ⟨. . .⟩ magt]* »Maria hat Jesus jungfräulich vom Heiligen Geist empfangen«, »unversehrt geboren und ist Jungfrau geblieben« (LThK VII, Sp. 29). Daher wird sie mit Prädikaten wie *virgo perpetua* »ewige Jungfrau« oder *semper virgo* »immer Jungfrau« angesprochen: vgl. Anselm Salzer, *Die Sinnbilder und Beiworte Mariens in der deutschen Literatur und lateinischen Hymnenpoesie des Mittelalters*, Darmstadt 1967, S. 348f.

31,13 *unendelôsen]* »Diese gebrauchsweise des wortes ist durch eine contamination von *endelôs* mit *unendic*, *unendelîch*, *unendehaft* entstanden« (Paul, Wolfram, S. 555). Vgl. auch Schröder, Kritik, S. 12.

31,15 *hell]* »hell« im Sinne von »rein, klar«, nicht »laut« (Unger): die Vorstellung ist traditionell, daß die Engel mit heller Stimme singen. Vgl. *Reallexikon für Antike und Christentum*, hg. von Theodor Klauser, Bd. 5, Stuttgart 1962, Sp. 123; zur Bedeutung von mhd. *hel* Lötscher, S. 139f.

31,20 *der ⟨. . .⟩ sanc]* Die *suavissima vox*, die allersüßeste Stimme der Engel wird in geistlichen Texten immer wieder beschworen. Vgl. Reinhold Hammerstein, *Die Musik der Engel*, Bern / München 1962, S. 83ff.

31,24-26 *beidiu ⟨. . .⟩ tôt]* »Christi Tod« ist das Kreuz, das die Christen auf ihren Rüstungen angebracht hatten (vgl. Komm. zu 17,16). Mit den Rüstungen wurden auch die Kreuze im Kampf durch die Heiden lädiert (*versniten*). Anders anscheinend Leitzmann, der Punkt nach *tôt*, Komma nach *diet* setzt: »der, den die Heiden töteten (= Christus), dessen Tod ...« (dagegen mit Recht Johnson, S. 66).

31,28 *sîn ⟨...⟩ beschiet]* Wörtlich: »sein Tod hat uns das Kreuz so auseinandergesetzt«.

31,29 *segen]* »Segen«, »Heil«, aber auch »Kreuzzeichen (das man schlägt, um sich zu segnen)«. Beides ist im mhd. Text gemeint; die Übersetzung muß, schwerfällig genug, ausdifferenzieren.

31,30 *geloupháften]* Die Auffassung als Adverb, die der Übersetzung zugrunde liegt, ist fragwürdig: die Form scheint sonst nicht belegt zu sein, die Bildungsweise ist selten (vgl. aber entsprechend: *ellenthaften* 178,30). Andere Auffassungen (etwa als schwach flektierter Nominativ Singular des substantivierten Adjektivs: »wir sollen es als Gläubige verehren«), sind indes noch unwahrscheinlicher. Wenig überzeugend ist auch eine andere Deutung der Wortfolge: *geloupháfte'npflegen* (Lachmann) bzw. *geloupháft enpflegen* (Leitzmann) »gläubig pflegen«. Möglicherweise ist der G-Text verderbt: vgl. Variantenverzeichnis.

32,2f. *diu ⟨...⟩ în]* Über das »Bord« der Christen »branden die Heiden herein; das Christenheer kämpft wie die Mannschaft eines Bootes, das von allen Seiten überschwemmt wird« (Unger, Bemerkungen, S. 195).

32,19 *von rabînes poinderkeit]* *rabînes poinderkeit* heißt wohl soviel wie »Schnelligkeit des Ansturms der Karriere« und kann als Umschreibung für *rabîn* verstanden werden; *v. r. p.* wäre demnach variierender Ausdruck für *von rabîne.* Vgl. Komm. zu 24,8 sowie Vorderstemann, S. 234.

33,4 *bluotigen sweiz]* Wörtlich: »blutigen Schweiß«, Umschreibung für »Blut«. Vgl. DWb IX, Sp. 2458; Kühnemann, S. 22f.; anders Zimmermann zu Pz. 385,22.

33,12f. *im ⟨...⟩ gelâz]* Wörtlich: »vier Könige zeigten ihm gegenüber dienstbares Wesen und ritterliches Benehmen« (*rîterlîch gelâz* kaum im Sinne von »Kampfeifer«: Kartschoke, S. 277).

33,16f. *mangen ⟨...⟩ kleiden]* Pferdedecken sind gemeint. Vgl. Komm. zu 360,14-18.

33,18 *liuten und an orsen*] Die Präposition *an* bezieht sich auch auf das erste Substantiv. Vgl. Kraus, Willehalm, S. 544f.; Martin zu Pz. 51,4.

33,22f. *dâ ⟨. . .⟩ wâppenrocke*] Wörtlich: »da kam der Widerschein der Sonne an vielen Waffenröcken«. Gemeint sein könnte auch, daß der Glanz der Waffenröcke so groß war, daß er aus sich selbst mit dem Sonnenlicht wetteiferte und gewissermaßen ein zweites Sonnenlicht bot (*der sunnen widerglesten* in diesem Sinne 355,6; vgl. auch 55,15ff.; 128,30ff.).

33,24 *mîner tohter*] Vgl. Komm. zu 11,23f.

33,29 *Halzebieres kobern*] Wörtlich: »Halzebiers Sich-Erholen«. Vgl. DWb V, Sp. 1544ff.

34,6f. *vil ⟨. . .⟩ floitieren*] Leitzmann und Schröder ziehen die Aussage über die Musik zum Vorhergehenden (Leitzmann Komma, Schröder Strichpunkt nach 34,5 *amazzûren*; beide Punkt nach *floitieren*); Lachmann läßt den Bezug offen (Punkt nach 34,5 *amazzûren* und nach *floitieren*). Ich nehme an, daß die Musik das persönliche Eingreifen Terramers ankündigt (vgl. 34,9). – Bei den *pûken* (im Text Verbalform!) ist wohl nicht an große Kesselpauken zu denken, sondern an kleinere Instrumente aus schalenartigen, membranbespannten Halbkugeln, die der Spieler (paarweise) »an einer Schnur um den Gürtel . . . oder um den Hals . . . befestigt« trug; gespielt wurde »die hohlklingende Pauke mit zwei Schlägeln, die durch einfache rhythmische Schläge und den Effekt des Wirbelns die Hauptmelodie« unterstrichen (Treder, S. 12). Vgl. auch Relleke, S. 111f. – Mit *floite* (im Text Verbalform: vgl. Vorderstemann, S. 351f.) ist »vermutlich . . . die Block- oder Doppelblockflöte gemeint« (Treder, S. 24). Vgl. auch Relleke, S. 54f. – Zu *tambûr* und *busîne* vgl. Komm. zu 12,28f.

34,8 *punieren*] Auch *pungieren* und *punschieren*, aus afrz. *poignier*, »stoßend mit der Lanze anrennen«; neben dem Verbum steht das als Synonym zu *poinder* (vgl. Komm. zu 21,3) gebrauchte Substantiv *pun(g)eiz*, afrz. *poigneiz*. Vgl. Vorderstemann, S. 243ff.; Komm. zu 12,25.

34,11 *niun krône rîcheit*] Die geballte Macht Terramers, der

König von neun Ländern ist, die 34,15ff. aufgezählt werden. Vgl. Unger, Bemerkungen, S. 195.

34,14 *zinslant]* Der Terminus steht gewöhnlich für Güter, aus deren Ertrag dem Grundherrn Abgaben geschuldet werden (vgl. DWb XV, Sp. 1528), doch dürften hier unterworfene und als solche tributpflichtige Länder gemeint sein (vgl. DWb XV, Sp. 1477f.).

34,22 *eskelîr]* Heidnischer Fürstentitel, von Wolfram anscheinend aus *Escler*, Bezeichnung für den Heiden (eigentlich: »Slave«), in der Vorlage abgeleitet. Vgl. Vorderstemann, S. 87ff.

34,26 *wie ⟨...⟩ bewart]* Wörtlich: »wie seine Schar bewahrt (verteidigt) ist?« Gemeint sind wohl die Kampfverbände, die den Herrscher persönlich umgeben. Sie sind 35,3-36,30 aufgezählt.

34,30 *lieht gevar]* Nämlich infolge des blinkenden Waffenschmucks.

35,5-9 *daz ⟨...⟩ dran]* Orkeise liegt am östlichen Rand der als Scheibe gedachten Erde. Die Erwähnung des Morgensterns dürfte Wolfram indirekt aus Al. bezogen haben, wo es von dem Land heißt, daß dort *Lucifer descent* »Lucifer (d. h. der Satan) hinabsteigt (in die Hölle)« (5704): *Lucifer* (= lat. »Lichtbringer«) ist nicht nur Bezeichnung für den Satan, sondern auch für den Morgen- und den Abendstern. Pörksen, Erzähler, S. 151, meint, Wolfram habe den Satan durch den Stern ersetzt, »um die religiöse Polemik zu vermeiden«. Vgl. Johnson, S. 71; Deinert, S. 93.

35,13 *des ⟨...⟩ horn]* Mit ihrer Haut aus Horn, die grasgrün ist (351,16f.; 395,23), ihren tierischen Lauten (35,14-17) und ihrer furchterregenden Schnelligkeit (35,23-28) gehören Gorhant und seine Leute in einen Vorstellungsbereich, der dem Mittelalter aus der Antike überkommen war: man dachte sich den fernen Osten der Erde bevölkert mit monströsen Wesen aller Art, Menschen mit Hundeköpfen, Menschen ohne Kopf, Menschen mit Hörnern etc.: vgl. John B. Friedman, *The monstrous races in medieval art and thought*, Cambridge / Mass. 1981, S. 9ff. Eine genaue Zuordnung der grünen Hornleute zu dieser Tradition steht noch aus. Erwähnungen in der mhd. Literatur des 13. Jahrhunderts dürften direkt auf den Wh. zurückgehen: vgl. Claude Lecouteux, *Les monstres dans la littérature allemande du moyen âge*, Bd. 2 (Göppinger Arbeiten zur Germanistik, 330 / II), Göppingen 1982, S. 92, 98.

35,15f. *der ⟨...⟩ leithunde]* Der vom Jäger an einem langen Riemen, dem Leitseil, geführte Leithund wird zum Aufspüren von Wildfährten benutzt. Vgl. Dalby, S. 134ff.; Komm. zu 119,23.

35,17 *kelber muoter]* »Kuh, die ein Kälbchen hat« (nach dem sie schreit) oder »Kuh, die kalbt« oder einfach »Kuh«? San Marte, Rittergedicht, S. 45, nimmt an, daß die Al. 94 u. ö. für die Hornleute gebrauchte Bezeichnung *vachiers* »Leute, die sich mit dem Rindvieh beschäftigen« hinter der Wendung steht: »Der Dichter übersetzte ... den Namen in die scheinbar entsprechende Bedeutung: Leute, die wie Kühe brüllen.«

36,2 *gruoz]* »Gruß«, als Minneterminus: »freundliche Aufmerksamkeit«, »Entgegenkommen«, »Gunst« der Frau. Vgl. Decke-Cornill zu 156,30.

36,9 *Koukesas]* Gemeint ist nicht der Kaukasus im heute geläufigen Sinne, sondern der *Caucasus Indicus*, das Hindukusch-Gebirge in Innerasien. Seit der Antike legendär sind die Goldvorkommen in diesem Gebirge, auf die Wolfram wiederholt anspielt (Pz. 71,17ff.; 374,30; Wh. 80,22ff.; 203,25; 257,20ff.; 375,26ff.). Traditionell ist auch die Vorstellung, daß das Gold dort von Greifen geschürft wird (Pz. 71,17ff., Wh. 375,26ff.). Vgl. Martin zu Pz. 71,19; Zimmermann zu Pz. 374,30; Kunitzsch, Orient, S. 89.

36,20 *umbe ⟨...⟩ bet]* Wörtlich wohl: »um das seiner Bitte Entgegenkommen der Frauen«. Die – so nur in G und Fr[72] überlieferte – Konstruktion ist merkwürdig. Möglicherweise ist mit den Handschriften VKa.WWoE und Lachmann *nâch sînen beten* (*nah sime betten* K) zu lesen oder mit Paul, Wolfram, S. 556, und Leitzmann *nâch sîner bet(e)* zu konjizieren.

37,6 *sînes wuochers]* Wörtlich: »von seinem Gewinn«. Die Heeresmacht Terramers wird als Ertrag aufgefaßt, der ihm aus seiner Herrschaft zugeflossen ist. Anders Schanze, Verhältnis, S. 194, der erwägt, *wuocher* mit »Nachkommenschaft« zu übersetzen; dagegen spricht, daß im folgenden zwar Verwandte, aber keiner der Söhne Terramers fallen.

37,8 *Tôtel]* Die überlieferten Al.-Texte sagen anscheinend nichts davon, daß Willehalms Helm im spanischen Tudela hergestellt wurde, doch werden Helme von dort in andern Chansons de geste erwähnt. Vgl. Singer, S. 18.

37,23 *der ⟨. . .⟩ got]* Traditionelle Formel für die Doppelnatur Jesu Christi. Vgl. LThK V, Sp. 942; Happ, S. 233f.

37,30 *erbiten]* Wörtlich: »erwarteten«.

38,5-11 *wie ⟨. . .⟩ vürbaz]* Die Hölle wird als Gasthaus, der Teufel als Wirt gedacht. Die Vorstellung soll vor Wolfram und Walther von der Vogelweide nicht belegt sein (Kartschoke, S. 278), war aber gewiß schon damals traditionell. Vgl. Martin zu Pz. 119,25.

38,17-19 *daz ⟨. . .⟩ Terramêr]* Wörtlich: »das Ausruhen mit dem Abwarten und den Wechsel im Kampf gab Terramer«. Gemeint ist wohl die Strategie, die 29,7f. beschrieben wurde und hier nun als Teil von Terramers Kriegskunst erscheint: die Könige mit ihren Heeren kämpfen nacheinander; während einer im Gefecht steht, hält sich der nächste bereit, um ihn zu gegebener Zeit abzulösen. An Kampfpausen (Kartschoke: »abwartende Kampfpausen und wieder einsetzendes Gefecht«) ist nicht zu denken. – Eine ganz unwahrscheinliche Alternative schlägt Johnson, S. 79 vor, indem er *gap* mit *ruowen* in der Bedeutung »gab auf« und mit *wehsel* in der Bedeutung von »bewirkte« (?) verbindet: »Terramer had given up his resting and waiting, (joined the battle) and turned the tide of the battle«.

38,20-24 *der ⟨. . .⟩ erklungen]* Wörtlich: »Haufen an Schmerzen für die Seele legten übereinander (schichteten auf), Himmelstöne setzten sie in Bewegung, daß viele Engel sangen, wenn ihnen die Schwerter erklangen.« Subjekt des Hauptsatzes sind offenbar die Heiden: indem sie gegen die

Christen vorgehen, fügen sie ihren eigenen Seelen Leid zu – sie kommen dafür in die Hölle – und veranlassen zugleich die Engel zu singen: nämlich zum Empfang der von ihnen erschlagenen Christen. Vgl. Johnson, S. 79; zur Fügung *riuwe hordes* Schmidt zu 446,3.

38,26f. *daz ⟨. . .⟩ gebant]* Die Formulierung ist nicht eindeutig: gemeint sein kann (wie die Übersetzung annimmt), daß vorhandene Steige zu Straßen geweitet, aber auch, daß »Steige nach Art von Straßen« gebahnt wurden.

39,3 *von ⟨. . .⟩ heiden]* Mit Lachmann und Schröder und gegen Leitzmann, der Punkt nach 39,2 *verswant* setzt, beziehe ich die Bestimmung als gemeinsames Glied sowohl auf den vorhergehenden als auch auf den folgenden Satz. Vgl. Gärtner, apo koinou, S. 213ff.

39,11 *krîe]* Aus afrz. *cri* bzw. *criee* »(Feld-)Geschrei«, dazu die Verben *kreieren* / *kreigieren* / *kragieren* und *krîen* »(Feld-) Geschrei erheben«: vgl. Vorderstemann, S. 157ff. Mit dem Schlachtruf werden die Feindseligkeiten eröffnet; in der Schlacht ist er Erkennungssignal, dient aber auch der (Selbst)Ermutigung der Kämpfer und fördert deren Zusammenhalt: vgl. Rosenau, S. 123ff.; Zimmermann zu Pz. 339,9.

39,12 *süeze amîe]* »süße (d. h. geliebte) Freundin« nennt Willehalm seine Frau auch 92,25 in genauer Entsprechung zur Wendung *douce amie* der Vorlage. Vgl. Schumacher, S. 108, Anm. 22.

39,26 *sô ⟨. . .⟩ dir]* Wohl im Sinne von: »mach dir den Trost zu eigen«, »entschließe dich, den Trost zu gewähren«, kaum: »nimm meine Zuversicht entgegen«, d. h. »erhöre meine Bitte« (Kartschoke), oder: »nimm meinen Trost, d. h. meine Helfer, bei dir auf« (Unger).

39,27 *swaz ⟨. . .⟩ bestê]* Wörtlich: »was von den Getauften hier bleibt«, nämlich: tot auf dem Schlachtfeld.

39,28f. *daz ⟨. . .⟩ kumber]* Wörtlich: »daß deren Rechtssache vor dir ohne Leid in bezug auf das Urteil ausgeht«.

39,30 *ich armer tumber]* *arm* meint hier wohl geistliche Armut (vgl. Komm. zu 1,18), *tump* steht im Sinne von »hilflos, nicht fähig zu rechtem Tun und Handeln« (Trier, Wortschatz, S. 278): in christlicher Demut macht Willehalm sich klein vor Gott.

40,1-4 *von ⟨...⟩ erhal]* Undurchsichtige Konstruktion. Man könnte *schal* und *ruof* als *stôze* und *dôze* gleichgeordnete Dative auffassen (so Bötticher, S. 262): »von ... erklang so laut«, doch scheint dann ein Subjekt zu fehlen. Eher liegt wohl ein Satzbruch vor: der begonnene Satz wird entweder mit 40,3 (unsere Interpunktion mit Lachmann und Schröder) oder mit 40,2 (kein Interpunktionszeichen nach *schal*: Leitzmann) abgebrochen und in anderer Konstruktion fortgesetzt mit 40,4 (*ruof* Subjekt zu *erhal*) oder 40,3 (*schal* und *ruof* Subjekte zu *erhal*, Numerusinkongruenz).

40,6f. *der ⟨...⟩ galm]* Der Naturkunde des Mittelalters war die Vorstellung geläufig, daß die Löwenjungen tot zur Welt kommen und erst dadurch lebendig werden, daß der Löwenvater sie anbläst oder anbrüllt. Vgl. Martin zu Pz. 738,19; Gerhardt, Adlerbild, S. 218f.

40,10-12 *gesâht ⟨...⟩ streit]* Kein schlicht-naives Naturbild, sondern Bibelzitat: *(vita nostra) sicut nebula dissolvetur quae fugata est a radiis solis* »unser Leben vergeht wie Nebel, der von den Strahlen der Sonne vertrieben wird« (Weisheit 2,3). Wolfram setzt das biblische Bild mit einem Wortspiel fort, das im Nhd. nur bedingt wiederzugeben ist: *durhliuhteclîch* heißt im Wortsinn »durch und durch leuchtend«, kann aber auch als »hindurchleuchtend« verstanden werden und bedeutet im übertragenen Sinne soviel wie »vorbildlich, ausgezeichnet«.

40,15 *rûm]* Adjektiv!

40,20 *Larkant]* Den Namen dieses Flusses, der das Schlachtfeld von Alischanz teilt, hat Wolfram aus einem *l'Arcant* der Quelle (in dieser Form etwa Vers 58 [C]: Rasch, S. 5) abgeleitet. Was der Name in Al. meint, ist nicht immer ganz klar: teils scheint er synonym mit *Aliscans* gebraucht zu sein, teils scheint er für einen Teil des Schlachtfeldes von Aliscans zu stehen – und teils scheint er, woraus Wolframs Auffassung sich erklärt, die das Schlachtfeld umgebenden oder durchziehenden Gewässer zu bezeichnen: »It is impossible to tell from Aliscans wether the name is applicable to water or land or both« (Bacon, S. 107). Vgl. auch San Marte, Rittergedicht, S. 34ff.; Rolin, S. XLVIff.; Lofmark, S. 85, Anm. 1.

40,23 *rivier]* Aus. afrz. *rivier* »Fluß«, der Plural hier und 41,28 in der Bedeutung »Ufergelände«. Vgl. Vorderstemann, S. 257f.

41,12 *Vîvîans ungerne vlôch]* Polemik gegen die Quelle, derzufolge Vivien für einen Augenblick die Flucht ergriff (vgl. Komm. zu 66,30-67,2; Bumke, Willehalm, S. 21, Anm. 24)? Doch ist die Aussage, daß einer *ungerne vlôch* ein Stereotyp der Heldenrühmung: vgl. Nassau Noordewier, S. 10f. (Hinweis auf Pz. 20,1; 571,14; Wh. 353,7).

41,30 *als ⟨. . .⟩ leben]* Möglich auch: Punkt nach *tôde*, Komma nach *leben* (Kartschoke, S. 278).

42,17 *kastelân]* »kastilianisches Pferd«. Pferde aus spanischer, speziell kastilianischer Zucht waren wegen ihrer Stärke und Schnelligkeit als Ritterpferde hoch geschätzt. Vgl. Bumke, Kultur I, S. 239f.; zum Sprachlichen Vorderstemann, S. 138f.

43,10 *zol]* Nämlich ihr Leben. Vgl. Mersmann, S. 72.

43,11 *den ⟨. . .⟩ lân]* Wörtlich: »den sie wider Willen (uns) überlassen dürften«. Vgl. DWb XVI, Sp. 47.

43,15 *daz ⟨. . .⟩ undervarn]* Wörtlich: »da könnte ein Trauern dazwischen fahren«.

43,18f. *Heimrîches ⟨. . .⟩ lant]* »Das heißt: Sollen wir dafür zahlen, daß Heimrich ein Patengeschenk brauchte und dafür alle seine Söhne verstieß, die sich nun – wie besonders Willehalm – auf unsere Kosten schadlos halten?« (Kartschoke, S. 278 – vgl. 5,20ff.). Die Heiden betrachten sich als die rechtmäßigen Besitzer von Willehalms Land: vgl. Komm. zu 8,7.

43,22 *si]* Von San Marte II, Kartschoke, W.J. Schröder (S. 425) und Passage auf die 44,20f. genannten Krieger Terramers bezogen: sicher zu Unrecht.

43,23 *komen ⟨. . .⟩ genozzen]* Wörtlich: »kommen sie mit Vorteil davon«. Vgl. Martin zu Pz. 290,9.

43,24f. *si ⟨. . .⟩ ort]* Die Textgrundlage (s. Variantenverzeichnis) ist unsicher, der Aussagesinn fraglich. Übersetzung ohne Gewähr nach BMZ III, Sp. 349a: mit *marc* wird 43,19 *lant* wieder aufgenommen (vgl. Komm. z. St.), bei »dem ausdruck *vervliezen* schwebte Wolfram offenbar das von ihm so häufig gebrauchte bild der *hers fluot* vor« (Kraus, Willehalm, S. 545). – Trotz Kraus' Einspruch bleibt ein Vorschlag von Panzer, Willehalm, S. 229, erwägenswert, statt des konjizierten *marc* mit den Handschriften BHC *ark(e)* »Kasten zum Fischfang« zu lesen, etwa: »sie haben sich bis in die letzte Ecke unseres Fischkastens verschwommen«, »sind uns völlig ins Netz gegangen«.

43,29 *sîn* 〈. . .〉 *nû*] *ses* und *esse* sind die Sechs und die Eins auf dem Spielwürfel (vgl. Vorderstemann, S. 91f. und 293f.). Gemeint ist vielleicht, daß der Markgraf früher eine Sechs, also den höchsten Wert, gewürfelt hat, d. h. die Heiden besiegte (43,27f.), jetzt aber kaum eine Eins, also den niedersten Wert, zustande brachte, d. h. keine Chance gegen die Heiden hat. Doch würde man in diesem Fall eher *ist* als *hât* erwarten. So ist zu erwägen, ob an ein Spiel mit zwei Würfeln gedacht ist, bei dem die Kombination aus der Sechs und einer höheren Zahl als der Eins anzustreben war: vgl. Tauber, S. 82ff. (unklar San Marte, Gegensätze, S. 197: »seine Sechs gilt noch nicht soviel wie Eins – seine Sechs hat kaum ein As dazu, er steht noch sehr schlecht«).

43,30 *wir* 〈. . .〉 *vruo*] Wörtlich: »wir sind ihnen zur Unzeit gekommen«. Vgl. Martin zu Pz. 137,12.

44,1 *gelpfe*] Das mit »gellen« verwandte Wort zielt auf das grelle Tönen der Stimme infolge innerer Bewegung: Angst, Jubel, Übermut, Trotz; so bezeichnet es auch – wie hier – das trotzige Prahlen gegenüber dem Feind. Vgl. DWb IV/1/2, Sp. 3014.

44,6 *rechet*] Man nimmt gewöhnlich an, daß die Form zu *rechen* »rächen« gehört. Lachmann (seit der 2. Ausgabe) und Schröder konjizieren (nach einem Vorschlag Wackernagels – vgl. Lachmanns Apparat) *rech et* »es möge nun rächen«, womit der *daz*-Satz 44,8f. zum Objektsatz wird (Komma nach 44,7 *goten*). Gegen diese Lösung spricht – abgesehen von dem Eingriff in die Überlieferung – »das Präteritum in 7« (Kartschoke, S. 279). Leitzmann bleibt (nach Vorschlag von Paul, Wolfram, S. 556f.) bei gleicher Interpunktion bei dem in allen Handschriften außer K überlieferten *rechet*. Das nötigt zu einer sehr freien Auffassung der Aussage und des Satzzusammenhangs: »nehmt Rache für die Einbuße unsrer Macht, die uns von den Göttern verliehen war, und dafür, daß sich die verfluchte Arabel . . .« (Kartschoke). Ich stelle die Form vorschlagsweise zu *rechen* »scharren, zusammenkratzen« (vgl. 286,18), halte es jedoch für möglich, daß das handschriftliche *rechet* (wie in der 1. Ausgabe von Lachmanns Text) als *recket* zu interpretieren ist: »nun erweckt wieder unsere alte Kraft zu neuer Wirksamkeit« (vgl. etwa Tristan 5424 *[diu rede] alte schulde recket* »regt alte Schuld wieder auf«).

44,13 *von salsen suppierren]* Das Wort *suppiere* scheint nur hier belegt zu sein, seine Bedeutung und damit der Sinn der ganzen Fügung im Zusammenhang sind umstritten: »Suppe«, »Suppenbereiter«, »Suppenesser« (im Sinne von »Schlemmer«, entsprechend afrz. *sopëor* »übermäßiger Esser«): vgl. Vorderstemann, S. 300f. Ich entscheide mich im Hinblick auf 44,17 *luodraere* für »Schlemmer« und nehme an, daß die Wendung in formalem Gleichlauf die vorausgehende 44,12 *von taverne ingesinde* inhaltlich variiert bzw. weiterführt. Diese Annahme führt auch auf die vorgeschlagene Interpunktion (diese mit Panzer, Willehalm, S. 230, Leitzmann und Gärtner, apo koinou, S. 249f. – gegen Lachmann und Schröder: Komma nach 44,11 *kinde*, Doppelpunkt bzw. Punkt nach 44,12 *ingesinde* – verteidigt von Kraus, Willehalm, S. 545f., und Johnson, S. 88). – Zu *salse*: »(gesalzene) Brühe« vgl. Schultz I, S. 393; Hepp, S. 216f.; Vorderstemann, S. 272. – Singer, S. 20, vermutet, daß es sich hier nicht nur um allgemeine Beschimpfungen handelt, sondern daß Giburg aufgrund eines beim Trunk im Wirtshaus getanen Gelübdes entführt wurde; dagegen mit Recht Mergell, Quellen, S. 32.

44,15 *ir]* Auf Giburg und Tibalt zu beziehen: »ihrer beider Kinder«. Von diesen Kindern wird im Wh. nur Ehmereiz namentlich erwähnt.

44,17-19 *daz ⟨. . .⟩ gesenden]* Wörtlich: »daß uns die

Schlemmer (Weichlinge) je solche schändlichen Nachrichten zu senden wagten«. An eine förmliche Herausforderung ist wohl nicht zu denken (so Singer: vgl. Komm. zu 44,13); *maere senden* wird Umschreibung für »antun sein«: vgl. Zimmermann zu Pz. 347,26f.; Schröder, maere, S. 288.

44,23 *pfant]* Es sind wohl Geiseln gemeint, für die Giburgs Auslieferung erzwungen werden soll: vgl. 47,12f. und 258,1ff.; dazu Mersmann, S. 85.

44,28 *ê ⟨. . .⟩ kêre]* Wörtlich: »ehe sie sich zu Jesus wendet« – im Sinne von »sich im Gebet an ihn wendet«? Vgl. Panzer, Willehalm, S. 230; Kraus, Willehalm, S. 546; Schröder, Kritik, S. 22; Schanze, Verhältnis, S. 192.

44,29f. *ich ⟨. . .⟩ geschehen]* Wörtlich: »werde ich eher sehen, wie man sie auf einem Scheiterhaufen ganz und gar verbrennt«.

45,12f. *embor ⟨. . .⟩ swebt]* Wörtlich: »in höherem Ansehen hinauffliegt«: »*in h. w.* ist das medium, in dem die ganze bewegung erfolgt, oder, vielleicht wahrscheinlicher, modal zu fassen« (Wiessner, Richtungsconstructionen II, S.62). Martin (zu Pz. 539,17) nimmt an, daß das Bild »von einer Fahne entnommen« ist.

45,15 *Feirefîz Anschevîn]* Halbbruder Parzivals, Sohn von dessen Vater Gahmuret und der Mohrenkönigin Belakane. Den Beinamen *Anschevîn* trägt er nach seinem Vater, dessen Erbland *Anschouwe* »Anjou« war: vgl. Titurel-Kommentar, S. 69.

45,16f. *bâruc ⟨ . . . ⟩ tragen]* Der *bâruc Akarîn* ist der Kalif von Bagdad (*Baldac*), in dessen Diensten nach dem Bericht des Pz. Parzivals Vater Gahmuret im Orient kämpfte und fiel (vgl. Komm. zu 73,21-74,2 – der Name des Kalifen wird erst im Wh. und im Tit. genannt: s. u.). Wie Wolfram dazu gekommen ist, dem Kalifen, der als geistliches Oberhaupt neben dem weltlichen Oberhaupt Terramer fungiert (vgl. Komm. zu 96,9), den Titel *bâruc* (hebräisch *baruch* »der Gesegnete«) beizulegen, ist unklar. Vgl. Titurel-Kommentar, S. 69f.; Vorderstemann, S. 55ff.; Kunitzsch, Arabica, S. 18f., Anm. 40. – Aus dem selben Geschlecht wie der Baruch stammt der gleichnamige König von Marrakesch / Marokko, der mit seinem Heer an der Seite Terramers an den beiden Schlachten auf Alischanz teilnimmt. Seine Herrschaft im afrikanischen Westen mit dem Zentrum Marrakesch bildet in der Heidenwelt offenbar einen zweiten Schwerpunkt neben dem morgenländischen Osten mit dem Zentrum Bagdad. Die Verwandtschaft mit dem Baruch scheint eine Art Gleichberechtigungsanspruch der westlichen Seite mit der östlichen zu begründen, der wohl auch in der Gleichnamigkeit zum Ausdruck kommen soll (Wolfram hat offenbar den Namen des *Acarin* der Quelle, der hinter seinem Akarin von Marrakesch steht, auf den Baruch übertragen). Historisch läßt sich das mit Ansprüchen verbinden, wie sie die in Marrakesch residierenden Almohaden-Herrscher im 12. und 13. Jahrhundert tatsächlich erhoben haben (deren Titel gibt Wolfram Pz. 561,24 korrekt wieder: *mahmumelîn* »Beherrscher der Gläubigen«). Vgl. Kolb, Streiflichter, S. 118ff.

45,17 *ob* ⟨. . .⟩ *tragen*] Wörtlich: »wenn der Waffen tragen sollte / hätte tragen sollen«. Unklar: ist gemeint, daß der Baruch in der Tat hin und wieder persönlich kämpfte (so Martin zu Pz. 13,21), oder macht Wolfram einen Vorbehalt: »vorausgesetzt, daß . . .« oder erwägt er eine theoretische Möglichkeit: »gesetzt den Fall (der in Wirklichkeit nicht eingetreten ist), daß . . .« (so anscheinend Singer, S. 21)? Der Pz. gibt keinen Aufschluß: er schildert den Baruch als mächtigen Kriegsherrn (13,16ff., 101,25ff.), berührt aber die Frage seiner persönlichen Beteiligung an Kämpfen nicht. Singer hält die Anspielung auf den Baruch für »an den Haaren herbeigezogen«; es sei Wolfram nur darauf angekommen, dessen im Pz. »übergangenen Namen« nachzutragen.

45,21f. *der* ⟨. . .⟩ *erkant*] Wörtlich: »die Tat dieser drei war dahingehend namhaft, nämlich als den Ruhm der Heiden übersteigend bekannt«. Vgl. Förster, S. 10; Wiessner, Richtungsconstructionen II, S. 57.

45,27 *swaz iemen tet*] Wörtlich: »was auch immer wer auch immer täte«.

46,1-5 *Halzibier* ⟨. . .⟩ *künec*] Al. schildert Haucebier als gräßlichen Riesen (356ff.). Wolfram hat aus ihm – wie aus den andern Heidenkönigen, die die Vorlage negativ zeichnet – einen höfischen Musterritter gemacht, doch scheint in den Angaben über die spanneweit – d. h. ca. 20 cm – auseinanderstehenden Augenbrauen und die Sechsmännerstärke das Bild der Vorlage noch durch. Vgl. Mergell, Quellen, S. 17; Lofmark, S. 123f.; Marly I, S. 9; Huby-Marly, Willehalm, S. 405; Schleusener-Eichholz, S. 660.

47,3-6 *Bertram* ⟨. . .⟩ *Witschart*] Die Achtergruppe der gefangenen Christenfürsten erscheint noch 258,23ff. (Giburg nennt die Gefangenen, die die Heiden im Austausch gegen sie freizugeben bereit sind) und 416,9ff. (die Gefangenen werden von Rennewart befreit). Nur sechs der acht Namen stimmen in allen drei Listen überein: Wolfram hat sich offenbar vertan (wofür auch spricht, daß Huwes, der in der zweiten und dritten Liste erscheint, offensichtlich schon in der ersten Schlacht gefallen war: vgl. Komm. zu 14,26). Vgl. Bernhardt, S. 45f.; Johnson, S. 92f.; Schmidt zu 416,6-12; Marly I, S. 158, 251f.

47,16f. *der* ⟨. . .⟩ *komen*] Gemeint ist wohl Giburgs Abfall, der der Grund für die Schlacht war (Kartschoke: »denen der Anlaß des Krieges schmerzlich mißfiel«). Andere Möglichkeiten sind weniger wahrscheinlich: »denen der Anlaß des Krieges allzu geringfügig erschien« (Kartschoke, S. 279); »denen der Grund des Krieges gleichgültig war« (Johnson, S. 93: »who cared very little about the reasons for fighting, i. e. they merely loved to fight«); »die das sehr schmerzte, weswegen sie geritten kamen (nämlich die Ursache des von ihnen vernommenen Waffenlärmes)«, der Tod der sieben Könige (Unger, Bemerkungen, S. 194f. – kaum mit dem üblichen Gebrauch von *versmâhen* zu vereinbaren); unmöglich W.J. Schröder, S. 427: »die gar nicht wußten, um was es eigentlich ging«.

48,9 *unervorhtlîch*] »Im Folgenden soll der Tod des jungen Vivianz berichtet werden, der bei dem um das Schicksal des jungen Helden besorgten Erzähler furchtsame Teilnahme erwecken könnte. Der Erzähler macht sich klar, daß kein

Anlaß zu bangen Zweifeln am künftigen Geschick Vivianzes besteht, da ihm die Gnade des ewigen Lebens zuteil werden wird, und so kann er furchtlos den Tod des Helden schildern« (Schanze, S. 192). Vielleicht darf man aber auch übersetzen: »diese unerschrockene Geschichte« im Sinne von: »diese Geschichte von unerschrockenem Handeln«. Die schwierige Wendung ist nur in Handschrift G überliefert; Lachmann und Leitzmann lesen mit VL *erkenneclîch* »verständlich«.

48,11 *segen]* Wieder die Doppelbedeutung: Vivianz stirbt für das Kreuz und das in ihm verbürgte Heil der Christen. Vgl. Komm. zu 31,29.

48,15-17 *der ⟨...⟩ Krist]* Interpunktion mit Schröder nach Panzer, Willehalm, S. 230. Die Konstruktion – der *name* wird dem *Jêsus genant* – ist problematisch. Kraus (Willehalm, S. 546, danach Leitzmann) schlug daher vor, 48,16 *und* temporal aufzufassen und Komma nach 48,15 *wart* zu setzen: »der Name, der uns in der Taufe zuteil wurde, seit Jesus im Jordan Christus genannt worden ist ...« Daß auch diese Lösung »nicht logisch genau ist«, hat schon Paul, Willehalm, S. 323, bemerkt. – Gemeint ist die Taufe Jesu durch Johannes im Jordan (Matthäus 3,13ff.; Markus 1,9ff.; Lukas 3,21f.; Johannes 1,29ff.). Die biblischen Berichte sagen nichts davon, daß Jesus dabei auf den Namen Christus getauft wurde. Dennoch entspricht die Angabe theologischer Tradition. Jesus ist der geschichtliche Name des Herrn, Christus, d. h. »der Gesalbte«, das Prädikat, das seinen messianischen Sendungsanspruch zum Ausdruck bringt. Die Taufe im Jordan aber wurde als Auftrag an Jesus verstanden, »seinen Dienst als messianischer Gottesknecht zu beginnen ... Das Herabkommen des Geistes« bei der Taufe ist dabei »nicht bloß Zeichen der Beauftragung mit dem eschatologischen Amt, sondern zugleich die Ausrüstung dafür« (LThK IX, Sp. 1325). Insofern kann man sagen, daß Jesus in der Taufe der Christus wurde. Vgl. Sattler, S. 31f. – Zur Bedeutung von *süezìu vart* als »heilige (heilbringende) Erdenwanderung« vgl. Bumke, Willehalm, S. 149f.; Ohly, Süße Nägel, S. 429.

48,19 *die ⟨...⟩ hât]* Gemeint ist die »Immersionstaufe«,

bei der der Täufling völlig im Taufwasser untergetaucht wurde. Vgl. LThK IX, Sp. 1319f.

48,24 *sîn ⟨. . .⟩ tugent]* Vivianz war mit seiner ganzen Existenz sozusagen der Wurzelgrund seiner *tugent*, seiner ritterlichen Vollkommenheit, die sich in seinem Sterben als Heiligkeit erweist. Das Bild bringt den Übersetzer in Verlegenheit, insofern es auf der Bedeutungskomponente: »Leib« von *verh* aufbaut, ohne daß die Bedeutungskomponente: »Lebenskraft, Sitz des Lebens« (vgl. Komm. zu 3,21) einfach ausgeblendet wäre. Daher die Notlösung, das Wort zunächst mit »Leib und Leben« zu übersetzen und in der Fortführung nur mit der Komponente »Leib« zu arbeiten. Vgl. Bumke, Willehalm, S. 33f.

48,28f. *mich ⟨. . .⟩ restarp]* Die Freude über den seligen Tod des Märtyrers relativiert den von christlicher Mitleidspflicht gebotenen und im Hinblick auf die Erlangung des Seelenheils verdienstlichen Schmerz über das Leiden des Ritters. Vgl. Pörksen, Erzähler, S. 175.

49,1 *vor got erkant]* Wörtlich wohl: »vor Gott anerkannt«. Vgl. auch Zimmermann zu Pz. 381,13.

49,3 *niht der sêle veige]* Wörtlich: »der in Bezug auf die Seele nicht zum Tode Bestimmte«; könnte auch zum Vorgehenden gezogen werden (Komma nach 49, 2 *Larkant*, Punkt nach 49,3 *veige*).

49,6 *der funtâne]* Die Quelle des Larkant? Es wäre merkwürdig, wenn Vivianz die erreicht hätte: da der Larkant ein breiter und reißender Strom ist, denkt man sich seine Quelle in einiger Entfernung hoch im Gebirge (vgl. 70,12f.). Lachmann und Leitzmann schreiben wohl deshalb mit allen Handschriften außer G *einer* statt *der*: dann könnte etwa die Quelle eines Baches gemeint sein, der in den Larkant fließt. Doch spricht für G, daß Al. an der entsprechenden Stelle ebenfalls den bestimmten Artikel hat: *a la fontaine dont li rui sont corant* (396) »zu der Quelle, aus der die Wasserläufe strömen«, was sich nach v. 391 auf eines der Gewässer bezieht, von denen das Gebiet von *l'Arcant* durchsetzt ist (vgl. Komm. zu 40,20). Vgl. auch Schanze, Verhältnis, S. 198.

49,7f. *ander ⟨...⟩ linden]* Wörtlich: »andere Bäume und ein Pappelgehölz und eine Linde«. Wir würden die Bestimmung »andere Bäume« am Schluß erwarten.

49,10 *vor ⟨...⟩ war]* Der Teufel lauert auf die Seele, die im Tod den Leib verläßt.

49,11 *der erzengel Kerubîn]* *Cherubin* gilt als die griechische Form von hebräisch *Cherubim*, Plural zu *Cherub*, Name einer Gattung von Engeln. Die Cherubim »gehören nach dem Alten Testament zum himmlischen Hofstaat und nehmen mit den Seraphim die ersten Plätze am göttlichen Thron ein« (LThK II, Sp. 1045). Wolfram verwendet die Pluralform wie einen Singular und die Gattungsbezeichnung wie einen Individualnamen. Er folgt damit einer auch in der gelehrten Theologie verbreiteten Tradition. So verstand man vor allem unter den Genesis 3,24 als Paradieswächter genannten *Cherubim* einen Engel mit Namen *Cherubim*. An diesen dürfte auch Wolfram gedacht haben: Gott schickt den Wächter des Paradieses zu dem, der ins Paradies eingehen soll. Auch die Annahme, daß Cherubim ein Erzengel sei, hat Tradition: er wurde gelegentlich mit Uriel, dem vierten Erzengel (neben Michael, Gabriel und Raphael), gleichgesetzt. Wie hier der *erzengel Kerubîn* zu Vivianz kommt in der CR der *angle Cherubin* mit den Erzengeln Michael und Gabriel zu Roland, um dessen Seele abzuholen und ins Paradies zu tragen (2393ff.). Vgl. Ochs, S. 12ff.; Kartschoke, Rez. Ochs, S. 426f.; Freytag, S. 150ff.; J.W. Marchand, *Wolfram's Archangel Kerubin*, in: Germanic Notes 5 (1974), S. 21-24.

49,15 *ûz süezem munde]* Übersetzung nach Pretzel, S. 110, doch kann man darüber streiten, ob *süeze* hier tatsächlich in religiösem Sinn gebraucht wird oder nur »die beinahe mädchenhafte Schönheit dieses jungen Helden« meint (Schröder, Gyburc, S. 54, gegen Bumke, Willehalm, S. 150, dazu Bumke, Forschung, S. 322).

49,20-22 *und ⟨...⟩ geschach]* »Der Satz zielt auf eine Art Laienbeichte« (Knapp, Rez. W.J.Schröder, Sp. 46). Vgl. Komm. zu 65,22f.

49,23 *lieht]* Von Engeln geht ein Leuchten aus. Vgl. LThK III, Sp. 865.

49,26 *des ⟨. . .⟩ mich]* Wörtlich: »das erwarte von mir«. Vgl. Martin zu Pz. 264,5; Wiessner, Richtungsconstructionen I, S. 518f.; Zimmermann zu Pz. 373,27; Komm. zu 147,9.

49,28f. *Vîvîans ⟨. . .⟩ liget]* Es ist wohl nicht gemeint, daß Vivianz sich hinstreckte, d. h. hinfiel, wie ein Toter (z. B. Kartschoke: »im gleichen Augenblick fiel Vivianz schlaff zurück, als sei er schon tot«), sondern – ganz realistisch – daß sein (bereits liegender Körper) sich im Todeskampf streckte (dasselbe Symptom 65,2; vgl. auch Klaaß, S. 33). Daher auch die Übersetzung von *tôt ligen* im Sinne von »sterben«, nicht »tot sein« (Wiessner, Richtungsconstructionen I, S. 462: »wie einer der stirbt«).

50,1 *siuftebaere]* Übersetzung nach Pretzel, S. 126.

50,6 *schiltes ambet]* »Schildesamt«, offenbar eine Prägung Wolframs, bezeichnet die Lebensform des höfischen Ritters (vgl. Komm. zu 2,27 – ein förmliches »Amt« in unserem Sinne ist nicht gemeint); im Wh. noch 66,9 und 384,17, entsprechend 171,21f. Im Gebrauch der Wendung kann der eine oder andere der verschiedenen sozialen, ethischen, technischen Aspekte dieser Lebensform im Vordergrund stehen. An der vorliegenden Stelle mag sie in umfassendem Sinn gebraucht sein: »wer zur Würde eines Ritters mit all ihren Verpflichtungen gelangt ist«, doch ist auch konkret an den Akt der Schwertleite zu denken (vgl. Komm. zu 63,8), der 66,9 direkt angesprochen ist; 171,21f. und 384,17 ist das »Waffenhandwerk« gemeint. Vgl. Bumke, Ritterbegriff, S. 132, Anm. 14.

50,8 *sîn beste helfe]* »seine beste Hilfe« bzw. »seine besten Helfer«: gemeint sind die Verwandten und Standesgenossen Willehalms, die hier scharf von den im folgenden genannten einfachen Rittern bzw. Vasallen abgehoben werden.

50,22-24 *ûz ⟨. . .⟩ reit]* Unger scheint *ûz dem* auf *poinder* zu beziehen: »nach tapfrer Wehr mit vierzehn Mannen der Marquis entritt« (vgl. auch Lachmann: Strichpunkt, Leitzmann: Komma nach *kom*). Die vorausgesetzte Wendung *ûz dem poinder entrîten* wäre nachzuweisen.

50,30 *ûzerhalp ⟨. . .⟩ gras]* Kann theoretisch auch auf den

Nebensatz bezogen werden (keine Interpunktion nach 50,29 *was* – so Lachmann und Leitzmann): »und merkten erst jetzt richtig, wie viele von ihnen aus dem Heer geschieden waren und tot im Gras lagen« (Kartschoke). Vom Zusammenhang her erwartet man jedoch, »daß die Männer bei dem gegenseitigen ›Zählen und Beschauen‹ feststellen, wer und wie viele von ihnen selbst hier am Platze noch übrig sind. Und das will Wolfram auch sagen. Die Ortsbestimmung *ûzerhalp des hers an eime gras* gehört zum Hauptsatz . . .: ›beim Rasten auf einer Wiese fern vom Heeresgetümmel merkten die Männer, was von ihnen noch übrig war‹« (Unger, Bemerkungen, S. 195f.)

51,14 *Runzevâle]* Das Tal Roncevals in den westlichen Pyrenäen ist der Ort der Rolandsschlacht, von dem die CR bzw. das deutsche Rolandslied berichtet: als Karl der Große mit seinem Heer aus Spanien nach Frankreich zurückzog, wurde dort die Nachhut unter seinem Neffen Roland von den Heiden überfallen und aufgerieben.

51,16f. *diene 〈. . .〉 gewegen]* Wörtlich: »die könnten meine (Kämpfe) in Bezug auf Schaden nicht aufwiegen«.

51,24f. *daz 〈..〉 enpfâhen]* Schrecklich an Willehalms Schicksal ist, daß ihm der Verlust gerade von der Frau zugefügt wird, die er über alles liebt (insofern sie nämlich die Ursache des Krieges ist). – Statt *vlüsteclîchen schaden* »in Verlust bestehenden Schaden« lesen die Herausgeber *künfteclîchen schaden* »zukünftigen Schaden« (s. Variantenverzeichnis), womit »die Sündenstrafe nach dem Tod« gemeint sein soll: »bereits auf Erden, in seinen Kämpfen gegen die Heiden, besteht Willehalm das Purgatorium; sein *jâmer* bereitet ihm den Weg zu Gott« (Bumke, Willehalm, S. 120). Die Hoffnung, seine Leiden im Diesseits möchten ihm die Sündenstrafe im Jenseits ersparen, äußert Willehalm in der Tat 454,18-21 (vgl. Komm. z. St.). Vgl. auch Zimmermann zu Pz. 366,13.

51,26 *swem 〈. . .〉 versmâhen]* Wörtlich: »wer das nicht verschmäht«. Die Wendung kann hier auf verschiedene Weise gedeutet werden, etwa: »wer keinen Anstoß daran nimmt«

(Kartschoke – auf das Folgende bezogen) oder: »wem das nicht trivial vorkommt« (auf das Vorhergehende: Willehalms Leid bezogen – vgl. Lipton, Clues, S. 754). Doch sollte man sie nicht zu sehr belasten: es wird sich um eine bloße Bekräftigungsfloskel handeln (vgl. Gibbs / Johnson, S. 39: »whoever is prepared to do so«).

51,30 *sît* ⟨. . .⟩ *nît*] Das heißt: seit Menschen einander umbringen. Mit dem Verweis auf die Kainstat, mit der (nach Augustinus) Gewalt und Mord in die Welt gekommen sind, wird ein zentrales Motiv aus dem Pz. aufgegriffen. Vgl. Wolfgang Mohr, *Parzivals ritterliche Schuld* (zuerst 1952), in: W.M., *Wolfram von Eschenbach* (Göppinger Arbeiten zur Germanistik, 275), Göppingen 1979, S. 14-36, hier S. 22; Mohr, Willehalm, S. 316.

52,1 *sînen* ⟨. . .⟩ *prîsen*] Willehalms Leid und Klage um die Gefallenen sind zu preisen, weil sich in ihnen christliche Menschlichkeit erweist. Vgl. Frenzen, S. 21; Alois Wolf, *Ein maere wil ich niuwen, daz saget von grôzen triuwen*, in: Literaturwissenschaftliches Jahrbuch 26 (1985), S. 9-73, hier S. 12; anders Bumke, Willehalm, S. 120.

52,6f. *in* ⟨. . .⟩ *gesniten*] Wortspiel mit zwei Bedeutungen von *snîden*: »zuschneiden« (Schneiderterminologie) und »zerschneiden, zerhauen« (Kampfterminologie). Die (von Wolfram ad hoc erfundene?) Bezeichnung der Kettenhemden als *strîtes muoder* »Streitmieder« war »damals wohl weniger auffallend als heute, da *muoder* mhd. auch ein männliches Kleidungsstück bezeichnen kann« (Singer, S. 24).

52,8f. *und* ⟨. . .⟩ *unverzagetlîche*] Lachmann und Schröder verbinden die Bestimmung mit dem Vorhergehenden (Komma nach 52,7 *gesniten*, Punkt nach 52,9 *unverzagetlîche*). Das ist zumindest mißverständlich, insofern es nahelegt, die Bestimmung statt »auf das benehmen der mannen Wilhalms . . . nur auf das ihrer gegner« zu beziehen (Paul, Wolfram, S. 557 – danach auch Leitzmann: Doppelpunkt nach 52,7 *gesniten*, keine Interpunktion nach 52,9 *unverzagetlîche*).

52,11 *gâben* ⟨. . .⟩ *rât*] Dem Herrn mit Rat (*consilium*) beizustehen, ist klassische Vasallenpflicht. Vgl. Ganshof, S. 97f.

52,14 *der ⟨. . .⟩ deheinez*] Gemeint wohl: die Niederlage ist auf keine Weise abzuwenden.

52,18 *helflîcher minne*] »Dies Wort gehört in der ganzen Dichtung nur Gyburg; es meint eine uneigennützige, auf das Wohl der andern bedachte *minne*, eine selbstlose Hingabe und Nächstenliebe« (Bumke, Willehalm, S. 148).

52,26 *dem gelîch*] Nämlich: »entsprechend der Haltung (52,24: *tugende*), die uns euch verpflichtet hat«.

52,28 *wir ⟨. . .⟩ verselt*] Wörtlich: »wir sind doch dem Schaden übergeben, an den Schaden verkauft«. Vgl. Martin zu Pz. 218,12.

52,29f. *sulen ⟨. . .⟩ verdriezen*] Wörtlich: »sollen die Heiden von uns Nutzen haben, das kann uns mit Grund verdrießen«. Mit dem »Nutzen« der Heiden sind wohl Gefangennahme oder Tod der Christen gemeint (so Johnson, S. 100), kaum nur Gefangennahme (Kartschoke: »werden die Heiden unser habhaft, kann uns das peinlich werden«).

53,2f. *begunde ⟨. . .⟩ scheiden*] Wörtlich: ». . . begann diese Fahrt leid zu sein, wenn er sich trennen sollte . . .«

53,14 *sus hôrt ich sagen*] Der Akzent der Quellenberufung liegt wohl auf der Versicherung, daß Willehalm nicht aus eigenem Antrieb, sondern auf den Rat seiner Vasallen geflohen ist. Vgl. Lofmark, S. 161; Nellmann, S. 62.

53,20 *vorstrît ⟨. . .⟩ streit*] Wörtlich: »niemand kämpfte da einen Kampf von vorn mit ihnen«, d. h. »vor sich hatten sie keine feinde« (BMZ II/2, Sp. 696a). Doch ist die Textherstellung (vgl. Variantenverzeichnis) fragwürdig: *vorstrît* ist sonst Terminus technicus für den Eröffnungskampf (vgl. Komm. zu 18,2-7). Leitzmann liest mit den Handschriften VKaBL: *vor strîte (dâ niemen mit in streit) | wânde er dô sîn der vrîe* »vor Kampf (es kämpfte da niemand mit ihnen) glaubte er da frei zu sein«.

53,25f. *gesach ⟨. . .⟩ ungemach*] Interpunktion mit Leitzmann und Schröder (nach Nassau Noordewier, S. 124) gegen Lachmann (Punkt nach *gesach*, keine Interpunktion nach *tage*).

54,5 *bestecket in ein ander*] Kann wohl auch zurück auf die

Schar des Poufameiz bezogen werden (Komma nach 54,4 *breit*, Punkt nach 54,5 *ander* – so die Herausgeber): »dessen Schar war breit und lang, drin Mann an Mann sich drängte« (Unger). Doch muß sich Willehalm offenbar durch eine Menge anderer, dicht an dicht reitender Scharen bis zu der des Königs durchschlagen.

54,22f. *und* ‹. . .› *nagel*] Die Bedeutung von *nagel* an dieser Stelle, für die es anscheinend keinen Parallelbeleg gibt, wird aus dem Kontext erschlossen: »vermuthlich nannte man auch sehr hart verwachsene aststellen im holze *nagel*« (BMZ II/1, Sp. 297a). Mit dem *zwickel* ist vielleicht »ein Beitel zum Ausstechen von Zapfenlöchern« gemeint: »eine besonders schwierige und Kraft fordernde Tätigkeit, wenn man dabei auf ein Astloch stößt. Mit mehr Wahrscheinlichkeit denkt Wolfram hier aber an das Bretterabspalten, das war im Mittelalter die Technik der Holzverarbeitung. Auch hierbei sind Äste im Holz ein übles Hindernis« (Kühnemann, S. 79, Anm. 1).

54,25 *in* ‹. . .› *weiz*] Wörtlich: »ihnen den Unglauben verwies« (vgl. BMZ III, Sp. 782a). Die Wendung fällt aus dem Kontext heraus, weshalb Leitzmann wohl (nach Nassau Noordewier, S. 124) die konkurrierende Lesung *beiz* (s. Variantenverzeichnis) vorzieht. Dann wäre *in* Präposition und stünde *ungelouben* für das Konkretum »die Heiden«: »biß (sich) in die Heiden hinein«. Noch näher läge ein Verbum aus dem Bereich des Handwerks, etwa: *meiz* zu *mîzen* »schneiden, hauen, schlagen« (vgl. Lexer I, Sp. 2193, dazu die Belege für *meizen* in Kampfschilderungen bei BMZ II/1, Sp. 132af.).

54,27 *dem* ‹. . .› *lîp*] Willehalm erkannte den König, auf den er es abgesehen hatte, an dessen prächtigem Aufzug. Vgl. Johnson, S. 102.

55,1 *des* ‹. . .› *pflac*] Sekundille, Königin von Indien (Tribalibot), ist eine der Geliebten des Feirefiz (vgl. Komm. zu 45,15). Nach Pz. 741,4ff. und 756,26ff. hat sie ihn prächtig ausgestattet. Auch Wh. 125,28ff. und 248,29ff. wird darauf angespielt.

55,8 *ein sîn amîe*] Wörtlich: »eine, die seine *amîe* war«. Vgl. Martin zu Pz. 12,11.

55,17-21 *daz 〈. . .〉 steinen*] Eine schwierige Konstruktion. Ich nehme versuchsweise an, daß 55,20 *sîn wâpenlich gewaete* Subjekt zugleich zu 55,17 *sneit* und 55,21 *was gehêrt* ist (apo koinou). Vielleicht darf man aber auch annehmen, daß in Vers 55,17 das pronominale Subjekt *ez* erspart ist (vgl. PMS, S. 323), und Punkt nach 55,19 *taete* setzen (so die Herausgeber, die das pronominale Subjekt gegen die gesamte Überlieferung in den Text setzen: s. Variantenverzeichnis).

56,8 *ab in erstreit*] Wörtlich: »nahm ihnen durch Kampf ab« (vgl. Wiessner, Richtungsconstructionen I, S. 402f.). Leid und Klage der Heiden sind gewissermaßen die Beute, die Willehalm im Kampf mit den Brüdern erobert.

56,18-20 *der 〈. . .〉 tuon*] Der Hauptsatz entbehrt des Prädikats wie auch sonst gelegentlich bei Aufzählung von Namen bzw. Personen: vgl. Kraus, Willehalm, S. 543. Im Prinzip ebenso Lachmann, aber mit anderer Satzaufteilung: Komma nach 56,20 *tuon*, Punkt nach 56,21 *Falturmîê*. Anders Leitzmann und Schröder, die 56,20 mit der Mehrzahl der Handschriften *den* statt *dem* lesen (Interpunktion wie in unserm Text): »König Talimon von Boctan und König Turpiun, mit denen mußte er da kämpfen«.

56,25 *poinders hardiez*] Wörtlich: »mit großer Kühnheit des Ansturms« – *hardiez* (nur hier belegt) zu afrz. *hardïece*? Vgl. Knapp, Lautstand, S. 208, Anm. 91; Vorderstemann, S. 102f.; Schröder, S. 603.

57,2 *er 〈. . .〉 gelîch*] Wörtlich: »er tat auch entsprechend der (Ab-)Wehr«. Gemeint ist wohl nicht einfach: »er . . . tat, was der Mut von ihm forderte« (Fink / Knorr; S. 35), sondern in Fortführung von 57,1: »er schrie nicht nur *werlîch*, sondern handelte auch so« (Unger: »und tat auch nach des Rufes Pflicht«); ganz anders – und unwahrscheinlich – Kartschoke, der die Wendung offenbar auf 56,29f. (Talimons Attacke) zurückbezieht: »er wehrte sich mit gleicher Kraft«.

57,13 *galûnet*] *alûnen* heißt »›Leder gar machen mit dem Farbstoff Alaun‹; gerben: bildlich: prügeln, braun und blau schlagen, mürbe machen« (Martin zu Pz. 75,6). Vgl. Vorderstemann, S. 30f.; Eichholz zu Pz. 153,9.

57,16 *büegen]* Die »Büge« sind hier die Obergelenke der Vorderbeine, die diese mit dem Rumpf des Pferds verbinden.

57,20-22 *sîn ⟨. . .⟩ jagete]* Nachdem Willehalm »sich bis zum äußersten gewehrt hat und alle seine Leute gefallen sind, darf er sich von seiner *manheit*, die er bewiesen hat, beurlauben lassen« (W.J. Schröder, S. 430, Anm. 90). Unwahrscheinlich Haacke, S. 232, Anm. 5, der *manheit* hier mit »Handfertigkeit, Technik« übersetzen will – also wohl: »seine (überlegene) Kampffertigkeit erlaubte (d. h. ermöglichte) es ihm, sich den Verfolgern zu entziehen«.

57,24-27 *den ⟨. . .⟩ versniten]* Nach traditioneller Vorstellung leben Zwerge in den Bergen bzw. in deren Innerem. Der Reim *berc:(ge)twerc* ist ebenso stereotyp wie das Beiwort *wilde*, das die Zwerge als Wesen kennzeichnet, die außerhalb der menschlichen Zivilisation stehen. Vgl. August Lütjens, *Der Zwerg in der deutschen Heldendichtung des Mittelalters* (Germanistische Abhandlungen, 38), Breslau 1911, S. 88ff. – In den Handschriften folgt 57,27 ohne Lücke auf 57,26, doch fällt es schwer, zwischen den beiden Versen einen plausiblen Zusammenhang zu erkennen. Die Mehrzahl der Übersetzer drückt sich denn auch um eine genaue Fixierung der syntaktisch-inhaltlichen Bezüge. Erwogen wurden folgende Möglichkeiten: 1. Man hat die Pronomina *ir* in 57,27 und *in* in 57,28 auf die *getwerge* bezogen und *versniten* im Sinne von »zertrampelt« übersetzt (W.J. Schröder, S. 430: »Ob es [das Pferd] einen von ihnen zertreten hat? Jedenfalls ist der Markgraf ihnen davongeritten«). Das ist eine Art Nonsens-Text: die Zwerge aus dem Vergleich erscheinen plötzlich als reale Gestalten und als Verfolger Willehalms. 2. Man hat nur 57,27 *ir* auf die Zwerge, 57,28 *in* aber auf die Heiden bezogen (H.J. Weigand nach Johnson, S. 105f.: »The line in question would then be a humorous remark by Wolfram, presented almost parenthetically, or as an aside to the reader: ›Take a look – did any of the dwarfs get cut to pieces (by the horse's hoofs)? . . . V. 28 would refer to all the heathens, not just those who were immediatly pursuing Willehalm«). Die Lösung ist zumindest sprachlich problematisch: der Bezug von 57,28 *in* auf die

Heiden mutet dem Hörer oder Leser viel zu. 3. Man hat beide Pronomina zurückbezogen auf die heidnischen Verfolger, die zuletzt 57,22 genannt wurden, und *versniten* im Sinne von *getötet* übersetzt (Fink / Knorr, S. 35: »seht selber zu, wer bei der Verfolgung umgekommen ist, der Markgraf ist ihnen jedenfalls entronnen«). Das ist sprachlich genauso problematisch: jeder Hörer oder Leser wird die Pronomina zunächst auf die unmittelbar zuvor genannten Zwerge beziehen. 4. Man hat 57,27 *ir* auf die 57,23 genannten Berge, 57,28 *in* auf die Heiden bezogen und *versniten* im Sinne von »abgeschnitten, verstellt« übersetzt (Johnson, S. 105: »look now! if no one of these mountains (i. e. mountain trails) is blocked off (by the heathens), the margrave has escaped from the heathens (completely)«). Die vorausgesetzte Bedeutung von *versnîden* ist jedenfalls bei Wolfram nicht belegt. 5. Zuletzt hat Marianne Wynn (*Der Witz in der Tragik*, in: Wolfram-Studien 7 [1982], S. 117-131) vorgeschlagen, 57,27 *ir* auf die Zwerge, 57,28 *in* auf die Heiden zu beziehen und *versniten* mit »beschnitten« zu übersetzen. Dabei ist entscheidend, daß der Brauch des Beschneidens wie bei den Juden auch bei den Mohammedanern geübt wird: »Nach einer harten Probe seiner militärischen Gewandtheit ist es dem Helden gelungen, sein Leben zu retten und in die Freiheit zu entkommen ... Die Suche nach unbedingter Sicherheit hat ihn gezwungen, auf die höchsten Bergklippen zu fliehen ... Nur die Zwerge ... könnten es fertigbringen, ihm hierher zu folgen ... Endlich ist er befreit von Todesangst und in Sicherheit ... Aber, und der vortragende Dichter wendet sich beklommen an sein Publikum, denn eben ist ihm etwas höchst Unangenehmes eingefallen: *seht! – ob ir keiner sî versniten?* – Einen Augenblick, seht doch mal nach, könnte einer von denen beschnitten sein? Könnte es etwa auch Mohammedaner unter den Zwergen geben? – Er legt eine Pause ein und wartet auf die Wirkung dieser unerhörten Möglichkeit. – Doch sicher nicht – *der marcrâve ist in entriten*, von denen ist der Markgraf endgültig weg ... « (S. 129). Der geistreiche Lösungsvorschlag scheitert u. a. daran, daß Wolfram 307,23ff. die Juden gerade aufgrund ihres Brauchs der Beschneidung, der als eine Art Taufe aufgefaßt wird, von den Heiden absetzt (vgl. Komm. zu 306,29-307,6 und 307,23f.); auch ist die Bedeutung »beschneiden« für *versnîden* erst spät und nur ganz vereinzelt belegt (nur zwei Belege, beide [!] aus dem 15. Jahrhundert bei Lexer III, Sp. 240). Angesichts des entmutigenden Befundes wird man in Betracht ziehen, daß gerade der 57. (Klein-)-Abschnitt der einzige des gesamten Werks ist, der nicht 30, sondern nur 28 Verse umfaßt, und mit Lachmann (Notiz im Apparat) vermuten dürfen, daß in der Handschrift, auf die die gesamte Überlieferung zurückgeht, vor 56,27 ein Verspaar fehlte (vgl. auch Schanze, S. 110). In diesem mag davon die Rede gewesen sein, daß die Heiden Willehalm ins Gebirge verfolgten: auf sie wären dann die beiden Pronomina zu beziehen.

58,6f. *als* ⟨. . .⟩ *blüeten]* Wörtlich: »als ob nichts als Banner einen großen Wald emporblühen gemacht hätten« (vielleicht wurde im Mhd. die etymologische Verwandtschaft zwischen *blüejen* »blühen« und *blaejen* »blähen«, »aufblasen« noch empfunden). Vgl. BMZ I, Sp. 215b; Happ, S. 14ff.

58,8-11 *die* ⟨. . .⟩ *vlôz]* Möglich auch Komma nach 58,8 und 58,9 (so die Herausgeber): dann wäre 58,9 Relativsatz (»die kreuz und quer dahergestürmt kamen«), 58,10 Umstandsangabe zu 58,8 *müeten.* Vgl. Happ, S. 16. – Der Fluß Larkant teilt die Ebene von Alischanz und bildet für die heranflutenden Heeresmassen eine Barriere, vor der sie sich stauen und gegenseitig behindern. Vgl. Komm. zu 40,20.

58,16-20 *ob* ⟨. . .⟩ *dannoch]* Wörtlich: »wenn Hunde und Sauen euch geboren hätten und dazu die Frauen, so viele wehrhafte Leiber, dann könnte ich trotzdem mit Recht sagen, daß ihr noch zu viele wärt«. Gemeint ist, daß die Fruchtbarkeit von Frauen, Hündinnen und Sauen zusammengenommen nicht ausreichte, um eine solche Menge von Kämpfern zu gebären. Vgl. Happ, S. 17ff.

58,24-28 *wie* ⟨. . .⟩ *beklagen]* Lockere Syntax: der Konditionalsatz 58,25f. bzw. das Konditionalsatzgefüge 58,25-27 läßt sich sowohl zurück als auch nach vorne beziehen. Vgl. Happ, S. 22ff.

59,8 *troesten]* Wörtlich: »Sicherheit, Schutz geben«.

59,10 *von 〈...〉 gar]* Wohl unvollständiger Satz, etwa: »mit weißem Schaum darauf (bedeckt)« oder »von weißem Schaum darauf (eine Schicht)«. Anders Happ (S. 25f.), der auflösen will: *sîn hâr was im brûn gevar (und) von wîzem schûme drûfe gar (,) als ez eins winters waere besnît (, besnît)* (kein Satzzeichen nach 59,10, so Lachmann und Schröder – unsere Interpunktion nach Leitzmann).

59,17 *grâzte]* Das Wort (nicht zu verwechseln mit *grasen* »grasen, weiden«!) bezeichnet den Ausdruck »leidenschaftlicher erregung durch laute oder gebärden« (Lexer I, Sp. 1075). Die Übersetzung versucht, in freier Paraphrase die beiden Aspekte, den akustischen und den motorischen, zur Geltung zu bringen.

59,24 *bî maneger steinwende]* Wörtlich: »neben vielen Felswänden«, »an vielen Felswänden vorbei«.

59,30 *ûf 〈...〉 gespilt]* Wörtlich: »auf dem war im Kampf so gespielt worden«. Vgl. Happ, S. 29; Kühnemann, S. 42.

60,1-3 *hâtschen 〈...〉 orten]* Eine schwierige Konstruktion. Ich nehme versuchsweise an, *mit* sei sinngemäß auch auf *hâtschen, kiulen, bogen, swert* zu beziehen (entsprechend der Konstruktion 33,18, s. z. St.), Subjekt (*der schilt*) sowie Kopula (*was*) zu *zevüeret* seien aus dem Vorhergehenden zu ergänzen und der Relativsatz in 60,2 sei als Umschreibung für die Vorderseite des Schildes zu verstehen: »die zertrümmernden Schläge und Stiche wurden dorthin geführt, wohin (*gein dem* Bezugswort und Relativum in einem, vgl. PMS, S. 425, zur Richtungskonstruktion Wiessner, Richtungsconstructionen I, S. 382) man die Speerstöße bringen will«. Anders Happ, S. 33: »Auf dem war das kampfspiel so gespielt worden, daß äxte, bogen, keulen, schwerter ... allenthalben in richtung auf den, gegen den man die speerstöße im kampf zu begehren pflegt [nämlich den schild], zerstreut waren«. Diese Lösung ist syntaktisch einfacher, doch ist zu fragen, ob *zevüeren* in der angenommenen Bedeutung gebraucht werden kann: es bezeichnet gewöhnlich ein (gewaltsames) Auseinanderbringen von vorher fest Gefügtem – so, wie von meiner Übersetzung vorausgesetzt, auch 383,6f. die Zerstörung von Schilden.

60,4f. *den borten ⟨...⟩ geriemet was]* Wörtlich: »das Band (von solcher Art), wie er (nämlich der Schild) mit (einem) Riemen versehen war«. Der Schild wurde zweifach befestigt: mit einem Riemen, dem sog. Schildfessel, um den Hals gehängt, und an einer weiteren Riemenkonstruktion mit der linken Hand gehalten. Wo, wie hier, davon die Rede ist, daß Schildriemen aus feingewebtem Band (*borte*) mit eingewirkten Edelsteinen bestanden, dürfte der Schildfessel gemeint sein (vgl. Schultz II, S. 86f.).

60,7 *krisolte]* Welchen Edelstein man im Mittelalter Chrysolith (»Goldstein«) genannt hat, ist unklar. Vgl. Schade II, S. 1380f.; Titurel-Kommentar S. 192f.; zur Form *krisolt* statt des üblichen *krisolit* Vorderstemann, S. 162f.

60,8 *verwieret] verwieren* ist Sammelbezeichnung für das Applizieren – Einflechten, Verweben, Aufnähen, Auflöten, Einlegen – von Gold und Edelsteinen.

60,16 *ob]* Wörtlich: »über«. Sinngemäß nur auf *linde* zu beziehen, formal aber auch auf *brunne* bezogen. Anders Bertau, Literatur, S. 1140: »... einen Quell und eine Linde zu Häupten seines Schwesterkindes«. Ein solcher Gebrauch von *ob* wäre nachzuweisen.

60,21 *reiniu vruht]* Gemeint ist wohl: »unschuldiges (sündeloses, vollkommenes) Geschöpf«. Die Anrede verweist vielleicht in die geistliche Sphäre. Vgl. Bumke, Willehalm, S. 32, Anm. 53.

60,27 *wesen dines gesindes]* Wörtlich: »zu deinem Gefolge gehören«.

60,28-61,1 *daz ⟨...⟩ gelich]* Die beiden daz-Sätze können statt als Satzgefüge auch als selbständige Wunschsätze aufgefaßt werden (Ausrufezeichen nach 60,28 – so Lachmann – oder 60,29). Vgl. Happ, S. 39ff.

61,1 *ich kom von dir]* Nach Genesis 2,7 hat Gott den Menschen aus Erde erschaffen.

61,2 *din teil]* Nämlich den sterblichen Teil: den Leib im Gegensatz zur unsterblichen Seele.

61,5 *dâ ⟨...⟩ lêre]* Wörtlich: »da hatte ich die Lehre des Jammers im Visier«.

61,14f. *daz ⟨...⟩ gewern]* Wörtlich: »daß so ungeheures Leid in meinem Herzen auf Dauer bleiben kann«.

62,6f. *ir ⟨...⟩ was]* Die *tugende* (Singular!) aller Menschen seit Adam und Eva wurde auf Vivianz »gespart«, d. h. wie ein Sparkapital angehäuft und in ihrer ganzen Fülle in Vivianz wirksam.

62,11-14 *sölh ⟨...⟩ drîn]* Die Vorstellung wird für das mittelalterliche Publikum weniger befremdlich gewesen sein als für den modernen Leser: sie entspricht dem exaltierten und in solcher Exaltation traditionellen Denkstil von Legendenfrömmigkeit und Minnedevotion. Vgl. Bumke, Willehalm, S. 26f., Anm. 42; Happ, S. 53ff.; Pörksen, Erzähler, S. 113f.; Ohly, Süße Nägel, S. 433.

62,29 *erzogen]* Wörtlich: »aufgezogen«.

63,5 *palas]* Aus afrz. *palais*, »Herrenhaus der Burg mit Wohnräumen und einem meist im Obergeschoß gelegenen Saal« (Glossarium artis, S. 94); schon im Mhd. auch allgemein in der Bedeutung von nhd. *Palast* »fürstliches Wohngebäude«, gelegentlich auch als Bezeichnung für den Hauptsaal dieses Gebäudes gebraucht (vgl. DWb VII, Sp. 1410). Vgl. noch: Schultz I, S. 53, 95; Bumke, Kultur I, S. 144 und 152f.; Vorderstemann, S. 209.

63,6 *geheret]* Da Willehalm um Vivianz‹ willen Geschenke verteilte, kann er von diesem mit einem traurigen Witz sagen, er habe den Palast geplündert, in dem das verteilte Gut sich befand. Die Form kann aber auch als *gehêret* »geziert, geschmückt« gedeutet werden (so Lachmann und Leitzmann – Schröders Form: *geheret* ist doppeldeutig, da die Ausgabe auf Längenzeichen verzichtet).

63,8 *gap ⟨...⟩ swert]* *swert geben* ist Terminus technicus für die Schwertleite, die feierliche Verleihung der Ritterwürde, bei der der junge Mann mit dem Rittergürtel, an dem das Schwert befestigt war, umgürtet wurde. Vgl. Bumke, Ritterbegriff, S. 101ff.

63,9 *des ⟨...⟩ hân]* Der Satz kann ebensogut auf den vorhergehenden wie auf den folgenden bezogen werden. Vgl. Happ, S. 64f.

63,14 *sunder kamern*] Entweder Kompositum *sunderkamer*: »Sonderkammer« (so die Wörterbücher, nur unsere Stelle) oder Adjektivattribut + Substantiv: »besondere Kammer«. Gemeint ist in jedem Fall eine besondere Schatzkammer, die Giburg allein gehörte, d. h. ein Sondervermögen, über das sie frei verfügen konnte. Vgl. Decke-Cornill zu 160,27; Kellermann-Haaf, S. 313f.

63,15 *daz 〈. . .〉 bevant*] Möglich auch: »so daß ich die Kosten nicht spürte« (Fink / Knorr, S. 38), d. h. »so daß ich dafür keine Ausgaben hatte« (Kartschoke); oder: »daß ich zu keiner Zeit so große Freigebigkeit kennengelernt habe« (Unger, Bemerkungen, S. 196).

63,18f. *des 〈. . .〉 massenîe*] Die genaue Bedeutung des Satzes ist nicht ohne weiteres klar. Die Übersetzung behilft sich mit der Annahme, daß hier wie 63,24 *ze kleide* o. ä. zu ergänzen ist. Vgl. Pz. 687,9ff.: *von Ipopotiticôn* | . . . | *wart nie bezzer pfelle brâht* | *dan dâ zer zimier wart erdâht*. – *massenîe*, aus afrz. *maisnie(e)*, ist Bezeichnung für die »Hausgenossenschaft«, das »Gefolge« eines Herrn. Vgl. Vorderstemann, S. 197f.

63,22 *brûnez scharlach 〈. . .〉 Gint*] *scharlach* (auch *scharlachen* wie 63,25) »ist ein kostbares Wollenzeug, das hauptsächlich in den Niederlanden und dort vor allem in Gent, aber auch in England gewebt wird« (Schultz I, S. 354). Vgl. noch Vorderstemann S. 281f.; Bumke, Kultur I, S. 180; Raudszus, S. 174. – *brûn* wird als Farbe dieses Stoffes oft erwähnt: »schwerlich auf eine Farbe der modernen Farbskala festzulegen«, bezeichnet es »ganz allgemein einen bestimmten dunkelfarbigen Glanz, aber auch speziell ›violett‹« (Schmidt zu 407,6). Vgl. auch Happ, S. 65f.; Taubert S. 14; Zijlstra-Zweens, S. 257f.

63,23 *brûtlachen*] In den Wörterbüchern sonst nur noch aus Pz. 313,4 sicher belegt: *ein brûtlachen von Gent*. Es dürfte eine besonders kostbare, vornehmlich für die Aussteuer bestimmte Tuchqualität gemeint sein. Vgl. DWb II, Sp. 337 unter »Brautleinwand«: »ausstattung der braut mit leinen«.

63,24 *machen]* Vgl. Komm. zu 63,18f. *erdâht.*

63,30 *vünf hundert marc]* Eine fabelhafte Summe. Welche Vorstellung ein Hörer am Hof von Wolframs Gönner Hermann von Thüringen (vgl. Komm. zu 3,8) mit ihr verband, kann man vielleicht aus einer Strophe Walthers von der Vogelweide ersehen, in der dieser vor Hermann um Schadensersatz für ein Pferd klagt, das *wol drîer marke* (»gut drei Mark«) wert war (104,11). Vgl. Karl Kurt Klein, *Das »Rätsel der goldenen Katze« (L. 104,7)* (zuerst 1952), in: *Walther von der Vogelweide*, hg. von Siegfried Beyschlag (Wege der Forschung, 112), Darmstadt 1971, S. 289-329, bes. S. 301ff.

64,2 *sô]* Könnte auch auf das Vorhergehende bezogen werden: »dein ganzer Waffenschmuck war so (kostbar wie dein Gewand und dein Schild), und wenn . . .« (Komma oder Punkt statt Doppelpunkt nach *sô*. Für die hier gewählte Lösung: Bezug des *sô* auf das Folgende, spricht, daß es »in dem, was vorausgeht, kein eindeutiges bezugswort« hat (Happ, S. 67). Vgl. auch Johnson, S. 119.

64,4 *töhte]* Die Übersetzung geht von der Bedeutung »nützen, zustatten kommen« aus: »dein kampfschmuck war von so großer pracht, daß selbst einer von den durch ihren reichtum berühmten Sarazenen nur dann einen ähnlich kostbaren hätte erwerben können, wenn sein reichtum noch durch wîbe lôn vermehrt worden wäre« (Happ, S. 67). Man kann *tugen* aber auch im Sinne von »angemessen sein« verstehen: »daß jedem mächtigen Sarazenen, der sich darin mit dir vergleichen könnte, die Gunst der Frauen gebührte« (Kartschoke). Vgl. auch Johnson S. 119.

64,9 *swâ 〈. . .〉 sâhen]* »Der vers hängt vom vorausgehenden sowohl wie vom folgenden ab« (Happ, S. 68).

64,14-17 *in 〈. . .〉 waere]* »Der Tod keines Geschöpfes der freien Natur und keines Menschenkindes war je ein ähnlich schlimmer Verlust für die Liebe« (Kartschoke).

64,26 *der jâmer]* Möglich auch: »deren Jammer«, nämlich der Jammer der Verwandten.

65,4 *tet 〈. . .〉 stôz]* Wörtlich: »tat sehr viele Stöße«.

65,11-13 *hâstû 〈. . .〉 Trinitât]* Gemeint ist der Empfang

der Hostie in der Kommunion. Vgl. Komm. zu 68,4f. – Das Adverb *noch* steht hier als Ausdruck der Besorgnis. Vgl. Martin zu Pz. 70,4.

65,21 *ob]* Wörtlich: »über«. Vgl. Wiessner, Richtungsconstructionen II, S. 44.

65,22f. *jehen ûf die vart]* Wörtlich: »ein Bekenntnis ablegen im Hinblick auf die Fahrt«. Wie aus dem Folgenden deutlich wird, legt Vivianz in der Tat eine Beichte ab. Nach der Lehre der mittelalterlichen Kirche konnte bzw. mußte der Gläubige die Gelegenheit wahrnehmen, »seine Sünden in dem Fall einem Mitchristen (Laien) zu bekennen und dadurch der göttlichen Vergebung gewiß zu werden, in dem ein Bekenntnis vor dem Priester und sakramentale Lossprechung durch ihn nicht möglich war« (LThK VI, Sp. 741f.).

65,24 *mit sünden]* Vivianz meint, Sünde auf sich geladen zu haben, indem er *gruoz* und *wirde* annahm, ohne eine Gegenleistung erbringen zu können (vgl. zu 66,30-67,2). Auch möglich, aber im Kontext kaum sinnvoll wäre die Übersetzung »trotz meiner Sünden« (Fink / Knorr, S. 40).

65,27 *prîs]* Wörtlich: »Ruhm«. Gemeint ist das, was diesen Ruhm ausmacht: Güte, Freundlichkeit, Freigebigkeit.

65,30-66,1 *daz 〈...〉 töhte]* Wörtlich: »daß ich nicht so gescheit war in Bezug auf euch beide, daß ich einen Dienst hätte auswählen können, der im Vergleich damit (mit dem, was mir zuteil wurde) hätte bestehen können«.

66,6 *die 〈...〉 gespielt]* Wörtlich: »die nie ein Wanken von mir abspaltete«.

66,7 *wart ein man]* Terminus technicus des alten Adelsbrauchs der Wehrhaftmachung, bei der der Jüngling feierlich zum waffenfähigen Mann erklärt wurde. Die Schwertleite (s. Komm. zu 63,8) setzt dieses Institut fort, und deshalb kann die Wendung wie hier synonym mit den entsprechenden Wendungen *swert leiten*, *ritter werden* etc. gebraucht werden. Vgl. Bumke, Ritterbegriff, S. 108ff.

66,9 *schildes ampt]* Auf die Schwertleite bezogen: vgl. Komm. zu 50,6.

66,27 *manec hundert rîter werder diet]* Nach Behaghel I, S.

495, Konstruktionsmischung »aus der Fügung mit partitivem Genitiv und attributiver Verknüpfung« wie 411,18f.: *manec hundert rîter* (»viele hundert Ritter«) + *hundert werder diet* (»Hunderte von edlen Leuten«).

66,30-67,2 *habe ⟨. . .⟩ streit*] »Den Inhalt dieser drei Verse wird man etwa so umschreiben können: ›Wenn ich dir deine *helfe* so vergolten habe, daß ich deswegen Sündenschuld trage, und wenn ich es an Mut im Kampf habe fehlen lassen, dann muß meine Seele die Strafe Gottes hinnehmen.‹ . . . Eine einzige Sorge beherrscht Vivianz in seiner Sterbestunde, die Sorge, er könne Sündenschuld auf sich geladen haben, weil er auf die außerordentliche Fürsorge, mit der sich Willehalm und Gyburc seiner annahmen, nicht mit einem außerordentlichen *dienst* für beide geantwortet hat. Nur in diesem Zusammenhang – als Mittel, die Erkenntlichkeit gegenüber dem einen Teil des Pflegeeltern-Paares zu beweisen – hat das Gelübde eine Bedeutung« (Stackmann, vergiht, S. 466). Abweichend von seiner Quelle, nach deren Bericht Vivien das Gelübde für einen Augenblick vergißt und »eine Lanze weit« flieht (Al. 80ff.), vermeidet Wolfram – im Interesse einer anderen Konzeption der Gestalt – jeden Hinweis auf einen direkten Bruch des Gelübdes durch Vivianz. Vgl. Bumke, Willehalm, S. 21.

67,5 *kleiner schulde*] Da es Wolfram offenbar darauf ankommt, daß Vivianz schuldlos ist, dieser mithin keinen »objektiven Grund für seine Beichte« hat (Stackmann, vergiht, S. 466; vgl. Bumke, Willehalm, S. 29; Unger, S. 267), muß man hier, in der Erzählerrede, *kleine* wohl als Negation auffassen: »keine Schuld« (Kartschoke: ». . . sich eines Vergehens anklagte, das er gar nicht begangen hatte«). Dem widerspricht nicht (wie Stackmann, vergiht, S. 468, Anm. 19, meint) 67,7: daß Vivianz im »subjektiven Gefühl der Sündhaftigkeit« (S. 466) gebeichtet hat, ändert nichts an seiner Schuldlosigkeit. Zum Sprachlichen vgl. DWb V, Sp. 1095.

67,7 *und ⟨. . .⟩ jach*] Der Satz gehört logisch unmittelbar hinter 67,5 (so die Übersetzung). Solche syntaktischen »Verstellungen« sind im Mhd. nicht ganz selten. Vgl. Martin zu Pz. 177,21.

67,10 *waz ⟨. . .⟩ gegurt]* Möglich auch: ». . . umgürten lassen«. Vgl. PMS, S. 380; zum Genitiv *swertes* Behaghel I, S. 491. – Gemeint ist die Schwertleite. Vgl. Komm. zu 63,8.

67,11 *sprinzelîn]* Nach Dalby, S. 218f., ein Merlin (*falco columbarius*) oder ein Baumfalke (*falco subbuteo*), jedenfalls ein relativ kleiner (Jagd-)Vogel (der Merlin wird etwa 27-33 cm, der Baumfalke 30-36 cm lang). Dalby vermutet ein Wortspiel mit *sprinzelîn* »kleine Lanze« oder »Lanzensplitter«. Vgl. auch Komm. zu 197,19.

67,13 *spiegelglas]* Hier in der übertragenen Bedeutung »Beispiel, Muster, Vorbild« (DWb X/1, Sp. 2234f.) gebraucht.

67,16 *war umbe ⟨. . .⟩ man]* Vgl. Komm. zu 66,7.

68,4f. *hâstû ⟨. . .⟩ wirt]* Vgl. Al. 816ff.: *di moi la verité | Se tu avoies pain beneoit usé | Au diemënce, ke prestre eüst sacré* (»sag mir aufrichtig, ob du am Sonntag das geweihte Brot empfangen hast, das der Priester geweiht hat«), von Wolfram vielleicht mißverstanden als: . . . *usé, | Au diemënce ke prestre eüst sacré* (». . . empfangen hast, das der Priester am Sonntag geweiht hat«). Mit dem *pain beneoit* könnten Eulogien gemeint sein, bloß gesegnetes, nicht konsekriertes Brot, das an Sonn- und Feiertagen nach der Messe an die nicht kommunizierenden Gläubigen verteilt wurde (vgl. LThK III, Sp. 1180f.; zur vorliegenden Stelle J.D.M. Ford, *»To bite the dust« and symbolical lay communion*, in: PMLA 20 (1905), S. 197-230, hier S. 204ff.; Koppitz, S. 316). Wolfram denkt eindeutig an konsekriertes, in Christi Leib gewandeltes Brot (vgl. 68,23).

68,9-11 *daz ⟨. . .⟩ getân]* Die Gebeine des heiligen Germanus, Bischof von Paris (gest. 576), ruhten in der Kirche der Abtei Sainte-Croix et Saint-Vincent in Paris, die unter seiner Mithilfe in der Mitte des 6. Jahrhunderts von König Childebert I. gestiftet worden war und später nach ihm benannt wurde (Saint Germain-des-prés). In dieser Kirche war das Brot geweiht worden, wobei sich Wolframs Formulierung: »vor St. Germanus« historisch korrekt auf die Position der Gebeine hinter dem Hauptaltar beziehen könnte, die es erlaubt zu sagen, Handlungen an bzw. auf diesem geschähen »vor« dem Heiligen (doch wird die Formulierung vom überlieferten Text von Al. [824] nicht gedeckt: *sainés sor l'autel saint Germain* »geweiht auf dem Altar von s. G.«). Vgl. *Dictionnaire d'archéologie chrétienne et de liturgie* VI/1, Paris 1924, Sp. 1102-1150; LMA IV, Sp. 1346f.

68,18 *unschuldeclîch vergiht]* Die Auffassung von *un schuldeclîch* als »von Schuld reinigend« hat Stackmann, vergiht, begründet. Vgl. Komm. zu 65,22f.

68,23 *gebt]* 65,21 hatte Vivianz Willehalm geduzt, daher wohl schreiben Lachmann und Leitzmann hier mit der großen Mehrzahl der Handschriften *gip*. Wechsel zwischen Duzen und Ihrzen kommt auch sonst vor. Er läßt sich meistens als situationsbedingt erklären (wenn etwa Willehalm seine Frau Giburg, die er gewöhnlich duzt, 260,23ff. im offiziellen Rahmen des Fürstenrats ihrzt), aber nicht immer (so ist etwa nicht ohne weiteres einzusehen, warum Giburg 289,19 von Willehalm geihrzt wird). Vgl. E. Bernhardt, *Über du und ir bei Wolfram von Eschenbach, Hartmann von Aue, Gottfried von Strassburg, und über tu und vos in den entsprechenden altfranzösischen Gedichten*, in: ZfdPh 33 (1901), S. 368-390, bes. S. 374, 379, 381; G. Ehrismann, *Duzen und Ihrzen im Mittelalter*, in: Zeitschrift für Deutsche Wortforschung 5 (1903/04), S. 127-220, bes. S. 151ff.; Schanze, Verhältnis, S. 199.

68,24f. *des mennischeit 〈...〉 starp]* Nach Johannes 19,33f. stieß ein römischer Soldat dem bereits toten Jesus eine Lanze in die Seite, aus der Blut und Wasser flossen. Was an der vorliegenden Stelle (wie 303,26) gesagt wird, bezieht sich auf eine nicht-kanonische, im Mittelalter aber weit verbreitete Überlieferung, derzufolge der Soldat den Namen Longinus trug, blind war, mit dem Lanzenstoß den noch lebenden Jesus aus Mitleid tötete und durch das aus der Seitenwunde auf seine Augen herabrinnende Blut sehend wurde. Vgl. LThK VI, Sp. 1138; Happ, S. 90ff.; Passage, S. 267.

68,26f. *der 〈...〉 bekorte]* Tismas (Dismas, Dysmas, Dimas) ist in apokrypher Überlieferung der Name des guten der beiden Schächer, die mit Jesus gekreuzigt wurden. Nach Lucas 23,39ff. bat er den Herrn, seiner in seinem Reich zu gedenken, und wurde erlöst (vgl. Komm. zu 68,28f.). Vgl. LThK III, Sp. 419; Happ, S. 93. – Bei der (nach Vorschlag von Paul, Wolfram, S. 557, mit Leitzmann und Schröder) im Text gewählten Interpunktion ist *der gesellekeite* wohl als Genitivus causae auf den in den vorhergehenden Versen genannten Christus zu beziehen (mit syntaktisch nicht ganz klarer Anbindung: man würde eher *des gesellekeite* erwarten): »in folge der genossenschaft mit Christus« (Paul – unwahrscheinlich Bezug von *der gesellekeite* auf *helle* (W.J. Schröder, S. 434, Anm. 5: »Tismas lernte nie die Gesellschaft [Freundschaft] der Hölle kennen«). Nicht auszuschließen ist indes die alte Lösung Lachmanns, der Punkt nach *gesellekeite* statt nach 68,25 *genas* setzt und *der gesellekeite* offenbar als Genitivus privationis auffaßt: »wo die göttliche natur von der gemeinschaft mit der menschlichen erlöst wurde« (Paul – unwahrscheinlich Fink / Knorr, die *gesellekeite* auf »die innige Gemeinschaft« Christi »mit seinem göttlichen Vater« beziehen [S. 280] und [S. 41] übersetzen: »als die Gottheit in ihm gerade durch die Gemeinschaft genas«). Vgl. Happ, S. 84ff.; Passage, S. 266.

68,28f. *Jêsus ‹. . .› erkande]* Wörtlich: »Jesus hörte an ihm, daß sein Ruf ihn (an)erkannt hatte«. Mit seinem Ruf: *Domine memento mei cum veneris in regnum tuum* (»Herr, gedenke meiner, wenn du in dein Reich kommst«, Lucas 23,42) bekundete der gute Schächer, daß er an Jesus Christus glaubte.

69,12 *Lingnâlôê] li(n)gnum aloe*, Kurzform *li(n)gnaloe* u. a., ist der Name eines exotischen Baumes, der in der gelehrten Literatur des Mittelalters oft beschrieben wird. Daß der Rauch des verbrannten Holzes Wohlgeruch verbreitet, gilt allgemein als eine seiner hervorstechendsten Eigenschaften. Im Wh. ist noch dreimal von *li(n)gâlôê* die Rede: 444,15 wird das Holz als Material des Speeres genannt, den der Heidenfürst Tedalun führt; 375,24 und 379,25 erscheint der Begriff als Name eines Waldes in dessen Besitz. Wolfram hat sich demnach wohl vorgestellt, das Holz stamme aus einem Wald gleichen Namens. Es ist möglich, daß dieser Wald schon an der vorliegenden Stelle gemeint ist, wie im

Text vorschlagsweise fixiert (gegen die Herausgeber, die das Wort klein schreiben, also die Holzart meinen). Dafür könnte die parallele Formulierung Pz. 379,6 sprechen: *waer Swarzwalt ieslîch stûde ein schaft* (»wäre vom Schwarzwald jeder Baum ein Speer«). Syntaktisch ist *al die boume* in jedem Fall als Apposition aufzufassen, an die der Satz in der Fortführung anknüpft. Zur Sache vgl. Schade II, S. 1389ff.; Vorderstemann, S. 180ff.; Heimo Reinitzer, *Zeder und Aloe*, in: Archiv für Kulturgeschichte 58 (1976), S. 1-34 (zur vorliegenden Stelle S. 19); zu den Formen Vorderstemann, S. 180f.; Wiener, S. 347; zur Syntax Martin zu Pz. 379,6.

69,14 *selh ⟨. . .⟩ stunt]* Daß dem Leichnam Wohlgeruch entströmt, gilt als Zeichen der Heiligkeit. Vgl. Bumke, Willehalm, S. 25f.

69,23 *er]* Nämlich Willehalm, der unter dem ersten Eindruck von Vivianz' Tod ohnmächtig vom Pferd gestürzt war (61,19). Vgl. Singer, S. 33.

69,24-28 *nû ⟨. . .⟩ bar]* Das Herz ist als Quellgrund des Tränenstroms gedacht. Vgl. Happ, S. 99ff.; Decke-Cornill zu 120,28f.; Schleusener-Eichholz, S. 726ff., 736f., 740.

70,8f. *mit ⟨. . .⟩ man]* Wörtlich: »er schickte sich an, mit diesem Folgendes zu tun: ihn hob der kühne, starke Mann . . .«

70,11 *die rehten strâze]* Wörtlich entweder: »die eigentliche Straße« (in diesem Sinn die Übersetzung) oder: »die gerade« (Matthias), d. h. »direkte« (Passage) »Straße«.

70,17 *ir was et im ze vil]* Wörtlich: »sie waren zu viele für ihn«. Gemeint sein könnte: 1. Willehalm war den Gegnern unterlegen; 2. sie waren ihm unwillkommen. Die beiden Möglichkeiten sind auch gegeben, wenn man mit Paul, Wolfram, S. 557, und Leitzmann anders interpungiert: kein Punkt nach *sint*, *ir . . . vil* in Klammern, danach Komma. Diese Interpunktion eröffnet darüberhinaus eine weitere Übersetzungsmöglichkeit, an die Paul vielleicht gedacht hat: 3. »es waren auch für ihn zuviele, er konnte sich ihre namen nicht einzeln merken« (Happ, S. 103). Ich interpungiere wie Lachmann und Schröder und entscheide mich für die zweite Möglichkeit, weil weder die erste noch die dritte vom Sinn bzw. von der Syntax her befriedigen kann: gegen Pauls Interpunktion und damit gegen die dritte Möglichkeit spricht, daß sie das *sô* 70,18 beziehungslos in der Luft hängen läßt (Happ, S. 104); gegen die erste Möglichkeit (mit Lachmanns Interpunktion), daß unklar ist, was die Nähe des Zieles mit Willehalms Unterlegenheit zu tun haben soll (dies Pauls Argument gegen Lachmann, das Happ, S. 104, vergeblich zu entkräften sucht).

70,18 *râmes zil]* Wörtlich: »das Ziel seines Strebens«. Gemeint ist wohl das laut 70,13 angestrebte Gebirge (Happ, S. 103).

70,19 *sancte]* Beim Übergang zum Angriff wird der zuvor aufgerichtete Speer gesenkt und damit in die Position gebracht, in der er den Gegner treffen soll. Vgl. Bode, S. 12ff.

70,20 *ze vâre]* Wörtlich: »in böser Absicht«.

70,29 *sime neven ⟨...⟩ er wachete]* Die unserer Standardsprache fremde Konstruktion von *wachen* mit dem persönlichen Dativ (»jemandem wachend seine Aufmerksamkeit zuwenden«) lebt, speziell in der Bedeutung »Toten-« oder »Krankenwache halten«, mundartlich fort. Vgl. DWb XIII, Sp. 43.

70,30 *des ⟨...⟩ erkrachete]* Wörtlich: »worüber sein Herz sich wiederholt anschickte, unter Krachen zu bersten«.

71,1 *Alsus ⟨...⟩ naht]* Text (Interpunktion) und Übersetzung nach BMZ II/1, Sp. 713b: »so, wie gleich erzählt werden soll, brachte er, in peinlicher ungewissheit, was er thun sollte, die nacht hin«. Doch kann der Satz auch auf das Vorhergehende bezogen werden (Punkt statt Doppelpunkt am Versende – so die Herausgeber).

71,2-4 *gedâht ⟨...⟩ hin]* Text (Interpunktion) und Übersetzung gehen von syntaktischer Verstellung aus (Vorwegnahme bzw. Ausgliederung der Umstandsangabe 71,3). Doch kann man auch *des morgens* als Objekt zu *wart gedâht* auffassen (kein Komma nach *gedâht*, so die Herausgeber): »Immer wieder dachte er an den Morgen, wenn der Tag aufginge, ob er ihn dann wohl werde wegbringen können« (Kartschoke).

71,12f. *diz ⟨. . .⟩ mâze]* Wörtlich vielleicht: »dieses Herzeleid, das ihm widerfuhr, quälte ihn über alles Maß«. Das Adjektiv *bekant* findet sich als Attribut zu einem Ausdruck des Leids noch 105,12 und 120,26; dazu kommt 252,30 eine entsprechende Fügung mit *erkant*. Dieser Gebrauch des Wortes, den die Wörterbücher nicht belegen und der sich bei Wolfram auf die genannten Wh.-Stellen beschränkt, ist eigenartig. Möglicherweise handelt es sich um eine Verkürzung des bei Wolfram beliebten Ausdrucks »einem wird etwas *bekannt*« in der Bedeutung: »einem wird etwas zuteil«, »widerfährt etwas« (vgl. Förster, S. 9ff.). In diesem Sinne – versuchsweise – die Übersetzung der Stellen.

71,18 *durh der heiden schaden]* Wörtlich: »wegen des Schadens, den die Heiden zufügen« (*heiden* Genitivus subjectivus) oder: »wegen des Schadens, der den Heiden zuzufügen ist« (*heiden* Genitivus objectivus).

71,19 *dan und zuo z'in]* Wörtlich: »davon und zu ihnen«. Könnte sich auch auf die Heiden beziehen: »von ihnen weg und zu ihnen hin« im Sinne von: »zurückweichen und angreifen«, doch würde man dann eher *von* statt *dan* erwarten.

71,21f. *reit ⟨. . .⟩ streit]* Wörtlich: »ritt dorthin, wo er mit fünfzehn Königen kämpfte«.

71,28f. *des hers ⟨. . .⟩ kristenheit]* Ist gemeint, daß die Kampfhandlungen unterbrochen wurden, um die auf dem Feld gebliebenen, aber noch lebenden Christen zu töten (72,9ff.)? Doch soll die Anordnung zumindest auch, wenn nicht in erster Linie, die Möglichkeit schaffen, die eigenen Leute zu bergen (72,1ff.). Kaum zutreffend Johnson, S. 129f.: »The fifteen kings were ordered to maintain the security« (*vride*) »of the heathen armies against« (*ze vâre*) »the Christians«.

72,4 *armer rîter]* Wie *arm(m)an* (133,28; 170,8; 428,4) offenbar Terminus technicus für Angehörige des Ritterheeres, die »sich nicht auf Land, Burgen und festen Besitz stützen können, sondern ihr Leben« durch Waffendienst für fremde Herren »fristen müssen« (Mohr, Ritter, S. 356*). Vgl. auch Schmidt zu 428,4,5.

72,6 *dar umbe]* Möglich auch: »deshalb« bzw. »weshalb«, doch kommt bei lokaler Interpretation die Aufgabenverteilung im Heidenheer besser zum Ausdruck, an die offenbar gedacht ist: die einfachen Ritter bergen die eigenen Toten und Verwundeten; die Fürsten suchen das Schlachtfeld nach Christen ab, die noch am Leben sind, um sie zu töten (72,9ff.); die Könige schirmen das Schlachtfeld gegen einen möglichen Überfall der Christen ab.

72,12-16 *der huote 〈...〉wesen]* Wörtlich: »ob im Heer der Getauften noch jemand davongekommen war, damit er des Todes sein (d. h. dem Tod überantwortet werden) könnte«.

72,25 *swaz 〈...〉 her]* Umschreibung für den Speer.

73,7 *zwô und sibenzic sprâche]* Die Annahme, daß es auf der Welt insgesamt 72 Sprachen gibt, geht auf jüdische Überlieferung zurück; sanktioniert durch die Kirchenväter, war sie im Mittelalter weit verbreitet. Vgl. Happ, S. 111f.; Schmidt zu 450,20; Passage, S. 268f.

73,8 *der witze ein kint]* Wörtlich: »in Bezug auf den Verstand ein Kind«. Vgl. Happ, S. 112.

73,9 *swer 〈...〉 lant]* Wörtlich: »wer den Zungen ihr Land nicht läßt«. Der Satz ist unterschiedlich verstanden worden: als Propagierung des Nationalitätenprinzips (Singer, S. 29: »*zunge* entspricht unserm Begriff der Nation, deren Wesen in ihre Sprache gesetzt wird, und jeder solchen sprachlich bestimmten Nation wird das Anrecht auf ihr bestimmtes Land zuerkannt«); als Polemik gegen die Quelle (Mergell, Quellen, S. 133: »Ein Tor ist, wer dem Volk sein Land nicht beläßt, d. h. wer den Namen unterschlägt – wie der Dichter von Aliscans –, wo doch die Sprachen bekannt sind«); als Aufforderung an das Publikum, sich die gewaltige Macht der Heiden vor Augen zu stellen (Happ, S. 114: »Es gibt – das ist allgemein bekannt – 72 sprachen. Von diesen 72 sprachen aus kann man auf ebensoviele länder schließen. Wer das nicht einsieht, das heißt wer unter den hörern jetzt noch nicht die ungeheure größe der bewohnten erde vor seinem geistigen auge sieht, der hat wenig verstand«; da aber nicht einmal zwölf der 72 Völker christlich sind, steht hinter den fünfzehn

Königen, gegen die Willehalm kämpfen muß, eine Macht, die größer ist als die der ganzen Christenheit). Ich schließe mich der dritten Auffassung an: die erste ist sachlich abwegig; die zweite setzt eine Verklausulierung des Ausdrucks voraus, wie man sie auch bei Wolfram nicht ohne Not annehmen sollte.

73,10 *dâ von 〈. . .〉 bekant]* Wörtlich: »als wovon (nämlich: von dem Land) die Sprachen bekannt sind« im Sinne von: »unter dessen Namen die Sprachen bekannt sind«?

73,12 *niht zwelve]* Wohl: »kein volles Dutzend« (mit Bezug auf eine Überlieferung, derzufolge nur elf Völker Christus anhingen?), kaum: »zur Not zwölf« (doch ist zwölf als Zahl der Christenvölker wiederholt belegt). Vgl. Happ, S. 115ff.

73,14 *von 〈. . .〉 kraft]* Wörtlich: »an weiten Ländern eine große Menge«.

73,15 *dâ 〈. . .〉 etswaz]* Wörtlich: »da besaßen auch die etwas«.

73,17 *der 〈. . .〉 genant]* *nennen von* mit Ortsbezeichnung »benennen nach« ist gängige Ausdrucksweise (vgl. z. B. Pz. 6,28; 189,19); daher dürfte die theoretisch auch mögliche Übersetzung: »den von Todjerne nannt ich schon« (Unger) auszuschließen sein.

73,18 *Tibaldes sun erkant]* Wörtlich: »als Tibalts Sohn bekannt«, kaum: »Tibalts berühmter Sohn« (Kartschoke, zustimmend Zimmermann zu 381,13). Vgl. Förster, S. 9f.

73,21-74,2 *des 〈. . .〉 sîn]* Reminiszenz an Pz. 105,1ff., wo erzählt wird, wie Parzivals Vater Gahmuret im Dienst des Baruch, der ebenfalls Akarin hieß (vgl. Komm. zu 45,16f.), bei Kämpfen vor *Baldac* ums Leben kam und mit großer Pracht bestattet wurde. Der Wortlaut des Epitaphs wird dort vollständig wiedergegeben, die Verwendung der genannten Edelsteine genau beschrieben (Rubin als Grabplatte, Smaragd als Kreuz). – Interpunktion im Anschluß an Happ, S. 117ff.; vgl. auch Ganz, S. 27.

74,4-25 *Mattabel 〈. . .〉 Alahôz]* Die Namen der Könige stammen aus Al., doch sind dort – d. h. in der Überlieferung der Chanson – noch nicht alle sicher identifiziert. Die Herkunftsbezeichnungen hat Wolfram hinzugefügt. Es handelt sich durchweg um authentische Namen orientalischer Länder bzw. Städte, mit denen er indes kaum genaue geographische Vorstellungen verbunden haben dürfte: sie sind anscheinend en bloc aus Gerhards von Cremona lateinischer Fassung der »Dreißig Kapitel über Astronomie« des arabischen Gelehrten al-Fargani übernommen, wo nur 74,15 *Siglimessâ* (als Name einer Stadt in Marokko nachgewiesen) fehlt. Vgl. Marly I, S. 145 und 161ff. (Personennamen); Kunitzsch, Ländernamen (Ortsnamen); ferner die Nachweise im Namenverzeichnis.

74,30 *Gîburge* 〈. . .〉 *giht]* Wörtlich: »Diese geschichte schreibt Giburg den *vriden* – waffenstillstand – zu« (Happ, S. 124; vgl. auch Kartschoke, S. 282, und Nellmann, S. 62). Mit *maere* »Geschichte« ist die Quelle gemeint: vgl. Düwel, S. 113.

75,4-7 *ei* 〈. . .〉 *Tîbalt]* Interpunktion mit Panzer, Willehalm, S. 230f., gegen die Herausgeber und Kraus, Willehalm, S. 546: Ausrufezeichen nach 75,5 *goten*, keine Interpunktion nach 75,6 (Leitzmann) bzw. nur Komma nach *geboten* (Lachmann, Schröder): ». . . mit Zauberei hast du sie ihren Geboten und meinem Vater entrissen«.

75,13 *ê]* Gemeint ist die gesamte, religiös bestimmte Lebensordnung der Heiden, gegen die sich Giburg durch Abfall vom Glauben und Ehebruch vergangen hat. Vgl. Schröder, Ehebruch, S. 322f.

75,16 *ob* 〈. . .〉 *war]* Wörtlich: »wenn (weil) ich der ritterlichen Form Genüge tun will«.

75,18 *mir* 〈. . .〉 *baz]* Wörtlich: »mir stünde die Krone umso besser«. Der Komparativ hat hier keinen prägnanten Aussagewert: vgl. Behaghel I, S. 248.

75,20 *daz* 〈. . .〉 *ervorht]* Wörtlich: »das (Akkusativ) hat meine Scham (Nominativ) seither oft gefürchtet« oder: »das (Nominativ) hat meine Scham (Akkusativ) seither oft in Furcht gesetzt« im Sinne von: »in meiner Scham habe ich seither oft Furcht davon empfunden« oder: »in meiner

Scham hat mich das seither oft in Furcht gesetzt«. Gemeint ist wohl, daß sich für Ehmereiz die Scham über das Verhalten der Mutter mit Deklassierungsängsten verband. Zur Ausdrucksweise vgl. Martin zu Pz. 42,13.

76,6 *als guot*] Ich beziehe *als guot* auf die fünfzehn Könige, mit denen Willehalm zuvor kämpfen mußte. Man kann es aber auch auf das Folgende beziehen: »das waren so gute Ritter, daß sie im Kampf wahre Felsen waren« (Fink/Knorr, S. 45), oder (mit Doppelpunkt statt Komma nach 76,6): »das waren so gute ritter, daß man die redensart auf sie anwenden konnte: im streit rechte felsen« (Happ, S. 128).

76,19 *geflôrieret*] Zu afrz. *florir* (ebenso *flôren* [195,4 u. ö.], *flôrsen* [373,16 u. ö.], *flôrîs* [146,19; 301,1]), bedeutet sowohl »geschmückt (mit Ausstattungsstücken)« als auch »strahlend schön (im Hinblick auf die körperliche Erscheinung)«. Vgl. Vorderstemann, S. 353ff.

76,21 *daz* ⟨. . .⟩ *prîs*] Die Minne muß für den Kampfschmuck gepriesen werden, weil die Könige ihn (nach 76,28f.) als Minnegeschenk von ihren Damen erhalten hatten.

76,24f. *meister* ⟨. . .⟩ *von Veldekîn*] *meister* meint hier den überlegenen Lehrer (vgl. Martin zu Pz. 532,1): der Dichter Heinrich von Veldeke, mit seiner Bearbeitung des afrz. Roman d'Eneas (Eneide) – begonnen wohl vor 1174, abgeschlossen vor 1190 – der eigentliche Begründer der Tradition des höfischen Romans in Deutschland, wird von den jüngeren Dichtern als Ahnherr ihrer Zunft verehrt. Wolfram beruft sich noch Pz. 292,18 und 404,29 auf ihn. Vgl. Schwietering, Demutsformel, S. 183ff.; *Dichter über Dichter in mittelhochdeutscher Literatur*, hg. von Günter Schweikle (Deutsche Texte, 12), Tübingen 1970, Register S. 136.

77,1 *gein ir*] Auf 76,30 *tjost* zu beziehen: vgl. z. B. 366,14.

77,5 *er* ⟨. . .⟩ *komen*] Das Objekt: »die Pferde (der Gegner)« ist ausgespart. Vgl. BMZ I, Sp. 948b; Bode, S. 64f.

77,8 *sîne* ⟨. . .⟩ *barc*] Wörtlich: »machte keinen Hehl aus seiner (Weiter-)Fahrt«.

77,11 *sîn* ⟨. . .⟩ *truoc*] Wörtlich: »sein Herz nahe bei sich trug«. Gemeint ist, daß Giburg Willehalms Herz in ihrer Brust trug und – so ist zu ergänzen – er das ihre in der seinen. Die Vorstellung von einem solchen Tausch der Herzen als Ausdruck innigster Verbundenheit der Liebenden ist traditionell. Vgl. Decke-Cornill zu 109,8-15.

77,30 *der ⟨. . .⟩ süenen]* Wörtlich: »der verstand sich wenig auf friedlichen Ausgleich« bzw. »der war nicht auf friedlichen Ausgleich bedacht«. Vielleicht Reflex der negativen Zeichnung des Heidenkönigs in der Quelle (vgl. Mergell, Quellen, S. 134), jedenfalls eher eine Aussage über dessen Charakter als über sein aktuelles Verhalten (Kartschoke: »der nun unversöhnlich focht«).

78,6f. *niemen ⟨. . .⟩ bejagen]* Wörtlich: »er gönnte es niemand, ruhm zu erwerben, der über ihn (d. i. den seinigen) hinausgieng« (Wiessner, Richtungsconstructionen II, S. 53).

78,26 *daz ⟨. . .⟩ truoc]* Wörtlich: »das Pferd trug ihn näher heran (d. h. herbei) mit Verursachung eines Stoßes«. Arofel wendet offenbar die – äußerst riskante – Kampftechnik des *hurtens* an, bei der der Ritter sein Pferd aus vollem Lauf auf das des Gegners aufprallen läßt. Vgl. Bode, S. 40.

78,27-79,1 *daz die riemen ⟨. . .⟩ ûf den sporn]* Arofel trug über den Unterschenkeln einen strumpfartigen Schutz aus eisernem Ringgeflecht (*îserhosen*), der mit Riemen an einem um die Taille gelegten Gürtel (*lendenier*) befestigt war. Vgl. Schultz II, S. 34.

78,29 *si]* Nämlich die *îserhose* (79,1). Die für unser Sprachgefühl irritierende (und daher in der Übersetzung nicht beibehaltene) Vorwegnahme des Pronomens ist in der älteren Sprache nicht ungebräuchlich. Vgl. Martin zu Pz. 215,27; Behaghel I, S. 315.

79,2 *blankez bein]* Auf das Aussehen bezogen: »weiß«, und zwar in positivem Sinne: »glänzend weiß«, »schön«; nicht »nackt«, wie der nhd. Wortgebrauch hier nahelegen könnte.

79,3 *halsberges gêr und kursît]* Das Panzerhemd (*halsberc*), das »aus ineinandergeflochtenen vernieteten eisernen Ringen« bestand (Zijlstra-Zweens, S. 277 – vgl. auch Siebel, S.

34ff.) und der – darüber getragene – Waffenrock (*kursît*) reichten bis zu den Knien oder darüber und waren vorn und hinten geschlitzt, damit sie beim Reiten nicht hinderten. So ergaben sich zwei lange Schöße (*gêre*), die die Oberschenkel deckten. Vgl. Schultz II, S. 30ff.

79,15 *âne schande*] Wörtlich: »ohne Schande«. Der Akzent liegt wohl eher darauf, daß das Angebot für Arofel nicht ehrenrührig war, als darauf, daß es Willehalm Ehre einbrachte (Kartschoke: »Arofel machte ihm ein ehrenvolles Angebot«). Vgl. Wenk, S. 297f.

79,16f. *drîzec* ⟨. . .⟩ *in der habe*] Es bleibt unklar, ob die Elefanten erst nach Alexandria gebracht werden mußten oder ob sie sich, etwa für den Nachschub des Heidenheers bestimmt, bereits dort befanden (Kartschoke: »die noch im Hafen von Alexandria waren«).

79,18 *daz* ⟨. . .⟩ *drabe*] Wörtlich: »daß man an Gold da abnähme«, wohl im Sinne von »wegschaffen« auf den Hafen zu beziehen (vgl. Pz. 785,19f.: *und gib mir boten in mine habe, dâ der present sol komen abe*, »gib mir Boten zu meinem Hafen, wo die Geschenke herkommen sollen«), kaum im Sinne von »abladen« auf die Elefanten (Passage: »all the gold unloaded from them«).

80,5 *sinen schaden*] Unklar: Willehalms oder Arofels Schaden? Für die zweite Möglichkeit könnte 80,10f. sprechen.

80,15 *der künec* ⟨. . .⟩ *jach*] Der Erzählerkommentar soll wohl klarstellen, daß Arofels Äußerung 80,14 nicht Selbstüberhebung ist (Haacke, S. 219: »Dünkelhaftigkeit«). Gemeint ist vielleicht, daß die Heiden den Tod der beiden deshalb weniger beklagt hätten, weil Arabel für sie zur Unperson geworden war und Tibalt im Rang unter Arofel stand (in diesem Sinne W.J.Schröder, S. 438, Anm. 11 – vom Kontext her unwahrscheinlich ist die Erklärung von Johnson, S. 143: »there would be no reason to fight, if Arabel and Tibalt were both dead, and the bloody campaign would not have been undertaken, so that people would have less cause to bewail the death of Arabel and Tibalt, than that of Arofel«; und vom mhd. Sprachgebrauch nicht gedeckt ist die

Übersetzung Kartschokes: »der König war damit allzu offen«, die unterstellt, daß es Arofels Äußerung war, die Willehalms Zorn erregte: »denn zornig sprach darauf der Markgraf«).

80,22-24 *ob ⟨. . .⟩ naeme]* Vgl. Komm. zu 36,9.

81,17/28 *balde]* Möglich auch: »ungestüm« mit dem Akzent auf der Heftigkeit der Tat, doch ist wiederholt davon die Rede, daß Willehalm es eilig hatte, nach Orange zu kommen. In Al. heißt es, daß Guillaume »hastig« – 1367a *hastivement* – die fremde Rüstung anlegte: dem scheint 81,28 genau zu entsprechen (wörtlich wohl: »richtete rasch seine Gedanken darauf«).

82,3 *gap kostbaeren schîn]* Möglich auch: »glänzte kostbar«.

83,10f. *des wîbes ⟨. . .⟩ hôhen muot]* Der Gedanke ist aus der Vorstellung vom Tausch der Herzen abgeleitet: das Herz der Frau, das der Mann in seiner Brust trägt, flößt ihm den *hôhen muot* ein. Vgl. Komm. zu 77,11.

83,13 *sal]* Rechtsterminus: »rechtliche übergabe eines gutes« (Lexer II, Sp. 576). Gemeint sein dürfte, daß die Frauen als Spenderinnen des *hôhen muotes* (vgl. Komm. zu 83,10f.) die Männer gewissermaßen in den Besitz der Befähigung zu Ruhmestaten bringen, ihnen diese verleihen. Etwas anders Happ, S. 133: »in ihren händen liegt das eigentumsrecht (an diesen edlen taten; ihnen gebühren daher auch der ruhm und die ehre, die diese taten auf sich ziehen werden)«. Vgl. Martin zu Pz. 494,25.

83,14 *ist ⟨..⟩ zal]* Wörtlich: »ist hoch in Bezug auf das (Berechnungs-)Ergebnis, wenn man sie prüft«.

83,15 *strâze]* Kann auch Singular sein: vgl. 69,30 und 70,11.

83,17 *der]* Wohl auf 83,15 *pfede* und *strâze* zu beziehen: »was von denen in Richtung auf Orange hin lag« (so Paul, Wolfram, S. 557, und Wiessner, Richtungsconstructionen I, S. 460, danach Leitzmann). Anders Lachmann und Schröder, die Punkt nach 83,16 *schar* und Komma nach 83,17 *lac* setzen und damit 83,17 *der* wohl auf 83,16 *schar* beziehen. Das nötigt zur Annahme einer extrem freien Konstruktion: »Doch soviel auch vor Orange lagen, der Markgraf wußte sich mit einer List zu helfen, indem er nämlich in der Sprache der Heiden redete« (Kartschoke).

83,20 *den man dâ sach]* Wohl nicht prägnant gemeint im Sinne von: »sein in die Augen fallender Schild« (Kartschoke) oder: »his shield was obviously heathen« (Passage).

84,4f. *er ⟨. . .⟩ krefte]* Nach 36,11f. ist Tesereiz mit seinen Truppen dem Befehl des Poidjus unterstellt; vgl. auch 347,1ff. – Die Übersetzung faßt das *ze* elativisch auf: *ze vil* im Sinne von »sehr viel« (vgl. Pretzel, S. 254). Anders Johnson S. 149: »There were too many of Tesereiz' men around to allow Poidjus to carry out his intention of killing Giburg. Therefore he was waiting until his own army arrived in full force.« Die Erklärung ist wenig wahrscheinlich, insofern sie so etwas wie eine Meuterei der Poidjus zugeteilten Kontingente des Tesereiz unterstellt.

84,22 *eines sites]* Zu beziehen entweder auf 84,20 *pruoften* (Attraktion für *einen site, des*) oder auf 84,3 *bekanden* (Punkt oder Semikolon nach 84,21, Komma nach 84,27; Konstruktionsmischung). Ich ziehe die erste Lösung vor, weil sie es ermöglicht, die Verse 84,28-30 als geschlossene syntaktische Einheit aufzufassen: damit wird die nach 85,9f. entscheidende Rolle des Indizes hervorgehoben, das in diesen Versen genannt ist. Vgl. Paul, Willehalm, S. 327.

85,8 *swie'z ⟨. . .⟩ stê]* Wörtlich: »wie immer es um diesen Ritter bestellt sein mag«.

85,18 *mit poinder puntestât]* Die Übersetzung kann nur eine Verlegenheitslösung bieten: die Bedeutung des allein im Wh. (außer an der vorliegenden Stelle noch 361,24) belegten Wortes *puntestât* ist völlig unklar. Vgl. Vorderstemann, S. 249f.

85,30 *schône]* Eigentlich: »bedächtig, schicklich«, hier demnach wohl: »nicht mehr fluchtartig ungestüm«, kaum: »recht ordentlich« (Fink/Knorr, S. 50), »tüchtig« (Kartschoke).

86,1 *der ⟨. . .⟩ bî]* Möglich auch: »der ritt ihm am nächsten«. Für die gewählte Übersetzung spricht vielleicht

Pz. 68,26 *den fuor 〈. . .〉 ein tropel bî* »zu denen stieß ein weiteres Trüppchen«.

86,4 *des sper 〈. . .〉 glanz]* Wörtlich: »dessen Lanze war leuchtend, von Farben glänzend«, oder (ohne Komma nach *lieht*): ». . . war leuchtend von glänzenden Farben«, oder (ebenfalls ohne Komma nach *lieht*, *glanz* als Substantiv aufgefaßt): ». . . war leuchtend vom Glanz der Farben«. Gemeint ist wohl, daß der Lanzenschaft bunt bemalt war: vgl. Schultz II, S. 24; Zimmermann zu Pz. 341,8. Anders Kartschoke: »seine bunt bewimpelte Lanze leuchtete«.

86,23 *ze hulden bringen]* *hulde* meint sowohl die Ergebenheit des Dieners (Lehnsmannes) gegenüber dem Herrn als auch die Geneigtheit des Herrn gegenüber dem Diener (Lehnsmann). Wenn Tesereiz Willehalm den Göttern *ze hulden* bringen will, dann heißt das, daß er ihm deren Gunst zu verschaffen gedenkt, indem er ihn zu ihrem treu ergebenen Diener macht.

87,8 *des 〈. . .〉 erkant]* Gemeint ist wohl der Kampf gegen Tesereiz, kaum (wie die Übersetzer annehmen) ein Angriff auf den Heiden, dem Willehalm die Lanze entwinden konnte.

87,16-22 *dâ 〈. . .〉 gewinne]* Der Kampf wird allegorisch als Aufeinandertreffen gleichgerichteter bzw. identischer Tugenden vorgestellt, wobei Wolfram es offenbar vermieden hat, eine genaue Zuordnung der einzelnen Tugenden zu Willehalm einerseits, Tesereiz andererseits vorzunehmen. Die Liebe ist Siegerin und Verliererin zugleich, weil beide Kämpfer, der Sieger wie der Verlierer, in ihrem Dienst stehen (vgl. 88,11-14). Vgl. Happ, S. 155ff.; Übersetzung in Anlehnung an Mohr, Willehalm, S. 278f. – *schanze*, aus frz. *cheance*, ist Terminus der Spielersprache: »Fall des Würfels«, speziell »Glückswurf, bei dem die volle Augenzahl erzielt wird«. Vgl. Martin zu Pz. 2,13-16; Vorderstemann, S. 280f.

87,29 *des]* In der Übersetzung bezogen auf *prîs*: »mit dem«, »von dem«; möglich auch Beziehung auf den ganzen Satz: »wodurch«.

88,2-11 *daz velt 〈. . .〉 ende nam]* Die grotesk anmutende Vorstellung erinnert an das Geruchswunder bei Vivianz'

Tod (vgl. Komm. zu 69,14). Das Sprechen im Konjunktiv hier macht indes deutlich, daß beim Tod des Heiden Tesereiz ein solches Wunder gerade nicht geschehen ist. Das wird in der Diskussion über die Stelle gewöhnlich nicht beachtet. Vgl. Happ, S. 158ff.

88,27 *mit wînreben hôch]* »Bäume als Spalier für Weinreben sind noch heute in Südeuropa üblich« (W.J. Schröder, S. 441, Anm. 18). Vgl. auch Bernhardt, S. 57; Singer, Willehalm S. 33.

88,28 *in der dicke]* Möglich auch: »in deren (der Weinreben) Gestrüpp«.

89,5 *wer]* »Brustwehr«, »Wehrgang«: Verteidigungsanlage in Form eines offenen oder gedeckten Ganges auf der Mauer. Vgl. Schultz I, S. 26; Glossarium Artis, S. 121ff.

89,12f. *si ⟨. . .⟩ sîn]* Der Schild zeigte ein Wappen, das Giburg, der ehemaligen Heidenkönigin, bekannt sein mußte: vgl. 232,6ff. mit Komm.

90,20f. *ir ⟨. . .⟩ lîdet]* Wörtlich: »schämtet ihr euch vieler Geiseln, wie euer Volk dort leidet«. Die Formulierung ist verkürzt durch Auslassung des Zwischengedankens, daß den Christen aus ihrer Gefangenschaft Not erwächst: auf diese Not ist der formal von *pfant* abhängige Gliedsatz 90,21 sinngemäß zu beziehen. Vgl. Bötticher, S. 301.

90,25 *ûf geworfen ûz der hant]* Vgl. Pz. 706,10ff.: *diu swert ûf hôhe ûz der hant | wurfen dicke die recken | si wandelten die ecken*, dazu Marti: »Sie schwangen die Schwerter aus der Hand und wendeten die Schneiden; d. h. sie warfen sie mit drehender Bewegung in die Luft, um sie mit gewendeter Schneide wieder anzufangen, was offenbar ein Kunstgriff war«. Diese Kampftechnik dürfte auch hier und 430,28 gemeint sein. Anders Schmidt, S. 287f., und Bode, S. 155f.

91,2 *in manegen wîs]* Wörtlich: »in mannigfacher Weise«, »vielfältig«.

91,5 *wâpen]* Das Wort kann die gesamte Rüstung oder einzelne Rüstungsstücke des Ritters, aber auch dessen Wappen bezeichnen (vgl. zur Bedeutungsentwicklung DWb XIII, Sp. 1937). Wolfram gebraucht es im einen wie im anderen Sinn. Hier wird (wie 105,23) die den Heiden wohlbekannte Ausrüstung Arofels gemeint sein, zu der freilich auch ein wappengeschmückter Schild gehörte (vgl. Komm. zu 89,12f.). Formal kann *wâpen* sowohl Genitiv Singular (mit Ersparung der Endung: vgl. Behaghel I, S. 166) als auch Genitiv Plural sein; die Parallele 105,23 spricht für die zweite Möglichkeit.

91,15 *er ⟨. . .⟩ trîben*] Die Objekte: Treiber und Tiere sind zu ergänzen. Vgl. BMZ I, Sp. 169a; III, Sp. 86b.

91,26 *daz ⟨. . .⟩ schante*] Daß der Erzähler betont, die Verstümmelung von Willehalms Nase (vgl. Komm. zu 11,25 und zu den folgenden Versen) sei nicht ehrenrührig gewesen, könnte sich aus mittelalterlicher Rechtspraxis erklären: »Das Abschneiden von Nasen und Ohren war eine Kriminalstrafe für gemeine Verbrechen. In den französischen Chansons wird gesagt, daß die Pairs Karls d. G. ihm die verkürzte Nase als Schande angerechnet hätten, während sie freilich nicht wußten, bei welcher Gelegenheit er die Verletzung empfangen hat« (San Marte II, S. 81 Anm. 1; vgl. auch San Marte, Rittergedicht, S. 63).

91,27-92,3 *dô ⟨. . .⟩ sehen*] Was Wolfram hier über die Kämpfe in Rom mitteilt, bei denen Willehalm einen Teil seiner Nase einbüßte, weicht von den Angaben in den Chansons de geste ab. Möglicherweise hat er auf den Bericht der Kaiserchronik über Karls des Großen Eingreifen gegen die Römer zugunsten Papst Leos III. im Jahre 800 zurückgegriffen. Vgl. Bernhardt, S. 55; Nassau Noordewier, S. 17ff.; Singer, S. 38.

91,28 *lampriure*] Entstellt aus afrz. *l'empereor* (nfrz. *l'empereur*) »der Kaiser« (Artikel fälschlich als Teil des Wortes behandelt). Vgl. Vorderstemann, S. 173ff.

92,10 *daz ⟨. . .⟩ verderben*] Wörtlich: »das lasse ich nicht scheitern«. Vgl. Zimmermann zu Pz. 345,16.

92,12 *goufe*] Aus afrz. *coife* »Haube«: kapuzenartiger Kopfschutz, der unter dem Helm getragen wurde. Vgl. Siebel, S. 94ff.; Vorderstemann, S. 95ff.; Komm. zu 127,27.

92,22-24 *klagete. dô ⟨. . .⟩ gap, der*] Möglich auch Komma

nach 92,22 *klagete*, Punkt nach 92,24 *gap*. So Leitzmann nach Vorschlag von Paul, Wolfram, S. 557f.

93,2f. *ob* ⟨. . .⟩ *Alischanz*] Möglich auch Fragezeichen statt Komma nach *Alischanz* (so die Herausgeber).

93,14 *dîn geslehte ûz Komarzî*] Wer diese Verwandten Willehalms sein sollen, ist unklar. Komarzi (Commercy an der Maas) ist die Stadt von Willehalms Bruder Buove. Nach Schröder, S. 625, ist dieser gemeint, doch war er an der ersten Schlacht auf Alischanz gar nicht beteiligt: Willehalm wird ihn später auf dem Hoftag zu Laon treffen (146,14ff.). Bernhardt, S. 45, denkt an Sanson und Jozeranz (deren Nennung 93,15 dann appositiv wäre: Komma nach *Jozeranz*), doch ist Sanson nach 25,10f. ein Bruder Witscharts (und damit nach 93,13 auch Gerharts) von Blaye (vgl. aber zu 25,11).

94,10-16 *sîn helfe* ⟨. . .⟩ *hât*] Undurchsichtige Konstruktion: der Block der geographischen Angaben 94,11-15 kann sowohl auf 94,10 als auch auf 94,16 bezogen werden. – Es scheint, als vollführe Giburg in Gedanken eine Bewegung längs der West-Ost-Achse: von Orient (dessen genaue Situierung unklar ist) in den äußersten Osten der Welt nach Bozzidant und Orkeise (dabei die wohl südlich der Verbindungslinie Orient / Bozzidant gelegenen indischen Länder streifend) und von Orkeise zurück in den Westen nach Marrakesch / Marokko (dabei den wohl nördlich der Verbindungslinie Orkeise / Marroch gelegenen Bereich Griffanje [Griechenland?] / Rankulat [in Armenien] streifend): vgl. Heinzle, Frabel. – An wieviele und welche »indischen Länder« gedacht ist, kann man nicht sagen: »die meisten« antiken und mittelalterlichen »Autoren sprechen von zwei oder gar drei Indien (Indien diesseits und jenseits des Ganges, außerdem noch India major usw.)« (Kunitzsch, Orient, S. 80). Vgl. auch Komm. zu 8,8f.

94,20 *zingelen*] *zingel* bezeichnet »meist die stärkste, eine Burg oder Stadt umschließende Wehrmauer« (Glossarium Artis, S. 125; vgl. Schultz I, S. 23); hier könnte im weiteren Sinne die Verschanzungsanlage vor dem Tor gemeint sein (vgl. DWb XV, Sp. 1390f.; Zimmermann zu Pz. 376,11).

94,23 *vermezzen]* Hier wohl positiv hervorhebend, ohne den negativen Sinn von nhd. »vermessen«. Vgl. Martin zu Pz. 32,10.

94,27 *gedinge]* Wörtlich: »Gedanke, Hoffnung, Zuversicht«. Anders Martin zu Pz. 410,9, der von dem gleichlautenden *gedinge* »Vertrag, Übereinkunft, Bedingung« ausgeht: »das Mindeste, was sie fordern, ist unser Leben«.

95,2 *geste]* Mhd. *gast* bezeichnet allgemein den »Fremden«, den unwillkommenen (»Feind«) ebenso wie den willkommenen (»Gast«). Im Blick auf 110,1ff. unterstellt die Übersetzung, daß Giburgs Ausdrucksweise ironisch gemeint ist.

95,6f. *er was* 〈...〉 *vienc]* Wörtlich: »er verhielt sich so angemessen, daß er sie nahe an sich heranzog«.

95,18f. *manec vürste* 〈...〉 *lant]* *manec vürste* ist Apposition zu 95,16 *süezen trôst* (mit Kasusinkongruenz); das an *ich* angelehnte Pronomen *(e)s* (Genitiv) nimmt das Verbum im folgenden Vers vorweg; dessen Überlieferungsform *riten* kann – wie in Text und Übersetzung geschehen – als Infinitiv (*rîten*) aufgefaßt werden, aber auch als Konjunktiv Präteriti (*riten*): »viele Fürsten, die ich noch niemals darum gebeten habe, würden (wenn ich sie darum bäte) mir zur Hilfe in dieses Land reiten« (Gärtner, Numerusinkongruenz, S. 44f.). Vgl. auch Paul, Willehalm, S. 327f.; Paul, Wolfram, S. 558; Schröder, Kritik, S. 24.

95,23 *roemisch künec]* Das Frankenreich und in seiner Nachfolge das Deutsche Reich wurde seit Karls des Großen Kaiserkrönung in Rom im Jahre 800 als Nachfolgeinstitution des Römischen Reiches verstanden. Daher heißt es auch *roemischez rîche* (165,15. 207,12); heißt sein König *roemischer künec*, *roemischer vogt* (210,1 u. ö.) oder auch einfach *Rômaere* »Römer« (357,21), seine Königin *roemischiu küneginne* (143,21 u. ö.); sind seine Fürsten *roemische vürsten* (156,10 u. ö.); und ist überhaupt von Reichsangelegenheiten als »römischen« die Rede. Der hier gemeinte König, im Wh. *Lâwis* bzw. *Lôis* (frz. *Louis*) genannt, ist Ludwig der Fromme, der Sohn Karls des Großen (vgl. S. 796). Auffällig ist, daß im Wh. der Kaisertitel nur Karl beigelegt wird (*roemescher keiser*: 180,28

u. ö.), niemals aber Lâwis / Lôis, obwohl der *roi Loeis* in Al. auch als *Loeis l'enpereor* (555) erscheint: vgl. Hellmann, S. 206ff.; Lofmark, S. 192f.; Knapp, Rez. Lofmark, S. 188.

95,29 *wîpheit]* Wörtlich: »weibliche Wesensart«, und zwar in positiv hervorhebendem Sinne: Inbegriff dessen, was die Vollkommenheit des weiblichen Geschlechts ausmacht.

96,1 *od]* »oder«, hier soviel wie »beziehungsweise«. Vgl. DWb VII, Sp. 1152.

96,4 *dîn minne]* Genitivus objectivus: »die Liebe zu dir«.

96,9 *vogt von Baldac] vogt* »Vogt« bezeichnet den Schutzherrn in rechtlicher und militärischer Hinsicht, dann den Inhaber von Herrschaftsgewalt überhaupt, den Herrn, den Gewalthaber (vgl. DWb XII/2, Sp. 437ff.). So ist der christliche Kaiser *roemischer vogt* (210,1 u. ö.): »(Schutz-)Herr Roms«, des römischen Reiches (vgl. Komm. zu 95,23) und damit der römischen Kirche bzw. ihres in Rom residierenden Oberhaupts (vgl. Richter, S. 206f.; Werner Goez, *Imperator advocatus Romanae ecclesiae*, in: *Aus Kirche und Reich. Festschrift für Friedrich Kempf*, hg. von Hubert Mordek, Sigmaringen 1983, S. 315-328). Entsprechend ist Terramer, der »Kaiser der Heiden« (*admirât*, vgl. Komm. zu 432,16), (Schutz-)Herr *Baldacs* »Bagdads«, des »Roms der Heiden«, wo deren geistliches Oberhaupt, der *bâruc* (vgl. Komm. zu 45,16f.), residiert. Die Struktur des heidnischen Imperiums ist also analog der des christlichen gedacht. Vgl. Bumke, Willehalm, S.76, 133f.

96,11f. *swaz* 〈...〉 *tohte]* Gemeint ist wohl: wer in der ersten Schlacht nicht kampfuntüchtig geworden war.

96,13 *beidiu* 〈...〉 *vuoz]* Kann auch auf 96,11 bezogen werden (Komma nach *vuoz* statt nach 96,12 *tohte*): »wer zu Fuß gehen oder reiten konnte«.

97,2 *si* 〈...〉 *verzinsen]* Wörtlich: »sie wollten Zins zahlen für ihr Leben«, d. h. wohl: sie wollten ihr Leben nicht (von den die Stadt verteidigenden Männern) geschenkt haben, wollten auch ihren Beitrag zur Verteidigung leisten.

97,6 *verschehete]* Wörtlich: »zum Stillstand gekommen war«. Vgl. Kraus, Willehalm, S. 548.

97,21 *ander sîten]* Entspricht offenbar Al. 1776a *d'autre part*. Während es in Al. aber nur heißt, daß Tiebauz (Tibalt) und Desramez (Terramer) *devant la porte* (1775), »vor dem Tor«, und die übrigen Könige *d'autre part*, »anderseits«, lagerten, beschreibt Wolfram die Wallanlage von Orange als Fünfeck, und es bleibt unklar, welche Seite mit *ander sîten* gemeint ist: die dem Lager von Terramer und Tibalt hinter der Stadt gegenüberliegende Seite oder eine der beiden Nachbarseiten? Vgl. Singer, S. 40; Marly I, S. 168f.

97,23 *loischierte]* Aus afrz. *logier* »sich lagern, herbergen«. Vgl. Vorderstemann, S. 182ff.

98,16f. *der lac ⟨. . .⟩ sîn vater]* Wörtlich: »der lagerte dementsprechend, daß Matusales sein Vater (war)«. Text (Interpunktion) und Übersetzung gehen davon aus, daß das Verbum *was* (»war«) des *daz*-Satzes zu ergänzen ist (vgl. Titurel-Kommentar, S. 41). Möglich aber auch, daß ein Satzbruch vorliegt: der *daz*-Satz formal abgebrochen ist und die sinngemäße Fortsetzung in dem neuen Satz 98,20ff. steckt (gedanklicher Zusammenhang also: ». . .dementsprechend, daß Metusales', seines Vaters, Unterstützung . . .« – vgl. Bötticher, S. 294).

98,18f. *die ⟨. . .⟩ sât]* Wörtlich: »er jätete die Edlen aus den Schlechten wie die Distel aus der Saat«. Die Übersetzung rückt das seltsam verdrehte Bild zurecht. Hinter diesem könnte das biblische Gleichnis vom Unkraut und vom Weizen stehen, Matthäus 13,24ff. (vgl. Singer, S. 41).

98,22 *über mer]* Möglich auch: »übers Meer«.

98,25-28 *drîzec künege ⟨. . .⟩ die swuoren]* 98,28 *die* ist nicht, wie der Kontext zunächst nahelegt, auf die dem Josweiz unterstellten Könige und Fürsten zu beziehen, sondern auf alle Führer der Belagerungstruppen. Der Zusammenhang wäre klarer, wenn man 98,25 das nur in GWWoE überlieferte *im* streichen dürfte: dann wären bereits mit den 98,25-27 genannten Königen und Fürsten zusammenfassend alle Führer der Belagerungstruppen gemeint (»dreißig Könige waren beordert worden . . .« – so Bumke, Willehalm, S. 133, Anm. 103). Dies stimmte auch zu Al. 1783f.: *.xxx. rois furent*

... | *Jusqu'a un an ont le siege jurez* (»dreißig Könige waren es ..., für ein Jahr haben sie die Belagerung geschworen«). Dagegen wendet Happ, S. 179f., ein, daß zum Heidenheer weit mehr als dreißig Könige gehörten.

99,3 *güzze*] formal möglich auch Vorvergangenheit: »geschüttet hätte«. Doch dürfte nach 106,1ff. an fortdauernden Zustrom von Truppen zu denken sein.

99,8 *durh* ⟨...⟩ *klagen*] Wörtlich: »um seiner Bequemlichkeit und um ihres Klagens willen«.

99,11-14 *dô* ⟨...⟩ *nôt*] Die Gliedsatzfolge kann auch auf den Hauptsatz 99,15ff. bezogen werden (Punkt nach 99,10 *man*, Komma nach 99,14 *nôt* – so Leitzmann).

99,14 *und* ⟨...⟩ *nôt*] Wörtlich: »und die Not behoben war«.

99,15 *kemenâten*] Die *kemenâte* ist im ursprünglichen Wortsinn ein »Raum mit ›Kamin‹«, d. h. »mit Feuerstelle« (mlat. *caminata*), also ein beheizbarer Raum. Kemenaten waren in den Burgen vor allem die Wohn- bzw. Schlafräume der Herrenfamilie. Vgl. Schultz I, S. 101ff.

99,18 *diu wîse*] Die Kennzeichnung Giburgs als *wîse* (»weise«, »erfahren«) kann sich auch auf ihre im folgenden geschilderten Heilkünste beziehen (so Trier, Wortschatz, S. 275). Vgl. jedoch 60,9, wo mit *wîse* ausdrücklich auf ihre Kennerschaft in Sachen ritterlicher Ausrüstung abgehoben ist.

99,23-26 *gelâsûrten dictam* ⟨...⟩ *guot*] Die Bestandteile der von Giburg verwendeten Tinktur, die sie offenbar mit bloßer Hand auf die Wunden gestrichen hat, sind: die Heilpflanze Diptam (lat. *dictamnus*), geriebener Lasurstein, Weinessig, und – wahrscheinlich (s. u.) – Bohnenblüten. Daß Diptam sich eignet, Eisen – also etwa Pfeil- und Speerspitzen – aus dem Körper zu treiben, ist Gemeingut der antik-mittelalterlichen Wundmedizin. Lasurstein und Bohnenblüten »richten ... sich gegen das Gift der ... Schußwunde«, und der Essig, der »schwach ausgeprägte feucht-kalte Primärqualität« hat, ist »wohl zum Ausgleich des als heiß eingestuften Pfeilgifts zum Einsatz gekommen« (Gundolf Keil, brieflich). Vgl.

auch Schade II, S. 1388; Frings / Schieb zu Eneide 11900; Kolb, Etymologien, S. 121ff. und 135, Anm. 55; Hepp, S. 203; Vorderstemann, S. 72ff. – Die Konstruktion von 99,25f. ist problematisch. Ich fasse 99,25 als Objektsatz auf (»wie die Bohnen in Blüte stehen« = »Bohnenblüten«). Paul, Willehalm, S. 328, erklärt das für »nicht erlaubt« und schlägt vor, 99,25 als von 99,26 abhängigen Konditionalsatz zu verstehen (Komma nach *gebluot*, so Leitzmann): »wenn die bohnen blühen, so sind die blumen [!] auch gut dazu«; dagegen spricht das *und* in 99,25, das darauf hindeutet, daß die folgende Angabe: *sô* ⟨. . .⟩ *gebluot* in die Aufzählung der Ingredienzien gehört; im übrigen wäre bei dieser Auffassung – entgegen Pauls Meinung – wohl anzunehmen, daß Giburg gerade keine Bohnenblüten verwendet hat.

99,29f. *daz Anfortas* ⟨. . .⟩ *genas*] Anfortas ist der Gralkönig im Pz. Er leidet an einer gräßlichen Wunde und wird von den Gralrittern dadurch am Leben gehalten, daß sie ihn dem lebensspendenden Anblick des Grals aussetzen, bis er durch die Erlösungsfrage Parzivals geheilt wird. *genas* kann sich auf die Lebenserhaltung (»blieb am Leben«) ebenso wie auf die Erlösung (»wurde geheilt« – vgl. 283,30) beziehen, kaum aber auf die vergeblichen Versuche der Gralritter, die Wunde medizinisch zu behandeln (vgl. besonders Pz. 480,25ff.): der Vergleich hebt auf die fürsorgliche Liebe ab, die dem Kranken entgegengebracht wurde, nicht auf die Behandlungsart.

100,5 *vrîheit*] Hier wohl im Sinne von: »Privileg«, »(Vor-)Recht«. Vgl. DRWb III, Sp. 756ff.

100,10 *palmât*] »weiche Seidenart und Stoff daraus bes. zu Matratzen und Bettdecken gebraucht« (Martin zu Pz. 552,17). Vgl. Vorderstemann, S. 210f.

100,11-13 *al senfte* ⟨. . .⟩ *linde*] 100,12 kann auch auf 100,11 zurückbezogen werden (Komma nach 100,12 *genselîn* statt nach 100,11 *künegîn* – Happ, S. 189ff., will Komma nach *genselîn* u n d *künegîn* setzen und *senfte* statt auf Giburgs Leib [»weich«] auf ihren Charakter [»sanftmütig«] beziehen: das ist theoretisch möglich, aber weder von der Syntax noch vom Sinnzusammenhang her wahrscheinlich).

100,14f. *mit ⟨. . .⟩ bezalt]* Wörtlich wohl: »mit Terramers Kind war da leicht Kurzweil zu erwerben«. Anders Bumke, Willehalm, S. 179, und Schumacher, S. 104, die *bezaln* im Sinne von »bezahlen« verstehen und annehmen, es sei darauf abgehoben, daß Willehalm und Giburg »durch die Liebesvereinigung ... den Tod ihrer Verwandten« bezahlten (Bumke) bzw. das »erlebte Liebesglück« für sie »einen entschädigenden Ausgleich für das mit jeder Liebe zwangsläufig verbundene Leid« darstelle (Schumacher). Diese – aus der zweiten Liebesszene, 279,6ff., abgeleitete – Deutung ist mit der Formulierung (das *schimpfen* wird *bezalt*) kaum in Einklang zu bringen. – Möglicherweise schwingt bei *schimpfen* – dessen euphemistischer Gebrauch üblich ist (vgl. DWb IX, Sp. 167) – hier die Assoziation an »Kampfspiel«, »Turnier« mit, im Gegensatz zum ernsten Kampf, auf den Terramer und Tibalt aus sind.

100,16f. *swie ⟨. . .⟩ waere]* Happ, S. 193ff., will den Konzessivsatz auch auf 100,18f. beziehen (Komma statt Punkt nach 100,17 *waere*), doch wird dann der Zusammenhang schief: ob Willehalm die einmal erhaltenen Wunden spürt oder nicht, hängt nicht von der Bedrohlichkeit der Lage bzw. vom Gemütszustand der Gegner ab.

100,20-25 *dar nâch ⟨. . .⟩ leite]* Möglich auch: 100,21-23 in Parenthese, 100,24f. *daz . . . leite* Objektsatz zu 100,20 *pflac* (kein Komma danach, dafür Komma nach der Parenthese). So Lachmann in seinem Handexemplar (s. Ganz, S. 28). – Weniger wahrscheinlich ist die – lexikalisch mögliche – Auffassung von *dar nâch* als »dementsprechend«: Doppelpunkt statt Punkt nach 100,19 *slac*, Punkt statt Komma nach 100,20 *pflac*: »so (nämlich: daß er die Wunden vergaß) tat da die Königin mit ihm« (vgl. Schäufele, S. 87). Bei dieser Lösung ist der Übergang zu 100,21 zu abrupt.

100,28-30 *ich ⟨. . .⟩ list]* Möglich auch Komma nach 100,29 *bist* bzw. nach *dû* und *bist*: »ich glaube, Altissimus, daß du Gott bist, der Höchste, treu . . .« bzw. ». . . daß du, Gott, der Höchste bist, treu . . .«. Aus dem Mund der ehemaligen Heidin wäre ein solches Bekenntnis durchaus sinnvoll, doch müßte man dann, strenggenommen, annehmen, daß sie den Sinn des lateinischen *altissimus*, das eben »der Höchste« heißt, nicht verstanden hat – sonst wäre die Aussage tautologisch: »ich glaube, Höchster, daß du der Höchste bist«. Übersetzende bzw. paraphrasierende Wiederholung eines lateinischen (oder altfranzösischen) Ausdrucks, wie sie unsere Fassung annimmt, ist ein traditionelles, auch von Wolfram wiederholt eingesetztes Stilmittel (im Wh. noch 163,16f.). Vgl. Titurel-Kommentar S. 99; Happ, S. 196f. – Die Gottesbezeichnung *Altissimus* ist biblisch und liturgisch. Vgl. Ochs, S. 11; dazu Freytag, S. 150.

101,2 *tugenthafter bermede]* Wörtlich: »taugliches, wirksames Erbarmen«.

101,15 *und 〈. . .〉 undertân]* Unvollständige, unklare Konstruktion. Die Übersetzung unterstellt, daß der mhd. Text so zu ergänzen wäre: *und (ich an den,) die . . .*

101,22-26 *zwô und sibenzec 〈. . .〉 mêre]* Wörtlich: »zweiundsiebzig Sprachen, die man allen Völkern beilegt, könnten meinen schmerzlichen Verlust nicht ganz und gar aussprechen, ich hätte immer noch mehr an Verlust«. Vgl. Komm. zu 73,7 sowie Happ, S. 199ff.

101,25 *mîne 〈. . .〉 sêre]* Akkusativ Singular oder Plural des starken Femininums *sêre* oder Akkusativ Plural des starken Maskulinums *sêr.*

101,27 *bêâs amîs]* Afrz. »schöner« bzw. »lieber Freund«. Vgl. Titurel-Kommentar, S. 99; Vorderstemann, S. 58f.

101,30 *wie 〈. . .〉 betagen]* Wörtlich: »wie konnte der Tod an dir zur Erscheinung kommen?«.

102,10 *der]* In der Übersetzung als Nominativ Singular, bezogen auf 102,11 *vriunt*, aufgefaßt. Möglich auch Genitiv Plural, bezogen auf 102,7 *vriunde* (keine Interpunktion nach 102,10: so die Herausgeber): »daß mein . . . Geliebter sie nun . . . entbehren muß« (Kartschoke).

102,12f. *prîses 〈. . .〉 triuwe]* *triuwe* steht appositiv zu *prîses*: Giburgs Ruhm – das, was ihren Wert und damit ihr Ansehen in der Gesellschaft ausmacht – besteht in ihrer edlen Gefolgschaft. Vgl. Schröder, Kritik, S. 24.

102,15 *kint]* Könnte auch Singular: »Kind« sein, doch hatte Giburg mehrere Kinder mit Tibalt (s. etwa 310,11). Namentlich erwähnt wird im Wh. nur der Sohn Ehmereiz.

102,16f. *stiez von mir]* Wörtlich: »von mir wegstieß«.

102,21 *herzen ursprinc]* Vgl. Komm. zu 69,24-28.

102,30 *erlôst]* Was das heißen soll, ist nicht ganz klar. Will Willehalm sagen, daß Giburg von ihrem Leid erlöst (vgl. 92,30) oder daß sie aus der Belagerung befreit (vgl. 104,20; 105,5) werden wird?

103,13 *von Rôme]* Vgl. Komm. zu 95,23.

103,21 *noch]* Adversativ: »wenn sie desungeachtet (nämlich: ungeachtet meiner Verteidungsbemühungen) überlegen sein sollten« (vgl. DWb VII, Sp. 871) oder steigernd: »wenn ihre Kriegsmacht noch größer sein sollte (als es jetzt den Anschein hat)«.

103,24 *pitit mangeiz]* Aus afrz. *petit mangier*: »kleine Mahlzeit«, »Imbiß«. Vgl. Vorderstemann, S. 227f.

103,28 *mit ⟨. . .⟩ sîn]* Kann auch zu 103,29 gezogen werden (Punkt nach 103,27 *drîn*, keine Interpunktion 103,28 *sîn* – so die Herausgeber).

104,14 *der wer ⟨. . .⟩ gebiten]* Wörtlich: »in Bezug auf deren (nämlich: der Liebe) Gewährung würde auf mich gewartet«. Dem Wortlaut nach könnte auch Willehalm Subjekt des Gewährens sein: »so würdest du die minne doch nur mir (keiner andern) gewähren« (Kraus, Willehalm, S. 548; vgl. auch Schröder, Kritik, S. 12). Für die von uns gewählte Lösung – Giburg Subjekt des Gewährens – spricht die Korrespondenz von *bereit* (104,8) bzw. *bieten* (104,16) und *wer*: mögen immer die Französinnen ihre Liebe anbieten, daß sie von ihnen auch gewährt wird, soll Willehalm nicht zulassen.

104,26f. *dennoch ⟨. . .⟩ jach]* Wörtlich: »damals war ich noch so anzusehen, daß man mir Schönheit zugestand«.

105,3 *sîn ⟨. . .⟩ twunge]* Wörtlich: »sein Herz immer quälte«.

105,6 *mit manlîchem trôste]* Wohl auf die zu werbenden Helfer zu beziehen (vgl. 95,16), kaum auf Willehalm selbst (Schröder, Alterswerk, S. 211: »mit tapferer Hand«).

105,8-11 *daz ⟨...⟩ brôt]* Wörtlich: »daß er weder um Liebe noch um Hasses willen niemals etwas verzehren werde an Speise, die ihn am Leben halten sollte, außer Wasser und Brot«.

105,12 *bekanten]* Vgl. Komm. zu 71,12f.

105,18 *diu porte sanfte ûf getân]* Das Prädikat *wart* ist aus 105,17 zu ergänzen; die logische zeitliche Abfolge (zuerst wird das Tor geöffnet, dann wird der Markgraf hinausgelassen) ist umgestellt, vielleicht um die Trauer des Abschieds zu betonen (Stilfigur des hysteron proteron; vgl. Happ, S. 186, und Decke-Cornill zu 115,8-10). Oder sollte eine absolute Partizipialkonstruktion vorliegen (vgl. PMS, S. 381)?

105,25 *her und dâ]* Zu erwarten wäre: *her und dar*, »hierher und dort(hin)«, »herüber und hinüber«. Vgl. Komm. zu 8,10.

106,4-6 *manec ⟨...⟩ pflegen]* Kann (mit Leitzmann und Schröder) auch als selbständiger Satz aufgefaßt werden (Punkt nach 106,3 *dar*, Komma nach 106,6 *tôt*). Doch ist die Aussage dann einigermaßen trivial (eine *siuftebaeriu schar* muß *jâmers pflegen*), während man bei der von uns gewählten Lösung annehmen kann, die Verspätung der Trauernden (sie kommen *dennoch* an – d. h. nachdem der Aufmarsch eigentlich schon beendet war) habe ihren Grund darin, daß sie aufgehalten wurden, weil sie ihre Gefallenen suchen und bestatten mußten. In diesem Sinne vielleicht auch Lachmann, der Strichpunkt nach 106,3 *dar* und Doppelpunkt nach 106,6 *tôt* setzt.

106,12-15 *waere ⟨...⟩ werden]* Nach der von uns (mit Leitzmann und Schröder nach Paul, Willehalm, S. 323, und Panzer, Willehalm, S. 232) gewählten Interpunktion sind unter den *hôch rîchen werden* wohl die Heiden zu verstehen. Heiden u n d Christen könnten hingegen gemeint sein, wenn man Doppelpunkt nach 106,12 *waere*, Punkt nach 106,13 *gesehen* und Ausrufezeichen nach 106,15 *werden* setzt: »Was war den Mächtigen und Edlen Unerhörtes widerfahren!« Alle Edlen, die jemals lebten, schließlich wären gemeint bei der – von Kraus gegen Paul und Panzer verteidigten, aber eher unwahrscheinlichen – Lösung Lachmanns:

Doppelpunkt nach 106,12 *waere*, Punkt nach 106,13 *gesehen*, Komma nach 106, 15 *werden*: »›wie viel wunderbares (schreckliches) auf erden tapferen, edeln leuten auch schon zugestossen war, ein so verlustbringender kampf wurde da doch nie, seit die welt steht, gefochten‹« (Kraus, Willehalm, S. 549). Bei den ersten beiden Lösungen wäre statt 106,14 *swaz*, das nur in G und in Fragment 51 überliefert ist, mit den übrigen Handschriften und Leitzmann wohl besser *waz* zu lesen, doch kann man nicht ohne weiteres sagen, daß die G-Lesung unmöglich ist. Vgl. auch Schröder, Kritik, S. 15 (mit falscher Angabe über Fragment 51!).

106,21 *wart beklagt]* Komma nach *beklagt* mit Leitzmann gegen Lachmann und Schröder, die kein Zeichen setzen, *wart beklagt* mithin als koinon in einer Konstruktion apo koinou auffassen. Vgl. Gärtner, apo koinou, S. 250f.

107,3 *drîer und zweinzec künege]* Wie Wolfram auf diese Zahl, die auch 255,29 und 464,16 genannt wird, gekommen ist, ist nicht ganz klar. Vgl. Singer, S. 45; Schröder, Heidenkönige, S. 148f. und 154; Passage, S. 276ff.

107,12 *des]* Ich fasse *des* als Einleitung eines Relativsatzes mit konsekutiver Bedeutung auf: vgl. Behaghel III, S. 772f. Lachmanns Ansatz *dês* = *daz es* bleibt hier wie sonst fragwürdig.

107,12 *lîhte]* Möglich auch: »mit Sicherheit, gewiß«. Vgl. Schmidt zu 417,23.

107,22f. *durh ⟨. . .⟩ rach]* Wörtlich: »um der Rache willen, (die darin bestand,) daß ich den Abfall vom Glauben rächte«.

108,3 *mit drîen nageln]* Ein Nagel durch die übereinander gelegten Füße und je ein Nagel durch die Hände: »Dreinagelcrucifixus« im Unterschied zum »Viernagelcrucifixus«, bei dem auch die Füße von je einem Nagel durchbohrt sind. Vgl. Happ, S. 226ff.; Kartschoke, Signum Tau, S. 260ff.

108,4 *mîn ⟨. . .⟩ entwerh]* Wörtlich: »mein Glaube stünde quer«. Vgl. Martin zu Pz. 417,30.

108,5-7 *starp ⟨. . .⟩ waeren]* Der in der Übersetzung zugunsten des Indikativs nivellierte (mithin nicht als bedeutungsdifferenzierend aufgefaßte) Wechsel von Indikativ:

starp, erwarp und Konjunktiv: *waeren* ist ungewöhnlich. Vgl. Decke-Cornill, S. 22.

108,12-15 *des engalt ⟨...⟩ wart]* Baligan (Paligan), der Bruder von Terramers Vater Kanabeus, ist im Rolandslied der oberste Heidenherrscher; Karl der Große bereitet seinem Heer eine vernichtende Niederlage und tötet ihn eigenhändig im Zweikampf. »Durch die Beziehung der Heiden auf Baligan, der Christen auf Karl hat Wolfram den Willehalm zu einer Art Fortsetzung des Rolandslieds gemacht« (Bumke, Willehalm, S. 134). Vgl. auch Decke-Cornill, S. 23.

108,17 *kreftiger und wîter brâht]* Wörtlich wohl: »stärker und aus ferneren Ländern hergeführt« (vgl. 34,28 und vor allem 37,1), kaum »als stärkeres und umfangreicheres hergeführt« im Sinne von »stärker und größer« (Kartschoke).

108,25 *dicke]* Wörtlich: »oft«. Gemeint ist wohl, daß sie ungeduldig immer wieder darauf drängten, daß die Heeresführung den Befehl zum Sturm der Stadt gab.

108,29-109,2 *pflâgen ⟨...⟩ schaden]* Möglich auch Punkt nach 108,29 *pflâgen*, Komma nach 108,30 *lâgen* (Leitzmann), doch wird dadurch die Korrespondenz der Ortsbestimmungen: *dort inne / die ûzern* zerrissen. Vgl. Decke-Cornill, S. 27.

109,4 *bon âventiure]* Afrz. *bon aventure* »gutes Geschick«. Vgl. Vorderstemann, S. 65f.

109,5 *Gîburge saelekeit]* Wörtlich: »Giburgs Glück« bzw. »Heil«. Gemeint sein wird, daß die göttliche Gnade, die auf Giburg ruhte, Willehalm zum Zwecke ihrer Rettung beschützt hat. Zu anderen Erklärungsversuchen vgl. Decke-Cornill, S. 28.

109,6-14 *beide ⟨...⟩ nern]* Herztauschmetapher: vgl. Komm. zu 77,11; speziell zur vorliegenden Stelle Steinhoff, S. 35f.

109,15f. *nû ⟨...⟩ lân]* Übersetzung nach Nellmann, S. 119f., Anm. 172.

109,20 *drab]* Unklar. Die Übersetzung orientiert sich an der Bedeutung »infolge davon«: vgl. DWb II, Sp. 751f. Etwas anders Decke-Cornill, S. 31 (ohne Belege): »kausaldemonstr. Adverbialverbindung ›(da)durch‹«.

109,22-29 *er bôt ⟨. . .⟩ ast]* »Die Aufzählung« der Todesarten »entspringt nicht Terramers abnormer Phantasie, sondern diese Strafen werden nach mittelalterlichem Recht über Landesverräter verhängt« (Kellermann-Haaf, S. 259). Vgl. jedoch auch Decke-Cornill, S. 31f.

109,26 *vleisch und ⟨. . .⟩ bein]* Wörtlich: »Fleisch und Knochen«.

110,2-7 *war ⟨. . .⟩ übersagen]* Der häufig in rechtlichen Zusammenhängen gebrauchte Ausdruck *einem (ein) spil teilen* »einem zweierlei oder mehrerlei zur wahl vorlegen, dazwischen die wahl lassen« (DWb X/1, Sp. 2308) mag auch hier einen rechtsterminologischen Klang haben: indem Giburg die ihr vorgelegte Wahl zurückweist, behauptet sie nicht nur ihre faktische, sondern auch ihre rechtliche Unabhängigkeit von Terramer – dieser hat nicht die Macht und nicht das Recht, sie zu irgendetwas zu zwingen. Die Verwendung des Wortes *spil* »Spiel« in dem Ausdruck dürfte aus der dem Wettspiel und dem Wählen gemeinsamen Situation des Risikos bzw. der »gespannten erwartung des ausganges« (DWb X/1, Sp. 2296) zu erklären sein. Im gewöhnlichen Sprachgebrauch wird dabei die konkrete Bedeutung von *spil* nicht (mehr) bewußt gewesen sein. Giburg aktiviert sie und entwickelt eine detaillierte Würfelspiel-Metapher: sie wird in der Lage sein, sich einen besseren »Fall der Würfel« (*schanze* – vgl. Komm. zu 87,16-22), d. h. ein besseres Spiel auszusuchen, bei dem die Franzosen so als Zähler der geworfenen Augen, d. h. als Spielaufseher, tätig werden sollen, daß niemand ihrem Gegner mehr Augen zusprechen (sie *übersagen*) kann. Sie bringt damit verklausuliert ihre Zuversicht zum Ausdruck, mit Hilfe eines französischen Heers, das zu holen Willehalm unterwegs ist, vor den heidnischen Belagerungstruppen gerettet zu werden. Vgl. Haupt, Erec, S. 342; Tauber, S. 40 (übersetzt – ohne Begründung – *übersagen* mit »übervorteilen«; die in den Wörterbüchern dokumentierte Bedeutungsskala des Wortes bietet dazu keinen Anhalt).

110,10 *wart ⟨. . .⟩ volbrâht]* Ein weiteres Gespräch zwischen Terramer und Giburg wird 215,10-221,27 wiedergegeben, doch kann man aus 222,1ff. schließen, daß es nicht das letzte gewesen ist. Unklar ist, worauf sich *anders* bezieht: darauf, daß das letzte Gespräch nicht in Drohungen bestand, sondern – wie das 215,10-221,27 wiedergebene – in Bitten und im Austausch von theologischen Argumenten? oder – weniger wahrscheinlich – darauf, daß es am Tag, nicht in der Nacht stattfand (vgl. Fink / Knorr, S. 63: »diese Unterredung geschah nachts und wurde seitdem noch mehrmals auch am Tage wiederholt«)? Vielleicht ist aber gar nicht an ein Abschlußgespräch gedacht, sondern an die Schlacht, die auf ihre Weise (»anders«) den Konflikt löste.

110,12-18 *der* 〈...〉 *gelt*] In ironisch verdeckter Rede scheint Giburg die bevorstehende Schlacht vor Orange, in der Willehalm gewissermaßen als ihr Minneritter kämpfen wird, als Turnier zu bezeichnen. Ihre Ausdrucksweise ist jedoch insofern mißverständlich, als man 110,16 *der* statt auf *turnoi* auch auf Willehalm beziehen kann (Kartschoke: »vor diesen Toren wird er stehen«); dann wäre an ein Turnier an einem anderen Ort zu denken, und die Rede müßte nicht mehr ironisch, sondern könnte nur noch listig sein: mit einer Lüge würde Willehalms Abwesenheit erklärt und zugleich zum Ausdruck gebracht, daß man auf der Seite der Christen die Heiden so wenig fürchtet, daß sich der Landesherr durch die Belagerung nicht davon abhalten läßt, seinen sportlichen Interessen nachzugehen. Vgl. auch Decke-Cornill, S. 35.

110,19 *ein teil*] Möglich auch: »viele«, doch spricht der Kontext eher für ironisch-untertreibende Redeweise.

110,28f. *der sêle* 〈...〉 *Tervigant*] Wörtlich: »die vor euerm Gott Tervigant ungelöst bleibende (d. h. von ihm nicht zu lösende) Fessel der Seele«.

110,30 *der* 〈...〉 *erkant*] »Es wird nicht die Existenz der Personen geleugnet, die die Heiden als Götter verehren; sondern diese Personen werden als Dämonen verstanden, deren Sitz die Hölle ist« (Unger, S. 274).

111,5-8 *antwerc* 〈...〉 *erstrîten*] Möglich auch Punkt nach 111,5 *antwerc*, kein Zeichen nach 111,7 *sîten* (so die Herausgeber).

111,9-11 *drîboc* 〈...〉 *pfeteraere*] *drîboc*, *mangen* und *pfeteraere* sind Steinschleudermaschinen verschiedener Bauart; *ebenhoehe* sind mobile Türme, die an die Mauer herangeschoben und in Höhe der Mauerkrone durch Fallbrücken mit ihr verbunden werden, über die die Belagerer in die Festung eindringen können; *igel* sind vielleicht (stachelbewehrte) Mauerbrecher; *katzen* schließlich sind mobile Schutzbauten, unter denen die Belagerer die Mauern angehen. Zu Einzelheiten vgl. die bei Decke-Cornill, S. 39f., verzeichnete Literatur; dort auch über die Bedeutung der Erwähnung des *drîboc* für die Datierung des Wh. (vgl. auch o. S. 793).

111,15-25 *nû* 〈...〉 *gelîche*] Eine auch sonst in Chansons de geste (doch nicht in der erhaltenen Fassung von Al.) beschriebene Kriegslist. Vgl. Nassau Noordewier, S. 35ff.; Bacon, S. 52ff.; Marly II, S. 286.

112,9 *vor dem graben*] D. h. nicht im eigentlichen, von Mauer und Graben umschlossenen Stadtbezirk, sondern in der außerhalb gelegenen Vorstadt.

112,12 *zem* 〈...〉 *pflihte*] Der *jâmer* ist als Herr gedacht, unter dessen Befehlsgewalt sich Willehalm gestellt hat. Vgl. Bock, S. 16ff.

112,24f. *daz* 〈...〉 *daz*] Die Einrichtung des »Zollgeleits«, von der hier die Rede ist, »bezweckte in erster Linie die Sicherung des Handelsverkehrs, in zweiter die Sicherung von Reisenden überhaupt. Die Mittel für diesen Zweck waren sehr verschieden; sie bestanden entweder in einer Garantie für Leben und Eigentum der Reisenden oder in einer Bewachung der Straßen durch Bewaffnete oder in Personalgeleit«, d. h. durch Gestellung einer bewaffneten Begleitung (HRG I, Sp. 1485). Für die Gewährung des Geleits war »Geleitgeld« zu entrichten, und insofern »Geleitszwang« bestand, d. h. die Reisenden das Geleit in jedem Fall in Anspruch nehmen und bezahlen mußten, war die Verfügung über die Geleitshoheit ein einträgliches Geschäft. Dieses »Geleitrecht« – das Recht, Geleit zu stellen und Geleitgeld zu erheben – war ursprünglich ein Recht des Königs, das dieser – wie hier dem *rihtaere* – weiterverleihen konnte. Aus dem

Geleit in diesem Sinne hat sich das moderne Zollrecht entwickelt, und so scheint auch im folgenden auf eine Art Warenabgabe – einen »Transitzoll« (Csendes, S. 200) – abgehoben zu sein, für die freilich die Gegenleistung des Geleits vorausgesetzt wird (115,29f. – um irreführende Assoziationen mit dem modernen Fiskalbegriff zu verhindern, übersetzen wir *zol* daher mit »Geleitgeld«: vgl. DWb XVI, Sp. 39). Die Kontroverse zwischen Willehalm und dem *rihtaere* muß vor dem Hintergrund der zeitgenössischen Auseinandersetzung um Geleits- bzw. Zollfreiheit gesehen werden (vgl. DRWb III, Sp. 1595). Nicht ganz klar wird dabei, ob Willehalm solche Freiheit beansprucht, weil er ein Ritter oder weil er kein Kaufmann ist, d. h. ob er auf ein Ritterprivileg pocht oder einfach geltend macht, daß er ein Reisender ist, der keine Waren transportiert. Vgl. Fehr, S. 136f.; Csendes, S. 199ff.

112,30 *last noch soume]* Wörtlich: »weder Last noch Saumtiere«.

113,5-7 *die ⟨. . .⟩ sîn]* Willehalm hebt auf eine Rechtsvorschrift ab, die es verbot, durch bestellte Felder zu reiten und damit die Saat zu schädigen. Die Aussage über *al der diete slâ* (wörtlich: »aller Leute Spur«) dürfte nicht im Sinne einer Abgabenfreiheit für die Benutzung der Landstraße gemeint sein, sondern nur das Vorhergehende bekräftigen: anders als über bestellte Felder darf jedermann über die gespurten Wege gehen. Vgl. Singer, S. 47; Fehr, S. 137; Csendes, S. 199.

113,10 *rihtaer]* Vielleicht als Mitglied der Stadtministerialität gedacht (vgl. zu 211,18), vertritt der *rihtaere* offenbar als Schultheiß die Führungsspitze des Bürgertums der Stadt (in historischen Quellen werden die Amtsbezeichnungen *iudex* »Richter« und *scultetus* »Schultheiß« gelegentlich nebeneinander für ein und dieselbe Person gebraucht: vgl. z. B. Dietmar Flach, *Untersuchungen zur Verfassung und Verwaltung des Aachener Reichsgutes von der Karolingerzeit bis zur Mitte des 14. Jahrhunderts* [Veröffentlichungen des Max Planck-Instituts für Geschichte, 46], Göttingen 1976, S. 248ff.). Daß der Amtsträger hier mit dem *rihtaere*-Titel bezeichnet ist, obwohl er gar nicht in seiner Eigenschaft als Richter tätig wird, verweist vielleicht darauf, daß dieser Titel ein besonderes Prestige hatte und daher bevorzugt geführt wurde.

113,13 *komûne]* *komûne* bzw. *komûnîe* (117,19), wohl aus afrz. *comune* bzw. *comugne*, ist als juristischer Terminus Bezeichnung für den Zusammenschluß der Bürgerschaft einer Stadt, besonders auch – wie hier – für deren Heeresaufgebot. Vgl. Vorderstemann, S. 148ff.

113,24 *ez 〈...〉 gespilt]* Wörtlich: »es wird erst bis zum äußersten Rand (des Spielfelds) gespielt (bevor ich nachgebe)«, also Brettspielmetapher im Sinne von: »eher lasse ich es auf das äusserste ankommen« (Wiessner, Richtungsconstructionen II, S. 35). Vgl. Haupt, Erec, S. 339.

114,2 *ouch 〈...〉 gedranc]* Wörtlich: »andererseits schuf er Raum, wo Gedränge war«. Vielleicht militärischer Fachausdruck: vgl. Kühnemann, S. 47.

114,8 *sturemglocke]* Die Sturmglocke wird als Alarmsignal bei Gefahr im Verzug geläutet; ihr Klang »verpflichtet alle Wehr- und Hilfsfähigen, sich zu versammeln« (HRG I, Sp. 1707). Vgl. auch DRWb IV, Sp. 949.

114,11 *gerüeftes]* Unter dem »Gerüfte« versteht man gewöhnlich das Hilfsgeschrei, mit dem zur Verfolgung eines Übeltäters aufgerufen, bzw. das Klagegeschrei, das vor dem Richter erhoben wird (vgl. HRG I, Sp. 1584ff.; DRWb IV, Sp. 401f.). Singer hat indes darauf hingewiesen, daß es »in der Natur der Sache« liegt, »dass viele sich zur Verfolgung eines einzelnen aufmachen, dass das *gerüefte* gegen einen einzelnen erhoben wird« (Willehalm, S. 48), so daß Wolframs Ausdrucksweise wenig sinnvoll wäre. Die Übersetzung greift daher auf die Bedeutung »Feldgeschrei« zurück (vgl.DRWb IV, Sp. 402), auf die vielleicht auch die Erwähnung der Sturmglocke führt (in diesem Sinne auch Matthias, Fink/Knorr [S. 65], Kartschoke, Passage). Die Schande der Stadt bestünde demnach darin, gegen einen einzigen Mann ein ganzes Aufgebot Bewaffneter ins Feld geschickt zu haben. Unwahrscheinlich ist demgegenüber die von BMZ I, Sp. 142a, vorgeschlagene unterminologische Übersetzung:

»(daß sie) einen solchen lärm erhoben« (anders BMZ II/1, Sp. 807b).

114,14 *des ⟨...⟩ vernomen*] Wörtlich: »deshalb wurde später Schaden von ihm erfahren«, d. h. man erfuhr, daß er Schaden angerichtet hatte. Vgl. Wiessner, Richtungsconstructionen I, S. 512.

114,18-25 *bürgetor ⟨...⟩ porten*] Die Übersetzung unterscheidet – ohne Gewähr – das *bürgetor* als Tor der in der ummauerten Stadt zu denkenden Burg des Grafen von *den porten* als den Stadttoren, weil der in G überlieferte Text nur so auf einen sinnvoll zusammenhängenden Ablauf des Geschehens führt: Willehalm reitet außerhalb der Stadt von dieser weg, die Bürger folgen ihm (114,13-17); er wendet sich um und treibt die Bürger i n die Stadt zurück (116,11f.), wo sie zum *bürgetor* fliehen (114,18f.), offenbar um in der Burg Schutz zu suchen; dann wirft er erneut das Pferd herum (114,21) und treibt die Bürger wieder zurück zu den *porten* (114,24f.), durch die sie an allen Seiten (114,26) nach draußen (vgl. 115,4f.) fliehen; nun gibt er die Verfolgung auf (115,2f.), die Bürger kehren in die Stadt zurück (115,4f.), und er zieht seinerseits wieder aus der Stadt heraus in Richtung Laon (115,6).

114,27 *sünde*] Ob das Wort hier in seiner vollen religiösen Bedeutung oder abgeschwächt im Sinne von »Unrecht« gebraucht ist, läßt sich nicht entscheiden: vgl. Frank, S. 156f. Gemeint ist jedenfalls, daß Willehalm sich nicht berechtigt glaubt, seine militärische Überlegenheit auszuspielen und ein Gemetzel zu veranstalten.

115,6 *Munlêûne*] Die alte Bischofsstadt Laon im Nordosten Frankreichs, heute Hauptstadt des Departements Aisne, war mit seiner Pfalz einer der wichtigsten Königssitze der Karolingerzeit und ist als solcher auch für die Kapetinger von Bedeutung gewesen. Entsprechend spielt sie auch sonst in den Chansons de geste eine Rolle. Vgl. Bernd Schneidmüller, *Karolingische Tradition und frühes französisches Königtum* (Frankfurter Historische Abhandlungen, 22), Wiesbaden 1979 (Register); Suzanne Martinet, *Les Aliscans et la ville de*

Laon, in: *Guillaume et Willehalm* (Göppinger Arbeiten zur Germanistik, 421), Göppingen 1985, S. 71-80.

115,7 *fîz kons]* Afrz. »der Sohn des Grafen«. Vgl. Vorderstemann, S. 168f. und 348ff. – Wie sein Vater Heimrich führt auch Ernalt den Grafentitel (115,25. 118,21) und wird zu den Fürsten gezählt (264,25ff.), ohne daß deutlich würde, welche Stellung er in Orleans einnimmt. Im folgenden erscheint er als eine Art übergeordnete Herrschaftsinstanz, doch erlauben es die kargen Aussagen nicht, ihn ohne weiteres als Landesherrn bzw. (mit Decke-Cornill) als »königlichen Amtsträger« anzusprechen. Vgl. Bertau, Literatur, S. 1146; Decke-Cornill, S. 63f.

115,10 *dennoch* 〈. . .〉 *slief]* Umkehrung der logischen zeitlichen Reihenfolge (hysteron proteron – vgl. Komm. zu 105,18): der Satz gehört dem Sinn nach vor 115,8 (Ernalt schläft noch, die Rufe wecken ihn, er weckt die anderen).

115,11 *vor im]* Ernalt teilt offensichtlich den Schlafraum mit seinem Gefolge. Decke-Cornill, S. 61, verweist dazu auf Pz. 35,14f.: *des gastes junchêrren, | der bette alumbe dez sîne lac.*

116,2 *›er* 〈. . .〉 *schilt‹]* Von Lachmann und Schröder als indirekte Rede aufgefaßt (keine Anführungszeichen): »sie sagten, er hätte einen Schild geführt«. Vgl. Decke-Cornill, S. 65.

116,14 *lêrten]* Nur umschreibend? Mit dem Gebrauch des Wortes »in modaler Funktion« (wie z. B. 36,30 *gedranc si lêrte pîne* »lehrte sie Pein« im Sinne von: »quälte sie«), auf den Kartschoke, S. 286, verweist, kann die Stelle kaum erklärt werden.

116,20 *durh den künec]* Ernalt fühlt sich wohl deshalb verpflichtet, den fremden Ritter »um des Königs willen« zu verfolgen, weil er annehmen muß, dieser führe mißbräuchlich den königlichen Kriegsruf (vgl. 117,1ff.). Anders Decke-Cornill, die davon ausgeht, daß Ernalt als königlicher Amtsträger fungierte (vgl. Komm. zu 115,7): »Willehalm hat den Repräsentanten königlicher Gewalt, den *rihtaer*, erschlagen und muß nun vor der königlichen Gerichtsbarkeit zur Verantwortung gezogen werden. Ernalt haftet vor dem

König für die Rechtswahrung in seinem Bezirk« (S. 67). Dagegen könnte sprechen, daß die Frage nach dem Verhalten des fremden Ritters in dem Augenblick abgetan ist, als sich herausstellt, daß es sich um Willehalm handelt, der jenen Kriegsruf rechtmäßig führt. Auch scheint Ernalts Eingreifen eher familiär als amtlich motiviert zu sein (116,21).

116,26 *z'einem pfande]* Willehalm soll als »Unterpfand« zur Sicherung der Rechtsansprüche des Königs festgehalten werden.

116,28-30 *solten ⟨...⟩ wante]* Man nimmt an, daß hinter diesem seltsam anmutenden Kommentar des Erzählers die (z. B. im Nibelungenlied bezeugte) Vorstellung steht, daß sich die Kämpfer in der Not der Schlacht erfrischen, indem sie das Blut der Gefallenen trinken. Es läge dann eine verrätselte Vorausdeutung darauf vor, daß in der folgenden Begegnung der Verfolger bzw. Ernalts mit Willehalm eben kein Blut vergossen wird. Vgl. Singer, S. 51; Kühnemann, S. 48 (der vermutet, *wider senden* sei terminologisch gebraucht im Sinne von: »mit einem Schluck zuprosten und den Becher weitergeben«); Decke-Cornill, S. 69.

117,1 *herre]* Belege zum Gebrauch von *herre* als interjektionsartige Anrede an Gott bei BMZ I, Sp. 665b. Zu anderen – unbefriedigenden – Erklärungsmöglichkeiten vgl. Decke-Cornill, S. 69.

117,5 *der'z rîche hât]* Wörtlich: »der das Reich (die Reichsgewalt) inne hat«. Vgl. Hellmann, S. 230.

117,20 *bîe]* Nach BMZ I, Sp. 116af., Nominativ Plural von *daz bîe* »der Bienenschwarm«, doch ist die Vorstellung im Hinblick auf 117,17ff. wohl eher die von einzelnen Bienen, so daß vom Nominativ Singular *diu bîe* »die Biene« auszugehen ist.

117,26 *erklingen]* Gemeint ist das Klingen von Schellen am Reitzeug oder an der Rüstung bzw. das Aneinanderschlagen der metallischen Teile der Rüstung Ernalts: vgl. BMZ I, 843af., und DWb V, Sp. 1182. Willehalm kann aus dem Geräusch schließen, daß ein ritterlich gerüsteter Mann ihn verfolgt.

118,3 *vierzec poinder]* Etwa 4 km? Vgl. Komm. zu 21,3.

118,18 *niht* 〈...〉 *genas]* Wörtlich: »nur weil gefragt wurde, kam er davon«. Die Formulierung läßt strenggenommen offen, ob es sich um eine Frage Willehalms oder Ernalts handelt. Der Zusammenhang weist jedoch klar auf diese Abfolge: ehe Willehalm einen tödlichen Streich führt, fragt er den besiegten Gegner nach dessen Namen – Ernalt stellt sich vor und fragt seinerseits nach dem Namen seines Überwinders – auch Willehalm nennt sich. Nur so kann gesagt werden, daß es eine Frage war, die Ernalt rettete.

119,16-29 *hie* 〈...〉 *sîn]* Die paradoxen Formulierungen bringen die enge Verbindung zwischen den Verwandten zum Ausdruck. Die Vorstellung, daß diese personal identisch seien, mündet folgerichtig in das Bild vom Tausch der Herzen (vgl. Komm. zu 77,11).

119,23 *als* 〈...〉 *seile]* »Der Bracke ist ein kleiner, möglicherweise zur Spaniel-Rasse gehörender Spürhund« (Titurel-Kommentar, S. 181). Damit der am Leitseil gehende Hund (vgl. Komm. zu 35,15f.) das Wild nicht vorzeitig aufschreckt und vertreibt, muß er darauf abgerichtet sein, sich so leise wie möglich, vor allem ohne zu bellen, zu bewegen: *man kumt mit stillen hunden wilde nâhen* (Hadamar von Laber, *Jagd*, hg. von Karl Stejskal, Wien 1880, Str. 70,5). Vgl. Dalby, S. 34ff. (*bracke*), 146 (*lût*), 224 (*stille*), 249 (*unlûtes*), 266 (*verholne*), 278 (*vorlût*).

120,2 *swester]* Von Ernalt wohl bildlich als Ausdruck der tiefen verwandtschaftlichen Verbundenheit mit Giburg gemeint, kaum im präzisen Sinne als Verwandtschaftsbezeichnung: »Schwägerin«. Ebenso nennt Giburg ihre Schwäger »Brüder« (262,25). Vgl. Decke-Cornill, S. 82.

120,5-7 *daz* 〈...〉 *gebote]* Wörtlich wohl: »das hat sie bisher wohl verdient, daß jeder edle Franzose, ihr zu Gebote stehend, seinen Dienst gewährt (leistet)«; doch könnte *her* auch lokal gemeint sein: »hier«, d. h. in Frankreich (vgl. Wiessner, Richtungsconstructionen I, S. 408f.).

120,12f. *dû* 〈...〉 *errungen]* Wörtlich: »du hast um teuren Preis mitunter« (oder »einst«?) »ihre Liebe errungen«.

120,16 *die ⟨. . .⟩ entvlogen]* »Die südfranzösischen Fürstentümer gehörten nicht zu Frankreich, sondern bildeten nur einen losen Verbund mit der französischen Krone« (Decke-Cornill, S. 84).

120,26 *bekande]* Vgl. zu 71,12f.

120,28 *s'herzen ursprinc]* Umschreibung für die Tränen wie 102,21. Vgl. Komm. zu 69,24-28.

121,17 *hof]* Der »Hoftag« ist eine vom Herrscher an dessen Hof einberufene Versammlung der Großen des Reiches, auf dem – in festlich-repräsentativem Rahmen – Reichsangelegenheiten beraten bzw. erledigt werden. Vgl. HRG IV, Sp. 781ff.; DRWb V, Sp. 1172.

122,8f. *möht ⟨. . .⟩ hôchgezît]* Willehalm will wohl sagen, daß er unter den gegebenen Umständen keinen Anlaß sieht, sich auf das Fest einzustellen und sich entsprechend herzurichten: sich *baden* und *kleiden* zu lassen.

123,8-10 *der ⟨. . .⟩ erwern]* Wörtlich: »der Jammer begann, ihm mit so großem Aufwand seine Freude aufzuzehren: ein Kaiser«, d. h. der Reichste von allen, »hätte sich dessen nicht erwehren können«.

123,20f. *dô ⟨. . .⟩ brâht]* Wörtlich: »als durch des Grafen Schild eine Lanze vom Lanzenkampf zurückgebracht worden war«. Gemeint ist die laut 114,30 von Willehalm erbeutete Lanze des Bürgers, die auf Ernalts Schild gestochen wurde. Genaue Bedeutung und syntaktische Zuordnung des Temporalsatzes sind nicht klar. Die Übersetzung nimmt an, daß *von der tjoste* eine Kausalbestimmung ist (der Lanzenkampf bzw. der Lanzenstoß verursacht die »Rückgabe« der Lanze), und versteht den Satz als Umschreibung für: ». . . wen sie gejagt hatten, als bzw. während der Lanzenkampf zwischen Willehalm und Ernalt ausgetragen wurde«. Man kann *von der tjoste* aber auch als lokale Bestimmung auffassen: »aus dem Lanzenkampf«, wobei sich für die Übersetzung von *durh* zwei Möglichkeiten ergeben: »als eine durch den Schild des Grafen gestochene (und dort mit der abgebrochenen Spitze stecken gebliebene) Lanze aus dem Lanzenkampf zurückgebracht worden war« oder: »als vermittels des Schildes (nämlich in ihm steckend) eine Lanze aus dem Lanzenkampf zurückgebracht worden war«. In beiden Fällen wäre der Satz Umschreibung für: »als der Graf zurückgekommen war«; syntaktisch wäre er besser auf das Folgende zu beziehen (Punkt nach 123,19 *der*, Komma nach 123,21 *brâht*) und lieferte dann – mit kausalem Nebensinn – die Begründung für die aufgeregten Fragen von Ernalts Leuten: »als bzw. weil der Graf zurückgekommen war (und damit zu erkennen gab, daß er mit dem Fremden nicht mehr kämpfen wollte), fragten sie . . .«

124,4 *schaden wens*] Wörtlich: »an Schaden gewöhnst«.

124,16 *drîzehne*] Die dreizehn werden 151,11ff. von Willehalm aufgezählt; es sind dieselben, nach deren Schicksal Giburg 93,9ff. gefragt hatte.

124,23 *ân unsich*] D. h. »ohne daß auch wir ihm das Leben schwer machen« (wie die Bürger von Orleans es getan haben). Zu anderen Erklärungsversuchen vgl. Decke-Cornill, S. 99.

125,11 *des buckel* ⟨. . .⟩ *vrî*] Der *buckel* ist ein Metallbeschlag in der Mitte des Schildes. Der am Prachtschild Arofels, den Willehalm führt, war offenbar mit Edelsteinen besetzt (vgl. 203,6ff.): daher kann er *armüete vrî* »frei von Armut« genannt werden. Vgl. Schultz II, S. 84ff.; Bumke, Kultur I, S. 217ff.; Decke-Cornill, S. 41.

125,13 *Môrlant*] Eigentlich Mauretanien (vgl. Lexer I, Sp. 2203), doch dürfte hier der Orient ganz allgemein gemeint sein.

125,20-23 *Kristjâns* ⟨. . .⟩ *wâne*] Polemik gegen die Quelle, nach deren überlieferter Fassung Guillaume in Montlaon einen *mavais siglaton* trägt (Al. 2343), einen »schlechten (abgetragenen, schäbigen) Rock aus golddurchwirkter Seide«. Der von Wolfram statt des *siglaton* (mhd. *sig[e]lât*, *ziklât*) genannte *timît* ist ebenfalls ein kostbarer Seidenstoff. – Eigenartig ist, daß Wolfram seinen Ausfall gegen einen »Christian« als den angeblichen Verfasser der Quelle richtet. Gemeint sein kann wohl nur Chrestien de Troyes, der zwar der Verfasser des Perceval, der Vorlage des

Pz., ist, nicht aber der Verfasser von Al. Daß Wolfram sich geirrt hat, ist kaum anzunehmen: es dürfte sich um eine Mystifikation handeln, wie sie ihm, der im Pz. ein groteskes Spiel der Berufung auf fingierte Quellen betreibt, wohl zuzutrauen ist (eine ähnliche Polemik gegen Chrestien findet sich Pz. 827,1ff.). – Vgl. Decke-Cornill, S. 103f.; Heinzle, Editionsprobleme, S. 228f.; zu *timît* Vorderstemann, S. 314f., und Zijlstra-Zweens, S. 255.

125,24-27 *er 〈. . .〉 vlîz]* Wörtlich: »Er hatte dem Perser (so etwas) genommen . . ., daß eine Freundin dem Freund nie geschenkt hat den Fleiß so kunstvoll gefertigten Waffenschmucks (d. h. mit solchem Fleiß kunstvoll gefertigten Waffenschmuck).«

125,28f. *die 〈. . .〉 enpfie]* Vgl. zu Komm. 55,1.

126,2 *den halben tac]* Nach 125,5 nur den Abend. Vgl. Decke-Cornill, S. 106.

126,6 *bevalh]* Willehalm will offenbar nicht mit der vollen Kriegsausrüstung zum Hoffest kommen, erregt dort aber schon dadurch Anstoß, daß er statt Festkleidung den Harnisch trägt. Vgl. Komm. zu 127,18-21.

126,13-15 *dâ 〈. . .〉 Lahrein]* flandern, Brabant und Lothringen gehörten zu Wolframs Zeit zum Verband des deutschen Reiches.

126,24f. *er 〈. . .〉 vuoz]* Auch 126,24 kann auf die Leute am Hof bezogen werden: »ob einer ritt oder ging, ob sie nun zu Pferd saßen oder zu Fuß gingen«, indes wirkte das Stilmittel der variierenden Repetition hier wenig überzeugend.

127,1 *den 〈. . .〉 kinden]* Wörtlich: »weder die Alten noch die Kinder«. Es geht darum, daß Willehalm nach höfischer Etikette hätte erwarten dürfen, daß man ihm das Pferd abnahm und aus der Rüstung half, wie das später in Wimars Haus geschieht (132,14ff.). Nachdem niemand dazu Anstalten macht, mag er auch nicht darum bitten, und wenn er im folgenden den Zaum des Pferdes in der Hand behält und sich selbst entwappnet, ist das eine stumme Anklage gegen die Hofgesellschaft, die ihre Pflichten versäumt.

127,2 *ölboume]* Der in Laon schwerlich anzutreffende Ölbaum stammt aus Al. (2298). Er ist ein episches Versatzstück ohne Realitätsanspruch (vergleichbar etwa dem Löwen, den Siegfried nach dem Bericht des Nibelungenliedes im Odenwald erlegt). Vgl. Decke-Cornill, S. 110.

127,4 *gar*] Interpunktion nach Paul, Wolfram, S. 558, mit Leitzmann gegen Lachmann und Schröder (Komma nach *gar*).

127,8f. *im* 〈. . .〉 *stat*] Wörtlich: »ihm wurde solcher Raum gegeben, daß sein Platz ganz weit wurde«.

127,13 *sturzte'n*] Willehalm »stürzte« den Helm, d. h. er setzte ihn mit der Öffnung nach unten auf den Boden wie einen umgekehrten Topf. Vgl. DWb X/4, Sp. 698.

127,16 *in den venstern*] »Wegen der Dicke ihrer Mauern besaßen die Burgen tiefe Fensternischen, in denen man sich aufhalten konnte« (Decke-Cornill, S. 111). Vgl. Schultz I, S. 65ff.; Bumke, Kultur I, S. 148.

127,18-21 *si* 〈. . .〉 *genomen*] Wörtlich: »sie sagten, es sei ungewöhnlich, daß er Rüstung trüge, sie hätten denn zuerst sagen hören, daß . . .«. Anders Unger, der Punkt nach 127,19 *tragen* setzt: »Denn wenn auch einer hörte sagen, daß zum Turnier man solle kommen: dem, der sich solches vorgenommen, trüge ein Saumtier doch die Last«; der mhd. Text gibt das schwerlich her. – Das Erstaunen der Leute erklärt W.J.Schröder, S. 458, Anm. 15: »Auf ein Hoffest kommt man ungewappnet, daher hat Wh. seinen Schild bei den Mönchen zurückgelassen (126,6), seine Lanze war im Kampf mit Arnalt zersplittert (118,8). Seine Rüstung kann er nicht ablegen, da er kein Saumtier mit Festkleidung hat.«

127,27 *herseniere*] Das *hersenier* – aus mndl. *hersen* »Hirn« – ist ein zusätzlicher Kopfschutz unter dem Helm. Der 92,12 genannte andere Terminus für einen solchen Kopfschutz: *goufe* (vgl. Komm. z. St.) scheint teils dasselbe zu bezeichnen, teils eine Kappe aus Stoff, die noch unter dem aus Metall gefertigten *hersenier* getragen wurde. Willehalms *hersenier* kann man sich als kapuzenartige Verlängerung des Kettenpanzers vorstellen, deren Eisenringe sein Gesicht mit Rost verschmiert hatten. Vgl. Siebel, S. 97f.; Doubek, S. 335ff.; Vorderstemann, S. 115f.

128,9 *er ⟨. . .⟩ wiltlîche*] Möglich auch: »er sieht furchterregend aus«; unsere Übersetzung im Hinblick auf 129,14ff. Vgl. Decke-Cornill, S. 113.

128,20 *glanz*] Wörtlich: »glänzend«, »schön«. Vgl. Schmidt zu 408,26.

129,4 *er ⟨. . .⟩ gast*] Wörtlich: »er ist für die Franzosen ein Fremder«.

129,8 *wîp*] Im Unterschied zu Al., wo die Königin den Namen *Blanceflor* trägt, bleibt sie im Wh. namenlos. Das könnte von Wolfram als negative Markierung der Gestalt gemeint sein: vgl. Decke-Cornill, S. 117.

129,12 *eine*] D. h. ohne Begleitung von Knappen, ohne Gefolge; kaum: »als einziger« (Kartschoke).

129,22-24 *der ⟨. . .⟩ reisen*] Daß Willehalm mit Hilfe französischer Truppen schon früher gegen die Heiden gekämpft haben soll, wie auch 141,4-27 gesagt wird, scheint in Widerspruch zu 298,1ff. zu stehen. Vgl. Bernhardt, S. 52f.

129,27 *vür ⟨. . .⟩ minne*] Unklar: »aus Liebe zu Giburg« oder: »um Giburgs Liebe zu bewahren«?

130,14 *nâch ⟨. . .⟩ ungehabe*] Wörtlich: »nach seinem äußerst anstößigen Verhalten« (kaum, wie die Übersetzer meinen: »nach seinem großen Unglück« [Fink/Knorr, S. 73] o. ä.): »Willehalms befremdliche Erscheinung und unfreundliches Benehmen passen nicht in den festlichen Rahmen des Hoftages« (Decke-Cornill, S. 120).

130,21f. *erliten ⟨. . .⟩ geriten*] Interpunktion nach Kartschoke. Die Herausgeber setzen Komma nach 130,21 *erliten* und Punkt nach 130,22 *geriten*. Das führt auf eine nichtssagende Formulierung: »woher ihr auch geritten kommt, es ist euch schlecht gegangen«, während die gewählte Lösung den entscheidenden Sachverhalt scharf akzentuiert: »woher ihr auch geritten kommt (d. h. wer immer ihr seid, und mögt ihr hier noch so fremd sein), es wäre Pflicht der Ritter gewesen, euch freundlich zu behandeln, wo sie doch sahen, daß es euch nicht gut geht«.

130,26f. *nû ⟨. . .⟩ wern*] Übersetzung nach Pretzel, S. 43.

130,29 *mîniu jâr*] Wörtlich: »meine Jahre«, d. h. »mein Leben«, »meine Existenz«. Vgl. Decke-Cornill, S. 122.

131,1 *von ritters art]* Der Ausdruck *von ritters art sîn* scheint eine Prägung Wolframs zu sein. Was er hier besagt, läßt sich nicht genau feststellen. Im Parzival bezieht er sich zum einen »auf die Königssöhne Parzival und Gawan«, zum andern auf einen Fährmann, der wie Wimar ein reicher Mann ist; im Fall der Königssöhne bedeutet er soviel wie: »von vornehmer Geburt sein und damit dem Gesellschaftskreis der adligen Schwertleite angehören« (Bumke, Ritterbegriff, S. 132f., Anm. 17; vgl. Komm. zu 63,8); im Fall des Fährmanns und Wimars dürfte ebenfalls an »vornehme Geburt« gedacht sein, ohne daß man dies ständisch präzis fixieren könnte. Vgl. außer Bumke die bei Decke-Cornill, S. 123, zusammengestellte Literatur.

131,11 *marschalc]* Der »Marschall« war bei Hofe ursprünglich für das Pferdewesen zuständig (das Wort bedeutet soviel wie »Pferdeknecht«), später verbinden sich mit dem Amt auch andere Aufgaben, so die Oberaufsicht über die Hofhaltung oder die Sicherung der Quartiere auf Reisen oder Kriegszügen (vgl. Komm. zu 176,19-27). Das Hofamt wurde vielfach zu einer reinen Ehrenstellung, doch scheint hier an einen Beamten mit wirklichen Dienstpflichten gedacht zu sein. Vgl. Decke-Cornill, S. 124; Komm. zu 212,3-13.

131,15 *vor in]* Räumlich: »in Gegenwart aller« oder zeitlich: »als erster vor allen andern«?

131,24 *wochen lanc]* Möglich auch: »eine Woche lang«. Vgl. DWb XIV/2, Sp. 945.

131,26 *mir ⟨. . .⟩ unkunt]* Wörtlich: »ich wüßte nichts vom Zusammensein von Genossen«. Vielleicht hat *gesellekeit* hier einen ständischen Akzent: »ich wüßte nicht, was sich unter Gleichgestellten gehört«. Die Höflichkeit des Reichsfürsten Willehalm gegenüber dem Kaufmann, die schon so erstaunlich genug ist, wäre dann auf die Spitze getrieben. Zu verstehen ist sie als Ausdruck der Verlassenheit Willehalms im Kreis seiner Standesgenossen und seiner Selbstentfremdung nach der Katastrophe der Schlacht (vgl. besonders 132,27f. und 175,26ff.), kaum als asketische Selbsterniedrigung im

Zuge der Erfüllung seines Gelübdes (Bumke, Willehalm, S. 111).

131,27 *garzûn]* Aus afrz. *garçun*, bei Wolfram in der Bedeutung »Diener, Knappe, Page« (nicht unbedingt »Edelknabe« [Schröder, S. 602]). Vgl. Vorderstemann, S. 94f.

132,5f. *des ⟨. . .⟩ mâze]* Ich fasse 132,5 *se* als Nominativ Plural des neutralen Personalpronomens auf und beziehe es auf 132,6 *kinde*. Anders die Herausgeber: Lachmann setzt kein Zeichen hinter 132,5, bezieht also *se* wohl als Akkusativ Plural des maskulinen Personalpronomens auf Willehalm und Wimar (vgl. Gärtner, Numerusinkongruenz, S. 55); Leitzmann und Schröder lesen in 132,5 *si* statt *se*, in 132,6 *der kinde was* statt *der kinde* (so alle Handschriften außer G) und setzen Punkt nach 132,5 *strâze*: ». . . fragte man auf der Straße. Es waren unzählige Kinder, die . . .« (nach Paul, Willehalm, S. 323f., wo freilich – wie bei Schröder, Kritik, S. 13 – Lachmanns Text mißverstanden ist: vgl. Kartschoke, S. 287).

132,16 *pflûmîte und kulter]* Ein *pflûmît* ist ein mit Federn gefülltes Kissen (vgl. »Plumeau«), ein *kulter* eine Art Steppdecke. Vgl. Vorderstemann, S. 224f. und 163. – Daß Wimars Haus offensichtlich nicht im uns geläufigen Sinne möbliert ist, entspricht der zeitgenössischen Wirklichkeit. Vgl. Schultz I, S. 79ff.; Bumke, Kultur I, S. 159f.

132,17 *wirt]* Das Wort bedeutet hier und im folgenden zugleich »Hausherr« und »Gastgeber«. Die Übersetzung kann das nicht imitieren: wo sie »Gastfreund« sagt, ist jeweils »Hausherr« mitzudenken und umgekehrt.

132,18 *verbirt]* Man nimmt an, daß das Präsens hier nur reimbedingt ist (vgl. Decke-Cornill, S. 128), doch hindert nichts, es als pathetische Akzentuierung des entscheidenden Sachverhalts (Willehalm ist standhaft) zu interpretieren.

132,24-26 *ob ⟨. . .⟩ gebar]* Wörtlich: »wenn ich je einer Mutter Kind geworden bin, da war die Welt voll Sorgen, als die mich gebar«. Willehalm verflucht die Stunde seiner Geburt und damit seine Existenz (132,24 ist wohl nicht im Sinne von: »so wahr ich ein Mensch bin« gemeint [Decke-Cornill,

S. 129], sondern steht in Bezug zur »Entmenschung« Willehalms in der vorliegenden Situation: »wenn ich, der ich jetzt kein Mensch mehr bin, auch als solcher geboren wurde, es lag ein Fluch auf der Geburt, der mir das Menschsein genommen hat«). Der Gedanke ist biblisch, vgl. besonders Jeremia 20,14: *maledicta dies in qua natus sum | dies in qua peperit me mater mea non sit benedicta* (»verflucht sei der Tag, an dem ich geboren bin; der Tag, an dem meine Mutter mich gebar, soll ungesegnet sein«). Vgl. Singer, S. 54; Decke-Cornill, S. 129.

132,28 *mîn* ‹. . .› *giht]* Wörtlich: »mein Verlust spricht (teilt) mir anderes zu«.

133,14 *vische* ‹. . .› *gemeine]* Wörtlich: »Fisch und Fleisch zusammen«, wohl im Sinne von: »sowohl – als auch« (vgl. die bei Decke-Cornill, S. 131, angeführten Belege), kaum im Sinne von: »zusammengekocht« (Kartschoke, S. 287).

133,28 *arman]* Vgl. Komm. zu 72,4.

133,30-134,1 *sölh* ‹. . .› *bieten]* Möglich auch Punkt statt Komma nach 134,1 *bieten* (Leitzmann).

134,3 *daz was verlobt]* Wörtlich: »es war gelobt worden, das nicht zu tun«, »dem war abgeschworen worden«.

134,9 *pfâwe]* Pfauenbraten galt im Mittelalter als besonders feines Gericht: vgl. Schultz I, S. 386f.

134,10f. *mit* ‹. . .› *gewan]* Wörtlich: »mit einer Soße, von der der Hausherr wußte, daß er nie eine bessere erlangt hatte« (sicher nicht im Sinne von: ». . . zu bereiten verstand« [Kartschoke]).

134,13 *in galreiden die lamprîden]* Die Lamprete (Petromyzon marinus) ist ein Speisefisch. Die Fische bzw. Fischstücke wurden »mit Kräutern in Wein eingelegt« (Hepp, S. 205) und ergaben so ein Gallert (*galreide*). Vgl. auch Vorderstemann, S. 92f. und 173.

135,3 *daz* ‹. . .› *werde]* Wörtlich: »daß es besser gemacht wird«. *ez* wird auf »das« zu beziehen sein, was Willehalm wünscht, also auf Wasser und Brot, nicht, wie Decke-Cornill, S. 137, annimmt, speziell auf das Brot, »das nicht mit einer anderen Beilage zu einer besseren Speise gemacht werden soll«.

135,4f. *swaz ⟨. . .⟩ lebt*] Eine nicht restlos geklärte Stelle. Nach der derzeitigen Beleglage kann allenfalls vermutet werden, daß auf eine Vorstellung abgehoben ist, derzufolge die Fische sich vom Wasser, die Landtiere von der Erde ernähren. Es läge dann eine Umschreibung für »Fisch und Fleisch« vor. Vgl. Decke-Cornill, S. 137.

135,11f. *herze ⟨. . .⟩ lîp*] Wieder die Herztauschmetapher (vgl. Komm. zu 77,11), hier verbunden mit der ebenfalls traditionellen Entgegensetzung des Herzens als des Trägers der seelischen und des Leibs als des Trägers der physischen Existenz. Vgl. Lieres und Wilkau, S. 65ff.

135,27 *mîn ⟨. . .⟩ triuwen*] Wörtlich: »meinen armen Dienst mit Treue«. Die Übersetzung bezieht *mit triuwe* auf *dienst*: »meinen . . . treugemeinten Dienst« (Pretzel, S. 11), doch ist zu erwägen, ob man es nicht auf die Haltung Wilehalms beziehen kann: »wohlmeinend« (in diesem Sinne wohl Passage: »kindly« und Gibbs/Johnson, S. 77: »in good faith«).

135,30 *ob ⟨..⟩ sin*] Wörtlich: »wenn ich eine Gesinnung habe, die der Taufe gemäß ist«.

136,6 *wastel*] Aus afrz. *gastel* (vgl. nfrz. *gâteau*) »flacher, tortenartiger, aus weißem Mehl gebackener Kuchen« (Ganz, Rudolf, S. 103). Vgl. Hepp, S. 191; Vorderstemann, S. 361f.

136,7-10 *trinken ⟨. . .⟩sîn*] Umschreibung für Wasser, wohl anknüpfend »an die volkstümliche Umschreibung *Gänsewein*«, von dem man sagt, daß er »eine schöne Stimme mache« (Singer, S. 54). Der Wein von Bozen galt im Mittelalter als besonders gut. Vgl. dazu und zu Vermutungen, es könne hier eine Spitze gegen Walther von der Vogelweide vorliegen, Decke-Cornill, S. 141f.

136,15 *nam urloup*] Wörtlich: »bat um die Erlaubnis, sich entfernen zu dürfen«, »verabschiedete sich«.

136,23-25 *daz ⟨. . .⟩ zuo*] freie Satzstellung: 136,25 ist über den eingeschobenen Teilsatz 136,24 hinweg abhängig von 136,23: »daß die Edlen es versäumten, mit mir zu sprechen«.

137,12f. *ob*] Hier etwa im Sinne von: »in der Hoffnung, daß ich vielleicht . . .« Vgl. PMS, S. 451f.

137,16-19 *mir ⟨. . .⟩ gar]* Wörtlich: »mir wäre dieses und alle Schwerter gleichgültig (wertlos, verhaßt, verächtlich) umgebunden, wenn mich in dieser Schmach die Franzosen samt und sonders ließen und fänden«. Anders Kraus, Büchlein, S. 122f., Anm. 2, der *lieȥen* und *vunden* als Indikative auffassen möchte: »Mein Schwert wäre mir wertlos, falls ihr im-Stich-lassen und Verspotten ein endgültiges war.« 137,16f. kann wohl auch bedeuten: »ich wäre es nicht wert, ein Schwert zu tragen« (vgl. Zips, S. 36). In jedem Fall ist gemeint, daß Willehalm entschlossen ist, zum Schwert zu greifen, wenn die Franzosen ihn weiterhin mißachten.

137,24-26 *mir ⟨. . .⟩ leit]* Mehrdeutig bzw. doppelsinnig? Ist es dem Kaufmann leid, daß Willehalm in die Unbequemlichkeit (*arbeit*) der Rüstung schlüpft (*sliefet*) oder daß er in die zu erwartende gefährliche Kampfsituation (*arbeit*) schliddert (*sliefet*)? Und bedauert er die Unannehmlichkeit des Rüstungtragens oder die Not (*ungemach*), die Willehalm erlitten hat oder die ihm bevorsteht?

137,28f. *daȥ ⟨. . .⟩ wât]* Wörtlich: »daß ganz Frankreich keine besseren Kleider erzeugen (produzieren) kann«.

138,6 *swarte]* Wörtlich: »mit Haaren bewachsene (Kopf)haut«.

138,13 *daȥ ⟨. . .⟩ seic]* Unklar: wird der Kaufmann ohnmächtig (Kartschoke, Passage) oder läßt er sich bloß »fassungslos nieder« (Decke-Cornill, S. 148)?

138,19 *kumt'ȥ sô]* Wörtlich: »wenn es dahin kommt« im Sinne von: »wenn es mir möglich ist«.

138,30 *durh ⟨. . .⟩ stên]* Wörtlich: »vor den König zu treten, um (lauthals) zu streiten«.

139,4 *die ⟨. . .⟩ enpfaren]* Wörtlich: »werden mir die Fürsten doch entgehen«.

139,21 *grêde]* »Freitreppe oder Außentreppe am Palas« (Glossarium artis, S. 86), die zu dem im Obergeschoß liegenden Versammlungssaal hinaufführte.

139,28 *es ⟨. . .⟩ rât]* Wörtlich: »ließ sich durch niedrige Gesinnung leiten« (Decke-Cornill, S. 154).

140,4 *vil ⟨. . .⟩ hât]* Hinweis auf die wilden Pferde der

Camargue? Da die Bemerkung anscheinend nicht aus Al. stammt, wäre sie ein Indiz neben anderen, daß Wolframs Kenntnis der Provence nicht nur literarisch vermittelt war. Vgl. Mohr, Willehalm, S. 298ff.

140,7 *gedranc*] »Beim öffentlichen Erscheinen hochgestellter Personen drängte man sich um sie, um sie besser zu sehen und ihnen zu Diensten zu sein, damit einer höfischen Sitte genügend, dem *dringen* zur Ehrung einer Person« (Decke-Cornill, S. 155). Vgl. auch Marquardt, S. 244f.

140,16f. *sîn* 〈. . .〉 *guldîn*] Die Erwähnung des goldglänzenden Schwertgriffs im Rahmen der Schilderung der lädierten Rüstung ist merkwürdig. Seit Singer, S. 55, nimmt man an, daß es sich um ein in Vorbereitung der Schwertgeste 141,5-7 gesetztes Zitat aus dem Nibelungenlied handelt. Vgl. Komm. zu 141,5-7.

141,5-7 *der* 〈. . .〉 *schôz*] Willehalm reißt das am Gürtel an seiner Seite hängende Schwert, ohne es abzubinden, wohl so nach vorn, daß es über seinen Knien liegt. Die aus Al. (2461f.) übernommene Schwertgeste hat Rechtscharakter: es handelt sich um die Haltung des zu Gericht sitzenden Richters. Indem Willehalm sie hier einnimmt, bringt er sinnfällig und provozierend zum Ausdruck, daß es angesichts der Pflichtvergessenheit des Königs ihm zukommt, »das Recht in seine Hände zu nehmen« (Haug, zwîvel, S. 229). In der Ausgestaltung der Szene hat Wolfram sich vielleicht an Nibelungenlied 1783f. orientiert, wo berichtet wird, wie der Lehnsmann Hagen provokativ vor der Königin Kriemhild sitzen bleibt und Siegfrieds Schwert über die Knie legt; daß Wh. 140,17 von Willehalms Schwert gesagt wird: *dem was'z gehilze guldîn*, könnte dann Zitat von Nibelungenlied 1784,2 sein, wo es von dem Schwert entsprechend heißt: *sîn gehilze daz was guldîn*, doch wird auch in Al. von Guillaumes Schwert ausdrücklich bemerkt, daß dessen Griff aus purem Gold (2486: *d'or mier*) bestand. Vgl. Singer, S. 55; Marianne Wynn, *Hagen's defiance of Kriemhilt*, in: *Mediaeval German Studies Presented to Frederick Norman*, London 1965, S. 104-114; Alois Wolf, *Die Verschriftlichung der Nibelungensage und die franzö-*

sisch-deutschen Literaturbeziehungen im Mittelalter, in: Montfort 3/4 (1980), S. 227-245 (229, 233f.).

141,15 *übervroren in dem îse]* Kann auch auf Willehalm bezogen werden: »daß er in Skandinavien eingefroren wäre« (in diesem Sinn San Marte II und Matthias). Vgl. Lipton, Clues, S. 755.

141,16 *wîse]* Übersetzung im Hinblick darauf, »daß nur gelehrte bildung zu einer solchen verwünschung befähigt« (Palgen, S. 223). Anders etwa Trier, Wortschatz, S. 275 (»bedeutungsarmes Epitheton«); Kühnemann, S. 52 (»›lebensklug‹, mit der negativen Nebenbedeutung: ›politisch‹, ›redegewandt‹, ja sogar ›gerissen‹«); Decke-Cornill, S. 161 (»neunmalklug«).

141,18 *Katus Erkules]* Aus *Gades Herculis* (»Gades des Herkules«): »Gades« ist die Stadt Cádiz an der Südspitze Spaniens; dort stand ein berühmter Tempel des Herakles / Herkules, in dem sich zwei Kultsäulen befanden, die von einigen für die Säulen gehalten wurden, die der Held nach dem Bericht der Sage auf seinem Weg zur Insel Erytheia errichtet hat (verbreiteter ist eine Überlieferung, derzufolge es sich bei diesen Säulen um die Felsen von Gibraltar und Ceuta handelt). Der Name der Stadt bezeichnete schon in der Antike sprichwörtlich »das Ende der Welt«. Vgl. Kunitzsch, Ländernamen, S. 170f.; *Der Kleine Pauly*, hg. von Konrat Ziegler und Walther Sontheimer, Bd. 2, München 1975, S. 654ff.

141,19 *âne wer]* Wörtlich: »ohne (Gegen-)Wehr«, könnte auch im Sinne von »hilflos« (Decke-Cornill, S. 161: »ohne Waffen, ohne Verteidigung«) auf Willehalm bezogen sein.

141,20 *Lebermer]* Zu mhd. *liberen* »gerinnen«: sagenhaftes, teils im hohen Norden, teils im Orient lokalisiertes Meer, dessen Wasser geronnen ist, so daß Schiffe darin stecken bleiben. Vgl. die bei Decke-Cornill, S. 161, genannte Literatur sowie DWb VI, Sp. 463, und Joseph Koch, *Das Meer in der mittelhochdeutschen Epik*, Diss. Münster 1910, S. 20ff.

141,21 *Pâlaker]* Von Wolfram wohl aufgrund eines Mißverständnisses von Al. 2876 in einer der Handschrift m entsprechenden Fassung gebildet: *en palagre en mi la mer Betee* (»auf hoher See mitten hinein ins geronnene Meer«). Vgl. Saltzmann, S. 14f.; Rolin, S. XXIV; Bacon, S. 164.

141,22f. *sône ⟨. . .⟩ Franzeise]* Könnte auch indirekte Rede sein (Beginn der direkten Rede erst mit 141,24). So Lachmann in einer Korrekturnotiz zu seiner Ausgabe: vgl. Ganz, S. 28.

141,24-27 *herverte ⟨. . .⟩ rîterschaft]* Vgl. Komm. zu 129,22-24.

141,29 *durh ⟨. . .⟩ müezen]* Wörtlich: »um derentwillen wir dienen müssen«. *durh die* »bezieht sich auf das in *künnehaft* enthaltene *künne*, der plur. wie so häufig auf ein collectivum bezogen: ›um seiner vielen verwanten willen müssen wir ihm dienen‹« (Paul, Willehalm, S. 329). Der Gedankengang ist dieser: Willehalm wird von seinen Verwandten unterstützt, also müssen auch deren Gefolgsleute in seinem Dienst kämpfen; und da er viele Verwandte hat, ist so gut wie die gesamte Ritterschaft Frankreichs betroffen.

141,30 *nûne ⟨. . .⟩ grüezen]* Wörtlich: »jetzt will er niemanden grüßen«. Die Übersetzung unterstellt, daß der Sprecher sagen will, man brauche sich nicht zu fürchten, da Willehalm offenbar mit seinen Verwandten gebrochen habe. Doch könnte *grüezen* hier auch in der Bedeutung »herausfordern, angreifen« (vgl. DWb IV/1/6, Sp. 1001ff.) gebraucht sein: »Heut legt er's wohl mit keinem an« (Unger).

142,5 *er ⟨. . .⟩ schaden]* Wörtlich: »er hat wieder Schaden erlitten«.

142,11 *daz ⟨. . .⟩ wart]* Wörtlich entweder: »daß je ein Stein für sie abgemessen (hergestellt) wurde« (in diesem Sinn die Übersetzung) oder: »daß ihr je ein Stein zugemessen (zu ihrem Bau bereitgestellt) wurde«.

142,16/20 *mîn herre]* Wie frz. *monsieur*; gemeint ist der König.

142,29 *von kameraere staben]* Der Kämmerer ist (wie der Marschall – vgl. Komm. zu 131,11) ursprünglich ein hoher Hofbeamter: ihm unterstand die königliche Schatzkammer. Hier sind offenbar Beamte minderen Ranges gemeint, die mit

Hilfe der Dienststäbe, die sie als Zeichen ihrer Beauftragung durch den Herrn führen, die Menge zurückdrängen. Vgl. Amira, S. 52ff., zur vorliegenden Stelle, S. 53; Komm. zu 212,3-13.

143,14 *der ⟨. . .⟩ gelîch]* Wörtlich: »der Macht eines Fürsten entsprechend« (Decke-Cornill, S. 166).

143,15 *ein ⟨. . .⟩ swert]* Das dem Herrscher zeremoniell vorangetragene Schwert ist Zeichen seiner Macht. Vgl. Decke-Cornill, S. 166; Marquardt, S. 119f.; Bumke, Kultur I, S. 226f.

143,24-27 *an ⟨. . .⟩ gruoz]* Ungewöhnliche Konstruktion: zu erwarten wäre, daß der Nominativ *süne viere* im folgenden durch einen Dativ *in* aufgenommen würde. Vgl. Decke-Cornill, S. 167.

143,30 *gein ⟨. . .⟩ schalle]* Möglich auch: »im Hinblick auf den Lärm des Festes« im Sinne von: »zur Festlichkeit« (San Marte II).

144,2f. *dar ⟨. . .⟩ rôsen]* Der Brauch, Blumen auf den Boden zu streuen, wird auch anderweit erwähnt. Vgl. Schultz I, S. 78f.; Martin zu Pz. 83,28.

144,3 *hende dicke]* »so dick bzw. hoch, wie eine Hand breit ist«?

144,9 *gruozbaere]* »zum Gruß verpflichtet und berechtigt«. Vgl. Decke-Cornill, S. 168.

144,12-14 *sîne ⟨. . .⟩ dort]* Wörtlich: »er handelte gegen das, was die Etikette ihm vorschrieb, wenn jemand seine Worte aufmerksam zur Kenntnis nehmen wollte, die er dort vor dem König sprach«. Der verbindende Gedanke: »das nahm derjenige wahr . . .« ist ausgespart. Vgl. Bötticher, S. 301; Decke-Cornill, S. 169.

144,21 *ze gufte komen]* Wörtlich: »zu übermütiger Freude kommen«. – Die Formulierung ist so nicht überliefert. Die Varianten weisen für den Archetypus auf die von den Herausgebern gewählte Lesung: *ze krufte* »zur Gruft«, d. h. wohl: »ins Grab«. Wenn man das mit dem Kontext in Einklang bringen will, demzufolge Willehalm gerade neue Hoffnung schöpft (144,18f. und 144,23ff.), muß man den Wortlaut kräftig pressen: »Wenn ich mein Los recht bedenke, muß ich sagen, auch das wenige an Hoffnung, das mir geblieben ist, könnte noch begraben werden, so viel Lebensmut mir schon genommen ist« (Werner Schröder, *Veldeke-Studien* [Beihefte zur ZfdPh, 1], Berlin 1969, S. 109). Ich ziehe es vor, als Notlösung einen Text zu konjizieren, der allenfalls hinter dem des Archetypus gestanden haben könnte. Vgl. auch Decke-Cornill, S. 169f.

145,3 *über ⟨. . .⟩ dan]* Gemeint ist, daß Willehalm über die dichtgedrängt Sitzenden bzw. zwischen ihnen hindurch zum König vordringen muß, weil niemand ihm Platz macht.

145,11-13 *der ⟨. . .⟩ swanc]* Wörtlich: »an dessen Arm die Hand ist, deren Segen über die Engel geht, der erteile auch den Schwung seiner Segensgeste . . .«

145,20-29 *daz ⟨. . .⟩ nemen]* Die Vorgänge, an die Willehalm hier erinnert, sind Gegenstand der Chanson de geste vom ›Couronnement Louis‹ (»Krönung Ludwigs«). Wolfram konnte die Informationen aus Al. beziehen, so daß man nicht annehmen muß, er habe diese Chanson gekannt. Vgl. Bernhardt, S. 55.

145,28f. *ine ⟨. . .⟩ nemen]* Wörtlich: »ich gestattete es ihnen auf keine Weise, euch nicht zum Herrn zu nehmen«.

146,2f. *mîne ⟨. . .⟩ gebôt]* Die Rechtsgeste der *immixtio manum* (»Einlegung der Hände«): bei der Verleihung des Lehens gibt der Vasall »seine zusammengelegten Hände in die Hände des Herrn, der sie mit seinen eigenen umschließt« (Ganshof, S. 74). »Das Einlegen der Hände in die des Herrn symbolisiert die Übergabe der ganzen Person des Vasallen an den Herrn, und dessen Gebärde, das Umschließen der Hände des Vasallen mit seinen eigenen, symbolisiert die Annahme dieser Selbstübergabe« (Ganshof, S. 76). Vgl. auch HRG II, Sp. 226.

146,8 *nû ⟨. . .⟩ gebiten]* Wörtlich: »jetzt habe ich sieben Jahre gewartet«. Aus 298,11 mit 359,13f. und 457,20ff. geht hervor, daß Willehalm vor sieben Jahren vom König mit seinem Land belehnt wurde, das er Tibalt abgerungen hatte (vgl. Komm. zu 8,7), und während der ganzen Zeit vergeblich auf die ihm zustehende Reichshilfe gegen die auf Rückeroberung bedachten Heiden warten mußte (141,24ff. müssen dazu nicht in Widerspruch stehen: s. Nassau Noordewier, S. 23). Warum er in den sieben Jahren auch seine Verwandten nicht gesehen hat, bleibt unklar: einen Vorwurf an diese, der im Zusammenhang der Rede an den König einigermaßen deplaciert wäre, kann man aus der Stelle nicht herauslesen (vgl. auch zu 146,10f.). In Al. bringt Guillaumes Klage über die siebenjährige Trennung von den Verwandten, in einem Stoßseufzer zu Gott vorgebracht (2628ff.), eher formelhaft das Ausmaß seiner Depression zum Ausdruck. Vgl. Bernhardt, S. 52; Nassau Noordewier, S. 19ff.; Bernhardt, Rez. Nassau Noordewier, S. 547; Bacon, S. 63; Singer, S. 94; Mergell, Quellen, S. 147.

146,10f. *noch* 〈. . .〉 *waeren*] Wörtlich: »noch keinen von denen, von denen man sagte, daß sie meine Brüder wären«. Die Formulierung dürfte kaum auf einen Vorwurf an die Brüder abheben (so anscheinend Decke-Cornill, S. 175, und Waldmann, S. 181 – vgl. o. zu 146,8): es wird sich um eine bloße Umschreibung gemäß unserer Übersetzung handeln.

146,12 *beswaeren*] Wörtlich: »beschweren, zur Last fallen, bedrücken«.

146,19 *der flôrîs*] »der Herrliche, Strahlende«, wie hier noch 301,1 Kennzeichnung Bernarts, entsprechend *Bernart li floris* in Al. Vgl. Komm. zu 76,19.

147,4f. *ich* 〈. . .〉 *gewin*] Wörtlich: »ich verfüge über Gaben und Lehen: die sollt ihr *mit vuoge* (s. u.) so verwenden, daß es euch Gewinn bringt«. Francke, Reappraisal, S. 50, Anm. 37, sieht eine Diskrepanz zwischen Willehalms Forderung und dem Angebot des Königs: jener fordere Truppen, dieser biete Lehen und Geschenke. Doch ist die Formulierung wohl so zu verstehen, daß der König meint, Willehalm solle die Ressourcen des Reiches für seine militärischen Zwecke nutzen. Unklar (oder doppeldeutig?) bleibt die Wendung *mit vuoge* (»mit Fug«): »es ist recht und billig, daß ihr das nehmt«, oder: »nehmt es auf eine Weise, die dem entspricht, was recht und billig ist (d. h. nicht unbescheiden)«? Vgl. auch Martin zu Pz. 135,28 und 421,26.

147,9 *daz ... her]* In der Richtungskonstruktion wird die Grundbedeutung von *warten* »Ausschau halten« spürbar: »daß er sein Augenmerk hierher richtet«. Vgl. die zu 49,26 genannte Literatur.

148,4 *Etampes]* Pfalz der französischen Könige, südlich von Paris gelegen. Vgl. LMA IV, Sp. 46f.

148,7 *bî im]* D. h. bei Willehalm, kaum »bei sich«, d. h. »hier, in seiner Pfalz in Munleun« (so Lipton, Clues, S. 753).

148,9-11 *der ⟨...⟩ klagen]* »Hinweis auf die im Lehnswesen institutionalisierte Form der Schiedsgerichtsbarkeit, die dadurch charakterisiert ist, daß es sich um ein Gericht der Vasallen – hier also der Reichsfürsten – handelt« (Reichel, S. 404). Vgl. auch Decke-Cornill, S. 180 (mit Lit.).

148,13-15 *daz ⟨...⟩ bereit]* Wörtlich: »so ist das ein Unglück, das ich nicht verdient habe auf meine Worte hin, denen nachzukommen ich bereit war« (Kartschoke, S. 288).

148,24f. *dû ⟨...⟩ gevolgen]* »Der Scherz ist zweistufig: wir erwarten, daß auch die schnellsten Läufer mit der Königin nicht Schritt halten könnten; aber ehe Wolfram das ausspricht, hat er es schon wieder ironisiert, indem er statt der Schnelläufer die Lahmen einsetzt – und damit in Widerspruch zu sich selbst tritt« (Unger, S. 274).

149,1-3 *versagens ⟨...⟩ wolde]* Wörtlich: »er bat um die Erlaubnis abzulehnen, als ihn Heimrich, sein Vater, empfangen und küssen wollte«. – *urloup* ist Genitiv: vgl. Komm. zu 91,5.

149,6 *dâ von]* Oder: »von dort« (so die Übersetzer)?

149,7 *den rehten kus]* Wörtlich: »den ordnungsgemäßen Kuß« (in diesem Sinn die Übersetzung) oder: »den eigentlichen Kuß«, d. h. »das, was in Wahrheit ein Kuß ist«?

149,12f. *ez ⟨...⟩ triuwe]* Der Bedingungssatz läßt sich zugleich auf 149,10f. zurück- und auf 149,14 vorausbeziehen. Vgl. Decke-Cornill, S. 183. – *manlîcher sin*, sonst generell »die Quintessenz aller guten Eigenschaften« eines (ritterlich höfischen) Mannes bezeichnend (Schröder, kunst, S. 238), wird hier einer dieser Eigenschaften, der *triuwe*, gegenübergestellt und dürfte daher im speziellen Sinn der Übersetzung gemeint sein (anders Schröder, kunst, S. 239).

149,19-23 *nû ⟨...⟩ wer]* Man nimmt i. a. an, daß *dritte geselleschaft* soviel bedeute wie »Dreiergesellschaft«, d. h. »Dreieinigkeit«: vgl. Decke-Cornill, S. 184f. Diese Auffassung ist sprachlich fragwürdig und verdunkelt den Bezug der Aussage zum Kontext. Ich gehe (mit Kartschoke und Passage) davon aus, daß *geselleschaft* hier singularisch im Sinne von »Geselle« gebraucht wird (vgl. DWb IV/1/2, Sp. 4057), und übersetze wörtlich: »Nun hilf mir um der beständigen Kraft des dritten Gesellen willen! Ich meine, daß der Vater den Sohn an seine eigene Stelle gebeten hat: das gewährte ihnen beiden (dafür war für sie beide Bürge) der Geist.« Das dürfte, theologisch korrekt, auf die Vorstellung abheben, daß der Heilige Geist »als personaler Hauch der göttlichen Selbstliebe in der Identität desselben Wesens von Vater und Sohn ausgeht und deshalb auch das ›Band der Liebe‹ oder ›die Liebe‹ ist, in der Vater und Sohn sich in ihrer Wesenseinheit lieben« (LThK V, Sp. 112). Die argumentative Bedeutung des Gedankens im Zusammenhang der Rede Willehalms und seine Verbindung mit dem im Prolog zuerst angeschlagenen Vater-Kind-Motiv liegen auf der Hand.

149,25 *tugent]* Hier: »Wesensart«.

150,3 *dînen ⟨...⟩ leiden]* Wörtlich: »über deinen Kummer will ich Leid empfinden«. Vgl. Martin zu Pz. 329,20.

150,5 *überlesteclîchiu nôt]* Wörtlich: »überschwere Not«, wohl im Sinne des Rechtsterminuns *êhaftiu* (»echte«) *nôt* (»rechtlich anerkannte Notlage, die davon entbindet, Verpflichtungen nachzukommen«). Vgl. Rosenau, S. 49f.; HRG III, Sp. 1040ff.

150,10 *under leist]* Übersetzung ohne Gewähr: die nach dem Kontext hier zu erwartende Bedeutung von *underlegen*: »herabsetzen, verdächtigend in zweifel ziehen« (DWb XI/3, Sp. 1664) scheint sonst nicht belegt zu sein.

150,14f. *der ⟨...⟩ arm]* Indem Heimrich wünscht, daß die – hier ganz konkret gedachte – Hand Gottes (vgl. Komm. zu 4,5) ihm im Kampf den Arm führt, zitiert er den Psalmvers 143,1, der sich auch als Umschrift auf der ältesten erhaltenen kirchlichen Kriegsfahne aus der Zeit um 1100 findet: *Bene-*

dictus Dominus Deus meus qui docet manus meas ad proelium digitos meos ad bellum (»Gepriesen sei der Herr, mein Gott, der meine Hände lenkt zum Kampf und meine Finger zum Krieg«). Vgl. Erdmann, S. 39f.; Kartschoke, S. 288.

150,21 *wâ ⟨. . .⟩ erborn]* Wörtlich: »wo (sind) jetzt (die), die von mir geboren sind (d. h. abstammen)«.

150,22 *ditze ⟨. . .⟩ rekorn]* Möglich auch Aussagesatz mit Ersparung des Subjektpronomens *ir*: »diese Schmähung habt ihr mit mir erfahren« (Fink / Knorr, S. 84). Vgl. Decke-Cornill, S. 188.

150,24 *ich ⟨. . .⟩ giht]* Wörtlich: »ich bekenne die Beleidigung empfangen zu haben, die Schmach zu besitzen« (Martin zu Pz. 383,16).

150,27f. *koeme ⟨. . .⟩ si]* Möglich auch: »hast du sie angegriffen?« (so Schröder, mort, S. 406).

151,2-7 *der ⟨. . .⟩ dâ]* Hinter dem Rechenexempel steht eine dem Mittelalter geläufige indische Überlieferung von der Entstehung des Schachspiels: »Sissah Ibn Dâhir erfand es zur Unterhaltung für König Shihrâm. Der, voller Freude und Verwunderung darüber, will Sissah einen beliebigen Wunsch erfüllen. Daraufhin bittet dieser um ein Weizenkorn im ersten Feld des Schachbretts, zwei, vier, acht in den folgenden und so weiter, jeweils die verdoppelte Anzahl, bis zum letzten Feld. Falls diese Belohnung zu gering erscheine, möge man die Gesamtsumme der Körner noch verdoppeln. Der König hält den Wunsch für allzu bescheiden, muß sich dann aber belehren lassen, daß sein Reich, ja die ganze Welt nicht genug Weizenkörner aufbieten kann, um den Wunsch zu erfüllen« (Decke-Cornill, S. 190f.). »Wenn man die Rechnung ausführt, kommt eine 20stellige Zahl heraus: $2^{64}-1$ = 36893318227419103230. Wenn alle Körnchen nebeneinanderliegen und jedes nur 1 qmm einnimmt, ergibt sich eine Fläche von rund der Hälfte des Festlandes der Erde« (W.J. Schröder, S. 470, Anm. 35). – Wolframs Formulierung des Sachverhalts ist schwierig und hat zu unterschiedlichen Erklärungsversuchen geführt: vgl. Decke-Cornill, S. 191f. (dazu noch Kartschoke, S. 288, mit dem Konjekturvorschlag

151,4 *der* statt *den*). Ich gehe versuchsweise von folgendem Wortsinn aus: »wenn jemand bis zum Ende verdoppelte (*zwispilte*) am Schachbrett auf jedem Feld mit Kardamomkörnern (d. h. jeweils die doppelte Anzahl des vorhergehenden Feldes darauf legte) – denen der doppelte Wert (*zwigelt*) beim Berechnen zugemessen würde (d. h. wenn Leuten bei der Abrechnung das Doppelte der Summe ausgezahlt würde) – noch mehr (als die) hatten Terramer und Tibalt da an Rittern ...« Die Irritation, zu der die Stelle geführt hat, rührt vielleicht von dem ungewöhnlich anmutenden Plural 151,4 *den* her, der sich aus der Mehrzahl der Bezugsgrößen 151,6ff. erklären könnte.

151,12-25 *Vîvîanz* 〈...〉 *Sansôn*] Die Namenliste stimmt mit derjenigen 93,9ff. überein (abgesehen von dem mysteriösen *geslehte ûz Komarzî* 93,14 – vgl. Komm. z. St.), doch weiß Willehalm da (93,26ff.) anscheinend noch nichts von Miles Tod. Vgl. Bernhardt, S. 46; Marly I, S. 157f. – Dem mit 151,19 *dô* eingeleiteten Temporalsatz fehlt anakoluthisch das Prädikat: »die Aufzählung der Namen verselbständigt sich und wird erst mit dem neu einsetzenden vollständigen Hauptsatz 151,25 abgeschlossen« (Decke-Cornill, S. 193). Vgl. Bötticher, S. 296.

151,26 *mit* 〈...〉 *dôn*] Wörtlich: »das Ertönen vieler Aufpralle im Gegeneinanderstürmen«.

152,1 *karrosche*] Aus it. *carrocio*, steht allgemein für »Karren« (so Pz. 237,22 u. ö. für eine Art Servierwagen) und speziell terminologisch für ein fahrbares Gestell, auf dem die an einem Mast befestigte Kriegsfahne in die Schlacht geführt wurde. Im Wh. transportieren die Heiden so ihre schweren Götterbilder auf *karroschen*, die mit hohen Masten versehen sind und von gepanzerten Ochsen gezogen werden (352,1ff. u. ö.). Die intendierte Hyperbolik des Vergleichs legt es nahe, an diese offenbar gewaltigen Kriegsfahrzeuge zu denken. Vgl. Decke-Cornill, S. 195 (mit Lit.).

152,15 *nâch dem ei*] Wörtlich: »um das (bzw. nach dem) Ei«. Die Übersetzung (nach Kartschoke) geht davon aus, daß *ei* hier »etwas werthloses« bezeichnet und »zur verstärkung der negation« dient (BMZ I, Sp. 413b; vgl. auch PMS, S. 404 mit Lit.). Offen bleiben muß, ob die Klage des Kindes dem Verlust von etwas Nichtigem gilt (vgl. W.J. Schröder, S. 470, Anm. 38: ». . . wie ein Kind, dem ein Ei zerbrochen ist«) oder dem Umstand, daß ihm etwas Nichtiges versagt wird (vgl. das Zitat [?] im Wartburgkrieg, hg. von Tom Albert Rompelman, Diss. Amsterdam 1939, 16,3f.: *von zorne muoste ich zabeln als ein kint,* | *dem man daz ei versaget*).

152,22f. *die 〈. . .〉 tuon]* Wörtlich: »die von Heimrich geboren sind (vgl. Komm. zu 150,21) – wenn sein Geschlecht seinen Ruhm durch die Tat unter Beweis stellen will«. Zur Konstruktion von *künne* mit dem Plural (*ir* = »ihren«) vgl. Gärtner, Numeruskongruenz, S. 36.

153,1-6 *die 〈. . .〉 verdagen]* Wendung gegen die Quelle, die Guillaumes Schimpfkanonade mit den Wörtern für »Hure« in aller Drastik wiedergibt (Al. 2772 *pute lise provee* [»erwiesene Hurenhündin«], 2774 *putain* [»Hure«]). Vgl. Decke-Cornill, S. 197f.

153,18-27 *Tîbalt 〈. . .〉 rach]* Die seltsam anmutende Behauptung, die Königin habe ein Verhältnis mit Tibalt, stammt aus der Quelle (Al. 2773f.): *Tiebaus d'Arrabe vos a asoignantee* | *Et maintes fois com putain defolee* (»Tiebaus von Arabien hat euch zur Beischläferin gemacht und es euch oft besorgt wie einer Hure«). Hier ist offensichtlich der Heidenkönig mit einem christlichen Fürsten gleichen Namens verwechselt worden, der in einer älteren Fassung von Guillaumes Rede an dieser Stelle genannt worden war (CG 2603ff.): *Pute reïne, pudneise surpaliere.* | *Tedbalz vus fut icist culverz lecchiere* | *E Esturmis od la malvaise chiere* (Schmolke-Hasselmann: »Verhurte Königin, stinkendes Schwatzmaul, Tedbald treibt es mit Euch, der dreckige Schuft, und auch Sturmi mit dem bösen Gesicht«): dieser Tedbald ist in der CG als Graf von Bourges und Herrscher des Berry klar unterschieden von dem Heidenkönig Tedbald. Willehalms Bemerkung, er habe Giburg nur entführt, um die Schande des Königs zu rächen, scheint Wolfram hinzugefügt zu haben. Vgl. Bumke, Willehalm, S. 75, Anm. 46; Lofmark, S. 75f.

154,7 *waere ‹. . .› ungetân]* Die wörtliche Übersetzung: »wäre das noch ungetan« scheint zu einer Unstimmigkeit zu führen, insofern die Formulierung nahelegt, nicht die Vorwürfe Willehalms seien gemeint, sondern der Ehebruch der Königin. Vgl. Decke-Cornill, S. 203.

154,14 *geflôrieret ‹. . .› wîs]* Die Bestimmung *in mangen wîs* (»in mancherlei Hinsicht«, »vielfältig«) spricht dafür, daß sich *geflôrieret* hier auf Alizes Aufputz (»vielfältig geschmückt«), nicht auf ihre körperliche Erscheinung bezieht. Vgl. Komm. zu 76,19.

154,17 *drümel]* Wörtlich: »kleines Endstück«, »Endchen«, hier für die gekrausten Haarsträhnchen; in der Mehrzahl der Handschriften (und danach von Leitzmann und Schröder) irrtümlich ersetzt durch einen entsprechenden Terminus technicus der Frisierkunst: *triubel* »Träubchen« im Sinne von »Lockenbüschel«. Vgl. Heinzle, Editionsprobleme, S. 229f.

154,21-24 *man ‹. . .› vrî]* Hinter der auf den modernen Leser grotesk (und vielleicht obszön) wirkenden Vorstellung könnte der Glaube des Mittelalters stehen, daß Krankheiten Gottesstrafen sind und entsprechend durch die Kraft der Reinheit sündenloser Menschen geheilt werden können. – Das *ungenante* (das »nicht Genannte«, »nicht zu Nennende«) ist verhüllende Bezeichnung für verschiedene schlimme Krankheiten. Die Übersetzung ist willkürlich: sie will nicht mehr, als dem Leser ein Bild von anschaulicher Drastik zu vermitteln. – Vgl. Decke-Cornill, S. 206ff.

154,26 *einen gürtel ‹. . .› von Lunders]* Anakoluthische Fügung: der herausgestellte Akkusativ bleibt gewissermaßen in der Luft hängen. – London wird auch sonst als Herkunftsort von Luxuswaren genannt: vgl. Decke-Cornill, S. 209.

154,28 *des ‹. . .› val]* »Das *drum* ist bei dem Gürtel wohl das Ende des Senkels, der, durch die *rinke*, die Gürtelschnalle, hindurchgezogen, vorn tief herabhing und an der Spitze mit Metall oder Edelsteinen verziert und befestigt war« (Decke-Cornill, S. 209). Vgl. Zijlstra-Zweens, S. 260.

155,2f. *noch ‹. . .› sîn]* Wörtlich: »noch besser, als ich es ausdenke (d. h. wohl: ausmale), laßt sie ausgestattet (?) sein«.

Die Bedeutung des anscheinend nur hier belegten Ausdrucks *getubieret* wird aus dem mutmaßlich zugrundeliegenden afrz. Wort *ado(u)ber* erschlossen. Vgl. Vorderstemann, S. 329ff.

155,7 *ir* ⟨. . .⟩ *hôch*] Das Verbum: *wâren* ist erspart; vgl. Decke-Cornill, S. 210. – *nider* / *hôch* wohl im Sinne von: »wenig gewölbt« / »stark gewölbt«.

155,10 *trôst*] Die Übersetzung (mit Unger) nimmt versuchsweise an, daß die nicht usuelle Bedeutung »Vorbild« aus der Bedeutung »Hilfe« bzw. »Stütze« etwa im Sinne von »Anhaltspunkt« abgeleitet ist.

155,25 *ir ougen blickes swanc*] Wörtlich: »das Umherschweifen des Blicks ihrer Augen«.

155,27 *âne mantel in ir rocke*] Die höfische Dame trug beim repräsentativen Auftritt über dem *roc*, einem »langärmligen Schlupfkleid«, den *mantel*, »einen sehr geräumigen, öfters halbkreisförmig geschnittenen Umhang, der sich oben den Schultern anschmiegte« und »sich nach unten hin weitete« (Zijlstra-Zweens, S. 245; vgl. auch Komm. zu 249,2). Alize hat in der Eile ihre Toilette nicht vollenden können. Vgl. Decke-Cornill, S. 212.

156,18 *dû* ⟨. . .⟩ *durhlegen*] Wörtlich: »du hast mein Ansehen durchgelegen«. Die Übersetzung meidet das wohl nicht allgemein gebräuchliche »durchliegen« (»durch langes liegen zerreißen«: DWb II, Sp. 1646) und gibt damit den »witzige(n) bezug auf die situation« preis: »*Alyze lît vor sînen fuozen* (155,30. 156,2.3)! Dadurch, daß er dies nicht hindern kann, ist sozusagen ein loch in seiner *werdekeit* entstanden« (Wiessner, Richtungsconstructionen I, S. 457).

156,29f. *dâ von* ⟨. . .⟩ *gruoz*] Alizes Gunst veranlaßt den edlen Mann, dem sie zuteil wird, im ritterlichen Kampf für sie so viele Speere zu verstechen, daß zur Beschaffung der Schäfte ein ganzer Wald abgeholzt werden muß. Vgl. Titurel-Kommentar, S. 155f. – Kartschoke scheint *grüezen* im Sinne von »erhören« zu verstehen: er liest *ê'nphaeht* (S. 289) und übersetzt: »ehe ein edler Ritter deine Gunst geschenkt bekommt«. Die Lesung hat keinerlei Anhalt in der Überlieferung und ist auch sachlich unnötig: die als *gruoz* bezeichnete

Gunst der Dame kann zwar, muß aber durchaus nicht die Erhörung meinen; sie kann sich etwa auch auf ein freundlich ermunterndes Lächeln beschränken.

157,7 *wem ⟨. . .⟩ zuht]* Wörtlich: »wem hat die« (nämlich die *werdekeit*) »die höfische Zurückhaltung überlassen?«

157,21 *dû ⟨. . .⟩ lân]* Wörtlich: »du sollst sie von mir Nutzen haben lassen«.

158,8-11 *diu ⟨. . .⟩ zaeme]* Übersetzung nach Decke-Cornill, S. 219.

158,18 *allez]* Zur Konstruktion (neutrales Pronominaladjektiv bezogen auf nicht-neutrales Prädikatsnomen) vgl. PMS, S. 401.

158,23f. *die ⟨. . .⟩ verlôs]* Willehalm ist insofern selber schuld an der Selbstüberhebung seiner Schwester, als er es war, der ihr durch sein Eintreten für ihren Gemahl nach Kaiser Karls Tod ihren Rang als Königin gesichert hat.

159,4f. *si ⟨. . .⟩ genôzschaft]* Drohung Willehalms: er könnte die Ebenbürtigkeit zwischen sich und seiner Schwester wieder herstellen, indem er den König tötete oder vom Thron stieße?

159,8-10 *waere ⟨. . .⟩ ungetân]* Wörtlich: »wäre ich allein von ihm abgefallen, dann wäre von denen, die ihn als Herrn haben müssen, das« (nämlich: seine Herrschaft zu akzeptieren) »nicht getan worden«. Oder sollte die Aussage präsentisch gemeint sein: »wenn ich nicht zu ihm hielte, würde keiner seine Herrschaft akzeptieren«?

159,14 *landes herren]* Hier wohl »abhängige Untervasallen im *lant* eines Fürsten«. Vgl. Hellmann, S. 194.

159,15f. *in ⟨. . .⟩ strebeten]* Wörtlich: »in vertraglicher Übereinkunft lebten und ihm feindselig Widerstand leisteten«. Möglich etwa auch: »die in Sicherheit (vor ihm, dem Schwachen) lebten . . .«. Vgl. auch Decke-Cornill, S. 223.

159,30 *dîn ⟨. . .⟩ hât]* Wörtlich: »in deiner Befehlsgewalt steht der Schlüssel«. Man mag an das Schloß einer Gefängnistür oder an das Schloß einer Kette denken. Vielleicht spielt auch eine Reminiszenz an Matthäus 16,19 hinein: *et tibi dabo claves regni caelorum | et quodcumque ligaveris super terram erit ligatum in caelis | et quodcumque solveris super terram erit solutum in caelis* (»und ich werde dir die Schlüssel zum Himmelreich geben, und was du binden wirst auf der Erde, das wird im Himmel gebunden sein, und was du lösen wirst auf der Erde, das wird im Himmel gelöst sein«). Vgl. Mersmann, S. 93; Decke-Cornill, S. 224.

160,5 *die ⟨. . .⟩ sêr]* Übersetzung im Hinblick auf 122,25f.: das Leid dörrt das Herz aus, so daß keine Freude mehr in ihm wachsen kann (zu *dürre* »verdorrend« vgl. DWb II, Sp. 1737). Anders verstehen *dürre* DWb II, Sp. 1740: »unabänderlich, ungemildert, hilflos, hoffnungslos«, und einige Übersetzer (Fink / Knorr [S. 89], Kartschoke, Passage): »tränenlos«.

160,8 *man]* Vielleicht auch: »Vasall«.

160,12 *unverzerten jâmers hort]* Wörtlich: »den nicht verbrauchten Leidensschatz«; *hort* steht wohl als bloße Mengenbezeichnung. Vgl. Decke-Cornill, S. 225.

160,20f. *mit ⟨. . .⟩ geben]* Wörtlich: »mit reichem Sold will ich Zins von meinem freien Leben entrichten«. Die Zins-Metapher hebt wohl darauf ab, daß Irmschart als Freie nicht verpflichtet ist, irgendjemandem Abgaben zu entrichten, d. h. daß sie aus freien Stücken gibt. Anders Decke-Cornill, S. 226, die *vrî* »vor allem auf Irmscharts freies Schalten mit ihrem Eigentum, das ihr im Rahmen des ehelichen Güterrechts zustand«, beziehen will. Vgl. auch Mersmann, S. 70, Anm. 10.

160,27 *mîn hort]* Irmscharts Sondervermögen. Vgl. Komm. zu 63,14; Decke-Cornill, S. 227.

160,29 *enpfâhen]* Möglich auch Punkt danach (Leitzmann).

161,2 *merrint]* Eigentlich: »Rind im Lande oder aus dem Lande überm Meere« (Schade I, S. 604). Ob (zumindest ursprünglich) eine bestimmte Tierart gemeint war, wird aus den Belegen der Wörterbücher (BMZ II/1, Sp. 722bf.; Lexer I, Sp. 2116) nicht klar.

161,3 *bisande]* »Byzantiner«, hochwertige Goldmünzen aus Byzanz. Vgl. Decke-Cornill, S. 228f. (mit Lit.). – Die Übersetzung »Byzantinergulden« nach Unger.

162,1f. *Welt ⟨. . .⟩ ê]* Die Verse setzen eine Vortragspause zwischen den Büchern III und IV voraus. Das Adverb *ê* (»früher, vorher, einst«) hat dabei keine prägnante Bedeutung im Sinne einer bestimmten Angabe über die Dauer der Pause (etwa: »soeben« oder: »vor einiger Zeit«), sondern dient nur der Akzentuierung des Präteritums in Relation zum Adverb *nû* (»nun, jetzt«), das entsprechend die neue Erzählgegenwart markiert. Vgl. auch Nellmann, S. 120f.

162,10-12 *des ⟨. . .⟩ twanc]* Wörtlich: »der Markgraf strebte eifrig danach (war darauf beflissen), daß es Giburg nach Wunsch erginge«, d. h. er bemühte sich darum, die Hilfe zu erlangen, die es ermöglichte, Giburg aus ihrer Zwangslage zu befreien. – Paul, Willehalm, S. 319, meinte, das *wol gelanc* auf eine erfolgreiche Aktion Giburgs beziehen (und *nôt sîn* mit »nötig haben« übersetzen) zu müssen; da das hier wenig sinnvoll wäre, plädierte er für die in der Mehrzahl der Handschriften überlieferte Alternativ-Fassung, nach Leitzmann: *des was ouch Gîburge nôt, | ob dem markîs wol gelanc. | den minne unde jâmer twanc,* | . . . (»das hatte Giburg nötig, daß der Markgraf erfolgreich war [mit seinen Bemühungen um Hilfe]. Er, den Liebe und Kummer quälten . . .« – vgl. auch Schanze, S. 55; Schröder, Kritik, S. 17f.) Zu meiner Übersetzung, die es erlaubt, bei der Leithandschrift zu bleiben, vgl. BMZ I, Sp. 1001b (Walther 51,22!), mit DWb IV/1/2, Sp. 3031f., und BMZ II/1, Sp. 412af., mit DWb VII, Sp. 920. – Im Hinblick auf den Kontext möchte man annehmen, daß mit *jâmer* das Leid um die Gefallenen gemeint ist, doch verträgt sich damit die kausale Verknüpfung mit Giburgs Schicksal (*wan*) nicht recht.

162,19 *liebistez]* Vgl. Komm. zu 9,8.

162,22f. *ein ⟨. . .⟩ zil]* Würfelspiel-Metapher, wörtlich: »ein Würfel-Auge (*esse* – vgl. Komm. zu 43,29) konnte ihm niemand als Vorgabe geben (d. h. schenken – vgl. DWb XI/2, Sp. 251) in solcher Hinsicht«. Gemeint ist: Willehalm hatte den höchstmöglichen Wert gewürfelt in Bezug auf Leid, man konnte ihm nichts dazugeben, »das maß war voll« (BMZ I, Sp. 505a). – Lachmann und Schröder lesen mit der Mehrzahl der Handschriften *spil* statt *zil*. Das verdeutlicht die (durch *esse* schon hinlänglich markierte) Spielmetapher und ist gerade deshalb als Schreiberkorrektur oder -versehen verdächtig (bezeichnend Fr[13]: *zil* aus *spil* korrigiert!).

162,27 *gruntveste* ⟨...⟩ *fundamint*] für das von der Übersetzung vorausgesetzte Adjektiv / Adverb *gruntveste* »fest im Grund, fest hinsichtlich des Fundaments« wäre dies der bislang älteste Beleg: vgl. DWb IV/1/6, Sp. 800f. Doch könnte auch (wie man gewöhnlich annimmt) das Substantiv *gruntveste* »Grundfeste, Fundament« vorliegen: »mitten in seinem Herzen lag als Grundfeste das Fundament der Sorge«.

162,30 *publikâne*] Die Bedeutung des Wortes ist umstritten, doch spricht einiges dafür, daß es hier für die Angehörigen häretischer Bewegungen steht, die zu Wolframs Zeit ganz Europa erfaßt hatten und der Kirche schwer zu schaffen machten. Vgl. Vorderstemann, S. 240ff.; Kunitzsch, Caldeis, S. 376f.; James W. Marchand, *On the origin of the term ›popelican(t)‹*, in: Mediaeval Studies 38 (1976), S. 496-498.

163,7f. *dô* ⟨...⟩ *zogete*] Möglich auch: Punkt nach *brogete*, Komma nach *zogete* (Leitzmann).

163,9 *minne und ander nôt*] Wiederholt 162,12 *minne und jâmer*: das *ander* steht wohl pleonastisch. Vgl. Nellmann, S. 117, und Komm. zu 4,25-29; anders Schröder, Minne, S. 307 (»seine leidgeprüfte Liebe zu Gyburc und anderes Leid«), und Unger, Prolog, S. 64f. (»der Minne Not und andere Not« oder »Minne und anderes Nötigende«).

163,11 *wider komen*] Nämlich: zu ihrer Mutter an die Kemenatentür.

163,16 *mâvesin*] Aus afrz. *mal voisin*, »übler (böser, streitsüchtiger) Nachbar«, wie Wolfram – mit einem typisch höfischen Stilzug – sogleich selber übersetzt. In Al. (2355) nennt der König so den bedrohlich im Burghof von Laon sitzenden Fremden, dessen Identität er noch nicht erkannt hat. Vgl. Singer, S. 63; Vorderstemann, S. 198f.; Titurel-Kommentar, S. 99.

164,14 *die berhaften nôt*] Wörtlich: »die fruchtbare (fruchtbringende) Not«.

164,24f. *daz ⟨. . .⟩ entêre*] Die Königin fürchtet, vor Schmerz wahnsinnig zu werden und im Wahnsinn Dinge zu tun, die mit der Ehre einer Frau nicht vereinbar sind. – Ganz anders Panzer, Willehalm, S. 233, der Punkt nach 164,23 *leit*, Komma nach 164,25 *entêre*, Punkt nach 164,28 *Alischanz* setzt und 164,24-27 so paraphrasiert: »um meinen hochmut zu demütigen, hat mich dies unglück getroffen: wie gross ist es doch!« Das ist schon Kraus, Willehalm, S. 552f., unverständlich gewesen.

165,4 *under schilde*] »*under*, weil der Schild hochgehalten wird, um die Schwertschläge des Gegners abzuhalten« (Zimmermann zu Pz. 346,4).

166,10f. *iuwer ⟨. . .⟩ art*] Vgl. Komm. zu 124,16. Von den dreizehn Gefallenen oder Gefangenen lassen sich Vivianz und Mile als Schwestersöhne und läßt sich der Pfalzgraf Bertram als Brudersohn Willehalms (und der Königin) bestimmen; Jozzeranz wird 151,23 Willehalms *neve* genant; von den übrigen (Gautiers, Gaudin, Hunas, Gibelin, Gerart, Huwes, Witschart, Gwigrimanz, Sanson) erfährt man nur hier, daß sie Neffen – Bruder- oder Schwestersöhne – Willehalms sind (Brüder Willehalms, wie einige Übersetzer annehmen, sind nicht unter ihnen).

166,18f. *nû ⟨. . .⟩ worhte*] Nimmt die Verweisung an Christus (166,1ff.) wieder auf: dieser thront (nach Markus 14,62) zur Rechten des Schöpfers (Gottvaters).

166,21 *gotes ⟨. . .⟩ hantgetât*] Traditionelle Bezeichnung für den Menschen, die darauf abhebt, daß ihn Gott mit eigener Hand (*manu*) gebildet hat, während die anderen Geschöpfe durch bloßen Befehl (*iussu*) erschaffen wurden. Vgl. Ochs, S. 28; Schmidt zu 450,19.

166,30 *gaebet*] Der (nur in G überlieferte) Konjunktiv hat, die Konstruktion mit *solt* »sollte« (166,28) fortführend, voluntativen Charakter. Vgl. Schröder, Kritik, S. 13 (gegen Paul, Willehalm, S. 324).

167,6-9 *Anfortases ⟨. . .⟩ truoc*] Vgl. Komm. zu 99,29f.

167,10f. *ich ⟨. . .⟩ kür*] Wörtlich: »ich hatte auch genügend Würde vom Mich-Präsentieren in der römischen Höhe«,

d. h. »dadurch, daß man mich als römische königin so hoch emporragen sah« (BMZ I, Sp. 829a).

167,13f. *den ⟨. . .⟩ sîn*] Das Bild »ist aus der Architektur genommen, die Grundfeste eines Gebäudes, die unterwühlt ist, so dass das Gebäude einstürzen muss« (Singer, S. 64). Anders Paul, Willehalm, S. 330, der mit der Mehrzahl der Handschriften *diu* statt *der* lesen will: dann bezieht sich 167,14 auf *hoehe* (so Leitzmann und Schröder; vgl. auch Schröder, Kritik, S. 16).

167,16f. *die ⟨. . .⟩ in*] Wörtlich: »die von mir geboren waren und auch ich von ihnen«. Ein merkwürdig freier Gebrauch der Wendung *erborn von*, die bei Wolfram sonst nur im Sinne der Abstammung von den Erzeugern (vom Vater ebenso wie von der Mutter) oder von den Vorfahren gebraucht wird: vgl. Wiessner, Richtungsconstructionen II, S. 18f. Oder hat man die Formulierung hier doch wörtlich zu nehmen als eine Art Hyperbel, die die denkbar engste Verbindung zwischen der Königin und den Verlorenen zum Ausdruck bringen soll?

167,27 *diu ⟨. . .⟩ blicke*] Wörtlich: »die Süße seines Anblicks (d. h. des Anblicks, den er bot)«. Vgl. Schröder, Gyburc, S. 54 (mit zu enger Übersetzung: »er war so schön von Angesicht . . .«).

168,24 *âne valschen kranc*] Wörtlich: »ohne Beeinträchtigung, die in Falschheit besteht«.

168,30 *ob ⟨. . .⟩ erweit*] Wörtlich: »wenn (Minne-)Dienst für euch ihn in Bewegung setzt«.

169,4 *durh wîplîchen rât*] Wörtlich: »um weiblicher Hilfe willen«.

169,11 *vielen*] Im folgenden richtet »der König die Antwortrede auf die Geste der Knienden nur an die Königin . . ., so daß die Aufforderung, sich zu erheben (169,29), nur ihr gelten kann, und daß auch nur von der Königin erzählt wird, daß sie wieder aufstand (170,1)« (Schanze, S. 55; vgl. auch Schröder, Kritik, S. 26f.). Dem scheint die konkurrierende Überlieferung mit dem Singular *viel* Rechnung zu tragen, doch ist die Vorstellung, daß die vier Fürsten neben der knienden Königin vor dem König stehen blieben, befremdlich. Die Verengung der Erzählperspektive auf die Königin als die Hauptfigur hat demgegenüber nichts Merkwürdiges.

169,18f. *sô* ⟨. . .⟩ *wendet*] Wörtlich: »daß ihr Terramer von dem Lager in Orange abbringt« (kaum: ». . . von der Belagerung Oranges . . .«).

169,30 *ich* ⟨. . .⟩ *ger*] Nach mhd. Sprachgebrauch auch möglich: »ich denke über eure Bitte nach (gehe mit mir über eure Bitte zu Rate)«: vgl. BMZ II/1, Sp. 579b; Lexer I, Sp. 184; WMU I, Sp. 186af. Dagegen und für die gewählte Übersetzung spricht: daß die Beratung des Herrschers mit seinen Vasallen in schwierigen politischen Fragen ein festes Institut des mittelalterlichen Rechts ist; daß 181,26ff. zumindest angedeutet wird, daß eine solche Beratung tatsächlich stattfand; daß im Text der Vorlage zur Parallelstelle 179,2 eindeutig von einer Beratung die Rede ist (Al. 3047: *dist Loeïs: ›Et nos en parleron . . .‹* »Louis sagte: ›Wir werden darüber konferieren . . .‹«). Vgl. Reichel, S. 405; Marly, Schwächling, S. 116.

170,7-16 *swaz* ⟨. . .⟩ *abe*] Um den Zusammenhang zu verstehen, muß man sich klar machen, daß die Königin in dieser Passage nur von Verwandten spricht (erst mit 170,17 wendet sie sich ausdrücklich auch an Fremde). Sie erklärt, daß ihr in der Not die armen Ritter unter ihren Verwandten (vgl. Komm. zu 72,4) ebenso lieb sind wie die reichen Fürsten, wenn sie nur helfen. Den Armen gilt das Angebot. Für sie wird exemplarisch der hypothetische *garzûn* genannt. Mit dieser Personengruppe (vgl. zu 131,27) verbindet sich offenbar prinzipiell die Vorstellung von Habenichtsen (vgl. etwa 192,5). Dies muß nicht eigens gesagt werden, und deshalb zwingt nichts dazu, mit Paul, Willehalm, S. 324 (und danach Leitzmann und Schröder), von G abzuweichen und statt *wackerer garzûn* mit den übrigen Handschriften *swacher* (»niederer« oder »armseliger«) *garzûn* zu lesen (eine Attribuierung, die – Pz. 660,27 belegt – einem Schreiber leicht in die Feder fließen mochte). Entsprechend ist auch der gewöhnlich konzessive Sinn der Wendung *ob halt* »selbst wenn« (vgl. Zimmermann zu Pz. 374,1) durch die notorisch schlechte Stellung von *garzûnen* hinreichend bedingt (»selbst wenn ein *garzûn*, allerdings ein tüchtiger . . .«).

171,2 *mir* ⟨. . .⟩ *zam*] Die Freude hat sich von ihm entfernt und ist schwer erreichbar wie ein flüchtiges Wild, die Sorge hingegen ist ihm ein vertrauter Genosse geworden wie ein zahmes Haustier.

171,7 *daz* ⟨. . .⟩ *entsagen*] Wörtlich: »das alles befreit mich nicht davon«.

171,22f. *ambet* ⟨. . .⟩ *sper*] Vgl. Komm. zu 50,6.

172,8 *unzergangen*] Eigentlich: »noch nicht vergangen«. Ob die vom Kontext nahegelegte Übersetzung: »unvergänglich« statthaft ist, bleibt fraglich.

172,22 *mit swerten rüeren*] Wörtlich wohl: »mit Schwertern in Bewegung setzen«, nämlich die *geste*.

172,25 *gewâpender orse*] Die Pferde waren mit Eisendecken gepanzert. Vgl. Komm. zu 360,14-18.

173,7 *âne schande*] Wörtlich: »ohne Schande«, d. h. wohl: »so, daß es dem Hof Ehre bringt«.

173,14 *wan* ⟨. . .⟩ *selten*] Wörtlich: »sie haben nie Nutzen davon gehabt«. Der Sinn der Aussage ist nicht klar. Die Übersetzung nimmt versuchsweise an, daß gesagt werden soll, die Gäste seien nicht die (profitierenden) Urheber des Leids der Heimrich-Sippe gewesen (*[e]s* parallel zu 173,13 *des* auf 173,10 bezogen). Demgegenüber rechnen die Übersetzer anscheinend mit einem sehr freien Bezug des *(e)s*: »denn der Genuß kam ihnen selten« (San Marte II, entsprechend Matthias, Fink / Knorr [S. 97], Unger, Gibbs/Johnson [S. 94]), »denn die hier haben noch nichts bekommen« (Kartschoke, entsprechend Passage).

173,15 *ambetliute*] Die mit den verschiedenen Aufgaben (»Ämtern«) der Hofhaltung betrauten Beamten. DRWb I, Sp. 576ff.; WMU I, Sp. 75aff.; Komm. zu 212,3-13.

173,24 *ir* ⟨. . .⟩ *lêren*] Wörtlich: »ihr sollt euch selbst die Anweisungen geben«.

173,27 *mit spaehem getihte*] Wenn 173,28 *tischgerihte* tatsächlich »zubereitete Speise, Gericht« bedeutet (und nicht etwa »Tischgerät« – vgl. BMZ II/1, Sp. 649b), ergeben sich zwei Übersetzungsmöglichkeiten: 1. *mit spaehem getihte* heißt: »mit kunstreich verfertigtem Gerät«, wobei an kunstvolle Tafelgeräte oder Tafelaufsätze zu denken wäre, wie sie zum Tafelluxus des Mittelalters gehörten (vgl. Schultz I, S. 372ff.; Bumke, Kultur I, S. 259ff.; Gunther Schiedlausky, *Essen und Trinken*, München 1959 [Bibliothek des Germanischen National-Museums Nürnberg zur deutschen Kunst- und Kulturgeschichte, 4], S. 27ff.); 2. *mit spaehem getihte* heißt: »mit sinnreichem Trachten«, was als adverbiale Bestimmung zu beziehen wäre entweder auf die raffinierte Zubereitung der Speisen (Unger: »erstellt auf feine Weise«) oder auf die ausgefeilte Serviertechnik (Fink/Knorr, S. 97: »mit klugem Bedacht trug man . . .«). Die Belege für *getihte* (BMZ III, Sp. 36b; Lexer I, Sp. 944; DWb IV/1/1, Sp. 2014f.) sprechen eher für die erste Möglichkeit.

174,6-8 *zuo* ⟨. . .⟩ *bat*] Eine schwierige Konstruktion, vielleicht Kombination aus Anakoluth (Ausfall des Prädikats zum Subjekt *si*) und apo koinou (174,7 als gemeinsames Satzglied von 174,6 und 174,8): »nebeneinander (setzten) sie (sich) vor des Königs Bett auf einen Platz – vor des Königs Bett auf einen Platz sich zu setzen, bat ihn die Königin«. Vgl. Gärtner, apo koinou, S. 215f.

174,11 *wâpenkleit*] Wohl *wâpenroc* und *kursît*. Vgl. Komm. zu 19,25.

175,1 *nacket*] Willehalm hat Rüstung und Waffenkleider abgelegt (174,9ff.) und wird gleich ein Seidengewand über die »Haut« streifen (175,8), doch ist gewiß nicht gemeint, daß er im Augenblick völlig nackt war und die Königin fürchtete, er wolle so mit ihr vor die Festgesellschaft treten: »Wenn es im Mittelalter . . . heißt, jemand sei ›nackt‹ gewesen, dann kann damit lediglich gemeint sein, daß der oder die Betreffende unzureichender bekleidet war, als der Beschreibende es . . . für angebracht hielt« (Hans Peter Duerr, *Nacktheit und Scham*, Frankfurt 1988, S. 303). Vgl. auch DWb VII, Sp. 246f.

175,9 *dô ⟨. . .⟩ lieht]* Nämlich die Haut und die Seide, nicht der Markgraf und die Königin (wie einige Übersetzer meinen).

176,2f. *dem ⟨. . .⟩ krône]* Es ist wohl Willehalm gemeint (»der höchste Fürst unter der Herrschaft der römischen Krone« oder: »der höchste Fürst gleich unter, d. h. nach der römischen Krone«: vgl. 158,20f.), kaum der König selbst (»der höchste Fürst, nämlich der, der die römische Krone trug« – vgl. dagegen die Alternativlesung: *mit den hoehsten vürsten . . . und der roemischen [und roemischer] krône* »mit den höchsten Fürsten und der römischen Krone, d. h. dem König« [oder ist *und* hier als Kurzform der Präposition *under* aufzufassen?]).

176,4 *zwei hundert marc]* Vgl. Komm. zu 63,30.

176,6 *Iremschart ⟨. . .⟩ irte]* Irmschart hatte Willehalm das Geld gegeben: 161,24ff.

176,14f. *dâ ⟨. . .⟩ kruoge]* *brunne* bedeutet hier wohl »frisch geschöpftes Quellwasser« (vgl. DWb II, Sp. 433); der unbestimmte Artikel steht zur Bezeichnung eines abgegrenzten Quantums: vgl. etwa Pz. 186,2f. *dô er den râm von im sô gar | getwuoc mit einem brunnen* »als er sich den Schmutz der Rüstung mit (etwas) Quellwasser völlig abgewaschen hatte«. Merkwürdig ist die Formulierung »nasser Krug«: ist »mit Wasser gefüllter Krug« gemeint? oder soll gesagt sein, daß das Wasser über die Ränder des Krugs hinuntergelaufen bzw. der Krug außen mit Wasser benetzt war? oder denkt Wolfram an ein poröses, an der Außenwand feuchtes Gefäß, in dem das Wasser frisch und kalt blieb (vgl. Schultz I, S. 382)?

176,19-27 *Gîburc ⟨. . .⟩ schiet]* Fabors wird wohl deshalb »Marschall« genannt, weil er (nach 97,12ff.) für die richtige Plazierung der verschiedenen Abteilungen vor Orange verantwortlich gewesen war (vgl. Komm. zu 131,11). Von daher wird man (mit Gibbs / Johnson, S. 96) den Zusammenhang verstehen müssen: obwohl Fabors die Belagerungstruppen arrangiert hatte und obwohl es so viele waren, gelang Willehalm der Ausbruch. Lachmann und Leitzmann stellen 176,24 in Parenthese und setzen nach 176,27 Komma statt

Punkt, womit ein schwer nachvollziehbarer Zusammenhang zwischen der Unverbrüchlichkeit des Gelübdes und der Stärke der Belagerungstruppen hergestellt wird. – Andere Auffassungen sind möglich, aber unwahrscheinlich. Singer, S. 66, setzt Komma statt Punkt nach 176,21, Punkt statt Komma nach 176,23 und 176,26, stellt 176,24-26 in Parenthese und setzt Komma statt Punkt nach 176,27: »Obwohl sein Schwager Fabors in Oransche Festarrangeur gewesen wäre, setzte er sich doch auf das Ross mit dem Versprechen einer asketischen Lebensweise. Nun ein Zwischengedanke, der eigentlich gar nichts mit der Sache zu tun hat, und dann wieder das Zurückgreifen auf sein Versprechen an Giburc ... Es ist echt W'scher Humor, sich verwundert zu stellen über den tollen Markgrafen, der aus Oransche, wo doch sein eigener Schwager das Marschallamt versehen hätte, fortreite, um sich in der Fremde bei Wasser und Brot mühsam fortzufristen.« Wieder anders Kartschoke und Schröder: Komma bzw. Gedankenstrich statt Punkt nach 176,21, Punkt statt Komma nach 176,23. Damit wird »Marschall« zunächst im Sinne von Pferdeknecht aufgefaßt: obwohl ein Marschall da gewesen wäre, führte Giburg das Roß bzw. saß Willehalm ohne Hilfe auf (vgl. auch San Marte II, S. 153, Anm. 1). Dabei besteht nach Kartschoke, S. 290, »der Witz in der Mehrdeutigkeit des Begriffs *marschalc* = ›Pferdeknecht‹, ›Aufseher über das Gesinde‹, ›Burgvogt‹ und auch ›Heerführer‹«. Da nirgendwo gesagt wird, daß Fabors förmlicher Inhaber eines Marschall-Amtes war, spricht nichts dafür, die verschiedenen Bedeutungen des Begriffs ins Spiel zu bringen: »er war Marschall vor Orange gewesen« heißt, er hatte sich als Marschall betätigt, indem er den Truppen ihre Plätze anwies.

177,1 *durh* ⟨...⟩ *wolde*] Wörtlich: »deshalb wollte er meiden«.

177,4f. *gepigmentet klâret* ⟨...⟩ *môraz*] *gepigmentet klâret* ist ein mit Gewürzen (*pigment*) versetzter, wahrscheinlich heller Wein (*klâret*); *met* »Met« ist ein weinartiges Getränk aus vergorenem Honig; *môraz* ist vergorener Maulbeer- oder Brombeersaft oder mit Maulbeer- oder Brombeersaft versetzter Wein. Vgl. Vorderstemann, S. 144f., 226, 202ff.

177,12f. *durh* 〈. . .〉 *gesunken*] Das frohgemute, hochgestimmte Herz weitet sich und läßt die Brust sich wölben, das betrübte schrumpft und läßt sie einsinken: eine Lieblingsvorstellung Wolframs. Vgl. Friedrich Ohly, *Cor amantis non angustum. Vom Wohnen im Herzen* (zuerst 1970), in: F.O., *Schriften zur mittelalterlichen Bedeutungsforschung*, Darmstadt 1977, S. 128-155, hier S. 144f.; Zimmermann zu Pz. 361,22.

177,25 *der vürsten voget*] »Mit dieser Bezeichnung wird dem König . . . ein Recht auf ehrerbietige Behandlung von seiten der Fürsten zuerkannt (vgl. 181,7-16), vor allem aber auch eine Schutzpflicht ihnen gegenüber. Auf diese Schutzpflicht beruft sich Willehalm, wenn er vom König Hilfe verlangt (177,25-179,1)« (Hellmann, S. 232).

177,26 *sich* 〈. . .〉 *gezoget*] Rechtsterminologie: »meine Rechtssache ist euch zur Entscheidung zugefallen« (vgl. Martin und Zimmermann zu Pz. 362,11)? Doch paßte das hier schlecht, wo doch gesagt werden soll, daß der König selbst ein Betroffener ist.

178,1 *iuwerer kinde mâge*] Die Verwandten Willehalms sind über die Königin auch die Verwandten der Kinder des Königs. Von diesen wird nur Alize genannt, doch ist auch 183,12 von einer Mehrzahl die Rede.

178,5 *mîne* 〈. . .〉 *tôt*] Die Fische im Larkant sind von den Heeresmassen, die durch den Fluß ritten, zertrampelt worden (wie die Wiesen und die Äcker – vgl. 178,6: *die selben nôt*). Indem Willehalm das vorbringt, beklagt er die Kränkung eines wichtigen grundherrschaftlichen Rechtes: den Anspruch auf die Erträge aus der Fischerei, die zum »Nutzen« (178,8) der Mark gehören, der ihm mit dieser verliehen war. Vgl. HRG II, Sp. 281ff.

178,12f. *diu* 〈. . .〉 *marke*] Zur Nacht wird das Hausfeuer *berochen* (zu *rechen* »zusammenscharren«, »harken«), d. h. die Glut mit der zusammengescharrten Asche bedeckt: das bewahrt die Glut und verhindert zugleich ein gefährliches Auflodern des Feuers. In der mit Krieg überzogenen Mark kann sich keiner mehr in dieser Weise um die Feuer kümmern, und so kommt es zu Bränden (Unger: »von Feuern, die der Wind empört, steht meine Mark in Gluten«). Vgl. Singer, S. 66f.

178,22-24 *daz 〈. . .〉 mer]* Im Rolandslied kommt der oberste Heidenherrscher Baligan dem von Karl besiegten heidnischen König von Spanien, Marsilie, mit einem riesigen Heer *ůber mer* (RL 7162), nämlich von Alexandria aus, zu Hilfe. Vgl. Komm. zu 108,12-15.

178,29 *noch 〈. . .〉 werlîch]* Wörtlich: »verteidigt mich: ich meinerseits bin verteidigungsbereit«.

178,30 *ellenthaften]* Offenbar dieselbe Bildung wie 31,30 *gelouphaften*: vgl. z. St.

179,2 *des 〈. . .〉 berâten]* Vgl. Komm. zu 169,30.

179,12f. *diu 〈. . .〉 benant]* Rechtsakt der *diffidatio* (»Aufkündigung der Treue«): der Vasall gibt das Lehen zurück und sagt dem Herrn die Treue auf. Vgl. Ganshof, S. 103f.

179,25 *sô 〈. . .〉 anderswar]* Wörtlich: »so leiste ich Dienste anderwohin«, »diene anderen«. Vgl. Wiessner, Richtungsconstructionen I, S. 405.

179,29 *iu 〈. . .〉 z'undanke]* Wörtlich: »gegen euren Willen«, d. h. »so daß es mir euren Undank einbringt«, nicht: »gegen meinen Willen«, »gezwungen« (Kartschoke). Vgl. Lipton, Clues, S. 757, Anm. 3.

180,15 *wir zwô]* Nämlich die Königin und Alize.

180,23 *lât 〈. . .〉 sîn]* Wörtlich: »laßt sie alle Juden sein«, »nehmt an, sie wären alle Juden«. Vgl. Martin zu Pz. 4,2; Zimmermann zu Pz. 355,11. – Die Erwähnung der Juden zielt – entsprechend 162,28-30 – auf deren Ungläubigkeit: selbst Ungläubige hätten Mitleid verdient.

181,2 *durh wer mîn lant]* Das Akkusativobjekt *mîn lant* verlangt eigentlich ein Verbum: dieses steckt gewissermaßen in dem Substantiv *wer*. Vgl. Bötticher, S. 314. – Unklar bleibt, was der König hier *mîn lant* nennt: Willehalms Mark, das römische Reich, das Königreich Frankreich? Terminologisch korrekt wäre wohl nur die Anwendung auf das Königreich Frankreich – aber gerade das haben Willehalms Leute allenfalls in einem sehr indirekten Sinne verteidigt. Vgl. Hellmann, S. 224f.

181,10f. *von ⟨. . .⟩ wol]* Indem Willehalm den König *der vürsten voget* nannte, erkannte er an, daß diesem Ehrerbietung von seiten der Fürsten zukommt – und mißachtete dies doch in seinem Verhalten. Vgl. Komm. zu 177,25.

181,21 *mit guoten witzen]* Wörtlich: »mit gutem Verstand«; was gemeint ist, bleibt unklar: »mit richtiger Einsicht in den Sachverhalt« im Sinne von: »mit gutem Recht« (Fink / Knorr, S. 101), »mit Grund und Überlegung« (Kartschoke)? oder: »bei klarem Verstand« (Trier, Wortschatz, S. 278) im Sinne von: »mit Vorsatz« (Matthias), »nicht im Affekt, also unter mildernden Umständen« (vgl. Francke, Reappraisal, S. 44)?

181,28-30 *waz ⟨. . .⟩ bewar]* 181,29 *der muoz vil eben mezzen dar* heißt wörtlich: »der (nämlich: der gewissermaßen personifiziert gedachte *rât*) muß genau in Betracht ziehen«. Möglich auch: 181,28 Komma statt Punkt nach *mir* und Punkt statt Komma nach *nim*, 181,29 *der* auf 181,26 *ieslîch* bezogen (so die Herausgeber und Übersetzer): »Sage mir jeder, der treu zu mir steht, was er täte, ginge es ihm wie mir, und wozu ich mich entschließen soll. Sorgfältig muß er alles abwägen . . .« (Kartschoke). Vgl. auch Wiessner, Richtungsconstructionen II, S. 31.

182,1 *man ⟨. . .⟩ dan]* »Die Tafel war wohl auf Schragen oder Stützen aufgesetzt und wurde nach dem Essen wieder weggetragen« (Martin zu Pz. 166,5). Vgl. Schultz I, S. 432; Marquardt, S. 182.

182,17 *des ⟨. . .⟩ erben]* Wörtlich: »dessen Mut sollte er erben«, wohl im Sinne von: »sich zu dem Erbe bekennen« oder: »das Erbe aktivieren«.

182,20 *pfaht]* Die alte hochdeutsche Form von *Pacht*: »Übereinkunft«, »Vertrag«. Des *rîches phaht* »ist Recht, Gesetz und Herkommen des Reiches, aber auch der Krönungseid, den der König geschworen hat« (Hellmann, S. 239). Vgl. auch Bumke, Willehalm, S. 131f.

182,23 *'es rîches êre]* Die (auch 300,19 gebrauchte) Formel, die schon in der mhd. Kaiserchronik aus der Mitte des 12. Jahrhunderts und im Rolandslied belegt ist, war in der lateinischen Form: *honor imperii* ein zentraler Begriff der imperialen Politik Kaiser Friedrich Barbarossas. Gemeint ist der Geltungsanspruch des Reiches: seine Rechtsstellung und seine territoriale Unversehrtheit. Vgl. Eberhard Nellmann, *Die Reichsidee in deutschen Dichtungen der Salier- und frühen Stauferzeit* (Philologische Studien und Quellen, 16), Berlin 1963, S. 183; zu verwandten Formulierungen im Wh. Maurer, S. 278.

183,12 *iuwern kinden*] Vgl. Komm. zu 178,1.

184,11 *swaz* ⟨. . .⟩ *gelegen*] Möglich wohl auch Doppelpunkt (Lachmann) oder Punkt (Leitzmann, Schröder) nach 184,10 und Komma nach 184,11 (alle drei Herausgeber): »die lasse ich mich bitten: was einem jeden dienlich ist, da willfahre ich ihm . . .« Doch scheint der Anschluß mit 184,12 *dâ* merkwürdig und sprechen die bei Wiessner, Richtungsconstructionen I, S. 390f., zusammengestellten Belege eher für eine Konstruktion von *werben gein* mit Objekt.

184,19 *daz* ⟨. . .⟩ *dar*] Wörtlich: »daß jeder Fürst es (mit der Hand) erreichen kann«.

184,23-26 *swuoren* ⟨. . .⟩ *kom*] Möglich auch: keine Interpunktion nach 184,23 (Lachmann, Leitzmann). Dann könnte man 184,22f. auf die anwesenden Fürsten beziehen.

184,29 *tücke*] Ohne negativen Beiklang: »Handlungsweise«, »Sinnesart«. Vgl. DWb XI/1/2, Sp. 1524ff.

185,7 *rehtelôs*] Gemeint ist wohl Verlust der mit Stand und Stellung gegebenen Rechtsbefugnisse und Rechtstitel (etwa des Lehens), nicht Verlust der gesetzlichen Sicherung von Leib und Gut, wie er im Rechtsinstitut der Acht vorgesehen ist. Vgl. BMZ II/1, Sp. 628af.; Rosenau, S. 35; Curschmann, S. 551; allgemein HRG IV, Sp. 258ff.

185,10 *sine* ⟨. . .⟩ *krefte*] Wörtlich: »wenn sie dem (nämlich: daß die Heiden Schande über die Christenheit bringen) nicht wehrten«. *kraft* meint alles in der Macht und Verfügung der Betreffenden Stehende: vom Einsatz ihres Vermögens über das Aufgebot ihrer Gefolgsleute bis zu ihrer eigenen physischen Kraft.

185,11 *rîche*] Hier wohl die Gesamtheit von König und Fürsten. Vgl. Hellmann, S. 233f.

185,12 *gesprochen endelîche]* Wörtlich: »als definitiv (unwiderruflich, rechtskräftig) verkündet«. Vgl. DRWb II, Sp. 1530ff.

185,16 *der samenunge zil]* Anders die meisten Übersetzer seit Matthias: »das Ende der Versammlung«. Doch meint *samenunge* im Wh. sonst stets die Sammlung des Heers (121,12; 197,6; 199,19; 212,26; 359,13; 457,22). Schwierig ist dabei die Übersetzung von *zil.* Unger faßt es konkret: »Sammlungsfrist«; ich nehme *der samenunge zil* als Umschreibung für »Sammlung« (vgl. Bötticher, S. 324): von der Sammlung im allgemeinen, nicht speziell von der Frist ist im folgenden zunächst die Rede.

185,17-19 *des* 〈. . .〉 *gebunden]* Die Verbindung von Sack und Seil ist formelhaft. Hier steht sie wohl für die Aufforderung zu raschem Aufbruch: der Sack, in dem sich alles befindet, was man besitzt bzw. braucht, und das Seil, mit dem man ihn zubindet, seien rasch aufs Pferd gebunden, d. h. jeder soll schnell bei der Hand sein. Vgl. Moriz Haupt, *Ährenlese*, ZfdA 15 (1872), S. 246-266, hier S. 247; DWb VIII, Sp. 1614f.; Singer, S. 68 (»sobald das Aufgebot ergangen sei, solle auch der Aufbruch sofort erfolgen, mit nicht längerem Aufschub, . . . als bis man einen *sac und ein seil* aufs Pferd bände«). – In die Irre führt demgegenüber die wiederholt vertretene Auffassung, es handle sich um eine Strafandrohung an die Säumigen: »daß jeder, der dem Aufgebot nicht folgte, ertränkt oder gehenkt werden sollte« (W.J. Schröder, S. 486, Anm. 14; vgl. Rosenau, S. 33ff.). Hinfällig ist mit dieser Auffassung auch die offenbar auf ihr beruhende Textherstellung Schröders, der 185,19 *waren* liest und eine Konstruktion apo koinou ansetzt (keine Interpunktion nach 185,18 *kunt*): »des Reiches Befehl und Entscheidung verkündeten ein Sack und ein Seil – ein Sack und ein Seil waren rasch aufgebunden« (die Lösung ist auch sprachlich fragwürdig, weil *diu urteil* nicht Akkusativ sein kann).

185,22 *über* 〈. . .〉 *kraft]* Wörtlich: »über den ganzen Machtbereich der Franzosen hin«. Vgl. Wiessner, Richtungsconstructionen II, S. 38.

185,26 *berant]* Wörtlich: »zum Überlaufen gebracht«.

185,30 *helfen dingen]* Wörtlich: »ihre (Rechts-)Sache führen helfen«; möglich aber auch: »helfen zu hoffen« (Kartschoke: »und Gyburc durch ihre Hilfe wieder Hoffnung schöpfen lassen«).

186,3 *vor ⟨. . .⟩ plân]* Die topographische Angabe, die sich so in Al. nicht findet (vgl. Bacon, S. 143), ist korrekt: die Stadt Laon liegt in der Tat auf einem Berg, der sich ziemlich abrupt aus einer weiten Ebene erhebt.

186,6f. *den ⟨. . .⟩ komen]* Wörtlich: »den Starken und den Schwachen, entsprechend dem, wie sie gekommen waren«.

186,10 *der ⟨. . .⟩ quît]* »Es war ein üblicher Gnadenact des Fürsten bei feierlichen Festen, daß die in den Herbergen von den Gästen versetzten Pfänder von ihm eingelöst wurden« (San Marte II, S. 161, Anm. 1). Von daher kann die Wendung »einem sein Pfand lösen« auch allgemein für »einen beschenken« stehen: vgl. BMZ II/1, Sp. 479a.

186,11-13 *über ⟨. . .⟩ bereit]* Wörtlich: »überall versuchte man es: wenn einer seine Gabe wollte, wurde die bereitwillig zugeteilt«. Im Anschluß an San Marte II, Matthias und Fink / Knorr (S. 103) verstehe ich *versuochen* im Sinne von »erproben«: »überall erprobte man, ob der Befehl des Königs ausgeführt wurde«, d. h. »überall fragte man nach, bewarb sich«. Anders (mir unverständlich) Kartschoke: »überall machte man sich daran, den Befehl auszuführen« und Unger: »manchem das wohl behagte«.

186,15 *mahinante]* Das nur bei Wolfram belegte Wort scheint französisch zu sein, doch sind Etymologie und Bedeutung (»Hofgesellschaft«? »Schar, Menge«?) unklar. Vgl. Vorderstemann, S. 184f.

186,20 *rîch lant unt guot gemach]* Was ist gemeint: daß die Ankömmlinge großzügig aus dem vollen bewirtet und beherbergt wurden (in diesem Sinn die Übersetzer) oder daß sie reiche Länder (Lehen) und alles, was für ein gutes Leben nötig ist, als Lohn für ihre militärische Hilfe erhielten?

187,19 *barre]* Afrz. *barre* »Querstange«, »Barriere«; *barre loufen* bezeichnet ein Lauf- und Fangspiel auf einem Spielfeld, das durch eine Demarkationslinie (eben die *barre*) zweigeteilt ist. Vgl. Hugo Suolahti, *Der Ausdruck barlaufen*, Neuphilologische Mitteilungen 17 (1915), S. 117-120; Vorderstemann, S. 55.

187,24 *runzît]* Aus afrz. *roncin*, »Packpferd, Klepper«, bei Wolfram Bezeichnung für ein kleines Reitpferd zum Gebrauch vor allem von Damen und Knappen. Wh. 305,15-17 scheinen *ors* »Streitroß« und *runzît* »leichtes Pferd zum Spazierenreiten« unterschieden zu sein (vgl. auch Pz. 545,13ff.); wenn Rennewart das Angebot des Juden, ihm ein *ors* zu geben (196,11) mit der Bemerkung ablehnt, ein *runzît* sei nichts für ihn (196,18), könnte das mithin ironisch bzw. abschätzig gemeint sein: aus der Riesenperspektive Rennewarts erscheinen Streitrösser wie zierliche Damen- oder Knappenpferde. Vgl. Martin zu Pz. 256,24; Lofmark, S. 73, Anm. 1; Vorderstemann, S. 269f.; Zimmermann zu Pz. 342,15.

187,26 *gebûre]* »Bauer« im Sinne von: »unhöfischer, ungebildeter Mensch«.

188,12f. *dâ 〈...〉 gestanden]* Wörtlich: »worunter drei Maultiere mit ihrer Kraft stehen blieben (stehen geblieben wären)«, d. h. »... sich nicht vom Fleck rühren könnten (hätten rühren können)«; möglich vielleicht aber auch: »worunter man drei Maultiere mit ihrer Kraft hätte stellen müssen«.

188,14f. *zwischen 〈...〉 küsselîn]* »R. trägt den schweren Zuber wie ein Kissen, d. h. wie ein Kissen auf dem selbst wieder etwas getragen wird, ... denn ein leeres Kissen trägt man ja nicht zwischen beiden Händen« (Singer, S. 69).

188,26 *grânât jâchant]* Gemeint ist offenbar der *hyancinthus granatus*, d. i. nach Schade II, S. 1353 (s. auch S. 1346), »der zum Korund gehörige echte orientalische Rubin ..., dessen Festigkeit dem Feuer durchaus widersteht, ... der im Feuer auch nicht seine Farbe verliert«. Vgl. auch Vorderstemann, S. 97f., 124; Engelen, S. 312ff.

189,2-17 *nû merket 〈...〉 kinde hân]* Daß der Adler auf diese Weise seine Jungen prüft, ist Gemeingut der mittelalterlichen Vogelkunde. Vgl. Gerhardt, Adlerbild S. 216ff.

189,20 *drab gevlogen*] Das Bild läßt sich besser auf die Darstellung in Al. beziehen, wonach Rainouart aus dem Elternhaus geflohen ist, als auf diejenige Wolframs, derzufolge Rennewart entführt wurde (282,24ff.). Vgl. Knapp, Rennewart, S. 73f.; abwegig Schleusener-Eichholz, S. 313ff., die die Adlerprobe auf Rennewarts Verhalten am französischen Hof bezieht: das Herabfliegen meine als bewußte Ablehnung des Blicks in die Sonne die Verweigerung der Taufe.

189,21 *dürren ast*] Auch diese Vorstellung entstammt der mittelalterlichen Vogelkunde: wenn sie ihren Gatten verloren hat, fliegt die Turteltaube auf einen dürren Ast, um dort zu trauern. Vergleichsmoment ist offenbar die Trauer über den Verlust einstigen Lebensglücks. Vgl. Gerhardt, Adlerbild, S. 214ff. (deutet *den dürren ast* als »Metapher für ein sorgenvolles, kümmerliches und unstandesgemäßes Leben« [S. 215] – dagegen mit Recht Tsukamoto, S. 83, Anm. 72).

189,22f. *sîner habe* ⟨. . .⟩ *niezen*] freigebigkeit – die Fürstentugend der *milte* – galt der mittelalterlichen Vogelkunde als charakteristische Eigenschaft des Adlers: Rennewart, das aus dem Nest geflogene und somit um seine standesgemäße Lebensweise gekommene Adlerjunge, kann sie zum Nachteil der auf die Gaben Angewiesenen nicht ausüben. Vgl. Frings/Schieb zu Eneide 12619; Gerhardt, Adlerbild S. 214.

189,25f. *ich* ⟨. . .⟩ *genuoc*] Zu der für Wolframs Sprache charakteristischen Konstruktion von *mezzen gein* mit Dativ + Objektsakkusativ in der Bedeutung »vergleichen« vgl. Wiessner, Richtungsconstructionen II, S. 30f.

189,28-30 *nû* ⟨. . .⟩ *stiez*] *ein poinder* ist Subjekt zugleich zu *kom* und *liez*. Die Konstruktion (apo koinou) gibt »die Turbulenz des Geschehens treffend« wieder, indem sie die beiden Sätze, die »die beiden dicht aufeinanderfolgenden Phasen eines Handlungskomplexes« schildern, »ineinanderlaufen läßt« (Gärtner, apo koinou, S. 190f.).

190,5 *dennoch* ⟨. . .⟩ *buoz*] Wörtlich: »da waren sie (die Knappen) noch nicht befreit vom Spott«. Man würde eher *im* erwarten, wie die Mehrzahl der Handschriften liest: »da war er (Rennewart) noch nicht befreit vom Spott«. Vgl. Paul, Willehalm, S. 331; Schröder, Kritik, S. 16.

190,14 *er ⟨. . .⟩ swanke]* Wörtlich: »er drehte ihn (im Kreis) zu einem Wurf«. Vgl. Martin zu Pz. 120,2.

190,16 *als ⟨. . .⟩ vûl]* Wörtlich: »als ob er faul wäre«; die verdeutlichende Übersetzung nach Fink / Knorr, S. 106.

190,30 *er ⟨. . .⟩ ungenuht]* Wörtlich: »nie hat er einen solchen Mangel an Selbstbeherrschung an den Tag gelegt«. Vgl. Martin zu Pz. 463,24.

191,2 *mîn ⟨. . .⟩ list]* Wörtlich: »mein Verstand hat aber nie den Kunstgriff gefunden«. Vgl. Trier, Wortschatz, S. 271 und 274; Scheidweiler, S. 68f.

191,21 *ze stiure]* »als ›Beisteuer‹ zur vorher versprochenen Kriegshilfe« (W.J. Schröder, S. 488, Anm. 17).

191,22f. *waz ⟨. . .⟩ mac]* Wörtlich: »was, ob ich, Herr, ihm sein Leben besser ausrichte (berichtige), wenn ich kann«.

192,4f. *daz ⟨. . .⟩ garzûne]* Anders Unger: »daß zu schäbig war sein Kleid für einen adligen garçon«. Doch ist die Armut der *garzûne* notorisch: vgl. Komm. zu 170,7-16.

192,6f. *dô ⟨. . .⟩ Arâbî]* Zu Willehalms Gefangenschaft im Orient vgl. Komm. zu 7,29; zum Fremdwort *prisûn*, afrz. *prison*, »Gefängnis, Gefangenschaft«, Vorderstemann, S. 240.

192,8 *kaldeis und kôatî]* *kaldeis* ist »chaldäisch«, meint hier wie sonst in der zeitgenössischen Literatur aber nicht die Sprache des altorientalischen (in Mesopotamien ansässigen) Volkes der Chaldäer, sondern das Arabische; *kôatî* ist ungeklärt (ursprünglich vielleicht »kurdisch«? – nach 192,23 scheint es gleichbedeutend mit *heidensch* zu sein). Vgl. Kunitzsch, Caldeis.

192,12 *der ⟨. . .⟩ hort]* Wörtlich: »von der Sprache der Franzosen konnte er eine Menge«. Vgl. Martin zu Pz. 683,25.

192,15 *jungen künegîn]* Vgl. Komm. zu 240,26.

192,23 *heidensch]* Man würde *kôatî* erwarten (wie Fr^{28} liest): vgl. Komm. zu 192,8.

192,30 *dîn her komen]* Kaum: »wie du hergekommen bist« (so die Übersetzer außer San Marte II und Fink / Knorr [S. 107]), denn das weiß Willehalm schon (vgl. 191,11-13). Auch setzt Rennewarts Antwort die Frage nach seiner Heimat voraus (wie er auch, andeutungsweise, auf die ebenfalls gestellte Frage nach seinem *geslehte* antwortet: 193,20ff.).

193,3-5 *dâ ⟨...⟩ undersetzen*] Nach einer im Mittelalter (und darüberhinaus) verbreiteten Überlieferung schwebte der Sarg mit den Gebeinen Mohammeds frei in der Luft. Vgl. Singer, S. 71f.; Knapp, Rennewart, S. 129, Anm. 26.

193,19 *nû ⟨...⟩ geslaht*] Anlage und Herkunft verbieten es dem Sohn des höchsten Heidenherrschers, sich taufen zu lassen: vgl. Schwietering, Natur, S. 472f. – Das *nû* hat schwerlich einen prägnanten zeitlichen Sinn (Knapp, Heilsgewißheit, S. 596: »derzeit ist mir das Christentum aber nicht gemäß«; vgl. Knapp, Rennewart, S. 133: »seinem jetzigen seelischen Zustand ist das Christentum noch innerlich fremd«). Es macht vielmehr »mit causaler beziehung auf die wirklichkeit, auf eine in betracht zu ziehende, eine angabe oder lage berichtigende, thatsache aufmerksam« (BMZ II/1, Sp. 420af.).

193,23-25 *eteswenne ⟨...⟩ lekerîe*] *lekerîe*, aus afrz. *lecherie*, bedeutet eigentlich »Gefräßigkeit, Naschhaftigkeit, Schlemmerei, Lüsternheit, Ausschweifung«. Ich fasse es hier mit Vorderstemann, S. 178, in einem weiteren Sinn als Bezeichnung für »einen unstandesgemäßen, ja anstößigen Zustand des Sprechenden« auf (vgl. auch Schröder, S. 606: »primitive Lebensweise«) und übersetze in Anlehnung an Gibbs / Johnson (S. 103: »I am living the life of a pig«). Dagegen versucht Unger, mit der ursprünglichen Wortbedeutung auszukommen: »›Manchmal handele ich so, daß ich mich tief schämen muß; ich ergebe mich nämlich der Völlerei‹. – Rennewart lebt im Küchendienst, wo es viel zu schlecken gibt« (Unger, Bemerkungen, S. 196f.). Für diese Auffassung spricht, daß in Al. Rainouart tatsächlich als Vielfraß und Säufer gekennzeichnet ist (3345ff. – vgl. Singer, S. 72). Doch hebt Wolfram gerade darauf ab, daß Rennewart von anderen erniedrigt wurde und sich in dieser Erniedrigung seinen Adel bewahrt hat.

195,6 *ob ⟨...⟩ genas*] Wörtlich: »wenn sie ihm frei wurde in Bezug auf Rost«. *rost* muß hier im weiteren Sinne von »Schmutz« gebraucht sein, wie auch die Parallele 270,12-24 zeigt: dort steht *rost* offenbar gleichbedeutend mit *stoup*. An den Rost der Rüstung – worauf Stellen wie Pz. 305,22f. oder Wh. 116,4; 128,8; 140,18 führen könnten – ist nicht zu denken, weil Rennewart gar keine Rüstung trägt. Zu verwerfen ist auch ein (von Singer, S. 72, und Unger, S. 275, übernommener) Einfall Beneckes, *rôsteshalp* »in Bezug auf den Bratrost«, zu lesen, *rôst* »Bratrost« hier (und 270,23) also im Sinne von »Herdruß« aufzufassen (vgl. BMZ II/1, Sp. 767af.): dagegen sprechen – vom Sprachlichen abgesehen – die Parallelen 270,12-24 und 271,17, wo der Gedanke an die Küche fernliegt.

195,12 *juden]* Der Jude, den Irmschart in Orleans zurückläßt, ist offenbar ihr Finanzverwalter und Bevollmächtigter in Handelsangelegenheiten; er scheint den Kriegszug vorzufinanzieren. Tatsächlich haben Juden als Händler und Financiers – gerade auch im Dienst der christlichen Fürsten – im mittelalterlichen Europa eine wichtige Rolle gespielt. Vgl. Singer, S. 73; Bumke, Ritterbegriff, S. 44.

195,28 *stangen]* Die Stange ist eine typische Riesenwaffe. Vgl. Ernst Herwig Ahrendt, *Der Riese in der mittelhochdeutschen Epik*, Diss. Rostock 1923, S. 108ff.; Lofmark, S. 158ff.; Komm. zu 196,17.

196,2 *surkôt von kambelîn*] Das Surkot, afrz. *surcot*, ist ein ärmelloses, oft pelzgefüttertes Überkleid. Vgl. Vorderstemann, S. 305f.; Ziljstra-Zweens, S. 253. – Zu *kambelîn*, aus afrz. *camelin*, vgl. Vorderstemann, S. 139ff.

196,3 *hosen von sein]* *sei* oder *sein*, aus afrz. *saie*, bezeichnet einen feinen Wollstoff: vgl. Vorderstemann, S. 291. Die daraus gefertigten Hosen hat man sich strumpfartig enganliegend vorzustellen: vgl. Bumke, Kultur I, S. 198f.

196,4 *wol geschicten bein]* Wohlgeformte Beine, die durch entsprechende Kleidung zur Geltung gebracht werden, sind ein wesentliches Merkmal des mittelalterlichen Ideals von Männerschönheit. Vgl. Bumke, Kultur I, S. 198ff.

196,17 *ze vuoze]* Daß Rennewart es ablehnt zu reiten, ordnet ihn wie die Stange (vgl. Komm. zu 195,28) der Sphäre der Riesen zu: daß diese zu Fuß gehen müssen, weil sie so groß sind, daß kein Pferd sie tragen kann, ist ein verbreitetes

Motiv. Vgl. Joachim Heinzle, *Mittelhochdeutsche Dietrichepik* (Münchener Texte und Untersuchungen zur deutschen Literatur des Mittelalters, 62), München 1978, S. 149; Lofmark, S. 156.

196,18 *runzît]* Vgl. Komm. zu 187,24.

196,21 *einer hagenbuochen]* Wörtlich: »aus einer Hagebuche (Weißbuche)«. Vgl. auch Komm. zu 319,2.

196,27 *von ⟨...⟩ laste]* Man muß wohl konstruieren: »der *swaere* ihre *last*« nach dem Muster: »dem Vater sein Hut«, also: »von der Masse (*last*) des Gewichts (*swaere*)« (so Lucae, S. 3, Anm. 2; Martin zu Pz. 87,7; dagegen Bock, Wolfram, S. 192; vgl. zu dieser Konstruktion Titurel-Kommentar, S. 141). Doch könnte man *ir* zur Not auch auf die *sibene* oder auf die Stange beziehen: »wegen der Schwere der Last, die die sieben zu tragen hätten« bzw. »wegen der Schwere der Masse der Stange«.

197,3 *alles]* Könnte auch Adverb sein: »ganz und gar«. – Fragwürdig ist die Lesung *allez* der Leithandschrift und der meisten anderen Handschriften, die von den Herausgebern akzeptiert wird (Lachmann und Schröder mit Komma nach 197,2): *bereiten* »ausstatten« wird gewöhnlich mit Genitiv der Sache konstruiert (vgl. BMZ II/1, Sp. 668b), und die formal mögliche Auffassung von *allez* als Adverb (»immer«, »immer wieder«: vgl. Behaghel I, S. 722f.) ergibt keinen Sinn.

197,10f. *treif ⟨...⟩ preimerûn]* Verschiedene Zeltarten: *treif* (aus afrz. *tref*) scheint ein geräumigeres, *ekub* (aus afrz. *aucube*) ein kleines, primitives Zelt zu bezeichnen; die Herleitung und die genaue Bedeutung der nur im Wh. belegten Bezeichnungen *tulant* und *preimerûn* sind dagegen unklar. Vgl. Saltzmann, S. 23f.; Vorderstemann, S. 80f., 238f., 325f., 331f.; Bumke, Kultur I, S. 168ff.

197,19 *mit valken]* Der König verband die Begrüßung der Fürsten mit einer Beizjagd (Jagd auf Feder- und Haarwild mit abgerichteten Raubvögeln, vor allem Falken): ein besonders höfischer Zug. Vgl. Schultz I, S. 473ff.; Bumke, Kultur I, S. 293f.

198,15 *Munlêûn]* Possessiver Dativ? Vgl. Titurel-Kommentar, S. 20.

198,16f. *ê ⟨. . .⟩ tage]* Der Berg wird noch von den Strahlen der hinter den Horizont versinkenden Sonne erreicht, während ringsum das Land in den Nachtschatten gerät.

198,25 *êrîn]* Wörtlich: »ehern«.

199,2-5 *dir ⟨. . .⟩ snite]* Das Abschneiden des Haares kann »symbol der unfreiheit« sein: »es wird verschnitten dem der an kindes statt angenommen wird, dem knechte, und dem, der in den stand der knechtschaft tritt« (DWb IV/2, Sp. 10; vgl. HRG I, Sp. 1884ff.). Ob man diese Rechtsbedeutung der Prozedur im Sinne einer Adoption Rennewarts durch Willehalm hier mitdenken muß (so San Marte II, S. 172, Anm. 1), ist jedoch mehr als fraglich: der Kontext spricht dagegen.

200,6-10 *dô ⟨. . .⟩ tac]* Wechsel der Perspektive im Satz und Bruch der Satzkonstruktion: zunächst liegt der Blick auf den Ausgangspositionen des Heeres (Feld, Stadttore), dann wendet er sich dem Ziel zu (man zieht zur Straße, und zwar nicht in geschlossenem Zug, sondern Trupp für Trupp auf dem jeweils nächsten Weg zu den Stellen, an denen man sie erreichen kann); der Satz bricht jedoch ab, ehe er vollständig ist (es fehlt mindestens ein Verb: »sah man reiten« o. ä.), und das Bild wird mit einem neuen Satz (200,10) resümierend abgeschlossen. Vgl. Bötticher, S. 295f.; Wiessner, Richtungsconstructionen I, S. 460.

200,14 *mit ⟨. . .⟩ underscheide]* Wörtlich: »mit ihrer vielfachen Abwechslung«.

200,22f. *er ⟨. . .⟩ komen]* Willehalm wartet ungeduldig auf seine Leute, doch die sind – wie aus dem folgenden hervorgeht – längst auf der Straße nach Orleans: offenbar sind sie vorbeigezogen, bevor Willehalm seinen Posten bezogen hatte. – Zu *noch* in der Bedeutung »denn endlich« vgl. Martin zu Pz. 70,4.

200,25 *daz ⟨. . .⟩ gespart]* Text und Übersetzung versuchen, mit der Lesung der Leithandschrift auszukommen: eine Notlösung, denn daß Verspätung mit Buße belegt wurde, ist nirgendwo gesagt. Doch kann die Lesung der großen Mehrzahl der Handschriften (und der Herausgeber): *daz sûmen was von in gespart* »daß Versäumen von ihnen unterlassen wurde« in ihrer Trivialität auch nicht überzeugen.

201,23 *der snelle*] Ein in der Übersetzung nicht nachzubildendes Wortspiel: *snel* ist in der Bedeutung »stark, tapfer, tatkräftig« ein stehendes Beiwort des Helden in der Heldenepik; die entsprechende Assoziation wird hier überlagert durch die Bedeutung »schnell«, die nicht nur zum unmittelbaren Kontext paßt: Schnellheit wird auch im weiteren als herausragende Eigenschaft Rennewarts hervorgehoben (vgl. 226,12ff.; 272,6f.; 317,11ff.).

202,24-26 *ze* ⟨. . .⟩ *gezalt*] Gemeint sind die Einkünfte aus dem Grundbesitz des Klosters. Vgl. Mersmann, S. 69.

203,9 *drûf erwieret lâgen*] Das hier nur in G überlieferte Wort *erwieren*, offenbar ein Synonym zu *wieren* (so Ka und K) bzw. *verwieren* (so die meisten Handschriften und die Herausgeber), scheint sonst nicht belegt zu sein. Vgl. Komm. zu 60,8.

203,14-17 *dar* ⟨. . .⟩ *alsô*] Nur den jungen Minnerittern steht es zu, in prächtigem Waffenschmuck in den Kampf zu ziehen. Vgl. Schumacher, S. 148, Anm. 74.

203,24 *die* ⟨. . .⟩ *bekande*] Wörtlich: »die als beladene bekannt waren«. Vgl. Förster, S. 9ff.

203,25 *golde von Koukesas*] Vgl. Komm. zu 36,9.

203,28f. *want* ⟨. . .⟩ *tôt*] Wörtlich: »weil ich am Morgen Vivianz immer wieder als ebenso tot(en) geküßt hatte«. Vgl. Martin zu Pz. 120,10.

204,2f. *des* ⟨. . .⟩ *kostebaere*] Die Verse sind kaum anders zu verstehen, als daß Willehalm sagt, die Minne habe ihm aus Zorn über die Tötung Arofels den Schild wieder abgenommen (vgl. Unger, S. 270f.): ein seltsamer Gedanke.

204,12 *er zerte*] Wörtlich: »zerrieb er«, »brauchte er auf«. Vgl. Martin zu Pz. 95,11.

204,26 *durh die schulde*] Kaum: »durch diese Schuld«. Vgl. Bumke, Willehalm, S. 61f.; Francke, Reappraisal, S. 49, Anm. 18.

205,1f. *ich* ⟨. . .⟩ *herzesêre*] Zur Konstruktion vgl. Wiessner, Richtungsconstructionen II, S. 8.

205,6 *ob* ⟨. . .⟩ *kurn*] »wenn sie einen richtigen blick hatten« (BMZ I, Sp. 823b).

206,22 *die gran*] Plural: »die Barthaare«, hier kollektivierend im Sinne von »Bart«. Leitzmann und Schröder setzen (nach Zwierzina, S. 58) wohl unnötigerweise den Singular: *diu gran* an (in derselben Bedeutung). Vgl. Martin zu Pz. 244,10; zum Numerus des Verbums Zimmermann zu Pz. 352,29.

206,23 *mit sunder zal*] »einzeln gezählt«.

206,27 *si* ⟨. . .⟩ *zeigen*] Wörtlich: »sie (die Heiden) mögen sie (die *arbeit*) noch lange vorzeigen können«.

207,1f. *von* ⟨. . .⟩ *ruofe*] Vgl. Komm. zu 18,28.

207,7f. *ich* ⟨. . .⟩ *hôrten*] Die Heidenkönige, die die Abteilungen führten, zeichneten sich durch besonderen Waffenschmuck aus und konnten so von Willehalm, der es auf sie abgesehen hatte, identifiziert werden: vgl. Komm. zu 54,27.

207,19 *an* ⟨. . .⟩ *bilde*] An Willehalm zeigt sich, wie vorbildlich der König für seine Vasallen sorgt.

208,16f. *dich* ⟨. . .⟩ *ze weren*] Akkusativ + Infinitiv mit *ze*: eine seltene Konstruktion. Vgl. Behaghel II, S. 328f.

208,20 *mit* ⟨. . .⟩ *ungespart*] Wörtlich: »mit reichlichem (nicht zurückgehaltenem) Schaden für ihn«.

208,24 *unze* ⟨. . .⟩ *getriben*] Wörtlich: »bis sie den Abend vertrieben hatten«.

209,10 *sniten*] Vgl. Komm. zu 16,10-14.

209,16 *durh* ⟨. . .⟩ *verlorn*] Vgl. Komm. zu 185,7.

209,19 *in* ⟨. . .⟩ *zuo*] Unklar, möglich vielleicht auch: »niemand hielt ihn nun da fest« (in diesem Sinn die meisten Übersetzer), kaum: »es drängte jetzt ihm keiner zu« (Unger).

209,20 *es* ⟨. . .⟩ *vruo*] Anders Mohr, S. 342*: »schon beim ersten Mal hatten sie übereilt gehandelt«, indes erlaubt Wolframs Sprachgebrauch wohl nur die von uns gewählte Übersetzung der Phrase, wörtlich: »das war ihnen zuerst auch zu früh (d. h. ungelegen) gewesen« (vgl. Pz. 137,12; 212,18; 340,9; 415,20; 788,10; Wh. 43,30; 181,22; 361,1; 392,23 – die Belege und die Überlieferung sprechen dafür, daß an unserer Stelle das *es* aus *ez* verschrieben ist, doch kann man nicht mit Gewißheit ausschließen, daß tatsächlich ein partitiver Genitiv gemeint ist).

209,22f. *und ⟨. . .⟩ stuont]* Ich versuche, mit der Lesung der Leithandschrift zurechtzukommen, indem ich *und dâ* als kombiniertes Relativum in der Bedeutung des einfachen *dâ* fasse (einige jüngere Belege DWb XI/3, Sp. 423f.). Das bleibt problematisch, doch ist die von Paul, Willehalm, S. 324 (danach Leitzmann und Schröder), vorgeschlagene Lösung, *und dâ* mit VKaKC durch *und daȥ* zu ersetzen, auch nicht überzeugend: des Königs Huld erwarb ihnen zum einen der Markgraf durch seine Fürbitte und zum anderen die Tatsache, daß (*und daȥ*) Forderung gegen Forderung stand. – Zur Bedeutung von *schulde*: »Forderung« vgl. Frank, S. 142.

210,1 *was ⟨. . .⟩ voget]* Lois agiert im folgenden nicht als französischer König, sondern als Herr des römischen Reiches, d. h. als Kaiser (vgl. Komm. zu 96,9; dazu Bumke, Willehalm, S. 128). Es ist nicht zufällig, daß er gerade hier, bei der Vorbereitung des Zuges gegen die Heiden (und entsprechend 222,9 und 304,15), als *roemischer voget* bezeichnet wird: das ist der Titel, unter dem im Rolandslied Karl der Große als Herrscher der ganzen Christenheit auftritt (vgl. Richter, S. 206f.). – Die Herausgeber setzen Doppelpunkt nach *voget* und beziehen so die Aussage fälschlich nur auf den Satz 210,2-5.

210,17f. *iuwer ⟨. . .⟩ ȥageheit]* »keiner rechne es mir als Schande an und halte es für Feigheit« (Maurer, S. 183).

210,22f. *ir ⟨. . .⟩ twinget]* Möglich auch Komma nach *erlôst*, Punkt nach *twinget* (Leitzmann).

210,24 *al ⟨. . .⟩ gedinget]* Wörtlich: »dann hofft ihr auf eine Weise, die näher (am Ziel des Hoffens) ist« (in diesem Sinn die Übersetzer außer Matthias) oder: »dann handelt ihr einen geringeren Preis (*nâher* gleich »wohlfeiler«: DWb VII, Sp. 286f.) aus«, »kommt ihr besser weg«? Kaum: »dann könnt ihr auf nahe Hilfe rechnen« (Matthias).

210,28f. *ir ⟨. . .⟩ landen]* Die Bemerkung ist nicht Ausdruck von Wolframs Patriotismus; sie soll vielmehr deutlich machen, daß Lois als Kaiser handelt. Vgl. Bumke, Willehalm, S. 129; Komm. zu 210,1.

210,30 *ich ⟨. . .⟩ banden]* Wörtlich: »ich löse euch schnell von Fesseln«. Was das genau heißen soll, ist unklar: »aus der Gefangenschaft« (Gibbs / Johnson, S. 111: »from captivity«) oder: »aus der Umzingelung«?

211,2 *mîn selbes wer]* Daß Lois selbst gefährdet war, geht aus 339,26ff. hervor. – Die Herausgeber lesen mit der Mehrzahl der Handschriften *sîn selbes wer*: »den Schutz seiner eignen Person« (Kartschoke). Das ist möglich, aber keineswegs zwingend.

211,11 *mînes ⟨. . .⟩ gewalt]* Die (formelhafte) Verbindung von *gebot* und *gewalt* bezeichnet im umfassenden Sinne »macht und recht des gebietens« (DWb IV/1/1, Sp. 1804), hier bezogen auf den militärischen Bereich (Oberbefehl auf dem Kriegszug und Aufgebotsrecht). Vgl. Rosenau, S. 84; Hellmann, S. 186f.; zur Formel DRWb III, Sp. 1265.

211,18 *der ⟨. . .⟩ vrîe]* Der Terminus *dienestman*, lat. *ministerialis* »Ministeriale«, ist Bezeichnung für den Angehörigen der obersten Schicht der persönlich unfreien (d. h. in ihrer Rechtsstellung von einem Herrn abhängigen) Mitglieder der mittelalterlichen Gesellschaft und insofern Gegensatzbegriff zum Terminus *der vrîe*, mit dem er hier in kollektivierender Koppelung zusammengestellt ist. Als Amtsträger in den verschiedensten Funktionen haben die Ministerialen seit dem 12. Jahrhundert eine wichtige Rolle in der ökonomischen und politischen Entwicklung gespielt und dadurch einen sozialen Aufstieg erlebt, der zur Aufhebung bzw. Bedeutungslosigkeit ihrer Unfreiheit führte und sie mit den schwächeren Schichten des Adels den neuen Stand des Niederadels bilden ließ. Vgl. HRG III, Sp. 577f.

212,3-13 *die ⟨. . .⟩ nôt]* Die Fürsten akzeptieren lieber den Oberbefehl eines ihrer Standesgenossen als den eines königlichen Beamten. Bei diesen Beamten denkt Wolfram offensichtlich an Ministerialen, die damals in zunehmendem Maße zu Macht und Ansehen kamen, indem ihnen vom König bzw. Kaiser wichtige politische und militärische Aufgaben übertragen wurden. Solche »antifürstliche Personalpolitik« (Hellmann, S. 187) wird durch den Katalog der Tätigkeitsbeschreibungen polemisch zurückgewiesen: die

Beamten sollen »bei ihren Leisten bleiben«. Die Aufzählung beschränkt sich auf die vier klassischen Hofämter: Marschall (vgl. Komm. zu 131,11), Mundschenk (verantwortlich für die Getränkeversorgung des Hofes), Truchseß (verantwortlich für die Tafel – hier ganz altertümlich direkt als Küchenmeister gedacht: er soll zur Essenszeit neben dem Kessel in der Küche stehen) und Kämmerer (vgl. Komm. zu 142,29 – hier als Zahlmeister des Königs gedacht: vgl. Komm. zu 186,10). Vgl. Singer, S. 76f.; Bumke, Willehalm, S. 123, Anm. 76 (wo die Stelle wohl falsch verstanden ist); Hellmann, S. 187; allgemein zu den Hofämtern HRG II, Sp. 197ff.

212,30 *daz ⟨. . .⟩ tôt]* Hyperbel: die Heere Heimrichs und seiner Söhne ziehen in solcher Eile nach Orange, daß sich in den Flüssen, die sie durchqueren, die Fische nicht schnell genug vor den Hufschlägen retten können.

213,9 *junge küneginne]* Vgl. Komm. zu 240,26.

213,13-15 *wan ⟨. . .⟩ erbôt]* Ich verstehe die Wendung als Beglaubigungsformel. Demgegenüber nimmt man meistens an, es handle sich um eine Distanzierungsformel und übersetzt 213,14 (wörtlich: »ich wäre verzagt in Bezug auf die Erzählung«) im Sinne von: »wenn es nicht in meiner Quelle stünde, würde ich nicht wagen zu erzählen, wie Alize ihn empfing«. Den Stein des Anstoßes sieht man in der aktiven Rolle Alizes: »Die Quelle steht auf dem älteren Standpunkte, dass die Frauen um die Männer werben, woran Wolfram vom Standpunkte seiner Zeit aus Anstoss nehmen muss, es aber doch nicht wagt, in diesem Hauptpunkte von seiner Quelle allzusehr abzuweichen« (Singer, S. 77; vgl. auch Minckwitz, S. 55f.; Mergell, Quellen, S. 56f.; Lofmark, S. 74; Tsukamoto, S. 111, Anm. 97). Diese Argumentation »ist nicht zwingend«: »auch im ›Parzival‹ kommen Frauen als Werbende vor« (Nellmann, S. 62, Anm. 61).

213,27 *der hoehste got]* Lofmark meint, die Wendung sei »equally meaningful and emotionally suggestive by Saracen or by Christian interpretation« (S. 196), doch wird sie sonst ausschließlich vom Christengott gebraucht: 260,6; 298,26; 304,30; 331,5. Vgl. auch Tsukamoto, S. 178f.

214,18-27 *und* ⟨. . .⟩ *ersehen*] Die mit *swaz* eingeleiteten Nebensatzfolgen 214,18-22 und 214,24(23)–26 münden in den Hauptsatz 214,27: »was immer er durchgemacht hatte, er war tapfer gewesen«. Die Verse 214,21f. bilden formal einen Hauptsatz, stehen aber in der Funktion eines von 214,20 *dô sîn manheit riet* abhängigen *daz*-Satzes (Koordination statt Subordination: vgl. Titurel-Kommentar, S. 65 – anders Bötticher, S. 297). Vgl. auch Schanze, S. 25. – Anders Leitzmann, der 214,27 in Parenthese und danach Doppelpunkt setzt: das läßt die *swaz*-Perioden in den Hauptsatz 214,28f. münden, was formal möglich, aber inhaltlich schief ist. – Eine ganz andere Möglichkeit sah Lachmann für die Revision seines Textes vor (vgl. Ganz, S. 28): Punkt statt Komma nach 214,18. Auch dies ist formal möglich, doch läßt sich schwer erkennen, wo – abgesehen vielleicht von der Vermeidung des unschönen Periodenbeginns mit *und* – der Gewinn liegt: die neue Periode 214,19ff. ist nicht übersichtlicher als die alte, und die vorausgehende wird unklarer.

214,28f. *nû* ⟨. . .⟩ *tschumpfentiur*] Was Willehalm noch bzw. wieder an *vreude* hatte (vgl. 186,30), ist durch die Entdeckung des Feuers (s. Komm. zu 214,30) definitiv vernichtet, von *jâmer* und *zwîvel* niedergemacht worden (wörtlich: »muß ihnen rechte Niederlage eingestehen«). Vgl. aber Mihm, S. 66f., der – textästhetisch nachvollziehbar, textkritisch hoffnungslos – mit der Mehrzahl der Handschriften *triuwe* statt *vreude* lesen will (zustimmend Nellmann, S. 121, Anm. 175; Hilgers, S. 305). – Der Aussagezusammenhang spricht für die Übersetzung von *zwîvel* mit »Verzweiflung«, doch ist die abgeschwächte Bedeutung: »Zweifel (im Hinblick auf Giburgs Schicksal)«, »Angst (um Giburg)« nicht auszuschließen.

214,30 *die* ⟨. . .⟩ *viur*] Willehalm sieht in der Ferne einen Feuerschein und meint, Orange stehe in Flammen. Doch sind nur die Außenstadt und die geräumten Quartiere der Belagerungstruppen betroffen: 223,18f.; 223,26ff.; 226,8ff.; 227,6f.

215,1 *Ez* ⟨. . .⟩ *klage*] Der Geltungsbereich dieser Aussage ist nicht ganz klar. Man könnte sie auf den Erzählabschnitt bis zum Aufbruch des Heeres in die zweite Schlacht beziehen (also bis 313,30). Dann wäre mit *vreude* die Freude über die glückliche Rettung Giburgs und die Ankunft der Helfer, mit *klage* die Reihe der Klagen über den schrecklichen Krieg und seine Folgen (ab 251,6) gemeint. Vgl. Nellmann, S. 121ff.

215,3-5 *und ⟨. . .⟩ gegeben]* Die Übersetzung nimmt an, daß *kümfteclîche zît* »Zeit des Kommens«, bezogen auf die Ankunft bzw. Rückkunft Willehalms, meint. Es gibt Pz.-Belege, die diese Übersetzung möglich erscheinen lassen: vgl. Martin zu 366,13 und 778,13, Zimmermann zu Pz. 366,13. Doch kann man die von der Wortbildung her eher zu erwartende Bedeutung »künftige (bevorstehende) Zeit« nicht ausschließen, müßte dann allerdings nach den Handschriften BHLKCWWoE mit Leitzmann 215,4 *und* streichen und Komma nach 215,3 *zîte* setzen (». . . der bevorstehenden Zeit, daß dem bangen Warten . . .«). Vgl. Panzer, Willehalm, S. 234; Kraus, Willehalm, S. 553; Schröder, Kritik, S. 16.

215,12f. *daz wazzer ⟨. . .⟩ die erden]* Vgl. Komm. zu 2,5.

215,26f. *ich ⟨. . .⟩ sî]* Giburg stellt ihren ehemaligen Reichtum als Heidenkönigin ihrer jetzigen Situation gegenüber: als Markgräfin hat sie wesentlich weniger Landbesitz bzw. aus diesem erwachsende Einkünfte (*urbor*). Wenn im folgenden wiederholt von ihrer »Armut« gesprochen wird, ist das in diesem Sinne relativ gemeint. Insofern sie (auch) um Christi willen auf den einstigen Reichtum verzichtet hat, kann man gleichwohl einen Bezug zum religiösen Ideal der Nachfolge des »armen« Christus sehen. Vgl. Bumke, Willehalm, S. 146ff.; Schröder, Armuot, S. 521ff.; Ruh, Epik, S. 177.

216,6 *Pôlus antarticus]* Ein von der mittelalterlichen Astronomie postulierter Stern, den es in Wirklichkeit nicht gibt: der »Südpolstern, den man sich« – als Entsprechung zum (Nord-)Polarstern – »an der Stelle des südlichen Himmelspols dachte« (Deinert, S. 129). Die vereinfachte Schreibung: *(ant)articus* statt der korrekten: *(ant)arcticus* ist (auch in gelehrten Texten) geläufig. Vgl. Bauer, S. 45ff.

216,9-11 *der'z* ⟨. . .⟩ *kriegen*] Wörtlich: »der das Firmament losgelassen hat und den sieben Planeten befahl, gegen die Schnelligkeit des Himmels anzukämpfen«. Vgl. zu den Formulierungen: Wiessner, Richtungsconstructionen II, S. 3 (*ane lâzen*), und I, S. 421 (*kriegen gein*); zur Sache: Komm. zu 2,2-4.

216,12-15 *sîn* ⟨. . .⟩ *unzerganclîch*] Die (von Bibelstellen wie Weisheit 11,21f. ausgehende) Rede von Gottes Waage zieht die Folgerung aus der Einsicht in die Konstruktion des Himmelsbaus: der genau austarierte Gegenlauf von Firmament und Planeten, der dessen Stabilität garantiert, steht für die wunderbare Harmonie der ganzen Schöpfung, die auf die Macht und Herrlichkeit des Schöpfers verweist. Vgl. Deinert, S. 47f., 147f.; Ochs, S. 57; Freytag, S. 155.

216,17-19 *der* ⟨. . .⟩ *brunnen*] Zur Rühmung Gottes als des Schöpfers und Herrn der Weltordnung gehört biblisch-traditionell neben dem Verweis auf die Gestirne auch der auf Wind und Gewässer, so z. B. Sprüche 30,4: *quis continuit spiritum manibus suis* | *quis conligavit aquas quasi in vestimento* (»wer hat den Wind [lat. *spiritus* = mhd. *luft*!] in seinen Händen festgehalten? wer hat die Wasser wie in ein Kleid gebunden?«) oder Hiob 28,25 *qui fecit ventis pondus et aquas adpendit mensura* (»der dem Wind sein Gewicht gegeben und dem Wasser sein Maß gesetzt hat« – vgl. weiter etwa Psalm 74,15; 104,10; 135,7; Jeremia 10,13 [= 51,16]). – Die syntaktische Einbindung von 216,19 – wörtlich: »mit Strömung Entspringen der Quellen« – ist unklar: unvollständiger Satz (»[der] mit Strömung das Entspringen der Quellen [macht]«) oder Apposition zu 216,18: (». . . alle seine Dinge so kunstreich ins Werk setzt, so das Entspringen der Quellen mit Strömung«)?

216,22f. *si* ⟨. . .⟩ *lieht*] Man kann sich fragen, ob es bei der dritten Natur der Sonne primär auf die Bewegung (mit der sekundären Folge des Wechsels von Tag und Nacht) oder auf die Verursachung des Wechsels von Tag und Nacht (mittels der Bewegung) ankommt. Die Lesung der meisten Handschriften in Vers 216,3: *daz si nimt* . . . akzentuiert die zweite

Möglichkeit (mißverstanden von Panzer, Willehalm, S. 234, und offenbar auch von Kraus, Willehalm, S. 554). Traditionell gilt als dritte Natur der Sonne neben Hitze (*calor*) und Leuchten (*splendor*) anscheinend die Feurigkeit (*ignea substantia*). Vgl. Ohly, S. 506, Anm. 114, und 518.

216,30 *ir* 〈. . .〉 *arbeit*] Übersetzung mit Pretzel, S. 105.

217,4f. *der* 〈. . .〉 *sprechen*] Der juristische Gehalt dieser Aussage ist nicht klar. Man hat auch hier (wie bei 31,4: vgl. Komm. z. St.) an die kirchenrechtliche Bestimmung erinnert, »daß eine Ehe zwischen Christen und Heiden nichtig ist« (W.J. Schröder, S. 501, Anm. 4).

217,12 *herzenlîche*] Übersetzung nach Martin zu Pz. 607,8; vgl. auch W.J.Schröder, S. 501, Anm. 5: »entschlossen, mit festem Willen, bewußt« (kaum im Sinne von »starrsinnig« [Kartschoke]). Der auf den ersten Blick irritierende Wortgebrauch dürfte zu der (von Schröder in den Text gesetzten) trivialisierenden Lesung *hertikliche* (*hertliche*) »auf harte Weise« der Handschriften KaBH (C) geführt haben.

217,15 *Gîburc*] für Terramer heißt seine Tochter sonst *Arabel* (vgl. 9,13; 44,9,24; 107,25; 108,20; 351,2; 355,7). Man kann sich darüber wundern, daß er sie hier mit ihrem christlichen Namen anspricht, ist aber nicht berechtigt, mit Leitzmann (dem Schanze, S. 27f., zustimmt) nach der Mehrzahl der Handschriften den heidnischen Namen einzusetzen. Vgl. auch Waldmann, S. 183.

218,4-9 *der* 〈. . .〉 *vâret*] Die Scham ist Folge des Sündenfalls. Vgl. LThK IX, Sp. 365f.

218,13f. *Sibille unde Plâtô* 〈. . .〉 *sô*] Der Philosoph Plato und die Seherin Sibylle (genauer: verschiedene so genannte Seherinnen) galten als (heidnische) Propheten Christi im Altertum. Giburgs Berufung auf die beiden *wîssagen* dürfte sich nicht speziell auf die direkt folgende Aussage über Eva und Adam (218,15-17) beziehen, sondern generell auf den Zusammenhang von Sündenfall und Erlösung (218,15-25): vgl. Pz. 465,21ff. Als Quelle Wolframs kommt vielleicht die verbreitete Legende von der heiligen Katharina in Frage, in der diese heidnische Gelehrte mit deren eigenen Autoritäten

Plato und Sibylle widerlegt. Vgl. Sattler, S. 26f.; Deinert, S. 127; Thomas C. Brandt, *Wolfram von Eschenbach's References to Plato and the Sybil: A Report on Their Sources*, in: MLN 86 (1971), S. 381-384; Passage, S. 263f.; allgemein: LThK VIII, Sp. 555ff.; IX, Sp. 726ff.

218,15 *Eve ⟨. . .⟩ wart]* Es gibt in der mittelalterlichen Theologie eine Diskussion über die Frage, ob Eva allein gesündigt hat, doch wird man Giburgs Äußerung kaum hierauf beziehen dürfen. Sie wird dahingehend zu verstehen sein, daß nur Eva, nicht Adam sich hat verführen lassen und »der Pflichtverletzung verfiel« (*in praevaricatione fuit*), wie Paulus formulierte (1. Brief an Timotheus 2,14). Die Paulus-Stelle ist der Ausgangspunkt der theologischen Erörterungen über den Anteil von Frau und Mann am Sündenfall gewesen, die gewöhnlich auf die Feststellung hinausliefen, daß Eva die Hauptschuld trug. Vgl. Heinrich Köster, *Urstand, Fall und Erbsünde in der Scholastik* (Handbuch der Dogmengeschichte, II/3b), Freiburg / Basel / Wien 1979, S. 110ff.

218,18 *Hêlias und Enoch]* Den Propheten Elias und den Urvater Henoch hat Gott (nach Genesis 5,24 bzw. dem 2. Buch der Könige 2,11) bei lebendigem Leib zu sich entrückt, so daß ihnen die Hölle, in die sonst alle Menschen bis zu Christi Erlösungstat nach ihrem Tod gehen mußten, erspart blieb. Vgl. Passage, S. 264ff.; Witte, S. 81ff.

218,21-25 *wer ⟨. . .⟩ Trinitât]* Nach seinem Tod am Kreuz ist Christus (nach Andeutungen in den kanonischen Schriften und nach apokrypher Überlieferung) in die Hölle hinabgestiegen, hat deren Pforten (*portas aereas* »eherne Tore« [Psalm 106,16]) gesprengt und die Seelen der Gerechten befreit. Die Vorstellung, daß Gott hier nicht nur als der Christus, sondern als Dreieinigkeit gehandelt hat, ist auch anderweit belegt. Vgl. Sattler, S. 36ff.; Happ, S. 219f.; allgemein: LThK V, Sp. 450ff.

218,27 *ebengelîch unt ebenhêr]* Die Formel bringt die Wesenseinheit der drei göttlichen Personen zum Ausdruck: vgl. Müller, S. 162.

218,28 *der ⟨. . .⟩ mêr]* Das heißt: es gibt keine zweite

Chance auf Erlösung. Der Gedanke (nach dem 1. Petrus-Brief 3,18) ist traditionell: vgl. Kartschoke, S. 294.

219,18-21 *sol ⟨. . .⟩ ungelouben]* Ich fasse 219,18f. als Konditionalsatz auf: »wenn Jesus die Pforten zerbrochen haben soll« im Sinne von: »wenn du behauptest, daß Jesus die Pforten zerbrochen hat«. Dem Sinn nach ebenso, aber syntaktisch anders Panzer, Willehalm, S. 234, der Fragezeichen statt Komma nach 219,19 setzt: »und der schwache Jesus soll ihre pforten gebrochen haben? das glaube ich nimmermehr; wofür werde ich gestraft, dass meine tochter solchen unsinn glaubt?« Dagegen hat Kraus, Willehalm, S. 555f., Bedenken erhoben (die kaum durchschlagen) und für eine Lösung plädiert, die in der Kompliziertheit ihres Gedankengangs schwer nachzuvollziehen ist: »wenn Adam und die übrigen edlen heiden, die sich nichts zu schulden kommen liessen, trotz ihres heidentums von Christus erlöst wurden, welche schwere sünde habe ich denn begangen, dass ich so bitter gestraft werde?« (in diesem Sinn auch schon San Marte I und II und die späteren Übersetzer außer Unger und Kartschoke – abwegig W.J. Schröder, S. 503, Anm. 8: »Terramer argumentiert so: . . . Jesus selbst . . . hat gesagt, er sei ein Mensch . . . Niemals kann er der Hölle Pforten gebrochen haben, da das einem Menschen nicht möglich ist. Sollte es aber dennoch so sein: was kann das mit dem Glauben an die Götter zu tun haben? Gyburg hätte deswegen nicht in Unglauben zu fallen brauchen.«).

219,30 *diu ⟨. . .⟩ erwarp]* *ir* ist Reflexivum: »erwarb sich die göttliche Natur Christi das Leben«. Vgl. Unger, Bemerkungen, S. 197.

220,12f. *daz ⟨. . .⟩ sper]* Willehalm hat soviel gekämpft, daß man Wälder kahlschlagen mußte, um das Holz für die von ihm verstochenen Speere zu gewinnen. Der Ritter als »Waldverschwender« ist eine Lieblingsvorstellung Wolframs (im Wh. noch 389,30): vgl. Titurel-Kommentar, S. 155f.

220,14-29 *der ⟨. . .⟩ lant]* Vgl. Komm. zu 7,29.

221,11-19 *er ⟨. . .⟩ erben]* Die Ausführungen knüpfen an

das im Rolandslied berichtete Geschehen an: Marsilje ist dort der heidnische König von Saragossa und Lehensmann Baligans, der im Kampf von Karl getötet wird. Im einzelnen weichen die Angaben jedoch von denen des Rolandsliedes (der Chanson de Roland) ab: Marsilje wird von Roland nicht erschlagen, sondern nur verwundet und stirbt später vor Leid über die Niederlage der Heiden (RL 6300ff.; 8595f.); *Sibilia* wird ausdrücklich als Herrschaft eines anderen Heidenfürsten bezeichnet (Margariz: RL 2673ff., 3725); auch sagt das Rolandslied nichts davon, daß Arles (die Grafschaft? vgl. LMA I, Sp. 953ff.) und die Provence zu Baligans Herrschaft gehörten (die Provence wird RL 6833 unter den Ländern genannt, die Roland für Karl gewonnen hat). Vgl. auch Komm. zu 410,25-27.

221,24-26 *mahtû 〈. . .〉 leben]* Ich fasse 221,24f. als Konditionalsatz auf, der mit einem Ausrufesatz statt des zu erwartenden Aussagesatzes fortgeführt wird (Konstruktionsmischung, in der Übersetzung ausgeglichen). Anders Lachmann, der für die Revision seines Textes Fragezeichen nach 221,25 *geben* vorgesehen hat (vgl. Ganz, S. 28).

222,8f. *der 〈. . .〉 voget]* Eine auffällige Satzfügung. Man muß *schiet* mit *an den roemischen voget* verbinden: »der sich von ihr getrennt hatte (für eine Reise) zum Schutzherrn Roms, um (bei dem) Hilfe (zu holen)«. Vgl. Wiessner, Richtungsconstructionen I, S. 389.

222,29 *si 〈. . .〉 erwaete]* Wörtlich: »hätte sie der Wind angeweht«.

223,1 *der wider vür]* Richtungskonstruktion, wörtlich: »dorthin wieder davor«. Vgl. Wiessner, Richtungsconstructionen I, S. 475.

223,4f. *und 〈. . .〉 geschaehe]* Wörtlich: »und sagte, er wolle dabeisein (auf solche Weise), daß zuvor ein Angriff geschehe«.

223,10 *patelirre]* Herleitung und Bedeutung des Begriffs sind unklar: aus afrz. *bataillier* »Kämpfer« oder zu mlat. *paterellus* »Steinschleuder« (also »Schleuderer« – wobei zu klären wäre, wie sich die Bewaffnung bzw. die Kampftechnik der *patelirre* von derjenigen der *slingaere* unterschied)? Vgl. Vorderstemann, S. 215ff.

224,20 *ich ⟨. . .⟩ komen]* Wörtlich: »ich könnte ihr (viel)-leicht rechtzeitig gekommen sein«.

225,20-22 *die ⟨. . .⟩ waeren]* Wörtlich: »die Banner in einem Anblick solcher Menge (einen Anblick solcher Menge bietend), als ob all die Stauden aus Seide wären« (vgl. BMZ I, Sp. 829a). Es ist dasselbe Bild wie 96,16f.: die Masse der Banner erweckt den Eindruck eines Dickichts, dessen Sträucher mit Seidentüchern behängt sind.

225,22f. *dannoch ⟨. . .⟩ unverdecket]* Das heißt: sie waren noch nicht von Schwerthieben zerhauen (ebenso 22,29).

226,4f. *al ⟨. . .⟩ erworben] heilikeit* ist Objekt, *siuften* Subjekt: »Seine Leiderfahrung war so groß, daß schon sie seine Heiligkeit konstituiert hätte« (Bumke, Willehalm, S. 106, Anm. 23). Vgl. auch Ochs, S. 91, Anm. 223.

228,15 *âne vride]* Vgl. 221,27. Anders Kartschoke und Zimmermann zu Pz. 357,9: »ohne Friedenszeichen« (vom Kontext her wenig sinnvoll).

228,18f. *ich ⟨. . .⟩ kurc]* Ich verstehe die Verse als sarkastische Drohung Giburgs, das schon erhobene Schwert auf den Eindringling zu schlagen. Man könnte sie aber auch zu Willehalms Rede ziehen und als Antwort auf die 228,13 gestellte Frage auffassen (so Wallace S. Lipton, *Identifying the Speaker in Wolfram von Eschenbach's Willehalm, 228,18-19*, in: Papers on Language and Literature 8 [1972], S. 195-199 – danach Passage).

229,2 *der rehten rîterschefte lant]* Möglicherweise Anspielung auf eine Tradition, derzufolge das Rittertum (wie die Wissenschaft) von Griechenland über Rom nach Frankreich gewandert ist und dort seine Heimat gefunden hat. Vgl. Haug, Literaturtheorie, S. 115ff.; Heinz Thomas, *Ordo equestris – ornamentum imperii*, in: ZfdPh 106 (1987), S. 341-353.

229,27-30 *daz ⟨. . .⟩ getân]* Anspielung auf Heinrichs von Veldeke Eneide: Kamille, die Königin von Volkane, unterstützt mit einem Amazonenheer Eneas' Gegner Turnus bei den vor der Stadt und Burg Laurente stattfindenden Kämpfen; zu ihrem Gefolge gehört auch die Jungfrau Karpite; beide sind hervorragende Kriegerinnen. – Der *daz*-Satz wird nicht zuendegeführt (Satzbruch): vgl. PMS, S. 479.

230,9f. *daz* ⟨. . .⟩ *worhten*] Leitzmann setzt Punkt statt Komma nach 230,9 *vorhten*, Komma statt Punkt nach 230,10 *worhten*, bezieht das Schmutzigwerden mithin auf die Belagerer. Ich kann darin keinen Sinn erkennen.

230,28 *niun koeren*] Nach einer verbreiteten Lehrmeinung bilden die Engel im Himmel eine hierarchische Ordnung von neun Chören. Vgl. Eckart Conrad Lutz, *In niun schar insunder geordent gar. Gregorianische Angelologie, Dionysius-Rezeption und volkssprachliche Dichtungen des Mittelalters*, in: ZfdPh 102 (1983), S. 335-376; Komm. zu 308,1-13.

230,29 *unt* ⟨. . .⟩ *sol*] Der syntaktische Anschluß ist undurchsichtig: ist *daz* Konjunktion und bleibt das Subjekt *ez* erspart (Lachmann und Leitzmann haben es konjiziert) oder ist *daz* pronominales Subjekt (»daß es die Engel hören könnten und [daß] das meine Verwandten rächt«)?

231,13 *beidiu* ⟨. . .⟩ *lîp*] Die Akkusative hängen in der Luft (Beziehung auf 231,7 *teilnünftic* erforderte Genitiv). Die Übersetzung muß, um verständlich zu sein, sinngemäß ergänzen.

231,24-27 *dâ* ⟨. . .⟩ *vederspil*] Der *lendenierstric* dürfte der Riemen sein, der die *hose* mit dem *lendenier* verbindet: vgl. Komm. zu 78,27-79,1. Das *semftenier* ist wohl ein unter der Rüstung zu tragender Polsterschutz: vgl. Schultz II, S. 33f.; Vorderstemann, S. 291f. Die Frauen haben unterhalb des Gürtels ein natürliches Polster, das dem Erzähler interessanter wäre als ein (kostbarer) Jagdvogel (*vederspil*): vgl. Schultz II, S. 34, Anm. 1; Dalby, S. 263; auch Komm. zu 197,19.

232,6f. *von Sammargône ein insigel*] Unklar: »ein Zeichen (Wappen), und zwar das von Sammargone« oder: »ein in Sammargone angebrachtes Zeichen«? Sammargone (Samarkand) ist die Residenz von Rennewarts Onkel Arofel: vgl. 204,19ff.

232,9 *dar* ⟨. . .⟩ *schilt*] Wörtlich: »danach (d. h. dementsprechend) war auch Arofels Schild (gestaltet, d. h. bemalt)«.

232,26 *Pitit Punt]* *Pitit Punt* ist wohl frz. *petit pont* »kleine Brücke«, entsprechend Al. 4805 und 4811 *poncel* »Brückchen«. Die Brücke, zwischen Oransche und Alischanz gelegen, geht offenbar über ein Gewässer, das durch eine Klamm führt (vgl. Al. 4804ff.: *A un destroit d'une roche cavee* | *Devant une aige a un poncel de clee* »an einer Enge von einem ausgehöhlten Felsen vor einem Wasser mit einem Brückchen aus Flechtwerk«, 4811 *En mi un val a un poncel* »inmitten eines Tals an einem Brückchen« – dem *destroit* entspricht Wh. 302,11 und 323,13 *enge*). Vgl. Nassau Noordewier, S. 26f.; Singer, S. 80f.; Passage, S. 374.

233,11 *sulen]* Der Plural steht in Widerspruch zu den Singularen in 233,14 und 18. Lachmann hat deshalb gegen die gesamte Überlieferung (unstatthafter Weise) einen Singular hergestellt: *die sul* (*die* mitteldeutsch für *der*). Vgl. Hermann Paul, *Zum Parzival*, in: Beitr. 2 (1876), S. 64-97, hier S. 65f.

233,19 *warte]* Von Wiessner, Richtungsconstructionen I, S. 517, als Verbum aufgefaßt: »und hielt Ausschau nach den Feinden«. Der Kontext spricht jedoch klar dafür, daß das Substantiv *warte* »das Spähen« im persönlichen Sinn: »der Späher« (vgl. BMZ III, Sp. 528b; DWb XIII, Sp. 2113ff.) vorliegt: der 233,18 genannte *bote* – das vermeintliche Subjekt zu *warte* – ist zu den Freunden, nicht zu Feinden gesandt worden, und 233,20 ist ausdrücklich von zwei Personen die Rede.

234,11 *gesniten]* Hier im Sinne von »angefertigt«, eigentlich: »(zu)geschnitten« (aus kostbaren Tüchern).

234,30 *in vensteren]* Vgl. zu 127,16.

235,3 *man ⟨...⟩ jehen]* Wörtlich: »man hatte da genau gesehen und mußte ihnen zugestehen«.

235,6 *barnstecken]* Stecken, aus denen die Futterkrippe (*barn*) besteht.

235,22 *der kurze walt]* Der charakteristische Buschwald des Mittelmeergebiets (»Macchia«).

236,4 *derhalp]* Wörtlich: »dieserhalb«, d. h. »auf dieser (des Beobachters) Seite« (Zimmermann zu Pz. 354,8). Die Übersetzung unterstellt, daß aus der Sicht der Beobachter Willehalm und Giburg erzählt wird.

236,5 *durh den woldan]* Wörtlich: »um eines Gefechts willen« (vgl. BMZ III, Sp. 800b). Anders (und schwerlich zutreffend) Unger, der offenbar *woldan* im Sinne von »Kriegshaufe« versteht (wie 90,12 und 96,23) und *durh* räumlich auffaßt: »Manch Knappe stob zugleich ins Land, vom Heer aus nehmend seine Bahn«.

237,3-14 *herbergen ⟨...⟩ beide]* Man hat den Eindruck, daß Wolfram hier auf eine (durch 234,1 angestoßene?) Kritik des Publikums an seiner Neigung zum Gebrauch französischer bzw. französisierender Wendungen reagiert. Der Erzähler gesteht zu, daß sein Französisch nicht perfekt ist: selbst ein ungebildeter (*ungevüeger*) Mann aus der Champagne spreche es besser – was nicht verwundern kann, denn es ist dessen Muttersprache. Weiter räumt er ein, daß das Publikum, dem er ja eine französische Dichtung verdeutschen soll, nicht gut bedient ist, wenn er französisch spricht. Aber – und das ist die Pointe der spöttischen Replik – darauf kommt es letztlich auch nicht mehr an: auch sein Deutsch, sagt er, sei ja so »krumm« (s. u.), daß man es nicht verstehe. Also müßte er laufend alles, was er sagt, erläutern – und das wäre denn doch zu zeitraubend für alle Beteiligten. – Man hat aus der Passage sowohl geschlossen, Wolfram habe seine Französischkenntnisse gering eingeschätzt, als auch, umgekehrt, er sei stolz auf sie gewesen. Tatsächlich ist ihr weder das eine noch das andere zu entnehmen. Das gilt umsomehr, als die Formulierung 237,7 nicht eindeutig ist: »wie immer ich Französisch spreche« im Sinne von: »wie ich mich mich auch mühe, Französisch zu sprechen« – oder: »obwohl ich Französisch spreche« im Sinne von: »und ich spreche trotzdem Französisch«? – Erwägen kann man, ob (auch) eine (weitere) Antwort auf den Angriff Gottfrieds von Straßburg vorliegt (vgl. Komm. zu 4,24), speziell auf den boshaften Vorwurf, Wolfram schreibe so unverständlich, daß er seinem Werk Erklärer mitgeben müsse (vgl. Nellmann, Kyot, S. 49f.). Aus bestimmten Wendungen in Gottfrieds Kritik könnte sich auch die Charakterisierung von Wolframs Sprache als *krump* erklären, die ein Gegenstück in einer berüchtigten Passage des

Pz. (241,1-30) hat, wo im Blick auf Wolframs Erzähltechnik von *krümbe* »Krümmung« die Rede ist. An unserer Stelle scheint die Kennzeichnung *krump* auf die eigenwillige Ausdrucksweise Wolframs zu zielen, »seine Obscuritas, seine Neologismen, seine mangelnde sprachliche Sorgfalt, seine Sprunghaftigkeit« (Nellmann, Kyot, S. 45). – Vgl. Martin, S. X; Bacon, S. 127f.; Gustav Ehrismann, *Wolframprobleme*, in: GRM 1 (1909), S. 657-674, hier S. 666f.; Singer, S. 81; Mergell, Quellen, S. 112f.; Bumke, Willehalm, S. 202; Carl Lofmark, *Zur Veröffentlichung des fünften Buches von Wolframs ›Willehalm‹*, in: ZfdA 95 (1966), S. 294-300; Wolfgang Mohr, *Wolframs Kyot und Guiot de Provins*, in: *Festschrift Helmut de Boor zum 75. Geburtstag am 24. März 1966*, Tübingen 1966, S. 48-70, hier S. 61f., Anm. 21 (wieder in: W. M., *Wolfram von Eschenbach* [Göppinger Arbeiten zur Germanistik, 275], Göppingen 1979, S. 152*–169*, hier S. 163*); Madsen, S. 259; Nellmann, S. 5; Curschmann, S. 554ff.; Ruh, Epik, S. 196ff.; Bumke, Kultur I, S. 115.

237,26 *mit* 〈. . .〉 *breit*] Gemeint wohl: sie ritten dicht aneinandergedrängt, waren aber so zahlreich, daß die Formation gleichwohl breit war.

238,4 *daz* 〈. . .〉 *strâzen*] Verkürzte Ausdrucksweise: »daß die ihre Straße (gegangen) wären«: vgl. BMZ II/2, Sp. 677a.

238,23-26 *si* 〈. . .〉 *komen*] Interpunktion mit Paul, Willehalm, S. 331, und Leitzmann (gegen Lachmann und Schröder, die Punkt statt Komma nach 238,25 *benomen*, Komma statt Punkt nach 238,26 *komen* setzen); Übersetzung im Anschluß an Kraus, Willehalm, S. 556, wörtlich: »sie hatten auf der Fahrt so gelagert: keiner konnte es bewerkstelligen, ihm zu Hilfe zu kommen, ohne dem andern entzogen zu sein«, d. h. »ohne einen anderen Weg als die übrigen zu ziehen« (doch kann man mit Paul 238,26 *im* statt auf Willehalm auch auf 238,25 *anderm* beziehen: »die brüder lagerten unterwegs so weit auseinander, dass sie bei einem etwaigen angriffe einander nicht hätten zu hilfe kommen können« – in diesem Sinne wohl auch Panzer, Willehalm, S. 235: »keiner konnte dem anderen ohne weiteres (ohne besondere ladung) zu hilfe kommen«). – Sprachlich unmöglich ist die Übersetzung von 238,24f. durch Fink / Knorr, S. 131, an die alle späteren Übersetzer anknüpfen: »daß ein jeder sich hütete, den anderen ganz aus den Augen zu verlieren«.

238,30 *si ⟨. . .⟩ biten]* Wörtlich: »sie hatten ihre Treue darum bitten lassen«.

239,4 *rîterlîche]* Wohl auf die Heranreitenden zu beziehen: »die der Markgraf ihr gegenüber ritterlich nannte«, d. h. »von denen er ihr sagte, daß sie ritterlich seien«, kaum auf Willehalm: »die der Markgraf ihr ritterlich (Matthias: »geziemend«, Kartschoke: »mit Sachkenntnis«, Gibbs / Johnson [S. 124]: »gallantly«) vorstellte«.

239,18 *durh manheit âventiure]* Wörtlich: »um des Wagnisses der Tapferkeit willen« (vgl. Komm. zu 4,21); von den Herausgebern (und danach von den Übersetzern) auf 239,19 bezogen (keine Interpunktion nach *âventiure*, Komma [Lachmann] oder Punkt [Leitzmann, Schröder] nach 239,17 *viure*), was wohl zu der – im Kontext unwahrscheinlichen und syntaktisch problematischen – Übersetzung nötigte: »weil er selbst das Wagnis der Tapferkeit bestehen wollte, fürchtete jeder den andern« (in diesem Sinn San Marte II, Matthias, Kartschoke, Gibbs / Johnson [S. 124] – anders und sprachlich unmöglich Fink / Knorr, S. 131: »in ihrer Mannhaftigkeit machte sich jeder um des anderen Abenteuer Sorge«, Unger: »des Freundes Abenteuer mit Bangen er bedachte«, Passage: »brave adventure made each afraid for the other«).

239,27-240,4 *waer ⟨. . .⟩ wîte]* Gemeint wohl: In dem Gelände, das durch Unwegsamkeit (Buschwald) oder Gräben beengt war, so daß die gewaltige Heeresmacht der Heiden sich nicht hätte entfalten können, wären die Heranreitenden mit ihrer Stoßkraft in der Lage gewesen, diese abzuschlagen. Doch die Heiden hatten dieses Gelände, die *enge*, schon hinter sich gelassen und die *wîte* von Alischanz gewonnen, wo sie der an ihnen geübten Rache für Vivianz entgegensahen. Doch kann man nicht ausschließen, daß sich 240,4 *si* auf die Christen oder auf Christen und Heiden zusammen bezieht.

240,10-12 *ein ⟨. . .⟩ slâ]* Der nasenlose Bracke wäre auf die

Fährte gekommen, weil er sie hätte sehen können, so breit war sie. Vgl. Paul, Willehalm, S. 331f. – Karl Bertau (mündlich) hält es für möglich, daß Wolfram mit dem Bracken den »nasenlosen« Willehalm assoziierte.

240,26 *künec Schilbert von Tandarnas*] Ob Schilbert regierender König von Tandarnas war, ist nicht klar. Aus 243,10f. (s. Komm. z. St.) geht hervor, daß er kein Erbland hatte, und aus 240,29 (*kumberhaft*) möchte man schließen, daß er wie der Schetis noch immer ohne Herrschaft war: Tandarnas wäre dann bloß sein Herkunftsland. Dagegen legt 329,20 nahe, daß er im Gegensatz zum Schetis über ein Land, nämlich Tandarnas, verfügte. – Daß er den Königstitel führt, besagt in diesem Zusammenhang nichts. Nach altem Sprachgebrauch wurde der Titel nicht nur für den Herrscher, sondern auch für »des königs brüder, söhne, ja alle von königlichem stamme« verwendet (DWb V, Sp. 1695 – entsprechend wird Alize 192,15 und 213,9 als »die junge Königin« bezeichnet).

240,27 *durh den jungen*] Willehalms jüngster Bruder Heimrich ist gemeint.

240,28-241,10 *si 〈. . .〉 ger*] Die Bischöfe von Aquileja in Friaul, für die seit dem 6. Jahrhundert der Patriarchentitel bezeugt ist, verfügten zu Wolframs Zeit auch über eine bedeutende weltliche Landesherrschaft. Politische und militärische Auseinandersetzungen mit dem südlichen Nachbarn Venedig, der »Markusrepublik« (so genannt nach dem Stadtpatron, dem heiligen Markus), waren an der Tagesordnung. Die Anspielung kann, muß sich aber nicht auf bestimmte Personen oder Ereignisse zu Wolframs Zeit beziehen. Vgl. LMA I, Sp. 827f.; zum Quellenverhältnis Bernhardt, S. 42; zu möglichen zeitgeschichtlichen Bezügen Kleinschmidt, S. 594f. – Bei den Truppen, mit denen Heimrich und Schilbert gegen den Patriarchen kämpften, handelt es sich offenbar nicht um ein venezianisches Heer, sondern um eine Privatarmee, die »sie mit den Geldern Venedigs« aufgestellt hatten und mit der sie, »nachdem der venezianische Auftrag ausgeführt ist, nun auf eigene Faust Krieg führen, ganz im Stil der späteren Condottieri und Landsknechtsführer« (Bumke, Ritterbegriff, S. 45).

241,16 *der schêtis]* Wie die andern Brüder enterbt, ist Heimrich, der jüngste von ihnen (249,19), (noch) nicht zu einer eigenen Herrschaft gekommen und insofern ein »armer Ritter« (vgl. Komm. zu 72,4). Ebendies bringt sein Beiname: *der schêtîs*, Al. *li caistis*, zum Ausdruck, den Wolfram 241,18 korrekt übersetzt: afrz. *caistis* (*chetis* u. ä.) heißt »arm, elend«. Vgl. Vorderstemann, S. 282ff.

241,17-19 *sîne ⟨. . .⟩ edelkeit]* Die Vorzüge Heimrichs: seine Tapferkeit und seine hohe Geburt sind als Personen gedacht, die von seiner Armut affiziert sind, Erbarmen mit ihr bzw. Scham über sie empfinden. – Statt 241,17 *moht* könnte man auch *möht* lesen: »hätte erbarmen können« (von Lachmann für die Revision seines Textes vorgesehen: vgl. Ganz, S. 28).

241,27 *sîn ⟨. . .⟩ schilt]* Wörtlich: »seine Gestalt malte sich (gefällig) unter den Schild«, d. h. »paßte so unter den Schild, daß es ein (schönes) Bild abgab« (*entwerfen* ist im Sinne von »gestalten«, »bilden«, »zeichnen«, »malen« Terminus technicus der bildenden Künste). Vgl. Martin zu Pz. 158,15; Singer, S. 83; Titurel-Kommentar, S. 143.

242,18f. *ir ⟨. . .⟩ breten]* Die Holzbretter, aus denen die Schilde bestehen, waren von Schwerthieben so zertrümmert, daß die Schildriemen (vgl. Komm. zu 60,4f.), die auf der Rückseite befestigt und so – aus der Sicht dessen, der den Ritter auf sich zukommen sieht – vom Holz verdeckt sind, frei (*nacket blôz* »ganz nackt«) lagen. Vgl. Kraus, Willehalm, S. 557 (gegen Panzer, Willehalm, S. 235).

243,4f. *gelîch ⟨. . .⟩ küneges]* Wörtlich: »ihre Gesellschaft (d. h. die Art ihres Zusammenseins) war gleich und ebenso die des Königs«; im Hinblick auf die vorhergehenden Verse wohl auf die Verteilung der Beute zu beziehen: jeder bekam denselben Anteil.

243,10f. *des ⟨. . .⟩ komen]* D. h. sie hatten nichts geerbt: Parzivals Vater Gahmuret war als jüngerer Sohn vom väterlichen Erbe (Pz. 5,24: *bürge unde lant*) ausgeschlossen. Vgl. Kolb, Chanson, S. 199, Anm. 22.

243,17 *in ⟨. . .⟩ lac]* Vgl. zu 127,16.

243,18 *diu ⟨. . .⟩ pflac]* Die Übersetzer verstehen *der* als Artikel: »die dem Beisammensein (*gesellekeite*) oblag«, d. h. »die nicht allein war«; ich fasse es als prägnantes Demonstrativum auf: »die dieser Art von Beisammensein oblag . . .«.

244,4 *ûz'en vensteren]* Vgl. zu 127,16.

244,30 *diu ⟨..⟩ sûr]* Wörtlich: »der Besitz wurde seinen Gliedern sauer«, nämlich weil er ihn tragen mußte: was er besaß, führte er mit sich.

245,7 *sîn bruoder]* Es kann nur »Willehalms Bruder« gemeint sein (die Stelle hat zu dem merkwürdigen Mißverständnis geführt, Schilbert sei der Bruder des Schetis, also ein weiterer Sohn Heimrichs von Narbonne: vgl. Saltzmann, S. 4; Dittrich, S. 186f.).

245,13-15 *Heimrîch ⟨. . .⟩ zehant]* Wörtlich: »Heimrich und alle seine Söhne saßen sogleich unter einem Preimerun vor ihm«. Offenbar haben sie sich versammelt, während Willehalm die Leute des Schetis begrüßte (245,10ff.).

246,1 *Uz dem her]* Die Übersetzer beziehen die Bestimmung auf *werden*: »the nobles of the army« (Passage). Doch spricht 246,22 entschieden dafür, sie auf *rîten* zu beziehen (*her* soviel wie »Heerlager«).

246,3 *der vürste]* Die Übersetzer außer Unger, W.J.Schröder und Gibbs / Johnson (S. 127) nehmen den Singular wörtlich und denken wohl an Heimrich: »der Fürst selbst« (Kartschoke). Der Zusammenhang zeigt indes klar, daß der Singular kollektivierend zur Bezeichnung der ganzen Gattung steht (vgl. Titurel-Kommentar, S. 134).

246,20f. *wes ⟨. . .⟩ diet]* In freier Konstruktion bzw. Konstruktionsmischung formal von 246,18 *dûhte* abhängiger indirekter Fragesatz (parallel zu 246,18f. *dâ . . . vünden*): »(sie fragten sich,) warum (*wes*) sie sich versündigen sollten«? Oder Relativsatz: »daß sie wenig finden könnten, womit (*wes*) sie sich dann (wenn sie es nähmen) versündigen würden«? Die Herausgeber setzen 246,19 Doppelpunkt statt Komma.

246,28 *gelücke ⟨. . .⟩ sinewel]* Eine sprichwörtliche Redewendung: das Glück (Schicksal) rollt, d. h. es ist veränderlich, unbeständig. Dahinter steht wohl die Vorstellung des sich drehenden Glücksrads. Vgl. Komm. zu 12,1; Sanders, S. 233 (bezweifelt Zusammenhang mit der Vorstellung vom Glücksrad).

247,5-10 *daz 〈...〉 ê]* Wörtlich: »das sollt ihr früher bewerkstelligen«. Gemeint sein dürfte: »sorgt dafür, daß der Ritter das Interesse an euch behält, ehe es zu spät ist und er die Lust verliert«. Zu beziehen ist das wohl auf das Vorhergehende, nicht auf das Folgende (wie Paul, Willehalm, S. 332, und Leitzmann annehmen: Doppelpunkt statt Punkt nach 247,10): das Mittel, die Ritter zu fesseln, ist die Schönheit der Mädchen, nicht »ihr vorsichtiges, zurückhaltendes wesen« (Paul). So wohl auch Lachmann, der Komma statt Punkt nach 247,5 *getân* und Punkt nach 247,10 *iu* setzt (der Doppelpunkt nach 247,10 *ê* in der Ausgabe könnte Druckfehler sein: Ganz, S. 28).

247,19 *iuwer künfteclîcher trôst]* Wörtlich: »eure jetzt eingetroffene Hilfe« (Zimmermann zu Pz. 366,13).

247,25 *wort]* Vielleicht im Sinne von »Gebot, Geheiß« (vgl. DWb XIV/2) auf die den jungen Damen befohlene Antwort auf Fragen nach dem erlittenen Leid zu beziehen (247,16ff.). Möglicherweise aber auch ganz allgemein: »kein Fürst steht so hoch, daß er nicht gern mit einem Mädchen plauderte«, schwerlich: »... daß er nicht gerne das Ja-Wort einer Jungfrau hörte« (Bumke, Kultur II, S. 469).

247,27 *parrieret 〈...〉 beneben]* Wörtlich: »durchsetzen Ritter euch« (Singular *der rîter* kollektivierend als Gattungsbezeichnung: vgl. Komm. zu 246,3), d. h. »setzen Ritter sich in bunter Reihe zwischen euch« (vgl. 250,30f. und Pz. 639,18f.). Die Konstruktion ist nicht unproblematisch: vgl. Paul, Willehalm, S. 332; Panzer, Willehalm, S. 235; Kraus, Willehalm, S. 557; Singer, S. 84; Schröder, Kritik, S. 14; Ganz, S. 28.

248,29-249,1 *het 〈...〉 gelegen]* Vgl. Komm. zu 55,1.

249,2 *der 〈...〉 pflegen]* Giburg trägt einen »Schnurmantel«, d. h. einen Mantel, den man in Kragenhöhe mittels einer oder mehrerer Schnüre zwischen den beiden Mantelkanten schließen konnte. Sie hat den Mantel jedoch nicht geschlossen, sondern läßt die Schnur bzw. die Schnüre (s. u.) offen hängen. Das ist offenbar eine Geste vornehmer Repräsentation: so sieht man etwa auf dem Stifterinnenbild des sog. Psalters der Clementia von Zähringen (Mitte 12. Jahrhundert) von den beiden Kanten des geöffneten Mantels der Stifterin je eine lange Schnur mit Schließe frei herabschwingen (vgl. Ekkehard Krüger, *Die Schreib- und Malwerkstatt der Abtei Helmarshausen bis in die Zeit Heinrich des Löwen* [Quellen und Forschungen zur hessischen Geschichte, 21] Darmstadt / Marburg 1972, Bd. 3, Abb. 67; ebenso präsentieren sich im Evangeliar Heinrichs des Löwen, das aus der selben Werkstatt-Tradition stammt, der Herzog und die Herzogin, wobei aus darstellungstechnischen Gründen freilich nur jeweils eine Schnur zu sehen ist – vgl. etwa: Horst Fuhrmann und Florentine Mütherich, *Das Evangeliar Heinrichs des Löwen und das mittelalterliche Herrscherbild* [Bayerische Staatsbibliothek. Austellungskataloge, 35], München 1986, Tafeln 28 und 29). So möchte man sich auch Giburg vorstellen, doch sprechen Parallelen im Pz. (228,11 und 306,17,19) dafür, daß *snüere* hier Genitiv Singular und nicht (was formal auch möglich wäre) Genitiv Plural ist. Vielleicht darf man den Singular *snuor* aber als kollektive Bezeichnung für die Verschnürung auffassen, auch wenn diese aus mehr als nur einer Schnur bestand. Vgl. Eichholz zu Pz. 144,30; Elke Brüggen, *Die weltliche Kleidung im Hohen Mittelalter*, in: Beitr. 110 (1988), S. 202-228, hier S. 222f.

249,7 *der* 〈. . .〉 *sach*] Wörtlich: »der sie mit den Augen des Leibes ansah«.

249,13 *des* 〈. . .〉 *swanc*] Eine ausgesprochen höfische Geste: vgl. Bumke, Kultur I, S. 195f.

249,20f. *die* 〈. . .〉 *hât*] Wörtlich: »die beiden waren ganz und gar dem Lohn entsprechend, den die Liebe bisweilen nach (geleistetem) Dienst bereithält«, kann wohl nur im Sinne der Übersetzung gemeint sein: »die beiden waren ganz von der Art, daß ihnen der Lohn angemessen war, den die

Minne für Dienst spendet« (d. h. sie waren ausgezeichnete Minneritter), kaum – wie die Formulierung an sich nahelegt – umgekehrt im Sinne von: »die beiden waren genau die Art von Lohn, den die Minne (den Frauen) nach deren (?) Dienst spendet« (in diesem Sinn Fink / Knorr, S. 137, und Knapp, Rennewart, S. 38, Anm. 33).

249,25 *dâ mit und]* Das *und* verleiht dem adverbialen Ausdruck *dâ mit* den Charakter einer Konjunktion: vgl. PMS, S. 446; Gärtner, apo koinou, S. 224, Anm. 176.

250,17 *Olivier noch Ruolant]* Olivier ist im Rolandslied der Gefährte Rolands, der wie dieser nach heldenhaftem Kampf in der Schlacht gegen die Heiden fällt. Nach Bumke, Willehalm, S. 149, rückt »durch den Vergleich mit den als Märtyrern gefallenen Helden Karls ... Gyburg selbst in den Bereich des Märtyrertums«.

250,25 *gedienten tohter]* Heimrich hat sich durch sein Verhalten Giburg als seine Tochter und sie hat sich ihn durch ihr Verhalten als ihren Vater verdient (268,7). Vgl. Waldmann, S. 182f.

251,26 *daz* <...> *bediutet]* *prîs* ist Nominativ, also Subjekt, *daz* mithin Akkusativobjekt: eine merkwürdige Formulierung, die ich zu verstehen suche, indem ich *bediuten* im Sinne von »mit dem Finger deutend zeigen« auffasse (so wohl auch Unger: »was Ruhm und Ehre rieten«). Die meisten Übersetzer verstehen hingegen *daz* als Nominativ: »was gleichbedeutend mit eurem Ruhm ist«. Dies setzte wohl einen Akkusativ: *iuwern prîs* voraus (wie in einem Teil der Überlieferung). Vgl. auch Grimm / Lachmann I, S. 251, Anm.

252,6f. *iuwerem gebote immer belîben]* Wörtlich wohl: »im Besitz (d. h. in der Verfügungsgewalt) eures Befehlens bleiben«. Glatter, aber darum auch trivial ist die von Leitzmann und Schröder gewählte Lesung der meisten Handschriften: *ze iuwerem gebote* (vgl. Paul, Willehalm, S. 324, und Schröder, Kritik, S. 15).

252,26 *des gepflac]* Nämlich: Heimrichs Aufforderung zu folgen.

252,29 *liebstem]* Vgl. Komm. zu 9,8.

252,30 *erkantez ungemach*] Vgl. Komm. zu 71,12f.

253,8 *alze ⟨. . .⟩ gedâhte*] Wörtlich: »der war damit zu früh dran (d. h. es war nicht gut), daß er mich erdacht hat«.

253,10 *machet unde hât*] *hât* ist Hilfsverb in verkürzter Ausdrucksweise für *gemachet hât* (vgl. Lucae, S. 4, Anm. 1), nicht Vollverb (Matthias: »der beide schafft und auch erhält« – so auch die andern Übersetzer außer San Marte II und Fink / Knorr [S. 139]).

253,19 *in die werdekeit gedigen*] Wörtlich: »zu Ansehen (Würde, Ruhm) gediehen«.

253,26 *siuftebaeren gruoz*] Übersetzung nach Pretzel, S. 126.

254,3 *sîn ⟨. . .⟩ tac*] Wörtlich: »sein Glanz war der zweite Tag«, d. h. etwas, das hell war wie der Tag.

254,4-6 *swâ ⟨. . .⟩ schîn*] Man nimmt gewöhnlich an, Giburg erinnere hier an ein Lichtwunder, das sich – als Zeichen der Heiligkeit wie das Geruchswunder – bei Vivianz' Tod ereignet habe: vgl. Komm. zu 69,14 und Bumke, Willehalm, S. 25. Kontext und Formulierung sprechen jedoch eher dafür, daß ein aus dem Tag-Vergleich 254,3 entwickelter hyperbolischer Schönheitspreis vorliegt.

254,11 *ding*] Es ist nicht auszumachen, ob hier *dingen* »hoffen« oder das gleichlautende *dingen* »appellieren, sich ausbedingen« vorliegt: vgl. Wiessner, Richtungsconstructionen II, S. 27.

254,27 *durh sîne bete*] Wörtlich: »um seines Gebots willen«, »auf sein Gebot hin« – Konstruktionswechsel: man erwartete *sîne bete* »sein Gebot«, parallel zu 254,26 *diu minne*. Vgl. Kraus, Willehalm, S. 558.

255,3 *mîne mâge*] Wieder Konstruktionswechsel: man erwartete Genitiv *mîner mâge*, abhängig von 254,30 *wer mêr*. Vgl. Panzer, Willehalm, S. 236; Kraus, Willehalm, S. 558.

255,16f. *ob ⟨. . .⟩ geblüete*] *rîs* »Reis, Zweig« steht »als Bild für einen Menschen in der Entfaltung seines Wesens« (Martin zu Pz. 26,11). Vgl. auch Bock, S. 28ff.; Titurel-Kommentar, S. 157.

255,26 *der vreuden mat*] *vreuden* ist Genitiv, abhängig vom

Substantiv (!) *mat*: vgl. Paul, Willehalm, S. 333; Schröder, Kritik, S. 20; Zimmermann zu Pz. 347,30.

255,29 *drî unt zweinzec künege*] Vgl. Komm. zu 107,3.

255,30f. *die* ⟨. . .⟩ *zil*] Wörtlich: »die wahrgenommen waren als Eskelire im Stand von Fürstenmacht«.

256,22f. *ie* ⟨. . .⟩ *gelt*] Wörtlich: »da wollte er gegen Karls Gewicht bares Geld auf die Waage legen«. Eine formelhafte Wendung, die in den Zusammenhang einer Tradition gehört, derzufolge Karl der Große in allen Lebensbereichen die Ordnung des Rechts gesichert hat: *Karles lôt* »Karls Gewicht« ist das genau geeichte Waage-Gewicht, auf das sich der Handeltreibende verlassen kann. Vgl. Wirnt von Gravenberch, *Wigalois*, hg. von George Friedrich Benecke, Berlin 1819, S. 495; RA II, S. 458, Anm.; Robert Folz, *Le Souvenir et la Légende de Charlemagne dans l'Empire germanique médiéval* (Publications de l'Université de Dijon, 7), Paris 1950, S. 371f.; Harald Witthöft, *Münzfuß, Kleingewichte, Pondus Caroli und die Grundlegung des nordeuropäischen Gewichtswesens in fränkischer Zeit* (Sachüberlieferung und Geschichte, 1), Ostfildern 1984, S. 5ff., 93.

256,27 *al* ⟨. . .⟩ *wisch*] Die Stelle ist nicht klar. Die Übersetzung nimmt an, daß *bû* »bestelltes Feld« heißt (vgl. BMZ I, Sp. 289a) und daß mit dem Strohwisch ein Saatzeichen gemeint ist (Strohwische auf den Feldern zeigten an, daß diese bestellt waren: DWb X/3, Sp. 1682): es sollte restlos alles vergütet werden, nicht nur die bestellten Felder, sondern auch die darauf gesteckten (und an sich wertlosen) Strohwische. Dagegen steht die Auffassung von *bû* als »Gebäude«: »alle Gebäude vom Keller bis zum Dachstroh« (W.J. Schröder, S. 521 – in diesem Sinne auch Matthias und Unger) oder: »jeden Bauernhof bis auf den letzten Strohwisch« (Kartschoke – in diesem Sinne auch Passage und Gibbs / Johnson [S. 132]; vgl. 244,26f.).

256,29 *überverte*] Die meisten Übersetzer verstehen (mit Lexer II, Sp. 1672) *übervart* hier und 258,8 als »Übertritt, Glaubenswechsel«. Doch bezeichnet das Wort sonst im Wh. immer die Fahrt der Heiden über See (13,6. 80,4. 166,12. 208,19).

256,30 *überwegen*] Nach Paul, Willehalm, S. 324, paßt das nur in Handschrift G überlieferte *überwegen* »mehrfach vergelten« nicht zu *zehenstunt*, weshalb er der Mehrheitslesung *widerwegen* »vergelten« den Vorzug gibt (so dann Leitzmann und Schröder – vgl. Schröder, Kritik, S. 13). Ich kann die Logik der Beweisführung nicht sehen.

257,5 *Skandinâvîâ*] Daß unter den Heiden ein Herrscher aus dem Norden auftritt (zu Matribleiz' Herrschaftsbereich gehören auch *Gruonlant* und *Gaheviez*: vgl. Komm. zu 348,23-26), läßt sich aus einer historischen Konstellation erklären: »Das Abendland hatte jahrhundertelang die Erfahrung gemacht, von einem Ring heidnischer Feinde umgeben zu sein. An die Sarazenen in Spanien schlossen sich im Norden die skandinavischen Wikinger, die auch ihre Besitzungen auf den britischen Inseln hatten. Der Skandinavier Matribleiz ... paßt in diese historische Perspektive. Sie wurde überdies näher an Wolframs Gegenwart durch die normannisch-sarazenischen Beziehungen in Süditalien sozusagen aufs neue bestätigt« (Mohr, Willehalm, S. 275*f.).

257,10 *des* ⟨...⟩ *bereite*] Wörtlich: »und die Entschädigung bar bezahlen«.

257,22 *ez* ⟨...⟩ *golt*] Vgl. Komm. zu 36,9.

258,1 *überkêr*] Wolfram verwendet den Begriff sowohl für Giburgs Glaubenswechsel (120,10) als auch für ihre bzw. der Heiden Fahrt über See (8,29. 241,11. 298,22. 466,6). Im Blick auf 256,29 (vgl. Komm. z. St.) entscheide ich mich (mit San Marte II, Matthias, Unger und W.J. Schröder gegen die übrigen Übersetzer) für die Bedeutung »Überfahrt«.

258,2 *der* ⟨...⟩ *miete*] Wörtlich: »treuen und edlen Lohn«, wohl verkürzte Ausdrucksweise für: »einen Lohn, der in etwas Treuem und Edlem (nämlich den Gefangenen) besteht«. In dem Terminus *miete* mag hier die Bedeutung »Bestechung« mitschwingen: vgl. Mersmann, S. 79.

258,5 *neve*] Auch Terramer nennt Halzebier *neve* (341,4). Die Verwandtschaftsbezeichnung ist mehrdeutig. Möglicherweise ist Halzebier ein Schwestersohn (»Neffe« im heutigen Sinne) Terramers und damit ein Vetter Giburgs. Vgl. Bernhardt, S. 44.

258,8 *übervart]* Vgl. Komm. zu 256,29.

258,22-26 *die* ⟨. . .⟩ *Witschart]* Vgl. Komm. zu 47,3-6.

258,27 *der* ⟨. . .⟩ *irte]* Wörtlich wohl: »der Tod hielt sie (die dann Gefallenen) nicht davon (vom Sterben) ab«, d. h. der Tod verschonte sie nicht.

259,2 *sît* ⟨. . .⟩ *erbarme]* Ergänze: »daß mich das erbarmt (und ich deshalb weine und klage)«. Das *sît* hat explikative Funktion (vgl. BMZ II/2, Sp. 322a), der Konjunktiv (*erbarme*) ist durch den Imperativ im übergeordneten Satz bedingt (vgl. PMS, S. 456).

259,6f. *ir* ⟨. . .⟩ *enpfangen]* Eine vertrackte Formulierung. Nach Unger, S. 278, wäre zu konstruieren: »ihr Friedhof ist weit (ein)gesegnet, (er) wurde von den Engeln weihevoll (*wîhe* Adverb) empfangen (d. h. die Gefallenen erhielten ihn weihevoll von den Engeln«). Von der Idiomatik her würde man lieber *wîhe* als Substantiv mit *empfangen* verbinden, doch nötigte das zur Annahme einer extrem freien Konstruktion (Ergänzung in 259,7: »von den Engeln [hat er] die Weihe empfangen«). Vgl. auch Geith, Sarkophage, S. 101f., Anm. 2.

259,9-12 *ir* ⟨. . .⟩ *vant]* Das Sargwunder wird im folgenden wiederholt erwähnt (357,16ff. 386,6. 394,20. 437,20ff.). Es ist Gegenstand einer Legendentradition, die offenbar an die (noch heute zu sehenden) Steinsärge der Nekropole von Les Alyscamps anknüpft (vgl. Komm. zu 10,17). Die Tradition ist seit dem 12. Jahrhundert in verschiedenen Quellen gut bezeugt, auch in Verbindung mit der Wilhelms-Sage, jedoch nicht in (den erhaltenen Fassungen von) Al., so daß offenbleiben muß, woher Wolfram sie gekannt hat. Vgl. Geith, Sarkophage. – 259,9 »ist Nominativus pendens, der durch das Substantiv *die getouften alle* v. 12 wiederaufgenommen wird« (Gärtner, apo koinou, S. 217). Schröder scheint apo koinou anzunehmen: kein Komma nach 259,9.

259,14-16 *ir* ⟨. . .⟩ *wazzer]* Vgl. Komm. zu 69,24-28.

260,18f. *ich* ⟨. . .⟩ *snîden]* Das streifenweise Abziehen der Haut (»Riemenschneiden«) ist eine traditionelle Leibesstrafe. Vgl. RA II, S. 291.

260,24 *iuwer* ⟨. . .⟩ *verbirt]* Wörtlich: »euer Anblick (umschreibend für: ihr) bleibt den Heiden nicht fern«. Vgl. Pretzel, S. 8; Martin zu Pz. 20,21.

260,29 *si ⟨. . .⟩ nemen]* Wörtlich: »sie müssen einen anderen Bürgen nehmen«. *bürge* steht hier wohl synonym zu 260,28 *pfant* »Geisel« (vgl. DWb VII, Sp. 1603); der Singular wird kollektivierend gemeint sein (vgl. Komm. zu 246,3). Was Willehalm damit sagen will, ist nicht recht klar: »sie müssen ganz andere Gefangene machen, um dich zu bekommen« oder: »sie sollen ruhig noch andere Gefangene machen, die werden ihnen auch nichts nützen«?

262,18 *bevilh]* Warum hier Indikativ statt des zu erwartenden Konjunktivs steht (Modus-Inkongruenz: vgl. PMS, S. 375), ist schwer zu erklären. Vielleicht darf man es als Ausdruck starker Emotion verstehen.

262,25 *mîner bruoder]* Vgl. Komm. zu 120,2.

263,13 *stap]* Das Anweisen der Plätze ist Aufgabe des Truchsessen, dessen Amtsstab Heimrich hier führt. Vgl. Komm. zu 142,29; Amira, S. 60; Bumke, Kultur I, S, 249.

263,17 *diu ⟨. . .⟩ stuont]* Ein besonders ehrenvoller Platz: vgl. Martin zu Pz. 309,24.

264,22 *ir ⟨. . .⟩ gemêret]* D. h. sie haben die ewige Seligkeit erworben; die Formulierung vielleicht in Anlehnung an Matthäus 6,20 *thesaurizate autem vobis thesauros in caelo* »sammelt euch aber Schätze im Himmel«.

264,30f. *die ⟨. . .⟩ sîten]* Interpunktion mit Schröder. Dagegen Lachmann und Leitzmann: Komma statt Doppelpunkt nach 264,27; 264,30 kein Gedankenstrich (Schröder Komma), dafür *die viere in dûhten wert* in Parenthese. Bei dieser Lösung wird nicht recht deutlich, worauf es offenbar ankommt: daß die Genannten entsprechend der anderen Vierergruppe Schilbert, Schetis, Buove und Bernart (263,14-22) plaziert werden.

265,8f. *an ⟨. . .⟩ sîn]* Wörtlich: »in keiner Beziehung sagten sie (die Diener oder die Gäste?), daß da ein Mangel wäre«.

265,16f. *der ⟨. . .⟩ niht]* Die Gesellschaft der Damen, d. h. das Gespräch mit ihnen, ist gewissermaßen der Zwischengang im Menü: vgl. Singer, S. 86.

266,22 *wîchûs*] Lies: *wîc-hûs* »Kampf-Haus«. Hier sind wohl die Befestigungstürme im Verband der Schutzmauer gemeint.

268,3-6 *sus* 〈. . .〉 *begôz*] *vrouwe* ist Subjekt zu *saz* und zu *begôz*. Vgl. Gärtner, apo koinou, S. 194f.; zum Bild Komm. zu 69,24-28.

268,7 *ir gedienter vater*] Vgl. Komm. zu 250,25.

269,1-11 *mac* 〈. . .〉 *sie*] fingierte Bitte des Erzählers an das Publikum, Willehalm aus seinem Gelübde zu entlassen. Lachmann läßt hier willkürlich ein neues »Buch« beginnen (vgl. S. 810). Vgl. Nellmann, S. 122f. und 172.

269,8 *des rîches hant*] Der König: vgl. 184,15 und 298,5.

269,10f. *sus* 〈. . .〉 *sie*] Wörtlich: »so auf der Waage lassen wollten, daß er ihre Unterstützung erwürbe«. *in wâge lâzen* heißt sonst: »etwas der (schwankenden) Waage überlassen«, also: »einem ungewissen Ausgang anheimstellen«, »aufs Spiel setzen« (vgl. 3,4. 11,4. 25,8. 197,24. 217,2 – dazu DWb XIII, Sp. 363f.; Wiessner, Richtungsconstructionen II, S. 4f.). Das kann hier nicht gemeint sein: man muß wohl von der Vorstellung ausgehen, daß Willehalm hofft, der König und die Verwandten ließen die schwankende Waage, auf der er sich befindet, durch das Gewicht ihrer Hilfe zu seinen Gunsten ausschlagen.

270,1-5 *mitten* 〈. . .〉 *leinde*] Die Herausgeber setzen kein Zeichen nach 270,2 *was* und Doppelpunkt nach 270,3 *pfîlaere*. Nach BMZ II/1, Sp. 494b, wäre das so zu verstehen, daß Säulen als Stützen unter Pfeiler gestellt waren: »in der Mitte des Palas trugen viele Marmorsäulen hohe Pfeiler« (Kartschoke – vgl. auch Wiessner, Richtungsconstructionen I, S. 438f.). Das ist architektonischer Unsinn. Wollte man bei der Vorstellung bleiben, daß die *pfîlaere* auf den Säulen aufruhten, müßte man annehmen, daß das mhd. Wort auch ein spezielles Bauteil der Gewölbekonstruktion bezeichnen konnte, etwa den »Gewölbebogen« (in diesem Sinne Bumke, Kultur I, S. 152f.: »Gewölbestützen«? – Passage und Gibbs / Johnson [S. 138]: »vaulting(s)«): dafür gibt es bis jetzt keinen Beleg. Unger sucht einen Ausweg, indem er *under* mit »zwischen« übersetzt: »der Säulen eine Menge sich zwischen Pfeilern dehnte«. Er denkt dabei vielleicht an die Technik des Stützenwechsels, bei der die Stützenreihe alternierend aus Pfeilern und Säulen bestand. Daß Wolfram diese Sondertechnik gemeint hat, ist möglich, aber wohl nicht sehr wahrscheinlich. Ich versuche, den Schwierigkeiten zu entgehen, indem ich Ungers Übersetzung von *under* übernehme, *pfîlaere* und *sûl* aber für Synonyme halte (entsprechend *piler* und *marbre* in Al.: 4317, 4338, 4609) und (nach Vorschlag von Jürgen Schulz-Grobert) durch andere Interpunktion einen entsprechenden Zusammenhang herstelle: »im Palas waren viele hohe Säulen / Pfeiler – Rennewart stellte mitten unter sie seine Stange und lehnte sie gegen das Gewölbe«. Stören könnte bei dieser Lösung die Wiederholung der Präposition *under*: vielleicht ist sie an der zweiten Stelle durch das gut überlieferte *an* zu ersetzen.

270,7 *dô* ⟨. . .⟩ *sach]* Möglich auch: »als er so wild aussah« (so die Übersetzer außer W.J.Schröder und Gibbs / Johnson [S. 138]; vgl. auch Mergell, Quellen, S. 51f.), doch spricht die gleich folgende Erwähnung des »Drachenblicks« für die gewählte Übersetzung: s. Komm. zu 270,26f. Vgl. auch Schleusener-Eichholz, S. 820.

270,18 *Rennewartes* ⟨. . .⟩ *snel]* Interpunktion mit Leitzmann; dagegen Lachmann und Schröder: Komma statt Punkt nach 270,17 *vel*, Punkt statt Komma nach 270,18 *snel*.

270,20 *spitzic rôse]* Wörtlich: »spitz(ig)e Rose«; gemeint ist wohl die spitz zulaufende Rosenknospe.

270,21 *rûher balc]* Die Kelchblätter, die sich zurückbiegen, wenn die Knospe sich zur vollen Blüte öffnet; ebenso, in einem entsprechenden Vergleich, Pz. 188,11 *bälgelîn*.

270,26f. *truoc* ⟨. . .⟩ *lieht]* Die großen blitzenden Augen Rennewarts sind wohl als furchterregend gedacht (vgl. 270,7): der schreckliche Blick gilt traditionell als Eigenschaft des Drachen. Vgl. Singer, S. 87f.; Tsukamoto, S. 34f.; Lecouteux, S. 21f.; Schleusener-Eichholz, S. 663; allgemein LMA III, Sp. 1340.

270,29f. *sît* ⟨. . .⟩ *schiet]* Ist wohl zugleich auf das Vorhergehende und das Folgende zu beziehen: »nur an Ruhm hatte er seit dem Aufbruch von Laon gedacht – seit dem Aufbruch von Laon war ihm der Bart gewachsen«.

271,3 *Alîzen* ‹. . .› *gequelt*] Sprachlich näher läge die Übersetzung: »Alizes Kuß hatte ihn (Rennewart) gepeinigt (d. h. ihm Liebespein zugefügt)«, doch spricht der Zusammenhang (287,11ff.!) für die gewählte Übersetzung. Vielleicht darf man beide Versionen übereinanderlesen. Vgl. Singer, S. 87; Knapp, Rennewart, S. 141, Anm. 17; Lofmark, S. 151ff.; Tsukamoto, S. 93f., Anm. 84; Wiesmann-Wiedemann, S. 206, Anm. 1; Mohr, S. 342*f.

271,6f. *man* ‹. . .› *im*] Wörtlich: »man sah an ihm die Ehre der Mutter«.

271,10 *sîn* ‹. . .› *vrit*] Wörtlich: »seine Schönheit erwarb den Frieden der Frauen«.

271,12-14 *ich* ‹. . .› *wîse*] Kann, muß aber nicht auf den von Wolfram geplanten, aber nicht mehr ausgeführten Schluß der Rennewart-Handlung bezogen werden. Vgl. Nassau Noordewier, S. 74; Mergell, Quellen, S. 56; Knapp, Rennewart, S. 328f.

271,18-26 *als* ‹. . .› *betrogen*] Erinnerung an Pz. 120,24ff.: der fern der höfischen Welt – und damit, wie Rennewart, unstandesgemäß – in einer Einöde aufgewachsene Parzival, dessen *tumpheit* zum Leitmotiv seines Eintritts ins Erwachsenenleben wird, begegnet dem Grafen Karnahkarnanz und drei Herren seiner Begleitung; es sind die ersten Ritter, die er sieht; er hält sie, die ihrerseits von seiner Schönheit beeindruckt sind, im Glanz ihrer Rüstung für Götter und fällt andächtig vor ihnen auf die Knie. – Der Vergleich von Rennewarts und Parzivals *tumpheit* betrifft wohl einen eher unproblematischen Aspekt des Bedeutungsfeldes, das dieser komplexe und – zumal im Hinblick auf Parzival – im einzelnen nur schwer zu bestimmende Begriff abdeckt: »aus Unerfahrenheit resultierende (kindliche) Einfalt«. Versuche, Rennewarts *tumpheit* als Moment einer religiösen Schuld in Analogie zu Parzivals Schuld zu interpretieren, finden keine Stütze im Text. Vgl. Ruh, Voten, S. 288ff.; zu den Gegenpositionen Knapp, Heilsgewißheit, S. 596ff.

272,21 *mîn ⟨. . .⟩ in]* Wörtlich: »mein Herz sagt (mir) etwas in Bezug auf ihn«. Vgl. Wiessner, Richtungsconstructionen I, S. 533f.

272,24 *vreude oder ungemach]* Ausdruck von Giburgs Unsicherheit, sicher nicht Vorausdeutung auf einen tragischen Ausgang der Rennewart-Handlung (wie Mergell, Quellen, S. 52, erwägt).

273,6 *gein ⟨. . .⟩ muoz]* Wörtlich: »ich muß dir gegenüber betreiben«, d. h. »ich muß (durch Bitten) von dir erreichen«. Vgl. Wiessner, Richtungsconstructionen I, S. 390.

273,10-13 *wie ⟨. . .⟩ dar]* Willehalm vergleicht seinen Vater, der begierig ist, um seinetwillen gegen die Heiden zu kämpfen, mit einem Jagdvogel, der begierig ist, das Wild zu schlagen: ein *mûzaere* »Mauserer« ist ein Vogel, der schon gemausert hat, d. h. ein ausgewachsenes Tier; *gern* (»begehren, gierig sein«) bezeichnet das Gieren des auf der Faust des Jägers sitzenden und noch festgehaltenen Vogels nach dem Wild, *dar werfen* das Loslassen des auf der Faust gierenden Tieres. Vgl. Dalby, S. 153 (*mûzaere*), 61f. (*gern*), 299 (*werfen*).

274,2 *durh gesellekeit]* Wörtlich: »um der Geselligkeit (des Zusammenseins) willen«.

274,4 *ûf ⟨. . .⟩ ort]* Heimrich und Giburg sitzen am Kopfende der Tafel. Diese ist offenbar so schmal, daß Rennewart keinen Platz mehr finden kann und sich auf den Boden daneben setzen und auf seinem Schoß essen muß. Deshalb zieht Giburg ihm auch das Tischtuch heran (274,11ff.). Vgl. Lofmark, S. 170 mit Anm. 1.

274,18f. *sîn ⟨. . .⟩ vermaeren]* Wörtlich: »seine und ihrer, ihrer beider Erscheinung konnte sich so zeigen (verraten)«.

274,20-22 *als ⟨. . .⟩ gezucket]* *insigel* »Siegel« meint hier das (aus Stein oder Metall gefertigte) Typar, die Stempel-Hohlform, von der das Siegel genommen wird. Die Formulierung (Parallele bei Kartschoke, S. 298) bezieht sich offenbar auf gängige Techniken der Siegelherstellung, bei denen die Siegelmasse (erwärmtes Wachs) in das Typar gepreßt bzw. geknetet wurde: vgl. Wilhelm Ewald, *Siegelkunde*, München / Berlin 1914, S. 165ff. Typar und Siegelmasse mußten rasch (*gâhes* »jählings«) getrennt werden, damit das Wachs nicht im Typar erstarrte (dagegen Knapp, Rez. W.J. Schröder, Sp. 46: das Typar sei »nur flüchtig aufgedrückt« worden; Kartschoke: »eilig«). Vgl. auch Happ, S. 183ff. (mit dem kaum erhellenden Hinweis, daß man »sich die gebärmutter (matrix) innen mit siegeln ausgestattet« dachte [S. 185]).

275,3 *daz* 〈...〉 *snîen*] Vielleicht liegt eine derbe Redensart zugrunde (»mach's Maul zu, sonst schneit's hinein«). – Die Konstruktion ohne pronominales Subjekt *ez* ist, wiewohl gut überliefert (s. Variantenverzeichnis), problematisch.

275,4f. *ez* 〈...〉 *gesogen*] Ein für Wolfram typischer Vergleich, der den Leser auf eine falsche Fährte lockt: Man meint zunächst, es komme auf die Mehrzahl der Bienen an (zehn hätten nicht soviel vertilgt wie der eine), doch ist es offenbar unsinnig, die Aufnahmefähigkeit der winzigen Bienen, und seien es noch so viele, gegen die des riesenhaften Knaben auszuspielen (vgl. Knapp, Rennewart, S. 324). Es dürfte vielmehr auf die Fähigkeit der Bienen abgehoben sein, mit ihren feinen Rüsseln auch noch das letzte Restchen aufzunehmen: d. h. Rennewart hat die »Näpfe« völlig blank bzw. trocken gemacht (vgl. Unger, S. 278). Daß es sich bei diesen um Trinkgefäße und nicht – wie vom allgemeinen Wortgebrauch und vom Kontext her auch möglich – um (Speise-) Schüsseln (Kartschoke) handelt, legen die beiden anderen Stellen nahe, an denen Wolfram das Wort benutzt: Pz. 84,24 und 239,2. – Ganz anders und sicher falsch (trotz Knapp, Rez. W.J. Schröder, Sp. 46) W.J.Schröder, S. 531: »zehn Bienen hätten soviel nicht aus ihren Futternäpfen saugen können«.

275,6 *mich* 〈...〉 *betrogen*] Leitzmann bezieht die Quellenberufung auf das Folgende: Punkt statt Komma nach 275,5, Komma statt Punkt nach 275,6. Doch ist es wahrscheinlicher, daß sie sich, ironisch gemeint, auf die hyperbolische Schilderung der Trinklust Rennewarts bezieht. Vgl. Bacon, S. 23f.; Tsukamoto, S. 98.

275,16 *ein swacher öwenzwagen*] Die Bedeutung des so anscheinend nur hier belegten Wortes *öwenzwagen* ist nicht recht klar: die Wörterbücher rechnen damit, daß es soviel wie *einz-* oder *enzwagen* »Einspänner« heißt (BMZ III, Sp. 644a; Lexer II, Sp. 195). In jedem Fall wird ein leichter Wagen gemeint sein: der Vergleich hebt sich, wie für Wolfram typisch, gewissermaßen selber auf, denn man würde ja erwarten, daß die Stange selbst für einen starken Wagen zu schwer war. Vgl. Gerhardt, Uote, S. 5f.

275,23 *ir* 〈. . .〉 *toten*] Rennewart unterstellt den Knappen sarkastisch, sie wollten die Stange auf ihren Armen wiegen wie der Pate das Patenkind bei der Taufe.

275,24-26 *bî* 〈. . .〉 *dâ*] Die Gebeine des Apostels Jakobus des Älteren werden in der nach ihm benannten Stadt Santiago (de Compostela) in der Provinz Galizien in Nordwestspanien verehrt. Santiago war neben Rom und Jerusalem der bedeutendste Pilgerort des Mittelalters. Vgl. LThK V, Sp. 833f. – Auffallend ist die Bildung *der zwelfte bote* statt des üblichen *der zwelfbote* (eigentlich: »einer der zwölf Boten«, d. h. der Apostel).

275,29-276,1 *jâ* 〈. . .〉 *schimpfe*] Die Knappen lassen Rennewart nicht in Ruhe essen: er komme nur dazu, wie ein Vögelchen zu picken, hält er ihnen vor – und hat doch, wie vorher gesagt wurde, schon gewaltige Mengen vertilgt. – Anders Bötticher, S. 297f., der Komma nach 275,29 *spîse* setzt und das Komma nach 275,30 *zîse* tilgt: »hätte ich nur erst von dieser Speise gegessen, so würde ich mehr als ein kleiner Zeisig vor eurem Spotte . . . sicher sein«. Das ist sprachlich schief und zerstört die Pointe, auf die es offenbar ankommt.

276,2 *nû* 〈. . .〉 *ungelimpfe*] Möglich wohl auch: »hütet euch vor dem Üblen, das ich euch zufügen könnte« (in diesem Sinn Matthias und Unger).

276,4f. *dâne* 〈. . .〉 *sente*] Gemeint ist wohl die »Sitte, den Mitgästen an der Tafel besondere Leckerbissen zum Probieren ›zuzusenden‹ (vgl. z. B. Parz. 551,8-11)« (Mohr, S. 343*): bei Rennewart brauchte sich dafür keiner zu bedanken – weil er gar nichts abgab. Es ist allerdings nicht ganz unproblematisch, die Form *sente* zu *senden* »senden, schicken« zu stellen: vgl. Konrad Zwierzina, *Mittelhochdeutsche Studien*, in: ZfdA 45 (1901), S. 253-419, hier S. 418; Knapp, Rennewart, S. 324, Anm. 22.

276,6 *siropel]* Das wohl für »Rotwein« stehende, vor Wolfram nicht belegte Wort ist vielleicht eine Mischbildung aus afrz. *sirop* »Getränk, Sirup« und *sinople* »rote Farbe« (wie G und andere Handschriften hier und 448,7 wohl irrtümlich schreiben). Vgl. Vorderstemann, S. 295f.

276,10 *die* 〈. . .〉 *az er]* Wörtlich: »die Speise aß er ungeschmäht«, d. h. wohl: »ohne sie zu verschmähen«, kaum: »ohne daß er (dafür) geschmäht (getadelt) wurde« (in diesem Sinne Mohr, S. 343*, mit Hinweis auf Pz. 169,24 [s. u.], der nicht zwingend ist: vgl. Martin z. St.). – Der Vers zitiert fast wörtlich Pz. 169,24, wo vom jungen Parzival die Rede ist. Damit wird indirekt die Vergleichung Rennewarts mit Parzival (271,15ff.) fortgeführt.

276,14 *edelen]* Könnte auch Adjektivattribut zu *hôhen* sein (kein Komma danach: so die Herausgeber).

276,30 *von dem gemache]* Vgl. 277,10. Möglich wohl aber auch: »aus dem Gemach«, d. h. aus dem Palas oder aus der Burg (in diesem Sinn die Übersetzer mit BMZ II/1, Sp. 14a).

277,20 *wegne]* »(Proviant-)Wagen«.

278,15 *liebisten]* Vgl. Komm. zu 9,8.

278,28f. *diu* 〈. . .〉 *lêrten]* Wörtlich wohl: »Müdigkeit und in Klagen bestehende Mühsal lehrten ihn rasch schlafen«. *klagende arbeit* bezeichnet offenbar die psychische Anspannung (Leid und Sorge um die Verwandten) neben der physischen *müede* (zur Partizipialkonstruktion vgl. PMS, S. 378). – Die Herausgeber interpungieren anders: 278,26 Punkt nach *entwiche*, 278,27 Komma nach *reit* (Lachmann, Schröder – möglich, aber nicht überzeugend: der nächtliche Ritt in voller Rüstung wäre danach auch die Ursache der psychischen Erschöpfung) bzw. 278,26 Punkt statt Komma nach *bein* und keine Interpunktion nach *entwiche*, 278,27 in Parenthese und danach Komma (Leitzmann – unnötig kompliziert mit häßlicher Doppelung innerhalb des Satzgefüges: 278,26 / 30 *ê*. . .).

279,12-23 *dô ⟨...⟩ minne]* Anspielung auf Zusammenhänge aus dem Pz.: der Gralkönig Anfortas warb um die schöne Orgeluse, bis eine Verletzung im Kampf ihn zu schrecklichem Siechtum verurteilte und ihn unfähig machte, sein Herrscheramt auszuüben; der Gral – ein vom Himmel gekommener Wunderstein – versorgte sein Volk mit Speise; die orientalische Königin Sekundille verliebte sich aus der Ferne in Anfortas und sandte ihm als Pfänder ihrer Liebe die ebenso häßliche wie gelehrte Dame Kundrie, die dann als Gralsbotin eine wichtige Rolle zu spielen hatte, deren Bruder und einen *krâm* bzw. ein *krâmgewant*, eine Ladung kostbarer Handelsware; den Bruder der Kundrie und den *krâm* schenkte Anfortas an seine Geliebte Orgeluse weiter (Pz. 469,1ff.; 478,17ff.; 519,10ff.; 562,21ff.; 616,11ff.).

279,12 *geltic]* »vergeltend, Ersatz(zahlung) leistend«, »ein Wort, das offenbar von Wolfram ad hoc geschaffen wurde ..., um die Einzigartigkeit des Vorgangs auszudrücken« (Bumke, Willehalm, S. 179): mit ihrer Hingabe entschädigen Willehalm und Giburg einander gegenseitig für den Tod ihrer Verwandten.

280,12 *sîner vreuden wer]* Kann heißen: »Gewährer(in) seiner Freude« oder »Beschützer(in) seiner Freude« – vielleicht liegt ein Wortspiel vor: vgl. Kartschoke, S. 298.

280,13-18 *nâch ⟨...⟩ grap]* Die Bitterkeit der sentenzhaften Äußerungen erinnert an Formulierungen aus den Weisheitsbüchern der Bibel: vgl. Ohly, S. 507. In verschiedenen Zusammenhängen gut belegt ist der 280,17f. geäußerte Gedanke: wenn das Neugeborene den Mutterleib verläßt, schreit es – das Leben beginnt also mit einer Äußerung des Leids (»Jammer ist unser Ursprung«); und leidvoll endet es dann auch (vgl. Heinrich von Melk, hg. von Richard Heinzel, Berlin 1867, S. 123f.). Im ganzen ist die Gedankenfolge nicht recht klar. Gemeint ist vielleicht: Freude erscheint, wenn überhaupt, nur im Wechsel mit Leid; diese ihre Eigenart (»Gewohnheit«) betrifft alle Menschen, denn deren Leben steht von der Wiege bis zur Bahre im Zeichen des Leids (*jâmer*). Anders (und wohl am Text vorbei) Bertau, Versuch,

S. 163: »Manchmal kann auf Leiden Freude folgen. Die Freude hat ja sonst die sehr bekannte Gewohnheit angenommen, die von allen mitgemacht wird (nämlich: Vorbotin von Leid zu sein).« Vgl. auch Maurer, S. 170.

280,19-281,2 *ine ⟨. . .⟩ prîse]* 280,19f. klingt an eine Stelle in Gottfrieds von Straßburg Tristan an (12497f.), weshalb man die ganze Passage als neuerliche Replik Wolframs auf Gottfrieds Kritik am Pz. auffassen wollte: vgl. Komm. zu 4,24; Mergell, Quellen, S. 121f.; Ohly, S. 507ff., Anm. 116; Pörksen, Erzähler, S. 136f. Die mutmaßlichen Bezüge sind jedoch sehr vage, und die Gedankenfolge kann ohne weiteres aus sich selbst verstanden werden: Der Erzähler bedauert, daß es in seiner Geschichte so wenig Freude gibt, und betont, er habe dies nicht böswillig so eingerichtet: wie allen, die ihm nichts angetan haben, würde er – so hat man wohl zu ergänzen – auch den Gestalten der Geschichte alles Gute gönnen. Mit der Berufung auf den Rat des Weisen unterstreicht er die Aufrichtigkeit seines guten Willens (anders und doch wohl am Text vorbei Bertau, Neidhart, S. 323: »ein sogenannter Weiser hat mir einmal geraten, es, wenn irgend möglich, immer auf ein so glückliches Arrangement abzustellen, daß ich damit – selbstverständlich ohne alle Fälscherei – beliebt und berühmt werden könnte«).

281,5f. *swer ⟨. . .⟩ beschert]* Die Trivialität der Aussage ist verdächtig. Lachmann und Schröder ersetzen mit den Handschriften Ka und Fr[73] *ungemach* durch *gemach*: »wer alle Zeit in Freude lebt, der hat nie Zufriedenheit erfahren«, d. h. die Freude kann nur würdigen, wer auch das Leid kennt. Vgl. Singer, S. 90f.; Maurer, S. 170; Schanze, Herstellung, S. 42.

281,9-14 *die ⟨. . .⟩ schenden]* Interpunktion nach Pörksen, Erzähler, S. 137, gegen die Herausgeber (281,10 Komma statt Punkt nach *mite*, 281,13 Punkt statt Komma nach *wenden*). – Die Hausmetapher 281,11-13 bringt die enge Verbundenheit von Leid und Freude zur Anschauung: das Leid ist das Haus der Freude, d. h. die Freude wohnt mitten im Leid. Vgl. Zimmermann zu Pz. 369,10; Friedrich Ohly, *Haus*, in: *Reallexikon für Antike und Christentum*, hg. von Ernst

Dassmann u. a., Bd. 13, Stuttgart 1986, Sp. 905-1063 (bes. 1032); zur Syntax von 281,13 Paul, Willehalm, S. 333 (gegen Lachmanns Interpunktion, die Schröder übernommen hat: Komma nach 281,13 *vür*). – 281,14 kann *trûren* formal auch Subjekt, *niemen* Objekt sein: »die Trauer bringt niemandem Schande« (vgl. Pörksen, Erzähler, S. 137). Der Kontext spricht gegen diese Auffassung: es geht nicht um Ehre und Schande, sondern um Glück und Unglück.

281,21 *mit arbeiten ringen]* Wörtlich: »mit Mühsal kämpfen«. Vgl. Martin zu Pz. 30,21.

281,22 *dicke ⟨. . .⟩ springen]* Von den Herausgebern offenbar auf die *knappen* 281,23 bezogen: 281,21 Punkt nach *ringen*, 281,22 Komma nach *springen.*

282,29 *von ⟨. . .⟩ wart]* Nach Tsukamoto steht die Entführungsgeschichte – die Wolfram vielleicht gegen die Quelle eingeführt hat (vgl. Komm. zu 189,20) – in Widerspruch zu Rennewarts »Kenntnis der heimatlichen Sprache« und seiner »Erinnerung an die junge Gyburg« (S. 61, Anm. 56). Doch hindert nichts an der Annahme, daß er die Sprache bei den Kaufleuten gelernt hat und daß nicht die individuellen Züge Giburgs, sondern nur ihre außerordentliche Schönheit ihn an seine Schwestern denken ließ (283,15f.; 292,28f. [vgl. Komm. z. St.]).

283,2 *diu ⟨. . .⟩ tuot]* Wörtlich: »das Glück (Fortuna) verfährt kunstreich«. Daß hier auf das hinter der *saelde* stehende Walten Gottes abgehoben ist, läßt sich nicht beweisen, ist aber sehr wahrscheinlich: vgl. Knapp, Rennewart, S. 135 (danach die freie Übersetzung); Schröder, kunst, S. 242.

283,5-7 *nâch ⟨. . .⟩ geslehte]* Das klingt, als wollten die Kaufleute Rennewart gegen hohes Lösegeld seiner Familie zurückerstatten. Seltsamerweise schenken sie ihn dann dem französischen König: vgl. Komm. zu 283,24.

283,12 *ze sînem gebote]* Von einigen Übersetzern auf Rennewart bezogen: »daß die größten Sarazenen . . . ihm eigentlich untertan sein müßten« (Fink / Knorr, S. 155f., danach Kartschoke und W.J. Schröder). Doch spricht nichts für die Annahme, daß Rennewart die Herrschaftsrechte über die ganze Heidenwelt zustünden: sie liegen bei Terramer.

283,24 *ze gebe brâhten]* Wörtlich: »als Gabe brachten«: warum die Kaufleute, die doch hofften, für Rennewart viel Geld zu erlösen (283,5-7 und Komm. z. St.), ihn nun plötzlich verschenken, ist unklar. Wenn meine Übersetzung von 284,6f. zutrifft (vgl. Komm. z. St.), könnte man annehmen, Rennewart sei dem König sozusagen als Rabatt im Rahmen eines größeren, für die Kaufleute sehr einträglichen Geschäfts gegeben worden. Der Sinneswandel der Kaufleute erklärt jedenfalls, warum sie Rennewart befehlen, über seine Abkunft zu schweigen, nachdem sie ihn zuvor über diese unterrichtet hatten (283,7ff.; 284,1ff.): die Unterweisung hatte ihren Sinn, solange er an seine Familie zurückverkauft werden sollte, sie konnte die Kaufleute aber in Schwierigkeiten bringen, wenn er anderweit weggegeben wurde.

283,29f. *sît ⟨...⟩ was]* Der sieche Gralkönig Anfortas (vgl. Komm. 279,12-23) wurde dadurch erlöst, daß Parzival ihn nach seinem Leiden fragte; nach seiner Genesung übertraf er alle Männer an Schönheit: Pz. 796,28ff.

284,6f. *si ⟨...⟩ Sammargône]* Ich beziehe *die von Sammargône* auf die Kaufleute, fasse *waeren* als Indikativ »mit unorganischem Umlaut« auf (Martin zu Pz. 17,2 – vgl. PMS, S. 188) und übersetze *wider komen* in Anlehnung an Martin zu Pz. 327,21: »wieder hereinholen« (in diesem Sinne auch Matthias: »sie hatten ihren Schnitt gemacht, von Samarkand die Leute«). Möglich wohl auch: »sonst hätten nämlich ihren Handel die Leute aus Samargon wieder rückgängig machen müssen« (Kartschoke – in diesem Sinne auch W.J. Schröder, Passage und Gibbs / Johnson, S. 145); kaum: »sonst hätten die Fürsten [?] von Samargon diesen Handel sicher wieder rückgängig gemacht« (Fink / Knorr, S. 156 – in diesem Sinn auch Unger); sicher falsch: »sie seien auf ihren Handelswegen von Samargone zurückgekommen« (San Marte II). Vgl. Komm. zu 283,24.

284,15 *die ⟨...⟩ tôt]* Die Stelle hat Anlaß zu müßigen Spekulationen über das von Wolfram geplante Ende der Rennewart-Handlung gegeben: sollte er in der Schlacht fallen oder überleben und Alize heiraten? Die Aussage wäre im einen wie im andern Fall sinnvoll. Vgl. u. a. Bernhardt, S. 39; Mergell, Quellen, S. 55; Kartschoke, S. 299; Tsukamoto, S. 113f.; Knapp, Rennewart, S. 299; Wiesmann-Wiedemann, S. 250f.

284,18 *er ⟨. . .⟩ verkoufet]* Ein etwas merkwürdiger Einschub: soll er erklären, weshalb der König auf den Gedanken kam, Rennewart taufen zu lassen (so Kartschoke), oder soll er begründen, daß Rennewart sich dagegen sträubte (so Fink / Knorr, S. 156, und W.J. Schröder – vgl. Leitzmanns Interpunktion: 284,17 Strichpunkt nach *getoufet*, 284,18 nicht in Parenthese, Komma nach *verkoufet* – undurchsichtig dagegen Lachmann: 284,17 Doppelpunkt nach *getoufet*, 284,18 nicht in Parenthese und Doppelpunkt nach *verkoufet*, und Schröder: 284,17 Strichpunkt nach *getoufet*, 284,18 nicht in Parenthese und Doppelpunkt nach *verkoufet*)?

284,27f. *dâ ⟨. . .⟩ won]* Wörtlich: »da mußte er sich dann von seinem hohen Geschlecht (gemeint wohl: vom Umgang mit einer Person, die genauso hochgeboren war wie er selbst, nämlich Alize) trennen zugunsten von niederem Umgang«. Vgl. Paul, Willehalm, S. 320; Martin zu Pz. 201,24 und 464,30.

285,17f. *sîn ⟨. . .⟩ bewarn]* Wie 284,15 (vgl. Komm. z. St.) vermeintlich eine Schlüsselstelle für die Rekonstruktion des geplanten Schlusses der Rennewart-Handlung: gesagt ist indes nicht mehr, als daß die Liebe zu Alize Rennewart aus seiner Niedrigkeit helfen wird, indem sie ihn zu ruhmvollem Kampf anspornt. Vgl. u. a. Rolin, S. XXVIf.; Mergell, Quellen, S. 55f.; Knapp, Rennewart, S. 299; Lofmark, S. 214f.; Tsukamoto, S. 113f.; Wiesmann-Wiedemann, S. 250, Anm. 1.

286,17 *er ⟨. . .⟩ holn]* Wörtlich: »er hieß kein Salz auf ihn (d. h. um es auf ihn zu streuen) holen«. Vgl. Wiessner, Richtungsconstructionen I, S. 399f.

286,19-22 *herre ⟨. . .⟩ truoc]* Anspielung auf eine politische Strophe Walthers von der Vogelweide, den sog. Spießbratenspruch (17,11ff.): dort wird mit einem Bild aus der Küchensphäre – die Köche sollen dickere Scheiben vom Braten schneiden, damit die Fürsten zufrieden sind – (wahrscheinlich) König Philipp von Schwaben geraten, freigebiger zu sein, wenn er nicht Gefahr laufen will, das Reich zu verlieren. Wolfram spinnt die Assoziation, die von der Vorstellung des Bratens ausgeht, grotesk weiter: der Braten, den es hier gab, nämlich der verbrannte Koch, wäre groß genug gewesen, um Walthers Herrin zu sättigen (dagegen will Birkhan [s. u.] 286,20 *dirre brâte* auf den Braten beziehen, von dem Walther sang: damit wäre die Stelle um jeden Witz gebracht). Hinter der *vrouwe* hat man historische Gestalten wie den Landgrafen Hermann von Thüringen (Mohr) oder Philipps Gemahlin Irene (Birkhan) vermutet; wahrscheinlich ist die von dem Minnesänger Walther angebetete Minnedame gemeint: der Typus, nicht eine bestimmte Person. Vgl. Manfred Günter Scholz, *Walther von der Vogelweide und Wolfram von Eschenbach*, Diss. Tübingen 1966, S. 34ff. (ausführliches Referat der älteren Forschung); Wolfgang Mohr, *Die ›vrouwe‹ Walthers von der Vogelweide*, in: ZfdPh 86 (1967), S. 1-10, hier S. 7ff.; Kühnemann, S. 60f.; Madsen, S. 239ff.; Nellmann, S. 138; Tsukamoto, S. 64; Passage, S. 270; Wiesmann-Wiedemann, S. 212f.; Helmut Birkhan, *Altgermanistische Miszellen ›aus funfzehen Zettelkästen gezogen‹*, in: *Festgabe für Otto Höfler zum 75. Geburtstag* (Philologica Germanica, 3), Wien / Stuttgart 1976, S. 15-82, hier S. 48ff.

287,5 *eskelirîe]* »Rang, Würde eines Eskelirs«, wohl ad hoc-Bildung Wolframs (nur hier belegt). Vgl. Vorderstemann, S. 91.

287,9 *als 〈. . .〉 sage]* Wörtlich wohl: »daß man mir nicht zugute kommen läßt die große Treue, die ich ihm zuspreche« (vgl. BMZ II/2, Sp. 16f.) im Sinne von: »seine Treue, von der ich erkläre (weiß), daß er sie hat«, kaum: »meine Treue, die ich ihm zuwende« (so jedoch die Mehrzahl der Handschriften, die 287,9 *trage* statt *sage* lesen – danach Kartschoke, S. 299).

287,18 *der smaehlîche vâr]* Wörtlich: »die schandenbringende Nachstellung«. Vgl. Martin zu Pz. 136,16.

287,23 *und]* Paul, Willehalm, S. 320, kann »keine verständige gedankenverbindung« in diesem Anschluß sehen und schlägt vor, mit der Mehrzahl der Handschriften *swenne* zu lesen und »punkt oder kolon hinter 22 und ein komma hinter 28 zu setzen«. Die Gedankenverbindung besteht darin, daß es nicht Rennewarts Erniedrigung als solche ist, die Alize sich um ihn härmen (*senen*) läßt, sondern die Erniedrigung vor dem Hintergrund seiner manifesten Bestimmung zum Höheren.

287,29 *bî werdeclîcher won]* Wörtlich: »in edlem Umgang«, d. h. »in vornehmer Gesellschaft«. Vgl. Komm. zu 284,27f.

288,18 *sî 〈...〉 ganz]* Wörtlich: »sind wir aus intakter Treue geboren«. Die zu vererbende Eigenschaft des Geschlechtes bringt gewissermaßen aus sich selbst ihre Träger hervor: vgl. Wiessner, Richtungsconstructionen II, S. 19f.; Schwietering, Natur, S. 463.

289,5 *got und in]* Wörtlich: »Gott (Dativ) und ihnen«, formelhafte Bezeichnung für einen bestimmten Meßtypus: die Messe mit spezieller Applikation, bei der das Meßopfer, das Gott dargebracht wird, dem Seelenheil bestimmter Menschen zugutekommen soll, »für die« die Messe gelesen wird. Vgl. Sattler, S. 89f.; Martin zu Pz. 36,8.

289,30 *ez 〈...〉 betrogen]* *vil liute* könnte sich beziehen: (1) auf diejenigen, die eigentlich Rennewarts Untertanen sein sollten und durch seine Entfremdung vom standesgemäßen Leben geschädigt sind (vgl. 189,22-24 und Komm. z. St.), (2) auf seine große Sippe, die durch seine Lebensweise mit in Schande gebracht wird bzw. der er als Mitglied fehlt, das ihren Ruhm vergrößern könnte, (3) auf seine gegenwärtige Umgebung. Im ersten und im zweiten Fall kann man die Konstruktion entweder wie in unserer Übersetzung verstehen: »viele Leute sind betrogen, indem man mich betrügt« oder übersetzen: »viele Leute sind um mich betrogen«; im dritten (wohl unwahrscheinlichen) Fall wäre zu übersetzen: »viele Leute sind in Bezug auf mich betrogen«, d. h. sie »wissen nicht, wer ich bin«.

290,24 *betschelier]* Aus afrz. *bachelier* »junger Mann, der Ritter werden möchte«. Vgl. Vorderstemann, S. 60f.

290,30 *lât 〈...〉 dol]* Wörtlich: »laßt mich in niederem (erniedrigendem) Leiden sein«.

291,2f. *der ⟨. . .⟩ sider]* Gemeint sein kann nur, daß Giburg später einmal erfahren sollte, daß Rennewart ihr Bruder ist (in Al. weiß sie es sogleich). Ob Wolfram dies noch darstellen wollte, steht freilich dahin. Vgl. Mergell, Quellen, S. 59, Anm. 16. – Falsch ist die seit San Marte II durch die Übersetzungen geisternde Beziehung des *sider* auf die Vergangenheit: »im Herzen der Frau aber wurde ein Gefühl wach, das seit langem in ihr geschlummert hatte« (Fink / Knorr, S. 160) oder: »im Herzen der hohen Frau wurde ein Gefühl wach, das sie lange nicht mehr gekannt hatte« (Kartschoke).

291,5 *ir ⟨. . .⟩ teil]* Schutzgeste, seit dem 13. Jahrhundert populär geworden im ikonographischen Typus der Schutzmantel-Madonna, den Wolfram vielleicht schon gekannt hat. Vgl. Martin zu Pz. 88,9; Lofmark, S. 174ff.; Bumke, Kultur I, S. 184f.

292,28f. *eteslîcher ⟨. . .⟩ tragen]* Muß nicht bedeuten, daß Rennewart Giburg aus der Heimat her kannte: vgl. Komm. zu 282,29. Nicht überzeugend Knapp, Rennewart, S. 109, der erwägt, *möhtet* präsentisch (»könntet«) und *in der jugende* mit: »(auch) was euer Alter betrifft« zu übersetzen.

293,6-8 *mâge ⟨. . .⟩ niht]* Gemeint ist wohl, daß Rennewart sich für unwürdig hält, die Freundlichkeit der (für ihn) fremden Dame anzunehmen, wo doch (wie er meint) nicht einmal seine nächsten Verwandten ihn anerkennen.

293,28f. *ez ⟨. . .⟩ vienc]* Vgl. Komm. zu 7,29.

294,4-6 *daz ⟨. . .⟩ koberen]* Daß Willehalm sich bei der Verfolgung Tibalts weit von seinen Leuten entfernte und ganz allein tief ins Heidenheer hineinritt, bot den schon unterlegenen Heiden Gelegenheit, ihn zu überwinden, und ließ sie so neuen Mut schöpfen (*sich koberen*).

294,23f. *mîn ⟨. . .⟩ sun]* Wenn Halzebier ein Schwestersohn Terramers ist (vgl. Komm. zu 258,5), dann ist Sinagun dessen Großneffe und also ein Vetter Giburgs. Vgl. Bernhardt, S. 44.

295,6f. *der ⟨. . .⟩ tal]* Es handelt sich offenbar um den Typus des zur Abfassungszeit des Wh. hochmodernen

»Topfhelms«, der, den ganzen Kopf umhüllend, bis zu den Schultern herunterreichte: vgl. Bumke, Kultur I, S. 215f. (unklar Siebel, S. 157f.). – Die Herausgeber setzen kein Zeichen nach 295,7 *tal*: »... war weit zu den Schultern hinunter geschmückt ...«

295,13f. *ze* 〈...〉 *sleht*] Die *ecken* sind die Schneiden des zweischneidigen Ritterschwerts, die *valze* (*velze*) »Fälze« bilden den mittleren Teil, »wo die beiden stücke, aus denen« das Schwert »besteht, zusammengeschweißt sind« (BMZ III, Sp. 234af.). Vgl. R. Ewart Oakeshott, *The sword in the age of chivalry*, London 1964.

295,16f. *ze* 〈...〉 *breit*] Das »Dechsscheit« oder die »Dechsel« (auch »Flachsschwinge«, »Hanfschwinge« u. ä. genannt) ist »ein breiter, der klinge eines schwertes ähnlicher stab von eisen oder holz«, mit dem »der flachs nach dem brechen an einem gestell geschlagen wird, um die stengeltheilchen von der faser zu entfernen« (DWb II, Sp. 881; IX, Sp. 2684). Man muß wohl annehmen, daß in der (flachsreichen) Gegend von Nördlingen im Ries besonders breite Dechsscheiter verwendet wurden: vgl. Schreiber, S. 82. Zu dem Vergleich wurde Wolfram vielleicht von einem Neidhart-Lied angeregt, in dem von einem »Schwert so lang wie ein Dechsscheit (*hanifswinge*)« die Rede ist: vgl. Komm. zu 312,12-14.

295,27 *swie* 〈...〉 *kan*] Wörtlich: »wie wenig ich auch darin (nämlich: in der Rüstung) vermag«.

296,3 *îserkolzen*] Der auch als *îserhose* bezeichnete Beinschutz: vgl. Komm. zu 78,27-79,1; zum Wort Vorderstemann, S. 147f.

296,14 *strîtes tac*] Eigentlich »Kampftermin«. Vgl. Martin zu Pz. 608,30; Zimmermann zu Pz. 373,4.

297,14-19 *den* 〈...〉 *baz*] Das Abschneiden der Brüste ist eine verbreitete, vor allem auch aus dem Martyrium heiliger Frauen bekannte Körperstrafe: vgl. *Enzyklopädie des Märchens*, hg. von Kurt Ranke, Bd. 2, Berlin / New York 1979, Sp. 958 (nächste Parallele zu unserer Stelle in der Chanson de geste vom Charroi de Nîmes, doch braucht an direkten Zusammenhang nicht gedacht zu werden: vgl. Bernhardt, S. 53;

Nassau Noordewier, S. 25f.; Bacon, S. 61, 64; ferner Komm. zu 298,14-16). Das grausame Spiel mit den lebenden Zielscheiben könnte aus dem Rolandslied stammen (208ff., vgl. Bacon, S. 122; einen entsprechenden Vorwurf machte schon Papst Urban II. in seinem berüchtigten Kreuzzugsaufruf von 1095: vgl. Salmon, S. 326, Anm. 33). Die Schilderung der heidnischen Greueltaten, von denen sonst nichts verlautet, wirkt wie ein Rückfall in die primitive Kreuzzugsvorstellung vom teuflischen Heiden. Sie ist (als »fromme Lüge«?) darauf berechnet, die wankelmütigen Franzosen anzustacheln bzw. auf Hilfe zu verpflichten (im Hinblick auf ihr Rittergelübde: 299,13ff.): vgl. Haacke, S. 194; Mergell, Quellen, S. 147f.; Johnson, S. XVI, Anm. 9; Lofmark, S. 207, Anm. 1, und 239, Anm. 1.

297,23 *ehte mîner mâge]* Vgl. Komm. zu 47,3-6.

297,26 *siben vürsten]* Unklar: Willehalms Verlustliste 151,11ff. nennt insgesamt 13 Gefangene oder Gefallene; zieht man die acht Gefangenen ab, bleiben 5 Gefallene, wobei die Verwirrung in den Gefangenenlisten eine genauere Bestimmung nicht erlaubt (vgl. Komm. zu 47,3-6).

298,2f. *dô 〈. . .〉 nâch]* Zur Frage der gegenseitigen Landansprüche Willehalms und Tibalts vgl. Komm. zu 8,7. – Die Übergabe des Lehens (vgl. Komm. zu 5,20) erfolgte in Form einer Zeremonialhandlung, bei der der Herr dem Vasallen sinnbildlich das Lehen überreichte, indem er ihm ein Symbol gab: ein Gegenstandssymbol, das für das Lehen stand und in der Hand des Vasallen blieb, wie hier die Fahne; oder ein Handlungssymbol, das den Verleihungsakt veranschaulichte und im Besitz des Herrn blieb, wie 302,7 das Zepter (im deutschen Reich belehnte der König bzw. Kaiser mit der Fahne die weltlichen, mit dem Zepter die geistlichen Reichsfürsten). Vgl. Ganshof, S. 135.

298,5 *des rîches hant]* Umschreibung für den König bzw. Kaiser, hier im Blick auf die Schwurgebärde wohl mit der konkreten Vorstellung verbunden. Vgl. Schröder, Kritik, S. 21.

298,6 *zwelve]* Die Zwölfzahl der mächtigsten Fürsten

Frankreichs stammt aus dem Rolandslied, wo die *zwelf herren* (67) wesentlichen Einfluß auf die Beschlüsse Kaiser Karls haben. Vgl. Richter, S. 36f.

298,9 *des jâres* ⟨. . .⟩ *z'einer zît*] Wörtlich wohl: »zu einem Zeitpunkt innerhalb des Jahres«, kaum: »zu irgendeiner Jahreszeit« (Bernhardt, S. 52).

298,11 *siben jâr*] Vgl. Komm. zu 146,8.

298,14-16 *ich* ⟨. . .⟩ *wagen*] Die in der Chanson de geste vom Charroi de Nîmes erzählte Geschichte: Willehalm versteckt seine Ritter in Fässern und bringt diese, als Kaufmann verkleidet, mit einer Wagenkolonne in die Stadt Nîmes hinein, die er auf diese Weise erobern kann. Bei der Form *wagen* muß es sich also um den Plural handeln (verkürzte Form des Dativs wie z. B. Pz. 77,7 *soumschrîn* – Leitzmann setzt mit einem Teil der Handschriften die Vollform *wagenen* ein). – Ob Wolfram seine Kenntnis der Geschichte direkt aus der Chanson geschöpft hat, ist umstritten: vgl. Nassau Noordewier, S. 15f.; Bernhardt, Rez. Nassau Noordewier, S. 547; Bacon, S. 60f., 63; Singer, S. 94; Lofmark, S. 52.

298,19-21 *ir* ⟨. . .⟩ *si*] Möglich auch: Doppelpunkt nach 298,19 *gewerte*, Komma statt Doppelpunkt nach 298,20 *gerte* (Leitzmann) oder: Komma statt Doppelpunkt nach 298,20 *gerte* (apo koinou – so wohl Lachmann, der jedoch weder in 298,19 noch in 298,20 ein Zeichen setzt).

298,21 *daz* ⟨. . .⟩ *werdekeit*] Konstruiere: »das, nämlich ihre Überfahrt mit mir von dannen, tat sie mehr um der Taufe als um meines Ruhmes willen«.

298,28 *nû* ⟨. . .⟩ *kint*] Die Fürsten sollen um Christi willen durch Rache für Willehalms Verwandte dessen Leid mindern und für die Befreiung der Gefangenen sorgen. Dahinter steht wohl der Gedanke an das Gebot der Nächstenliebe: wer es befolgt, ehrt Christus, der es gepredigt hat. Anders Bumke, Willehalm, S. 124, der annimmt, es sei hier auf die »Verteidigung des Glaubens« abgehoben, die Willehalm als Vertreter des Königs aufgegeben ist. Der Kontext spricht für die andere Lösung.

299,9 *lantherren*] Gemeint sind die bedeutenden Adligen in Willehalms Herrschaft. Vgl. Hellmann, S. 194.

299,13-18 *ein ⟨. . .⟩ vreisen*] Bei der Schwertleite (vgl. Komm. zu 63,8) wird über das Schwert und seinen Träger ein Segen gesprochen, der »dem neuen Ritter die Pflichten des Ritternamens vor Augen führen« soll (Bumke, Kultur II, S. 414). Der Schutz von Witwen und Waisen gehört zum festen Kanon dieser Pflichten. Vgl. Bumke, Ritterbegriff, S. 109ff.

299,25 *unsemftekeit*] »Unannehmlichkeit«,»Beschwernis«: für die Strapazen und Gefahren, die der Ritter für die Dame auf sich nimmt, entschädigt ihn diese durch ihre Liebe. Anders – geistreich, aber sprachlich kaum haltbar – Bertau, Witze, S. 87: »wenn die Freundin des Liebsten Ungestüm befriedet«.

300,13 *lantman*] Wohl im Sinne von »Untertan eines Landesherrn« oder spezieller: »Mitglied des niederen Adels einer Landesherrschaft« (vgl. DRWb VIII, Sp. 560ff.), kaum nur: »Landsmann« (BMZ II/1, Sp. 44a).

301,1f. *ûf ⟨. . .⟩ sprach*] *Bernart* ist Subjekt zugleich zu *stuont* und zu *sprach* (apo koinou – so auch Lachmann und Schröder – dagegen Leitzmann, der 301,1 nach *flôrîs* Punkt setzt und 301,2 mit den Handschriften BHLC *dô sprach er* liest: vgl. Gärtner, apo koinou, S. 195ff.).

301,7 *siben ander vürsten*] Vgl. Komm. zu 47,3-6.

302,1 *der ⟨. . .⟩ hât*] Wolfram oder der Verfasser der Quelle? Vgl. Bernhardt, Rez. Nassau Noordewier, S. 546.

302,7 *si ⟨. . .⟩ vanen*] Vgl. Komm. zu 298,2f.

302,28 *ungestriten*] »ohne zu kämpfen«. Vgl. Martin zu Pz. 169,24.

303,6f. *ir ⟨. . .⟩ prîs*] Wörtlich: »ihr habt in Frankreich viel Ruhm über euch ergehen lassen«. Vgl. Paul, Willehalm, S. 334; Panzer, Willehalm, S. 237; Kraus, Willehalm, S. 559.

303,12-15 *der ⟨. . .⟩ tage*] Gemeint ist Christus als Weltenrichter beim Jüngsten Gericht, nach Apokalypse 19,15: *et de ore ipsius procedit gladius acutus ut in ipso percutiat gentes* (»und aus seinem Mund geht ein scharfes Schwert, daß er damit die Völker schlüge«). Vgl. Kolb, S. 185.

303,17f. *dâ ⟨. . .⟩ unverbunden*] Nach patristischer Lehre, deren Kenntnis im Mittelalter nicht zuletzt durch bildliche

Darstellungen verbreitet war, erscheint Christus beim Jüngsten Gericht mit den fünf Wunden, die er am Kreuz erlitt: vgl. LThK X, Sp. 1249ff.; Happ, S. 236f.; Kolb, S. 185f. – Nach W.J. Schröder, S. 544, Anm. 28, heißt *verbinden* hier »verschließen, heilen«, nicht »mit einem Verband versehen« (so auch Unger: »unverheilt«); doch weist der mhd. Sprachgebrauch klar auf diese zweite Möglichkeit: vgl. BMZ I, Sp. 136bf.; Lexer II, Sp. 1950.

303,24f. *der ⟨. . .⟩ sach*] Christus hat sich der Passion nicht durch Flucht entzogen, sondern sie mutig auf sich genommen. Sein Einzug in Jerusalem auf einem Esel leitete das Passionsgeschehen ein (Matthäus 21,1ff.; Markus 11,1ff.; Lukas 19,29ff.; Johannes 12,12ff.). Vgl. Kolb, S. 189f.

303,26f. *dâ ⟨. . .⟩ enpfarn*] Gemeint wohl: Jesus hat sich in tiefster Demut von einem Blinden (Longinus) töten lassen, obwohl er als Gottes Sohn die Macht gehabt hätte, selbst den Sehenden zu entkommen; kaum: wenn die Juden »sehend« gewesen wären, d. h. in Jesus den Erlöser erkannt hätten, hätten sie ihn nicht getötet. Vgl. Komm. zu 68,24f.; ferner Kolb, S. 186ff.; dagegen: Erich Happ, *Die Rechtfertigung des Longinus*, in: Euphorion 58 (1964), S. 186-188; Sidney M. Johnson, *Wolfram's Longinus*, in: *Mediaeval German Studies. Presented to Frederick Norman*, London 1965, S. 188-192; Schröder, Kritik, S. 9f.

304,19-25 *si ⟨. . .⟩ sarjant*] Die Ritter lassen sich von den Priestern Kreuze ans Gewand heften und verpflichten sich damit zum Kreuzzug. Vgl. Komm. zu 17,16; Bumke, Wilehalm, S. 140f.

304,29f. *ir ⟨. . .⟩ got*] Die Kreuzritter reinigen ihr Herz von der Befleckung durch die Sünde (indem sie Beichte ablegen?) und schaffen sich dadurch die Voraussetzung, zu Gott zu gelangen (vgl. Psalm 24,3ff. und 51,12; Matthäus 5,8; 1. Johannesbrief 3,3ff.): ein vielleicht aus dem Rolandslied (266) übernommener Gedanke. Vgl. Friedrich-Wilhelm Wentzlaff-Eggebert, *Kreuzzugsdichtung des Mittelalters*, Berlin 1960, S. 90.

305,4f. *sô ⟨. . .⟩ banieren*] Die Konstruktion mit *an* + Dativ spricht dafür, daß *wâfen* hier »Wappen« heißt und nicht (wie bei einigen Übersetzern) »Waffen«. Unklar bleibt, warum die Ritter sich die Wappenbilder ansehen: um sie zu »kontrollieren« (Zips, S. 42) und nötigenfalls auszubessern oder um sie sich einzuprägen, damit sie später im Kampf leicht die Träger erkennen können (vgl. Bumke, Kultur I, S. 219)? Zum Nebeneinander der Formen *wâpen* und *wâfen* bei Wolfram vgl. Zips, S. 180 mit Anm. 362, und Yeandle, S. 296ff.; vgl. ferner Komm. zu 91,5.

305,10 *riemen und snüere]* Gemeint ist wohl das gesamte Riemenwerk, das zur ritterlichen Rüstung und Bewaffnung gehört. Vgl. Doubek, S. 349.

306,19 *daz* ⟨. . .⟩ *mêret]* Wie aus dem Folgenden hervorgeht, besteht die *êre* der Christen in zweierlei: im tapferen Kampf und in der Schonung der besiegten Gegner. Die in der Forschung wiederholt favorisierte Konkurrenzlesung: *daz ir iuwern gelouben vaste wert* »daß ihr euren Glauben mit aller Tapferkeit verteidigt« ist demgegenüber einseitig und damit »präziser« (Mihm, S. 66), aber auch platter. Vgl. Paul, Willehalm, S. 334; Schanze, S. 26f.; Mihm, S. 66; Bumke, Forschung, S. 34, Anm. 77; Schröder, Willehalm 306-310, S. 156; Bumke, Kritisches, S. 425; Schröder, Zu Bumke, S. 418.

306,20 *gêret]* Bertau, Literatur, S. 1152, will *gert* »begehrt« lesen: »wenn Gott Euch dazu ausgewählt hat«. Das ist sprachlich zumindest fragwürdig und zerstört die Motivbindung zum vorhergehenden Vers (*êre – gêret*: vgl. Komm. zu 306,26).

306,26 *daz saelekeit wol stê]* Gemeint ist wohl, daß die Christen Gott im Gegenzug zu der Ehre, die er ihnen antut (306,20ff.), seinerseits Ehre erweisen sollen, indem sie das Heil des Christentums nicht schänden. Der Satz wäre dann eine präzisierende Wiederaufnahme von 306,18f. In diesem Sinne verstehen die Stelle etwa Bertau, Literatur, S. 1152, Mohr, Willehalm, S. 325, und Haug, Literaturtheorie, S. 188 (»dann handelt so, daß sichtbar wird, daß ihr als Christen in der Gnade Gottes steht«), während andere auf das individuelle Seelenheil der christlichen Kämpfer abheben (z. B.

San Marte I: »So hütet auch wohl eure Seeligkeit«; Schröder, Alterswerk, S. 213: »dann handelt so, daß ihr eure eigene Seligkeit nicht in Gefahr bringt durch Sünde«).

306,27 *hoeret ⟨...⟩ rât]* Die ungelehrte, d. h. theologisch nicht gebildete Frau wird im folgenden theologisch argumentieren (vgl. die Parallele bei Kartschoke, S. 301, der selber jedoch schief übersetzt: »unerfahrene Frau«). Man kann darin ein Zeugnis laikalen Selbstbewußtseins sehen, wird aber auch in Betracht ziehen müssen, daß sich Wolfram gegen theologische Kritik absichern wollte, indem er seine Gedanken einer ungelehrten Frau in den Mund legte: wenn ich 307,26-30 richtig verstehe (vgl. Komm. z. St.), ist die dort entwickelte Vorstellung, auf die alles ankommt, theologisch nicht haltbar. – Andere Übersetzungen greifen fehl – etwa: »einfältiges Weib« (San Marte I und II), »schwaches Weib« (Matthias), »schlichte Frau« (Fink / Knorr, S. 168), »schlichtes Weib« (Unger); falsch gewiß auch W.J.Schröder, S. 545f., Anm. 31, der *tump* darauf bezieht, daß Giburg »als Frau eigentlich keinen Rat in Fragen der Kampfführung geben kann«.

306,28 *schônet]* Das berühmte »Schonungsgebot« Giburgs ist kein Bekenntnis zu Pazifismus und Toleranz im modernen Sinn: es verlangt, die Heiden als Menschen – als ritterliche Gegner – zu achten und im und nach dem Kampf entsprechend zu behandeln, d. h. sie nicht nach traditioneller Kreuzzugsideologie niederzumachen wie »Vieh« (450,17 – vgl. Komm. zu 450,15-20). Um die Tragweite des Gebots zu erfassen, muß man den theologischen Sinn des Terminus *hantgetât* bedenken: die Menschen hat Gott mit eigner Hand gebildet, das Vieh nicht (vgl. Komm. zu 166,21) – Menschen wie Vieh abzuschlachten, muß darum als Frevel an Gottes Schöpfungswerk erscheinen. Vgl. u. a. Kartschoke, S. 301 (Resümee älterer Beiträge – wichtig dabei Koppitz, S. 192: Parallele aus Hildegard von Bingen); Ochs, S. 25ff.; Désilles-Busch, S. 196; W.J. Schröder, Toleranzgedanke, S. 405; Ruh, Epik, S. 180ff.; Lofmark, Unglauben, S. 410f.

306,29-307,6 *ein heiden ⟨...⟩ niht verstiez]* Giburg geht –

theologisch korrekt – von einer Dreiteilung der Menschheit in Heiden, Juden und Christen aus. Das Judentum in diesem Sinne begründete der Bund zwischen Abraham und Gott, in dem der Ritus der Beschneidung (vgl. 307,23f.) festgelegt wurde (Genesis 17,10ff.). Adam, Enoch, Noah und Hiob haben demnach als Heiden zu gelten und werden gleichwohl als Heilige anerkannt. Elias fällt als (beschnittener) Jude aus dieser Reihe heraus: ein Fehler, der sich wohl aus der traditionellen Verbindung zwischen Enoch und Elias erklärt (vgl. Komm. zu 218,18 – anders Stosch S. 142f.: »E. und E. sind als heiden (dh. obwol sie heiden sind) noch (heute) am leben erhalten«, wobei *heiden* im weiteren Sinne von »Nicht-Christ« verstanden sein soll). Vgl. Stosch, S. 141ff.; Singer, S. 96; Bumke, Willehalm, S. 164f.; Mihm, S. 67f.; Schröder, Willehalm 306-310, S. 156f.; Witte, S. 64; zu den theologischen Grundlagen: Jean Daniélou, *Les saints ›païens‹ de l'Ancien Testament,* Paris 1956.

307,7-11 *nû ⟨. . .⟩ benant]* Die Magier aus dem Morgenland, die nach Matthäus 2,1ff. dem neugeborenen Jesus huldigten, waren Heiden und werden in der Kirche doch heiligengleich verehrt (Patrozinien, Reliquien). Die Vorstellung, daß es sich um drei Könige mit den Namen Kaspar, Melchior und Balthasar handelte, hat sich in der Überlieferung entwickelt. Vgl. Hans Hofmann, *Die heiligen drei Könige* (Rheinisches Archiv, 94), Bonn 1975. – Die Namensform *Balthasân* statt der üblichen: *Balthasar* ist auffällig, aber von der Überlieferung her nicht zu bezweifeln. Anderweitig belegt ist die ebenso auslautende Form *Bathisarsan*: Hugo Kehrer, *Die heiligen drei Könige in Literatur und Kunst*, Bd. 1, Leipzig 1908, S. 75. Vgl. auch Paul, Willehalm, S. 334; Schröder, Willehalm 306-310, S. 157f.

307,13 *die ⟨. . .⟩ brust]* Die Magier schenkten dem Kind Gold, Weihrauch und Myrrhe (Matthäus 2,11): *gâbe* wird daher Plural sein, nicht – was formal auch möglich wäre – Singular wie bei einigen Übersetzern. – Lachmann liest *âne* »außer« statt *ane* »an«: die Geschenke der Magier wären demnach die ersten Gaben außer der Muttermilch, die das Kind bekam – eine wohl eher abwegige Vorstellung.

307,14f. *die ⟨. . .⟩ benennet]* Wohl auch auf die im folgenden genannten ungetauften Kinder zu beziehen, entsprechend einer Lehrmeinung, derzufolge die christliche Mutter dem Kind Gnade vermittelt. Vgl. Bumke, Willehalm, S. 166; Ruh, Epik, S. 181.

307,23f. *der ⟨. . .⟩ snite]* Gemeint ist die Beschneidung (vgl. Komm. zu 306,29-307,6): sie mit der Taufe parallel zu setzen, »ist eine verbreitete theologische Lehre« (Bumke, Willehalm, S. 165). Vgl. Happ, S. 229; Rudolf Suntrup, *Zur sprachlichen Form der Typologie*, in: *Geistliche Denkformen in der Literatur des Mittelalters* (Münstersche Mittelalter-Schriften, 51), hg. von Klaus Grubmüller, Ruth Schmidt-Wiegand, Klaus Speckenbach, München 1984, S. 23-68, hier S. 64.

307,26-30 *dem ⟨. . .⟩ ie]* Mit dem *vater* dürfte Gott, mit den *kint* dürften die Menschen gemeint sein. Demnach scheint Giburg hier auch für die Heiden den Status der Gotteskindschaft und potentiellen Erlösbarkeit in Anspruch zu nehmen, wie sie durch die Menschwerdung Christi und die Taufe begründet sind. Damit würde eine Unterscheidung zwischen *hantgetât* (alle Menschen, d. h. Christen und Nicht-Christen) und *gotes kint* (Christen), an die man im Text bis dahin denken konnte, hinfällig. Der Boden der kirchlichen Lehre wäre dann verlassen. – Andere Auffassungen des Wortlauts, die theologisch korrekt wären, sind theoretisch möglich, überzeugen aber nicht: »›Den Christen schmerzt es, wenn Gott seine (des Christen) Kinder zum Verderben bestimmt‹, wobei an die vor der Taufe gestorbenen Kinder christlicher Eltern, von denen gerade vorher die Rede war, gedacht ist« (W.J. Schröder, Toleranzgedanke, S. 406); oder: »den Christen schmerzt es, wenn seine (vor der Taufe gestorbenen) Kinder vom (leiblichen) Vater weg hinein in die Hölle bestimmt sein sollen« (in diesem Sinne Lofmark, Unglauben, S. 402ff.). Gegen diese Deutungen spricht schon die Tatsache, daß die Frage des Todes von Kindern im Text gar nicht angesprochen ist. – Nicht befriedigen kann auch die Annahme, Giburg denke daran, daß Gott jederzeit die Möglichkeit habe, einen Heiden durch ein Gnadenwunder zu

Einsicht und Bekehrung zu führen (Knapp, Heilsgewißheit, S. 607). – Vgl. Bumke, Willehalm, S. 155f.; Ochs, S. 37f.; Knapp, Rennewart, S. 44f.; W.J. Schröder, Toleranzgedanke, S. 406; Wiesmann-Wiedemann, S. 68, Anm. 1; Ruh, Epik, S. 181; Bertau, Literaturgeschichte, S. 100ff.; Bertau, Recht, S. 255f.; Knapp, Heilsgewißheit, S. 607; Lofmark, Unglauben, S. 402ff.

308,1-13 *nû* ⟨. . .⟩ *erdâht]* Die hier entwickelte Vorstellung von der Existenz eines zehnten Engelschores, dessen Verwaisung durch den Sturz Luzifers und seiner Gesellen Gott zur Erschaffung des Menschen veranlaßte, beruht auf alter Tradition. In der volkssprachigen geistlichen Literatur vor Wolfram ist sie gut belegt. Vgl. Komm. zu 230,28; Salmon; Freytag, S. 150; Ruh, Epik, S. 182; Bertau, Literaturgeschichte, S. 100; Lutz, S. 171f..

309,3f. *daz* ⟨. . .⟩ *verlôs]* Nach Lukas 23,34 bat Jesus am Kreuz den Vater um Vergebung für seine Mörder: *pater dimitte illis non enim sciunt quid faciunt* »Vater vergib ihnen, denn sie wissen nicht, was sie tun«.

309,9 *Tetragramatôn]* Griech. »das aus vier Buchstaben Bestehende«, Bezeichnung für den aus vier Buchstaben bestehenden Eigennamen Gottes im Hebräischen: *JHWH* »Jahweh«, dann auch für andere Gottesnamen aus vier Buchstaben (z. B. lat. *deus*). Vgl. LThK IX, Sp. 1382; Sattler, S. 1; Salmon, S. 326; Happ, S. 198.

309,13 *elliu* ⟨. . .⟩ *besliuzet]* Wörtlich: »umschließt vollkommen alle Wunder«.

309,15-19 *hant* ⟨. . .⟩ *hât]* Möglich auch: Punkt nach 309,15 *hant*, Komma nach 309,19 *hât* (Leitzmann).

309,19 *die* ⟨. . .⟩ *hât]* Also alle Geschöpfe der Erde, denn diese umkreist der Himmel: vgl. Komm. zu 2,2-4. In der Formulierung (wörtlich: »um die der Himmel sich schweifend bewegt hat«, »die der Himmel umwunden hat«) tritt die Bewegungsvorstellung zurück: vgl. DWb XI/2, Sp. 1133.

309,20-23 *diu* ⟨. . .⟩ *gehaldent]* Die Planeten, deren Bahn in jeweils unterschiedlicher Entfernung von der Erde verläuft (309,22 *verre und nâhen*), bewegen sich in Gegenrichtung zum

Firmament und bremsen es ab: vgl. Komm. zu 2,2-4. Die Hand Gottes läßt sie die Wegstrecke ihres »Angriffs« (309,21 *poinder*) auf das Firmament zur Gänze durcheilen und sie gleichwohl nicht zur Ruhe kommen. – Anders die Herausgeber, die Punkt nach 309,22 *nâhen* und Komma 309,23 *gehaldent* setzen und damit 309,23 auf das Folgende beziehen. Dann wäre 309,23 *swie* wohl modal zu interpretieren: »wie sie nie stehenbleiben, so wirken sie Wärme und Kälte« (Fink / Knorr, S. 170), d. h. »entsprechend ihrem ewigen Umlauf . . .« (Kartschoke). Das ist sprachlich fragwürdig, da das verallgemeinernde Moment fehlt, das wohl auch dem modalen *swie* in der Regel anhaftet (vgl. die PMS, S. 447, zusammengestellten Fälle).

309,24-30 *si ⟨. . .⟩ stecken]* Die Planeten bestimmen mit ihren Eigenschaften (der Saturn ist kalt und trocken, die Venus warm und feucht etc.) nach Maßgabe ihrer Bahn die Witterung auf der Erde. Vgl. Sattler, S. 9f.; HA VII, Sp. 62ff.; Happ, S. 240.

310,11 *bî einem man]* Zur Konstruktion vgl. Wiessner, Richtungsconstructionen I, S. 397. Möglich wohl aber auch die Übersetzung: »nebst einem Mann« (in diesem Sinn die Übersetzer).

310,21 *punschûr]* Aus afrz. *poigneor* »Kämpfer«. Vgl. Vorderstemann, S. 248f.

311,4f. *ir ⟨. . .⟩ wangen]* Vgl. Komm. zu 69,24-28.

312,2 *wazzer]* Zum Waschen der Hände vor dem Mahl vgl. Schultz I, S. 415ff.; Bumke, Kultur I, S. 254f.

312,12-14 *het ⟨. . .⟩ klagen]* Anspielung auf den Liederdichter Neidhart (von Reuental), den Verfasser burlesk-parodistischer Strophen, in denen der ritterliche Sänger, der auf dem Land begütert ist, um die Gunst der Bauernmädchen wirbt und sich dabei mit den ebenso grobschlächtigen wie geckenhaften Bauernburschen herumschlagen muß, die großspurig als Pseudo-Ritter auftreten. In der Neidhart-Überlieferung hat sich kein bestimmtes Lied nachweisen lassen, auf das unsere Stelle zu beziehen wäre (auch das auffällige Wort *geubühel* ist dort nicht bezeugt), doch lassen sich die entscheidenden Elemente der Aussage belegen (*Die Lieder Neidharts*, hg. von Edmund Wiessner [Altdeutsche Textbibliothek, 44] Tübingen [4]1984): so führt z. B. einer der Bauernburschen ein *langez swert alsam ein hanifswinge* »ein Schwert lang wie ein Dechsscheit« (WL 16 III 5 = 59,10 – vielleicht die Anregung für 295,16f.: vgl. Komm. z. St.), treten die Burschen dem Sänger die Wiese *oberthalp des dorfes* nieder (WL 17 V 9 = 62,31) und beklagt dieser sich wiederholt bei seinen »Freunden« und sucht ihren Rat (z. B. WL 16 II 4 = 58,38). Vgl. Edmund Wiessner, *Berührungen zwischen Walthers und Neidharts Liedern*, in: ZfdA 84 (1952/53), S. 241-264, hier S. 241f.; Bumke, Willehalm, S. 187f.; Bertau, Neidhart, S. 308ff. (denkt an WL 17 als Bezugslied); Bertau, Versuch, S. 150; Eberhard Nellmann, *›Zeizenmûre‹ im Nibelungenlied und in der Neidhart-Tradition*, in: *Festschrift für Siegfried Grosse zum 60. Geburtstag*, hg. von Werner Besch, Klaus Hufeland, Volker Schupp, Peter Wiehl (Göppinger Arbeiten zur Germanistik, 423), Göppingen 1984, S. 401-425, hier S. 414f.

313,7 *in diu venster]* Vgl. Komm. zu 127,16.

313,9f. *mit 〈...〉 gesellescheft e]* Wörtlich wohl: »mit der fürstlichen Macht vieler Vereinigungen«.

313,14-16 *kom 〈...〉 spehen]* Eine etwas merkwürdige Vorstellung: das Heer ist so groß, daß man es im Himmel sehen könnte. Vielleicht ist mit Leitzmann (nach Paul, Willehalm, S. 320f.) die Konkurrenzlesung 313,14 *wunneclîchez* statt *kreftigez* vorzuziehen. Dabei wäre *sehen* als »gerne sehen« zu interpretieren, also etwa: »das Heer war so herrlich, daß es ein Anblick für Engel gewesen wäre«. Vgl. auch Schanze, S. 28; Schröder, Kritik, S. 17.

314,11f. *smal 〈...〉 tal]* Interpunktion mit Leitzmann; dagegen Lachmann und Schröder: kein Zeichen nach *smal*, Punkt nach *tal*.

314,17 *raste]* Ein altes Wegmaß, »ursprünglich Entfernung von einem Ruheplatz zum andern« (Martin zu Pz. 399,25). Welche Strecke hier (und 438,4) gemeint ist, kann man nicht genau sagen: ca. 3 km? Vgl. Carl Lofmark, *German rast as a measure of distance*, in: MLN 80 (1965), S. 449-453.

314,21 *wes ⟨. . .⟩ troesten]* Wörtlich: »womit soll deine Hilfe mir Zuversicht geben«.

314,24 *ribalt]* Aus afrz. *ribalt* »Strolch, Lump, Lotterbube«. Vgl. Vorderstemann, S. 257 (der das Wort hier mit »Dummkopf« wiedergeben will).

314,29-315,5 *krach ⟨. . .⟩ dar]* Interpunktion mit Paul, Willehalm, S. 335 (danach Leitzmann); anders (zu umständlich) Lachmann und Schröder: Doppelpunkt bzw. Strichpunkt nach 314,29 *krach*, kein Zeichen nach 315,1 *manecvalt*, 315,2-5 in Parenthese und danach Komma.

315,1 *sô ⟨. . .⟩ manecvalt]* Wörtlich: »so kunstreich gebildete, vielfältige Wunder«; gemeint sind die Helmplastiken (Zimiere): vgl. Komm. zu 29,28.

315,2-5 *ez ⟨. . .⟩ dar]* Wörtlich: »es ist kein Weib so alt, wenn ihm einer das oft vor Augen führte, rührte es der Sinn seiner Jugend, so daß es seine Blicke dorthin schweifen ließe«. Der Vergleich geht offenbar von der erotischen Attraktion der prächtig gerüsteten Männer aus: sie ist so groß, daß sie Greisinnen wieder jung macht. Tertium comparationis wäre dann die unwiderstehliche Faszination des Anblicks. Ob Rennewart durch den Vergleich mit den alten Frauen ironisiert werden soll (so Wiesmann-Wiedemann, S. 215), muß dahinstehen. Vgl. auch Singer, S. 99; Schleusener-Eichholz, S. 851f.

315,14 *schamende arbeit]* »Mühsal, bei der man Scham empfindet« (PMS, S. 378).

315,20 *riten]* Möglich wohl auch Präsens *rîten* (Lachmann, Leitzmann – Schröder indifferent).

316,25f. *gezunt ⟨. . .⟩ gevuoren]* Interpunktion mit Paul, Willehalm, S. 335 (danach Leitzmann); anders Lachmann und Schröder: Komma nach *gezunt*, Punkt nach *gevuoren* (sinnlos: wenn die Truppen sich vom Lager weit entfernt haben, können sie dieses nicht mehr anzünden).

317,6-9 *der ⟨. . .⟩ verhabet]* Um den Jagdfalken ruhig zu stellen, zieht man ihm eine Kappe (*hûbe*) über, die ihn am Sehen hindert: das nimmt ihm den Antrieb, auf Beute zu fliegen (die *gir*); er ist nicht mehr scharf (*grim*), sondern still, gewissermaßen schüchtern (*blûc*). Entsprechend hat sich der kampflustige Rennewart selbst außer Gefecht gesetzt, indem er sich ablenken ließ und mit seiner Kampflust auch die Stange vergaß. Eine Pointe könnte darin liegen, daß der Falke, wenn man ihm die Haube wieder abzieht, um so beutegieriger ist: wie im folgenden auch Rennewart. Vgl. zur Sache und zur Terminologie Martin zu Pz. 420,24; Dalby, S. 62 (*gir* – dazu auch Komm. zu 273,10-13), 70 (*grim*), 94f. (*hûbe*); zur vorliegenden Stelle Singer, S. 99; Knapp, Rennewart, S. 99; Kasten, S. 401.

317,28-30 *waz* ⟨. . .⟩ *balt*] Rennewart erwägt, ob seine Vergeßlichkeit eine Versuchung des Höchsten ist, der seine Kampfbereitschaft erproben will (kaum speziell seine Bereitschaft, »die Stimme des Blutes zum Schweigen zu bringen und seinen Verwandten, Landsleuten und Glaubensgenossen den Tod zu bringen« [Knapp, Rennewart, S. 103; vgl. auch Kasten, S. 402], oder seine Bereitschaft, seinen Stolz zu überwinden und trotz der Schande zurückzugehen und die Stange zu holen [so Lofmark, S. 197]). Der mutmaßliche Versucher ist zweifellos der Christengott (die Umschreibung steht formelhaft für diesen: vgl. Happ, S. 234): als dessen Werkzeug wird der Heide Rennewart im folgenden agieren.

318,16 *dem*] Kann auch auf 318,15 *kint* bezogen werden: »das wäre ein Schimpf für den Kuß, den mir seine Nichte gab, um die mein Herz mit heißem Verlangen kämpft« (Fink / Knorr, S. 175 – in diesem Sinne auch Tsukamoto, S. 77 mit Anm. 69), kaum auf 318,14 *kus*: »and my heart and my heart's desire depend upon that kiss in battle« (Passage).

318,18f. *swîge* ⟨. . .⟩ *gesaget*] Wohl auf 318,1ff. zu beziehen. Anders (sehr unwahrscheinlich) San Marte II, S. 274, Anm. 1, der vorschlägt, diese Verse »als Äußerung des Dichters zu nehmen, mit Beziehung darauf, daß er in seinem Gedicht die Liebe zwischen Rennewart und Alice nicht weiter zum Gegenstand desselben gemacht hat«. Vgl. auch Seeber, S. 23f.

318,30 *als ein ander brant*] Wörtlich: »wie ein zweiter *brant*«, d. h. ein verbranntes Stück Holz, ein Stück Holzkohle. Zur Konstruktion des Vergleichs mit (nicht zu übersetzendem) *ander* vgl. Martin zu Pz. 438,8.

319,2 *si ⟨...⟩ zaeher]* Die im Feuer hart gewordene Stange hat die Phantasie der Interpreten stark bewegt: man hat an geistliche Konnotationen gedacht (unbrennbares Holz aus dem Paradies?) und in der Läuterung des Holzes eine Parallele zu einer mutmaßlichen Läuterung Rennewarts gesehen: »wie dieser entschlossener, so ist die Stange härter und dadurch als Waffe effektiver geworden« (Kasten, S. 403). Die Gefahr der Überinterpretation liegt auf der Hand. Vgl. Bernard Willson, *Einheit in der Vielheit in Wolframs Willehalm*, in: ZfdPh 80 (1961), S. 40-62, hier S. 50; Friedrich Ohly, *Hölzer, die nicht brennen*, in: ZfdA 100 (1971), S. 63-72, hier S. 68ff.; Lofmark, S. 162; Kasten, S. 402ff. (die auch die Tatsache, daß die Stange aus einer *hagenbuoche* gefertigt [196,21] ist, in die Spekulation einbezieht: der Geruch des verbrannten Holzes soll nach mittelalterlicher Anschauung Eingebungen des Teufels vertreiben).

319,29f. *vriunde ⟨...⟩ gesellescaft]* Wie die andern Übersetzer außer Matthias verstehe ich *gesellescaft* als Nominativ »Kampfgemeinschaft, Truppe« (vgl. Zimmermann zu Pz. 381,21), *herze* und *kraft* als Akkusative. Anders (gewiß falsch) Matthias: »Freundes Herz und Feindes Kraft prüfen jegliche Gesellschaft« und Mohr, S. 344*: »Jeder mache sich klar, was die Gemeinsamkeit mit beherzten Freunden und die (nahe) Begegnung mit starken Feinden bedeuten wird« (demnach wäre *gesellescaft* als Akkusativ »Gemeinsamkeit« und wären *herze* und *kraft* wohl als Genitive aufzufassen – was im Falle von *herze* formal unmöglich ist).

320,3 *waz ⟨...⟩ tuon]* Wörtlich: »was er in Bezug auf Kampf tun will«.

320,4 *der Kanabêus sun]* Kanabeus ist der Bruder Baligans, des Gegners Karls des Großen im Rolandslied. Daß Terramer hier als sein Sohn apostrophiert wird, akzentuiert den Krieg zwischen Willehalm und den Heiden als Fortsetzung des Heidenkampfs Karls des Großen. Vgl. Komm. zu 108,12-15.

320,18f. *als ⟨...⟩ dringet]* Oder: »wenn uns jetzt viele Attacken zu Gegenwehr zwingen (drängen)«?

320,22 *der ⟨. . .⟩ kür]* Wörtlich: »der hat hier besser eine andere Wahl«. Sprachlich glatter, aber durchaus nicht zwingend ist die Alternativlesung *der habt hie baz an der kür*: »der hält sich hier besser an den Entschluß«, »entschließt sich besser hier« (s. Variantenverzeichnis).

320,24 *danne ⟨. . .⟩ mêre]* Wörtlich: »als dort die Flucht zu mehren«, d. h. die Zahl der Flüchtenden um andere zu vermehren, die von der Bewegung mitgerissen werden könnten. Vgl. Rosenau, S. 59.

320,27 *strîtes urteil]* Wohl: »Entscheidung zu kämpfen«, kaum: »Urteil vermittels des Kampfes« (vgl. Fink / Knorr, S. 176: »wem Gott den glücklichen Mut geschenkt hat, hier noch heute mit dem Richtspruch des Schwertes um das ewige Heil zu werben«).

321,26f. *diu ⟨. . .⟩ gemachet]* Vgl. Komm. zu 17,16.

322,7 *durhslagenen ⟨. . .⟩ hant]* Die vom Nagel durchbohrte Hand des gekreuzigten Christus.

322,21 *hârslihtaere]* Wörtlich: »Haarglätter«, d. h. »Leute, die (übertriebenen) Wert auf ihre Frisur legen«. Willehalm unterstellt den Franzosen sarkastisch, sie kehrten um, weil sie fürchteten, ihre Frisuren könnten im Kampf in Unordnung geraten.

323,4f. *het ⟨. . .⟩ vart]* Der Satz wird nicht korrekt fortgeführt.

323,5 *der neweder]* Wörtlich: »keiner von diesen beiden«, kann logisch nur auf die beiden Heere – das der Königin und das Irmscharts – bezogen werden, doch bleibt die grammatische Anbindung unklar.

323,11 *rasûnten]* Ein seltenes Wort mit ungeklärter Etymologie: die Bedeutung (»ordnen, formieren« ?) kann nur geraten werden. Vgl. Vorderstemann, S. 254f.

323,23 *vintûsen an sich setzen]* Die *vintûse*, aus afrz. *ventouse*, der »Schröpfkopf«, ist ein Instrument, mit dessen Hilfe man dem Körper Blut entzieht, um den Kreislauf zu entlasten: ein zylindrisches oder halbkugelförmiges Gefäß aus Glas, Horn oder Metall, das angewärmt auf eine (aufgeritzte) Stelle der Haut gesetzt wird und zufolge des Unterdrucks Blut herauszieht. Vgl. zur Sache: Moriz Heyne, *Körperpflege und Kleidung bei den Deutschen von den ältesten geschichtlichen Zeiten bis zum 16. Jahrhundert* (M. H., *Fünf Bücher deutscher Hausaltertümer*), Leipzig 1903, S. 112ff.; Alfred Martin, *Deutsches Badewesen in vergangenen Tagen*, Jena 1906, S. 77ff.; zum Wort: Vorderstemann, S. 346f.

324,6f. *si* ⟨. . .⟩ *knie*] Der *bilwiz* ist eine Gestalt des Volksglaubens: ein Unhold, der die Menschen schädigt, indem er Verderben (Lähmung) bringende Pfeile auf sie abschießt. Die Franzosen sehen in den pfeilschießenden Heiden solche Dämonen: das verdeutlicht drastisch ihre Angst. Vgl. Claude Lecouteux, *Der Bilwiz*, in: Euphorion 82 (1988), S. 238-250.

324,16f. *war* ⟨. . .⟩ *begienge*] Die Franzosen begreifen zunächst nicht, warum Rennewart sie attackiert: da Willehalm sie hat ziehen lassen, muß ihnen seine Attacke als grundlose Untat erscheinen. Vgl. Maurer, S. 191; Lofmark, S. 197f.

324,20-22 *er* ⟨. . .⟩ *gap*] Wörtlich: »er ließ den Anfang seines ersten Kampfes eilig herankommen: allzuviel gab er ihnen davon«. Vgl. Martin zu Pz. 679,25.

325,7 *niht*] Dieses *niht* wird vom nhd. Sprachgefühl als überflüssig oder widersprüchlich empfunden. Im Mhd. ist derlei möglich: Satzfügung und Gedankenfolge (»wir haben nicht genügend Raum – folglich können wir uns nicht wehren«) sind nicht formallogisch streng aufeinander abgestimmt. Es ist also nicht nötig, mit Leitzmann und Schröder (nach Paul, Willehalm, S. 324) von G abzuweichen und das *niht* zu tilgen.

325,19 *dô* ⟨. . .⟩ *lide*] Wörtlich: »als er die Glieder tüchtig bewegt (in Bewegung gesetzt) hatte«, »ein wohl von Wolfram gebildeter Ausdruck für kräftiges Kämpfen« (Zimmermann zu Pz. 357,10) (im Wh. noch 385,24). Vgl. auch Martin zu Pz. 357,10.

326,15 *wir* ⟨. . .⟩ *kunnen*] Wörtlich: »wir werden vieles trinken können«? Wenn die Übersetzung zutrifft, ist die mhd. Formulierung auffallend ungelenk: vgl. Fritz Peter Knapp, Rez. Kartschoke, in: Deutsche Literaturzeitung 92 (1971), Sp. 427-429, hier Sp. 427, Anm. 1.

326,17 *gutterel von glase*] »gläsernes Trinkgefäß mit engem Hals« (Vorderstemann, S. 99).

326,20f. *wir* 〈. . .〉 *salveien*] Salbeiwein: ein mit Salbei angesetzter Würzwein, vergleichbar dem Wermut. Vgl. DWb VIII, Sp. 1688; Schultz I, S. 412; Vorderstemann, S. 272f.

326,22 *'z leben* 〈. . .〉 *heien*] Wörtlich: »das Leben pflegen«, d. h. »es sich gütlich tun« (Martin zu Pz. 601,26).

326,23-25 *wir* 〈. . .〉 *ruore*] Wenn man den Zapfen, der das Spundloch des Fasses verschließt, entfernt, springt der Wein plätschernd heraus, und zwar so heftig wie der von der Hatz der losgelassenen Hunde (*ruore*) aufgescheuchte Hirsch. Konstruktion apo koinou: *den wîn* ist zugleich Objekt zu *klingen* und zu *springen*; die Gedankenführung wechselt dabei von der Vorstellung des Geräuschs zur Vorstellung der Bewegung. Vielleicht Zitat eines Trinklieds. Vgl. Gärtner, apo koinou, S. 238ff.; zum Terminus *ruore* Dalby, S. 182f.

326,27 *ellende*] Die Übersetzung geht von der Grundbedeutung des Wortes aus: »fremd«. Doch könnte es hier auch im nhd. Sinn von »elend« (»unglücklich«, »übel dran«) gebraucht sein: vgl. Martin zu Pz. 153,6.

327,2 *umbe den wint*] D. h. »für nichts und wieder nichts« (Kartschoke). Vgl. DWb XIV/2, Sp. 255f.

327,8 *snellet vingerlîn*] Was für ein Kinderspiel gemeint ist, konnte noch nicht ermittelt werden: eines, bei dem es darum geht, mit Fingerringen zu hantieren (mhd. *vingerlîn* »Ringlein« – so ohne Gewähr die Übersetzung), oder eines, bei dem die Finger eine Rolle spielen (mhd. *vingerlîn* »Fingerlein«)? Vgl. Zimmermann zu Pz. 368,12.

327,16 *gegen*] Oder: »jenseits«? Vgl. Wiessner, Richtungsconstructionen II, S. 47.

328,9-11 *ein* 〈. . .〉 *blâ*] Willehalms Sternenbanner wird in Al. nicht erwähnt. Woher es stammt und was es bedeutet, ist unklar. Vielleicht steht das Emblem für den Stern des heiligen Jakob von Compostela (vgl. Komm. zu 275,24-26): sein Erscheinen am Nachthimmel gab nach dem Bericht der Vita Karoli Karl dem Großen das Zeichen, zum Kampf gegen die Heiden in Spanien aufzubrechen. Vgl. Bumke, Willehalm, S. 124ff.

328,16 *kreftecl̂ich]* Kaum Adverb: »führte mit Kraft die zweite Schar« (Unger, entsprechend Matthias). Vgl. 328,24f.

328,25f. *die 〈. . .〉 pflegen]* D. h. sie beanspruchten das Vorstreitrecht. Vgl. Komm. zu 18,2-7.

329,19f. *diu 〈. . .〉 was]* Weil der Schetis kein Land hatte, dessen Name man als Schlachtruf hätte verwenden können, griff man auf Tandarnas zurück: das Herkunftsland (oder den Herrschaftsbereich?) seines Gefährten Schilbert. Vgl. Komm. zu 240,26.

330,15 *wol gezimierten helm]* Vgl. Komm. zu 29,28.

330,17-19 *sper 〈. . .〉 lanze]* Die Termini *lanze* und *sper* werden gewöhnlich synonym gebraucht. Wie die Differenzierung hier (sowie 368,13 und 372,13) zu verstehen ist, bleibt unklar (Stoßwaffe und Wurfwaffe? vgl. auch BMZ I, Sp. 938af.). – Zum Bemalen von Speerschäften vgl. Komm. zu 86,4.

330,20 *sant Dîonîse de Franze]* Dionysius von Paris, Bischof und Märtyrer aus dem 3. Jahrhundert, der Nationalheilige Frankreichs (St. Denis). Vgl. LMA III, Sp. 1077ff.

330,26 *ich 〈. . .〉 haz]* Kaum: »ich würde vorher die Flucht gehaßt haben, nicht geflohen sein« (Martin zu Pz. 78,12) bzw. »auch ich habe mich immer gehütet zu fliehen« (Fink / Knorr, S. 182 – in diesem Sinne auch San Marte II und Passage); sicher falsch: »I did not like to hear about their flight either« (Gibbs / Johnson, S. 166 – in diesem Sinn auch W.J. Schröder, S. 557: »mir würde das ebenso gehen«?).

331,16f. *lôn 〈. . .〉 solt]* Rennewart meint natürlich die Hand Alizes. Daß Wolfram geplant habe, die glückliche Vereinigung der beiden noch zu schildern, kann man der Stelle nicht entnehmen. Vgl. u. a. Nassau Noordewier S. 73; Singer, S. 103; Wolff, S. 518; Lofmark, S. 215; dagegen mit Recht Mergell, Quellen, S. 66; Johnson, S. LXXIX; Knapp, Rez. Lofmark, S. 190; Tsukamoto, S. 116.

331,18 *mir 〈. . .〉 vil]* »nur daran zu denken, mir darauf Rechnung zu machen, kommt mir nicht zu« (Martin zu Pz. 131,9).

331,24-332,1 *sît 〈. . .〉 genuoc]* Ich nehme (mit Kartschoke) an, daß ein unvollständiger Kausalsatz vorliegt (Satzbruch). Anders die Herausgeber, die nach 331,25 *erkant* nicht interpungieren und Punkt nach *genuoc* setzen, mithin 331,24 *sît* wohl temporal auffassen: »Von nun an mag euch euer tapferer Sinn nicht vergessen lassen, daß ihr euch eures wahren Wesens bewußt geworden seid, und daß ihr zu eurem Heil ... den Rückweg ... gefunden habt« (Fink / Knorr, S. 182 – in diesem Sinn auch Matthias und Unger). – Die »durchschlagene« Hand Christi hat die Kraft, die Hölle zu überwinden: mit seiner Selbsterniedrigung in der Passion erlöst Gott die Menschheit. Die Handschriften außer G und die Herausgeber haben das zutiefst christliche Paradoxon nicht verstanden (s. Variantenverzeichnis – dazu Schröder, Text, S. 17). Adam steht (mit Eva) an der Spitze derer, die Christus befreite, nachdem er die Pforten der Hölle zerbrochen hatte: vgl. Komm. zu 218,21-25.

332,5 *zwîvel]* Hier und 332,12 wohl zunächst im Sinne von »›angst, besorgnis, furcht‹, die durch die ungewiszheit dem kommenden geschehen gegenüber hervorgerufen werden, wenn der schlechte ausgang unabwendbar erscheint« (DWb XVI, Sp. 1000), doch ist jeweils die Bedeutung »Treulosigkeit, Wortbruch« mitzudenken (vgl. BMZ III, Sp. 961a).

332,8 *des himels portenois]* Die traditionelle Vorstellung von Petrus als Himmelspförtner beruht auf Matthäus 16,19: *et tibi dabo claves regni caelorum* »und ich werde dir die Schlüssel des Himmelreichs geben« (sagt Christus zu Petrus).

332,9 *gotes tougen]* Wörtlich: »die Geheimnisse Gottes«, gemeint ist wohl Gottes (Christi) Wunderkraft bzw. seine Wundertaten, von denen das Neue Testament berichtet (vgl. BMZ III, Sp. 59b; Lexer II, Sp. 1482; Koppitz, S. 268f.), kaum: »Gottes geheime Menschwerdung« (Kartschoke, danach Passage, S. 187, Anm. 8, und Gibbs / Johnson, S. 289, Anm. 57).

332,12-17 *von 〈...〉 wer]* Bei der Gefangennahme Jesu durch die Juden zückte Petrus sein Schwert und schlug einem der Knechte des Hohenpriesters ein Ohr ab; später leugnete er dreimal, zu den Anhängern Jesu zu gehören (Johannes

18,10f. und 18,15ff. – vgl. Matthäus 26,51ff. und 26,69ff.; Markus 14,47ff. und 14,66ff.; Lukas 22,50ff. und 22,54ff.). Wolfram stellt die Reihenfolge der Geschehnisse auf den Kopf und ignoriert, daß Petrus für den Schwerthieb von Jesus getadelt wurde. – »Petrus ist in der theologischen litteratur der typus des innerlich sittlichen menschen, der in zweifel gerät und durch die gnade gottes widerhergestellt wird« (Gustav Ehrismann, *Über Wolframs Ethik*, in: ZfdA 49 (1908), S. 405-465, hier S. 415). Vgl. auch Komm. zu 332,5.

332,22-24 *billîch* 〈. . .〉 *erstriten*] Die deutschen und die französischen Könige führten seit den Kreuzzügen eine Kriegsfahne, die das Kreuz zeigte. Vgl. Herbert Meyer, *Die rote Fahne*, in: Zeitschrift der Savigny-Stiftung für Rechtsgeschichte, Germanistische Abteilung, 50 (1930), S. 310-353, hier S. 331f. und 340f.; Carl Erdmann, *Kaiserliche und päpstliche Fahnen im hohen Mittelalter*, in: Quellen und Forschungen aus italienischen Archiven und Bibliotheken 25 (1933/34), S. 1-48, hier S. 42ff.; Bumke, Willehalm, S. 130; dagegen zu Unrecht Lofmark, S. 207ff.

333,5 *Rennwart* 〈. . .〉 *vanen*] Im Sinne von: »Rennewart soll neben dem Fahnenträger euch voranschreiten« (Unger, Bemerkungen, S. 197)?

333,9 *knehten*] Vielleicht sind speziell die »Knappen (Rennewarts bisherige Gespielen)« gemeint (Unger, Bemerkungen, S. 197). Vgl. Bumke, Ritterbegriff, S. 37f., 88f.; Pretzel, S. 22f.

334,5 *dâ* 〈. . .〉 *bekant*] Das Zentrum des Schildes, wo mit (vier) Nägeln eine eiserne Verstärkung (*buckel*: vgl. Komm. zu 125,11) angebracht war. Vgl. Schultz I, S. 167.

334,7 *sus* 〈. . .〉 *wider komen*] Der Späher wird als vorbildlich hingestellt: er hat sich im Kampf bewährt und bringt als Zeichen dessen den Speer des Gegners bzw. seine Verletzung (335,27: *wartmannes mâl*) mit. Sicher falsch Kartschoke: »So soll es Spionen ergehen!« Vgl. auch Unger, Bemerkungen, S. 197f.

334,10 *Kerlinge*] »Leute aus Kerlingen«, d. i. in engerer Bedeutung das fränkische Westreich, also Frankreich, in weiterer Bedeutung das gesamte fränkische Reich (der Name leitet sich vielleicht von Karl dem Kahlen her, dem ersten König des westfränkischen Reichs): vgl. Lugge, S. 106ff. Wolfram gebraucht im Pz. den Ländernamen *Kärlingen* offenbar im Sinne von »Frankreich« (87,21). An der vorliegenden Stelle ist dagegen wohl das gesamte Christenheer gemeint, nicht nur das französische Aufgebot (Plural *mit scharn*!): zitiert wird damit erneut die Situation des Rolandsliedes, in dem *Karlinge* / *K(a)erlinge* die Hauptbezeichnung für die Franken ist.

334,26 *hînte* 〈...〉 *naht*] Wörtlich: »heute Nacht war die dritte Nacht«.

334,27-29 *Franzoiser* 〈...〉 *was*] Wörtlich: »das Angreifen der Franzosen konnte uns tüchtig mit Lanzen zusetzen immer da, wo die Klamm war«. Von der Verfolgung der abziehenden Heiden durch die Truppen Schilberts von Tandarnas ist 240,18ff. berichtet worden.

335,2-6 *ich* 〈...〉 *wider*] Gemeint ist nicht der eben bestandene Kampf (bei dem die Gegner sich offenbar nicht vom Pferd gestochen haben), sondern das Gefecht vor drei Nächten. Vgl. Unger, Bemerkungen, S. 198.

335,13 *schahteliur*] Eine so im Afrz. und vor Wolfram offenbar nicht belegte, also vielleicht von Wolfram gebildete Form für afrz. *chastelain* »Burggraf«: vgl. Vorderstemann, S. 278ff. Der Burggrafen-Titel »wurde von königlichen, bischöflichen und landesherrlichen Amtsträgern geführt, die in einer Burg, einer Stadt oder einem Burgbezirk teils militärische, teils jurisdiktionelle und administrative Aufgaben wahrnahmen« (LMA II, Sp. 1048).

335,27 *wartmannes mâl*] Wohl: »Wunden, wie ein (kühner, tapferer) Späher sie auf seinen Erkundungsgängen empfängt« (in diesem Sinn San Marte II, Unger und Kartschoke).

336,1 *geloube*] Daß der Späher Terramer auf einmal duzt, ist auffällig, berechtigt aber nicht dazu, zugunsten der »Ihr«-Form der meisten Handschriften von der Leithandschrift abzuweichen. Vgl. Komm. zu 68,23.

336,2 *durh âventiur*] Wörtlich: »um des ritterlichen Wagnisses willen«. Vgl. Komm. zu 4,21.

336,5 *von ⟨. . .⟩ genomen]* Eine schon biblische Form der Existenzverwünschung: *cur lactatus uberibus* »warum bin ich an den Brüsten gesäugt worden?« (Hiob 3,12). Vgl. Martin zu Pz. 656,29; Komm. zu 132,24-26.

336,14 *dort]* »auf dem Feldherrnhügel, wo Rennewart mit den zurückgeführten Franzosen seine Order für die Schlacht empfängt« (Schröder, Text, S. 24)?

336,16 *ûf ir vart]* Wörtlich: »auf ihrer (Kriegs-)Fahrt«; wohl kollektivierend gemeint: »auf ihren (Kriegs-)Fahrten«, d. h. den elf Kämpfen, die der Burggraf laut 335,14f. gegen die Franzosen mitgemacht hat; kaum: »auf ihrem ganzen Feldzug« (Fink / Knorr, S. 185) bzw. »in diesem Krieg« (Kartschoke).

337,8 *des ⟨. . .⟩ mich]* Wörtlich: »das erwarte (mit Zuversicht) von mir«. Vgl. Wiessner, Richtungsconstructionen I, S. 519.

337,18 *erweit]* Wörtlich: »in Bewegung gesetzt«. Vgl. Schröder, Text, S. 32.

338,20 *dâ ⟨. . .⟩ waere]* Wörtlich: »wo ich mit mehr Recht wäre . . .«. Das *dâ* bezieht sich auf die gedachte Ortsbezeichnung *Rôm*, die aus 338,19 *Rômaere* zu entnehmen ist: vgl. Martin zu Pz. 142,16.

338,21-30 *ir ⟨. . .⟩ z'unreht]* Der römische Staatsmann und Feldherr Gnaeus Pompeius (106-48 v. Chr.) hatte sich in der Auseinandersetzung mit Caesar zum Herrscher Roms aufgeschwungen, wurde aber von Caesar in der Schlacht bei Pharsalos (48 v. Chr.) vernichtend geschlagen, womit Caesar die Macht in Rom zufiel. Terramer sieht sich als Erben des Pompeius und betrachtet Caesar als Usurpator: auf diesen führen aber die abendländischen Kaiser ihre Herrschaft zurück. Die Schlacht auf Alischanz und die Schlacht zwischen Karl und Baligan rücken damit in die welthistorische Perspektive der Schlacht von Pharsalos: vgl. Mohr, Willehalm, S. 314*. – Die überlieferten Al.-Texte kennen die Passage nicht. Den Grundgedanken: den Anspruch des Heidenherrschers auf das römische Reich konnte Wolfram aus dem Rolandslied kennen (7232f., 8088f. – vgl. Palgen, S. 218f.), könnte ihn aber auch aus der ihm vorliegenden Fassung von Al. bezogen haben (vgl. Bacon, S. 43ff., 57ff.). Auch die Verbindung des Herrschaftsanspruchs mit der Abstammung von Pompeius mag aus der Quelle stammen, doch ist nicht auszuschließen, daß Wolfram sie anderweit gefunden oder selbst konstruiert hat (nach Bumke möglicherweise aufgrund einer Anregung aus dem mhd. Annolied: »dort wird erzählt, daß Pompejus vor Caesar aus Rom floh . . . und mit der gesamten Streitmacht des Orients Caesar entgegentrat« [Bumke, Willehalm, S. 133, Anm. 107] – vgl. auch Knapp, Schlacht, S. 150ff., und Schmid, S. 271f.).

339,30-340,5 *Oransche ⟨. . .⟩ varen*] Terramer will in einer Folge sich steigernder Eroberungen die gesamte Christenwelt unterwerfen: zuerst Orange, die Residenz Willehalms, dann Paris, die Hauptstadt der französischen Könige, dann Aachen, die Krönungsstadt der deutschen Könige, wo deren Thron (*stuol*) steht, und schließlich Rom, die Kaiser- und Papststadt. Paris, Aachen und Rom will auch Baligan im Rolandslied erobern (7229ff., 7302f.): vgl. Palgen, S. 218f.

340,7 *swer ⟨. . .⟩ leben*] Wörtlich wohl: »wer sein Leben der Hilfe für Jesus widmen wollte« (*helfe* Dativ), kaum: »die mit Jesu Hilfe leben wollten« (San Marte, Kartschoke; entsprechend Passage und Gibbs / Johnson [S. 170] – *helfe* als Genitiv aufgefaßt?).

340,13 *diu ⟨. . .⟩ wendec*] Wörtlich: »unterblieb die Heerfahrt«. Gemeint ist wohl: ehe man auf die geplante Vernichtungsfahrt ziehen konnte, mußte man sich zuerst dem heranrückenden Christenheer stellen; schwerlich: der Bericht vom Heranrücken des Christenheers ließ die Heiden verzagen (in diesem Sinn San Marte und Matthias – vgl. auch Rosenau, S. 56). – Sonst vorgeschlagene Übersetzungen sind nach dem mhd. Sprachgebrauch unmöglich: »die Richtung der Heerfahrt wurde umgekehrt« (in diesem Sinn Fink / Knorr [S. 187], Kartschoke, Unger, Passage, Gibbs / Johnson [S. 170] – auch vom Aussagezusammenhang her sinnlos), »die Kunde des Spähers war der Anlaß zu dieser Wendung« (W.J. Schröder, S. 561).

340,19f. *si ⟨. . .⟩ getân]* Terramer meint, Kaiser Ludwig selbst, der Sohn Karls des Großen, führe das Reichsheer an.

341,4 *neve Halzebier]* Vgl. Komm. zu 258,5.

341,19 *roerînen spern]* Vgl. Komm. zu 23,22.

341,21 *ir ⟨. . .⟩ wîp]* Herztauschmetapher: vgl. Komm. zu 77,11.

342,5f. *über ⟨. . .⟩ her]* »Die mhd. construction ist so zu verstehen: die einzelnen kriegsleute der fünf heerhaufen gehören ihrer heimat nach in die verschiedenen gegenden von fünf ländern« (Wiessner, Richtungsconstructionen II, S. 38).

342,16-18 *den ⟨. . .⟩ versinnen]* Wörtlich: »den (syntaktisch bezogen auf *lîp*, sinngemäß auf alle genannten Vorzüge) könnte eine begnadete Frau (Gegensatz zu 342,12 *unsaelde*!) immer begierig lieben, die sich bewußt halten könnte, was Frauentum ist«.

342,22 *dû ⟨. . .⟩ sun]* Könnte auch auf das Folgende bezogen werden: Ausrufezeichen oder Punkt nach 342,21 *tuon*, Komma nach 342,22 *sun*.

343,3 *ir ⟨. . .⟩ zuht]* Eigentlich: »ihr zeigt durch eure Rede eure Erziehung«. Vgl. Martin zu Pz. 173,11.

343,7 *ir ⟨. . .⟩ bat]* Terramers Tochter Arabel / Giburg ist gemeint.

344,5 *zuo z'im]* Könnte theoretisch auch auf Terramer bezogen werden: »wen Terramer sich sonst noch geworben hatte« (Kartschoke, im selben Sinne Matthias), doch geht aus dem Folgenden klar hervor, daß jetzt die Verbände Sinaguns aufgezählt werden.

344,6 *vil ⟨. . .⟩ sunder ruof]* Wörtlich: »den besonderen Laut vieler Kriegsrufe«, metonymisch für: »viele selbständige Abteilungen«.

345,12 *ir erden]* Wörtlich ihre: »ihre Erde«, »ihr Land«, d. h. »ihren Herrschaftsbereich«.

345,29 *sît ⟨. . .⟩ komen]* Der Satz ist nicht leicht zu verstehen. Vielleicht ist gemeint, daß nicht nur die heidnischen, sondern auch die christlichen Frauen Arofel beweinen sollen, weil »doch als Menschen alle gleich sind« (Kartschoke – vgl. 81,21f.)

346,13 *der ⟨. . .⟩ geburt*] Wörtlich: »Abkömmlinge der echten Tapferkeit«.

346,14 *strîtes vurt*] »Bildlich für den Durchgang durchs Kampfgedränge« (Zimmermann zu Pz. 340,30).

346,26 *neven*] Das Verwandtschaftsverhältnis zwischen Terramer und Tesereiz ist unklar, da der mhd. Terminus *neve* nicht eindeutig ist und weitere Anhaltspunkte fehlen. Die Übersetzer entscheiden sich willkürlich für »Neffe« (genauer Bernhardt, S. 44: Schwestersohn).

346,29 *under ⟨. . .⟩ dringen*] Gemeint ist wohl, daß die Sizilianer den Gegner der Hauptmacht des Poidjus zutreiben (ihn zu ihr hin »drängen«) sollen. Doch könnte *vanen* auch Plural sein: »unter deinen Fahnen bedrängen«.

348,6 *swüeren*] Konjunktiv: der übergeordnete Satz hat voluntativen bzw. prospektiv-futurischen Charakter. Vgl. PMS, S. 455f.

348,18-20 *den ⟨. . .⟩ ungemach*] *dînes hurteclîchen poinders krach* (wörtlich: »der Krach deines stoßenden Anrennens«, d. h. »der krachende Aufprall der Speere deiner Ritter auf die Schilde der Feinde«) ist zugleich Subjekt zu 348,18 und 348,20. Vgl. Gärtner, apo koinou, S. 197ff.

348,23-26 *der ⟨. . .⟩ liez*] *Gaheviez* ist im Pz. neben *Kukûmerlant* Herkunftsbezeichnung des Königs Ither. Es könnte die Hauptstadt von *Kukûmerlant* sein, und wenn mit diesem Cumberland gemeint sein sollte, fügte sich der Ort in die durch Grönland und Skandinavien markierte nördliche Herrschaft des Matribleiz. Vgl. Eichholz zu Pz. 145,15 und 145,29; Komm. zu 257,5.

349,11 *mîner kinde oeheimes sun*] Die Wendung 350,3 legt nahe, daß *oeheim* hier im Sinne von »Mutterbruder« steht. Demnach wäre Matusalez Schwager des Terramer. Vgl. Bernhardt, S. 44.

349,13 *Agremuntîn*] Agremuntin, mehrfach auch im Pz. genannt, ist zunächst ein Berg, wohl ein Vulkan, in dessen feurigem Innern Salamander ein kostbares Gewebe herstellen (vgl. Komm. zu 366,5-8). An den beiden Stellen im Wh. (außer der vorliegenden noch 421,1) könnte im weiteren

Sinne auch das Land gemeint sein, in dem der Berg liegt. Der Name leitet sich möglicherweise von dem in der Nähe des Ätna gelegenen Acremont in Sizilien her. Vgl. Titurel-Kommentar, S. 171f.; Heinzle, Beiträge, S. 429; Gerhardt, Salamander, S. 142 mit Anm. 20, 150, 156.

350,7 *Alemâne*] Die Bezeichnung »Alemannen« für die Deutschen ist auch in mittelalterlichen deutschen Quellen durchaus üblich, muß mithin nicht als Gallizismus (»Allemands«) gemeint sein. Vgl. Lugge, S. 122.

350,10f. *daz* ⟨. . .⟩ *gote*] Vgl. 357,16ff.

351,16-18 *lûter* ⟨. . .⟩ *snel*] Vgl. Komm. zu 35,13.

351,29f. *die* ⟨. . .⟩ *Tervagant*] Diese Äußerung des Erzählers wirkt im Hinblick auf Stellen wie 20,10ff. oder 352,14ff. auf eine irritierende Weise sarkastisch. Von »feiner Ironie« (Nellmann, S. 153) wird man kaum sprechen können.

352,10-13 *Terramêr* ⟨. . .⟩ *gêflôrt*] Wörtlich: »Terramer begann Ausschau zu halten, wie mit Gold und mit Edelgestein, lauter und rein, seine Götter geschmückt waren«.

352,27 *mir*] Ich fasse *mir* als freien (reflexiven) Dativ auf (*benennen* kann hier als Verbum des Ansichnehmens betrachtet werden: indem Terramer die Truppenkontingente bestimmten Scharen zuweist, weist er sie sich selbst zu, denn er ist der Herr der gesamten Streitmacht: vgl. Behaghel I, S. 630f.). – Lachmann und Schröder konjizieren überflüssigerweise *ir*: »außer denen, die ich vorher von ihnen den Scharen zuwies . . .« (?).

353,2 *dehein amîe*] Kaum: »eine Freundin« (Kartschoke – ebenso Matthias und Passage), sonst wäre das *doch* 353,4 sinnlos: Ektor ist tapfer bis in den Tod, obwohl er nicht im Frauendienst steht.

353,4f. *ich* ⟨. . .⟩ *gesehen*] Gemeint ist wohl, daß Ektor die Schlacht nicht (vorzeitig) verläßt, sofern er nicht fällt und man ihn tot vom Feld tragen muß.

353,9 *du* ⟨. . .⟩ *vanen*] Wörtlich: »du trägst die Krone von meiner Fahne«. Gemeint ist, daß Ektor als Gegenleistung für das ihm verliehene Königreich dem Terramer als Fahnenträger in der Schlacht dienen muß, so wie die 353,15ff. genannten Könige für seine Rüstung zu sorgen haben. Von »Fahnenlehen« (vgl. Komm. zu 298,2f.) – wie Matthias, Kartschoke und Passage meinen – ist keine Rede (auch die – gewiß falsche – Alternativlesung *mînen vanen* [s. Variantenverzeichnis] gibt diese Bedeutung im Hinblick auf den Kontext nicht her).

353,30 *verdecken]* fachterminus für das Rüsten des Schlachtrosses: es wird mit Panzerschutz und Stoffdecke bedeckt. Vgl. Lexer III, Sp. 91f.; zur Sache Komm. zu 360,14-18.

354,28f. *wie 〈. . .〉 verbirt]* Die Interpreten pflegen darauf hinzuweisen, daß das Bild in geistlichen Texten traditionell für die jungfräuliche Empfängnis verwendet wird. Doch liegt hier jeder Gedanke daran fern. Vgl. Singer, S. 106; Happ, S. 182f.; Engelen, S. 283 (völlig verfehlt).

355,13-17 *ich 〈. . .〉 tôt]* Die Bibel berichtet (2. Samuel 15ff.): Davids geliebter Sohn Absalom (Absalon) empörte sich gegen den Vater, wurde von diesem in der Schlacht geschlagen und fand dabei zu Davids großer Trauer ein jämmerliches Ende (355,16f. zitiert Davids verzweifelten Wunsch 2. Samuel 18,33: *ut ego moriar pro te Absalom fili mi* »daß ich gestorben wäre für dich, Absalom, mein Sohn«). Ein Anknüpfungspunkt für den Vergleich ist neben dem tragischen Konflikt zwischen Vater und Kind auch die sprichwörtliche Schönheit Absaloms. Vgl. Werner Fechter, *Absalom als Vergleichs- und Beispielfigur im mittelhochdeutschen Schrifttum*, in: Beitr. (Tübingen) 83 (1961/62), S. 302-316; Happ, S. 232f. – Möglich auch Komma statt Doppelpunkt nach 355,15 *erkôs* und Doppelpunkt statt Komma nach 356,16 *verlôs* (Lachmann, Schröder).

356,7 *guote 〈. . .〉 haberjoel]* Man nimmt i. a. an, daß das Simplex *kolzen* wie das Kompositum *îserkolzen* (296,3) dasselbe meint wie *îsern hosen* (356,3): den eisernen Beinschutz (vgl. Schultz II, S. 36f.; Vorderstemann, S. 147f.). Dann wäre hier mit Lachmann und Schröder die Alternativlesung *jopen* (»Jacke«) zu wählen. Um (mit Leitzmann) die G-Lesung zu halten, gehe ich demgegenüber davon aus, daß die Terramer gebrachten *kolzen* eine noch über die *îsernhosen* gezogene Bein- bzw. Fußbekleidung sind, identisch vielleicht mit den 296,2f. genannten *schuohen*. Für diese Lesung könnte auch sprechen, daß in Al. hier das dem mhd. *kolzen* entsprechende Wort *cauces* steht (4998). – Form und Bedeutung des anscheinend nur an dieser Stelle belegten Wortes *haberjoel* gelten als nicht definitiv geklärt. Es entspricht wohl Formen wie lat. *habergellum* / *haubergeolum*, afrz. *hauberjuel* / *hauberjol*, mndl. *halsbergoel* / *abergoel* und bezeichnet ein leichtes Panzerhemd (ohne das Kopfstück [vgl. Komm. zu 127,27]?). Vgl. K. Lucae, *hâberjoel*, in: ZfdA 32 (1888), S. 472; Vorderstemann, S. 100f.

356,8f. *Artûs* ⟨. . .⟩ *vant*] Reminiszenz an den Pz.: dort schlägt König Artus sein Hoflager an dem Fluß *Plimizoel* auf.

356,28 *grîfenklâ*] Greifen sind fabulöse Mischwesen, meist aus Löwenkörper mit Flügeln und Adlerkopf zusammengesetzt gedacht. Vgl. LMA IV, Sp. 1693f.

357,2 *tarkîs* ⟨. . .⟩ *rubîn*] Vgl. Komm. zu 22,26f., dazu noch Engelen, S. 150 (hält die Übergabe des Köchers für eine Unterwerfungsgeste).

357,16-27 *wie* ⟨. . .⟩ *ganz*] Die auf dem Schlachtfeld verstreuten Särge (vgl. Komm. zu 259,9-12) sind hinderlich für die Pferde und erlauben es den Truppen Terramers nicht, ihre auf rasche Bewegung der Verbände ausgerichtete Kampfweise (vgl. Komm. zu 18,22) voll zu entfalten. – 357,27 *ganz* meint wohl nicht »unverwest« (Geith, Sarkophage, S. 103), sondern will sagen, daß die Körper von den im Kampf erlittenen Wunden und Verstümmelungen geheilt waren. W.J. Schröder, S. 563, Anm. 14, meint, Terramer fürchte, »Jesus habe die Toten der ersten Schlacht wieder zum Leben erweckt«: das ist dem Text nicht zu entnehmen.

358,6 *vêhen*] Wörtlich: »feindlich behandeln«. Vgl. Martin zu Pz. 414,11.

358,13 *Kahûn*] Wer oder was hinter diesem Heidengott (den Wolfram aus Al. übernommen hat) steht, ist umstritten (die Gottheit *Chaos*? das arabische Wort *kāhin* »Priester«?). Vgl. Grégoire; Passage, S. 353.

358,24 *in der schar*] D. h. in der Schar Terramers (der zehnten des ganzen Heers).

358,28 *die puntschûr Poitwîne]* *Poitwîn* entspricht frz. *Poitevin* (so Al. 5152), Einwohnerbezeichnung oder Eigenschaftswort zu *Poitou*, bei Wolfram *Poitouwe* (Pz. 68,21; Wh. 428,27). Das Poitou gehört im Wh. aber dem Grafen Anshelm, der auf der Seite der Christen kämpft (428,27). So muß hier eine andere Völkerschaft gemeint sein (die keltischen Pikten?). Vgl. Passage, S. 377f.

359,19 *Fîsônen]* Nach Genesis 2,10ff. einer der vier Flüsse, die aus dem Paradies fließen: *et fluvius egrediebatur de loco voluptatis at inrigandum paradisum | qui inde dividitur in quattuor capita | nomen uni Phison | ipse est qui circuit omnem terram Evilat [. . .] et nomen fluvio secundo Geon | ipse est qui circuit omnem terram Aetihopiae | nomen vero fluminis tertii Tigris | ipse vadit contra Assyrios | fluvius autem quartus ipse est Eufrates* »und ein Fluß ging aus vom Ort der Lust, das Paradies zu bewässern, der sich von da an in vier Hauptarme teilte: der eine heißt Phison, der umfließt das ganze Land Evilat [. . .]; und der zweite Fluß heißt Geon, der umfließt das ganze Land Äthiopien; der dritte Fluß aber heißt Tigris, der fließt östlich von Assyrien; der vierte Fluß aber ist der Euphrat«. Der Geon wird Wh. 382,6 erwähnt. Vgl. Martin zu Pz. 481,19ff.

359,29 *schildeshalp]* D. h. auf der linken Seite, wo man den Schild trägt.

360,4f. *daz ⟨. . .⟩ hel]* Das Tamburin wird mit der linken Hand gehalten und drehend bewegt, mit der rechten Hand gestrichen und (mit der Faust) geschlagen. Von Zeit zu Zeit wirft es der Spieler hoch in die Luft und fängt es geschickt wieder auf. Vgl. Treder, S. 15f.

360,8f. *aht ⟨. . .⟩ kalopeiz]* Lachmann und Leitzmann lesen *Kalopeiz*, sehen in dem Wort also den Namen eines Heidenkönigs. Dagegen hat Bumke darauf hingewiesen, daß dieser König sonst nicht erwähnt wird, und daraus den Schluß gezogen, daß hier das im Wh. gut bezeugte *kalopeiz* »Galopp« gemeint ist (Joachim Bumke, *König Galopp (Zu Wolframs Willehalm 360,9)*, in: MLN 76 [1961], S. 261-263; vgl. auch Vorderstemann, S. 126ff.): der 360,9 genannte *künic* wäre also Zernubile. Doch bleibt es irritierend, daß Terramer dem Zernubile nur befiehlt, die Tamburine schlagen zu lassen, und daß mit Tusie ein weiterer Herrschaftsbereich neben Ammirafel genannt wird, der für den Trompeter-König Kalopeiz zur Verfügung stünde: vgl. Unger, S. 284.

360,14-18 *unz ⟨. . .⟩ îserîn]* Die Pferde waren mit einer (unterfütterten) Panzerdecke aus Eisenringen und einer darüber liegenden Zierdecke aus Stoff oder Leder gewappnet: vgl. Schultz II, S. 100ff. Der Terminus *kovertiure* (aus frz. *coverture*: vgl. Vorderstemann, S. 155f.) bezeichnete offenbar sowohl die einzelnen Decken als auch die gesamte Bedeckung.

361,1 *sîn ⟨. . .⟩ vruo]* Wörtlich: »seine Hilfe kommt ihnen doch zur Unzeit«. Die Übersetzung ist eine Notlösung ohne Gewähr: sie nimmt an, daß die in der vordersten Front Kämpfenden sich aus eigener Kraft bewähren wollen. Andere Lösungsversuche überzeugen noch weniger: »sein Beistand läßt sie doch im Stich« (San Marte II), »seine Hilfe kommt ihnen doch nicht zur rechten Zeit« (Fink / Knorr, S. 197 – in diesem Sinn auch W.J. Schröder, S. 564 mit Anm. 16), »Terramer wird noch früh genug eingreifen« (Kartschoke – sprachlich unmöglich), »weh, wenn erst seine Hilfe naht« (Unger – *in* auf die Christen bezogen? so ausdrücklich Gibbs / Johnson, S. 178).

361,9 *in toufbaeriu lant]* Die Wendung ist »nicht ganz verständlich, da die Provence, wo die Schlacht stattfindet, ja durchaus zu den christlichen Ländern gehört« (Nellmann, S. 60, Anm. 51). Daher wohl auch die Varianten *uns (here) in tutsche / dauschen* (»deutsche«) *lant* (KaK) bzw. *al bis in heidenschen lant* (C). W.J. Schröder, S. 564, Anm. 17, will sich mit der Annahme behelfen, daß nur »die Taten der Heidenfürsten« gemeint seien: dagegen spricht der Kontext (361,10ff.). Ganz unwahrscheinlich ist, daß Wolfram eine heidnische Quelle fingieren will (Mergell, Quellen, S. 142f.).

361,16-19 *dô ⟨. . .⟩ mac]* Leitzmann zieht die Gliedsatzfolge zum Folgenden: Punkt statt Komma nach 361,15 *genâmen*, Komma statt Punkt nach 361,19 *mac*. – Das Bild vom Tod als Sämann (das Wolfram vielleicht aus der Nibelungenklage entlehnt hat: Kartschoke, S. 305) scheint aus den geläufigen Wendungen des Typs »Same (Saat) der Freude, der Untreue« etc., aber etwa auch »des Teufels« entwickelt (vgl. BMZ II/2, Sp. 25b; Lexer II, Sp. 592, 611f.).

361,21-25 *vil ⟨. . .⟩ stach]* Gemeint sein könnte: die einen stürmten dem Feind immerzu mit eingelegter Lanze entgegen (Kampftypus *zer tjoste*); die andern rissen ihre Pferde vor dem Feind herum, sprengten eine Strecke davon und erwarteten dann im Stand die gleichzeitige Attacke mehrerer Gegner (Kampftypus *ze muoten*). Vgl. zu den Kampftypen Komm. zu 29,15; zum unklaren Terminus *pontestât*, der hier versuchsweise im Sinne von *poinder* verstanden wird, Komm. zu 85,18.

362,1 *ditze ⟨. . .⟩ sît]* Ich beziehe den Satz wie üblich auf das Vorhergehende: auf beiden Seiten kämpfte man so wagemutig, wie in den letzten Versen des VII. Buches geschildert. Die Verzahnung der Aussagen über die Buchgrenze hinweg könnte diese fraglich erscheinen lassen, doch gibt die Überlieferung keine Handhabe, den Einschnitt zu eliminieren. Zur Not ließe sich der Satz vielleicht auch »als allgemeine Vorwegnahme des in der folgenden Zeile Spezifizierten verstehen« (Doppelpunkt statt Punkt nach *sît*): »Davon verstanden sie auf beiden Seiten etwas: so formierte sich die Schlachtordnung« (Pörksen / Schirok, S. 34).

362,3-7 *die ⟨. . .⟩ Valfundé]* Die Schlacht wird seitens der Christen von der fünften Schar, die der Schetis und der König von Tandarnas anführen, eröffnet (vgl. 328,25f.). Dazu treten offenbar ausgewählte Lanzenkämpfer (*tjostiure*) aus den fünf anderen Scharen, die die 361,21ff. beschriebenen Formen des Einzelkampfs beherrschen. Erst auf diese kunstvollen Einzelkämpfe folgt dann die Massenschlacht. Vgl. Jones, S. 438f.

362,22 *speren roerîn]* Vgl. Komm. zu 23,22.

362,25 *trumzûn]* Das Wort bezeichnet meistens die (herumfliegenden) Splitter der Speerschäfte (so 351,24 und 379,13, wohl auch 269,23). Da diese aber kaum die Durchschlagskraft gehabt haben werden, um Schilde und Rüstungen zu durchdringen, nehme ich mit Kartschoke an, daß hier die Lanzenstümpfe gemeint sind, die den Kämpfern in der Hand blieben, nachdem die Spitzen abgebrochen waren. Die Grundbedeutung des Wortes: »abgebrochenes Stück« (aus afrz. *tronçon*: vgl. Vorderstemann, S. 329) deckt diese Auffassung. Sie ist auch 429,23 anzusetzen, wo das schwere Ende von Rennewarts Stange *trumzûn* genannt wird.

364,27 *pôfûz*] Aus afrz. *bofu*, Name eines Seidenstoffes, den Wolfram aus Al. übernommen hat. Vgl. Vorderstemann, S. 237.

364,28-30 *al ⟨. . .⟩ behüetet*] Die Frage, wie der Strauß seine Eier ausbrütet, war in der mittelalterlichen Naturkunde umstritten. Wolfram bezieht sich offenbar auf eine Tradition, derzufolge der Vogel seine Eier im Sand vergräbt und sie dort von der Sonne ausbrüten läßt. Die Aussage liefe mithin darauf hinaus, daß von der Pofuß-Seide ein Hitze-Glanz ausging, der dem der Sonne gleichkam. Der Satz 364,30 wäre dann darauf zu beziehen, daß die Eier außer der Hitze auch Schutz benötigen, den im »Normalfall« der Sand bot und der auf dem Schlachtfeld natürlich nicht gegeben war. Vgl. Gerhardt, Adlerbild, S. 219f. (schlägt vor, das *het* als Vollverb aufzufassen: »der Strauß hätte seine Eier ausgebrütet erhalten« – das ist sprachlich fragwürdig und unnötig); Schleusener-Eichholz, S. 238.

365,15 *die vanen geneigeten*] Das Senken der Fahnen, d. h. der Speere, an denen die Fahnen befestigt waren (vgl. 367,9), leitet den Angriff ein. Vgl. Komm. zu 70,19.

365,20 *ûf ⟨. . .⟩ gezern*] Wörtlich: »auf Kosten ihres Lebens zu zehren«.

365,28 *er ⟨. . .⟩ strîten*] Vor *solde* ist ein *er* erspart. Vgl. Martin zu Pz. 177,5; PMS, S. 324.

366,5-8 *ist ⟨. . .⟩ gar*] Tibalts Kursit, die Bespannung seines Schildes (vgl. Komm. zu 366,9) und die Decke seines Pferdes bestanden aus Salamander-Stoff. Wolfram erwähnt dieses merkwürdige Gewebe auch im Pz. (735,23ff.; 756,30ff.; 790,21ff.; 812,19ff.) und im Tit. (121,4). Aus seinen verschiedenen Angaben ergibt sich, daß es von Salamandern im Feuerberg Agremuntin (vgl. Komm. zu 349,13) hergestellt wird, blendend weiß und feuerfest ist. Das entspricht mit Ausnahme der Lokalisierung im Agremuntin, die sich nur bei Wolfram findet, einer in der naturkundlichen Literatur des Mittelalters verbreiteten Tradition. Vgl. Vorderstemann, S. 270f.; Gerhardt, Salamander (führt Wolframs Angaben auf den sog. Brief des Priesters Johannes von ca. 1165 zurück).

366,9 *schildes dach]* Die Bespannung des hölzernen Schildgestells, die gewöhnlich aus Leder bestand (vgl. Schultz II, S. 83f.), oder ein zusätzlicher Überzug, eine »Schilddecke« (vgl. DWb IX, Sp. 126)?

366,28 *zwischen Wîzsant und Stîre]* Mit den beiden Ortsnamen soll ein weites Gebiet abgesteckt werden: Wissant, eine Hafenstadt am Ärmelkanal, liegt im Westen, die Steiermark im Osten Mitteleuropas. Wissant erscheint als Endpunkt bei derartigen geographischen Bestimmungen auch im Pz. (761,28) und wiederholt in der afrz. Literatur, auch in Al. (2700). Vgl. Martin zu Pz. 761,28.

367,24f. *dâ ⟨. . .⟩ ûz]* Ehmereiz war offenbar in einen Schwertkampf zu Pferd verwickelt, und dabei wurde die Kampftechnik des *zoumens* angewendet: dabei kam es darauf an, »das Roß des Gegners am Zügel zu packen, auf ihn einzuhauen und ihn auf diese Weise in Gefangenschaft zu führen« (Bode, S. 107). Vgl. auch Wiessner, Richtungsconstructionen I, S. 417.

368,7 *der stanthart] stanthart*, aus afrz. *estandart*, ist Bezeichnung für die große (hoch auf einem fahrbaren Mast) befestigte Sturmfahne, um die sich das Heer scharte: vgl. Schultz II, S. 227ff.; DWb X/2/1, Sp. 727f.; Vorderstemann, S. 301f. Hier wird das Wort metaphorisch für Sinagun gebraucht: der König war standhaft im Kampf wie eine Standarte (vgl. BMZ II/2, Sp. 592a; Tobler / Lommatzsch III/2, Sp. 1359f.).

368,13 *sper ⟨. . .⟩ lanze]* Vgl. Komm. zu 330,17-19.

368,24f. *als ⟨. . .⟩ mâl]* D. h. »die Flecken glänzten wie von feurigen Funken« (Martin zu Pz. 168,10).

369,16-21 *dâ ⟨. . .⟩ Sarrazîne]* Die Vorstellung von einem König, der einem Stern folgt, evoziert den Gedanken an den Stern der Heiligen Drei Könige, der im Unterschied zum Stern des Markgrafen allerdings zum Heil führte. Vgl. Deinert, S. 37f.

369,26 *daz ⟨. . .⟩ tier]* Der Vers könnte den Namen des Pferdes paraphrasieren. Dieser lautet in Al.: *Passelevriere*, das heißt soviel wie: »Überholt (*passe*) den Jagdhund (*levrier[e]*)«, hebt also auf die Schnelligkeit des Tieres ab. Da mhd. *tier* hier »Wild« heißen muß (vgl. DWb XI/1/1, Sp. 375; Martin zu Pz. 64,19), kann man vermuten, daß Wolfram *lievre* »Hase« statt *levriere* verstanden oder in seiner Quelle gefunden hat.

370,3 *bî]* Von einigen Übersetzern instrumental aufgefaßt: ». . . wurde von beiden Anführern so tapfer gekämpft« (Kartschoke, entsprechend Fink / Knorr [S. 203], Passage und Gibbs / Johnson [S. 183]). Dem stehen der mhd. Sprachgebrauch und der Kontext (370,8 *bî* »an der Seite«, »unter der Führung von« – so auch sonst öfter) entgegen.

370,16f. *man ⟨. . .⟩ krachen]* D. h. die Bäume, aus denen die verstochenen Speere gemacht sind. Vgl. Komm. zu 156,29f.

370,18-23 *die ⟨. . .⟩ geworht]* Eine skurrile Assoziationsfolge: da auf dem Schlachtfeld massenhaft Speere zerbrochen werden, könnte man da gut Speermacher gebrauchen, doch kämen die im Kampfgewühl gar nicht zum Arbeiten (370,23 wörtlich: »ihrer [der Speere] würden weniger [als zu Hause in der Werkstatt] von ihnen [den Speermachern] verfertigt«).

372,8f. *hôhe ⟨. . .⟩ reit]* Konstruktionsmischung: die pluralische Wendung: *hôhe künege* lenkt in eine singularische: *reit* ein. Vgl. Behaghel III, S. 426; dagegen Gärtner, Numerusinkongruenz, S. 52.

372,12f. *allêrste ⟨. . .⟩ sper]* Der Wald, aus dem das Holz für die Speere stammt, ist gewissermaßen in diesen präsent und donnert, wenn sie krachend zerbrechen. Vgl. Komm. zu 370,16f.; zum Verhältnis von *lanze* und *sper* Komm. zu 330,17-19.

373,9 *greif ⟨. . .⟩ zoum]* Vgl. Komm. zu 367,24f.

373,21-23 *wie ⟨...⟩ tumbrel]* Der Kampf wird als Geschäft aufgefaßt, bei dem die ausgetauschten Schläge das Handelsobjekt (*wehsel*) sind. Unklar ist die Bedeutung von *tumbrel*: »Karren« (»für diese Art von Waren brauchte man keine Transportwagen«), oder: »(Gold-)Waage« (»bei diesem Handel wurde nichts abgewogen, man trieb ihn ohne Rücksicht auf Verluste«). Vgl. Vorderstemann, S. 332f.; zur Bedeutung *wehsel* »das Eingetauschte, Gekaufte« DWb XIII, Sp. 2679.

374,10 *wer]* Im übertragenen Sinne: »Tapferkeit« (zu der sie Terramer erzogen hatte) oder konkret: »Truppen« oder »Waffen« (Kartschoke, Passage, Gibbs / Johnson [S. 185]) bzw. »Rüstung« (Unger: »Panzer«)?

375,7 *turkople ⟨...⟩ enein]* Wörtlich: »die Turkopolen entschlossen sich dazu«.

375,8f. *zein ⟨...⟩ pfîl]* *zein* meint hier den Pfeilschaft, *pfîl* die (metallene) Pfeilspitze. Vgl. Martin zu Pz. 569,9.

375,10 *dâ ⟨...⟩ bogen]* »*snatern* könnte ein lautmalender Fachterminus für den akustischen Eindruck sein, der entsteht, wenn eine Schützenreihe in raschem Wechsel die Bogensehnen spannt und entspannt« (Kühnemann, S. 106f.).

375,26f. *er ⟨...⟩ habe]* Tedalun stand der Ertrag aus der Forstwirtschaft am Hindukusch zu, dazu die Erhebung von Abgaben für die Benutzung von natürlichen (nicht von Menschen angelegten) Häfen (»Hafengelder«: vgl. HRG I, Sp. 1892ff. – wovon sich der Zehnte, d. h. ein zehnprozentiger Anteil, berechnet, ist nicht klar). Nach Mohr (S. 343*) ist das in übertragenem Sinne zu nehmen: »man darf weder das ›Schlagrecht‹ noch den ›Hafenzehnten‹ wörtlich verstehen; das erste steht Tedalun als ›Forstmeister‹, das zweite als ›Burggraf‹ zu, mit beidem aber ist der Goldertrag gemeint«, von dem im weiteren die Rede ist. – Die Übersetzung *wilde habe* »natürlicher Hafen« ist freilich nicht ganz sicher. Für sie spricht Pz. 736,26 (vgl. Martin z. St.), doch kann man wohl nicht ausschließen, daß gemeint ist »wilde Habe«, »exotischer Besitz« (in diesem Sinne Fink / Knorr [S. 206] – kaum richtig Unger: »vom Wild der Zehnte«).

375,28f. *swaz ⟨. . .⟩ vüezen]* Vgl. Komm. zu 36,9 und 356,28.

376,9 *Poidjus]* Möglich auch Punkt nach *Poidjus* (so die Herausgeber).

376,22-28 *ob ⟨. . .⟩ hât]* Die Übersetzung ordnet zu besserem Verständnis die komplizierte Gedankenfolge um. Die Verse 376,24 und 376,27f. sind gleichermaßen abhängig von 376,25f. (wörtlich: »wenn das seine Hand nicht verdiente, / hätte er Kenntnis von ihrer Liebe, versündigte er sich damit, / wenn er um ihretwillen nicht solche Taten täte, die man heute noch . . .«). Zur Modusinkongruenz (Indikativ *warp* statt des zu erwartenden Konjunktivs) vgl. PMS, S. 375.

376,30f. *sîn ⟨. . .⟩ antraxe]* Daß das (griech.) Wort *antrax* eine fremdländische Bezeichnung für den *karfunkel* (Rubin?) sei, hatte Wolfram Pz. 741,12ff. erklärt. Vgl. Schade II, S. 1323, und Vorderstemann, S. 37f.; zur Vorstellung, daß Helme aus Edelsteinen geschnitten werden können, Komm. zu 22,26f.

377,4-11 *nû ⟨. . .⟩ getragen]* Wie die Wassermasse des Bodensees die Fassungskraft eines Entenmagens, so übersteigt die Masse der Reichtümer von Poidjus' Leuten die Tragfähigkeit der Pferde.

377,12-19 *von ⟨. . .⟩ gap]* Die (etwa auch aus den Geschichten von Sindbad dem Seefahrer bekannte) Vorstellung, daß Flüsse Edelsteine führen, ist der mittelalterlichen Naturkunde geläufig (Wolfram konnte sie z. B. aus dem Brief des Priesters Johannes [38ff.] kennen: vgl. Komm. zu 366,5-8). Ebenso traditionell ist die Vorstellung von nachtleuchtenden Edelsteinen. Vgl. Singer, S. 111.

378,1 *ob ⟨. . .⟩ swende]* Vgl. Komm. zu 156,29f.

378,12 *gein ⟨. . .⟩ markîs]* Wörtlich: »gegen das Kommen des Marquis«, d. h. »gegen den anrückenden Marquis«.

379,14 *durh ⟨. . .⟩ guft]* Von Leitzmann zum Folgenden gezogen (Ausrufezeichen nach 379,13 *luft*, kein Zeichen nach 379,14 *guft*).

379,20 *sô ⟨. . .⟩ getân]* Wörtlich: »so guten Kampf vollführt«, gleichgeordnet mit 379,19 (so mit Leitzmann nach

Paul gegen Lachmann und Schröder, die kein Zeichen nach 379,19 *man* setzen, also – sprachlich inkorrekt – konstruieren: »habe ich nie soviele Männer so guten Kampf vollführen sehen« – vgl. auch Schröder, mort, S. 406).

379,26f. *er ⟨. . .⟩ pflac]* Um welches Tier es sich bei dem *ecidemôn* handelt, ist nicht klar: vielleicht um das Hermelin oder um das Ichneumon (eine in Afrika und Asien verbreitete Schleichkatzenart). Feirefiz war das *reine tier* von seiner Geliebten Sekundille als Wappen verliehen worden, offenbar als Signum der reinen Liebe (Pz. 741,15ff.): so wird es auch Poidjus als vorbildlichen Minneritter kennzeichnen. Vgl. Johannes Siebert, *Ecidemôn*, in: ZfdPh 62 (1937), S. 248-264; Kolb, Etymologien, S. 130f.; Passage, S. 271f.

381,13-15 *von ⟨. . .⟩ begôz]* »die construction ist offenbar diese: *glesten* ist acc.-object zu *begôz*, zu *glesten* widerum ist *ab den gesten* . . . zu construieren; der glanz, der von den prächtigen gewändern ausgeht, wird durch das darüber strömende blut getrübt« (Wiessner, Richtungsconstructionen I, S. 493).

381,26-29 *nû ⟨. . .⟩ sige]* »Am 5. Sept. 1164 erlitt der junge Welf VII. vor Tübingen eine furchtbare Niederlage, die für ihn um so schimpflicher war, als sein Belagerungsheer dasjenige seines Gegners, des Pfalzgr. Hugo von Tübingen, an Stärke weit übertraf. Mit einem Verluste von 900 Gefangenen suchte das welf. Heer sein Heil in der Flucht« (Schreiber, S. 79). – Zu *gelingen* im neutralen Sinne von »ergehen« vgl. Pretzel, S. 189.

382,2-5 *in ⟨. . .⟩ zins]* Das mhd. Wort *roch* (aus afrz., mndl. *roc*) bezeichnet im mittelalterlichen Schachspiel die Figur, die unserem Turm entspricht. Meistens einen gewappneten Ritter oder einen turmtragenden Elephanten darstellend, hat sie die größte Spielstärke: *ûf dem bret dem roche ander gestein ist undertân* »auf dem Schachbrett sind die anderen Steine dem Turm untertan« (Reinbot von Durne, *Der heilige Georg*, hg. v. Carl von Kraus [Germanische Bibliothek III/1], Heidelberg 1907, v. 150f.). Daraus erklärt sich die Bedeutung des Turms in Aropatins Wappen (abwegig ist der Gedanke Singers [S. 111f.], es sei nicht die Schachfigur gemeint, sondern der »Riesenvogel *Rokh* der arabischen und persischen Märchen«). Vgl. H.F. Maßmann, *Geschichte des mittelalterlichen, vorzugsweise des Deutschen Schachspieles*, Quedlinburg / Leipzig 1839, Nachdruck Leipzig 1983, S. 122ff., 136; zum Wort *roc / roch* (das aus dem Persischen / Arabischen stammt und in nhd. »Rochade« noch erhalten ist) Ewald Eiserhardt, *Die mittelalterliche Schachterminologie des Deutschen*, Diss. Freiburg 1907, S. 35f.; Vorderstemann, S. 258f. – Der *wîte grif* Aropatins meint »den weiten Umfang seiner Gewalt« (Martin zu Pz. 399,19). Vgl. auch Mersmann, S. 106.

382,6 *zwischen Gêôn und Poinzaclins]* Dem Paradiesfluß Geon (vgl. Komm. zu 359,19) im Osten wird mit dem Poinzaclins ein Fluß aus der geographischen Welt des Pz. (681,8; 686,16) gegenübergestellt, den man sich offenbar weit im Westen (in England oder Wales) zu denken hat. Vgl. Martin zu 681,8.

382,11 *von arde]* Wörtlich: »aufgrund seiner Abstammung«.

382,15 *zûnel]* Bezeichnung für die Schellen (Blechplättchen) des Tamburins (entsprechend afrz. *sonaille*, prov. *sonalh*?). Vgl. Vorderstemann, S. 374f.

382,23 *er 〈. . .〉 gelîch]* Wörtlich: »er verhielt sich so, wie es ihrem Lohn entsprach«.

383,20 *wiserîch]* Die Bedeutung des anscheinend nur hier belegten Wortes ist unklar. Im Blick auf die Wendung *einen tanz strîchen* »mit der Fiedel zum Tanz aufspielen« nimmt man gewöhnlich an, daß ein Tanz gemeint ist (»Reigen, der auf der Wiese getanzt wird«?). Es läge dann eine sarkastische Metapher vor, die an eine prägnante Wendung aus dem Nibelungenlied erinnerte: dort wird das Schwert des Spielmanns Volkers wiederholt als »Fiedel« bezeichnet. Vgl. Martin zu Pz. 639,10; Singer, S. 112; Kühnemann, S. 90.

383,24-27 *sît 〈. . .〉 kint]* Vgl. 5,16ff.

383,29 *mit der mêrren kraft]* Übersetzung nach Mohr, S. 343* (vgl. 384,3f.). Die Übersetzer beziehen die Wendung umgekehrt auf Heimrichs Truppe: »Die Männer aus Ganfassasche kamen nun in Bedrängnis durch die Überlegenheit von Heimrichs Kampfgenossen« (Kartschoke).

384,20-30 *swaz 〈. . .〉 vel*] Anspielung auf den Sagenkreis um Dietrich von Bern: Ermenrich, König (Kaiser) von Rom, Dietrichs Onkel, ist dort sein Widersacher, der Hunnenkönig Etzel sein Freund und Helfer, Witege einer seiner berühmten Kampfgesellen. Die groteske Phantasie über Witeges Kampfsoll verspottet die Hyperbolik der Heldendichtung (der Vergleich mit dem *swamp* »Pilz« [kaum: »Schwamm«, wie die Übersetzer außer Gibbs / Johnson [S. 190] meinen] könnte aus dem Rolandslied stammen: *schilte unt ir hůte | hiwen si sam den swam* [6193f.]). Offenbleiben muß, ob Wolfram sich auf mündliche oder schriftliche Dietrich-Dichtung bezieht: einschlägige Epen sind erst aus der zweiten Hälfte des 13. Jahrhunderts überliefert. Vgl. Leo Wolf, *Der groteske und hyperbolische Stil des mittelhochdeutschen Volksepos* (Palaestra, 25), Berlin 1903, S. 77f., 86ff.; Singer, S. 112; Hermann Schneider, *Deutsche und französische Heldenepik*, in: ZfdPh 51 (1926), S. 200-243, hier S. 216; Kühnemann, S. 91; Lofmark, S. 104; Nellmann, S. 70; Mohr, S. 343*; Wiesmann-Wiedemann, S. 52. – Die Rede von den halb geschorenen Lämmern zielt wohl auf die Vorstellung, daß diesen sozusagen der Hals freigemacht war, um dem köpfenden Schlächter die Arbeit noch leichter zu machen (s. aber Variantenverzeichnis!).

385,1f. *man 〈. . .〉 sleht*] Der gute Erzähler berichtet, »wie es in Wirklichkeit ist« (Ruh, Epik, S. 192), d. h. er übertreibt nicht wie die Verfasser der Heldendichtung. Vgl. Nellmann, S. 70.

385,19-22 *solt 〈. . .〉 tôt*] Wörtlich: »sollte es ein Kaiser bezahlen, fände er nicht solche Söldner, die sich in so große Bedrängnis begäben, daß sie um seinetwillen den Tod erlitten«.

385,26 *von Kitzingen ein turnei*] Die Anspielung ist noch nicht entschlüsselt worden. Es ist noch nicht einmal sicher, welcher Ort gemeint ist: Kitzingen am Main (bei Würzburg) oder Bad Kissingen? Vgl. Schreiber, S. 76f.; Kleinschmidt, S. 592, Anm. 29.

385,30f. *ze 〈. . .〉 sint*] Sicher nicht: »auf beiden Seiten sind die Helden ohne Freunde / Verwandte« im Sinne von: »sie waren auf sich allein gestellt« (Gerhardt bei Unger, S. VIII). Vgl. dagegen z. B. 389,10ff.

386,6 *sarc]* Die auf dem Schlachtfeld verstreuten Särge der gefallenen Christen: vgl. 259,6ff.

386,13 *mit kosteclîchem vlîz]* Wörtlich: »mit kostbarem Fleiß«. Vgl. Komm. zu 125,24-27.

386,21 *also* ⟨. . .⟩ *art]* Wörtlich: »so war auch Josweiß' Eigenart«, kaum: »so war auch Josweiß' Familie« (d. h. der Vater hell, die Mutter dunkel – in diesem Sinne San Marte II und Fink / Knorr [S. 211]). Die Vorstellung wird sein, daß Josweiß schwarz und weiß gefleckt war wie im Pz. Feirefiz, der ebenfalls der Sohn eines Weißen (Gahmuret) und einer Mohrin (Belakane) war. Vgl. Singer, S. 112.

386,25 *mit* ⟨. . .⟩ *bevangen]* Wörtlich: »waren mit dem Wappen umfangen«, d. h. mit dem Schild, auf dem das Wappen abgebildet war, gerüstet. Vgl. Martin zu Pz. 768,20.

388,20 *swer* ⟨. . .⟩ *gesaz]* Wörtlich wohl: »wer da vor ihm auf dem Pferd saß«, schwerlich: »wer da vor ihm auf dem Pferd sitzen geblieben war« (in diesem Sinne Wiessner, Richtungsconstructionen I, S. 437 – diese Auffassung setzte voraus, daß Rennewart zuerst tjostierte, ehe er zuschlug: davon ist keine Rede).

388,28f. *mit* ⟨. . .⟩ *gespart]* Die Franzosen werden natürlich von den Heiden geschlagen, nicht von Rennewart, wie man vom Kontext her zunächst meinen könnte. Vgl. Knapp, Rennewart, S. 112, Anm. 12 (schlägt vor, Punkt nach 388,28 statt nach 388,27 zu setzen).

389,4 *bewarte]* Wörtlich: »bewahrte«, vielleicht im Sinne von: »so mit der Fahne verfuhr, wie es ihrer Würde entsprach« (sie nämlich aus dem Sack nahm und wieder aufziehen ließ: 332,21ff.).

389,14 *basen tohter sun]* Ehmereiz' Mutter Giburg ist die Tochter von Matusales' Schwester. Vgl. Bernhardt, S. 44.

389,19 *wolkenrîz]* Eigentlich: das »Zerreißen« der Wolken im Donner? Vgl. Zimmermann zu Pz. 378,11.

389,27 *dâ* ⟨. . .⟩ *laere]* Die Hand, die den Speer hält, leert sich, wenn dieser verstochen wird.

389,28-390,3 *ȥ'einem 〈. . .〉 ligen*] Zur Vorstellung, daß der eifrige Tjosteur die Wälder abholzt, aus deren Bäumen seine Speere gefertigt sind, vgl. Komm. zu 156,29f. – Der Virgunt ist ein Wald zwischen Ansbach und Ellwangen. Vgl. San Marte, Rittergedicht, S. 24; Schreiber, S. 6.

390,6-8 *wan 〈. . .〉 dan*] Die Stelle ist unklar. Ich rechne mit folgender Gedankenkette: Die Zuhörer nehmen Anstoß an der Vorstellung, daß ein Ritter allein die Bäume aus zwei großen Wäldern vertut. Der Erzähler versteht das absichtlich falsch: er unterstellt den Zuhörern, sie bezweifelten, daß das Individuum Poidjus dazu in der Lage sei, und repliziert: dann mögen die Zuhörer eben einen anderen Mann Wälder ausholzen lassen (*den walt* kollektiver Singular), und Poidjus (390,8 *er*) könne dann getrost aus dem Spiel bleiben (390,8 wörtlich: »und befinde er sich dort weit in der Ferne«). – Im Grundgedanken ebenso Bertau und wohl auch Kartschoke und Gibbs / Johnson, die jedoch 390,8 *er* auf den (die) Zuhörer beziehen: »halt er [der Kritiker] sich da lieber möglichst weit heraus« (Bertau, Literatur II, S. 1166; vgl. auch Bertau, Witze, S. 81, sowie zur Konstruktion Wiessner, Richtungsconstructionen II, S. 59: »möge er uns damit weit vom halse bleiben«; sprachlich problematisch dagegen Kartschoke: »soll er sich dann nur an jenen halten« und Gibbs / Johnson [S. 192]: »let him mind his own business«). – Anders Nellmann (S. 65 mit Anm. 84), der 390,7 Komma statt Fragezeichen und 390,8 Fragezeichen statt Ausrufezeichen setzt: »Warum läßt dieser nicht einen andern [sc. Poidwiz] den Wald abholzen, und habe er auch weit bis dorthin?« Der Lügenvorwurf bezöge sich dann auf die Behauptung, der Orientale Poidwiz holze Wälder in Deutschland aus: »die Kritiker sollten doch gefälligst andere roden lassen, wo sie wollten, und sich nicht darum kümmern, wie weit der Wald entfernt sei«. Dagegen könnte man einwenden, daß der für das Verständnis entscheidende Zusatz: »wo sie wollten« nicht im Text steht. – Wieder andere fassen 390,6-8 als Zuhörerrede auf (Doppelpunkt statt Punkt nach 390,5 *sprechen* bei Lachmann, Leitzmann, Schröder!) und beziehen 390,6 *der selbe* auf den Erzähler – mit Bezug von 390,8 *er* auf Poidwiz und Annahme, der vom Erzähler unterstellte Lügenvorwurf richte sich gegen die Behauptung, ein Fremder holze einheimische Wälder aus: »warum läßt der diesen Wald nicht einen anderen abschlagen? Und überhaupt hätte er ja auch reichlich weit dahin« (Fink / Knorr [S. 213] in Anlehnung an San Marte II und Matthias), »läßt er nicht lieber brechen die Wälder einen andern Mann? Er wohnt doch weit von diesem Tann!« (Unger); mit Bezug von 390,8 *er* auf 390,7 *einen andern man* und Annahme, der vom Erzähler unterstellte Lügenvorwurf richte sich gegen die Behauptung, Poidjus sei imstande, Wälder abzuholzen: »Why doesn't he send somebody else to cut the wood, even if he had quite a way to go?« (Passage – Interpunktion wie Nellmann). Gegen die Lösungen von Fink / Knorr und Unger spricht der Singular 390,7 *den walt* (es wären ja zwei Wälder gemeint); auch kann man 390,6 *der selbe* kaum anders als auf das unmittelbar vorhergehende 390,5 *etslîcher* beziehen. Gegen die Lösung Passages läßt sich sprachlich nichts einwenden, doch ist der Gedanke nicht sehr überzeugend.

390,22-25 *man* ⟨. . .⟩ *genomen*] Bittere Ironie: da Poidwiz keine Gelegenheit zum Kampf hatte, konnte er auch nicht verwundet werden.

390,27 *sô* ⟨. . .⟩ *halme*] Sprichwörtlich für »zu spät«, »vergebens« (denn wenn das Feld schon abgemäht ist, kann der Hagel keinen Schaden mehr anrichten). Vgl. DWb IV/2, Sp. 143; Singer, S. 113f.; Kühnemann, S. 93, Anm. 1.

390,30-391,2 *dâne* ⟨. . .⟩ *gevarn*] *sîn vane* ist zugleich Subjekt zu 390,30 *kunde geharren* und 392,4 *kom gevarn*. Vgl. Gärtner, apo koinou, S. 200ff.

391,5 *mit* ⟨. . .⟩ *gekrîet*] Paul, Willehalm, S. 324, hält die Wendung *mit strîte krîen* für »unangemessen, man würde sagen *in st. k.*«, und schlägt vor, mit der Mehrzahl der Handschriften *gecrîct:gesict* zu lesen (so Leitzmann [*gekriect:gesict*] und Schröder [*gekriget:gesiget*] – vgl. auch Schröder, Kritik, S. 13). Das Argument ist nicht zwingend.

391,7 *dâ* ⟨. . .⟩ *biunt*] *biunt* ist Terminus technicus für eine

»eingefriedete landwirtschaftliche Nutzungsfläche« (WMU I, S. 265). Gemeint sein wird also, daß keiner die Möglichkeit hatte, an einem abgezäunten, d. h. sicheren Ort Zuflucht zu suchen.

391,24 *nôtstal]* »ein starkes holzgestell, worin unbändige pferde (durch anfesselung der beine oder durch emporziehen des oberkörpers) zum stillstehen gezwungen werden, um sie beschlagen oder operieren zu können« (DWb VII, Sp. 952).

391,27 *hantveste]* Meistens »Urkunde«, hier wohl aber: »bestätigung einer erklärung durch eigenhändige namensunterschrift« (DWb IV/2, Sp. 387).

392,4f. *deheinen ⟨. . .⟩ künde]* Sicher kein »ernstgemeintes (also biographisch auswertbares) Angebot«, die Erzählung einem anderen anzuvertrauen, sondern »Spielart des Topos, andere könnten besser erzählen« (Nellmann, S. 162).

393,7 *die ⟨. . .⟩ teuten]* Wörtlich: »die zufolge des Kampfes mit dem Tode rangen«.

393,18f. *mit ⟨. . .⟩ müejen]* Ein schlimmer Sarkasmus: die vordem so erbittert kämpfenden Christen müssen sich gegen Poidjus nicht einsetzen – weil sie nämlich tot sind.

393,30-394,5 *dô ⟨. . .⟩ genuoc]* Anspielung auf die Kaiserkrönung Ottos IV. in Rom am 4. Oktober 1209. Vgl. S. 792f.; dazu Bumke, Willehalm, S. 182.

394,9f. *in ⟨. . .⟩ striten]* Die Konstruktion von *erbiten* mit (freiem) Dativ ist auffällig, dürfte jedoch möglich sein: »er glaubte denen, die vor ihm stritten, in ehrenvoller oder genügender weise eine frist zum kämpfen gegönnt zu haben und wollte nun überschauen, was sie in dieser zeit geleistet hätten« (Panzer, Willehalm, S. 238). Die übliche, von der Mehrzahl der Handschriften gebotene Genitivkonstruktion (*der* statt *den*) führt auf denselben Sinn: vgl. Kraus, Willehalm, S. 560.

394,13-19 *der ⟨. . .⟩ marke]* Die Metaphorik ist wohl so zu verstehen: Mit der groben Axt (*ackes*) wird der Baumstamm gefällt und roh zugehauen, mit dem feinen Zimmermannsbeil (*barte*) werden dann mit Hilfe einer Schnurmarkierung geradkantige Bretter, Balken etc. geschnitten. So tut Poidwiz im Kampf die grobe, Marlanz die feine Arbeit. Vgl. Kühnemann, S. 98.

395,1 *ab ⟨. . .⟩ pfellelmâlen]* Wörtlich: »von ihren teuren Seidenstoffen aus(gehend)«. Vgl. Wiessner, Richtungsconstructionen I, S. 493.

395,12-14 *der ⟨. . .⟩ punieren]* Der Zug, daß Margot im Kampf eine Stute reitet, stammt aus der Quelle; es handelt sich offenbar um ein stereotypes Moment der negativen Heidendarstellung in den Chansons de geste. Der kritische Kommentar geht auf Wolframs Konto. Inwieweit seine Behauptung, die Christen benutzten nur Hengste als Streitrosse, der zeitgenössischen Realität entspricht, ist nicht ganz klar, doch hat die Stelle nichts Scherzhaftes und man wird kaum annehmen, daß er seinem Publikum, das zu guten Teilen aus ritterlichen Fachleuten bestand, in dieser Beziehung Unsinn hätte zumuten können. Vgl. Lofmark, S. 73 mit Anm. 1; Bumke, Kultur I, S. 239.

395,17-24 *al ⟨. . .⟩ stehelîn]* Vgl. Komm. zu 35,13.

396,3 *schop]* Nach dem Kontext zu urteilen, muß das anscheinend nur hier belegte Wort soviel wie »das was schiebt« oder »schiebende Bewegung, Schub« bedeuten (und nicht etwa »was hineingestossen, geschoben wird« [Lexer II, Sp. 770]): gemeint ist entweder ein Gerät, das dem Keil den Schub versetzt (so die freie Übersetzung »Hammer«), oder der Schub als Bewegungsenergie (»nun kam der Keil in Bewegung«).

396,5 *mit ⟨. . .⟩ kraft]* »mit der Wucht eines in starken Anprall mündenden Anrennens«. Vgl. Zimmermann zu Pz. 349,16.

396,14f. *die ⟨. . .⟩ legen]* fortsetzung des Zimmermannvergleichs: die Helme der Christen werden durch die Keulenschläge verformt wie Walmdächer.

396,20f. *vil ⟨. . .⟩ sprâche]* Die Richtungskonstruktionen sind merkwürdig: die erste (*ûz manegen dônen*) beschreibt die Qualität des Schreiens (»in mancherlei Tonarten«), die zweite (*ûz maneger sprâche*) führt das näher aus und steht damit in einem Kausalitätsverhältnis zur ersten: »der klang der rufe war ein verschiedener, da die rufenden verschiedensprachigen völkern angehörten« (Wiessner, Richtungsconstructionen I, S. 543). Das nur in G überlieferte *schiere* durch das in anderen Handschriften überlieferte *krîe* zu ersetzen, besteht jedenfalls von der Konstruktion her kein Grund (vgl. aber Schanze, Verhältnis, S. 184).

396,22f. *nû* ‹. . .› *Terramêr]* Terramer braucht nicht mehr nach Aachen zu ziehen, um das römische Reich in Besitz zu nehmen (vgl. 340,4), da die maßgeblichen Reichsfürsten auf Alischanz versammelt sind.

397,1-5 *von* ‹. . .› *komen]* *walken* ist ein Terminus technicus der Stoffherstellung: es bezeichnet »das quetschen, schlagen und wälzen der wollenstoffe, um dadurch eine verfilzung des gewebes zu erreichen« (DWb XIII, Sp. 1246). Daher wird mit *huot* ein Filzhut gemeint sein (und nicht ein Helm, wie einige Übersetzer annehmen), und man wird 397,4f. etwa übersetzen: »wie könnten (die Fasern des Filzes) eines *Berhartshûser* Hutes stärker aufeinander gepreßt sein«. Welcher Ort gemeint ist, bleibt unklar: in Frage kommen soll in erster Linie Beratzhausen an der Laber (bei Regensburg), doch ist über eine Hutindustrie dort anscheinend nichts bekannt. Vgl. Schreiber, S. 81. – Kühnemann, S. 99, meint (einem Hinweis von Wolfgang Mohr folgend), der Vergleich schließe an die Zimmermannsmetaphorik der vorhergehenden Verse an: das Handwerk der Tuchwalker sei »weniger angesehen gewesen als der Zimmermannsberuf, und der Erzähler« wolle »die Exoten als ›Walkarbeiter unter den Kämpfern‹ ihrem Aussehen und ihrer Stellung nach entsprechend einstufen«.

397,6-8 *nû* ‹. . .› *erschal]* Ich fasse *sehs herzeichen* als gemeinsames Subjekt von *wart vernomen* und *erschal* auf. Anders Gärtner, apo koinou, S. 217f.

397,24 *gewit]* Eigentlich: »mit Weidengerten gebunden«, d. h. es wurden sozusagen Fesseln oder ein geflochtener Zaun aus Schwertern gewunden: so dicht fielen die Schwertschläge. Vgl. Singer, S. 114.

398,9 *von der drûch]* Die *drûch* ist eine Falle zum Fangen von Wölfen oder Füchsen: »the animal is attracted by bait to a concealed hole or cavity: as one or two of its feet slip into the hole, they are seized by means of a noose, or by a wooden or iron trap« (Dalby, S. 45). Die Wendung setzt offensichtlich die Einzwängungsmetaphorik von 397,22ff. fort: immer mehr zusammengeschnürt von dem Angriff, stießen die Christen ihre Rufe aus und fanden so zusammen. – Der so nur in G überlieferte Text ist anspruchsvoller als die von den Herausgebern gewählte Lesung *und der druc [. . .] den*, doch spricht für diese die Parallele 391,13 *Poidwîzes druc*. Das Argument ist indes umkehrbar: die Herausgeber-Lesart an unserer Stelle könnte sich einer Schreiber-Reminiszenz verdanken.

398,14f. *der ⟨. . .⟩ gans]* Die Bewegung der Kämpfermassen wogte in Angriff, Verteidigung und Gegenangriff langsam hin und her: vgl. 392,6ff. Etwas anders (und wohl zu phantasievoll) Kühnemann, S. 103, der *tokzen* mit »sich abmühen, sich mühsam von der Stelle bewegen« übersetzen will: »Wolfram denkt offenbar an einen Fluß, wo die Gans mit ihrem *tockezen* nicht weit von der Stelle kommt. Vergleichspunkt zum Kampf ist dann die ruckweise, stockende Schwimmbewegung, das Sich-hin-und-her-Bewegen, weil man gegen einen Widerstand gerät: ›Der Kampf geriet in ein stockendes Schwimmen, wie wenn eine Gans gegen die Strömung schwimmt‹.«

399,28 *sunder munt]* »besonderer (abgesonderter) Mund«, d. h. Sprecher einer Sprache, die die andern nicht verstehen.

399,30 *erge oder güete]* »Freundliches oder Feindliches« (Martin zu Pz. 142,15).

400,1-7 *ôwê ⟨. . .⟩ geslagen]* Indem die christlichen Kämpfer sich unter den Stichen und Schlägen der Feinde bewähren, erwerben sie als Minneritter die Gunst der Frauen und als Kreuzritter die ewige Seligkeit: die Prämien werden gewissermaßen auf sie gestochen und geschlagen. Vgl. Kühnemann, S. 118, Anm. 1.

400,12 *ir ⟨. . .⟩ erbiten]* »jetzt habt ihr den rechten Kampf abgewartet«.

400,18 *sleht ⟨. . .⟩ krumbes]* Die Übersetzung (mit Kartschoke, Unger, Passage, Gibbs / Johnson [S. 197]) geht aus von der Bedeutungsopposition: *sleht* »eben, glatt« – *krump* »uneben, faltig«. Um sie zu sichern, müßten Parallelen beigebracht werden. – Unklar Treder, S. 15, die erwägt, die Wendung »auf die Trommelrahmen« zu beziehen; ganz unwahrscheinlich San Marte II: »gestimmt und keins von falschem Schalle«.

400,28 *merwunder]* Eigentlich: »wunderbares wesen des meeres« (DWb VI, Sp. 1862). Der Terminus steht für exotisch-monströse Wesen aller Art (vor allem Mischwesen aus Mensch und Tier), ohne daß mit seinem Gebrauch immer eine bestimmte Vorstellung verbunden sein muß. Vgl. C. Lecouteux, *Le ›merwunder‹*, in: Etudes Germaniques 32 (1977), S. 1-11.

401,1 *nâch]* »gestaltet nach der Art von«.

401,8-11 *al 〈. . .〉 truogen]* Vgl. Komm. zu 16,10-14.

401,12 *si]* Die Zimiere.

401,13 *swâ 〈. . .〉 was]* Wörtlich: »wonach es (das Zimier) auch immer gebildet war«, »was immer es darstellte«.

401,19-23 *von 〈. . .〉 erlangen]* Als Erkennungszeichen im Kampfgedränge war das Banner für die Kämpfenden von lebenswichtiger Bedeutung. Es war daher bevorzugtes Ziel der Angreifer und mußte unter allen Umständen verteidigt werden. Vgl. Pütz, S. 120ff.

401,26-29 *Ector 〈. . .〉 rüefen]* Die Herausgeber ziehen 401,27 zum Vorhergehenden (Komma nach 401,26 *unervorht*, Punkt nach 401,27 *Salemîe*) und lesen 401,29 entweder mit HK(Ka) *begunden* (Lachmann, Leitzmann – »die Schreie ertönten mit dem Ruf ›Cordoba‹«) oder mit VW *begunder* (Schröder). Es besteht kein Grund, in dieser Weise vom gut bezeugten Text der Leithandschrift abzugehn.

402,10-16 *dâ 〈. . .〉 gegeben]* Der Tod hat das Recht (*pflihť*: vgl. Pretzel, S. 30), das Leben der Menschen als »Pfand« zu nehmen. Es wird ihnen am Ende der Welt zurückerstattet, wenn »alle Toten, Gerechte *und* Ungerechte, auferstehen« (LThK I, Sp. 1042).

402,17 *dâ 〈. . .〉 grâzen]* Wörtlich: »da war viel besonderes

Wüten«, kaum im Sinne von: »es gab viele wütende Einzelkämpfe« (Kartschoke nach Fink / Knorr [S. 219]; entsprechend Matthias, Passage, Gibbs / Johnson [S. 197]).

402,18-30 *swer ⟨. . .⟩ waere]* Die Erklärung des Erzählers, die Geschichte gerne abgeben zu wollen, ist wohl nur eines der für Wolfram charakteristischen »Spannungsmanöver« und kein »Beleg für eine größere« (etwa durch den Tod des Gönners veranlaßte) »Arbeitspause«, wie man in der Forschung wiederholt angenommen hat (Nellmann, S. 125 – zur Forschung dort Anm. 194; vgl. u. a. noch Kühnemann, S. 95, und Lofmark, S. 220ff.). – Leitzmann faßt die etwas unübersichtliche Gedankenfolge anders auf: Punkt statt Komma nach 402,21 *worten*, Komma statt Punkt nach 402,27 *werben*. Ich sehe nicht, was damit gewonnen wäre. – Zur Konstruktion von 402,18 vgl. Wiessner, Richtungsconstructionen II, S. 3. – Die Wendung 402,29 *dirre âventiure maere* meint wohl nicht »Erzählung von diesem Ereignis«, d. h. »von der entscheidenden schlacht gegen Terramer« (BMZ I, Sp. 68a), sondern »die Erzählung, welche in dieser Geschichte besteht«, »das vorliegende Werk«. Vgl. Schröder, maere, S. 282; dagegen Düwel, S. 114.

403,1-4 *Ei ⟨. . .⟩ jehe]* Wie im Eingang des Werks Willehalm als Heiliger, so wird hier zum Schluß hin Giburg als Heilige angerufen (vgl. S. 797f.). Unter Verwendung eines Gebetstopos gibt der Dichter seiner Hoffnung Ausdruck, ihre *saelde* – die Seligkeit, die ihr von Gott zuteil wurde und aus der heraus sie ihrerseits heilsvermittelnd für die Menschen wirken kann – möge ihm noch ihren Anblick im Jenseits erwirken, d. h. ihm zur ewigen Seligkeit verhelfen. Vgl. Heinzle, Beiträge, S. 425f.

403,4 *aldâ ⟨. . .⟩ jehe]* Wörtlich: »wo meine Seele sagen kann, es sei Ruhe« (vgl. Schmidt, S. 21).

403,5f. *durh ⟨. . .⟩ süezen]* Wörtlich: »um deines süßen« (= »heiligen«: vgl. Schröder, Gyburc, S. 49) »Ruhmes willen«; kann meinen: »um deinen süßen Ruhm zu befördern« (so die Übersetzung im Blick auf 2,26ff.) oder: »aufgrund deines süßen Ruhmes« (so wohl Schmidt, S. 21: »aus Verehrung für dich«).

403,6f. *vürbaz grüezen dich]* Wörtlich: »dich weiterhin grüßend nennen«, im Sinne von: »dich weiterhin preisen« (vgl. Titurel-Kommentar, S. 68) und damit auch: »weiter von dir erzählen«: der Dichter nimmt die »Abbruchsdrohung« am Ende des VIII. Buches zurück (Nellmann, S. 126f.).

403,12f. *daz 〈. . .〉 diet]* Vgl. 398,1ff.

403,16f. *und 〈. . .〉 rotumbes]* Wörtlich: »und daß derer tausend sein mußten, nämlich Tamburine«. Anders Schmidt, S. 30, der *der* als »abgeschwächte Form des adv. *dar*« verstehen will: »und daß da tausend sein mußten . . .«

403,20f. *als 〈. . .〉 lac]* Anspielung auf Pz. 566,11ff.: der Artusritter Gawan muß sich auf einem fahrbaren Bett bewähren, dem *Lît marvâle / marveile* (frz. *Lit* [*de la*] *Mervoille* »Bett des Wunders«), das mit rasender Geschwindigkeit durch einen Raum der Burg Schastel marvale (marveile) saust und dabei so heftig an die Wände prallt, daß das ganze Gebäude erdröhnt.

404,1 *diu 〈. . .〉 diu]* Auf 404,5 *manec sunder storje* vorausbezogen. Vgl. Paul, Parzival, S. 65; dagegen (nicht überzeugend) Schmidt, S. 37f.

404,7 *braehte]* Konjunktiv (»brächte«), da die Modalität des Temporalsatzes »prospektiv-futurisch« ist (PMS, S. 456).

404,9-11 *dô 〈. . .〉 überdecket]* Schmiede-Metapher wie 77,12f.: die (bei ihrer Taufe ins Taufwasser eingetauchten: vgl. Komm. zu 48,19) Christen sind Ambosse, auf die die Heiden einhämmern. Vgl. Schmidt, S. 43.

404,23 *vierzehen naht]* »fristbestimmungen wurden früher nach *nächten*, nicht nach *tagen* gerechnet« (DWb VII, Sp. 156).

405,7f. *daz 〈. . .〉 reit]* Konstruktionsmischung: die pluralische Wendung: *die sehs vanen* lenkt in eine singularische ein, die wie eine Apposition ansetzt: *ieslîcher* (*vane*) *reit.* Vgl. Behaghel III, S. 426.

405,16 *werte]* Anders Schmidt, S. 59, der *werte* nicht zu *wern* »wehren«, sondern zu *wern* »währen« stellt: »dauerte aus, hielt durch«.

405,19 *ir 〈. . .〉 gemeine]* Wörtlich: »ihre Schlachtrufe waren gemeinsam«. Gemeint ist sicher, »daß die versprengten

Christen den Schlachtruf jener Truppe annahmen, zu der sie zufällig gestoßen waren«, nicht »daß die einzelnen Treffen (oder die einzelnen Angehörigen eines Treffens) noch nicht außer Hörweite versprengt wurden« (Knapp, Rennewart, S. 252, Anm. 22).

405,22 *die endelôsen êre]* Die ewige Seligkeit ist gemeint.

405,24f. *anderstunt 〈...〉 bluote]* »Hinweis auf die 1. Alischanzschlacht, in der auf Willehalms Seite vornehmlich Angehörige der Heimrichsippe gekämpft hatten« (Schmidt, S. 64), oder auf die Bluttaufe der Märtyrer: diese werden in dem Blut, das sie vergießen, wie in einer »zweiten Taufe« (*aliud baptisma*) von ihren Sünden gereinigt. Der theologisch-terminologische Charakter der Rede von der »zweiten Taufe« macht die zweite Annahme wahrscheinlich. Daß »kein engeres Mitglied der Heimrichsippe in der 2. Alischanzschlacht fällt« (Schmidt, S. 64), spricht nicht gegen sie: so wird etwa auch der von Halzebier getötete Hunas (419,6f.) ausdrücklich zu *Willehalms geslehte* (418,12) gezählt. Vgl. Heinzle, Beiträge, S. 427f.

406,3 *sîne schilde]* D. h. Schilde mit seinem Wappen. Vgl. Rosenau, S. 136.

406,7 *kasagân]* Wohl aus Afrz. *casigan*, im Mhd. anscheinend nur hier und 407,6 belegt: eine leichte Form der Rüstung im Unterschied zum schweren Kettenpanzer. Vgl. Schultz II, S. 39; Vorderstemann, S. 135f.; Schmidt, S. 69 (zum Genus: Neutrum!).

406,12 *kollier]* Aus afrz. *coler / collier*, unter dem Panzerhemd zu tragender Halsschutz: »eine dicke und feste Halsbinde oder ein weit herabreichender Kragen, der mit Knöpfen an der Kehle geschlossen war« (Schultz II, S. 39). 422,19 wird ein *kollier* aus Palmatseide genannt: »Die Seide eignet sich für derlei unter der Rüstung zu tragende Kleidung, denn sie ist leicht, elastisch und reißfest und hat eine große Absorptionsfähigeit« (Zijlstra-Zweens, S. 279). Vgl. Vorderstemann, S. 145ff.

406,14 *der 〈...〉 gienc]* Der Rock war vorne und hinten (nicht, wie Schmidt, S. 71f., vermutet, an den Seiten) geschlitzt: vgl. Komm. zu 79,3. – Ganz anders (sicher falsch) Martin zu Pz. 207,22, der meint, der Schlitz gehe »vom Hals aus über die Brust«.

406,17 *vor ⟨. . .⟩ segen]* Vgl. RL 3332f.: *daz cruce tet er fur sich, | zerucke unt ze siten* »das Kreuz brachte er vorne, hinten und an den Seiten an«; dazu Heinzle, Beiträge, S. 428.

406,20-407,4 *ein ⟨. . .⟩ erleit]* Das Kreuz auf Heimrichs Waffenrock hat die Form eines *T*. Dieses Zeichen entspricht nach gängiger Auslegung von Exodus 12 der Markierung, die die Israeliten auf Befehl des Herrn an ihren Haustüren anbrachten, um vor seiner Rache an den Ägyptern verschont zu bleiben: *decima die mensis huius | tollat unusquisque agnum [. . .] et sument de sanguine ac ponent super utrum postem | et in superliminaribus domorum [. . .] et transibo per terram Aegypti nocte illa | percutiamque omne primogenitum in terra Aegypti [. . .] erit autem sanguis vobis insignum in aedibus in quibus eritis | et videbo sanguinem ac transibo vos* »am zehnten Tag dieses Monats nehme ein jeder ein Lamm [. . .] und sie sollen von dem Blut [des geschlachteten Lammes] nehmen und es an die beiden Türpfosten und an die oberen Türbalken der Häuser streichen [. . .] und ich werde in jener Nacht durch Ägypten gehen und alle Erstgeburt in Ägypten erschlagen [. . .] das Blut aber soll euer Zeichen sein in den Häusern, in denen ihr sein werdet [. . .] und ich werde es sehen und an euch vorübergehen« (Exodus 12,3-13). Die Deutung des Blutzeichens als *T* geht aus von Ezechiel 9,4: *transi per mediam civitatem in medio Hierusalem | et signa thau super frontes virorum gementium et dolentium* »geh durch die Stadt Jerusalem und zeichne mit einem ›Tau‹ die Stirn der Männer, die seufzen und jammern«. Mit diesem *Tau* ist der gleichnamige griechische Buchstabe gemeint, der nach Lautgeltung und Form dem lateinischen *T* entspricht (eine falsche Übersetzung: im hebräischen Original steht *Tav*, was zugleich »Buchstabe T« und – wie hier gemeint – »Beglaubigungszeichen« heißt: vgl. LThK IX, Sp. 1306). Dieses alttestamentliche *Signum Tau* gilt in der Bibelauslegung traditionell als Präfiguration des Kreuzes Christi. – Die Verse 406,29ff. müssen wohl so verstanden werden, daß Wolfram betont, Christus sei, aller späteren bildlichen Darstellungen des vierendigen Kreuzes ungeachtet, an einem *T*-Kreuz gestorben (vgl. Kilian, S. 48ff.). Die polemisch klingende Äußerung läßt sich auf einen zeitgenössischen theologischen Diskurs beziehen, in dem es darum ging, die auch im Mittelalter herrschende Vorstellung vom Kreuz mit vier Enden (Balken) gegen die vom *T*-Kreuz abzugleichen. Wie das »gewöhnliche« Kreuz verweist also im vorliegenden Zusammenhang das dreiarmige auf die Passion und ist somit Kreuzzugszeichen, wobei der Bezug zu Exodus 12 dem Geschehen auf Alischanz eine zusätzliche religiöse Dimension gibt: die Christen stehen in der Rolle der Israeliten, die Heiden in der der Ägypter, die die Rache des Herrn trifft. Spekulationen über eine darüber hinausgehende besondere Bedeutung des *Signum Tau* erübrigen sich (so erwägt Kartschoke eine Beziehung zum Krankenpflege-Orden [!] der Antoniter, die das *T*-Kreuz auf dem Gewand führen, und hält Kolb das Kreuz mit den drei Enden für das Abzeichen der *familiares* des Deutschritterordens: ein halbes [!] Kreuz). – Vgl. Happ, S. 220ff.; Kartschoke, Signum Tau; Kilian, S. 42ff.; Passage, S. 273ff.; Kolb, Kreuz.

407,10-13 *iuwer* ⟨...⟩ *beruofen*] »wie der Häher im Wald jeden durch sein Schreien verrät und meldet, so wurde auch der machtvoll kämpfende Heimrich durch Warnrufe gemeldet« (Kartschoke, S. 309).

407,26f. *in* ⟨...⟩ *verstricket*] Eine geläufige Redensart dafür, daß einer das Übergewicht über den andern hat. Vgl. DWb VIII, S. 1611; Singer, S. 117.

408,4-7 *mit* ⟨...⟩ *nasebant*] Heimrich trägt einen altertümlichen Helm: einen Eisenhut, von dessen Stirnband in der Mitte senkrecht ein Eisenstreifen herabläuft, der die Nase bedeckt (*nasebant*). Diese Helmform wird abgehoben gegen eine modernere Ausstattung, bei der das Gesicht besser geschützt ist: mit der *vintâle* (aus afrz. *ventaille*), einem am *hersenier* (vgl. Komm. zu 127,27) befestigten oder als zipfelartige Verlängerung aus ihm hervorgehenden Streifen aus Panzerringen, der über die Kinn- und Mundpartie gezogen wird;

und mit der *barbier* (aus afrz. *barbiere*), einer plattenartigen Verbreiterung des Nasenbands mit Augen- und Atemlöchern, die über die Wangenpartie oder das gesamte Gesicht geht. Vgl. Schultz II, S. 51ff., 61f., 64f.; Siebel, S. 98ff. und 169ff.; Doubek, S. 314ff., 320ff.; Vorderstemann, S. 50ff. und 345f.; Bumke, Kultur I, S. 214f. – Das Pronomen *ez* 408,6 hat keinen grammatischen Bezug; es ist sinngemäß auf die Ortsbestimmung *undern ougen* zu beziehen, »d. h. die untere Gesichtshälfte« (Schmidt, S. 89).

408,11 *sînen ⟨...⟩ gehielten]* Eine ungewöhnliche Ausdrucksweise, deren Bedeutung nicht ganz klar ist: »seinem Ansturm standhielten« oder: »seinen Ansturm aufhielten«? Vgl. Heinzle, Beiträge, S. 428.

408,17 *mit ⟨...⟩ hurte]* »mit einem mit Sporen vorangetriebenen Ansturm«: das zweite *mit* ist erspart. Vgl. Martin zu Pz. 174,2.

408,20 *vil, des]* Eigentlich wohl: *vil des, daz* »viel von dem, das«. Vgl. PMS, S. 424; etwas anders Schmidt, S. 93.

408,22 *holt]* Möglich auch Präsens: »holt er da Ruhm«.

408,28 *der von Narbôn]* Zugleich Subjekt von 408,24 *rach* und 408,27 *truoc*. Vgl. Gärtner, apo koinou, S. 202f.

408,30f. *ob ⟨...⟩ klagen]* Der Sinn dieser Äußerung ist nicht recht klar. Sicher ist sie ironisch gemeint, und man möchte mit Nellmann, S. 152, annehmen, es gehe dem höfischen Erzähler darum zu vermeiden, seine Genugtuung über den Tod des Heiden direkt zu äußern (anders Kühnemann, S. 127, der meint, der Erzähler verhöhne den Toten). Doch trifft die Ironie in den folgenden Versen auch die Christen. So scheint nur, wenig befriedigend, der Verweis auf Wolframs vielberufenen »Humor« übrigzubleiben. Vgl. Schmidt, S. 96f. (dazu noch Bertau, Literaturgeschichte, S. 105, der die Wendung als ernstgemeinten Ausdruck für »die neue menschliche Identifikation über die Grenzen der Glaubenssippen hinweg« interpretiert [vgl. auch S. 113]).

409,18 *vlokzende]* Eigentlich: »sich unter Zittern bewegend« (vgl. Lexer III, Sp. 412), hier – wie aus dem folgenden hervorgeht – offenbar zugleich auf die flugartige Bewegung des Ritters und auf die durch diese Bewegung bewirkten changierenden »Lichteffekte« (Schmidt, S. 103) der funkelnden Rüstungsstücke bezogen (vgl. 398,13).

409,20 *ûf 〈...〉 barke]* *barke* steht hier wohl unspezifisch für »Schiff« (vgl. Komm. zu 22,6). Schwietering, Zimier, S. 293, weist darauf hin, daß Vergils Aeneis »als einziges Helmtier die feuerschnaubende Chimära auf dem Helm des Turnus« kennt und daß *chimaera* in der Aeneis auch Schiffsname ist: »Daraus würde sich erklären, warum Wolfram im ›Willehalm‹ als einziges einem bestimmten Helden zugeschriebenes Zimier eine *barke* nennt und daß sich beim Heranreiten seines Trägers assoziativ das Bild der drachenartigen Chimära einstellt« (vgl. auch Engelen, S. 153). Näher liegt die Annahme Singers (S. 118), daß sich die *barke* schlicht dem bequemen Reim auf *Tananarke* verdankt.

409,30 *ob und unde]* Im Sinne von »überall«, d. h. »ringsum« (San Marte II)?

410,3 *er 〈...〉 im]* Kliboris dem Bernart.

410,14 *ir sunder strîten]* »eines jeden Kampf für sich« (Martin zu Pz. 694,22).

410,15 *bescheidenlîchen]* Möglich auch: »nach Gebühr«, »angemessen« (Nellmann, Prolog, S. 405).

410,16 *bekennen]* Möglich auch: »bekannt machen«, »berichten von« (so die Übersetzer).

410,20 *ez]* Wohl »auf den gesamten Vorgang des Schwerthiebes zu beziehen« (Schmidt, S. 112).

410,21 *dublîn]* Wörtlich: »wäre das Kettenhemd nicht doppelt gewesen«. Gemeint ist wohl, daß das Kettenhemd aus einer doppelten Schicht von Ringen bestand, kaum (aber nicht auszuschließen) daß Bernart zwei Kettenhemden übereinander trug (wie Terramer nach 356,7ff. *haberjoel* und *halsberc*). Vgl. zum Wort *dublîn* (aus afrz. *doble / doblain* »doppelt, gefüttert«) Vorderstemann, S. 76f.; zur Sache Schultz II, S. 43f. und 45f., und Siebel, S. 60ff.

410,25-27 *Prezjôsen 〈...〉 Runzevâl]* Der König ist Baligan (vgl. Komm. zu 108,12-15). Sein Schwert *Preciosa* (RL) / *Preciuse* (CR) spielt eine wichtige Rolle in seinem Kampf gegen Karl. Dieser findet nach dem Bericht des Rolandslieds (der Chanson de Roland) jedoch nicht in Roncesvals statt, und es wird auch nicht gesagt, daß das Schwert von den Franken erbeutet wurde. Vgl. auch Komm. zu 221,11-19 und 441,4-7.

411,2 *des]* Kausal aufgefaßt: »daher konnte Haropines Sohn erschlagen werden«, d. h. aufgrund der Tatsache, daß Bernart das vorzügliche Schwert besaß. Doch ist wohl auch instrumentale Auffassung möglich: »damit«, d. h. mit dem Schwert (so die Übersetzer). Vgl. auch Schmidt, S. 116.

411,18f. *vünf ⟨. . .⟩ gesellen]* Konstruktionsmischung aus partitivem Genitiv und attributiver Fügung wie 66,27: *vünf rîter kurtois, Franzoise* (»fünf höfische Ritter, Franzosen«) + *vünf sîner gesellen* (»fünf von seinen Kameraden«), kaum: *vünf rîter kurtois + vünf Franzoise sîner gesellen* (Schmidt, S. 124). Vgl. Behaghel I, S. 495.

412,3 *tjostiure]* Synonym zu *tjoste* (ohne Entsprechung im Afrz.), bei Wolfram nur hier, sonst gut belegt. Vgl. Hugo Suolahti, *Der französische Einfluß auf die deutsche Sprache im 13. Jahrhundert*, in: Mémoires de la Société néo-philologique de Helsingfors 8 (1929), S. 1-310, hier S. 114.

412,24 *tehtier]* Aus afrz. *testier*, der eiserne Kopfpanzer des Pferdes. Vgl. Schultz II, S. 103; Vorderstemann, S. 310f.

412,25 *houbetstüedel]* Offenbar eine unter dem Kopfpanzer angebrachte Vorrichtung zur Befestigung des Zaums. Vgl. Schultz I, S. 499, Anm. 7; zum Wort DWb X/4, Sp. 257f. (258).

413,2 *waz ⟨. . .⟩ spranc]* Die Schwerter schlagen Funken aus den Helmen: eine traditionelle, auch von Wolfram gern verwendete Formel in Kampfschilderungen. Vgl. Titurel-Kommentar, S. 5.

414,5f. *von ⟨. . .⟩ fîâz]* Wörtlich: »wegen seines ungehörigen Benehmens erhob sich vor ihm ein Pfui(-Geschrei)«.

414,25 *sentîne]* Aus afrz. *sentine*, ursprünglich das (von außen eindringende) Wasser am Schiffsboden, dann – wie hier – der Raum, wo dieses Wasser sich sammelt, die tiefste Stelle im Schiffsinnern. Vgl. Vorderstemann, S. 292f.

415,4-6 *dâ ⟨. . .⟩ reichte]* Die Beiboote scheinen als eine Art schwimmende Brücken die großen Seeschiffe mit dem Strand zu verbinden. Vgl. Meißner, S. 259.

415,16-19 *manec ⟨. . .⟩ mer]* Die Würfelmetapher erweist sich als überraschend konkret: »Rennewart läßt die Heiden über Bord purzeln wie Spielwürfel aus dem Becher« (Schmidt, S. 159). Vgl. Kühnemann, S. 139f.

415,27-29 *Gibelîn ⟨. . .⟩ Samsôn]* Komplette Liste der acht Gefangenen 416,9ff.

415,30 *ir ⟨. . .⟩ lôn]* Wofür die Wächter belohnt werden, ist schleierhaft. Vgl. Schmidt, S. 163f.

416,6 *durh die barken]* Kaum: »vermittels des Beibootes«. Vgl. Heinzle, Beiträge, S. 428.

416,9-12 *Bertram ⟨. . .⟩ Gibelîn]* Vgl. Komm. zu 47,3-6.

416,15 *lieht]* Wohl: »Augenlicht« (dazu DWb VI, Sp. 872), kaum: »Lebenslicht« (dazu Wilhelm Wackernagel, *Das Lebenslicht*, ZfdA 6 [1848], S. 280-284, hier S. 283; DWb VI, Sp. 875;): für die Sterbenden wird es am hellichten Tag dunkel. Vgl. Kühnemann, S. 140; Schleusener-Eichholz, S. 160, Anm. 191, und 359, Anm. 18.

417,6 *die ⟨. . .⟩ blôzen]* Neben den gepanzerten Rittern kämpfte im Heidenheer die leichte Reiterei der ungepanzerten. Vgl. Komm. zu 20,13f.

417,22-26 *lantgrâve ⟨. . .⟩ bezîte]* Der Preis Landgraf Hermanns I. von Thüringen, Wolframs Gönner (vgl. Komm. zu 3,8), meint wohl den verstorbenen, nicht den lebenden Fürsten. Das bedeutet, daß Wolfram noch nach dem 25.4.1217, Hermanns Todestag, am Wh. gearbeitet hat: das entscheidende Indiz für die Datierung des Werks (s. S. 792). – Die Verse 417,23-25 sind nicht ganz klar. Die Übersetzung orientiert sich an der Erklärung von Kraus, Willehalm, S. 560: »›bei jeder gelegenheit, wo leute aus dem stande der *gernden* rechtzeitig sich meldeten, verstand er sich von jeher trefflich aufs schenken selbst bei so grossem ansturm‹ (wie damals in der schlacht, wo Rennewart nicht weniger als acht leute mit rossen beteilen mußte). *Strît* ist hier wortspielend in doppelter bedeutung gefasst, mit bezug auf die acht fürsten in seinem ursprünglichen sinne, mit bezug auf die *gernden* in übertragenem.« – Vgl. zu der viel erörterten Stelle Schmidt, S. 176ff., und die dort zitierte Literatur (dazu u. a. noch Bertau, Versuch, S. 147, der 417,24f. ganz anders übersetzt: »Solange er lebte, war er dazu immer in der Lage – bei so viel Krieg im Lande!«).

417,28 *striten]* Präteritum: *striten* mit Paul (bei Leitzmann, App.); möglich aber auch Präsens: *strîten* (Lachmann).

418,15 *ir* ⟨. . .⟩ *soldier]* Von den acht ehemals gefangenen Fürsten ist Bertram von Brubant als Enkel Heimrichs von Narbonne ein Vetter Alizes. Wie die andern sieben mit ihr verwandt sind, wird nicht gesagt. Man wird annehmen müssen, daß der Terminus *niftel* hier (wie häufig im Mhd.) allgemein im Sinne von »nahe Verwandte« steht.

419,27 *ûz sehs heren]* Vgl. 341,4ff.

420,2 *temperîe]* »Mischung«, »Gemengsel«, zu lat. *temperare* »mischen«. Vgl. Vorderstemann, S. 311f.

420,3 *als* ⟨. . .⟩ *nennen]* Wörtlich: »(entsprechend dem,) was wir Mischung nennen« (*gemischet* ist wohl Partizip in substantivischer Funktion, kaum Kurzform des Adjektivabstraktums *gemischede* [Lexer I, Sp. 846]: vgl. Martin zu Pz. 489,19; Behaghel II, S. 425).

420,22f. *ez* ⟨. . .⟩ *Lignmaredi]* Offenbar eine Vorausdeutung auf den weiteren (von Wolfram nicht mehr ausgeführten) Verlauf der Rennewart-Handlung: Rennewart wird ein Pferd namens Lignmaredi bekommen. Dazu paßt, daß in Al. Rainouart nach der Schlacht bei seinem Ritterschlag ein Pferd mit Namen Li Margaris erhält (8034). – Ganz unwahrscheinlich dagegen die Deutung Mergells, Quellen, S. 86f., der 420,22 *sider* »auf die Vergangenheit« beziehen will: »Wolfram spielt hier auf eine im einzelnen nicht ausgeführte Kampfszene an, die aber aus der vorhergehenden Entwicklung mit Leichtigkeit erschlossen werden kann: Mit den anderen Rossen hatte Rennewart, der unmittelbar nach dem *schêtîs* genannt war (413,11ff. 416,27ff.), auch das herrenlose Roß des Poydwiz gewonnen, das ihm im Schlachtgetümmel wieder entlaufen ist und dem König Oukin den Tod seines

Sohnes anzeigt (420,24ff.).« – Vgl. zur Diskussion über die Stelle Schmidt, S. 207f., und Wiesmann-Wiedemann, S. 201ff.; ferner Komm. zu 420,29-421,1.

420,28 *vreuden vlîz]* Wörtlich: »Fleiß der Freuden«; *vlîz* steht zur verstärkenden Umschreibung (etwas anders 125,27 und 386,13: vgl. Komm. zu 125,24-27). Vgl. Zimmermann zu Pz. 344,16f.

420,29-421,1 *hie 〈. . .〉 Agremuntîn]* Zur Verbindung des Pferds mit dem Feuerberg Agremuntin (vgl. Komm. zu 349,13) könnte Wolfram der ähnlich klingende Herkunftsname des Pferdes Margaris in Al. (vgl. Komm. zu 420,22f.) veranlaßt haben: *Arcage* (8035). So mag eine Pz.-Reminiszenz zustandegekommen sein: vielleicht hat Wolfram sich vorgestellt, Poidwiz habe sein Pferd im Kampf gegen die Feuer-Ritter erbeutet, denen man nach Pz. 496,9ff. am Agremuntin begegnen konnte. Vgl. Singer, S. 120; Heinzle, Beiträge, S. 429.

421,3 *sol 〈. . .〉 gesehen]* Oder: »soll ich dich niemals wiedersehn?« Vgl. Behaghel II, S. 91; PMS, S. 411f.; Schmidt, S. 211.

421,20f. *der 〈. . .〉 klagen]* »Willehalm ›tröstet‹ Oukîn [. . .], indem er ihn totschlägt« (Kühnemann, S. 134).

421,30 *mit starker kraft]* Oder ist die Körperkraft des Schmiedes gemeint (»mit Sachverstand und Körperkraft war seine Rüstung geschmiedet«)?

422,16f. *dâ 〈. . .〉 stricke]* Der Riemen (*snuor*), der den Helm befestigt, ist unter dem Kinn geknüpft (vgl. Komm. zu 3,19). Dort, am Hals, ist auch der Schild mit dem *schiltvezzel* befestigt (vgl. Komm. zu 60,4f.). Die Stelle ist bevorzugtes Ziel für Lanzenstoß und Schwerthieb, die offenbar auf die *helmsnuor* gehen, »die, wenn richtig getroffen, zerreißt und den Helm so lockert, daß er entweder nach vorn rückt, so daß der kämpfende Ritter nicht sehen kann, oder überhaupt zu Boden fällt« (Doubek, S. 352). – Zur Konstruktion von 422,17 (»bei der Verknotung der Schnüre [der Schnur] des Helms«) vgl. Martin zu Pz. 14,30.

422,19 *von 〈. . .〉 kollier]* Vgl. Komm. zu 406,12.

422,21 *daz*] Wohl (wie auch 422,23 *ez*) auf 422,20 *hersenier* zu beziehen. Vgl. Heinzle, Beiträge, S. 429.

423,14 *dâ si striten*] Wörtlich: »wo sie kämpften«, gemeint entweder: »wo sie selber kämpften«, »wo sie kämpfen konnten« (so die Übersetzung mit San Marte II) oder: »wo die andern schon kämpften«, »wo man kämpfte« (so Unger).

425,16 *si* 〈. . .〉 *gestriten*] D. h. der Kampf der Christen beginnt jetzt erst richtig. Etwas anders Kühnemann, S. 43; vgl. Komm. zu 26,2f.

425,29 *daz* 〈. . .〉 *zûne*] »Wolfram meint das Gras, das von der Sichel oder dem Weidevieh verschont geblieben ist« (Mohr, S. 339*).

425,30 *neitûne*] Wolframs Beschreibung der Rüstung des Purrel aus dem Fell der exotischen *wurme* (d. h. Schlangen oder Drachen) *neitûne* und *muntunzel* (426,11) dürfte auf seine Vorlage zurückgehen. Die erhaltenen Fassungen von Al. lassen deren Wortlaut indes nur noch ahnen: da trägt Borrel (v. 5997) ein Gewand aus der Haut *d'un grant luiton* (Variante: *noitu*) und (v. 5999) einen Helm *de cuir de luitonel* (Varianten: *de cuir de noitumel*, *dun coer dun lioncel*). Das Wort *luiton* bedeutet »Kobold«, »Wassermann«, »Seeungeheuer«, vielleicht »Seehund«. Die Varianten *noitu* und *noitumel* (Verkleinerungsform) gehören zu einer Parallelbildung zu *luiton*, als deren Normalform *nuiton* angesetzt wird, die aber u. a. auch in der Form *neitun* belegt ist: das ist offenbar Wolframs *neitûne*. Unklar ist hingegen, was hinter *muntunzel* steht: mehr als den Schluß des Wortes: *-oncel* gibt die Überlieferung von Al. nicht her (Vorderstemann vermutet *montoncel* »kleiner Widder«, die belegte Variante *lioncel* bedeutet »kleiner Löwe«). Wie Wolfram darauf gekommen ist, die Tiere als *wurme* aufzufassen (dachte er an den Seehund?), und woher er die Details der Beschreibung hat, muß offenbleiben. Doch kann man sagen, daß er sich mit seinen Angaben jedenfalls typusmäßig im Rahmen gängiger Vorstellungen bewegt. Vgl. Bacon, S. 29; Mergell, Quellen, S. 88; Jürgen Vorderstemann, *neitûn und muntunzel*, in: *Kritische Bewahrung. Festschrift für Werner Schröder zum 60. Geburtstag*, hg. von Ernst-Joachim Schmidt, Berlin 1974, S. 328-334; Marjatta Wis, *Das Nibelungenlied und Aliscans*, in: Neuphilologische Mitteilungen 86 (1985), S. 4-14.

426,7 *der ⟨. . .⟩ bî]* Wörtlich: »der aus der Schar heraus an die Feinde kam«.

426,8 *achmardî]* Ein »grüner, golddurchwirkter Seidenstoff« (Vorderstemann, S. 25). Vgl. auch Kunitzsch, Arabica, S. 24.

426,11 *muntunzel]* Vgl. Komm. zu 425,30.

426,16-18 *reht ⟨. . .⟩ hâr]* Daß das Spektrum des Regenbogens auf vier Farben aufbaut, ist eine im Mittelalter verbreitete Vorstellung. Sie hängt mit der Lehre von den vier Elementen zusammen (vgl. Komm. zu 2,5): *so der hizege tŏm von der erde sich in den luft gewillet, unze daz ez zů dem gewolkene wirdet, so ergat ez vil dicke daz die sunne twerhez dar an schinet, so verwet sich der wolken alse balde nach den vier elementis. die gruͤne varue het er von dem wassere, die blawe von dem lufte, die rote von dem fúre, die purperine von der erde* »wenn der heiße Dunst von der Erde sich in die Luft mischt, bis er zu Gewölk wird, so geschieht es oft, daß die Sonne schräg darauf scheint, so färbt sich die Wolke alsbald entsprechend den vier Elementen. Die grüne Farbe hat sie vom Wasser, die blaue von der Luft, die rote vom Feuer, die purpurne von der Erde« (*Lucidarius*, hg. von Felix Heidlauf [Deutsche Texte des Mittelalters, 28], Berlin 1915, S. 27,15ff.).

426,30 *der ⟨. . .⟩ hât]* Man nimmt an, daß Wolfram hier auf den Nürnberger Stadtteil Sand anspielt, wo sich die Werkstätten »der weitberühmten Nürnberger Harnischpolierer und Waffenschmiede« (Schreiber, S. 87) befunden haben sollen. Es läge also ein Überbietungstopos vor: »selbst die berühmten Nürnberger Waffenschmiede hätten eine Rüstung wie diejenige Purrels nicht verfertigen können«. Vgl. Schreiber, S. 86ff. – *der* ist wohl auf *sarwât* zu beziehen, nicht auf *liute* (so Fink / Knorr [S. 232], Unger und W.J. Schröder).

427,17-19 *dienten ⟨. . .⟩ gepflihtet]* Eine schwierige Stelle. Drei Möglichkeiten scheinen diskutabel: (1) »wenn sie um

Liebe dienten, hätte ich auf ihren Gewinn da schwerlich Ansprüche geltend machen können«, d. h. »ich bin kein erfolgreicher Minneritter« (in diesem Sinn die Übersetzung); (2) »wenn sie um Liebe dienten, hätte ich zu ihrem Gewinn da schwerlich beigetragen«, d. h. »ich hätte ihnen als Gegner durch überlegenes Kämpfen / durch Feigheit keine Gelegenheit gegeben sich auszuzeichnen« (in diesem Sinne anscheinend Mohr, S. 343*); (3) »wenn sie um Liebe dienten, hätte ich zu ihrem Gewinn auf unsanfte Weise beigetragen«, d. h. »ich hätte ihnen als Gegner durch hartes Kämpfen Gelegenheit gegeben sich auszuzeichnen« (in diesem Sinne Fink / Knorr [S. 232] und Unger).

427,26f. *diu 〈. . .〉 legen]* Wörtlich wohl: »die Einsätze (das, was man dem Gegner für den Fall seines Sieges bietet) in solchem Würfelspiel konnte er gut einstreichen (wenn er gewonnen hatte) und hinlegen (vor dem Spiel anbietend auf den Tisch legen)«; möglicherweise kann *gebot* hier aber auch die einzelnen Würfe selbst bedeuten, »die ja dem gegner immer erneut das spiel (oder *den strît*) bieten, wie schon der erste einsatz selber zugleich ein *spil* oder *strît bieten* ist, eine ausforderung« (DWb IV/1/1, Sp. 1803). In jedem Fall ist gemeint: »er konnte Schläge austeilen und einstecken« (vgl. 428,12). Vgl. auch Paul, Willehalm, S. 337; Kühnemann, S. 142f.

428,4f. *arem mannes 〈. . .〉 arme rîter]* Die viel besprochene »bittere« Äußerung verdankt sich wohl weniger einer (biographisch motivierten) Neigung Wolframs zu »handfester Sozialkritik« (Kühnemann, S. 148) als dem Interesse des Erzählers an der »Wahrhaftigkeit der Geschichte« (Nellmann, S. 70). Vgl. u. a. noch Mohr, Ritter, S. 352*; Bertau, Literatur, S. 1165; Bertau, Versuch, S. 155f.; zu den Termini *arem man* und *arme rîter* Komm. zu 72,4.

428,9 *der 〈. . .〉 nam]* Wörtlich: »der Baligans Tochter (zur Frau) genommen hatte«.

428,17f. *daz 〈. . .〉 war]* Palprimes' »ausrüstung lenkt den blick auf sich, weil sie sich durch ihre pracht von der ausrüstung der umgebenden scharen abhebt« (Wiessner, Richtungsconstructionen I, S. 517).

429,8 *man* ⟨. . .⟩ *spürn*] »deutlich ist die Spur von Rennewarts verheerendem Wirken unter den Heiden wahrzunehmen« (Schmidt, S. 275).

430,11f. *mit* ⟨. . .⟩ *gereit*] Wörtlich: »mit der Faust kämpfte da Rennewart, was ihm auch an Purrels Heer(esmacht) entgegenritt«.

430,28 *er* ⟨. . .⟩ *hant*] Vgl. Komm. zu 90,25.

431,8 *si* ⟨. . .⟩ *vliegen*] Der *gêr*, der Wurfspieß, wird als die gemeine (althergebrachte) Waffe, die die Menge der heidnischen Kämpfer benutzt, vom *sper*, der Stoßlanze, als der vornehmen (modernen) Ritterwaffe unterschieden, die nur die Minneritter führen (431,13ff.). Vgl. Schwietering, Speer, S. 94ff.

431,9 *mit* ⟨. . .⟩ *geschôze*] Pfeile, Steine?

431,19f. *dem* ⟨. . .⟩ *sinne*] Wörtlich: »dem der Sinn seiner Freude auch auf Liebe gerichtet war«, d. h. »dessen Freude sich in der Liebe verwirklichen wollte«.

432,6 *neve*] Sinagun ist Ururenkel, die Söhne Purrels sind Urenkel der Eltern Kanabeus' und Baligans (Sinagun über den Urgroßvater Kanabeus, dessen Tochter und deren Tochter; die Söhne Purrels über den Großvater Baligan und dessen Tochter). Vgl. Bernhardt, S. 44; Komm. zu 294,23f.

432,10 *ûf* ⟨. . .⟩ *trachenvar*] Vgl. 368,21ff.

432,16 *admirâtes*] Singular *admirât*, aus arabisch *al-amīr* »Befehlshaber«, im Rolandslied Titel Baligans, von Wolfram als Pendant zum christlichen Kaisertitel aufgefaßt (434,1f.). Vgl. Titurel-Kommentar, S. 147; Vorderstemann, S. 26ff.; LMA I, Sp. 155f.; Kunitzsch, Anmerkungen, S. 265; Komm. zu 96,9. – Daß Wolfram Terramer den Titel erst so spät beilegt, kann kompositionstechnische Gründe haben: vgl. Bumke, Willehalm, S. 80f. und 86.

433,6 *des* ⟨. . .⟩ *breit*] Wörtlich: »somit wurde die Niederlage breit«, d. h. die Heiden unterlagen auf der ganzen Front.

433,15 *der rîcheit gelîch*] »dem Reichtum gleich, d. h. von großem Reichtum zeugend, reich« (Schmidt, S. 307).

433,28 *herte*] »das was Festigkeit gibt; hier ›die Stärksten, der Kern‹« (Martin zu Pz. 48,15). Vgl. auch Zimmermann zu Pz. 384,13.

434,6-10 *seht ⟨. . .⟩ gît]* Die hier vorgetragene Auffassung vom Vorrang der römischen Krone erinnert an die staufische Doktrin von der Vorherrschaft des römischen Kaisers *super gentes et super regna*, »über die Völker und Reiche« (»*reguli*-Theorie«). Sie zielt aber offenbar nicht wie diese Doktrin auf Weltherrschaft, sondern auf die Führung der Christenheit. Von daher könnte *an roemischer phahte* auch heißen »beim kaiserlichen Schutzeid« (vgl. Komm. zu 182,20): in diesem schwört der zukünftige Kaiser, die römische Kirche zu schützen, und auf diesem Schützeramt beruht seine Vorrangstellung unter den christlichen Herrschern. Vgl. Bumke, Willehalm, S. 131f.; Hellman, S. 241f.; zur Frage eines aktuellen politischen Bezugs der Verse (der unbeweisbar bleibt) zusammenfassend Schmidt, S. 315.

434,15 *sine ⟨. . .⟩ getuon]* Wörtlich: »sie können es nun einmal nicht tun«, d. h. der römischen Krone *ebenhiuze zu geben*, sie mit Rivalität zu konfrontieren (434,10).

435,4 *der ⟨. . .⟩ kraft]* Von den Herausgebern auf das Folgende bezogen (Punkt nach 435,3 *heidenschaft*, Komma [Schröder Gedankenstrich] nach *kraft*): »der Kraft der Fernen und der Nahen [. . .] gab die Hand Gottes in Bezug darauf die beste Beihilfe«. Vgl. Heinzle, Beiträge, S. 430.

435,8f. *manlîcher ⟨. . .⟩ jâren]* Wörtlich: »eine kühnere Niederlage ereignete sich nie in vielen Jahren«, d. h. entweder: »eine kühner erkämpfte Niederlage« (Lob der Christen: in diesem Sinne die Mehrzahl der Übersetzer) oder: »eine in kühnerem Kampf erlittene Niederlage« (Lob der Heiden – in diesem Sinne San Marte II: dagegen spricht der unmittelbare Kontext).

435,12-15 *sô ⟨. . .⟩ wâc]* Verkehrung der natürlichen Handlungsfolge, bei der der Hund erst durchs Wasser schwimmt und sich dann schüttelt (Stilfigur des hysteron proteron). Vgl. Heinzle, Beiträge, S. 430. – Der *vorloufe* ist der »Jagdhund, der die Meute führt« (Martin zu Pz. 528,27). Vgl. Dalby, S. 277f. – Ein konkreter Bezug des Vergleichs darauf, daß die Kämpfenden den Larkant durchqueren (Singer, S. 123; Schmidt, S. 324), dürfte kaum intendiert sein.

435,30 *sô ⟨. . .⟩ verlân]* D. h. noch mehr Heiden hätten das Leben gelassen (vgl. 430,26f.), kaum: sie hätten noch mehr Geiseln (Gefangene) zurückgelassen (so Unger und Passage).

436,4-6 *gein ⟨. . .⟩ ersluoc]* Die Vorausdeutung könnte einen Hinweis darauf geben, daß Wolfram die Rennewart-Handlung wieder aufzunehmen gedachte. Er »kann geplant haben, dass Rennewart die versprengten aufsuchte und niedermachte« (Bernhardt, S. 40): so konnte er es jedenfalls in Al. lesen. Vgl. auch Lofmark, S. 235f.; Wiesmann-Wiedemann, S. 243f.

436,10 *des ⟨. . .⟩ brach]* Die (der) *koste* oder *queste* ist ein Laubbüschel zum Bedecken der Scham im Bad und »zum Bestreichen und Schlagen im Schwitzbad« (Martin zu Pz. 116,4). Vgl. DWb V, Sp. 1861f.; Schultz I, S. 224f., 227. – Die vorliegende Stelle erlaubt zwei Übersetzungen: »dessen Hand (*hant* Dativ) es nie an einem Quast fehlte« (so unsere Übersetzung mit San Marte II und Fink / Knorr [S. 236]) oder: »dessen Hand (*hant* Nominativ) nie einen Quast abgebrochen hatte« (unwahrscheinlich Moriz Haupt, *Zu Wolframs Parzival*, in: ZfdA 11 [1859], S. 42-59, hier S. 53: »ohne irgend einen laubbüschel abzubrechen«, also wörtlich wohl: »dessen Hand keinen Quast abbrach« im Sinne von: »darauf verzichtete, einen Quast abzubrechen«). Der Witz ist in jedem Fall schrecklich: entweder ist auf die unpassende Badekleidung der Fürsten abgehoben (Rüstung statt Badequast: vgl. Heinzle, Beiträge, S. 430f.) oder auf die unstandesgemäße Badeprozedur (sonst hatten sie beim Baden Bedienung gehabt, nämlich Leute, die den Quast für sie brachen: so Schmidt, S. 331).

436,14f. *dâ ⟨. . .⟩ Larkant]* Wörtlich: »da wurden Mann und Roß im Larkant waten gemacht«. Anders Schmidt, S. 332: »Menschen und Pferde wurden im Fluß Larkant niedergetrampelt«. Vgl. Zimmermann zu 387,22; Heinzle, Beiträge, S. 431.

437,29 *man ⟨. . .⟩ niht]* Soll wohl heißen: es war Terramer nicht gelungen, seinen Eroberungsplan durchzuführen und die christlichen Herren zu zwingen, seinen Königen den Treueeid zu schwören. Vgl. Mohr, S. 346*f.

437,30 *als ⟨. . .⟩ giht]* Von Leitzmann auf das Folgende bezogen: Punkt nach 437,29 *niht*, kein Zeichen nach *giht* (438,1 zugleich auf *giht* und 438,2 *schiet* bezogen?).

438,1-3 *von ⟨. . .⟩ überlaste]* D. h. in wilder Flucht dachten sie nur noch an ihr eigenes Leben: »Die völlige Auflösung jeder Ordnung bei den Heiden manifestiert sich in der Mißachtung aller Lehens- und Familienbindungen« (Schmidt, S. 343).

438,12 *vrischen pflûm]* Der Larkant wird gemeint sein.

438,21 *âne segel ûf gezogen]* Wörtlich »ohne daß Segel gesetzt waren« bzw. »ohne Segel zu setzen«. Vgl. Behaghel II, S. 420.

438,24 *gekêret]* Am Strand angekommen, wendet sich Terramer zu den Heranstürmenden um und deckt in tapferem Kampf den Abzug seiner verfolgten Truppen.

438,25 *vor sîner schiffunge]* Möglich auch: »vor seinem Einschiffungsort« (der Stelle, wo er sich einschiffen sollte, d. h. wo sein Schiff lag) oder temporal: »vor seiner Einschiffung« (d. h. bevor er sich selber einschiffte). Vgl. Heinzle, Beiträge, S. 431.

439,1 *rôtiu mâl]* Die typische Fleckung der Bachforelle.

439,7 *der berc Tahenmunt]* Welcher Berg gemeint ist, hat sich bis jetzt nicht ermitteln lassen. Die vorliegenden Erklärungsversuche sind unbrauchbar: San Marte, Rittergedicht, S. 164 (die Stadt Talmont an der Gironde); Singer, S. 124 (Hinweis auf deutsche Ortsnamen wie Tahenberg und Tahenstein); Kunitzsch, Orientalia, S. 273f. (»sprachliche Fehlleistung« Wolframs: Mißdeutung des Heidennamens Danemont – zu diesem Kunitzsch, Dodekin, S. 43, Anm. 32).

439,16-19 *meister ⟨. . .⟩ begozzen]* Anspielung auf die Dietrichsage: Dietrichs von Bern Waffenmeister Hildebrand hat mit seinem Herrn 30 bzw. 32 Jahre im Exil zugebracht; in all den Jahren wartete zuhause seine Frau Ute auf ihn. Der Vergleich hebt auf das Moment der Treue ab: Terramers Treue (zu seinen Rittern) stand derjenigen Utes (zu ihrem

Mann) nicht nach. Weitergehende Spekulationen, die man an die Stelle geknüpft hat, führen in die Irre (Beziehung zwischen dem Kampf, den Hildebrand bei seiner Rückkehr aus dem Exil mit seinem Sohn auszufechten hat, auf den von Wolfram in Abweichung von der Quelle vermiedenen Kampf Terramers mit seinem Sohn Rennewart; Annahme eines Witzes im Hinblick auf eine Überlieferung von Utes Untreue). Vgl. Gerhardt, Uote; Schmidt, S. 353ff.

439,24 *sich ⟨. . .⟩ geslôz]* Wörtlich: »sich im Ansturm hineinflocht«. Die herandrängenden Scharen stoßen mit solcher Wucht auf die am Meer kämpfenden, daß sich die Trupps ineinander verkeilen. Vgl. Zimmermann zu Pz. 384,23.

439,28 *unmuoze]* »Unmuße«, im Sinne von »turbulentes Geschehen« (Schmidt, S. 358) auf die Schlacht zu beziehen, sicher nicht auf die Zeitnot des Erzählers (so San Marte II, Fink / Knorr [S. 238], Unger, Passage).

440,24 *eteswâ ⟨. . .⟩ breit]* Oder in übertragenem Sinne von den Abteilungen: »hier versprengt, dort dezimiert«?

440,26 *ir ⟨. . .⟩ jâren]* Besser wohl mit Schröder nach den Handschriften Ka und B: *irn gevrieschet in manegen jâren* »niemals habt ihr gehört«.

440,29 *von ⟨. . .⟩ tragamunt]* Gemeint wohl: man hörte den Kampflärm von Terramers Schiff aus, kaum: das Empfangen erfolgte aus der Richtung, in der Terramers Schiff lag (so Kraus, Willehalm, S. 561).

441,4-7 *Kahûnen ⟨. . .⟩ truoc]* Das Wappen zeigt den Gott Kahun auf einem Greifen reitend (ein traditioneller Darstellungstypus: vgl. Zips, S. 309, 322; Heinzle, Beiträge, S. 431). Daß dies das Wappen sein soll, das Baligan im Kampf gegen Karl in Roncesvals führte, ist merkwürdig: nicht nur fand nach dem Rolandslied (der Chanson de Roland) dieser Kampf gerade nicht in Roncesvals statt (vgl. Komm. zu 410,25-27), das dort beschriebene Wappen Baligans zeigt auch nur einen Drachen (RL 8123ff.; CR 3266, 3330).

441,8f. *Terramêres ⟨. . .⟩ gehêret]* Konstruktionsmischung »aus *Terramêrs schilt genuoc was gehêret* + *Terramêrs schilt was dennoch mêr gehêret*« (Gärtner, apo koinou, S. 251).

441,13 *Malprimes]* Baligans Sohn wurde wie sein Vater von Karl erschlagen: RL 8338ff.

441,27 *dâ ⟨. . .⟩ strenge]* »Ironisches understatement [. . .] für das Schlachtgetümmel« (Schröder, Oxymora, S. 323):es gab keine Gelegenheit auszuruhen.

442,20 *des ⟨. . .⟩ ungespart]* Entweder: »deswegen wurde er nicht geschont« (weil Rennewart auf ihn stieß) oder: »in Bezug darauf wurde er nicht geschont« (nämlich in Bezug auf das Erschlagenwerden).

442,25 *swertvezzel]* Riemen zur Befestigung des Schwerts an der Hüfte. Vgl. Schultz II, S. 16f.

443,3-7 *wie ⟨. . .⟩ zetrîbe]* Wiederaufnahme des Gedankens von 438,1-3: panische Flucht, in der jeder nur daran denkt, sein eigenes Leben zu retten. Sicher nicht verdeckter Bezug auf Terramer und Rennewart, wie in der Forschung wiederholt erwogen: vgl. Schmidt, S. 377f. – Lachmann setzt Ausrufezeichen statt der Fragezeichen. Vgl. Paul, Willehalm, S. 338; Singer, S. 125.

443,9 *ze ors und ze scheffe]* Gemeint wohl: mit den Pferden zum Strand und dann mit den Schiffen übers Meer nach Hause. Vgl. Heinzle, Beiträge, S. 431.

443,20-23 *gefurrieret ⟨. . .⟩ gesniten]* Kleidermetaphorik: unter den Schweiß der Kämpfenden wurde ein Futter aus Blut gelegt, so daß es aussah, als trügen sie Kleider, die aus Schweiß und Blut zusammengestückt waren (genauer: aus einer Schweißschicht bestanden, die quasi durchbrochen war von Löchern, durch die man Blut sah?).

444,1 *goldes rîche]* Vgl. 375,26ff.

444,6f. *von ⟨. . .⟩ soldier]* Gemeint: die Heidenfürsten gaben den Christen Zoll von ihrer noch vorhandenen (Lebens-)Kraft (*verh*), indem sie auf sie einschlugen bzw. sie töteten. Vgl. Kühnemann, S. 166.

444,23-25 *Rennewart ⟨. . .⟩ resluoc]* Möglich auch: kein Zeichen nach 444,23 *Rennewart* (444,23 *Rennewart der unverzagete* gemeinsames Subjekt von 444,22 *bôt* und 444,24 *jagete*: so Gärtner, apo koinou, S. 203f., mit den Herausgebern; vgl. Heinzle, Beiträge, S. 431).

444,27 *sînes swestersunes]* Rennewarts Schwestersohn Poidjus.

445,8f. *ir ‹. . .› lîben]* Vgl. Komm. zu 69,24-28.

445,20f. *vil ‹. . .› wal]* Der Satz legt die Annahme nahe, die Christenritter hätten nicht lange vor der Entscheidungsschlacht auf Alischanz einen anderen, schweren Kampf bestehen müssen. Davon ist aber nirgendwo die Rede (um die erste Alischanz-Schlacht kann es sich ja nicht handeln). So kann wohl nur gemeint sein, daß sie von der Verfolgung der Heiden verwundet aufs Schlachtfeld zurückkehrten, wobei die Wendung *noch ungeheilet* befremdlich bleibt.

446,4 *daz ‹. . .› dort]* Von Mohr, S. 348*, als sentenzartige Feststellung aufgefaßt (Komma nach *dort*): »so war es Brauch, hier oder dort, und zu jenen Zeiten im Heer auf allen Seiten«.

447,2 *Olifant]* Rolands berühmtes Horn, das er ungeheuer laut zu blasen vermag. Vgl. z. B. RL 6053ff.: *Rŏlant uie mit paiden hanten | den guten Oliuanten | sazter zemunde, | plasen er begunde. | der scal wart so groz: | der tumel unter di haiden dóz, | daz niemen den anderē machte gehoren: | si uerscuben selbe ir oren* »Roland ergriff mit beiden Händen den guten Olifant, setzte ihn an den Mund und begann zu blasen. So groß wurde der Schall: der Lärm dröhnte unter die Heiden, daß keiner den anderen verstehen konnte: sie verstopften sich ihre Ohren«.

447,28f. *dâ ‹. . .› erschoben]* Ein schrecklicher Witz: die Soldaten stopfen sich voll wie Säcke – allerdings durchlöcherte. Vgl. Heinzle, Beiträge, S. 431f.

448,8 *Kiper und Vinepopel]* Der Wein aus Zypern war im Mittelalter hochberühmt: vgl. Schultz I, S. 408; Lexer I, Sp. 1580 (*kippertranc*, *kipperwîn*). – Entsprechende Nennungen des Weins aus der Stadt Philippopel (heute Plowdiw in Bulgarien) sind sonst anscheinend nicht nachgewiesen; immerhin gibt es dort eine alte Weinbautradition.

448,12f. *daz ‹. . .› wac]* Der biblische König Salomo gilt als der Inbegriff des weisen Menschen: so wie er extrem weise war, so waren die Betrunkenen extrem unvernünftig. Anders Unger, S. 289, der den Vergleich als »zweistufigen

Scherz« versteht: Wolfram »wollte sagen, daß der Geist des Trunkenen gegenüber dem eines *Nüchternen* getrübt war – da fällt ihm gleich der weiseste aller Menschen, Salomo, ein, mit dem sich aber auch der nüchterne Durchschnittssoldat nicht vergleichen könnte. Die Übertreibung hebt den Sinn des Satzes eigentlich auf«.

449,3 *zer* ⟨. . .⟩ *verhe*] Der Aderlaß ist eine Technik des Blutentzugs wie das Schröpfen (vgl. Komm. zu 323,23): »Arzt, Wundarzt oder Bader öffneten die von der Laßbinde aufgestaute Vene mit dem *lâz-îsen* [. . .] und fingen das Blut im Laßbecken auf« (LMA I, Sp. 151). Die vorliegende Metapher für die Verwundungen meint nach Schmidt, S. 432: sie waren am Arm als der üblichen Stelle des Aderlasses oder an anderen Körperstellen zur Ader gelassen worden. Eher wird gemeint sein: man hatte ihnen Venen und anderes aufgeschlitzt, d. h. ihnen auf die verschiedensten Arten Blut abgezapft (in diesem Sinn die Übersetzung).

449,9 *eise*] Afrz. für »Behaglichkeit, Bequemlichkeit, Pflege«. Vgl. Vorderstemann, S. 77f.

450,12f. *maneger* ⟨. . .⟩ *klagene*] Wörtlich: »die Sprachen vieler Zungen bekamen da viele Klagen zu klagen«.

450,15-20 *die* ⟨. . .⟩ *hât*] Der Erzählerkommentar formuliert noch einmal klar die Absage an die traditionelle Kreuzzugsideologie: die Heiden wie Vieh zu erschlagen, ist Versündigung an Gottes Geschöpfen (vgl. Komm. zu 306,28). Die Zurückweisung der Vorstellung von den Heiden als Vieh dürfte sich auf Stellen wie Rolandslied 5421ff. beziehen: *si uielen sam daz uihe zetal,* | *si slugen si uon dem wal* | *rechte sam di hunte* »sie fielen zu Boden wie das Vieh, sie schlugen sie vom Schlachtfeld wie Hunde« (Stellensammlung bei Bode, S. 282f.). – Offenbar mit Bezug auf einen in der zeitgenössischen Theologie diskutierten Gedanken wird zugleich (im Blick auf den Römerbrief, 10,14?) die Frage aufgeworfen, ob Ungläubigkeit aus Unkenntnis des Christentums Sünde sei (wie genau die Heiden im Wh. übers Christentum Bescheid wußten, steht dabei nicht zur Debatte: es kommt auf das grundsätzliche Problem der Beurteilung der heidnischen Existenz an – Knapp, Heilsgewißheit, S. 607, Anm. 45, erwägt, 450,15f. geradezu als Definition des Heidentums im Gegensatz zum Ketzertum zu verstehen). Der Erzähler läßt die Frage dem Wortlaut nach offen, suggeriert aber, sie zu verneinen (interpretiert man 450,18 die Form *grǒzer* der Leithandschrift G als Komparativ: *groezer* statt als Positiv *grôzer*, bekommt man eine vorsichtige Stellungnahme des Erzählers: »die Heiden wie Vieh zu erschlagen, ist für mich jedenfalls eine größere Sünde, als nichts vom Christentum zu wissen«). – Die Herausgeber stellen den Text anders her: Komma statt Fragezeichen nach 450,16 *sünde*, Fragezeichen statt Komma nach 450,17 *vihe*. – Vgl. Heinzle, Beiträge, S. 432f.; zu den 72 Sprachen der Welt Komm. zu 73,7.

450,23 *al die sprâche]* Da die 72 Sprachen, d. h. Völker der Welt, die christlichen einschließen, muß man annehmen, Terramer habe beabsichtigt, die noch zu unterwerfenden Christen zusammen mit seinen Heiden nach Aachen und Rom zu führen. Vgl. Heinzle, Beiträge, S. 433; zu Terramers Eroberungsplänen Komm. zu 339,30-340,5.

450,28 *ûf 〈...〉 zerten]* Wörtlich: »so auf Kosten ihrer Lebenskraft lebten«, »ihr Leben so aufbrauchten«.

451,17-22 *swâ 〈...〉 derbî]* Damit die Leichen nicht verwesten, ehe man sie nach Hause gebracht hatte, mußten sie konserviert werden. Wolfram beschreibt die im Mittelalter übliche Technik des Applizierens von konservierenden und zugleich wohlriechenden exotischen Substanzen: Balsam (entweder speziell: Öl aus den Zweigen bestimmter Pflanzen, oder: Oberbegriff zu den im folgenden genannten Substanzen), Moschus (Sekret der männlichen Moschustiere – doch ist nicht ganz sicher, ob *müzzel* für »Moschus« steht), Terebinthe (»Terpentin«: Harz bestimmter Kiefernhölzer), diverse Gewürze (*arômâte*: »aromatisch duftende Pflanzen bzw. Pflanzenteile« [LMA IV, Sp. 1432]), Ambra (Ausscheidung des Pottwals). Vgl. Schultz II, S. 465ff.; Ernst von Rudloff, *Ueber das Konservieren von Leichen im Mittelalter*, Diss. med. Freiburg i. Br. 1921; zu den einzelnen Termini Vorderstemann, S. 45f. (*balsem*), 206ff. (*müzzel*), 364f. (*zerbenzerî*), 38f. (*arômâte*), 34f. (*amber*).

452,27-30 *denn* ⟨. . .⟩ *Tasmê*] Willehalm vergleicht seine Verlassenheit durch den mutmaßlichen Verlust Rennewarts hypothetisch mit der Verlassenheit, unter der er in der äußersten Fremde zu leiden hätte. Es besteht kein Grund zu der Annahme, er sei wirklich im Exil in Siglimessa gewesen und nach Tasme verkauft worden (so Fink / Knorr [S. 245] und Schröder, S. 654, 658).

453,3 *süez einvaltekeit*] »reine Arglosigkeit, Güte« (ebenso von Tibalt: 354,24), kaum *simplicitas* »Einfalt« im weltlichen oder geistlichen Sinn. Vgl. Schmidt, S. 469.

453,18-21 *dû* ⟨. . .⟩ *erde*] Eine Art Gegenbild zur Invasion der Heidenflotte: Rennewart hat Willehalms Schiff wieder flott gemacht, so daß er mit seiner Sippe (wieder) in der Provence einlaufen und dort sicher ankern konnte: ohne ihn wäre das Schiff untergegangen, hätte den Ankerplatz in der Provence nie (mehr) erreicht. Die Bilder werden auch in geistlichem Zusammenhang verwendet, und man hat versucht, Rennewart von daher als geistlichen Helden zu verstehen (Bumke, Willehalm, S. 44, Anm. 94) – ohne durchschlagenden Erfolg: vgl. Schmidt, S. 473f.

454,18-21 *diz* ⟨. . .⟩ *mêr*] Wie aus 454,22ff. hervorgeht, will Willehalm sagen, sein Leid im Diesseits sei so groß, daß es die (möglicherweise zu erwartende) Höllenpein abgelten, d. h. ihn vor der ewigen Verdammnis bewahren möge. Vgl. Heinzle, Beiträge, S. 433f.

454,27 *der* ⟨. . .⟩ *wenden*] Gottes Richtspruch am Jüngsten Tag ist endgültig: vgl. LThK IV, Sp. 728 und 734.

454,29 *trôst*] Willehalm bittet Gott um eine Hilfe (*trôst*), durch die (*des*) seine Seele vor den Fesseln (*banden*) der Hölle (vgl. 4,17; 219,11) bewahrt wird. Gemeint ist wohl einfach, Gott möge Willehalms Seele hilfreich retten, kaum: er möge ihm die »Glaubensgewißheit« senden, daß er »ihn vor der ewigen Verdammnis erretten« werde (Schmidt, S. 482f.).

455,9 *der bischof Turpîn*] Einer der Paladine Karls des Großen, an der Seite Rolands und Oliviers in der Schlacht von

Roncesvals gefallen. – Der Satzbruch – Nominativ statt des zu erwartenden Akkusativs (parallel zu *Ruolanden* und *Olivieren*) – könnte durch das *der* des Relativsatzes ausgelöst sein. Vgl. Schmidt, S. 486.

456,6-11 *stêt* 〈. . .〉 *minne*] Da die Liebe zwischen Mann und Frau gottgewollt ist, hat Willehalm in seiner unverbrüchlichen Liebe zu Giburg Gottes Willen erfüllt und leitet daraus den Anspruch auf Gottes Hilfe ab: vgl. Bumke, Willehalm, S. 176; Kilian, S. 170f. Leitzmann hat den Zusammenhang der Argumentation zerstört, indem er Punkt nach 456,8 *bedenken* und Komma nach 456,11 *minne* setzte (verteidigt von Schmidt, S. 493). – Die Verse 456,9-11 beziehen sich offenbar auf Genesis 2,22 *et aedificavit Dominus Deus costam quam tulerat de Adam in mulierem et adduxit eam ad Adam* »und Gott, der Herr, baute aus der Rippe, die er von Adam genommen hatte, eine Frau und führte sie zu Adam«.

457,8f. *wiltû* 〈. . .〉 *brust*] Könnte auch Fragesatz sein: Punkt nach 457,7 *einen*, Fragezeichen nach 457,9 *brust* (Leitzmann).

457,12 *dû* 〈. . .〉 *man*] »du selbst als der siebente von starken Männern«, d. h. Willehalm als einer der sieben Söhne Heimrichs.

457,20-22 *über* 〈. . .〉 *samenunge*] Vgl. 359,13ff. »Bernart macht Willehalm deutlich, daß der mächtigste Herrscher der Welt, Terramer, leicht erneut eine so gewaltige Streitmacht, die er in nur sechs Jahren aufgestellt hatte, würde zusammenbringen können« (Schmidt, S. 506).

458,12 *den*] D. h. den *manlîchen*, wie aus 458,11 ergänzt werden muß. Vgl. Schmidt, S. 510.

458,22f. *waz* 〈. . .〉 *gevangen*] Von einer Gefangennahme Rennewarts ist in der Quelle nicht die Rede, und es spricht auch nichts dafür, daß Wolfram daran dachte, die Handlung so weiterzuführen. Vgl. Lofmark, S. 231ff.

459,6-8 *die* 〈. . .〉 *begriffen*] Statt 459,6 *die* erwartet man *swaz* oder *swer* als Bezugswort für den Genitiv *der heiden*. Die Konstruktion wird nicht besser, wenn man statt 459,8 *sî* mit Leitzmann *si* (Nominativ Plural des Personalpronomens) liest: »die sie [. . .] ergriffen hatten«.

459,9f. *ze ⟨. . .⟩ pfande]* Im Hinblick auf eine zu erwartende weitere Invasion?

459,11 *ir schatzes]* Die Schätze der Gefangenen, d. h. ihre Ausrüstung oder das Lösegeld, das für sie zu erwarten war?

459,16 *sulen ⟨. . .⟩ sîn]* Oder: »werden dich unterstützen«? Vgl. Mohr, S. 349*.

459,17 *ir]* D. h. der Gefangenen.

460,3 *selb sibende vürste]* Nach 151,11ff. vermißte Willehalm dreizehn Fürsten, darunter die acht Gefangenen. Also ein Widerspruch wie bei den Gefangenenlisten (vgl. Komm. zu 47,3-6).

460,24f. *ich ⟨. . .⟩ gebe]* Wörtlich: »ich habe volles Vertrauen zu ihm, daß kein Herr eines Lagers es unterläßt, mir zu geben [. . .]«.

462,14f. *ûf ⟨. . .⟩ heil]* Ich setze die Verse in Parenthese (Herausgeber Komma nach 462,13 *teil* und 462,15 *sagen*), um dem Mißverständnis entgegenzuwirken, 462,15 beziehe sich auf das Folgende (die Gefangenen sollen über die Identität der gefallenen Heidenkönige nichts Falsches sagen). Gemeint ist offenbar, daß die Gefangenen schwören sollen, daß sie die Gelegenheit nicht benutzen, um zu entfliehen, und daß dieser Eid mit einer Selbstverwünschung bekräftigt wird (wobei *heil* nicht im christlichen Sinne auf das Seelenheil festgelegt ist). Vgl. Schmidt, S. 540; dazu noch Sanders, S. 68; Kilian, S. 201; Emrich-Müller, S. 140.

462,22f. *daz ⟨. . .⟩ raben]* Das übliche Schicksal der gefallenen Besiegten, die man auf dem Schlachtfeld zurückließ. Auch als Drohung, z. B. RL 4061 *dinen botich gibe ich den himel uogelen* »deinen Leib überlasse ich den Vögeln des Himmels« (Roland zu einem Heiden). Vgl. Schmidt, S. 541f.

462,27 *arômâten]* »mit *arômâten* einreiben«. Vgl. Komm. zu 451,17-22; Vorderstemann, S. 39.

463,7 *mit ⟨. . .⟩ beslozzen]* Wörtlich: »wäre mit dieser Tat abgeschlossen«, »hätte mit dieser Tat ihre Vollendung gefunden«.

463,12 *unser wer]* Möglich vielleicht auch: »unsere Waffen« (Kartschoke), vgl. aber im folgenden 463,20,22,27.

463,16 *des ⟨. . .⟩ jehen*] Wörtlich: »schmerzlich (bewegt) muß mein Herz das eingestehen«.

463,21 *giht ⟨. . .⟩ her*] Wörtlich: »wenn das getaufte Heer es zugibt«. Vgl. Martin zu Pz. 359,30.

464,6f. *swer ⟨. . .⟩ hant*] Wörtlich: »wer da (wenn einer da) in Bezug auf Nehmen etwas tun wollte, das tat gründlich jede Christenhand«.

464,11f. *priester ⟨. . .⟩ meister*] Die in Wolframs Sprache extrem unebene Reimbindung könnte ein Veldeke-Zitat sein. Vgl. BMZ II/1, Sp. 118af.; Eneide II, S. 269.

464,14 *teuwende*] Eigentlich: »mit dem Tode ringend«, »sterbend«.

464,15 *niht ⟨. . .⟩ vâre*] Sondern weil er hoffte, dort seine Wunde versorgen zu können.

465,8 *sîn*] Das Zelt, kaum: den Priester (Matthias, Unger).

465,24 *ûf ⟨. . .⟩ wegen*] Gemeint wohl: »auf der ganzen Strecke«. Anders Schmidt, S. 562, der meint, die Aufzählung hebe auf die »Stellen« ab, »wo Zoll erhoben« werde und die (daher?) »besonders gefährdet« seien.

465,27 *unbetwungen*] Wörtlich: »unbedrängt«, nach dem Kontext hier wohl im Sinne von: »nicht bedrängt von Mangel« (Kartschoke: »ihr sollt an nichts Mangel haben«), kaum: »frei« (Unger: »ihr sollt hier nicht Gefangner sein«).

465,30 *sît ⟨. . .⟩ sicherheit*] Vgl. 461,15.

466,25-28 *vor ⟨. . .⟩ hât*] »Zukunftsperspektive« (Pörksen / Schirok, S. 56), nicht Rückblick (Kartschoke: »gegen Tybalt hätte ich mich schon zu schützen gewußt [. . .]«).

466,30f. *der ⟨. . .⟩ schîn*] Biblische Umschreibungen für den Schöpfergott: *qui numerat multitudinem stellarum* »der die Menge der Sterne zählt« (Psalm 146,4), *fecit lunam* »der den Mond erschuf« (Psalm 103,19). Vgl. Deinert, S. 33, Anm. 1; Happ, S. 235f.

467,4 *iuwer ⟨. . .⟩ verliez*] Die *tugende* wohnt im Herzen: vgl. Heinzle, Beiträge, S. 435.

467,9-23 *ûz ⟨. . .⟩ solte*] Die mitten im Satz abbrechende Passage ist nur in den Handschriften G und V überliefert; die anderen Handschriften enden mit Vers 467,8. Ob die Passage von Wolfram stammt oder nicht, kann man nicht sagen. So ist aus ihr auch kein zusätzliches Argument für die Beantwortung der umstrittenen Frage nach dem Schluß der Dichtung zu gewinnen. Vgl. Schmidt, S. 574ff.; Heinzle, Beiträge, S. 435; allgemein zur Diskussion über den Wh.-Schluß S. 793.

467,19 *umb'en wurf dô warf]* Vgl. Komm. zu 26,2f.

ABBILDUNGEN

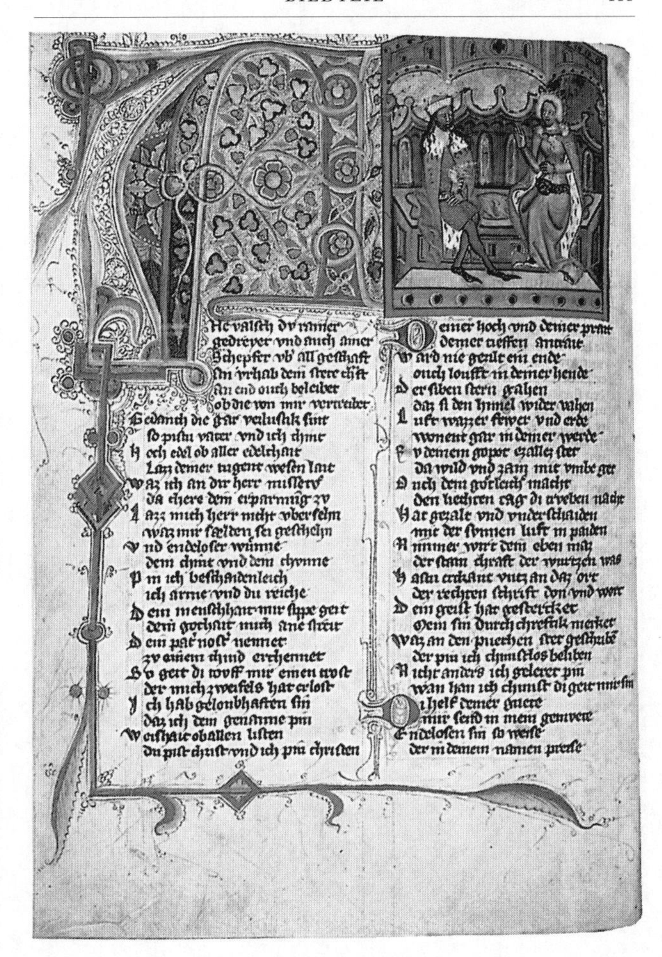

Ne valsch du reiner
gedreyer vnd auch ainer
Schepfer vb' all geschaft
dein vrhab dein stete chraft
sin end ouch beleiber
ob die von mir vertreiber
Gedanch die gar verlustik sint
so pistu vater vnd ich chint
Hoch edel ob aller edelchait
Lazz deiner tugent wesen lait
Waz ich an dir herr missetw
da chere dein erparmung zu
Lazz mich herr nicht vbersehn
waz mir saelden sei geschehn
Vnd endeloser wunne
dem chint vnd dem chunne
Pin ich beschaidenleich
ich arme vnd du reiche
Dein menschhait mir sippe geit
dein gothait mich ane streit
Dein pat' nost' nennet
zu ainem chind erchennet
So geit di touff mir einen trost
der mich zweifels hat erlost
Ich hab gelaubhaften sin
daz ich dein genanne pin
Weishait ob allen listen
du pist christ vnd ich pin christen

Deiner hoch vnd deiner prait
deiner tieffen amasie
Ward nie gezalt ein ende
ouch laufft in deiner hende
Der siben stern gahen
daz si den himel wider vahen
Luft wazzer fewer vnd erde
wonent gar in deiner werde
Zu deinem gepot ez allez ster
da wild vnd zam mit vmbe get
Auch dein gotleich macht
den liechten tag di trvben nacht
Hat gezalt vnd vnderschaiden
mit der sunnen luft in paiden
Nimmer wirt dein eben mazz
der stain chraft der wurtzen was
Hastu erchant vntz an daz ort
der rechten schrift don vnd wort
Dein geist hat gesterchet
dein sin durch chrefftik merket
Waz an den puechen stet geschriben
der pin ich chunstlos beliben
Nicht anders ich gelerer pin
wan han ich chunst di geit mir sin
Di helf deiner guete
mir send in mein gemuete
Endelosen sin so weise
der in deinem namen preise

fol. 74v: Beginn des Romans mit Initiale A[ne] und Bild der Haupthelden Willehalm und Giburg.

fol. 80r: Die erste Schlacht auf Alischanz. Willehalm (mit Stern) im Getümmel, Vivianz und Naupatris durchbohren sich gegenseitig.

fol. 83r: Die erste Schlacht auf Alischanz. Kampf der Christen gegen Sarazenenkönige und Mohren.

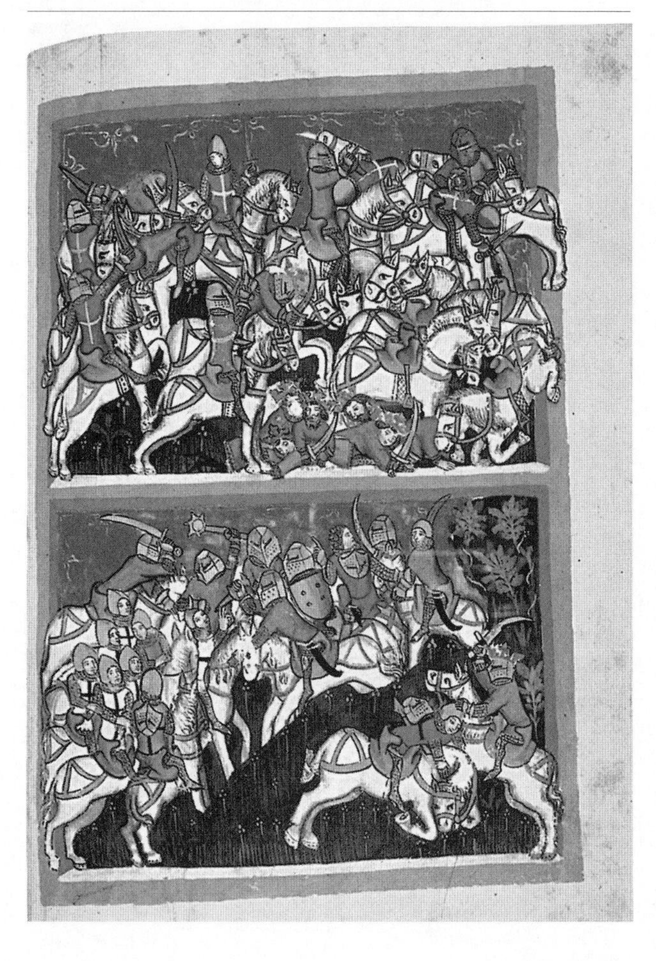

fol. 86r: Die erste Schlacht auf Alischanz. Vivianz tötet sieben Sarazenenkönige und wird von Haltzibier niedergeschlagen.

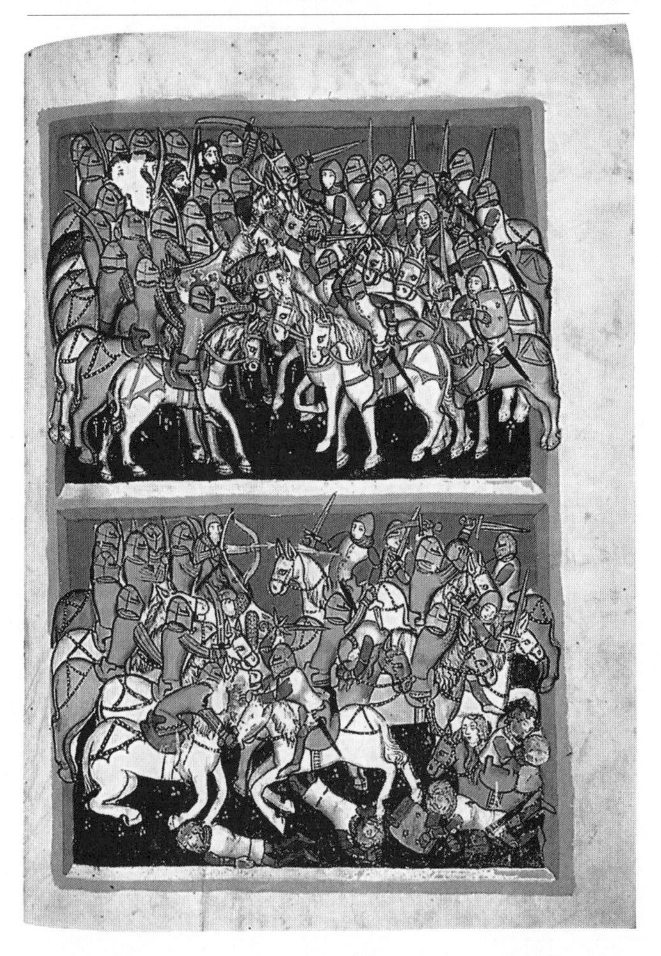

fol. 88r: Die erste Schlacht auf Alischanz. Willehalm erschlägt König Paufameiß, seine letzten Gefährten fallen im Kampf.

fol. 77r: Die erste Schlacht auf Alischanz. Willehalm kämpft allein gegen die Übermacht.

fol. 90r: Die erste Schlacht auf Alischanz. Willehalm überwindet vier Sarazenenkönige, dann flieht er vom Schlachtfeld.

fol. 91r: Willehalm führt sein Pferd zum Fluß Larkant. Er leistet dem sterbenden Vivianz Beistand.

fol. 95r: Willehalm will den Leichnam des Vivianz mitnehmen, muß ihn aber loslassen, um sich gegen Feinde zu wehren.

fol. 93r: Willehalm küßt den toten Vivianz. Dann reitet er fort in Richtung Orange.

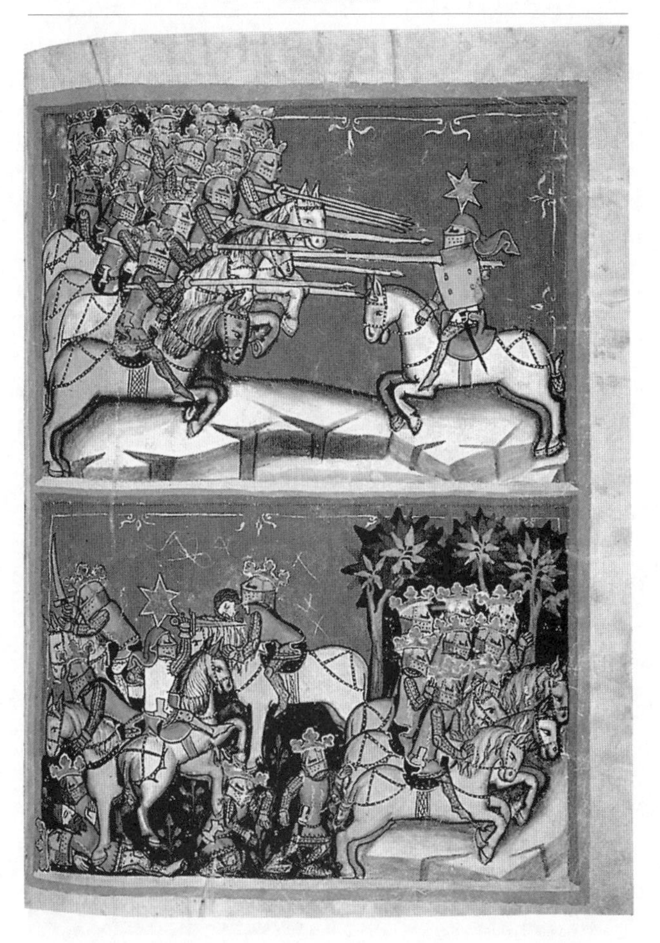

fol. 97r: Willehalm wird von fünfzehn Königen zugleich angegriffen und überwindet sie.

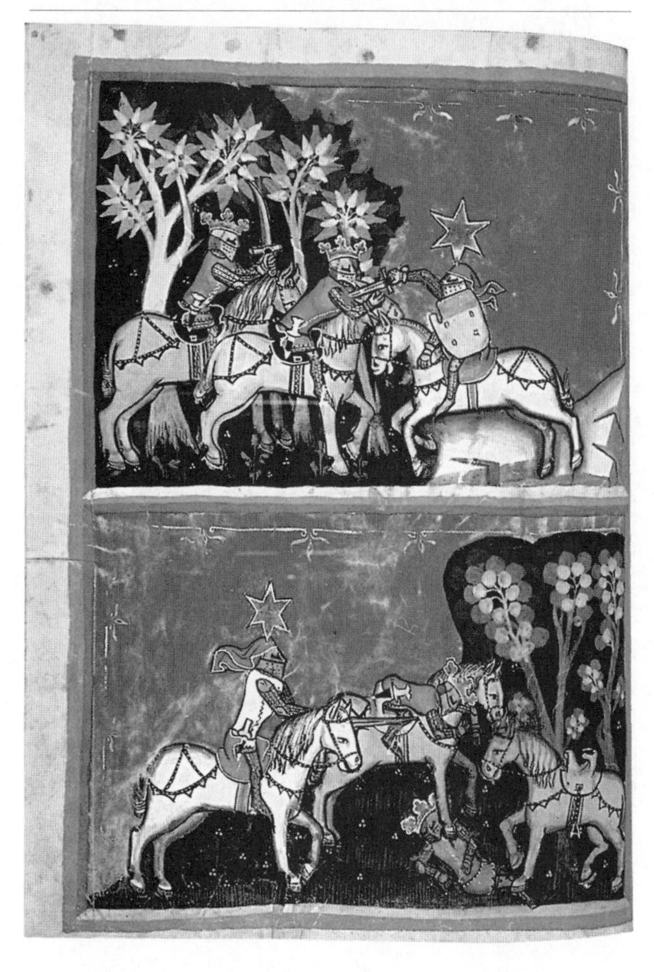

fol. 99v: Willehalm, von den Königen Tenebruns und Arofel angegriffen, ersticht Tenebruns und verwundet Arofel am Bein.

fol. 100v: Arofel bittet um Schonung. Willehalm enthauptet ihn und legt Arofels Waffen an.

fol. 102r: Willehalm tötet König Tesereiz. Er flieht vor seinen Verfolgern.

fol. 103r: Am Tor von Orange wird Willehalm wegen seiner Rüstung weder vom Kaplan noch von seiner Gattin Giburg erkannt.

fol. 105r: Willehalm erobert allein einen sarazenischen Lebensmitteltransport und befreit gefangene Christen.

fol. 106r: Giburg erkennt Willehalm an seiner entstellten Nase. Sie öffnet ihm das Tor.

fol. 109r: Willehalm verläßt Orange, um Hilfe zu holen. König Terramer sucht Giburg zur Übergabe der Stadt zu überreden.

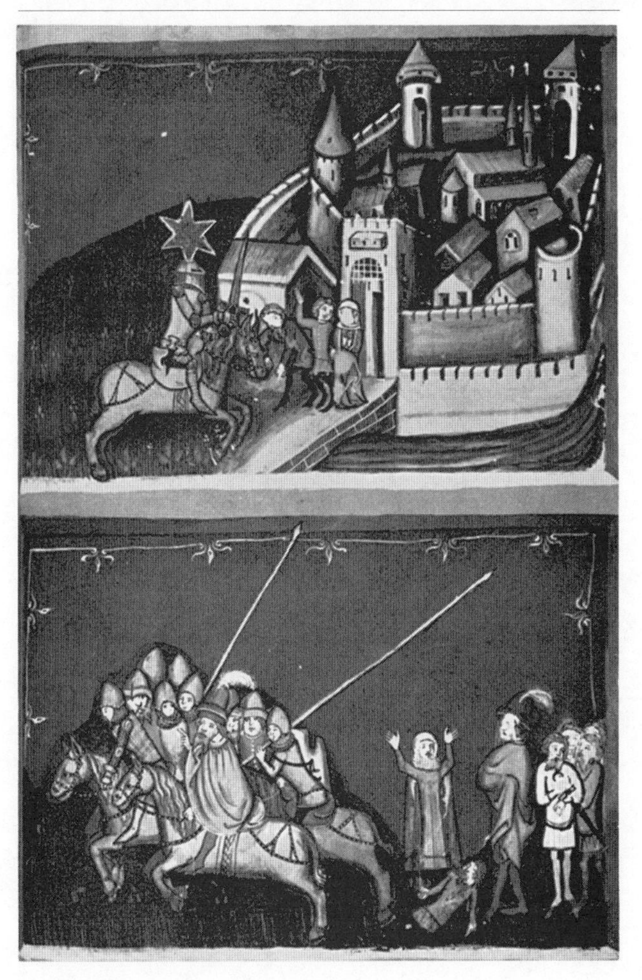

fol. 112r: In Orléans erschlägt Willehalm den Zolleinnehmer. Die Witwe klagt vor dem Grafen Ernalt, der Willehalm verfolgt.

fol. 114v: Willehalm sticht im Zweikampf Ernalt vom Pferd. Die Gegner erkennen sich als Brüder.

fol. 115v: Willehalm und Ernalt nehmen Abschied. Sie reiten auseinander.

fol. 117r: Willehalm steigt in einem Kloster ab. In Laon erregt er wegen seiner abgerissenen Erscheinung Befremden.

fol. 122r: Willehalm fordert von König Louis Waffenhilfe. Er vergreift sich an der Königin, als sie davon abrät.

fol. 57r: Willehalm begrüßt den Vater Heimrich. Er berichtet den Verwandten vom Tod vieler Angehöriger im Sarazenenkampf.

fol. 125r: Prinzessin Alice versöhnt Willehalm mit der Königin. Edelleute mißhandeln den Küchenjungen Rennewart.

fol. 132r: Rennewart tötet einen seiner Peiniger. Willehalm gewinnt Rennewart als Gefolgsmann.

fol. 135r: Rennewart demoliert die Palastküche von Laon, weil man ihm die Haare versengt hat. Willehalm besänftigt ihn.

fol. 138v: König Louis übergibt Willehalm die Reichsfahne. Rennewart hat seine Stange vergessen und eilt, sie zu holen.

MINIATUREN ZUM WILLEHALM

Unter den illustrierten Epen des deutschen Hochmittelalters hebt sich der *Willehalm*-Stoff durch die Zahl und Ambition der Bilderhandschriften heraus.[1] Dies entspricht seiner literaturgeschichtlichen Sonderstellung im Schnitt von ritterlichem Roman, Historiographie in thematischer Nähe zur Gestalt Karls des Großen und Heiligenlegende, vor allem aber der besonderen Wertschätzung, welche an der stattlichen Anzahl der überkommenen Handschriften und Handschriftenfragmente ablesbar ist.

Die Geschichte seiner buchkünstlerischen Ausgestaltung beginnt um die Mitte des 13. Jahrhunderts oder wenig später mit der möglicherweise auf der Alpensüdseite entstandenen Sammelhandschrift Cod. 857 der St. Galler Stiftsbibliothek (Hs. G), deren Text dieser Ausgabe zugrunde liegt. Sie enthält qualitätvolle Initialen eines in Venedig oder Padua geschulten Künstlers, deren überlegte Plazierung im *Willehalm*-Teil die Frage rechtfertigt, ob sie indirekt auf eine provisorische Textgliederung des Dichters selbst zurückgehen. Wolfram hat ja den *Willehalm* unvollendet und ohne die übliche Einteilung in Bücher hinterlassen.[2]

Handelt es sich hier um Buchdekor von Blattwerk, Zierbändern und Köpfen ohne szenischen Bezug zum Text, so bedeutet der zeitlich nächste Zeuge einen Extremfall von üppiger Illustration. Die in München (BSTB, cgm 193,III, 10 Fragmente) und Nürnberg (GNM, Kupferstichkabinett, Kapsel 1604, Hz 1104, 1105, 2 Fragmente) verwahrten Reste

1 Allgemein: Frühmorgen-Voss 1975. S. 25-30; Schmidt 1985; zur *Willehalm*-Illustration im besonderen die Arbeiten Schröders.

2 Schröder 1969, S. 385f. und 390f.; zu den Initialen: Hänsel 1952; Schneider 1987, S. 133-142; Palmer 1991 mit weiterer Literatur.

einer monumentalen *Willehalm*-Handschrift (der »Großen Bilderhandschrift«, Fr. 17) lassen eine Aufteilung aller Seiten in je eine schmalere Text- und eine breitere Bildspalte erschließen; an die 1300 Bilder, in denen die Figuren und ihre Gestik entschieden dominierten, die Szenerie zurücktrat, müssen jede Einzelheit des Textes in nahsichtiger Umsetzung ohne Rücksicht auf unterschiedliche Realitätsebenen begleitet haben.[3] Man datiert den in thüringisch-obersächsischer Sprache geschriebenen Codex in die 1270er Jahre.

Dieses Illustrationsverfahren fällt ganz aus dem gewohnten Rahmen der Illustration literarischer Texte. Dagegen schließt es sich aufs engste mit den bebilderten *Sachsenspiegel*-Handschriften zusammen, jenen bekannten Rechtsaufzeichnungen, bei denen ungezählte Figuren-Szenen in einer eigenen Spalte die im Text dargelegten Rechtsfälle mit möglichster Genauigkeit in Anschaulichkeit übersetzen. Die erhaltenen Abschriften des *Sachsenspiegels* sind jünger als der zerschnittene *Willehalm*-Codex, doch gehen sie auf ältere Exemplare zurück. An dieser erschließbaren Vorgängerschicht ist offenkundig die Konzeption der *Willehalm*-Handschrift ausgerichtet – eine umgekehrte Einflußrichtung, wie sie in der älteren Forschung vermutet wurde, ist ganz unwahrscheinlich, denn nur im Bereich der Rechtskodifizierung konnte eine derartige Illustration Wort für Wort ihren sinnvollen Ort haben; bei einem literarischen Text muß dagegen die Masse der Bilder den Fortgang der Handlung eher verschleiert als veranschaulicht haben. Auch hat Schröder zeigen können, daß der *Willehalm*-Maler rechtskundliche Schemata des *Sachsenspiegels* verwendet.[4]

Aus den Jahren um 1300 sind in Berlin (Staatsbibliothek, Ms.germ.fol. 923, Nr. 43 und Ms.germ.fol. 746, Fr. 16) fünf *Willehalm*-Fragmente eines zerschnittenen Bandes Bamberger Herkunft erhalten, der die beliebte Trias der Wilhelms-

3 Montag 1985; Schneider 1987, S. 199-202; Schröder 1987.

4 Über das Verhältnis zu den Rechtshandschriften: Schröder 1987, besonders S. 265-68; Curschmann 1988, S. 269f.

texte enthielt: Ulrich von dem Türlin, *Arabel*; Wolfram, *Willehalm*; Ulrich von Türheim, *Rennewart*.[5] Vier Miniaturen zum *Willehalm* sind darin überliefert, ihnen sind erläuternde Beischriften mitgegeben.

Zwei dieser vier Beischriften finden sich in einer jüngeren Heidelberger Handschrift (Universitätsbibliothek , Cpg 404, Hs. H) wieder, die, wenngleich bilderlos, eine stattliche Folge von 64 Bildbeischriften in den Text inseriert überliefert – vermutlich stehen sie dort, wo in der Vorlage oder deren Vorlage die entsprechenden Bilder ihren Ort hatten.[6] Die Frage, ob in den Berliner Fragmenten Reste eben dieser Vorbildhandschrift erhalten sind, bleibt vorerst offen; da zwei der dortigen Beischriften nicht in der Heidelberger Handschrift vorkommen, scheint der durch sie dokumentierte Zyklus ursprünglich noch größer gewesen zu sein und muß allein im *Willehalm* mindestens 66 Bilder umfaßt haben. Danach dürfte es sich um die szenenreichste als ausgeführt nachweisbare *Willehalm*-Illustration nach dem – gattungsmäßig unvergleichbaren – Münchner/Nürnberger Rest gehandelt haben.

Im Cod. Vindobonensis 2670 der Wiener Österreichischen Nationalbibliothek (Hs. V) ist ein luxuriöser Band von ähnlichem Prachtaufwand erhalten.[7] Er wurde für einen unbekannten, sicher fürstlichen Besteller am 29. September 1320 vollendet. Wie die fragmentierte Berliner Handschrift und der Heidelberger Nachfolger enthält sie die große Wilhelm-Epentrias mit reicher durchgehender Illustration auf Goldgrund samt Beischriften (in einer anderen Redaktion als den

5 In diversen Bibliotheken, vor allem in Bamberg, haben sich zugehörige Blätter aus den übrigen Teilen erhalten. Schröder 1969, S. 401f.; Schröder Ed. 1978, S. XLf.; Schneider 1987, S. 273 mit Anm. 282; vgl. Bushey 1989, S. 363 und 370 [»Fragment D«].

6 Schröder Ed. 1978, S. XXVI, vgl. XLf.; ausführlich ders., 1978, S. 9-27.

7 Heger 1974; Schröder 1976 und Schröder Vollfaks. 1977.

zuvor genannten). Der Besteller des seit dem Anfang des 18. Jahrhunderts in der Wiener Hofbibliothek nachgewiesenen Werkes ist unbekannt, es gehört dem süddeutschen Sprachraum an. Kürzlich wurde als möglicher Entstehungsort der stark typisierten, aber fein ausgeführten Bilder versuchsweise Regensburg ins Gespräch gebracht.[8]

Einen nicht weniger opulenten Band wünschte sich Landgraf Heinrich II. von Hessen, als er sich 1334 den in Kassel (Murhardsche Bibliothek und Landesbibliothek, 2° Ms. poet. et roman. 1) erhaltenen Codex (Hs. Ka) schreiben ließ, wiederum mit derselben Epen-Trias[9], deren Helden er als Ahnen betrachtete.[10] Ein kölnischer Meister begann, die 479 vom Text für Bilder ausgesparten Stellen auszumalen, doch wurden davon nur 67 mehr oder weniger realisiert; der Zyklus bricht vor Beginn des *Willehalm* ab. Eine weitreichende Vorstellung vom Beabsichtigten geben beigeschriebene Anweisungen für den Maler. In künstlerischer Hinsicht sind die ausgeführten Bilder dieser Handschrift sicherlich das Bedeutendste, was an Bildern zum *Willehalm*-Stoff aufgeboten worden ist.

Eine süddeutsche Wolfenbütteler Handschrift (Herzog August Bibliothek, Cod. Guelf. 30.12 Aug.fol., Hs. Wo) der Wilhelm-Trias aus dem 3. Viertel des 14. Jahrhunderts überliefert – in bemerkenswerter Duplizität zum Fall des Heidelberger Cpg 404 – eine Folge von 19 Bildbeischriften ohne die zugehörigen Bilder selbst. Auch hier ist somit eine aufwendig illustrierte Handschrift zu erschließen.[11] Von der Wolfenbütteler Handschrift wird weiter unten ausführlicher die Rede sein.

---

8 Robert Suckale in: Ausst. Kat. *Regensburger Buchmalerei* 1987, S. 82.

9 Mollwo 1944, Beer 1965, Becker 1977, S. 102-104; Schröder 1977; Schröder 1978; Bushey 1989, S. 361f.

10 Becker 1977, S. 103 nach Kleinschmidt; zur Interpretation vgl. Ott 1984, S. 384, Anm. 15.

11 Schröder 1969, S. 398-400, und 1978.

Die zeitlich nächste Prachthandschrift mit den drei Epen, Cod. Vindobonensis series nova 2643 der Wiener Österreichischen Nationalbibliothek (Hs. W.), wurde 1387 für König Wenzel I. geschrieben.[12] Sie zeigt luxuriösen Buchschmuck, doch enthält nur der *Rennewart*-Teil Illustrationen.

Wie für den Text Wolframs, so ist auch für seine Illustrationsgeschichte die in der 1. Hälfte des 14. Jahrhunderts kompilierte *Weltchronik* des Heinrich von München von Interesse[13], welche Teile des Wolfram-Epos als Geschichtsquelle übernimmt. Cod. Guelf. 1.5.2. Aug.fol. der Wolfenbütteler Herzog August Bibliothek aus dem späteren 14. Jahrhundert läßt an sieben Stellen innerhalb seines *Willehalm*-Exzerptes Platz für – unausgeführte – Miniaturen.[14]

Ms.germ.fol.1416 der Berliner Staatsbibliothek, 1. Viertel 15. Jahrhundert, dessen *Willehalm*-Partie als Abschrift der soeben genannten Wolfenbütteler Handschrift gilt, hat dazu acht ausgeführte Federzeichnungen.[15]

Die Wolfenbütteler Prachthandschrift Cod. Guelf. 30.12 Aug.fol., ein Pergamentcodex, der von der Kunstgeschichte in Bayern, möglicherweise Regensburg, lokalisiert und um 1360-70 datiert wird[16], besitzt nicht nur die bereits erwähnte Folge von Bildbeischriften, sondern zusätzlich auch einen Miniaturenzyklus, dessen Wolframs *Willehalm* gewidmeter Teil in diesem Band abgebildet wird. Die Bilder haben keine erläuternden Beischriften, zu der Beischriftenfolge im Text weisen sie dennoch keinerlei Beziehung auf. Sie stehen, anders als die *Willehalm*-Illustrationen, von denen die Rede war, nicht in Verband mit dem Text, sondern sind jeweils auf

12 Schlosser 1893; Jerchel 1933, S. 105; Jerchel 1937, S. 224.

13 Ott 1981; Schröder Exzerpte 1981.

14 Stammler 1967, Sp. 824f.; Schröder 1986, S. 130.

15 Schröder 1981, S. XVIII-XIX u. ö.; Schröder 1986, S. 129f.; Ausst.Kat. *Glanz alter Buchkunst* 1988, Nr. 86, S. 184f.

16 Stange 1936, S. 175; v. Wilckens 1973, S. 65f.; v. Wilckens 1974, S. 33; Robert Suckale in Ausst.Kat. *Regensburger Buchmalerei* 1987, S. 93; vgl. auch Otto Pächts Urteil: Becker 1977, S. 105.

Einzelblätter gemalt, deren Rückseite frei gelassen wurde, und – mitunter falsch herum – vereinzelt in den Text eingebunden.[17] Der Zyklus kann, aber muß nicht nachträglich angefertigt sein: Separate Fertigung des Bildteils hat gerade in den älteren Epenhandschriften ihre gute, bis zum Berliner Veldeke Ms.germ.fol. 282 zurückverfolgbare Tradition. Der Initialschmuck samt Eingangsminiatur zum *Willehalm* fol. 74v ist von anderer, aber etwas zeitgleicher Hand, so daß es sich um ein einheitliches Vorhaben handeln dürfte, dessen Bilderfolge allerdings nur *Arabel* komplett begleitet und über dem *Willehalm* abbricht. Die Herkunft der Handschrift vor ihrer Erwerbung für Wolfenbüttel in Nürnberg 1664 ist unbekannt.

An einem kürzlich aufgetauchten Einzelblatt aus dem späten 13. Jahrhundert mit Rennewart-Szenen und umseitig Wolfram-Text ersieht man, daß der Illustrationstyp von Wolfenbüttel mit zwei übereinander stehenden Bildern pro Seite auch für den *Willehalm* auf eine längere Tradition zurückblickt. Man erkennt Rennewart mit dem Wassergefäß als Opfer der übermütigen Edelleute und seine Rache, indem er einen der Quälgeister an einer Säule zerschmettert; eine Folge, die nahelegt, daß der Zyklus ausführlich war, und deren Themen direkt an die jüngere Wolfenbütteler Folge erinnern. Sollte es sich um die Spur einer Programmtradition handeln?[18]

Wie die Aufzählung der Handschriften erweist, war die Neigung der (sicher durchweg) fürstlichen Auftraggeber zu Wilhelm-Prachthandschriften mit extensiven Bildzyklen

17 Über die oben genannte Literatur hinaus: Becker 1977, S. 104-106; Schröder 1981; Bushey 1982, S. 248-250; Milde 1982; Schmidt 1985, Text S. 148f.; dazu Schröder 1986, S. 131-142; vgl. Ausst.Kat. *Wolf. Cimelien*, S. 185-189; Weltkunst 57, 1987, Heft 6, Titelseite und S. 309f.

18 Wir danken Norbert H. Ott, der das Fragment (Fr. 87) gemeinsam mit Hartmut Beckers publizieren wird, für den Hinweis auf dieses Blatt und für freundliche Auskünfte.

keine kurzlebige Mode. Vielmehr finden sich über eineinhalb Jahrhunderte hin Beispiele bei im einzelnen schwankender Ambition und Qualität. Nach dem Massenaufgebot der »Großen Bilderhandschrift« räumte gegen 1300 oder etwas später die Vorlage des Heidelberger Codex (= Berliner Fragmente?) Wolfram wenigstens 66 Bilder ein. Der Kasseler Codex von 1334 sah dafür 70 Bilder vor, deren Auswahl gegenüber der Heidelberg-Vorlage mehr Aufmerksamkeit für den Zusammenhang der Erzählung verrät und die auch künstlerisch hohen Ansprüchen genügen sollten.[19]

Mit 27 *Willehalm*-Bildern wirkt dagegen der feine Wiener Codex von 1320 geradezu bescheiden. Vergleicht man die Themenauswahl seines Zyklus mit der Reihe von 19 Bildbeischriften, die in der Wolfenbütteler Handschrift überkommen sind, so findet man erstaunliche Unterschiede in ihren Auswahlprinzipien. In Wien ist die erste Schlacht auf Alischanz mit zwei Bildern – Aufmarsch der Sarazenen und Schlacht – lakonisch behandelt, ausführlich dagegen der glücklichere Endkampf: fünf Bilder einschließlich der Episode von Pitit Punt. Insgesamt wird eine unblutige, höfisch-schöne Inszenierung bevorzugt. Die Beischriften von Wolfenbüttel deuten dagegen auf einen Zyklus, der strikt die Hauptlinie der Erzählung herausarbeitet, hier wie dort blieb das unhöfische Benehmen Willehalms und Rennewarts ausgespart.[20]

Keine der bislang veröffentlichten Miniaturen oder Sequenzen steht in erkennbarem Abhängigkeitsverhältnis zu anderen. Offenkundig hat es sich jeweils um Einzelaufträge gehandelt, bei denen die Illustrationsprogramme neu vereinbart und die Darstellungen neu erdacht wurden – in deutlichem Unterschied zu manchen geistlichen Handschriftentypen mit ihrer Kontinuität der Bildtradition tritt hier ein bezeichnendes Merkmal profaner Kunstgattungen zutage. Mit der Gattung dürfte auch die Tatsache zusammenhängen, daß

19 Schröder 1978, S.31
20 Schröder 1978, S.36f.

in keinem Fall Unvollendetes nachträglich vollendet worden ist: Offenbar besaß auch eine unvollständige Handschrift historischen Eigenwert.

DER WOLFENBÜTTELER BILDERZYKLUS

Die Wolfenbütteler *Willehalm*-Folge, der wir uns jetzt zuwenden, überragt an Zahl der Szenen die anderen Zyklen (abgesehen von der unvergleichbaren »Großen Bilderhandschrift«). Außer der figürlich geschmückten Anfangsseite sind Wolframs Text 27 Seiten mit je zwei Bildfeldern gewidmet. Insgesamt sind es somit 55 Bilder, die dem Text bis knapp ans Ende des vierten Lachmannschen Buches beigegeben sind; unsere Zählung unterscheidet sich von jener Schröders, welcher fol. 74r nicht mitzählt und fol. 57r unberücksichtigt läßt. Schröder hat das Geplante auf 110-120 Bilder hochgerechnet und festgestellt, daß die im selben Codex vorangehenden *Arabel*-Illustrationen statistisch viel spärlicher ausfallen.[21]

Dementsprechend herrscht Üppigkeit nicht nur im Format (Blattgröße: 30,1 × 23 cm), sondern auch in der Erzählbreite. Zwölf Bilder gelten der ersten Schlacht auf Alischanz, sieben der Episode von Orléans. Ob zum Zeitpunkt, als die Handschrift gebunden wurde, noch sämtliche für sie geschaffenen Bilder beisammen waren, wird kaum je zu klären sein. Man muß also vorsichtig sein mit dem Aufspüren von charakteristischen Auslassungen und Akzentuierungen des Programms. Doch hat Schröder sicher recht mit seinem Hinweis, daß der Tod des Vivianz, verglichen mit anderen Zyklen, seiner überirdischen Begleitumstände entkleidet erscheint, da der zu ihm redende Cherub nicht dargestellt wird.[22] In dieser Partie ist die überkommene Szenenfolge so dicht, daß man kaum verlorengegangene Bildseiten plausibel

21 Schröder 1981.
22 Schröder 1981, S. 397.

machen könnte. Fehlt aus einem ähnlichen »Realitätssinn« heraus das monströse Heer des Königs Gorhant? Auch sonst ist die konkrete Wirklichkeit anvisiert – selbstverständlich mit Augen des Mittelalters –, wovon ein Blick auf die Schlachtenschilderungen des Malers überzeugt.

Während das Programm des Zyklus nah am Text bleibt, fällt eine gewisse Indolenz der Ausführenden gegenüber den gleichbleibenden Elementen der Handlung auf. Der Hintergrund ändert sich beständig. Die Burg Orange wird auf fol. 103r, 106r und 109r viermal ganz unterschiedlich abgebildet, bevor eine Version das Vorbild für die beiden letzten Ansichten abgibt. Die auf Alischanz kämpfenden Christen sind bald als Kreuzritter bezeichnet, bald nicht. Unvermittelt erhält ab fol. 114v Willehalms Pferd eine prachtvolle Satteldecke. Die szenische Zuordnung von fol. 77r bleibt gar im unklaren.

Inkonsequenzen im gegenständlichen Detail werden nicht zuletzt auf Arbeitsteilung in der Werkstatt zurückzuführen sein. Man sieht unterschiedlich qualifizierte und sorgfältige Maler nebeneinander am Werk, ohne daß es methodisch ratsam wäre, bei einer Werkstatt von mittlerer Qualitätslage, die weitgehend mit typisiertem Material arbeitet, Hände zu scheiden. Wenn andererseits z. B. der laut Wolfram 22,19 strahlend junge Naupatris auf fol. 88r vollbärtig erscheint, ist die nächstliegende Erklärung, daß der Maler den Epentext nicht selbst kannte, sondern von Anweisungen abhing, deren Genauigkeit begrenzt war; aufs Ganze aber waren diese Anweisungen detailliert genug. Manche Abweichungen vom Text haben ihren Grund womöglich nicht in Unachtsamkeit oder Mißverständnis, sondern im Wunsch nach unmißverständlicher Erzählung. Eindeutige Kenntlichmachung könnte der Grund dafür sein, daß die Sarazenen fast ausschließlich mit Krummschwertern gezeigt werden, auch wenn Wolfram ihnen eingangs u. a. Keulen gibt, oder daß Willehalm, nachdem er Arofels Helm angelegt hat, dennoch in den meisten folgenden Bildern mit seinem eigenen Sternenhelm abgebildet wird.

Zu den einzelnen Bildern

Die Identifizierung der dargestellten Szenen wurde detailliert von Schröder 1981 unternommen, auf diesem Beitrag fußen die folgenden Bestimmungen nicht selten bis in Formulierungen hinein. Daneben vgl. auch Schmidt 1985 und Schröder 1986.

Schröder hat festgestellt, daß beim Binden der Handschrift im 16. Jahrhundert die Bilder wohl mehrheitlich an passender Stelle eingebunden wurden (die exakte Zuordnung notiert Schröder 1981), doch ihm entging nicht, daß vom Ablauf der Erzählung her die Bilderblätter fol. 93 und fol. 95 vertauscht scheinen und daß gleich das erste Vollbild zum *Willehalm* auf fol. 77r schwer mit dem Text zu verbinden ist.[23] Hier wird über seine Überlegungen hinausgehend fol. 77r versuchsweise zwischen fol. 88r und 90r eingeordnet. Außerdem ist fol. 57r, versehentlich zwischen den *Arabel*-Bildern eingebunden und deshalb bisher nicht als *Willehalm*-Illustration erkannt[24], an seinen logischen Ort zwischen fol. 122r und 125r gestellt. Damit verglichen wiegt es leicht, daß die Bildseiten hin und wieder als Verso statt als Recto eingebunden sind, vielleicht je nach der Breite der frei gebliebenen Randstreifen.

Der Maler macht Willehalm meistens durch einen großen Stern als Helmzier, Schilddekor oder Ornament an seiner Pferdedecke kenntlich. Er folgt damit einer Gewohnheit, die sich schon in der »Großen Bilderhandschrift« und im Wiener Codex von 1320 findet und ihren Quellenbezug in 369, 12-15 hat, wonach Willehalms Fahne einen Stern zeigte.[25] Wolframs Angabe, der Helm des Naupatris habe eine Krone ge-

23 Becker 1977, S. 105 zum Einband; Schröder 1981 mißt u. E. dem vom Buchbinder für die Bilder gewählten Ort mehr Bedeutung für die ursprüngliche Aussage der Bilder zu als erforderlich.

24 Vgl. die Glosse zu fol. 123rb in Schröder 1986, S. 138.

25 Heger S. 32, Anm. 47.

tragen (22,26f.), könnte dazu angeregt haben, sämtlichen Sarazenenkönigen Kronen als Zimiere zu geben.

fol. 74v: Neben der A-Initiale zum Beginn von Wolframs Epos sind Willehalm (mit Fürstenhut) und seine Gemahlin Giburg (mit der ihr von ihrer Ehe mit Tibalt her zukommenden Königskrone) sitzend im Gespräch dargestellt: eine gewisse Hervorhebung dieses Textes gegenüber den beiden anderen Epen, deren Beginn lediglich durch eine Initiale ausgezeichnet ist. Giburg trägt die in der 2. Hälfte des 14. Jahrhunderts modische enge Gewandung mit tief hängendem Gürtel und gekräuselter Kopfbedeckung.

In der Handschrift beginnt die Szenenfolge zum Willehalm mit fol. 77r, das zwei Kämpfe Willehalms mit Gruppen schwerbewaffneter Feinde zeigt. Siehe unten fol. 77r.

fol. 80r oben: Die erste Schlacht auf Alischanz. Reiterkampf zwischen Sarazenen und Christen in gedrängtem Durcheinander, nahe an den Versen 19,3-20,26. Die Sarazenen tragen (gemäß 20,13-21) weder Harnisch noch Helm. Sie sind barhäuptig, wenn sie nicht einen Turban tragen (20, 23), und somit leichter verwundbar. Die Christen sind schwer gepanzert und führen gerade Schwerter; nicht wenige von ihnen haben phantastischen Helmschmuck. Schon liegen mehrere Menschen und ein Pferd am Boden. Dieses Bild zeigt den Maler ungewöhnlich weit offen für Wolframs intensive, anschauliche Beschreibung der Situation und der Realien. In der Mitte des Vordergrunds sieht man Willehalm einen Feind erstechen; wir vermuten in ihm Pinel, den ersten heldenhaften Sarazenen, der dem Markgrafen unterliegt (21,6f.).

unten: Diese erste Schlacht auf Alischanz. Während Willehalm einen Feind (den 21,12ff. genannten Almansur? Dies setzte voraus, daß nach Auffassung des Malers einem Almansur keine Krone zustand) überwindet, durchsticht links der Sarazenengroßkönig Terramer den Christen Mile (21,22-25); Willehalms Neffe Vivianz und König Naupatris durchbohren sich wechselseitig mit ihren Lanzen (24,19-25).

fol. 83r oben: Die erste Schlacht auf Alischanz. Die – jetzt durch Kreuze ausgezeichneten – Christen kämpfen gegen keulenbewaffnete Schwergepanzerte, unter denen elf Kronen als Helmschmuck tragen. Keulen als typische Waffen der Feinde nennt 20,27. Die zahlreichen Kronenträger sind sicher durch Wolframs Aufzählung oder Erwähnung zahlreicher Herrscher motiviert: Die Nennung von sechs (27,10) und fünf (27,25) Fürsten könnte die Elfzahl im Bild erklären, doch werden noch weit mehr Sarazenenkönige erwähnt, nicht zuletzt die zehn 32,12-18 namentlich aufgeführten Söhne Terramers.

unten: Die erste Schlacht auf Alischanz. Die im Mittelfeld zu sehenden Schwarzen sind Terramers Mohrentruppe (34,29f.). Man vermißt hier ein besonders auffallendes Erzählmotiv Wolframs, die monströsen Krieger König Gorhants mit ihrer Haut aus grünem Horn, die zu Fuß kämpfen und deren Eisenkeulen verheerend wirken (35,10-25; vgl. Anm. 35,13).

fol. 86r oben: Die erste Schlacht auf Alischanz. Der verwundete Vivianz, in dessen Leib die Lanzenspitze von Naupatris steckt, erschlägt sieben Könige (46,17-23).

unten: Die erste Schlacht auf Alischanz. Haltzibier schlägt Vivianz zu Boden (46,24-27). Links sieht man acht von Haltzibier gefangengenommene christliche Fürsten, deren vor der Brust gekreuzte Hände auf ihre Wehrlosigkeit deuten (47,1-6).

fol. 88r oben: Die erste Schlacht auf Alischanz. Willehalm und seine letzten vierzehn Mitstreiter stoßen auf die Truppen des Königs Paufameiß (53,22-54,1).

unten: Die erste Schlacht auf Alischanz. Willehalms Gefährten fallen im Kampf. Er selbst kämpft gegen Paufameiß und ist im Begriff, ihn zu überwinden (54,2-55,29).

fol. 77r: Willehalm im Kampf mit feindlichen Königen. Dieses Blatt steht in der Handschrift als erstes Bild zum *Wille-*

halm zwischen Initiale und fol. 77r. Seine Szenen, »deren Einbindung in den Erzählablauf nicht recht gelingen will«[26], passen absolut nicht zur eingangs von Wolfram geschilderten Situation des Massenkampfs, dem der Maler sonst ohne Mühe gerecht wird. Schröder erwägt einen Zusammenhang mit der Pinel-Episode und schließt nicht aus, daß in diesem Fall der Maler durch den im Textteil auf fol. 75v/76r notierten Titulus *»Hie chom der markis mit seinem her / gein zwain chunigen ze wer«* irregeführt worden sei.[27] Letztere Hypothese setzt voraus, daß dem Maler der zu illustrierende Codex selbst oder seine unmittelbare Vorlage als eigene Informationsgrundlage gedient hätte, was schon angesichts der Fertigung der Bilder als Einzelblattserie wenig wahrscheinlich ist. Daß Willehalm allein den Feinden gegenübersteht, weist auf eine Episode nach dem Tod seiner letzten 14 Gefährten. Deshalb wird hier eine Umstellung des Blattes vorgeschlagen, die allerdings keine Verbindlichkeit beanspruchen darf.

Der Kampf Willehalms allein gegen eine Übermacht begegnet bei Wolfram – abgesehen von 40,10-19 – explizit in 56,16f. Man könnte im besonderen an Episoden seines Kampfes mit vier Königen nacheinander denken, unter der Voraussetzung allerdings, daß der Maler die Unterlegenen in 90r oben noch einmal berücksichtigt hätte. Daß Willehalm, wie die Bilder es zeigen, mit Vorbedacht stets die Anführer bekämpfte, sagt er selbst 207,7f. Die Wolfram-Passage, welche der Darstellung am nächsten zu kommen scheint (85,22-27), ist aus äußeren Gründen unwahrscheinlich: Die Stilisierung des Sterns wie die Kennzeichnung Willehalms als Kreuzritter deuten eher auf Entstehung am ehesten vor fol. 95r, d.h. noch in Zusammenhang mit der eigentlichen Schlacht.

fol. 90r oben: Die erste Schlacht auf Alischanz. Willehalm, einziger überlebender Christ, überwindet vier Sarazenenkönige (56,3-57,4).

---

26 Schröder 1981, S. 398.
27 Schröder 1981, S. 379.

unten: Willehalm flieht vor den ihn verfolgenden Sarazenen in einen Bergwald (57,8f. und 20-23).

fol. 91r oben: Willehalm führt sein Pferd Puzzat zum Fluß Larkant herab (59,21-24).

unten: Willehalm hat bei einer Quelle Vivianz gefunden, er hält den Sterbenden, dem er den Helm abgenommen hat, in seinem Schoß (60,14-17, 61,27-29). Der Zaum des Pferdes ist an einem Baum befestigt (vgl. 69,20-23).

fol. 95r oben: Willehalm wird, während er den toten Vivianz vor sich auf dem Pferd hält, von einer Schar Sarazenen angegriffen (70,15-20).

unten: Willehalm läßt den Leichnam fallen, um sich besser verteidigen zu können (70,21-24).

fol. 93r oben: Willehalm küßt den toten Vivianz (71,21).

unten: Er reitet fort (71,21). Fol. 93 und 95 sind vom Buchbinder vertauscht worden.

fol. 97r oben: Willehalm wird von 15 Königen zugleich mit Lanzen angegriffen (72,17-28).

unten: Willehalm überwältigt die Könige (72,30-76,2, besonders 75,30-76,2).

fol. 99v oben: Willehalm wird von den Königen Tenebruns und Arofel angegriffen, er ersticht Tenebruns (77,12-19).

unten: Willehalm trifft Arofel am rechten Bein (78,26-79,8). Tenebruns liegt tot am Boden.

fol. 100v oben: Das Bildfeld zeigt zwei aufeinanderfolgende Szenen. Links bittet Arofel, an einen Felsen gelehnt, Willehalm um Schonung; sein Bein läßt die Hiebwunde deutlich erkennen (79,9-14). Rechts enthauptet Willehalm den vor ihm knienden Arofel (81,12).

unten: Willehalm hat Arofels Rüstung mit einer Krone als Helmzier angelegt (81,23-29) und reitet weiter. Ein Trupp

sarazenischer Reiter mustert ihn argwöhnisch, doch ohne ihm nachzusetzen (83,26-30).

fol. 102r oben: Willehalm – hier ohne Arofels Krone, dafür mit seinem Stern am Helm – ersticht einen König, offenbar Tesereiz (87,27f.).

unten: Willehalm – auch hier mit Stern statt Krone – flieht vor den ihn verfolgenden Sarazenen, vgl. 88,26-28.

fol. 103r oben: Willehalm erreicht das befestigte Orange und klopft an das Tor. Der Kaplan Stefan erblickt ihn von oben, erkennt ihn aber nicht, weil er Arofels Rüstung trägt (88,29-89,8). Auf den Mauern stehen Gepanzerte, im Widerspruch zu 89,28-30, wonach Giburg keine Krieger zur Seite standen – denkt der Maler an Attrappen vergleichbar der 111,15-22 geschilderten List, oder handelt es sich um ein Versehen?

unten: Giburg ist neben den Kaplan getreten (89,9f.), auch sie hält Willehalm für einen Feind.

fol. 105r oben: Sarazenen zwingen gefangene Christen, einen Transport von Lebensmitteln zu ziehen, und treiben sie mit Geißeln an (90,12-15).

unten: Willehalm überwindet und vertreibt die Sarazenen und befreit die Christen (90,24-91,3).

fol. 106r oben: Zum Beweis seiner Identität nimmt Willehalm den Helm ab und zeigt Giburg seine entstellte Nase (92,12-15).

unten: Giburg hat Willehalm erkannt. Sie öffnet (selbst, entgegen 92,19) das Tor, und die Gatten begrüßen sich (92,16-22).

fol. 109r oben: Im Schutz von Arofels Rüstung verläßt Willehalm Orange, um durch den Belagerungsring zu gelangen und Hilfe zu holen. Giburg winkt ihm von der Festung aus nach (105,14-18, vgl. 105,22).

unten: Die Sarazenen belagern Orange. Ihr Lagerleben

samt Zelten, Küchendienst, Schweinefüttern und Tricktrackspiel ist anschaulich gezeigt. Im Hintergrund sucht Terramer seine Tochter Giburg zur Kapitulation zu bereden (109,17-110,10).

fol. 112r oben: Willehalm, jetzt wieder mit Stern auf dem Helm (!), ist am Eingang der Stadt Orléans mit dem Zolleinnehmer in Streit geraten. Er hat den Mann, der sein Pferd am Zügel ergreifen wollte (113,20f.), getötet; dieser bricht, am Hals blutend, zusammen (vgl. 113,29). Die Frau des Zolleinnehmers und ein weiterer Mann stehen dabei.

unten: Rechts führt die Witwe des Zolleinnehmers beim Stadtherrn, dem Grafen Ernalt, Klage gegen den Mörder ihres Mannes, dessen Leichnam zu ihren Füßen liegt. Der Graf trägt einen weiten Mantel und einen Hut mit einer großen Feder. Links verfolgt er mit Bewaffneten den Mörder (117,16-18).

fol. 114v oben: Im Zweikampf sticht Willehalm Ernalt (der plötzlich im Panzer erscheint) vom Pferd (118,6-9). Willehalms Pferd trägt, anders als bisher, eine reich gemusterte Satteldecke mit Sternen (vgl. 128,16).

unten: Willehalm geht auf den gestürzten Ernalt zu, der sich als sein Bruder herausgestellt hat, und hält ihm die Hände entgegen (118,24-26).

fol. 115v oben: Ernalt (erneut in Ziviltracht) und Willehalm reichen sich zum Abschied die Hände (122,6f.).

unten: Ernalt samt Gefolge und Willehalm reiten in verschiedene Richtungen auseinander (123,4f.).

fol. 117r oben: Willehalm ist vor einem Kloster abgestiegen, von dessen Bauten eine Brücke, die Kirche, eine Mühle und ein weiteres Gebäude mit anschließender Wehrmauer zu sehen sind. Drei Mönche grüßen ihn (125,5-7).

unten: Willehalm hat sich mit dem Rücken zum befestigten Laon ins Gras gesetzt, den Helm neben sich gelegt und hält

sitzend den Zaum seines Pferdes (127,11-13). Von Laon herab sehen ihm Leute zu und reden miteinander (127,15f.). Auch König Louis und die Königin haben ihn erblickt, der König zeigt auf ihn (129,8-11). Im Hintergrund hält ein Ritter (mit Sporen an den Schuhen) weitere Neugierige in achtbarer Entfernung von Willehalm.

fol. 122r oben: Durch eine Säulenstellung, die eine prächtig dekorierte dreifache Arkade trägt, blickt man in den königlichen Palas. Darin disputieren der König und Willehalm, den seine Rüstung in dieser Umgebung unverwechselbar macht, in Gegenwart der Königin und eines würdigen Edelmannes, der sich seiner Gestik nach am Gespräch beteiligt; es ist Willehalms Vater, Graf Heimrich von Narbonne (vgl. seine Kleidung mit den folgenden Szenen, Hut und Kragen auch mit dem hier nicht abgebildeten fol. 67r). Außerhalb des Saales stehend, verfolgen drei Vornehme, vermutlich Brüder Willehalms, die Szene (145,6-147,5).

unten: Willehalm ergreift die Königin, deren Krone zu Boden stürzt, an den Haaren und zückt sein Schwert. Seine Familie fällt ihm in den Arm und hält ihn fest (147,16-24). Aus unerfindlichen Gründen hat der Maler diese und die folgende Szene ins Freie verlegt, obwohl sie dem Text nach im selben Saal stattfinden müßte wie die vorangehende.

fol. 57r, vom Buchbinder in den *Arabel*zyklus eingereiht, gehört mit Sicherheit zum *Willehalm*-Teil der Handschrift. Den szenischen Zusammenhang bestätigen die über der Ausführung der Bilder allmählich summarischer gewordene Machart des Blattes, ein Motiv wie die Dekoration der Pferdedecke und die äußere Charakterisierung der handelnden Personen.

oben: Willehalm begrüßt seinen Vater Heimrich durch Handreichung und Verbeugung statt den gewohnten Kuß mit Rücksicht auf sein Gelöbnis gegen Giburg (148,29-149,3). Hinter Heimrich steht seine Gattin Irmschart, Willehalms Mutter.

unten: Willehalms Bericht über die Schlacht auf Alischanz und den Tod vieler Angehöriger, darunter des Vivianz, stürzt seine Familie in Trauer. Der Maler drückt die Empfindungen durch sprechende Gesten der Hände aus (152,5-10).

fol. 125r oben: Prinzessin Alice fällt in Gegenwart zweier Zuschauer Willehalm zu Füßen, um ihn nachsichtig gegen ihre Mutter zu stimmen; er hebt sie auf (155,28-156,3).

unten: Vor den Augen Willehalms und des Königspaares (?187,1-7 nennt das Königspaar, Willehalm und Alice) reiten vor dem Palas vier Edelleute. Sie stoßen den riesenhaften, in Lumpen gekleideten Küchenjungen Rennewart um, der einen großen Bottich Wasser trägt, so daß das Wasser verschüttet wird (189,28-30).

fol. 132r oben: Erneut wird Rennewart umgeritten (links; daß gemäß 190,6-10 auch diesmal sein Wasser ausgegossen wird, ist nicht eindeutig gezeigt). Er packt einen der Peiniger an den Füßen und zerschlägt dessen Kopf an einer Säule (rechts, 190,12-17).

unten: Willehalm, diesmal nur dem Szenenzusammenhang nach identifizierbar (hat ihn der Maler mit dem ältesten Reiter der beiden vorangehenden Bilder verwechselt?), läßt Rennewart zu sich kommen (191,29-192,5), gewinnt sein Vertrauen und seine Gefolgschaft. Rennewarts Geste drückt Scham über seine zerlumpten, durchlöcherten Kleider aus. Wolfram erwähnt 195,1-3 mehrere Zuhörer bei dem Gespräch, speziell 192,15 die Prinzessin, was die zuhörende Gestalt im Hintergrund des Raumes erklärt.

fol. 135r: Während Rennewart in der Palastküche in Laon schläft, versengen ihm grobe Spaßvögel Haare und Kleider (198,20f.), woraufhin er seinen Zorn mit seiner Stange an den Kochkesseln ausläßt (198,24-27) und erst durch gute Worte Willehalms besänftigt wird (198,29f.). Der Maler stellt unten links den Streich, oben die Reaktion Rennewarts und unten rechts das versöhnliche Einwirken Willehalms dar. Die

Darstellung der Küche als großer Raum mit hohem, pyramidal sich verengendem Abzug entspricht mittelalterlicher Realität, wie erhaltene Beispiele zeigen, etwa im Papstpalast von Avignon.

Verwirrend wirkt, daß der Maler im oberen Bild eine zweite, später in der Küche zu Orange geschehene Rachetat Rennewarts mitdarstellt. Der dortige Küchenmeister begeht einen ähnlichen Anschlag, woraufhin Rennewart ihn gefesselt ins Herdfeuer wirft (285,30-286,16). Zu dieser zweiten Episode gehört auch das oben rechts ins Bild gesetzte Motiv des entsetzt fliehenden Personals (286,24f.). Schröder erwägt die Möglichkeit, der Maler hätte 198,26 in dem Sinne verstanden, daß es schon dem Urheber des ersten Attentats derart traurig erging. Dies ist ebenso in Betracht zu ziehen wie Schröders weitere Überlegung, daß der Maler bei der Ausführung dieser Seite womöglich schon wußte, daß er den Zyklus nicht fortführen würde, aber auf die ebenso charakteristische wie wüste Begebenheit nicht verzichten mochte.

fol. 138v oben: Aus der Reiterei des Kreuzfahrerheeres heben sich Willehalm und ein weiterer Gepanzerter heraus. Dieser muß König Louis sein, der nach 212,17f. Willehalm die Reichsfahne (mit dem Adler) übergibt. Im Hintergrund sieht man die Stadt Orléans, wo der feierliche Akt stattfindet.

unten: Rennewart hat sich beim Aufbruch des Heeres verschlafen und in der Eile des Aufstehens seine Stange vergessen. Willehalm schickt ihn zurück, um sie zu holen (201,1-15). Der Reihenfolge der Erzählung nach müssen die beiden Bilder dieser Seite vertauscht werden.

LITERATURVERZEICHNIS

Peter Jörg Becker, *Handschriften und Frühdrucke mittelhochdeutscher Epen*, Wiesbaden 1977.

Ellen Judith Beer, *Gotische Buchmalerei.* Literatur von 1945 bis 1961, Fortsetzung und Schluß, in: Zeitschrift für Kunstgeschichte 28 (1965), S. 134-158, hier 147f.

Hartmut Broszinski, *Kasseler Handschriftenschätze (Pretiosa Cassellana)*, Kassel 1985, S. 150-155.

Betty C. Bushey, *Neues Gesamtverzeichnis der Handschriften der »Arabel« Ulrichs von dem Türlin*, in: Wolfram-Studien 7 (1982), S. 228-286, hier 248-250.

dies., *Nachträge zur ›Willehalm‹-Überlieferung*, in: *Studien zu Wolfram von Eschenbach.* Festschrift für Werner Schröder zum 75. Geburtstag, hg. v. Kurt Gärtner und Joachim Heinzle, Tübingen 1989, S. 359-380.

Michael Curschmann, *Rezension von: Text-Bild-Interpretation.* Untersuchungen zu den Bilderhandschriften des Sachsenspiegels, hg. v. Ruth Schmidt-Wiegand, in: Beiträge zur Geschichte der deutschen Sprache und Literatur 110 (1988), S. 267-277.

Hella Frühmorgen-Voss, *Text und Illustration im Mittelalter.* Aufsätze zu den Wechselbeziehungen zwischen Literatur und bildender Kunst, hg. u. eingel. v. Norbert H. Ott, München 1975.

Ingrid Hänsel, *Die Miniaturmalerei einer Paduaner Schule im Ducento*, in: Jahrbuch der österreichischen byzantinischen Gesellschaft 2 (1952), S. 105-147.

Hedwig Heger, *Kommentar.* Vollständige Faksimile-Ausgabe im Originalformat des Codex Vindobonensis 2670 der Österreichischen Nationalbibliothek, Bd. 2 (Bd. 1 Faksimile), Graz 1974.

Heinrich Jerchel, *Die bayerische Buchmalerei des 14. Jahrhunderts*, in: Münchner Jahrbuch der bildenden Kunst 10 (1933), S. 70-109.

ders., *Das Hasenburgische Missale von 1409, die Wenzelswerkstatt und die Mettener Malereien von 1414*, in: Zeitschrift des deutschen Vereins für Kunstwissenschaft 4 (1937), S. 218-241.

Rudolf Kautzsch, *Ein Beitrag zur Geschichte der deutschen Malerei in der ersten Hälfte des XIV. Jahrhunderts*, in: *Kunstwissenschaftliche Beiträge August Schmarsow gewidmet* (1. Beiheft der Kunstgeschichtlichen Monographien), Leipzig 1907, S. 73-94.

Wolfgang Milde, *Mittelalterliche Handschriften der Herzog August Bibliothek*, Frankfurt/M. 1972, S. 146-157.

Marie Mollwo, *Das Wettinger Graduale*. Eine geistliche Bilderfolge vom Meister des Kasseler Willehalmcodex und seinem Nachfolger, Bern 1944.

Ulrich Montag (Hrsg.), *Wolfram von Eschenbach, Willehalm*. Die Bruchstücke der ›Großen Bilderhandschrift‹ Bayerische Staatsbibliothek Cgm 193, III; Germanisches Nationalmuseum Nürnberg, Graphische Sammlung Hz 1104-1105 Kapsel 1607. Im Faksimile hrsg., Stuttgart 1985.

Norbert H. Ott, *Heinrich von München*, in: *Die deutsche Literatur des Mittelalters. Verfasserlexikon*, Bd. 3, Berlin und New York ²1981, Sp. 827-837.

ders., *Überlieferung, Ikonographie – Anspruchsniveau, Gebrauchssituation*. Methodisches zum Problem der Beziehungen zwischen Stoffen, Texten und Illustrationen in Handschriften des Spätmittelalters, in: *Literatur und Laienbildung im Spätmittelalter und in der Reformationszeit*, Symposion Wolfenbüttel 1981, hg. v. Ludger Grenzmann und Karl Stackmann (Germanistische Symposien, Berichtsbände), Stuttgart 1984, S. 356-391.

Nigel Palmer, *Der Codex Sangallensis 857: Zu den Fragen des Buchschmucks und der Datierung*, in: Wolfram-Studien 12 (1991), im Druck.

Julius von Schlosser, *Die Bilderhandschriften Königs Wenzel* I., in: Jahrbuch der kunsthistorischen Sammlungen des Allerhöchsten Kaiserhauses 14 (1893), S. 214-317, speziell 268f.

Ronald Michael Schmidt, *Die Handschriftenillustration des ›Willehalm‹ Wolframs von Eschenbach*. Dokumentation einer illustrierten Handschriftengruppe, 2 Bde., Wiesbaden 1985.

Karin Schneider, *Gotische Schriften in deutscher Sprache*, I. Vom späten 12. Jahrhundert bis um 1300, 2 Bde., Wiesbaden 1987.

Werner Schröder, *Zur Bucheinteilung in Wolframs ›Willehalm‹*, in: DVjs 43 (1969), S. 395-404.

ders., *Wolfram-Rezeption und Wolfram-Verständnis im 14. Jahrhundert*. Zur Faksimile-Ausgabe der älteren Wiener ›Wil-

lehalm‹-Handschrift (Cod. Vindob. 2670), in: Euphorion 70 (1976), S. 258-286.
ders., *Zum Miniaturen-Programm der Kasseler ›Willehalm‹-Handschrift (2° ms. poet. et roman. 1)*, in: ZfdA 106 (1977), S. 210-236.
ders., *Zum ersten Vollfaksimile eines ›Willehalm‹-Codex*, in: Wolfram-Studien 4 (1977), S. 77-80 (= Schröder Vollfaks. 1977).
ders., *Verlorene Bilderhandschriften von Wolframs ›Willehalm‹*, in: *Philologische Studien*. Gedenkschrift für Richard Kienast, hg. v. Ute Schwab und Elfriede Stutz, Heidelberg 1978, S. 9-40.
ders., *Wolfram von Eschenbach, Willehalm*. Nach der gesamten Überlieferung kritisch hg., Berlin und New York 1978 (= Schröder Ed. 1978).
ders., *Die Illustrationen zu Wolframs ›Willehalm‹ im Cod. Guelf. 30.12 Aug. fol.*, in: *Festschrift der wissenschaftlichen Gesellschaft an der J. W. Goethe-Universität Frankfurt am Main*, Wiesbaden 1981, S. 375-398.
ders., *Die Exzerpte aus Wolframs ›Willehalm‹ in der ›Weltchronik‹ Heinrichs von München*, in: *Texte und Untersuchungen zur ›Willehalm‹-Rezeption*, Bd. 2, Berlin und New York 1981, S. XXX-XXXIII (= Schröder Exzerpte 1981).
ders., *›Arabel‹-Studien II* (Akademie der Wissenschaften und der Literatur, Abhandlungen der geistes- und sozialwissenschaftlichen Klasse Jg. 1983, Nr. 4), Wiesbaden 1983.
ders., *›Arabel‹-Studien III* (ebd. Jg. 1984, Nr. 9), Wiesbaden 1984.
ders., *Rezension von Ronald Michael Schmidt, Die Handschriftenillustrationen des ›Willehalm‹ Wolframs von Eschenbach*, ZdfA 115 (1986), S. 129-142
ders., *Text und Bild in der ›Großen Bilderhandschrift‹ von Wolframs ›Willehalm‹*, in: ZdfA 116 (1987), S. 239-268.
Wolfgang Stammler, *Epenillustration*, in: *Reallexikon zur deutschen Kunstgeschichte*, Bd. 5, Stuttgart 1967, Sp. 810-857.
Alfred Stange, *Deutsche Malerei der Gotik*, Bd. 2, Berlin 1936, S. 173-181 (Bayern).

Leonie von Wilckens, *Regensburg und Nürnberg an der Wende des 14. zum 15. Jahrhundert.* Zur Bestimmung von Wirkteppichen und Buchmalerei, in: Anzeiger des Germanischen Nationalmuseums 1973, S. 57-59.

dies., *Salzburger Buchmalerei um 1400.* Was charakterisiert sie und was trennt sie von der donaubayerischen? in: Anzeiger des Germanischen Nationalmuseums 1974, S. 26-37.

Ausstellungskataloge:

Regensburger Buchmalerei, Regensburg 1987, München 1987.

Glanz alter Buchkunst, Braunschweig, Berlin und Köln 1988-90, Wiesbaden 1988.

Wolfenbütteler Cimelien. Das Evangeliar Heinrichs des Löwen in der Herzog August Bibliothek, Wolfenbüttel 1989.

Dorothea und Peter Diemer

Abbildungsnachweis:

Sämtliche Abbildungen sind entnommen der Handschrift Cod. Guelf. 30.12 Aug. 2° der Herzog August Bibliothek Wolfenbüttel.

VARIANTENVERZEICHNIS

Das Variantenverzeichnis eröffnet einen begrenzten Einblick in das Verhältnis des hergestellten Textes unserer Ausgabe zu dem in den Handschriften überlieferten Text bzw. zum Text der drei älteren kritischen Ausgaben (Lachmann, Leitzmann, Schröder). Verzeichnet werden (1) Abweichungen des Textes von der Handschrift G in Fällen, bei denen (a) die betreffende G-Form als Schreibfehler aufgefaßt und im hergestellten Text entsprechend korrigiert ist; (b) die Normalisierung der betreffenden G-Form problematisch erscheint; (c) die metrisch motivierte Ergänzung eines *e* eine weitergehende Veränderung der Form erfordert (vgl. S. 808f.): in allen drei Fällen sind die Wörter im Text kursiv gesetzt. Und verzeichnet werden (2) Übereinstimmungen des Textes mit der Handschrift G zum einen (a) bei allen Sinnvarianten und bei einer Auswahl interessanter Formvarianten (Wortbildung, Flexion, Syntax), sofern keine der drei älteren Ausgaben dieser Handschrift folgt; zum andern (b) in Fällen, in denen ein Rekurs auf die Überlieferung für die Zwecke des Kommentars oder des Namenverzeichnisses nötig ist: in beiden Fällen sind die Stellen im Text durch ein hochgestelltes Sternchen markiert. In den Fällen unter (1) (c) wird die G-Form immer ohne weiteren Zusatz mitgeteilt, desgleichen in den Fällen unter (1) (a) und (b), sofern das Normalierungsproblem ohne weiteres deutlich wird bzw. die Besserung sich von selbst versteht. Ansonsten werden die in den drei älteren Ausgaben gewählten Formen sowie sämtliche überlieferten Formen mitgeteilt; diese Regelung gilt auch für die Fälle unter (2). Soweit erforderlich und nicht schon im Kommentar geschehen (worauf verwiesen wird), sind den Lesarten knappe Erläuterungen zur Textkritik beigegeben.

Die Lemmata des Textes werden grundsätzlich in der normalisierten Form, aber ohne Längenzeichen aufgenommen; ist eine nicht normalisierte Form von Interesse für die Beurteilung der Lesart, wird sie in Winkelklammern hinter der normalisierten vermerkt. Ansonsten gilt für Einzellesarten die Schreibform der betreffenden Handschrift, für Lesartenbündel die Schreibform der im Siglenblock zuerst genannten Handschrift; bei den Lesartenbündeln werden neben den Laut- auch kleinere Formvarianten einzelner Handschriften in der Regel nicht besonders angegeben, sofern sie für die textkritische Beurteilung der Stelle ohne Bedeutung sind. Ist der in Frage stehende Text in einer Handschrift nur teilweise zu lesen und wird keine präzise Angabe gemacht, steht deren Sigle in runden Klammern. Groß-/Kleinschreibung der Handschriften wird in der Regel normalisiert, die in G öfters verwendeten Zirkumflexe bleiben in der Regel unberücksichtigt. Vorhandener, aber nicht lesbarer Text in Fragmenten wird als nicht überliefert betrachtet. Schreiberkorrekturen sind nur vermerkt, wenn sie von Interesse für die Beurteilung der Lesart sind.

Die vollständigen Handschriften werden in der gleichen Reihenfolge aufgeführt wie bei Schröder:

G Stiftsbibliothek St. Gallen, cod. 857 (vgl. S. 805f.),
V Österreichische Nationalbibliothek Wien, cod. 2670 – vgl. Schröder, S. XXIIIf.,
Ka Gesamthochschul-Bibliothek/Landesbibliothek und Murhardsche Bibliothek der Stadt Kassel, 2° Ms. poet. et roman. 1 – vgl. Schröder, S. XXIVf.; Bushey, S. 361f.,
B Staatsbibliothek Preußischer Kulturbesitz Berlin, Ms. germ. 2° 1063 – vgl. Schröder, S. XXVf.; Bushey S. 362,
H Universitätsbibliothek Heidelberg, cpg 404 – vgl. Schröder, S. XXVI,
L Universitätsbibliothek Leipzig, Rep. II 127 – vgl. Schröder, S. XXVII,

K Historisches Archiv der Stadt Köln, cod. W.f° 357 – vgl. Schröder, S. XXVII; Bushey, S. 362,

C Historisches Archiv der Stadt Köln, cod. W.f° 355 – vgl. Schröder, S. XXVIII; Bushey, S. 362,

W Österreichische Nationalbibliothek Wien, cod. Ser. nova 2643 – vgl. Schröder, S. XXVIIIf.,

Wo Herzog August Bibliothek Wolfenbüttel, cod. 30.12 Aug. 2° – vgl. Schröder, S. XXIXf.; Bushey, S. 362,

E Bibliotheca Bodmeriana Genf-Cologny, cod. Bodmer 170 – vgl. Schröder, S. XXXf.,

Ha Staats- und Universitätsbibliothek Hamburg, cod. ms. germ. 19 – verschollen (Auskunft der Staats- und Universitätsbibliothek Hamburg vom 16.5.1988 und der Deutschen Staatsbibliothek Berlin vom 26.5.1988) – vgl. Schröder S. XXXI.

Auf die Verwendung von Gruppensiglen (vgl. Schröder S. XXXIff. und XCIIIff.) wird verzichtet, doch sind die Handschriften, soweit möglich und sinnvoll, mit Hilfe von Trennpunkten entsprechend gruppiert: G.VKa.BH.LKC.WWoE. Ha.

Die Fragmente sind am Schluß der Siglenblöcke zusammengefaßt (ihre Zuordnung zu den Überlieferungsgruppen ist weithin unsicher: vgl. Ludwig Wolff in: Beitr. [Tübingen] 90 [1968], S. 162).

Unberücksichtigt bleiben, wie bei Schröder, die Willehalm-Exzerpte in der Weltchronik Heinrichs von München ($Fr^{65.66.67.70}$ – vgl. Schröder, S. XXXIV) und im Arabel-Teil von Hs. L (Fr^{69} – vgl. W. Schröder, *Die Exzerpte aus Wolframs Willehalm in sekundärer Überlieferung* [Abhandlungen der Geistes- und Sozialwissenschaftlichen Klasse der Akademie der Wissenschaften und der Literatur, 1980/1], Mainz 1980, S. 7ff.), desgleichen eine in einer Gebetssammlung überlieferte Teil-Paraphrase des Prologs (vgl. Hartmut Jakobi, *Ein Kasseler Bruchstück der Erlösung und einer mhd. Gebetssammlung*, in: ZfdA 117 [1988], S. 146-155, hier S. 154f.; Klaus Klein, *Kasseler Gebetbuchfragmente*, in: ZfdA 118 [1989], S. 280-286).

Damit der Benutzer weiß, zu welcher Bibliothekssignatur eine bestimmte Lesartenangabe gehört, ist im folgenden der jeweils überlieferte Versbereich (Dreißigereinheiten) vermerkt, wenn Stücke verschiedener Bibliotheken oder Stücke einer Bibliothek mit verschiedenen Signaturen zu einer Handschrift gehören und dementsprechend unter einer Sigle zusammengefaßt sind. Die (verunglückte) Zählung Schröders, an die wir uns halten müssen, beginnt mit der Ziffer 13 (die Positionen 1-12 sind den vollständigen Handschriften zugeordnet, obwohl diese mit Buchstaben bezeichnet werden):

Fr[13] Bayerische Staatsbibliothek München, Cgm 193,I – vgl. Schröder, S. XLII; Bushey, S. 362f.,

Fr[14] Zentralbibliothek Zürich, cod. C 79c Nr. VII – vgl. Schröder, S. LXII,

Fr[15] Bayerische Staatsbibliothek München, Cgm 193,II – vgl. Schröder, S. L,

Fr[16] 1. Staatsbibliothek Preußischer Kulturbesitz Berlin, Ms. germ. 2° 923 Nr. 43 (Versbereich 52-57) ; 2. ibid., Ms. germ. 2° 746 (Versbereich 461-467) – vgl. Schröder, S. XLf.; Bushey, S. 363 und 370; Klaus Klein in Wolfram-Studien 12 [im Druck],

Fr[17] 1. Bayerische Staatsbibliothek München, Cgm 193,III; 2. Germanisches Nationalmuseum Nürnberg, Kupferstichkabinett, Kapsel 1607, Hz 1104.1105 (nur Bilder) – vgl. Schröder, S. Lf.; Bushey, S. 363,

Fr[18] ehemals im Besitz des Freiherrn von Zurhein – verschollen – vgl. Schröder, S. XLVII,

Fr[19] ehemals Gräflich Erbachsches Gesamthausarchiv Erbach – vernichtet – vgl. Schröder, S. XXXIX,

Fr[20] Bibliothèque Nationale Paris, Ms. Allem. 333a – vgl. Schröder, S. LXIIf.,

Fr[21] ehemals Bibliothek des Trinitarier-Klosters Krotoschin – verschollen (Auskunft der Universitätsbibliothek Breslau vom 7.8.1989) – vgl. Schröder, S. XLIIf.,

Fr[22] 1. Stadtarchiv Retz/Niederösterreich, Nr. 420 (Versbereich 96-117) ; 2. Sammlung Gerhard Eis (Versbereich 270-306) – vgl. Schröder, S. LIf.,

Fr[23] Universitätsbibliothek Heidelberg, Heid. Hs. 202 – vgl. Schröder, S. XLIII,

Fr[24] Bibliothèque Nationale et Universitaire Strasbourg, ms. 2202 (ehemals: germ. 244.4°) – vgl. Schröder, S. XLIII,

Fr[25] 1. Öffentliche Staatsbibliothek Leningrad, HEM. O. v. XIV N 4 (Versbereich 155-320) ; 2. Biblioteka Jagiellońska Krakau, in Inkunabeln 593 und 1406-1409 (Versbereich 11-29. 439-457); 3. Bibliothek des Dominikaner-Klosters Lemberg/Krakau, ohne Signatur, verschollen (Versbereich 340-345) – vgl. Schröder, S. LIIf.,

Fr[26] Schloß Churburg Glurns/Vinschgau – vgl. Schröder, S. XLVIIf.,

Fr[27] Stadtarchiv Wasserburg – verschollen – vgl. Schröder, S. LIII,

Fr[28] 1. Bayerische Staatsbibliothek München, Cgm 5249,4a (Versbereich 144-160); 2. Stiftsbibliothek Melk, Fragm. germ. 1a und 1b (Versbereich 114-123. 177-255. 280-285. 455-464); 3. Österreichische Nationalbibliothek Wien, cod. 12850 (Versbereich 260-276) – vgl. Schröder, S. XXXVIf.; Bushey, S. 363,

Fr[29] Bayerische Staatsbibliothek München, Cgm 5249,4c – vgl. Schröder, S. LIIIf.; Bushey, S. 363 und 372,

Fr[30] Staatsbibliothek Preußischer Kulturbesitz Berlin, Ms. germ. 2° 721/a – vgl. Schröder, S. XXXIX,

Fr[31] 1. Staatsbibliothek Preußischer Kulturbesitz Berlin, Ms. germ. 2° 721/b (Versbereich 128-289); 2. Bayerische Staatsbibliothek München, Cgm 193,IV (Versbereich 435-440) – vgl. Schröder, S. LIVf.,

Fr[32] Staatsbibliothek Preußischer Kulturbesitz Berlin, Ms. germ. 2° 721/c – vgl. Schröder, S. LXIII,

Fr[33] 1. Biblioteka Jagiellońska Krakau, Berol. Ms. germ. 4° 1598 (Versbereich 279-326); 2. Staatsbibliothek preußischer Kulturbesitz Berlin, Ms. lat. 2° 791, Leimabdruck auf den Deckeln (Versbereich 243-267) – vgl. Schröder, S. LV; Bushey, S. 364,

Fr[34] Studienbibliothek Dillingen, Hss.-Frgm. 23 (1983 restauriert, dadurch mehr Text lesbar als bisher) – vgl. Schröder, S. LVf.

Fr[35] Fürstlich Hatzfeld-Wildenburgsches Archiv Schloß Schönstein bei Wissen/Sieg, Nr. 7693. 8866 – vgl. Schröder, S. XXXVIII,

Fr[36] Burgerbibliothek Bern, cod. 756.40 (!) – vgl. Schröder, S. LX,

Fr[37] 1. Bayerische Staatsbibliothek München, Cgm 5249,4f (Versbereich 159-197); 2. Universitätsbibliothek Eichstätt, Fragment aus D II 136 (Versbereich 289-299) – vgl. Schröder, S. LXI; Bushey, S. 364,

Fr[38] 1. Bibliothek des Evangelischen Stifts Tübingen, Msc. 26 (Versbereich 349-395,22); 2. Niedersächsische Staats- und Universitätsbibliothek Göttingen, 4° Ms. philol. 184, V (Versbereich 395,25-401. 433-438); 3. Zentralbibliothek der deutschen Klassik Weimar, 2° 439a (8) (Versbereich 411-422) – vgl. Schröder, S. XLIV; Franz-josef Pensel, *Ein neuentdecktes Fragment des Willehalm Wolframs von Eschenbach*, in: *Studien zu Wolfram von Eschenbach. Festschrift für Werner Schröder zum 75. Geburtstag*, hg. von Kurt Gärtner und Joachim Heinzle, Tübingen 1989, S. 381-397,

Fr[39] Staatsbibliothek Preußischer Kulturbesitz Berlin, Ms. germ. 2° 923 Nr. 45 – vgl. Schröder, S. XLIV,

Fr[40] =Fr[31],

Fr[41] =Fr[28],

Fr[42] 1. Bayerische Staatsbibliothek München, Cgm 5249,4d (Versbereich 7-15); 2. Staatsbibliothek Preußischer Kulturbesitz Berlin, Ms. germ. 2° 923 Nr. 44 (Versbereich 92-100) – vgl. Schröder, S. XLVIIIf.; Bushey, S. 371,

Fr[43] Universitätsbibliothek Leipzig, cod. ms. 1614 f. 12.13 – vgl. Schröder, S. LVI,

Fr[44] Österreichische Nationalbibliothek Wien, cod. Ser. nova 286 – vgl. Schröder, S. LXIII,

Fr^{45} ehemals Gräflich Ortenburgische Bibliothek Tambach / Oberfranken, jetzt in anderem Privatbesitz – vgl. Schröder, S. XLIXf.; Bushey, S. 365 und 371,

Fr^{46} $=Fr^{38}$,

Fr^{47} Universitäts- und Landesbibliothek Halle, Archiv der Franckeschen Stiftungen, Handschriften-Hauptabteilung, P 3a.b – vgl. Schröder, S. LVIf.; Bushey, S. 373,

Fr^{48} 1. Germanisches Nationalmuseum Nürnberg, Hs. 42566 (Versbereich 313-319); 2. Gesamthochschul-Bibliothek/Landesbibliothek und Murhardsche Bibliothek der Stadt Kassel 2° Ms. poet. $30_{(9}$ (Versbereich 98-104) – vgl. Schröder, S. LVII; Bushey, S. 372,

Fr^{49} Bibliothek des ehemaligen Prämonstratenser-Stifts Strahov, 475 zl – vgl. Schröder, S. LXIf.,

Fr^{50} 1. Herzog August Bibliothek Wolfenbüttel, cod. 404.9 (10) Novi (Versbereich 283-286); 2. University College London, Ms. Frag. Germ. 1 (Versbereich 306-330); 3. Stiftsbibliothek St. Paul im Lavanttal, 11/8 (Versbereich 415-421) – vgl. Schröder, S. XLV, LXI; Klaus Klein in Wolfram-Studien 12 [im Druck],

Fr^{51} Freiherrlich Langwerth von Simmern'sches Archiv Eltville – verschollen (laut Mitteilung vom 2.1.1989) – zur selben Hs. vielleicht auch Fr^{84} – vgl. Schröder, S. XL; Bushey, S. 365,

Fr^{52} 1. Universitätsbibliothek München, 4° cod. ms. $889_{(2}$ = Cim. $34^{c}_{(2}$ (Versbereich 204-222); 2. Beinecke Rare Book Library Yale University New Haven, 486 (Versbereich 249-267) – vgl. Schröder, S. LVIIf.,

Fr^{53} $=Fr^{42}$,

Fr^{54} ehemals Gymnasialbibliothek Brieg – verschollen (Auskunft der Universitätsbibliothek Breslau vom 7.8.1989) – vgl. Schröder, S. LXIIIf.,

Fr^{55} ehemals Landesbibliothek Schwerin – verschollen (Mitteilung vom 5.1.1989) – vgl. Schröder, S. XXXVIIf.,

Fr^{56} 1. Stiftsbibliothek Seitenstetten, Fragmentensammlung (Versbereich 430-435); 2. Bayerische Staatsbibliothek München, Cgm 5249,4b (Versbereich 106-112) – vgl. Schröder, S. XLIf.,

Fr^{57} Deutsche Staatsbibliothek Berlin, Fragm. 93a – vgl. Schröder, S. LVIIIf.,

Fr^{58} ehemals Privatbesitz – verschollen – vgl. Schröder, S. LXIV,

Fr^{59} Stiftsbibliothek St. Lambrecht – vgl. Schröder, S. XLV,

Fr^{60} Universitätsbibliothek Freiburg i.Br., Hs. 591 – vgl. Schröder, S. LXIV,

Fr^{61} ehemals von Bodenhausensche Bibliothek in Schloß Arnstein bei Göttingen – verschollen – vgl. Schröder, S. LIX,

Fr^{62} Bibliothek des Franziskanerklosters Güssing / Burgenland, Sign. 1735 – vgl. Schröder, S. LIX,

Fr^{63} Staatsbibliothek Preußischer Kulturbesitz Berlin, Ms. germ. 2° 721/d – vgl. Schröder, S. XLVI,

Fr^{64} Niedersächsische Staats- und Universitätsbibliothek Göttingen, Ms. Müller I,3 – verschollen – vgl. Schröder, S. LXIVf.,

Fr^{65} (nicht berücksichtigt – s.o.),

Fr^{66} (nicht berücksichtigt – s.o.),

Fr^{67} (nicht berücksichtigt – s.o.),

Fr^{68} Kloster Berich – verschollen – vgl. Schröder, S. LXV,

Fr^{69} (nicht berücksichtigt – s.o.),

Fr^{70} (nicht berücksichtigt – s.o.),

Fr^{71} Bayerische Staatsbibliothek München, Cgm 5249,4e – vgl. Schröder, S. LXV,

Fr^{72} Staatsbibliothek Preußischer Kulturbesitz Berlin, Ms. germ. 2° 923 Nr. 42 – vgl. Schröder, S. LIXf.,

Fr^{73} Österreichische Nationalbibliothek Wien, cod. 3035 – vgl. Schröder, S. XLVI; Bushey, S. 373,

Fr^{74} Universitätsbibliothek Gießen, Hs. 97^{e} – vgl. Schröder, S. XXXIX,

Fr^{75} Deutsche Staatsbibliothek Berlin, Fragm. 100 – vgl. Schröder, S. LX,

Fr^{76} ehemals Regensburg – verschollen – vgl. Schröder, S. LXV,

Fr[77] Ungarische Akademie der Wissenschaften Budapest, K.554 – vgl. Schröder, S. XLVIII,

Fr[78] 1. Archiv der Oberdeutschen Jesuitenprovinz München (!), Abt. O, XXVIII, 2 (Versbereich 224-386); 2. Sammlung Dr. Rolf Schmidt, Stadtbergen bei Augsburg, Frag. germ. 1 (Versbereich 113-117); 3. Bibliothek des Johannes-Turmair-Gymnasiums Straubing, Cgs 2 (Versbereich 110-113); 4. Universitätsbibliothek Eichstätt, Fragment aus D II 723 (Versbereich 273-296) – vgl. Schröder, S. XLVII; Bushey, S. 365, 367; Klaus Klein in Wolfram-Studien 12 [im Druck],

Fr[79] =Fr[50],

Fr[80] Universitätsbibliothek Eichstätt, Fragment aus K 685 – vgl. Bushey, S. 365f.,

Fr[81] Jihočeské muzeum České Budějovice (Bibliothek des Südböhmischen Museums Budweis), Falzstreifen in Inkunabel FK 38 – vgl. Bushey, S. 366,

Fr[82] =Fr[78],

Fr[83] Hessisches Staatsarchiv Marburg, Best. 147 Hr deutsch Nr. 15 – vgl. Bushey, S. 367 und 377-380 (in den Bildlegenden irrtümlich als Fragment 84 bezeichnet!),

Fr[84] Staatsbibliothek Preußischer Kulturbesitz, Depositum 13 – vielleicht zu Fr[51] – vgl. Bushey, S. 368,

Fr[85] Fürstlich Hatzfeld-Wildenburgsches Archiv Schloß Schönstein bei Wissen/Sieg, Nr. 19415 – vgl. Jost Kloft/Klaus Klein, *Fragment auf Schloß Schönstein*, in: Wolfram-Studien 11 (1989), S. 243-247,

Fr[86] Stiftung Huis Bergh 's-Heerenberg (Niederlande), Fr. 41, inv. nr. 246 – vgl. Klaus Klein, *Willehalm im Bilderrahmen? Fragment im niederländischen 's-Heerenberg*, in: Wolfram-Studien 11 (1989), S. 248-251,

Fr[87] Privatbesitz, 1 Bl., 13. Jh., Verse 185,1-186,24 – Publikation von Hartmut Beckers in Vorbereitung (vgl. Klaus Klein in Wolfram-Studien 11 [1989], S. 251).

Varianten

1,30 tiefen G.V.BH.KC.WWoE.Fr[23] (= LaSch)] túfe Ka.L (= Lei), tief Fr[44]. Vgl. Komm. zu 1,29-2,1.

2,1 dart.

2,12 den sternen louften] den sternen louft in G, der sunn (sonnē K) schein in V.K, der svnnē (svnne H.C.Fr[23]) lauft (loufe H.E, luft C.WWo) in (den W) BH.LC.WWoE (= LeiSch) – *Vers. f.* Ka (der sunnen louften La). Vgl. Komm. z.St.

2,22 die BH.KC.WE (= LaLeiSch)] div G.L, di VKa.Wo – *Vers f.* Fr[23].

2,23 diu G.B.L.Fr[23.(44)] (= LaLeiSch)] di VKa.Wo, die H. KC.WE. Vgl. Komm. zu 2,23-25.

3,11 Orangis BH.LC.Fr[44] (= LaLeiSch)] Oranis G.Fr[23], Oranse Ka, Ozangis Ha – *nicht im Reim:* Orans V, Aransche K, Orantsch WWo, Orantsche E.

4,6 die G] dir VKa.BH.KC.Fr[23.44] (= LaLeiSch), div L, im WWoE.

4,9 daz G.B.Fr[44]] vns VKa.H.LKC.WWoE.Fr[23] (= LaLei Sch).

4,20 gespharch.

5,11 noch G.B.Fr[44]] vnd auch VKa.H.LK.W (= LaLei Sch), vnd WoE – *Vers f.* C.

5,16 grāue. Vgl. Schanze, Verhältnis, S. 161.

6,4 wol VKa.BH. LKC.WWoE (= LaLeiSch)] ǒch G.

6,24 Bůsvn.

7,2 wass.

8,13 manigen.

8,16 da vreuden urbor e (*f.* C) was breit G.V.C] da vrǒde ob[s] was e gebreit Ka, da vraeuden (freude H.L = LaLeiSch) vrbor e (*f.* L) was bereit BH.LK (= LaLeiSch), do die freud was e vil breit W, da vrevden vor waz vil berait WoE, (. . .) frauden (. . .) kos waz prait (Fr[42]). Vgl. Komm. zu 8,15-21.

8,17 sniten G.V.LK] siten Ka.BH.C (= LaLeiSch) – *ganzer Vers abweichend:* die wart mit iamer nv versniten WWoE.

8,19 das.
8,26 entswischen.
8,30 Terrêͣmer.
9,8 sinen.
10,5 ers.
10,15 Tiebalt.
12,2 etswen VKa.BH.K.WWoE.Fr[42] (= etswenne LaLei Sch)] etswem G.L – *Vers f.* C.
12,15 er gap. Vgl. aber Mersmann, S. 20, Anm. 15.
12,17 in.
12,18 müete G.L] mueten VKa.BH.C.WWoE.Fr[42] (= müeten LaLeiSch), erbarmbete K.
13,9 wolle.
13,27 nam.
14,1 Dy.
14,18 der zweier (zweir G) ist einez (eines G) wol so breit G (= LaSch)] die zwai sind aines (einste B) wol so prait V. BH.L.WWo (= Lei), di zvei sint eyniz wol (so wol E) bereit Ka.K.WE – *Vers f.* C.Fr[42]. Vgl. Komm. zu 14,16-19.
14,20 Bvͤrgvnioys.
15,1 Lævdins.
15,3f. Kavtis| vñ Hvnas von Sanctis|ob ir mirs. Vgl. Schanze, Verhältnis, S. 198.
15,27 Bvrgvnioys.
16,13 steine G.V.L] schein Ka.K.WWoE.Fr[34] (= LaLei Sch) – *Vers f.* BH.C. Vgl. Heinzle, Stein.
16,14 an (das ane K) wahsen (wechsen G) kan G.V. LK.(Fr[34])] ane maze kan Ka – *ganzer Vers abweichend:* niemant kan (= kam E) besvnder WWoE – *Vers f.* BH.C – (ach wênc, in kan La, âne wahs enkan LeiSch). Vgl. Heinzle, Stein.
16,15 ich iuch G.BH.K] ich ev VKa.L.Fr[34] (= iu LeiSch), es euch (auch E) WWoE (iz niht La) – *Vers f.* C.
16,23 dar.
16,27 vil G.Fr[34]] ir VKa.BH.LKC (= LaLeiSch), in WWoE.
16,29 werlichen VKa (= LaLeiSch)] manlichen G, werliche BH.LK.W.Fr[34], manliche C, vil werleichen WoE.

17,27 ze orsen G] ze ors(e) (rosse WWo) VKa.B.LKC. WWoE.Fr[34] (= ze orse LaSch = zorse Lei), zv̊ orense H. Vgl. 116,24.

18,1:2 amazzivr:vntivr. Vgl. Vorderstemann, S. 33.

18,11 sin V.H.C.WWoE (= LaLeiSch)] ir G, sine Ka.B. LK. Fr[34]. Vgl. Schanze, Verhältnis, S. 200.

19,1 Moneshoy.

19,16 er.

21,9 wart VKa.BH.LK.WWoE.Fr[34] (= LaLeiSch)] was G.C.

23,6 im.

23,12 genomen G] vernomen VKa.BH.LKC.WWoE (= LaLeiSch) – Fr[34] *nur lesbar:* (. . .)nomen.

24,5 minen. Vgl. Schanze, Verhältnis, S. 200.

24,24 versniten VKa.BH.LKC.WWoE.Fr[34] (= LaLei Sch)] vermiten G.

25,9:10 lone:Sansone.

25,11 die gebruoder G.L (= Sch)] des geslehtes (geslechte K, geslæcht WoE) VKa.BH.KC.WWoE (= LaLei). Vgl. Komm. z.St.

25,13 leit er VKa.BH.KC.WWoE (= LaLeiSch)] leider in G.L. Vgl. Schanze, Verhältnis, S. 207, Anm. 57.

25,22 manec man und manec wip B.L (= Sch)] man vn̄ manech wip G, manich man vnd weib VKa.H.KC.WWoE (= LaLei).

26,2 Tibaldes VKa.BH.LKC.WWoE (= LaLeiSch)] Baldaches G. Vgl. Schanze, Verhältnis, S. 200.

26,24 ich im's G.L] ichs im VKa.WWoE.Fr[25] (= LaSch), ich sie im BH.KC (= Lei).

27,3 muoz ⟨mv̊z G, muez V⟩ G.V.KC] muze Ka, muͤze B, můzze H.L, muͤste WWoE (müeze LaLeiSch).

27,7 Fossabre.

27,8 Tampastre.

27,9 Rubiant G.K (= La)] Mor(h)ant VKa.BH.LC. WWoE (= LeiSch). Vgl. Heinzle, Editionsprobleme, S. 230f.

27,29 Franzoyse (o *zu* e *gebessert?*).

28,28 an der (zu dyrre K) tremie ⟨Tremye G⟩ G.K] an die ritter e (ie C) VKa.BH.LC.WWoE (= LaLeiSch). Vgl. Komm. z.St.

29,1 oder (= Sch)] der G (d *Lombarde*), oder denn der VKa.WWoE (= oder dan der Lei), oder der B.C (= od der La), oder an der H, vñ der LK.

29,5 machete weinde] machete weinende G, erwaint VKa. B.LK (= erweinde LaLeiSch), erweinten H, beweint C, sint beweinte WWoE. Vgl. Schanze, Verhältnis, S. 194.

29,7 nu G] vntz (vntz daz WWoE) V.B.L.WWoE (= La LeiSch), biz Ka.H, dje dwile K – *Vers f.* C.

29,11 waren G.Fr[25]] heten VKa.BH.LKC, harreten WWoE (= LaLei) (habeten Sch). Vgl. aber Schanze, S. 110f.

29,13 dem G] der VKa.BH.LKC.WWoE (= LaLeiSch).

29,18 langen.

29,27 vz. Vgl. Schanze, Verhältnis, S. 198.

30,8 siner.

30,17[1] Aropfel.

30,17[2] Persa.

31,1 war VKa.BH.LK. WWoE.Fr[71] (= LaLeiSch)] dar G.C. Vgl. Schanze, S. 83.

31,11 durh (vm C, fur WWoE) uns gap in (an V.LK, *f.* H) den (dem H) VKa.BH.LKC.WWoE (= LaLeiSch)] gap dvrh vnseren G. Vgl. Schanze, Verhältnis, S. 196.

31,30 wir sulen's ouch gelouphaften pflegen (= Sch)] wir svlen (sullen ez H.Fr[71], suͤlns B.LK, sullen sein WWoE) oͮch (*f.* BH.LK.WWoE.Fr[71]) geloͮphaften (gelauphaftig B, geleubehafft K, geloublichē WWoE) pflegen G.BH.LK.WWoE. Fr[71], wir schullen seins gelovben phlegen V, wir sollē des globig sin Ka, (wir sulens gelouphafte'npflegen La, wir sulns ouch gelouphaft enphlegen Lei) – *Verse 29.30 ganz abweichend:* der liff was in den segen godes | die da halden sine gebode C. Vgl. Komm. z.St. sowie Schanze, Verhältnis, S. 194f.

32,2 über bort VKa.BH (= LaLeiSch)] vrbort G, uber horte K.WWoE, ouer wart C, uber wort Fr[71] – *Vers f.* L.

32,3 ündet in V (= LaLeiSch)] in G, half vz vnd in Ka, vnd taten in B, vndetenig sint H, vnder (vñ vnder Fr[71]) yne

K.C.Fr^{71}, verwundet (verbundet E) in WWoE, vnt in Fr^{72} – *Vers f.* L.

32,13-15 Malarz (Malartz V, Malars K.Fr$^{71.72}$, Molart C, Malas WWoE) und Malatras | Karriax (Garriax K.E, Garrax WWo, Kargabs Fr^{71}) daz (der Ka.BH.KC.WoE.Fr$^{71.72}$, do der W) vümfte was | Gloriax (Glorigagax K) und Utreiz (Vtreis V.C.Fr^{72}, Vtereiz B.K, Vtereis WWoE) (*Vers 15 f.* Fr^{71}) VKa. BH.KC.WWoE.Fr$^{71.72}$ (=LaLeiSch)] Malarz vn̄ Malatraz Kiriax | daz fivmfte was Gloriax | vnt der herre Vtreiz G – *Verse f.* L. Vgl. Dittrich/Vorderstemann, S. 176.

32,16 Merabias G] Berabiax V, Berbyax Ka, Mirabiax BH, Mirabax C, Barabiax WWo, Barrabia E, Mirablax Fr^{72} (Merabjax LaLei, Merabiax Sch) – *Vers f.* LK.

32,19 poyndecheit.

32,23 Terramer.

32,27 getouften VKa.BH.K.WWoE.Fr^{72} (= LaLeiSch)] *f.* G, cristen C – *Vers f.* L.

33,5 der. Vgl. Schanze, Verhältnis, S. 200.

33,8 roͤte.

34,6 puken VKa.BH.L.WWoE.Fr^{72} (= LaLeiSch)] pvckel G, flouten K, bungen C.

34,11 nivne.

34,16 Gorgosangi G] Gorgozan V.WWo, Corgozane Ka, Gorgozzange BH, Gorgazzange L, Korgozanie K, Gorzasange C, Borgosan E, Gorgosange Fr^{72} (Gorgozane LaLei Sch).

34,19 vrie.

34,20 Teneblye.

35,5 nahen (nah Ka, nahe B.K) VKa.BH.LK.Fr^{72} (= nah La = nahen Lei = nahe Sch)] *f.* G – *ganzer Vers abweichend:* dar am der erden ort ligt C, das der erde so vnder liget W, das der erd so nahen liget WoE.

35,12 Ganjas ⟨Ganias⟩ BH.C (= LaLeiSch)] Geyas (Gayas K) G.K, Ganies VKa, Gays L.Fr^{72}, Ganis WWoE.

35,16 gal (der gal W) sam (als so B, so H.L.Fr^{72}, recht sam W) B.L.WWoE. Fr^{72} (= LaLeiSch)] alsam G, hal so V, also Ka, halle als K, schal so C.

36,2 wib.

36,6 Terraemers.

36,7:8 dem plane (plan V) :Griffane (Griffan V) V.BH.K. WoE (= LaLeiSch)] dem planye:Grossanye G, den plane:Griffane Ka.W, den plange:Grivange L, deme plange:Grifange C – *nur lesbar Versende 36,8:* ge Fr^{72}.

36,11 den *f.*

36,15 in.

36,20 siner bet G.L.Fr^{72} (= Sch)] nach seinen (sime K) peten VKa.K.WWoE (= La) (nach siner bete Lei) – *ganzer Vers abweichend:* wibe gruz het ir (er H.Fr^{44}) vil gebeten BH. Fr^{44} – *Vers f.* C. Vgl. Komm. z. St.

36,24 Poywiz.

37,3 sinem punder] sinen pvndr G, seinem (sinē Ka, sime K) pondyr (poynd^{s} Ka, ponder K.WWoE.Fr^{44}) VKa.K. WWoE.Fr^{44}, sinr poynder (ponder H) BH.L, eme C, sinē pōdiern Fr^{72} (sim poynder La, sinem poinder Lei = sinem poynder Sch).

37,4^{1} ez.

37,4^{2} velswagen.

37,6 wuochers G] hers VKa.BH.LKC.WWoE.Fr$^{44.72}$ (= LaLeiSch). Vgl. Komm. z.St.

37,12 getat G] tat VKa.BH.LKC.WWoE.Fr^{44} (= LaLei Sch). Vgl. aber Schanze, Verhältnis, S. 196.

37,16 strites gegenbiet V.BH.LK.Fr^{44} (= LaLeiSch)] strit gein biet G, strites (stritens Ka) wid^{s} piet Ka.WWoE, strides biet C. Vgl. Schanze, Verhältnis, S. 197f.

37,21 des.

37,25 sendent.

37,28 im niht. Vgl. Schanze, Verhältnis, S. 198.

38,4 unsern schaden VKa.BH.LK.WWoE.Fr^{44}] vnser schanden G – *Vers f.* C.

38,7 gestv. Vgl. Schanze, Verhältnis, S. 201.

38,18 und den VKa.BH.C.WWoE (= LaLeiSch)] von dem G, vñ L, vnd der K.Fr^{44}. Vgl. Schanze, Verhältnis, S. 201.

38,19 gap VKa.BH.LKC.WWoE.Fr^{44} (= LaLeiSch)] *f.* G.

38,22 doene L.Fr^{44} = (?) done G.C.Wo (= [?] Sch)] don VKa.BH.K.E (= LaLei), doͤn W. In GCWo dürfte Umlaut gemeint sein; Schröders Auffassung der Form bleibt unklar. Vgl. Schanze, Verhältnis, S. 206, Anm. 56.

39,1 verlich.

40,3 pvcken.

40,5 ez.

40,11 der G] di VKa.BH.LKC.WWoE.Fr^{44} (= diu LaLei Sch). Vgl. aber Schanze, Verhältnis, S. 200.

40,18^{1} da mit VKa.BH.LKC.WWoE.Fr^{27} (= LaLeiSch)] daz G – *nur Wortende lesbar:* (. . .)t Fr^{44}. Vgl. Schanze, Verhältnis, S. 201.

40,18^{2} gazze (gaß K) G.LK] gazzen VKa.BH.C.WWoE. Fr$^{27.44}$ (= LaLeiSch).

41,6 was G.C] ward VKa.BH.LK.WWoE.Fr^{44} (=LaLei Sch), *f.* (?) Fr^{27}.

41,7 ez.

41,11 Terms.

41,16 Indiant G (= LaSch)] yndiasen (indiascem H.K) lant VKa.H.KC.WWo (= indiâschem lant Lei), indischem lant B.L.E.Fr^{44}.

41,26 der VKa.H.LKC.WWoE (= LaLeiSch)] er G.B.

42,3 craye.

42,4 twanch sin. Vgl. Schanze, Verhältnis, S. 200.

42,8 hat mir'z (mir es H) BH (= LaLeiSch)] hat mir G, ob mir daz (mir daz = mirz K, mirs WWo, mir des E) V.K. WWo.E, ob mir Ka, da mir L, het myrt C.

42,21^{1} türkisch ⟨tvrkisch V, tvrchish L⟩ V.L (= La = türkesch Lei)] tvrkis G (= türkis Sch), tuͤriz (duͦres K) Ka.K, turkeths B, freches H, turchels C, turneis WWoE.

42,21^{2} im brahte] inbrahte.

42,22 erz.

42,25:26 gehvrte:fvrte.

43,4 Heimrichen.

43,22 megen.

43,25 unser marc (LaLeiSch)] vnser maere G.L, vmserm ereich V, vnserme (vnsin K) riche Ka.K, vz vnserr arke BH, in vnse arck C, mit vnserm verh WWoE. Vgl. Komm. z.St.

43,28 nie. Vgl. Schanze, Verhältnis, S. 198.

44,6 rechet G.VKa.B.L.WWoE (= Lei)] recket H (= La), wrechet C (rech et La$^{2ff.}$Sch) – *ganzer Vers abweichend:* denckent an die alde crafft K. Vgl. Komm. z.St.

44,13:14 svppieren:fieren.

44,29 sol.

45,10 da *f.*

45,11 Ebator.

45,15 Feirefiez.

45,16 Akkarin (vnd Akkarin V, Ackarin Ka, Akarin K) VKa.K] Harkerin G, Akerin (Ackerin WWo) BH.LC. WWoE (= Lei) (Ahkerin La, Ahkarin Sch). Vgl. Schanze, Verhältnis, S. 199; Heinzle, Editionsprobleme, S. 235.

45,24 der. Vgl. Schanze, Verhältnis, S. 200.

45,25 gedacten ⟨gedachten G, gadahten K⟩ GK] bedachten (bedacten B.WWoE, betacten L, bedeckden C) VKa.BH. LC.WWoE (= bedacten LaLeiSch).

46,20 Tampastre.

46,21 Morhant (Morant VKa.K.WWoE) G.VKa.LKC. WWoE (= La = Morant LeiSch)] Gorhant BH.

48,5 Heimiriches.

48,9 unervorhtlich G (= Sch)] erchennichleich V.L (= erkenneclich LaLei), irkennelich (erkennenliche B) Ka.B, kennelich H, bescheidenclich K, bekenniclich (bekenclich C) C.WWoE. Vgl. Komm. z.St.

49,4 des engels (= Sch)] des engel G, der engel VKa.BH. LKC.WWoE (= LaLei).

49,5:6 dem plane (plan V.C):funtane (funtan V.C) VKa. BH.KC.WWoE (= LaLeiSch)] dem planye:funtanye G, dem plange:fontange L.

49,6 der G (= Sch)] einer VKa.BH.LKC.WWoE (= La Lei). Vgl. Komm. z.St.

50,1 Fronzeys.

50,3 fluht. Vgl. Schanze, Verhältnis, S. 197.

50,6 ampt.

50,21 da V.BH.LK.WWoE (= LaLeiSch)] diu G.Ka.C.

50,29 was.

51,4 andr. Vgl. Schanze, Verhältnis, S. 198.

51,12 waere VKa.BH.LKC.WWo (= LaLeiSch)] was G, wartt E – *nur Wortende lesbar:* (. . .)r Fr[27]. Vgl. Schanze, Verhältnis, S. 199.

51,13 dirre VKa.BH.LK.WWo (= LaLeiSch)] siner G, der C.E. Vgl. Schanze, Verhältnis, S. 199.

51,24 vlüsteclichen G] chunftichleichen (kunfftenclichen K) V.K.WWo.Fr[27] (= künfteclichen LaLeiSch), kumftlichen (kvnftelichen L) Ka.L.E, kuͤnftigen BH.C. Vgl. Komm. zu 51,24f.; dagegen Schanze, Verhältnis, S. 197.

51,25 von G.B] an VKa.H.LKC.WWoE.Fr[27] (= LaLei Sch).

52,13 der VKa.BH.LKC. WWoE.Fr[16.27] (= La LeiSch)] *f.* G.

53,3 si.

53,13 do G] idoch VKa.BH. L.Fr[16.27] (= LaLeiSch), doch K.WoE, *f.* C, dennoch W. Vgl. aber Schanze, Verhältnis, S. 200.

53,20 vorstrit da niemen mit in streit (= LaSch)] vor strite da niemen mit in streit G.VKa.B.L (= Lei), vnd do nieman mit in streit H, mit strite da nyemant mit yme streit K, alda du nymant mit in streit C, und das ouch niemant mit in streit WWoE, vnd nieman mit im do streit Fr[27]. Vgl. Komm. z.St.

53,21 do wande er do sin der vrie (= LaSch)] do wande er do sin frie G, wont (wan Ka.L) er da (do Ka.B.L.Fr[27]) sein der vrei VKa.B.L.Fr[27] (= wande er do sin der vrie Lei), vor strit wand er sin der frie H, da wande er sin der vrie K, wan der da syn der vrie C, des wanten sie wesen vreye W, des want er wesen vrey WoE – *nur lesbar:* (. . .) wand er (. . .) (?) Fr[16]. Vgl. Komm. zu 53,20.

53,25 der heiner (dehainer V.L, keynir Ka, kein WoE, geyne C.W) VKa.LC.WWoE (= der keiner LaLei = der deheiner Sch)] deheiner G, der kein ir B, daz dekein ir H. Fr[16], der keynen K. Vgl. Schanze, Verhältnis, S. 197.

53,27 der VKa.BH.LKC.WWoE.Fr[16.27] (= LaLeiSch)] denne der G.

54,12 scharfen swerten herten VKa.BH.Fr[16.27] (= LaLei

Sch)] scharfen swerten G, swerten scharphen herten L, gare scharffen swerten K, scharpen swertes herden C, guten swerten herten W, swerten vil herten WoE.

54,24 hagel VKa.BH.KC.WWoE.Fr[16] (= LaLeiSch)] zagel G.L. Vgl. Schanze, Verhältnis, S. 207, Anm. 57.

54,25 weiz (wiecz K, wijs C) G.V.LKC (= LaSch), beiz BH.WWoE.Fr[16] (= Lei), smeiz (*verbessert aus* weiz) Ka. Vgl. Komm. z.St.

55,14 wiben dienen BH.LC.Fr[16.27] (= LaLeiSch)] wibe G, nv frowen WWoE – *Vers f.* VKa.K. Vgl. Schanze, Verhältnis, S. 199.

55,17 daz G.VKa.H.LK.WoE.Fr[16.20.27]] der B.W, van C (dazz La, daz ez LeiSch). Vgl. Komm. zu 55,17-21.

55,19 es.

56,1 erste VKa.BH.LK.Fr[16.20] (= LaLeiSch)] *f.* G.C – *ganzer Vers abweichend:* bis in die ersten kere WWoE.

56,4 und VKa.BH.L.WWoE.Fr[16] (= LaLeiSch)] *f.* G, vnd vā C – *ganzer Vers abweichend:* und von Turkanie Turkant K, vñ sin bruder Turkant Fr[20].

56,13:14 getret (getrettet L):gewet (gewettet L) VKa.BH.LKC.WWoE.Fr[20] (= LaLeiSch)] getreten:geweten G – *nur Wortanfänge lesbar:* ge(. . .):ge(. . .) Fr[16].

56,16 er *versehentlich getilgt.*

56,20 dem G.LC.W (= La)] den VKa.BH.K.WoE.Fr[16.20] (= LeiSch). Vgl. Komm. zu 56,18-20.

56,23 fiskator.

56,26 eͥnim.

57,2 wer VKa.BH.LKC.WWoE.Fr[16.20] (= LaLeiSch)] *f.* G.

57,26a.b Äußerlich keine Lücke in der Überlieferung: vgl. Komm. z.St.

58,5 unbezalt G] vngezalt VKa.BH.LKC.WWoE.Fr[20] (= LaLeiSch).

59,18 dem *f.*

60,4 den G] di VKa.BH.LKC.WWoE (= LaLeiSch).

60,23 erzenie (arcedie Ka.K) VKa.H.LK.WWoE (= La LeiSch)] erzeigen G, *f.* B – *ganzer Vers abweichend:* nu ymmerme dragen C.

61,22 da.

61,29 sin G.V.B.L.WWoE] sine Ka (= LaLeiSch), sinen H.KC.

62,27 aezet G] amet VKa.BH.LKC.WWoE.Fr[27] (= ammet LaLeiSch).

63,21 serber.

64,7 was.

64,27 al selhiv.

65,2 hessete.

67,3 mohte. Doppeldeutige Form: Konjunktiv *möhte* oder Indikativ *mohte*. Vgl. Ganz, S. 27.

68,10 da (do L) vor V.H.L] dor vor G, da von (van C) B. KC. Fr[60.61], der von WWoE – *Vers f.* Ka.

68,23 gebt (gebet Fr[61]) G.Fr[61] (= Sch)] gib VKa.BH. LKC.WWoE.Fr[60] (= gip LaLei). Vgl. Komm. z.St.

69,12 Lingnaloe (Lingaloe L) G.L] ligen aloe V, lignum (lignū Ka, lingnum K.Wo, lignun E) aloe (alowe Ka) Ka. B.K.Wo, daz holtz alve H, eyn ligno loe C, von ligno aloe W, ligna aloe Fr[60] (lign alôê La, lignâlôê LeiSch). Vgl. Komm. zu 69,12.

69,24 uz Ka.B.LC.Fr[55.60] (= LaLeiSch)] druz G, zů H, *f.* K.WWoE – *Blattverlust* V. Vgl. Schanze, Verhältnis, S. 198.

72,9 amssur.

72,29 daz ors G.K.WWoE.Fr[55]] zu ǒrshe BH.LKC (dâ zors LaSch = dâ zorse Lei) – *Blattverlust* V – *ganzer Vers abweichend:* daz her kume vf dem orse besaz Ka. Vgl. DWb I, Sp. 625.

73,21 barrukes.

73,29 gehert Ka.BH.LKC.WWoE.Fr[24.55.61] (= LaLei Sch)] *f.* G – *Blattverlust* V.

74,15 Buver ⟨Bvuer⟩ G] Buer (Bver L.E, Puer H) VKa.H. LKC.WWoE.Fr[24.61] (= Sch), Luer B, Rubuer Fr[27], Bÿer E (Bûr LaLei). Die G-Lesung ist fragwürdig, doch verbietet sich ein Abweichen von der Leiths., weil der Quellenbezug unklar ist: vgl. die im Namenverzeichnis genannte Literatur.

74,19 Urabel ⟨Vrabel⟩ G.VKa.LKC.WWoE.Fr[24]] Frabel BH (= Vrabel LaSch = Frâbel Lei), Frabuel Fr[27], Arabe Fr[61]. Vgl. Heinzle, Frabel.

74,20 enpfiech.

74,25 Alahoz VKa.H.L (= LaLeiSch)] Anahoz G, Alohoz B, Alohos KC, Alabos WE, Alaboz Wo, Algoz Fr[61] – *nur Wortende lesbar:* (. . .)ch Fr[24]. Herstellung im Hinblick auf die Formen der mutmaßlichen Quelle bei Kunitzsch, Ländernamen, S. 166.

75,7 minem (mime Fr[27]) V.B.L.WWo.Fr[27.61] (= LeiSch)] minen G.H.KC (= La) – *indifferent:* minē Ka.Fr[24] – *umgestellt:* vatter meinem E. Vgl. Paul, Willehalm, S. 326; Schröder, Kritik, S. 16 Anm. 1.

75,9 vn.

75,23 wapenliches.

76,11 Leus Nugruns ⟨Levs Nvgrvns⟩ G.Fr[24]] Libes (Liwes K) Nvgruns V.K (= Liwes Nugruns LaLeiSch), Liwes Nigruns Ka, Leus Migruns BH, Loys Lvgrvns L, Leus Gurvns C, Levns Nygrvns W, Nygrons Wo, Lenus von Nigruns E – *nur Wortende lesbar:* (. . .)gruns Fr[61]. Vgl. Namenverzeichnis.

76,21 ez.

76,25[1] Veldekin ⟨Veltekin⟩ Fr[61]] Felkin G, Veldek (Veldekk Wo) V.WWo (= La), Veldekke (Veldecke KC.Fr[24]) Ka. KC.Fr[24] (= Veldeke LeiSch), Veldiech B, Veldeiech H, Veldenken L, Veldenk E. Vgl. Schanze, Verhältnis, S. 194.

76,25[2] chvnds.

77,1 ir G.H] in VKa.B.LC.WWoE.Fr[24] (= LaLeiSch), *f.* K, dem Fr[61]. Vgl. Komm. z.St.

77,23 div.

77,25 Salatre (Salåͤtre L), VKa.BH.L.WWo. Fr[24.61] (= La LeiSch)] Saleote G, Psalatre K, Salatie E, Salate Fr[27] – *Vers f.* C.

78,4 und G.K] vnd iz VKa.BH (= und ez La) undz VKa. BH.WWoE.Fr[24.61], vnz ez L, vnd auch K, vnze erz Fr[27] (undz LeiSch) – *ganzer Vers abweichend:* da mit he endelichen sluch C.

78,19 vroun Giburgen G] Chyburg VKa.BH.LKC.WoE Fr[20.24.61] (= Kyburge LaLeiSch), Kyburgen W.

79,6 dem.

81,16 des.

81,25 da.

82,1 ez.

82,13 vor im B.C.WE (= Lei)] vor in G (= Sch = [?] vor în La), vor hin VKa.H.K.Fr[20], vor im hin L, von im Wo. Fr[13]. Die G-Lesung ist mir unverständlich.

82,18 liehtes.

82,25 sune B.KC (= LaSch)] svn e G.L. Fr[13] (= Lei), svn VKa.WWoE, *f.* H. Vgl. Happ, S. 149; Schanze, Verhältnis, S. 207.

83,5 geilet (gilt B.L.Fr[54], gilet Fr[13]) VKa. LKC.WWoE. Fr[13.54.(58)] (= geîlt LaLei)] zegelt G, sit H (zuogilt Sch). Vgl. Schanze, Verhältnis, S. 198.

84,1:2 Griffane:dem plane (Griffan:dem plan V) VKa.K. WWoE (= LaLeiSch)] Griffanie:dem planie G, Grifanie:der planie BH, Griffange:dem (den C) plange LC. Fr[62] – *nur lesbar:* Griffanie:d (. . .) planie Fr[54].

85,3 Erfikanden.

85,21 ze stücken VKa.BH.LKC.WWoE.Fr[61.62] (= Lei Sch)] zestochen G.Fr[54] (= La). Vgl. Paul, Willehalm, S. 323; Schröder, Kritik, S. 15; Ganz, S. 27.

86,1 naehest G.C] ze nehst V.LK.WWoE.Fr[61.62] (= ze naehest LaLeiSch), vaste Ka, ze nahe BH, aller naechste Fr[54].

86,2 wizen.

86,4 varwen G.C.Fr[61]] varb VKa.BH.LK.WWoE.Fr[54] (= varwe LaLeiSch), *f.* Fr[62].

87,20 aht G.V.K.E.Fr[62]] ahte Ka.BH.L.WWo.Fr[(54.)61] (= LaLeiSch) – *Vers f.* C.

88,4 Tvrkeise.

88,17 volge VKa.BH.LKC.WWoE.Fr[61] (= LaLei)] vluge G (= Sch). Vgl. Komm. zu 29,15.

90,7 al VKa.BH.LKC.WWoE (= LaLeiSch)] chvmt al G – *von 90,7f. nur lesbar:* (. . .) aleine | (. . .) nem steine Fr[68].

91,10 de.

91,11 dass.

91,15 bat et G.Fr[24]] pats ot V (= bats et LaSch), bat si ouch (*f.* WWoE) Ka.BH.WWoE, bat ez L, hieß er si K, dede si C (bat si et Lei). Vgl. Komm. z.St.

92,12 goyfe. Vgl. Schanze, Verhältnis, S. 201; Dittrich/Vorderstemann, S. 177.

92,14 vnbretrogn.

93,29[1] selbez.

93,29[2] ich sach VKa.BH.WWoE.Fr[24.27.51] (= LaLei)] er lach G (= er lac Sch), ich in sach L, ich gesach K, geschach C. Fr[42]. Vgl. Schanze, Verhältnis, S. 197.

94,4 mit.

94,12 indiaischiu] in Dyaischiv G, yndiasev (in dyasce H, indyaze Fr[51]) V.H.C.Fr[51] (= indîâschiu LaLeiSch), yndiassen Ka, indyaze B, indischiv (yndiesch K) LK.W.Fr[14], iudische WoE, indiaischen Fr[42] – *nur lesbar:* ind(. . .)ev Fr[24].

94,20 si *f.*

95,16 süezen G] gueten VKa.BH.LKC. WWoE. Fr[14.18.24.42.51] (= LaLeiSch). Vgl. die Belege bei Happ, S. 205 (zu 102,29f.).

96,7 Marroch Akkarin (Ackerin BH.Fr[24], Akein L, Akerijn C, Akarin Wo, her Kerin Akerein Fr[42], Agkerin Fr[51]) VKa.BH.LC.WWoE.Fr[14.24.42.51] (= Marroch Ackarîn LaSch = Marroch Akerin Lei)] Marroche hin G – *umgestellt:* von Marrok der konig Arkarin K – *nur Versbeginn lesbar:* von Marroch (. . .) Fr[18].

96,17 waren.

97,11 wie. Vgl. Schanze, Verhältnis, S. 200.

97,14 lihen.

97,16 si.

97,21 ander siten (= Sch)] an der siten G, an der andern seiten VKa. BH.LKC.WWoE.Fr[22.42] (= Lei), gegin der andrin porten Fr[27] (andersite La). Vgl. aber Schanze, Verhältnis, S. 195f.

97,22 wite.

97,27 site G] seiten VKa.BH.LK.WWoE. Fr[14.22.27.42.51] (= LaLeiSch) – *Vers f.* C.

98,2 hvrnien.

98,4 vierde.

98,21 im.

98,25 warn im G.E (= LeiSch)] warn VKa.BH.LC. Fr[18.48.51], da waren K.Fr[27], im warn WWo (= La).

99,8 gemach VKa.BH.LKC.WWoE.$Fr^{14.22.42.48}$ (= LaLei Sch)] vngemach G. Vgl. Schanze, Verhältnis, S. 197.

99,12 innerr vol.

99,16 Gybvch.

99,23 gelasurten dictam Ka.BH.LK.$Fr^{22.42.48}$ (= LaLei Sch)] gelaswerden (gelasurten Fr^{22}) vn̄ tictam G.Fr^{22}, gelasowerten dietam V, salue tictam C, gut salben (salme Wo) vn̄ tictam WWoE – *nur lesbar:* (. . .)wrze vn̄ dichtā Fr^{22}.

100,8 grife V.L.$Fr^{42.48}$ (= LaLei)] griffe G.Ka.BH.KC. Fr^{14} (= Sch), griff WWoE. Die G-Form kann auch als Indikativ *grîfe* interpretiert werden: vgl. Schröder, S. LXXIV (Widerspruch zum Text!).

100,9 samt G] sanft VKa.BH.LKC.WWoE.$Fr^{14.42.48}$ (= La LeiSch). Vgl. aber Schanze, Verhältnis, S. 197.

100,23 unfv̊ge G] vngefueg V.H.LKC.WWoE.Fr^{48} (= La LeiSch), vnfogen Ka – *Vers f.* B.

100,25 ir *f.*

101,25 mine G] meinev V (= LaLeiSch), min Ka.BH. LKC.WWoE.Fr^{48}. Vgl. Komm. z.St.

101,25:26 sere:mere G.BH.KC.WoE] ser:mer VKa. L.W. Fr^{48} (= LaLeiSch). Vgl. Komm. zu 101,25.

101,27 besamys.

102,3 immer G] nimmer VKa.BH.LKC.$Fr^{48.51}$ (= LaLei Sch), in einer WoE, alsuͤlche W.

102,12¹ hohez.

102,12² prises G] fundes VKa.K (= LaLeiSch), vriundes (frvnde H.C, frawnt E) BH.C.E.Fr^{51}, hordes L, freuden (vrevd Wo) WWo, armev Fr^{48}. Vgl. Komm. z.St.

102,19 herzesere.

102,22 uf die brust ir W (= Sch)] vf die brvst G, auf ir prust (bruste Ka.H) VKa.BH.LK.Fr^{51} (= ûf ir brüste La Lei), vp prust C, ir auf di brust WoE – *ganzer Vers abweichend:* daz nider von ir ovgen vloz Fr^{48}.

102,25 daz ez in (= LeiSch = dazz in La)] daz in G, iz in VKa.WoE, in B, daz man in H, ez L, er KC.Fr^{48}, er in W – *nur lesbar:* (. . .)in Fr^{51}.

102,26 der V.BH.LKC.WWoE.$Fr^{48.51}$ (= LeiSch = die

La)] div G, den Ka. Vgl. aber Paul, Parzival, S. 65; Schanze, Verhältnis, S. 200.

103,10 wol.

103,15:16 schin:disem pin G] scheinen:disen peinen VKa. BH.LKC.WWoE.Fr[48.51] (= LaLeiSch). Vgl. aber Schanze, Verhältnis, S. 200.

103,19 Fronzoysaere.

103,22 und was nu V.BH.L.WWoE.Fr[51] (= LaLeiSch)] nv G, nu quā di Ka, vnd was K, vn̄ was do Fr[13], vnd chom deu Fr[48] – *ganzer Vers abweichend:* nu was id worden nacht C.

104,1 Dybvrch.

104,4 iemens G.Fr[48]] niemens VKa.BH.LKC.WWoE. Fr[51] (= LaLeiSch), mannes Fr[13].

104,22 turren gestriten G] getuerren streiten VKa.BH. LK.Fr[48.51] (= LaLeiSch), durren striden C.Fr[13] – *ganzer Vers abweichend:* für dich getar ich striten WWoE.

105,7 dennoc.

105,20 wart.

106,14 swaz G (= LaSch)] waz VKa.BH.LKC.WWoE. Fr[13.51] (= Lei). Vgl. Komm. z.St.

106,22 Pvfameiz.

106,26 Boctanje ⟨Poctanie⟩ G.Fr[13]] Bohtan V, Bachtane Ka, Pocutange B.Fr[51], Poculange (oder: Potulange?) H, Portanie L, Bochthanie K, Boctange C, Bocktane W (= Boctane Sch), Bukkerane Wo, Bokane E (Boctân LaLei).

107,21 hantuolle.

108,3 dvch.

108,4 stv̊nt.

108,6 erwap.

108,7 waren.

108,20 gebe (gen K) VKa.BH.LKC.WWoE.Fr[51.62] (= LaLei)] gaebe G (= Sch), fúge Fr[56]. Vgl. Decke-Cornill, S. 25.

109,17 Gybvrgen. Vgl. Schanze, Verhältnis, S. 199.

109,19 daz er si BH.C.WWoE.Fr[51.56.62] (= LaLeiSch)] wan daz si G, daz si sich VKa.K – *ganzer Vers abweichend:* dc er ir taete den tot L.

110,8[1] begǒnde.

110,8² ez *f*.

111,18 si *f*.

112,17 daz im G.Ka.H.C] daz imz V.B.WWoE (= Sch), daz ez im LK.Fr⁷⁸ (= Lei = dazz im La), daz er ime Fr²².

112,18 wzer.

113,3 han G.B.C] hab VKa.H.LK.WWoE.Fr²²·⁷⁸ (= La LeiSch).

113,6 slah.

113,12 an VKa.BH.LKC.WWoE.Fr⁷⁸ (= LeiSch)] in G (= La).

114,9 ez G.V] is Ka (= LaSch), des BH.LC.WWoE. Fr²⁰·⁷⁸ (= Lei).

114,11 gervstes.

114,17 unvlühtic VKa.B.LKC.WWoE.Fr⁷⁸ (= LaLei Sch)] vñ flvhtich G, vnd vloch niht H, *f*. C, vñ vluhteclichen Fr²², vñ fliehende Fr¹⁸.

114,24 wart G.BH.C] was VKa.LK.WWoE.Fr¹⁸·⁷⁸ (= La LeiSch). Vgl. Pz. 644,7 G.

114,25 gein den G.V.B] kegē der Ka.H.WWoE.Fr⁷⁸ (= LaLeiSch), an die LK, zu den C, zvo der Fr¹⁸. Vgl Komm. zu 114,18-25.

116,6 Fronzoyser.

118,3 vierzec VKa.BH.LK.WWoE.Fr²⁸ (= LaLeiSch)] vierzechen G.C.

120,1 Daz.

120,16 entlogen.

120,18 der im.

120,28 sherzen (des h. K) V.LKC.Fr⁵⁸ (= LaLeiSch)] smerzen G, hercen Ka.BH.Fr²⁸, vz herczen WWoE. Vgl. Schanze, Verhältnis, S. 197.

121,30 bennet.

122,16 ir solt G] ir enschol V.B.Fr²⁸ (= Sch), irn sal Ka, ir sol H.LC.WWoE (= LaLei), irn solt K.

122,25:26 herze sere:mere.

122,28 vnz anderr.

123,19 sageten.

123,20 graeven. Vgl. Schanze, Verhältnis, S. 161.

123,22 die.

123,28 wis VKa.BH.LKC.WWoE (= LaLeiSch)] gwis G.

125,8 ze G.BH.LKC] da ze VKa.WWoE (= LaLeiSch).

125,10 wart G.C] was VKa.BH.LK.WWoE (= LaLei Sch).

125,14 in *f.*

125,20^{1} Kristinians.

125,20^{2} alten VKa.BH.LK.WWoE (= LaLeiSch] *f.* G – *Vers f.* C. Vgl. Heinzle, Editionsprobleme, S. 228f.

125,24 nam VKa.BH.LKC (= LaLeiSch)] namn G, name (naem Wo, nam E) es WWoE.

125,26 da.

126,14 Flaminge.

126,20 nem e. Vgl. Schanze, Verhältnis, S. 207, Anm. 57.

126,25 waren.

126,30 ouch in VKa (= LaLeiSch)] ǒch si G.L.WWoE, in auch BH.K – *andere Wortstellung:* sij in wolt he ouch neit vlehē C.

128,8 wont VKa.BH.LKC.WWoE (= LaLeiSch)] lag G.

128,16 heidenisch (haidnisch V.Wo, heidensche LKC, haidenisches E) VKa.BH.LKC.WWoE (= LaSch = heidensch Lei)] chleit so G.

129,2 blichen.

130,9 billiche Ka.H.L] pillich e G (= Sch), pilleich V.C. WWoE, billichen B.K.Fr^{31} (= LaLei). Vgl. Schanze, Verhältnis, S. 207, Anm. 57.

130,15 vriuntlichen (frewntleich E.Fr^{31}) trost bot (enbot H.K.Fr^{31}) G.H.LK.E.Fr^{31}] freuntleich (freuͤdiclich W) trosten pot VKa.B.WWo (= LaLeiSch), troist boit C.

131,12 des *f.*

131,27 solt.

131,29 volg G.KC] gevolg VKa.BH.L.WWoE (= LaLei Sch) – *nur lesbar:* (. . .)olge Fr^{31}.

132,5 vragten se (= La)] vragentse G.C, vragten si Ka. BH (= LeiSch), vragtens V.L.WWoE, vraget mā yn K. Vgl. Komm. zu 132,5f.

132,6 ane G (= La)] was an VKa.BH.LKC.WWoE (= LeiSch). Vgl. Komm. zu 132,5f.

132,20 er *f.*

132,21 Giburgen noete G] Chvburgen not V.C.WWoE, Kyburge not Ka.BH.K.Fr^{85} (= LaLeiSch), Kyburge noͤte L.

132,26 diu *f.*

133,17 sin.

133,19 niemn.

133,21 rihten.

134,7 in.

134,10 dem *f.*

134,14 pardrisen G.L] pardreis (partereise WWoE) VKa. WWoE.Fr$^{31.85}$ (= LaLeiSch), perdun B, pardyum H, perdys C – *ganzer Vers abweichend:* der wolde er doch miden K.

135,1 broys.

135,4 und V.B.LK (= Sch)] vf G.H.C.WWoE (= LaLei), vnd^{s} Ka. Vgl. Kartschoke, S. 287, sowie Komm. z. 135,4f.

135,14 schin G.B.L] warden schin VKa.H.KC.WWoE. Fr$^{31.85}$ (=LaLeiSch).

137,5 schuoht V.BH.LC.WWoE.Fr^{31} (= LaLeiSch)] zvchte G, zoch Ka.K.

137,13 iht VKa.H.L.Fr^{31} (= LaLeiSch)] ich G, *f.* B.KC. WWoE.

137,24 iv.

137,29 erziugen VKa.BH.C (= LaLeiSch)] erzeigen G. LK, geleisten WWoE.

138,10 nach Ka.BH.LC.WWoE.Fr^{31} (= LaLeiSch)] ach G.V.K.

139,1 ersih ich G] siech ich VKa.LKC.WWoE (= LaLei Sch), irsla Fr^{31} – *andere Konstruktion über 139,1f.:* ob ich (ich nv H) disen zagen | den kuͤnc sih vor mir erslagen BH.

139,28 swaches G.W] swachen VKa.BH.LKC.WoE (= LaLeiSch).

140,1 trüege min soum G] vnd truegen mein sovm (som^{s}e Ka.WWoE) VKa.WWoE, truͤgen mine saumer (soͮme L.C = LaLeiSch) BH.LKC (= LaLeiSch).

140,4 die.

141,4 widr sazzen.

141,7 er zuct'z G] rucht er VKa.LKC (= LaLeiSch), ructe BH, strackte W, rachte WoE. Vgl. Decke-Cornill, S. 158f.

141,11 etzlicher.

141,13 Alamasvra.

141,14 Scandinavira.

141,17 aber (euer C) des G.C] aber denn (dañe Ka.H. WoE) des VKa.H.L.WWoE (= LaLeiSch), aber des danne des B, aber das des K.

141,19 ir.

141,23 der cheinem.

142,2 siht G.Ka.K] ersiht V.BH.LC.WWoE (= LaLei Sch).

142,16 Firmidoys.

143,12 enpfiech.

143,18 der G] er VKa.BH.LKC.WWoE (= LaLeiSch).

143,22f. der künec in sazte alsus (sus B) | nahen (nahe Ka.H = La, vil nahe B) VKa.BH (= LaLeiSch)] der kvnech in sanfte alsvss | nahen sazte G, der kvnic entsaz alsvs | nahe L, der konig yn saczte sus | gar K, der kō eine sat sus | na C, saczt in der kvnic alsus | nahent WWoE.

144,14 von.

144,21 ze gufte] ze chrvfte (chrůft V, krůften B) G.V.BH (= ze krufte LaLeiSch), zu vruchte Ka.Fr[28.39] (*nur lesbar:* (. . .)chte Fr[39]), ze frŏden L, kreffte K, zo C, czu kreften W, ze chrefte WoE. Vgl. Komm. z.St.

144,25 niemen.

145,9 mir ze pfande G] ze (*f.* K) phand mir VKa.BH.LKC. WWoE.Fr[28.31.39] (= LaLeiSch).

146,7 iv.

146,19 Gibert (= Sch)] Schilbert G.V.B.KC.WWoE. Fr[28.31] (= LaLei), Gilbrecht Ka, Gilbert B, Kilbert L, Kyberg Fr[39]. Vgl. Dittrich.

146,25 her[s].

148,4 z'Etampes (= LaLeiSch)] ze Tampes (Tampas Ka. C, Tamps K) G.VKa.C.WWo, ze Stampis (Stampes Fr[28], Stāpes Fr[31]) BH.Fr[28.31], ze Stênpes L, zu Etampues E, ze Srappes Fr[39].

148,15 dem.

148,17 ungevuoge G.C.Fr[39]] vnfueg VKa.BH.LK. WWoE.Fr[31] (= unfuog La = unvuoge LeiSch).

148,26 wer ist dir dar uze Ka] wer ist dir darzv̊ G.V, waer ez dir da vz B, wer ist der der dir ist H, wer ist dir da vzze L. Fr^{39} (= Sch), w^{s}iß der d^{s}da uße ist K, we ist da vis so C, wer ist dir (dirre W) davz (d^{s}aus E) WWoE (= LaLei).

148,28 ze hulde liep G] huld liebe (liebiv L.Fr^{39} = LaSch) VKa.LC.WWoE.Fr$^{31.39}$ (= LaLeiSch), liebiv B, liebe H, liebe holde K.

150,20 dich pi mir.

151,2 zewispilte.

151,4 zwigelt VKa.H.LKC.WWoE.Fr^{39} (= LaLeiSch)] zwir gelt G, zwiuelt B.

151,7 noch mer G] menigern V.L.Fr^{39} (= mangern La = manegern LeiSch), manīger Ka, manigen BH.KC.WWoE. Fr^{31}.

151,12 ger gefloriete.

152,1 garrosche.

152,10 siner mage C.Fr^{39}] siner manegen G, seinen magen VKa.BH. LK.WWoE (= LaLeiSch), en allen Fr^{31}.

152,28 marc^{s}ve.

153,1 velle.

153,25:26f. sie (sei V):nie | het (hiet V) VKa.B.LKC. WWoE. Fr$^{13.(17).(31).39}$ (= LaLeiSch)] die liebe sin : hin | nie het G, sie : hete nie | H. Vgl. Schanze, Verhältnis, S. 186.

153,29 erworben G] geparget VKa.BH.KC.WWoE. Fr$^{13.17.31.39}$ (= LaLeiSch), geworben L.

154,17 drümel G (= La)] treubl (traube Fr^{60}) VKa. WWoE. Fr^{60} (= LeiSch), crvmbe H, drobe L, drißel K, da C, drúb^{s}Fr^{39} – *Vers f.* B. Vgl. Komm. z.St.

154,24 schanden.

154,26 braht VKa.H.LC.WWoE.Fr$^{13.17.31.39.60}$ (= LaLei Sch)] *f.* G, qwā K – *Vers f.* B.

155,7 brüste ⟨brvste⟩ G] prust VKa.H.LKC.WWoE. Fr$^{13.39.60}$ (= LaLeiSch) – *Vers f.* B.

155,12 braehte.

155,14 der heimliche VKa.BH.LC.WWoE.Fr$^{13.25.31.39.60}$ (= LaLeiSch)] heimrich G, heymsche K.

158,1 liebes.

158,18 allez niht.

160,2f. nach diner muoter balde | var sprach G] nach deiner mueter pald | sprach V.H.LKC.Fr^{13} (= LaLeiSch), nach diner mut^{s} gāg vil (*f.* B) balde | sprach Ka.B, gank nach deiner muter palde | sprach WWoE.Fr^{37}, nach diner muter balde | genc sprach Fr^{28}.

160,8 nimmer man VKa.BH.LK.WWoE.Fr$^{13.25.28}$ (= La LeiSch)] nieman G.C.

160,10 Zerins.

160,27f. min hort ist (*f.* H.LC) ungerüeret | des wirt nu vil zevüeret BH.LC.WWoE.Fr$^{13.37}$ (= LaLeiSch)] *f.* G.VKa.K.

161,1 ich teile BH.LKC.Fr^{37} (= Sch)] teilen G.V, teile ich Ka, ich teil es WWoE, (. . .)en teile (*Raum für Lombarde vor* en) Fr^{13} (En teile La, ich teile in Lei). Vgl. Decke-Cornill, S. 228.

161,5 harnaz.

161,8 verzage ⟨verzag G⟩ G.H.W] der zag VKa.B.LC. WoE.Fr$^{13.37}$ (= LaLeiSch), die zagē K.

161,9 man sol G.Fr^{37}] mach VKa.B.LC.Fr^{13} (LaLeiSch), man mag H, sollē mich K, sol er W, der sol WoE.

162,10-12 dem marcraven (marc^{s}ve G) G.VKa.K (= LaSch)] auch (*f.* C.Fr^{17}) Kyburge (Kiburgen C.WWoE) BH.LC.WWoE. Fr$^{13.17.31.37}$ (= Lei). – daz Giburge G.VKa.K (= LaSch)] ob dem marcgraven (markis C, markisen WWoE.Fr^{37}, markise Fr^{17}) BH.LC. WWoE. Fr$^{13.17.31.37}$ (= ob dem markîs Lei). – wan in G.VKa.K (= LaSch)] den BH. LC.WWoE.Fr$^{13.17.31}$ (= Lei), di Fr^{37}. Vgl. Komm. z.St.

162,23^{1} an so VKa.BH.LC.WWoE.Fr$^{13.31}$ (= LaLeiSch)] also G, so K, in also Fr^{17}, in so Fr^{25} – *22-24 in einen Vers zusammengezogen:* div flust der mage twank in vil ebn̄ Ha.

162,23^{2} zil (*korr. aus* spil Fr^{13}) G.BH.L.Fr$^{13.17.31}$ (= Lei)] spil VKa.KC. WWoE.Fr^{25} (= LaSch) – *ganz abweichend* Ha: s. zu 162,23^{1}. Vgl. Komm. zu 162,22f.

163,10 mage (vnd mage BH.LC.Fr^{13} = LaLei) und ouch (*f.* BH.LC.Fr$^{13.17}$) manne tot G.BH.LC.Fr$^{13.17}$ (= LaLei)] vnd mag vnd lieber mann tot VKa.WWoE.Fr$^{31.37}$ (= Sch), vmb lieb^{s} mage vnd māne dot K. Vgl. aber Schröder, Minne, S. 307, Anm. 1.

163,14 verkorn VKa.H.L.WWoE.Fr[17.37] (= LaLeiSch)] erchorn G.C, verlorn B.K.Fr[31].

164,1 mage.

164,2 so.

164,28 besamys. Vgl. aber Vorderstemann, S. 59.

165,5 glast.

165,15:16 sin:Kvmarzin.

165,22 do (da B) G.BH] doch VKa.LKC.WWoE.Fr[13.31] (= LaLeiSch).

166,16 die VKa.BH.LKC.WWoE.Fr[13.31] (*nach* mir, *getilgt* Fr[13]) (= LaLeiSch)] da G.

166,27 ich VKa.Fr[13] (= LaLeiSch)] mich G, ez BH.C, *f.* L. WWoE, mȳ K.

166,30 gaebet G (= LaSch)] geb(e)t VKa.BH.LKC. WWoE (= Lei). Vgl. Komm. z.St.

167,2 ord.

167,14 der G.Ka.KC.Fr[31] (= La)] dev (die H.K.WWoE) V.BH.K.WWoE (= LeiSch). Vgl. Komm. zu 167,13f.

168,17 wir *f.*

168,27 der vürsten (furstin K.Fr[31]) vrouwe (frawen E) (*korr. aus* der vrowē vurstin Fr[31]) VKa.H.LKC.WWoE. Fr[13.31] (= LaLeiSch)] der vrо̆wen fvrstinne G, div vrawe fůrstin B.

169,11 vielen G.VKa.K (= LaLeiSch)] viel BH.LC. WWoE. Vgl. Komm. z.St.

169,14 fvrst.

170,3 erwap.

170,7 vürsten mage Ka.BH.L.Fr[13.31] (= LaLeiSch)] zemage fvrste G, mag fuersten V, mage zu furstē K, fursten mach C, fürsten mag WWoE.

170,9 den – den Ka.B.KC.WWoE.Fr[31] (= LaLeiSch)] dem – dem G.V, dem – den H, der – der L.Fr[13].

170,10 wackerer ⟨wacherr⟩ G (= La)] swacher VKa.BH. LKC.WWoE.Fr[13.31] (= LeiSch). Vgl. Komm. zu 170,7-16.

170,28 wil si (wils V) VKa.BH.LKC.WWoE (= wil se La = LeiSch)] hilfe G.

171,2 und ist G] vnd VKa.BH.LK.WWoE (= LaLeiSch), *f.* C.

171,11 in.
171,15 div.
171,22 ampt.
172,3 mvͤze.
172,14 dem.
172,26 die.
172,29 oder (ob KC, *f.* Fr[31]) swie (wie Ka.BH.KC.WE) der (di Ka.C) heiden (heidenē Ka, heider L) strites gert VKa. BH.LKC.WWoE.Fr[31] (= LaLeiSch)] *f.* G.Ha.
172,30 er vüere bogen (bokkelē Ka, boge KC) oder swert VKa.BH.LKC.WWoE (= LaLeiSch)] *f.* G.Ha.
173,8 sin.
173,24 eren.
174,1 zier.
174,11 sis.
174,12 namen.
175,5[1] dir G.Fr[84]] mir VKa.BH.LK.WWoE (= LaLei Sch), *f.* C.
175,5[2] gebent.
175,20 klaren G] den chlarn VKa.BH.LKC.WWoE.Fr[84] (= LaLeiSch).
175,22 anderhalp.
176,1 anz.
176,2 dem G.VKa.B.LK.WoE (= Sch)] den H.C.W.Fr[84] (= LaLei).
176,3 under roemischer VKa.L.Fr[84] (= Sch)] vnd roͤmischer G (= La), vnder der romschen B.C.WWoE, vnd der romischen H (= Lei), vnd[s] des richs K. Vgl. Komm. zu 176,2f.
176,16 genuoge GK] doch genueg V.WWoE.Fr[84] (= doch genuoge Sch), och genuge Ka.BH.LC (= ouch genuoge LaLei).
177,9 der G] der im VKa.BH.LKC.WWoE.Fr[84] (= LaLei Sch).
178,12 viur VKa.BH.LKC.WWoE.Fr[28.84] (= LaLeiSch)] fvͦder G.
178,16 den selben mac wol Giburc han G] den selbn mach

Chybuerch wol han VKa.L (= LaLeiSch), Kyburc den selben wol mac han BH, so mag yn Tyburg auch wol han K, den seluen Kiburch mach han C, den mag Kyburc nv wol han WWoE.Fr[84], doch grozern mac Gyburc han Fr[28].

178,30 ellenthaften G] ellenthaft (ellenthafte Ka.B.L.W. Fr[84]) VKa.BH.LKC.WWoE.Fr[28.84] (= ellenthafte LaLei Sch). Vgl. 31,30 *geloupbaften* und Komm. dazu.

179,10 niemen da G] nimmer daz VKa.BH. L.WWoE. Fr[28.84] (= LaLeiSch), das nȳm[s] K, dat neit C.

179,12 diu marke und ander (andere Ka, andern H) VKa. BH.LKC.WWoE.Fr[28.84] (= LeiSch)] der marche vn̄ der andr G (diu marke unt de ander La).

180,10 nu G] dev VKa.BH.LKC.WWoE.Fr[28.84] (= diu La LeiSch).

180,15 im.

181,9 von.

181,15 chronem.

182,2 richer – armer B.W] richen – arm̄ G, reich – arm V.K, riche – arm Ka (= LaLeiSch), riche – arme H.L, rich – arme C, reicher – arm Wo, reicher – arme E, riche – armer Fr[84].

182,8 tsliche.

182,13 zvht.

182,22 niemen.

183,12 iuwern kinden VKa.BH.LKC.WWoE.Fr[84]] iwern chinde G (iwerm kinde LaLeiSch). Vgl. 178,1 mit Komm.

183,14 ich.

184,1 min G] weder mein V.K.Fr[84] (= weder min LaLei Sch), weder mit Ka.WWoE, sie min BH.LC.

184,6 er.

184,27 marcg̊.

184,29 Kares.

184,30 an Gyburge.

185,13 dem.

185,19 waern V.K.Wo (= LaLei)] waren G.Ka.WE.Fr[87] (= Sch), waer BH.L, wart C. Vgl. Komm. zu 185,17-19.

185,21 da (dar Ka, do W) VKa.BH.LKC.WWoE (= La LeiSch)] *f.* G.Fr[87].

186,9 schier.

186,11 mans.

187,18 nih.

187,29 hivrte.

188,13 waren.

188,30 tugent VKa.BH.LKC.WWoE (= LaLeiSch)] ivgent G.

189,1^{1} phalch.

189,1^{2} küchenvar VKa.BH.LKC.WWoE (= LaLeiSch)] chvͤne var G.

189,20 drab (dar abe H) V.BH.LKC (= LaLeiSch)] niht drab G, noch drabe Ka, noch WWoE. Vgl. Gerhardt, Adlerbild, S. 216, Anm. 9.

189,27^{1} ez iu G.C] dazz (daz ez BH.L.WoE.Fr^{28}) ev V.BH.L.WoE.Fr^{28} (= deiz iu La = daz ez iu LeiSch), daz v iz Ka, das uch K. Vgl. PMS, S. 451.

189,27^{2} smahet Ka.K (= La)] swahet G, versmahet V.BH.LC.WWoE.Fr^{28} (= LeiSch).

190,5 in G.Ka.Fr^{28} (= LaSch)] im V.BH.LKC.WWoE (= Lei). Vgl. Komm. z.St.

190,21 zim.

191,21 solt in im H.L.WoE (= LaLeiSch)] solt im G, scholten im V.C.W.Fr^{28}, solten mir Ka, solte inm B – *ganzer Vers abweichend:* das er yn ym zu sture wolde geben K.

191,30 noch VKa.BH.LKC.WWoE (= LaLeiSch)] oͮch G, *f.* Fr^{28}.

192,5 er.

192,12 hort VKa.BH.LKC.WWoE.Fr^{28} (= LaLeiSch)] dort G.

192,17 er's (ersn V, er es H.C.Wo, er LK, ob er es W, er sin Fr^{28}) niht verstüende VKa.BH.LKC.WWoE.Fr^{28} (= LaLeiSch)] er sich versunde G. Vgl. Schanze, Verhältnis, S. 186f.

192,23 heidensch G.VKa.BH.LKC.WWoE (= LaLei Sch)] coatisch Fr^{28}. Vgl. Komm. z.St.

192,25 chappe.

193,12 vndertanich.

193,16 erdolt G] gedolt VKa.L.WWoE.Fr[28.37] (= LaLei Sch), gedultet BH, gelieden KC.

193,21 dem ungeliche BH.LKC. WWoE.Fr[28.37] (= Lei Sch)] wol dem geliche G.VKa (wol dem ungeliche La).

194,4 zühten G.BH] zvht VKa.LKC.WWoE (= LaLei Sch).

194,7 dienest.

194,13 daz der.

194,17 an G.K] in VKa.BH.LC.WWoE.Fr[37] (= LaLei Sch).

194,19 sol G] wil VKa.BH.LKC.WWoE.Fr[37] (= LaLei Sch).

195,2 mann.

195,4 vn̄.

195,15 beretten.

196,2 in.

196,4 sine.

196,5 die G.V] *f.* Ka.BH.LKC.WWoE (= LaLeiSch).

196,30 ze den (ze den = zden V.Wo, zu den Ka.KC.W. Fr[37]) handen VKa.LKC.WWo.Fr[37] (zen handen LaLeiSch)] zehandn G, in den handen BH, aus den handen E.

197,3 alles H.K.WE] allez (allet C) G.V.B.LC.Wo.Fr[37] (= LaLeiSch), alle Ka. Vgl. Komm. z.St.

197,19 valken reit VKa.BH. LKC.WWoE (= LaLeiSch)] *f.* G.

197,24 er *f.*

197,25 lieze G] liez VKa.BH.LKC.WWoE.Fr[81] (= LaLei Sch).

198,6 woldens.

198,8 taetens.

198,9 al (allen H.W, alle E) VKa.BH.LKC.WWoE.Fr[30] (= LaLeiSch)] an G.

198,27 kum (*f.* H, ym kume K, do kaum WWoE) entran VKa. BH.LKC.WWoE.Fr[30] (= LaLeiSch)] chom gegan G – *nur lesbar:* (. . .) entran Fr[81].

199,16[1] beleit.

199,16[2] het *f.*

199,24 von VKa.K.Fr[30] (= LeiSch)] vnd G, vnd durch BH, dvrch LC, mit WWoE (und von La). Vgl. Panzer, Willehalm, S. 234 (dagegen – nicht durchschlagend – Kraus, Willehalm, S. 553).

200,2 ers.

200,10 getreten G] getrett V.B, getredit Ka.LK.WWoE (= getretet LaLei), getret H (= Sch), getrat C, getreyt Fr[30]. Vgl. DWb XI/1/2, Sp. 201.

200,12 und *f.*

200,18 dem.

200,23 waren.

200,25 süenen G.K] sovmen VKa.BH.LC.WWoE.Fr[30] (= LaLeiSch). Vgl. Komm. z. St.

201,4 den.

201,9 daz ir mich der stangen habt (hāt Ka, hatte B, hat H, *f.* C) ermant Ka.BH.C.WoE (= Lei)] daz mich der stangen habt erman G, daz mich der stangen hat ermant (gemant Fr[30]) V.L.W.Fr[30] (= LaSch), daz ich der stāgē bin ermant K.

201,24 chvchem varwem.

201,29 die (d *Lombarde*).

203,9 erwieret G] verwierret V.H.L.WWoE.Fr[15] (= LaLeiSch), gewiret Ka.K, bewaeret B, verwirckt C. Vgl. Komm. z.St.

203,27 strebens.

203,30 zwaz.

204,13 neweders.

204,20 div.

205,24 mint.

206,11 im.

206,16 in G] im daz VKa.BH.LKC.WWo.Fr[15.32] (= LaLei Sch), es des E, in es (Fr[52]).

206,21 ich die warheit G] ichz zereht V.L, ich rechte Ka.K, ichz (ich es H.WoE) rehte BH.C.WWoE (= LaLeiSch), ich ze rehte Fr[15] – *nur lesbar:* zv rechte Fr[52].

206,22 die G.C.WE (= La)] di VKa.Fr[52], min BH.K.Wo. Fr[15], *f.* L (diu LeiSch). Vgl. Komm. z.St.

206,26 ez was G] daz was VKa.LK.WWoE, daz enwas BH.C.Fr[15] (= LaLeiSch).

206,27 mugen's G.Ka.WWoE.Fr[15.52] (= LaLei)] mv̊genz (mogent C) V.LC (= mugenz Sch), muͤgen ez B, můgen es H, mogē sie is K.

207,6 poydr.

207,7 geflorierten.

207,8 die an die.

207,10 ein vliehen ich doch G] di fluht (verlust H) ich do (da Ka, *f.* BH.C) VKa.BH.LKC.WWoE (= LaSch) (ein vliehen ich do Lei).

207,13:14 Mvntespier:eskelier.

207,19 nu G] *f.* VKa.BH.LKC.WWoE.Fr[52] (= LaLei Sch).

208,2 sines maeres G.Ka.B.LK.(Fr[52])] sev des meres V (= Sch = si smaeres LaLei), si meres H, sine der mere C, des meres sie WWoE.

209,2 garrvne.

209,11.12 da (*f.* BH, dar C) kom (quamē Ka.BH) an (in Ka. L) allen siten | als ob (*f.* BH) da (is K) riter sniten VKa.BH. LKC (= LaLeiSch)] *f.* G – *nach 14:* man kos an allen sitten | als ob do ritter snetten WWoE. Vgl. Schanze, S. 111f.

209,20 es G.K.WE (= LaLeiSch)] iz VKa.Wo, er BH, des LC. Vgl. Komm. z.St.

209,22 und da G (= La)] vnd daz VKa.KC (= LeiSch), daz BH, *f.* L, und die WWoE. Vgl. Komm. z.St.

209,25 won.

209,28 der *f.*

210,5 in.

211,2 min (myns C) G.H.C] sein (sines Ka.Fr[17], sin *korr. aus* min B) VKa.B.LK.WWoE.Fr[17] (= LaLeiSch). Vgl. Komm. z.St.

212,4 spraechen einem (einen BH, eynē Ka) VKa.BH. WWoE (= LaLeiSch)] welten einen G, iahen einem LK. Fr[17], sprachen dat eyn C.

212,5 wolden si gerner sin] wolden si gerne sin G, wern si gerner VKa.B.Fr[17] (= LaLeiSch), weren si (*f.* C) gerne H. LKC.WWoE.

212,6 decheinen.

212,12 sol (schold *mit Tilgungspunkt unter dem* d V) G.V. BH.K (= LaLei)] solde Ka.L.WWoE.Fr^{17} (= Sch), solden C. Vgl. Hilgers, S. 305.

212,13 twinget BH] twingen G, twung VKa.L.WWoE (= Sch), hant K, hetten C, were Fr^{17} (twinge LaLei).

212,15^{1} leisten G] gerne leisten VKa.BH.LKC.WWoE. Fr^{17} (= LaLeiSch).

212,15^{2} in.

212,18 bat G] hiez VKa.BH.LKC.WWoE.Fr^{17} (= LaLei Sch).

212,19 daz her umbe VKa.BH.L (= LaLeiSch)] *f.* G, vmb K.Fr^{17}, dat he vmb C.WWoE.

212,20 minen.

212,23 oder V.BH.LKC.W.Fr^{17} (= LaLeiSch)] vñ G.Ka. WoE.

212,29 hin ze Oransche also G] also (sich also BH, sich so K) gein Orans VKa.BH.LKC.WWoE.Fr^{17} (= LaLeiSch).

212,30 daz G.K] des VKa.BH.C.WWoE.Fr^{17} (= LaLei Sch), de^{s} L.

213,7 eine.

213,11.12 dar (da Fr^{17}) begund er (*f.* H, ain C) durh (*f.* C) urloup gen | und eine (wolde eȳ K) wile vor ir (in H, se Fr^{17}) sten VKa.BH.LKC.WWoE.Fr^{17} (= LaLeiSch)] *f.* G.

213,14 ich waere des (dis K) maeres G.K] des (diss BH) maeres wer ich VKa.BH.L.WWoE.Fr^{17} (= LaLeiSch), des were ich C.

213,30 si.

214,1 Willehalme dem.

214,25 Thehereiz.

214,27 der.

214,28 vreude G.VKa (= LaLeiSch)] triwe BH.LK. WWoE, he C. Vgl. Komm. z.St.

215,1 Ez naeht (nahent WWoE) nu vreude (freuden V.K) unde klage VKa.BH. LKC.WWoE (= LaLeiSch)] EZ NAET NU URU *(Schmuckinitiale und Majuskeln, Text bricht am Zeilenende ab)* G.

215,3 chvmftechichem.

215,4 und GVKa (= LaSch)] *f.* BH.LKC.WWoE (= Lei). Vgl. Komm. z.St.

216,6 antarticus G.VKa.B.K. (= LaLeiSch)] antartius H, artanticus L.WWoE, artenticus C. Vgl. Komm. z.St.

216,11[1] snellekeit G.Ka.H.K] snellhait V.B.LC.WWoE (= LaLeiSch), snellen Fr[31].

216,11[2] chiegen.

216,23 daz G.K (= La)] daz si VKa.BH.L.WE (= Lei Sch), si C, daz in Wo. Vgl. Komm. zu 216,22f.

216,24 geschieht.

217,3 lat VKa.BH.LKC.WWoE (= LaLeiSch)] von rehte lat G.

217,5 von (mit Ka.C) rehte VKa.BH.LKC.WWoE (= La LeiSch)] *f.* G.

217,12 herzenliche (hēzēcliche K) G.V.K.WWoE (= LaLei)] hertikliche Ka.BH (= Sch), gaerliche L, hertliche C. Vgl. Komm. z.St.

217,15 Giburc G.VKa (= LaSch)] Arabel (Arabi H) BH. LKC.WWoE (= Lei). Vgl. Komm. z. St.

218,12 erkennest G] bechennest VKa.BH.LKC.WWoE. Fr[52.55] (= LaLeiSch).

219,3 von G.B.L] vor VKa.H.KC.WWoE.Fr[31.52] (= La LeiSch).

219,10 werd.

219,18f. sol – han VKa.LKC.WWoE.(Fr[52]) (= LaLei Sch)] da – hat G.B, so – hat H. Vgl. Schanze, Verhältnis, S. 180.

219,25 ad.

220,21 die.

220,24 chvnegine.

220,26 lode.

220,27 boien (boin H.K) VKa.BH.KC.WWoE.Fr[17.(52)] (= LaLeiSch)] pain G, poynde L.

220,30 han.

221,2 Tybalds.

221,16 vater.

221,19 ieht.

222,9 vnz an.

222,10 sis.

222,16 mit V.LKC.WWoE.Fr[17.30] (= LaLeiSch)] nv G, van Ka.BH.

223,2 taten.

224,1 genv̊gen.

224,3 starke VKa.BH.LK.WWoE.Fr[30] (= LaLeiSch)] stercher G, grois C.

224,6 dinc G.C.E] dinch nv VKa.BH.LK.WWo.Fr[30] (= LaLeiSch).

224,7 decheinez.

224,23 werben G] wern (wer L) VKa.BH.LC.WWoE. Fr[30] (= LaLeiSch), erw[s]bē K (*unleserlich* Fr[78]). Vgl. 182,28.

225,1 stori.

225,3 enim.

225,21 studen (*nur* (. . .)den *lesbar* Fr[30]) VKa.BH.LC. Fr[30.78] (= LaLeiSch)] stv̊nden G, welde K, pv̊sche WWoE.

225,22 waren.

225,25 svndern.

226,11 die.

227,26 in niht gebüezet V.BH.K (= Sch)] im niht gebv̊zet G.C, in nicht im gebuzit Ka, was in vngebůzet L.WWoE. Fr[78] (= Lei) (was ungebüezet La). Vgl. Schröder, Kritik, S. 22.

228,17 schad.

229,4 marc[s]ve.

229,11 ez *f.*

229,13 si selbe G] selb (selber W) VKa.BH.LKC. WWoE (= LaLeiSch).

229,22 zv̊zer.

229,23 vil G] do vil V.L.W, da vil Ka.B.C.WoE (= LaLei Sch), so vil H, vil alda K.

229,30 wol G.L] guet V.BH.WWoE (= LaLeiSch), *f.* Ka. K, vil C.

230,1 Dybvrch (D *Lombarde*).

230,7 gewapet.

230,10 div dei.

231,17 riech.

232,1 vuort'en (fůrte in BH.C) G.Ka.BH.C.Fr[28]] fuert V. LK.WWoE.Fr[73] (= LaLeiSch).

232,25 minen.

232,27 ieht.

232,30 mihz.

233,27 waren.

234,2 di.

234,19 minem (mime H.K) V.H.K.WWoE.Fr[28] (= LaLei Sch)] min G, minen B.C.Fr[73], mine L – *indifferent:* minē Ka.

234,24 ez.

234,28 wochelanch.

235,7 gezimber (gezymmer B.KC.WoE.Fr[28]) V.B.LKC. WWoE.Fr[28] (= LaLeiSch)] gezimier G.H.Fr[73], cimirde Ka.

235,8 vnervorten.

235,9 noch.

235,20 was.

235,28 von G] vor VKa.BH.LKC.WWoE.Fr[17.28.73] (= La LeiSch).

236,4 chappen.

236,6 nu VKa.BH.LKC.WWoE.Fr[17.28.73] (= LaLeiSch)] da G.

237,3 ierbergen (i *Lombarde*).

237,8 dem.

237,11 mit.

237,13 ichz.

237,29 bechvmber.

238,4 waren.

238,12 der.

238,27 hvsen.

239,6 erkande G] bechant VKa.BH.LKC.WWoE.Fr[28.73] (= LaLeiSch).

239,10 bestrichen.

239,16 iegesliches.

240,4 fvnde.

241,3 engab.

241,6 mv̊sens.

242,3 verhvrtenen.

242,6 im G.C] in VKa.BH.LK.WWoE.Fr[73] (= LaLei Sch).

242,9[1] pover (poverys *für* pover schetis Fr[73]) Ka.B.Fr[73] (= Sch)] pv̊uer GV (= puover LaLei), poyer LC, püuer (bu[s] E) K.E, iunge W, arme Wo – *Vers f.* H. Vgl. Vorderstemann, S. 236.

242,9[2] cetis.

242,16 obem.

242,18 schilriemen.

243,1 cetiss.

243,5 chvnech.

243,8 gertes.

243,16 weniht.

243,18 gesellescheite.

243,25 küenlich V.BH.LC.Fr[33.73.78] (= LaLeiSch)] chvndechlich G.WWoE, kūdig Ka, kunēclichn̄ K.

243,27 vngewapen.

244,3 enbizen in VKa.LKC.Fr[33.73.78] (= LaLeiSch)] enbiten G, erbeizen (epizen H) an BH, essen in WWoE.

244,6 ob mir G.BH] ob miͤrs VKa.LK.WWoE.Fr[33.73.78] (= LaLeiSch), offs mir C.

244,27 schoup VKa.LC.WWoE.Fr[33.57.73.78] (= LaLeiSch)] loͮp G, staup BH.K.

244,28 ame loup VKa.BH.LKC.WWoE.Fr[33.57.73.78] (= La LeiSch)] ime roͮp G. Vgl. Schanze, Verhältnis, S. 180.

246,25 won.

246,27 harnasch ramtv̊ch.

247,1 die] ie (*Lombarde f.*) G, all V.C.E.Fr[78] (= LaLei), alle Ka.BH.LK.WWo.Fr[35.73] (= Sch). Die G-Form könnte auch zu *hie* ergänzt werden. Vgl. Schanze, Verhältnis, S. 182.

247,10 schaven.

247,12 als ob VKa.H.L.Fr[73] (= Sch)] ob G, als B.KC.Fr[35] (= LaLei), sam WWoE.

247,13 (nach 247,14 G) noch ungemach G] von veinden VKa.BH.LKC.WWoE.Fr[35.73] (= LaLeiSch). Vgl. Schanze, Verhältnis, S. 179f.

247,21 iuwere G] ewerr (üwer^s Fr^73) V.B.Fr^73 (= LaSch), vw^s Ka.K.Fr^35, uwer (vr C) H.LC (= iuwer Lei), *f.* WWoE.

247,30 allen.

248,18 der gesellen V (= LaLeiSch)] der geselle G.Ka.B. LC.WWoE.Fr^57.73, die gesellen (gesellem H) H.K.Fr^35.

248,21^1 in.

248,21^2 waeten.

248,25 klarlich (clerliche Ka, clerlich WWo, clarliche Fr^35.57) VKa.L.WWoE.Fr^35.57 (= Sch = claerlich LaLei)] chaerchlich G, clarheit BH, myñeclich K, clare C, clarlichn̄ Fr^73.

249,16 mas.

249,29 Sylbert.

250,3 hat.

250,7 vremeder V (= LaLeiSch)] vremede G.Ka.BH. LKC.WWoE.Fr^35.(52.)73.

250,20 er *f.*

250,26 bab.

251,5 swester.

251,11 ouch VKa.KC.Fr^35.73 (= LaLeiSch)] oͮgen G, *f.* BH.L.W.Fr^52, wol WoE.

251,12 do sprach er uns hat] do sprach er hat G, der sprach vns hat VKa.Fr^35 (= LaSch), er sprach vns hat BH.LKC. Fr^52.73 (= Lei), er sprach frowe vns hat WWoE.

251,25 und iu (vch C.Fr^73) noch (*f.* B) G.V.B.C.Fr^19.73] vn̄ noch Ka.LK.WWoE.Fr^52 (= Lei), die H, uch noch Fr^35 (= iu noch LaSch). Vgl. aber Gärtner, apo koinou, S. 191ff.

251,26 iuwer G.VKa.LKC.Fr^19.35.52.73 (= LaLeiSch)] iwern BH.WWoE. Vgl. Komm. z.St.

251,27 swez.

252,5 ir immer.

252,6 iuwerem G.Fr^73 (= La)] zv ewerm (irrē Fr^35) VKa. BH.LC.WWoE.Fr^28.(33.)35.52 (= ziuwerm LeiSch), yn iwerm K.Fr^19. Vgl. Komm. zu 252,6f.

252,9 braehte.

252,21 ich.

252,24 sorgen G.LK.E] sorge (sarg V) VKa.BH.C.WWo. Fr^19.28.33.73 (= LaLeiSch).

253,5 naemen.

253,9 schow^{s} V.C.Fr$^{28.33.52.73}$ (= LaLeiSch)] sẘr G.BH. LK.WWoE, hǒre zu Ka.

253,12 was.

253,17 werdechliches.

253,30 al VKa.WWoE.Fr^{28} (= LaLeiSch)] an G, aller BH. LK.Fr$^{33.73}$, alle C, *f.* Fr^{19} (?).

254,16 hoert VKa.LKC.WWoE.Fr$^{28.33.73}$ (= LaLeiSch)] hoͤre G, *f.* BH.

254,28 den.

255,5 der *f.*

255,9 vater.

255,15 Něpatris.

255,25 Racvlat.

256,30 überwegen G (= La)] wider wegn VKa.BH.LKC. WWoE.Fr$^{33.47}$ (= LeiSch), wid^{s} geb: Fr^{73}. Vgl. Komm. z.St.

257,19 waz.

257,20f. der allez ([= alz LaLei], alz daz V, alles daz BH, al dc L.Fr^{73} [= Sch], alle das K, alle C) gebirge Koukesas (czu Kaukasas WWoE) | dir (*f.* Fr^{47}) gaebe daz waere V.Ka.BH. LKC.WWoE.Fr$^{47.73}$ (= LaLeiSch)] Kǒkesas der dir gaebe daz | waere G – *nur lesbar:* (. . .) geb (. . .) ovk (. . .) | (. . .) Fr^{33}. Vgl. Schanze, Verhältnis, S. 181.

257,22 rotes.

258,1f. min (meinen VKa, minnen H, mich Fr^{47}) überker | der getriuwen VKa.BH.LKC.WWoE.Fr$^{33.47.73}$ (= LaLei Sch)] minen willen der | getriwen G. Vgl. Schanze, Verhältnis, S. 180.

258,10 in waren.

258,11 uz VKa.B.KC.WWoE.Fr$^{47.80}$ (= LaLeiSch)] ǒch G, vf H.L.Fr^{73}. Vgl. Schanze, Verhältnis, S. 166.

258,17 wrdent.

259,9 ir G] ir heilich VKa.BH.LKC.WWoE.Fr$^{47.73.80}$ (= LaLeiSch).

260,9 dem (den H.C) – geeret BH.KC.WoE (= LaLei)] den (dem W) – gecheret G.L.W.Fr$^{28.73.80}$, dem – geheret VKa (= Sch).

260,19 danne G] daz VKa.BH.LKC.WWoE.Fr$^{28.73.80}$ (= LaLeiSch).

260,24 bliche.

260,30 wil G] chan VKa.BH.LKC.WWoE.Fr$^{28.73.80}$ (= La LeiSch) – *Vers f.* Ha.

261,1 wirt VKa.BH.LKC.WWoE.Fr$^{28.73.80}$ (= LaLeiSch)] *f.* G.

261,14 het es im Ka.H.LKC.Fr$^{28.73.80}$ (= LaLeiSch)] het es G, hiet im V, jm hete B, hette ims WWoE.

263,18 sceptiss.

264,9 sis.

264,21 sin.

264,24 giech.

264,30 dvhte.

265,28 si ot (echte K, et Fr$^{52.78}$, ir Ka.B.Fr^{33}, *f.* HL.WWoE) VKa.BH.LK.WWoE.Fr$^{28.33.52.78}$ (= si et LaLeiSch)] er G, id C, eht Fr^{73}.

265,29 sebr.

266,12 Ehmvreiz.

267,4 herkraft G] hers chraft VKa.BH.LKC.WWoE.Fr^{78} (= LaLeiSch), vberchraft Fr$^{28.52}$, herschafft Fr^{73}.

267,23 Uriende ⟨Vriende (Vriend V)⟩ VKa.LKC.Fr$^{73.78}$] Friende G.WWoE (= LaLeiSch), Triende BH, Noriende Fr^{28}. Vgl. Heinzle, Frabel.

267,28 oẏt.

268,5 di.

268,28 wil.

269,25 Flaemich.

270,5 under G.VKa (= Sch)] an BH.LKC.WWoE. Fr$^{28.73}$ (wider LaLei). Vgl. Komm. zu 270,1-5.

270,13 drv̊z.

270,24 granz.

270,29 der G] er (ir E) VKa.BH.LKC.WWoE.Fr$^{22.28.43.73}$ (= LaLeiSch).

272,21 ieht.

273,5 minechlichen.

273,13 erflvget.

273,16 diens.

273,17[1] und VKa.BH.LKC.WWoE.Fr[28.43.73.78] (= LaLei Sch)] an G, *f.* WWoE.

273,17[2] ez.

274,26 go geliche.

275,3 daz drin iht (niht LKC.Fr[78]) G.LKC.Fr[78]] daiz drin nicht V, daz iz drin (dan Fr[28]) nicht Ka.WWoE.Fr[28] (= La LeiSch), daz ez dem nit BH, der drin niht Fr[73]. Vgl. Komm. z.St.

275,28 ez.

276,6 siropel Ka.BH.LC.WWoE.Fr[28.57.73.78] (= Sch)] scinopel (synopel K) G.V.K (= sinopel LaLei). Vgl. Komm. z.St.

276,10 ungesmaehet (vngesmähe Fr[73], vngesmaehde Fr[78]) VKa.LKC.Wo.Fr[28.73.78] (= LaLeiSch)] gesmaehet G, vngesmecke (vngesmecket WE) B.WE, vngemischet H.

277,3f. von (vor B) in (im B) zer (zv der H) tür uz (*f.* K) was (wart K) gedranc | ieslicher vür den andern spranc BH.K (= LaLei[*in eckigen Klammern: unecht*]Sch)] *f.* G.VKa.LC. WWoE.Fr[73.78]. Vgl. Schanze, S. 112.

277,7 des (ez da BH, der Fr[73]) pflagen VKa.BH.LKC. WWoE.Fr[73] (= LaLei Sch)] daz sahen G – *Vers f.* Fr[78]. Vgl. Schanze, Verhältnis, S. 180.

277,14 so G] do VKa.BH.LKC.WWoE.Fr[73] (= LaLei Sch).

277,16 al daz G] al (alle Ka, alles BH) des VKa.BH (= La LeiSch), swes (so wes C) LKC.WWoE.Fr[73]. Vgl. BMZ III, Sp. 889a.

278,12 rotte (rotten Ka.B.K.Fr[35], ze rott C) jach VKa.BH. LKC.WWoE.Fr[35.73] (= LaLeiSch)] *f.* G. Vgl. Schanze, Verhältnis, S. 179.

278,13 die waren ze (all da ze Fr[73]) velde gar (auch dar L, *f.* C.Fr[73]) VKa.BH.LKC.WWoE.Fr[35.73] (= LaLeiSch)] svss waren si hin ab G. Vgl. Schanze, Verhältnis, S. 179.

279,3 naeme (naem Wo, näm Fr[73]) G.Wo.Fr[73]] nem (neme Ka.BH.K.Fr[35.43]) VKa.BH.LK.Fr[35.43] (= neme LaLeiSch), nam C.WE. Vgl. Pz. 393,25 und Zimmermann z.St.

279,19 ir *aus* in *verbessert.*

279,20 Gvnderien.

279,23 im.

280,17 jamer VKa.BH.LKC.WWoE.Fr$^{35.73}$ (= LaLeiSch)] immer G.

280,26 tv̊t.

281,3 an G.C] an auch VKa.BH.LK.WWoE.Fr$^{28.33.35.73}$ (= LaLeiSch).

281,6 ungemach G.V.BH.LKC.WWoE.Fr$^{28.33.35}$ (= Lei)] gemach Ka.Fr^{73} (= LaSch). Vgl. Komm. zu 281,5f.

282,4 in.

282,21 Uriende ⟨Vriende (Vriend V)⟩ G.VKa.K.Fr$^{28.35.73}$] Oriende BH, Friende LC.WWoE.Fr^{33} (= LaLeiSch). Vgl. Heinzle, Frabel.

282,30 verstolen (gestolen C) VKa.BH.LKC.WWoE. Fr$^{28.33.35.73}$ (= LaLeiSch)] verstozen G.

283,1 brahte.

283,5 stuot ir aller sin G.E] stuend all ir sin V.K.W, stūt in al ir sin Ka.BH.Fr^{35} (= LaLeiSch), in stvnt al der sin L.Fr^{28}, stunt in ir sin C, stuend ir sin Wo, stvnde in alle d^{s} sin Fr$^{33.73}$.

283,6 ein G] ir VKa.B.LK.WWo.Fr$^{28.33.35.50.73}$ (= LaLei Sch), *f.* H.E, in C. Vgl. Schanze, Verhältnis, S. 180.

283,7 laege VKa.BH.LKC.WWoE.Fr$^{28.33.35.50.73}$ (= LaLei Sch)] ze sagen G.

283,8 naten.

283,15 waren.

283,17 immer.

284,15 vol ẘchz.

285,4 in (im Ka.C) VKa.BH.LKC.WWoE.Fr$^{28.(50).73}$ (= La LeiSch)] vn̄ G.

285,14 smahlichez.

285,16 gar.

286,6 smahlichem.

286,21 es.

286,28 er G.B] *f.* VKa.H.LKC.WWoE.Fr$^{63.73.83}$ (= LaLei Sch).

287,9 sage G.VKa (= LaLeiSch)] trage BH.LKC. WWoE.Fr$^{63.73.83}$. Vgl. Komm. z.St.

287,15 vf.

287,23 und G.VKa (= LaLeiSch)] sweñe (wanne H.KC, wenn WWoE.Fr[31.73]) BH.LKC.WWoE.Fr[31.63.73] – *ganz abweichend mit 2 Zusatzversen vor 287,23:* sine konigliche tugent | so mich min art vnd min iugent | dwanc. daz ich sach die gelegenheit Fr[83]. Vgl. Komm. z.St.

287,25 turnoi (turneye K) G.K.Fr[63.73]] tvrnoyn VKa.BH. LC.WWoE.Fr[83] (= LaLeiSch).

288,8 laster.

288,15 Bahsigveyz.

288,18 fier.

288,25 Pohy.

289,6 der G.V.W] *f.* Ka.BH.LKC.WoE.Fr[47.63.73.75] (= La LeiSch) – *ganzer Vers abweichend:* do sante der marcgreue hin Fr[83].

289,29 bin ich G.Fr.[37]] ich pin VKa.BH.LKC.WWoE. Fr[47.63.73.83] (= LaLeiSch).

291,5 mantel.

291,21 dri VKa.BH.LKC.WWoE.Fr[33.47.73] (= LaLeiSch)] die G.

292,12 ei.

292,23 sih.

293,10 ir wille VKa.BH.LKC.Fr[47.73.78] (= LaLeiSch)] mir wilde G, min wille WWo.

293,16 er *f.* G.

294,24 Harzebieres.

295,2 Scoyse.

295,4 Scoyse.

295,7 aechselen.

295,15-17 daz gehilze (hiltz was C) guldin (*f.* H = La, guld C) starc (groz L.WWoE.Fr[73.78] [= Lei], hoch K, *f.* C) und (vil LK.Fr[78]) wit | ze Nördelingen kein dehsschit | hat da niemen also breit BH.LKC.WWoE.Fr[73.78] (= LaLeiSch)] vil spaeheliche mit golde erleit G.VKa – 16.17 *fehlen* Ha. Vgl. Paul, Willehalm, S. 333; Schanze, S. 28; Schanze, Verhältnis, S. 189f.; Schröder, Kritik, S. 21f.; Lomnitzer, S. 128.

296,10 min G] ouch mein VKa.BH.LKC.WoE.Fr[25.73.78] (= LaLeiSch), ouch dein W.

296,14 mir VKa.BH.KC.WWoE.Fr$^{73.78}$ (= LaLeiSch)] *f.* G.L.

298,6 zwelve VKa.BH.LKC.Fr$^{29.73}$ (= LaLeiSch)] zwene G, czweinczik WWoE. Vgl. Komm. z.St.

298,15 ich Nimes] Nimens.

298,16 wagen G.Fr^{73} (= LaSch)] wegen V.C.W, wagenē (wegenen H.L.Fr^{29}, wagnē Wo) Ka.BH.L.Wo.Fr$^{29.37}$ (= Lei), wagene K, wangen E. Vgl. Komm. zu 298,14-16.

298,24 sit VKa.H.K.WWoE.Fr$^{29.37}$ (= LaLeiSch)] si G.B. LC.Fr^{73}.

299,14 als in (al sin B) Ka.B.LKC (= LaLeiSch)] als ich (ichs E) in G.E.Fr^{73}, als ich V, als si in H, als es in WWo.

299,23 krachen (crachent H, erkrachen WWoE, krache Fr^{73}) VKa.BH.LKC.WWoE.Fr$^{29.73}$ (= LaLeiSch)] brachen G.

299,25 vrivnden.

300,4 griffe.

300,20 solde.

300,24 Uriende ‹Vriende (Vriend V)› VKa.KC] Friende (Friend WE) G.L.WWoE (= LaLeiSch), vraeuden B, frunden H, Oryende Fr^{73}. Vgl. Heinzle, Frabel.

301,2 do sprach G (= LaSch)] der (er K) sprach VKa.K, do (da B) sprach er BH.LC (= Lei), vnd sprach WWoE. Fr^{73}. Vgl. Komm. z.St.

301,8 miniv.

301,9 sin.

301,12 hie sint (ist L.Fr^{73}, sein WoE) VKa.BH.LKC. WWoE. Fr$^{29.73}$ (= LaLeiSch)] die sit G.

302,25 si *f.*

302,29f. swer uns den (danne H.WoE, dar C, denn W) gegenmarket (gegen marke W) tuot | die gevangen loese (loͤsen B.LK.Fr^{73}) wir (wir losen di gevangen VKa) umb guot (mit Fr^{73}) VKa.BH.LKC.WWoE.Fr^{73} (= LaLeiSch)] *f.* G.

303,3 daz er (der W) BH.LKC.WWoE.Fr$^{43.73}$ (= LeiSch)] daz G.VKa (= La [*vgl. aber Ganz, S. 29*]).

303,30 alsus G] Jesus VKa.BH.LKC.WWoE.Fr^{43} (= La LeiSch).

304,21 was G] was da VKa.BH (= LaLeiSch), wart da (do W) LK.WWoE, wart C.

304,25 dem – dem scariant.

304,29 gereiden.

305,4 schouten (sagen C, beschawtten E) VKa.BH.LKC. WWoE (= LaLeiSch)] choͮften.

305,9 si *f.*

305,15 orsen G] ors (rosse W) VKa.BH.LKC.WWoE (= LaLeiSch).

306,19 kristenlich ere meret G.VKa (= LaLeiSch)] iwern glauben vaste (*f.* K) wert BH.LKC.WWoE.Fr[22.43.50]. Vgl. Komm. z.St.

306,20 geret G (= gêret Lei)] geeret VKa.BH (= Sch), gert LC.Fr[43] (= gêrt La), nert WWoE.Fr[50] – *ganzer Vers abweichend:* vnd ob uch got das heile beschert K. Vgl. Komm. z.St.

307,9 Balthazar *verbessert aus* Balthazan *(oder umgekehrt?).*

308,8 im.

308,23 im gestuonden VKa.BH.LKC.WWoE.Fr[50] (= La LeiSch)] in bestvͦnden G.

309,5[1] oͮch.

309,5[2] signvft.

309,6 lat ez iu G] lats ev V (= LaLeiSch), lazt v Ka, lat siu iuch BH.K.W, lat ivchs L, got laist sichs C, lat euch si WoE, latz eu Fr[50].

309,17 erwarf.

309,19 vmbesweft.

309,23 immer.

309,25 daz (sie daß K) is (*f.* H, si C) si (ist ir B, *f.* LK.Fr[50], yse C) schaffent VKa.BH.LKC.Fr[50] (= LaLeiSch)] ist daz si slafent G, sies (si iz Wo) heisse schaffent WWoE. Vgl. Schanze, Verhältnis, S. 185f.

309,26 safent.

310,2 gote.

310,21 pvnshwr.

311,2 spᷤch.

311,4 die.

311,7 vz dem.

311,8 gegangen.

311,18 was G] *f.* VKa.BH.K.WWoE (= LaLeiSch) – *Vers f.* LC.Fr$^{50.73}$.

312,14 begvnds.

313,14 kreftigez G.VKa (= LaSch)] wunderliches B, wunneclichez (wunnencliche C) H.KC.WWoE.Fr^{73} (= Lei), volleclichez L. Vgl. Komm. zu 313,14-16.

313,23 d^{s}.

314,4 ir G] *f.* V.LKC.Fr$^{48.73}$ (= Sch), die Ka.BH.WWoE (= LaLei).

315,17 iv.

316,9 diz.

317,12 chappe.

318,10 daz ich.

319,1 waz.

319,3 zvchtess.

319,8 haldel.

320,22 hat (habe Ka.L.E) hie (alhie E) baz ander (b. a. = die andern L) kür G.Ka.L.E (= La)] habt (heldet K, hab WWo) hie (alhie WWo) paz an der chuͤr V.BH.K.WWo.Fr^{83} (= Sch), der haue hie bas an d^{s}schur C, habet (halte Fr^{73}) hie baz ander (an der Fr$^{73.83}$) toͮr Fr$^{13.73.}$ (hât hie baz an der kür Lei). Vgl. Komm. z.St.

320,25 sinen.

321,18 turnoi G.K.Fr$^{13.73}$] tvrnoyn VKa.BH.LC.WWoE. Fr$^{33.83}$ (= LaLeiSch).

321,26 solten.

322,8 die.

322,12 teilent.

322,15:16 cheren:lern.

322,23 teilten.

322,25 wir mugen hie (die H) sünde büezen BH.LKC. WWoE.Fr$^{13.33.51.83}$ (= LaLeiSch)] *f.* G.VKa.Fr^{73}.

322,26 und behaben (behalten H = La) hie (*f.* LaSch) werder wîbe grüezen BH.Fr^{51} (= LaSch)] *f.* G.VKa.Fr^{73}, vn̄ doch (auch K.WoE, *f.* W =Lei) werben (erw^{s}bē K.WE

= Lei, erben Wo) wibe (wibes WWoE) grv̊zen LK.WWoE. Fr$^{13.33.83}$, vnd doch werde wiff gruissen C.

323,2 also G] alda (do W, da WoE.Fr$^{13.33.83}$) VKa.BH.LK. WWoE.Fr$^{13.33.51.73.83}$ (= LaLeiSch), *f.* C.

324,1 manegem.

324,5 gebiz G] piz VKa.BH.LKC.WWoE. Fr$^{13.33.50.51.73.83}$ (= LaLeiSch).

324,25 wern G.C.WoE.Fr^{50}] ovch wern VKa.BH.LK.W. Fr$^{33.51.73}$ (= LaLeiSch).

325,7 niht G (= La)] *f.* VKa.BH.LKC.WWoE. Fr$^{33.50.51.73}$ (= LeiSch). Vgl. Komm. z.St.

325,28 der VKa.BH.LKC.WWoE.Fr$^{33.50.51.73}$ (= LaLei Sch)] er G.

326,6 die dienss.

327,26 iv.

328,2 wite VKa.BH.LKC.WWoE.Fr$^{50.51.73}$ (= LaLeiSch)] wise G. Vgl. Schanze, Verhältnis, S. 205.

328,3 vor G.Ka.K] fuer V.BH. LC.WWoE.Fr$^{50.51.73}$ (= La LeiSch).

328,21 di. Vgl. Schanze, Verhältnis, S. 160.

328,25.26 nach 329,20.

328,27-30 wie manic tusent ieslich (iglich KC.Fr^{51}, ieclicher WWoE, yeglichs Fr^{73}) schar (*Vers f.* Fr^{50}) | het des wil ich (*f.* E) geswigen (swigen LKC.Fr^{73}) gar (*Vers f.* Fr^{50}) | waz touc (truoc L, duchte K, tvnt WWoE, mag Fr^{50}) diu hant (herren WWoE) vol (vor WWoE) genant (benant L. Fr$^{50.73}$) | gein dem her uz al (*f.* H.W.Fr^{50}, aller Fr^{73}) der (*f.* KC) heiden lant VKa.BH.LKC.WWoE.Fr$^{50.51.73}$ (= LaLeiSch)] *f.* G.

329,2 besunder G] da svnder VKa.BH.LK.WoE.Fr$^{50.51.73}$ (= LaLeiSch), sunder C, ir svnder W.

329,8 der viende ein G] den veinden VKa.LKC.Fr^{73} (= LaLeiSch), den vinden ein BH.Fr$^{50.51}$ – *ganzer Vers abweichend:* das gab den veinden iamers don WWoE.

329,9 die. Vgl. Schanze, Verhältnis, S. 160.

329,11 graeve. Vgl. Schanze, Verhältnis, S. 161.

329,13^{1} die. Vgl. Schanze, Verhältnis, S. 160.

329,13[2] schar G.C] schar nv V, schar do (du Ka.Fr[73]) Ka. BH.LK.WoE.Fr[50.51.73] (= LaLeiSch) – *ganzer Vers abweichend:* die vierde schar in strite W.

329,19 die. Vgl. Schanze, Verhältnis, S. 160.

330,3 herzen G] hertz VKa.BH.LKC.WWoE.Fr[50.73] (= La LeiSch) – *nur lesbar:* her (...) Fr[51].

330,5 milden G.L] *f.* VKa.BH.KC.WWoE. Fr[50.51.73] (= La LeiSch).

330,15 wol G] *f.* VKa.BH.LKC.WWoE.Fr[51.73] (= LaLei Sch).

330,17 und manec wol gevarwet sper G] manich banyr wol gemalte sper VKa (= LaLeiSch), vil banir vnd gemalter sper BH.Fr[51], vil banier vn̄ nẙwer sper LK.WoE.Fr[73], vil panier vnd scharffer sper W – *Vers f.* C. Vgl. aber Schanze, Verhältnis, S. 205, und Schröder, Text, S. 19f.

330,22 si müet noch sere] si mvͤte noch sere G (= si müete noch sere Sch) – *ganz abweichend:* noch horent (horen si H) vngern VKa.BH.LKC.WWoE.Fr[51.73] (= LaLei). Vgl. Schröder, Text, S. 27f.; Hilgers, S. 306.

330,24 die.

330,28 dise.

331,16 ivh.

331,28 durhslagen G] chreftigen VKa, krefteclichen B. LK.WWoE.Fr[51] (= LaLeiSch), cristenlichen H, creftlicher C, krefftenlichen Fr[73]. Vgl. Komm. z.St.

331,29 die. Vgl. Schanze, Verhältnis, S. 160.

332,5 in (en Fr[73]) G.Fr[73]] an VKa.BH.LKC.WWoE.Fr[51] (= LaLeiSch).

332,21 bindet G] nv pindet VKa.BH.LKC.WWoE.Fr[73] (= LaLeiSch).

332,29 bringen.

333,5 iweren.

333,10 schiten.

334,12 Tesereiz VKa.BH.LKC.WWoE.Fr[13.73] (= LaLei Sch)] Mile G. Vgl. Schanze, Verhältnis, S. 203.

334,25 solt iuchs ⟨iwes⟩ G] mohts (mohtes Fr[13]) evch V.L. Fr[13] (= Sch), mochtits (moͤhtet ez BH) vch Ka.BH, mochtet uch K, mochtet C, moͤht euchs WE, mocht euch Wo.Fr^{73} (möht iu's La, möhtet iuchs Lei).

335,7 iv.

335,10 pvnnvr.

335,27 bringess.

335,28 sage G] nv sag VKa.BH.LKC.WWoE.Fr$^{13.73}$ (= LaLeiSch).

335,30 mir G] *f.* VKa.BH.LC.WWoE.Fr$^{13.73}$ (= LaLei Sch), vns K.

336,1 geloube G] nv gelovbt VKa.BH.LK.WoE.Fr^{13} (= LaLeiSch), gelouft C.Fr^{73}, nu gloube W. Vgl. Komm. z.St.

336,2 her VKa.BH.LKC.WWoE.Fr$^{13.73}$ (= LaLeiSch)] der G.

336,19 Oriente G] Vriend (Vriende Ka.K.Fr^{73} = LaLei) V. Ka.K.Fr^{73} (= LaLei), vriunden B, frienden H, Friende LC.WWoE.Fr^{13} (= Sch).

336,29 her.

337,21 swenn.

338,3 die. Vgl. Schanze, Verhältnis, S. 160.

338,10 die. Vgl. Schanze, Verhältnis, S. 160.

338,12 sprungen G.C.Fr^{13}] entsprungen VKa.B.LK. WWoE (= LaLeiSch), ersprvngen H.

338,30 manec künic ist G] ist manich chvnich VKa.BH. LC.WWoE.Fr^{13} (= LaLeiSch) – *ganz abweichend:* zu vnrecht ist da bliebē | sint manig konig K. Vgl. aber Schanze, Verhältnis, S. 204.

340,7f. swer – wolde | der – wurde G] di – wolden | di (si Ka) – wern VKa.BH.L.WWoE.Fr^{13} (= Lei), die – woldē | die – wurdē K, we – wolde | he – wer C (die – wolde | die – wurde La, diu wolde – diu wurde Sch). Vgl. Panzer, Willehalm, S. 237; Schröder, Kritik, S. 22f.; Hilgers, S. 306.

340,11 heidenschaft.

340,30 mage G] mac VKa.BH.LK.WWoE.Fr^{13} (= LaLei Sch), vrunt C.

341,15^{1} zuo G.C] ovch zv VKa.BH.LK.WWoE.Fr^{13} (= LaLeiSch).

341,15[2] den.
341,17 Nopatris.
341,27 gerende.
342,5 herre.
342,7 erramir.
342,20 an dir G.B] zv dir VKa.H.LC.WWoE (= LaLei Sch), *f.* K.
343,8 vreuden G.LK.E.Fr[78]] freud VKa.BH.C (= LaLei Sch), frunden WWo.
343,12 etesliche G] etsleich VKa.BH.LK.WWoE.Fr[78] (= LaLei), vil C (eteslichiu Sch).
343,27 heinden.
345,18 dicke alda (da BH.LKC) VKa.BH.LKC.WWoE (= LaLeiSch)] sint mit iv alle da G – *nur lesbar:* d (. . .) Fr[25]. Vgl. Schanze, Verhältnis, S. 183.
346,21 iz. Vgl. Schanze, Verhältnis, S. 155.
346,22 Uriende ‹Vriende (Vriend V)› VKa.B.KC] Friende (Frienntt E) G.H.WWoE (= LaSch = Vrîende Lei), Nafriende L. Vgl. Heinzle, Frabel.
346,28 svlt.
347,8 Uriende ‹Vriend (Vriend V)› V.B.KC] Friende G. Ka.H.WWoE (= LaSch = Vrîende Lei), Nvriende L.
348,20 sol VKa.BH.LKC.WWoE (= LaLeiSch)] so G.
348,25 Gabeviez.
349,5 widefvͤre.
349,6 minne G.K] di minn VKa.BH.LC.WWoE (= La LeiSch).
350,9 svͦchen.
350,14 ich VKa.BH.LKC.WWoE.Fr[49] (= LaLeiSch)] *f.* G.Fr[38].
350,22 wir.
351,4 miner.
351,7 schilte.
351,10 miniu G] mir min VKa.BH.LK.WWoE.Fr[38.49] (= LaLeiSch) – *umgestellt*: help mir nu rechen myn leit C.
351,11 dinen.
351,13 Bozidan.

351,16 glas.

352,5 garroschen.

352,27 mir G.V (= Lei)] *f.* Ka.BH.LKC.WWoE.Fr[38.49] (ir LaSch). Vgl. Komm. z.St.

353,9 minen. Vgl. Komm. z.St.

353,10 lebens.

354,28 den (*f.* Wo = LaLei) edeln VKa.BH.LKC.WWoE (= LaLeiSch)] hertn G.

355,5 den.

355,12 alreste G.V] allir serist Ka.BH.L (= LaLeiSch), all^s^meist KC.WWoE.

356,1 getriuwe G] getrew (werde WWoE) haiden VKa. BH.LKC.WWoE (= LaLeiSch).

356,7 guote kolzen unde haberjoel ⟨habriol⟩ (haberjol Lei) G (= Lei)] guet scopen (iopen Ka.BH.L = LaSch) vnd hvuerschol (huberschol Ka.K, huberal B, huberol H, hvberiol L [haberjoel LaSch]) VKa.BH.LK (= LaSch), ein gůt joppen gesteppet wol W, guet ioppen vnd wolle wol Wo, guett joppenn von hoher woll E – *Vers f.* C. Vgl. Komm. z.St.

356,24 es.

356,30 Schipelpunte (= Lei)] Sklipelpvnte G, Schipelpivnt V.K, Thzippelpont Ka, Pelpiunt BH.LC, Scipolonte W, Scipelpiunde Wo, Scipelpunnten (?) E (Skipelpunte LaSch).

357,2 tarkis G.WE] terkeis VKa.BH.LK.Wo (= LaLei Sch), turkis C.

357,15 Chanabens.

357,17 den.

358,16 edelste G.V.BH.WE] eldeste Ka.KC.Wo.Fr[59] (= LaLeiSch), erste L.

358,21 da.

358,23 lenken VKa.B (= LaLei)] zeswen G, vinstern H. LKC.WE.Fr[59] (= Sch), tenken Wo.

358,24 von *f.*

359,10 Morende V.KC.WWoE (= LaLeiSch)] in Orende G – *Vers f.* Ka.BH.L.Fr[59]. Vgl. Schanze, Verhältnis, S. 185.

359,12 mir G] mir verr V.KC.WWoE (= LaLeiSch) – *Vers f.* Ka.BH.L.Fr[59].

359,17:18 Fabwer:amaswer.

359,21:22 Tananarchos:den kvrtos.

360,25 di.

361,6 hehez.

361,9 uns (bis W, vntz Wo.Fr[59]) in toufbaeriu G.V.BH.L. WWoE.Fr[59] (= LaLeiSch)] vns here in tutsche Ka, vnß yn dauschē K, al bis in heidenschen C. Vgl. Komm. z.St.

361,28 stacte (stakchet E) VKa.BH.LC.WE.Fr[59] (= La LeiSch)] strachte G, stach K, starckte Wo.

362,4 zetis.

362,15:16 gerte:werte.

362,21 Norasteientesin.

363,6 wart VKa.BH.C.WWoE.Fr[59] (= LaLeiSch)] tet G, was L, wer K. Vgl. Schanze, Verhältnis, S. 183.

363,10 Eskibon.

363,20 niemen G.LC] niemens VKa.BH.K.WWoE.Fr[59] (= LaLeiSch).

363,25 massnide G] masseney VKa.BH.LKC.WWoE (= masseni La = massenie LeiSch), *f.* Fr[59]. Vgl. Vorderstemann, S. 197f.

363,26 uf daz (ovfz V) VKa.BH.LKC.WWoE.Fr[59] (= La LeiSch)] vf dem G.

363,29 da G] di VKa.BH.LKC.WWo.Fr[59] (= LaLeiSch), den (*oder* deu?) E. Vgl. aber Schanze, Verhältnis, S. 183.

364,9 gedahten.

364,26 waren.

367,2[1] riter.

367,2[2] dem.

367,21 Trohazzabre.

367,24 genomen VKa.BH.LKC.WWoE.Fr[73] (= LaLei Sch)] vz genomn G.

367,30 beschvten.

368,5 ie.

368,13 sper G.V] swert Ka.BH.LKC.WWoE (= LaLei Sch) – *ganz abweichend:* sin hertz sin hand sin lantze Fr[73]. Vgl. Komm. zu 330,17-19.

368,22 Pasillifrir.

369,7f. und Giburge minne (minne gernde Fr[73]) | und des landes gewinne (369,8: der sußen konigīne K) Ka.BH.LKC. WWoE.Fr[73] (= LaLeiSch)] *f.* G.V.

369,18 man V.BH.LKC.WWoE.Fr[73] (= LaLeiSch)] *f.* G – *Vers f.* Ka.

369,20 bereite Ka.BH.LK.WWo.Fr[73] (= LaLeisch)] der breite (berait V) G.V, beleide C – *umgestellt:* hie allberaitt E.

370,9 tage.

370,30 sembn.

371,6 in VKa.H.KC.WWoE.Fr[73] (= LaLeiSch)] *f.* G.B.L. Fr[21].

371,7 Fansabren.

371,17 Pvfemeiz.

371,19 die (*f.* Ka) wile VKa.BH.LK.WWoE.Fr[73] (= La LeiSch)] die G – *Vers f.* C – *nur lesbar:* (. . .) wile Fr[21].

372,1 nich.

372,2 allen (alle Ka.K, al H.L.Fr[73] [= Lei]) VKa.BH.LK. WWoE.Fr[73] (= LeiSch)] an G (= La), *f.* C. Vgl. Paul, Willehalm, S. 324; Wiessner, Richtungsconstructionen I, S. 522.

372,11 emerale G] vnd emeral V.BH.LKC.WWoE.Fr[73] (= LaLeiSch), v̄mazen vil al Ka.

373,11 Bernhart Ka.BH.LKC.WWoE.Fr[73] (= LaLei Sch)] P-htram G.V.

373,18 dem strite] den strit G, des (*f.* Ka.WWoE, dem L) ponders streit VKa.BH.LKC.WWoE.Fr[73] (= LaLeiSch).

373,20 man moht da striten schouwen G.V] her kŏftiz (h. k. = ez kosten WWoE) od[s] iz (*f.* BH.L, im Fr[73]) geben (gåbnntz Fr[73]) vrowen Ka.BH.L.WWoE.Fr[73] (= LaLei Sch), er konde id ad[s] id geuē frauwē K, id hattē gegeuen frauwen C. Vgl. aber Paul, Willehalm, S. 321; Schanze, Verhältnis, S. 190.

374,29 chvnege.

375,4 schol.

375,17 Uriende ⟨Vriende (Vriend V)⟩ VKa.B.KC.Fr[73]] Friende G.H.L.WWoE.Fr[59] (= LaSch = Vriende Lei).

375,27 maniger (manige Ka, manigen B) VKa.BH.LK. WWoE.Fr[59·73] (= LaLeiSch)] miner G, *f.* C.

375,28 was G.K] ward VKa.BH.LC.WWoE.Fr$^{59\cdot73}$ (= La LeiSch).

376,5 blicke G.LK.Fr^{59}] blikch VKa.BH.Fr$^{27\cdot73}$ (= LaLei Sch), schijn C, lieht WWoE.Fr^{49}.

376,12 armuot Ka.BH.LKC.WWoE.Fr$^{27\cdot49\cdot59\cdot73}$ (= LaLei Sch)] armer mv̊t G.V.

376,16 mit kost al überwieret VKa.BH.LKC.WWoE. Fr$^{27\cdot49\cdot59\cdot73}$ (= LaLeiSch)] mit al vber gewieret G.

377,2 waxe.

377,6 trvͤnchen.

377,7 brv̊ft.

377,12 Uriende ⟨Vriende (Vriend V)⟩ VKa.B.KC.Fr^{73}] Friende G.H.L.WWoE.Fr$^{49\cdot59}$ (= LaSch = Vriende Lei).

377,15 die.

377,25 ǒpehtshart.

378,2 Uriende ⟨Vriende (Vriend V)⟩ VKa.B.KC] Friende G.H.L.WWoE.Fr$^{27\cdot59}$ (= LaSch = Vriende Lei), Oriende Fr^{73}.

378,21 von.

379,9 Bertram Ka.BH.LKC.WWoE.Fr$^{27\cdot73}$ (= LaLeiSch)] Bernart G.V. Vgl. Paul, Willehalm, S. 321.

379,26 er G] *f.* VKa.BH.LKC.WWoE.Fr$^{27\cdot73}$ (= LaLei Sch).

381,2 gerochen VKa.BH.LKC.WWoE.Fr$^{49\cdot73}$ (= LaLei Sch)] gestochen (*von jüngerer Hand in* gerochen *korr.*) G.

381,13 Uriende ⟨Vriende (Vriend V)⟩ VKa.B.KC] Friende G.H.L.WWoE.Fr^{49} (= LaSch = Vriende Lei), Oriende Fr^{73}.

381,27 ze Tüwingen (twingen V) vaht VKa.BH.LKC. Fr^{73} (= LeiSch)] Tuwingen ervaht G (= La), czu twingen gegen im bracht WWoE. Vgl. Komm. zu 381,26-29; dazu Panzer, Willehalm, S. 238; Schröder, Kritik, S. 13; dagegen Kraus, Willehalm, S. 560.

381,29 vert G.V] scheidet Ka.BH.KC.WE.Fr^{73} (= LaLei Sch), schieder L, schied Wo. Vgl. Hilgers, S. 306.

382,4 vn.

382,11 in trv̊ch.

382,14 bi G] vor VKa.BH.LK.WWoE.Fr^{73} (= LaLei Sch), *f.* C.

382,16 waren G.Fr^{73}] warn ouch VKa.BH.LKC (= LaLei Sch) – *ganzer Vers abweichend:* vnd flottierer die konden hellen WWoE.

382,20 gonduwierde.

382,23 in.

383,1 küenen VKa.BH.LKC.WWoE.Fr^{73} (= LaLeiSch)] kvnech G.

383,18 in Ka.C.WWoE.Fr^{73} (= LaLeiSch)] im G.V.BH. K.Fr^{78} – *Vers f.* L.Ha.

383,29 mit G] in VKa.BH.LKC.WWoE.$Fr^{73.78.86}$ (= La LeiSch).

384,4 der *f.*

384,10 er. Vgl. Schanze, Verhältnis, S. 183.

384,30 halp G.V.KC (= Sch)] *f.* Ka, halt (halt halt Fr^{78}) BH.L.WWoE.$Fr^{76.78}$ (= LaLei), hart Fr^{73}. Vgl. Komm. zu 384,20-30.

385,20 soldie.

385,21 gaeben (gaben G.V, gab E) G.V.WWoE (= LeiSch)] stechen Ka, schuben B.K.$Fr^{73.78}$ (= schüben La), húben H.L, *f.* C. Vgl. Paul, Willehalm, S. 337; Schröder, Kritik, S. 20; Hilgers, S. 306.

386,6 erde G] haid VKa.BH.LKC.$Fr^{73.(78)}$ (= LaLeiSch), heiden WWoE.

386,23 Josweiz den (sulchē Ka) VKa.BH.LKC.WWoE. $Fr^{73.78}$ (= LeiSch)] Josweizzes dern G (= La). Vgl. Panzer, Willehalm, S. 238; Schröder, Kritik, S. 13.

386,27 sine (sein V.WoE.Fr^{73}, synē KC) VKa.BH.KC. WWoE.Fr^{73} (= LaLeiSch)] *f.* G – *nicht lesbar* L.

387,4 ieht.

387,29 verlegen BH.LKC.Fr^{73} (= LaLeiSch)] verphlegn G.V.Fr^{86}, gelegen Ka.WWoE.

388,6 ieman sach G.BH.L.Fr^{73}] im man sach V.WoE (= LaLeiSch), ym sach mā KC.W, ob^{s} siner schar sach mā Ka.

388,14 sin.

388,27 von.

389,1 und G.V] si Ka.BH.LKC.WWoE.Fr$^{17.21.73}$ (= La LeiSch).

389,5 Franzoyser.

389,9:10 getrettet (getrett V.Fr^{73} [= LaSch], getrette B, getret H.C.Fr^{17} [= Lei], getretet K.Fr^{21}, betrettet E):errettet (errett V.Fr^{73} [= LaSch], errette B, erret H.C [= Lei], erretet K, gerettett E, beret Fr^{17}) V.BH.LKC.WWoE.Fr$^{17.21.73}$ (= LaLeiSch)] getreit:erreit G, getreckit:irreckit Ka.

389,25 schiet.

390,2 swarze walt.

390,12 da man.

390,13 den orsen VKa.BH.LC.WWoE.Fr$^{17.21.38}$ (= LaLei Sch)] den G, des rosses K.

390,16 nach gein.

390,25 den.

390,28 pvsinem.

391,1 gvndewiers.

391,5:6 gekriet:geswiet G (= La)] gechriget:gesiget V.B.L (= Sch), gekrigen:gesigen Ka, gekrieget:gesiget H, gekrieget:gesieget K, gecrigt:gesigt C.W, gechriegt:gesigt WoE (= Lei), bewiget:gesiget Fr^{38}. Vgl. Komm. zu 391,5.

391,21 zesaemne.

391,22 alte.

392,7 kan G] *f.* VKa.BH.LKC.WWoE.Fr^{38} (= LaLei Sch).

393,4 eteslichen.

393,5^{1} dem.

393,5^{2} der.

393,7 toeten.

393,10 warens.

393,21 reterschaft.

393,24 manecvalt V.BH.LKC.WWoE (= LaLeiSch)] rosen manechvalt G – *ganzer Vers abweichend:* van spern mit banieren mañigfalt Ka. Vgl. Schanze, Verhältnis, S. 184.

393,26 lange.

394,4 miner.

394,5 iehe.

394,10 den G.V] der Ka.BH.LK.Fr^{38} (= LaLeiSch), *f.* C, do (da WoE) WWoE. Vgl. Komm. zu 394,9f.

395,9 ysere kofertivr verdachet.

395,10 getrachet.

396,14 wirste.

396,18 zimier livte.

396,20 schiere G] chrie VKa.BH.LKC.WWoE.(Fr^{38}) (= LaLeiSch). Vgl. Komm. zu 396,20f.

396,25 sin.

396,27 im.

397,4 ein Berhartshuser (Perharts hvͦser V, Berhartschvser L, Berharzhuser K) V.LK (= Sch)] ein Perharis hvser G, ein Perhartes Ka, ein Bernharthuser BH (= ein Bernhartshuser LaLei), Bernhartes (Wernhartes Wo) ysen hut WWoE – *ganzer Vers abweichend:* wie mocht syn mere stuit C.

397,15 im.

397,21 Myntschoye.

398,9 von der druch die G] vnd der druch den V.K (= La LeiSch), vn̄ der druk van Ka, vnd den drug (duch H) dē BH. L, vnd der druck C, vnd den druck (durch Fr^{38}) WWoE.Fr^{38}. Vgl. Komm. z.St.

398,30 die G.KC] si VKa.BH.L.WWoE.(Fr^{38}) (= LaLei Sch).

399,1 geschaffen.

399,2 des G.Ka.LK] des da V.BH.C (= LaLeiSch) – *ganzer Vers abweichend:* do si wurden also varen WWoE – *Vers. f.* Fr^{38}.

399,16 iamer.

400,4 die hoehern (hohen B.L) VKa.BH.LKC.Fr^{38} (= La LeiSch)] hoͤherem G – *ganzer Vers abweichend:* vnd vmb des hohsten gewinne WWoE.

400,6 nu wirt G.V] wirt nu Ka.BH.LKC.WWo.Fr^{38} (= LaLeiSch), wiert im E.

400,28 den.

401,17 swen (den L, wen KC, wann wen WWoE) VKa. BH.LKC.WWoE (= LaLeiSch)] swer G.

401,29 begunde G.B.LC.WoE] begunder V.W (= Sch), si begunden Ka, begvnden H.K (= LaLei). Vgl. Komm. zu 401,27-29.

402,5 den.

402,21 daz G] ditz VKa.BH.LKC.WWoE (= LaLeiSch).

402,30 holde.

403,7 die (die de E) dich Ka.L.WWoE (= LaLeiSch)] dich G.V.C, die sich B, die H.K.

403,11[1] waz BH.C (= LaLeiSch)] wol G.VKa.LK. WWoE.

403,11[2] Heimrich (Heimriche G) und siniu G.V] Heimeriches Ka.BH.LKC.WWoE (= LaLeiSch). Vgl. Schanze, S. 40.

403,18 erwegete G] erwaget VKa.B.KC.WWoE (= La LeiSch), irwancte H, irwagten L. Vgl. Lexer I, Sp. 697.

404,3 hvra.

404,8 elenthaftiv.

405,7 den.

405,14 an der.

405,15[1] an.

405,15[2] in G.V] ime Ka.BH.LKC.WWoE.Fr[26] (= LaLei Sch).

406,18 mit G] im V.L.Fr[26] (= LaSch), ī deme Ka.BH. WWoE (= Lei), yn KC.

406,25 bistan.

407,1 maneges.

407,7 grüenem G] provnen VKa.BH.KC.WWoE.Fr[26] (= LaLeiSch) – *ganzer Vers abweichend:* vf dem helme vñ vf dem kvrsit L. Vgl. aber Schanze, Verhältnis, S. 183.

407,12 obso.

407,14 vñ er.

408,25 werden G.V] clarē Ka.BH.LKC.WWoE.Fr[21.26] (= LaLeiSch).

409,20 brache.

410,25 künec V (= LaLeiSch)] keiser G.C, kunig baligā Ka.WWoE, paligan BH.LK.Fr[26]. Vgl. Schanze, S. 83, und Komm. zu 410,25-27.

411,2 Haropivs.

411,10 da G] der VKa.BH.LK.WE.Fr[26] (= LaLeiSch), den Wo – *Vers f.* C.

412,5 brach.

412,10 vn̄.

412,25 hŏbstv̊del.

413,1 Iaza.

413,6 betohte.

413,7 gein strit.

413,11 vmbe.

413,16 ze vil G.LK.Fr[26]] vil VKa.BH.C.WWoE.Fr[38] (= LaLeiSch).

413,27 Fabẘren.

415,7 schvffte.

416,1 die leben G] den leib in VKa.BH.K.WWoE.Fr[38] (= LaLeiSch), in den lib LC.Fr[50].

417,8 der V.H.LKC.Fr[38.77] (= LaLeiSch)] div G.Ka.B. WWoE.Fr[50].

418,12 Willehlms.

420,2 ergiech.

420,3 wil.

420,10 mv̊se.

420,26[1] er G.V.Fr[50]] der Ka.BH.LKC.WWoE.Fr[38] (= LaLeiSch).

420,26[2] mante VKa.B.LKC.WWoE.Fr[38.50] (= LaLeiSch)] nam G, nante H.

420,28 vreuden (vrŏde Ka.L) VKa.BH.LKC.WWoE. Fr[38.50] (= LaLeiSch)] vrŏwen G.

421,13f. si dine tugent | wisten ich vriesch nie in diner jugent G] si | dein (di Fr[38.50]) tugent weisten ich vriesch (horte Wo, gefrisch H.L.WE.Fr[38.50]) nie (ez nie B) VKa.BH.LKC. WWoE.Fr[38.50] (= LaLeiSch). Vgl. aber Schanze, Verhältnis, S. 186.

421,20 von.

422,4 hoch Ka.BH.LKC.WWoE.Fr[38] (= LaLeiSch)] ŏch G, ouch hoh V.

422,22 swancher.

423,2 von V.LKC.WWoE (= LaLeiSch)] *f.* G.Ka.BH.

423,5 chom.

423,13 fvͤrte.

424,2 striten (strite Ka) G.Ka] stuͤrm V.BH.LKC.WWoE.Fr^{27} (= LaLeiSch).

424,3 enderiv.

424,9 im G] in VKa.BH.LKC.WWoE (= LaLeiSch).

424,15 si VKa.BH.LKC.WWoE.Fr^{27} (= LaLeiSch)] *f.* G.

424,24 ouz VKa.B.WWoE (= LaLeiSch)] vn̄ von G, von H, in LKC.

425,1 der VKa.BH.LKC.WWoE.Fr^{27} (= LaLeiSch)] daz G.

425,8 sine G] seiner VKa.BH.LKC.WWoE.Fr$^{26.27}$ (= La LeiSch).

425,11 snivten.

425,21 kvnech.

426,1 hvnt.

427,1 dvs (d *Lombarde*).

428,2 sin herze im gap (i.g. = gap ime Ka.C) Ka.BH. LKC.Fr^{26} (= LaLeiSch)] sime hercen gap G.V, gab er seinem here W, gab im (in) seines hers WoE.

428,4 wir.

428,9 nam G] man VKa.BH.LKC.WWoE.Fr^{26} (= LaLei Sch).

428,13 er *f.*

428,27 Poyzǒwe Anihelm.

428,30 fvnie.

429,25 dv.

430,9 uz munde und G] ouz mund VKa.WWoE (= LaLei Sch), blůt vz BH.LKC.Fr^{26}.

431,15 geturet ⟨getǒrt⟩ G] gezimirt (gecimirtē Ka.W WoE, gezimierte L) VKa.BH.LK.WWoE.Fr^{26} (= LeiSch), stoltzlichen C (getubieret La). Vgl. Vorderstemann, S. 330f.; Heinzle, Beiträge, S. 430.

432,20 er V.BH.KC.WWoE.Fr$^{26.36.56}$ (= LaLeiSch)] *f.* G. Ka.L.

433,7 nider G] da (do W) nider V.L.WWoE (= LeiSch), dar nid^{s} Ka.KC, dernider BH.Fr^{36} (= La).

433,11 tet VKa.BH.LKC.WWoE.Fr[26.36] (= LaLeiSch)] *f.* G.

433,28 herte (= LaLeiSch)] herter G.V.BH.LKC. Fr[26.36.38.56], herre Ka.WWo – *ganz abweichend:* der haiden streites was das h[s] tot E.

434,6 man roemischem VKa.BH.LKC.Fr[26.36.38.56] (= La LeiSch)] roͤmischen G – *ganzer Vers abweichend:* der romischkeiser hat WWoE.

434,29 vlühtic (vluchtikliche Ka) VKa.BH.LKC.WWoE. Fr[26.36.38] (= LaLeiSch)] flvstich G.

435,3 al VKa.BH.LKC.WWoE.Fr[26.36.38] (= LaLeiSch)] an G.

435,15 geswemmet.

435,16 iach.

435,17 reterschaft.

435,26 haerdierten.

435,27 mit VKa.BH.LKC.Fr[31.36.38] (= LaLeiSch)] mit dem G, mit tzu WWoE.

436,2 doch G] do L.WWoE. Fr[31.36] (= LaLeiSch), da VKa. K, *f.* BH.C.

436,10 brach G.K] geprach VKa.WWoE.Fr[31] (= LaLei Sch), zubrach (da zebrach L.Fr[38]) BH.L.Fr[38], ersach C – *ganzer Vers abweichend:* dem selten ie daz e geschach Fr[36].

436,12 manc sidin gezelt sidin snuor G] manich seidein (*f.* C) zeltsnvͤr (geczelt snvͦr WWoE.Fr[36] = LaLeiSch, celdes snuͦr Ka) VKa.BH.LKC.Fr[31.36.38] (= LaLeiSch).

437,9 in G.

437,10 Gandalvs.

437,17 chrien.

437,20 sarkes steine G] sarich stain VKa.BH.KC. WWoE.Fr[38] (= sarcsteine LaLeiSch), starken steine L – *nur lesbar:* starken (. . .) Fr[31].

440,9 det.

440,26 ir G.V.H.K (= LaLei)] irn Ka.B (= Sch), ihn (ich en C) L.C – *ganz abweichend:* ir wirdicheit in manchen iaren WWoE.

440,27 swaerez ⟨swaeres⟩ G] sowers (sure C) VKa.H.LC (= surez LaLeiSch), suzez (suzze WWoE) B.K.WWoE.

441,13 Malprimes (Malbriens L, Malpries K, Malpmis E) V.LK.WWoE (= Sch)] Palprimes (Pelprimes C) G.Ka.BH. C (= LaLei).

441,23 etslicher G] etsleich VKa.B.LKC.WoE (= LaLei Sch), etliche H.W.

442,3 in VKa.BH.LKC.WWoE (= LaLeiSch)] *f.* G.

442,10 wunt wart Ka.BH.L (= LaLeiSch)] vñ wart G, ward wunt V.KC, so wart WWoE. Vgl. Schanze, Verhältnis, S. 188.

442,12[1] die.

442,12[2] Schoyivsen.

442,21 won.

442,25 der swertvezze.

442,29 den.

443,1.2 des (der LK) vater (svn WE, svn der Wo) sluoc ouch (*f.* C) Vivianz | in dem ersten (*f.* K) strit (sturme BH.LK = LaLeiSch) uf (i. d. e. st. u. = vp dem velde C) Alischanz Ka.BH.LKC.WWoE (= LaLeiSch)] *f.* G.V.

443,8 von libe G] vom leib V, vā deme libe Ka.BH.LKC (= LaLeiSch), von den wiben W, von dem weibe WoE.

443,15 niemer (nime Ka.KC) VKa.BH.LKC (= LaLei Sch)] nimmer mer G, nie WWoE.

443,18 Barscis.

443,22 geparriet.

444,3 Uriende ⟨Vriende (Vriend V)⟩ V.BH.KC.Fr[77]] Friende G.WWoE (= LaLeiSch), Oriende Ka.L. Vgl. Heinzle, Frabel.

444,4 siner V.BH.LK.WWoE (= LeiSch)] sine G.Ka.C (= La). Vgl. Paul, Willehalm, S. 338; Schröder, Kritik, S. 20.

444,20 was VKa.B.LK (= Sch)] *f.* G, wart H.C (= LaLei) – *ganzer Vers abweichend:* die wunde die was also gros W, daz daz plvͤt vō im flos Wo, er als annder sein genos E.

445,10 ze G] *f.* VKa.BH.LKC.WWoE (= LaLeiSch).

445,23 minrrn.

446,26 alsi.

447,2 sin G] ein VKa.BH.LKC.WWoE (= LaLeiSch).

448,4 der ir G] ir VBH.LKC.WWoE (= LaLeiSch), der Ka.

448,7 siropel (soropel B.C) V.BH.LKC.WWoE (= Sch)] sinopel G.Ka (= LaLei). Vgl. Komm. zu 276,6.

448,8 Ripper.

448,28 wer Ka.BH.LKC.WWoE (= LaLeiSch)] oͮch wer G.V – *448,26-28 in einen Vers zusammengezogen:* vater vnd mag in nicht enraw Ha.

449,6 here.

449,11 und da G.C] da pei V, vñ dort Ka.BH.LK.WWoE (= LaLeiSch).

450,26 kunden'z VKa.H.LK.WWoE (= LaLeiSch)] chvnden G.B.C.Fr[27].

452,11 stvrme.

453,2 wil VKa.BH.LKC.WWoE.Fr[45] (= LaLeiSch)] wie G.

454,1 ev (e *Lombarde*).

455,11 ist Ka.BH.(L)KC.WWoE.Fr[27.45] (= LaLeiSch)] *f.* G.V.

456,2 deme.

456,29 strafte in und nam VKa.BH.C.WWoE.Fr[28.45] (= LaLeiSch)] strafte vñ G, starcke vñ L.Fr[27], sterkte yn vnd K.

457,2 marc^s^ve.

457,25 min herz und diu ougen V] mins hercen vñ die (*f.* Fr[28]) toͮgen G.Fr[28], mir herce uñ ougen Ka, mirz hertz vnd ouge (augen Fr[45]) B.Fr[45], mir daz hertze vnd die (*f.* Fr[27]) ougen H.Fr[27], mirz herze vͦgen L, min hercze vnd augẽ KC. WWoE (mirz herze und d'ougen La, mirz herze und diu ougen LeiSch).

459,7 in Ka.H.C.W.Fr[28.45] (= LaLei)] vñ G.V, sin B, vñ vf L, vnd in K.WoE (= Sch).

459,13 dwinget.

459,26 dirre (diser K, den C) VKa.BH.LKC.WWoE.Fr[45] (= LaLeiSch)] dvrch G.Fr[28].

460,2 leschans.

460,4 wan Ka.BH.LKC.WWoE.Fr[45] (= LaLeiSch)] *f.* G. Fr[28] – *ganzer Vers abweichend:* ich selb chovm entrait mit wer V.

461,11 nider.

461,12 so G.K.Fr^{28}] ie so VKa.BH.LC.Fr$^{35.45}$ (= LaLei Sch), also WWoE.

461,16 wurden VKa.BH.LKC.WWoE.Fr$^{28.35.45}$ (= LaLei Sch)] werden G.

461,22 wer VKa.BH.LKC.WWoE.Fr$^{16.28.35.45}$ (= LaLei Sch)] her G.

462,2 nie VKa.BH.LKC.WWoE.Fr$^{16.28.35.45}$ (= LaLei Sch)] niht G.

462,25 in VKa.BH.LKC.WoE.Fr$^{16.35.45}$ (= LaLeiSch)] iv G.Fr^{28}, *f.* W.

462,26 Gybvrbe.

463,8 lobe VKa.BH.LKC.WWoE.Fr$^{16.35.45}$ (= LaLeiSch)] liebe G.Fr^{28}.

463,19 flvht.

463,21 giht des (dez Wo) V.LK.WWoE.Fr^{28} (= Sch)] giht G, gicht is (ez B) BH.C.Fr^{16} (= LaLei), ichts Ka, jechens Fr^{35}.

463,26 hie gevangen VKa.B.LC.WE.Fr$^{28.35.45}$ (= LaLei Sch)] bi gevangenn G, gevangen H.Wo.Fr^{16}, vngefangē K. Vgl. Schanze, Verhältnis, S. 188.

464,2 senelichen (sendleichen V, sendecliché B, seneclichn̄ K, senenlichen Fr^{16}) VKa.BH.KC.Fr$^{16.28.45}$ (= LaLeiSch)] snellichen G.L, suͤntlichen Fr^{35} – *ganz abweichend:* es wer ein seliger fvnt WWoE.

464,16 zweizech.

464,18 vnverswigt.

465,1 hich (h *Lombarde*).

466,29 iv.

467,13 war er solde keren V (= LeiSch)] *f.* G *(abgeschnitten).*

467,17 sturme.

467,23 daz er troesten solte V (= LeiSch)] *f.* G *(abgeschnitten).*

NAMENVERZEICHNIS

Das Verzeichnis erfaßt alle im Text vorkommenden Eigennamen. Die Angaben zu den einzelnen Namen orientieren sich an folgendem Schema: Lemma – bei Namen, für die in der Übersetzung die heute gebräuchliche Form verwendet wird, diese Form in Anführungszeichen; Erläuterung zum Namensträger im Wh. – bei Ortsnamen Hinweis zum geographischen Realitätsbezug, soweit es nötig erscheint und die Identifizierung sicher oder hinreichend plausibel ist – Quellenvermerk: Angabe der entsprechenden Form(en) mit jeweils einer Belegstelle in Aliscans (Al. – angegeben wird diejenige Form aus der zugänglichen Überlieferung, die Wolframs Form am nächsten kommt [Varianten aus Handschrift M nach Holtus mit Verszahl von dessen Ausgabe] – in der Regel unberücksichtigt bleiben biblische Namen und Namen allgemein bekannter Orte und Personen) bzw. (soweit für die Form bei Wolfram erhellend) in der Chanson de Guillaume (CG), im Rolandslied (RL) bzw. der Chanson de Roland (CR) sowie in den Kitzinger Alischanz-Bruchstücken (KAl.); bei Namen, die nicht in Aliscans, wohl aber in anderen Chansons de geste belegt sind, in der Regel pauschaler Hinweis auf Moisan; Hinweis auf Herkunft aus bzw. Vorkommen im Parzival (Pz.) und Titurel (Tit.) – sämtliche Stellen (in Klammern jeweils: gegebenenfalls von der Lemma-Form abweichende und im Text ohne Markierung normalisierte Formen der Handschrift G [vgl. S. 809f.], gegebenenfalls Verweis auf Korrektur der in G überlieferten Formen [im Text kursiv gesetzt und im Variantenverzeichnis nachgewiesen], gegebenenfalls Angabe der Reimwörter) – Literaturhinweise – Verweis auf den Kommentar bzw. das Variantenverzeichnis im vorliegenden Band.

Abel, der Sohn Adams – auch im Pz. – 51,30 – vgl. Schröder, Namen, S. 3

Absalôn, Sohn des *Dâvît* – auch im Pz. – 355,16 – vgl. Schröder, Namen, S. 3 – vgl. Komm. zu 355,13-17

Ache, »Aachen« – 340,4 (:*râche*). 396,22 (:*sprâche*). 450,24 (:*sprâche*) – vgl. Komm. zu 339,30-340,5

Adâm, der erste Mensch – auch im Pz. – 62,2. 166,19. 218,12,17,24. 219,11. 331,30. 347,19. 458,17 – vgl. Schröder, Namen, S. 3 – vgl. Komm. zu 306,29-307,6

Adramahût, »Hadramaut«, Stadt in *Môrlant* – Landschaft in Südarabien – 125,12. 175,7 (:*hût*). 447,27 (:*hût*) – vgl. Kunitzsch, Ländernamen, S. 166f.

Aglei, »Aquileja«, Residenz des Patriarchen – Stadt in Friaul – auch im Pz. – 241,2 – vgl. Schröder, Namen, S. 4 – vgl. Komm. zu 240,28-241,10

Agremuntîn, Land/Berg (Vulkan?) im Herrschaftsbereich des *Josweiz* – Acremont in Sizilien? – aus dem Pz. – 349,13 (:*sîn*). 421,1 (:*mîn*) – vgl. Schröder, Namen, S. 4 – vgl. Komm. zu 349,13

Ahsim/Assim, Herrschaftsbereich des *Kâtor* und des *Pînel* – 141,12 (:*im*). 255,4. 341,8 (:*nim*). 362,9 (:*im*) – vgl. Singer, S. 56; Kunitzsch, Ländernamen, S. 167f.; Passage, S. 327; Knapp, Lautstand, S. 216, Anm. 153

Akkarîn (1), Kalif (*bâruc*) von Bagdad, verwandt mit *Akarîn* (2) – 45,16 (korr.) (:*Anschevîn*) – auch im Tit. – vgl. Titurel-Kommentar, S. 69f.; Kunitzsch, Rez. Goetz, S. 197, Anm. 10; Knapp, Lautstand, S. 202; Passage, S. 319; Schröder, Namen, S. 4; Heinzle, Editionsprobleme, S. 235 – vgl. Komm. zu 45,16f.

Ak(k)arîn (2), Heidenkönig, Herrscher von *Marroch*, verwandt mit *Ahkarîn* (1) – Al.: *Acarin* (1428) – 73,19 (:*sîn*). 96,7 (korr.) (:*sîn*). 236,19 (:*sîn*). 357,1 (:*rubîn*) – vgl. Lit. zu *Akkarîn* (1)

Alahôz, Herrschaftsbereich des *Joswê* – Land der Chazaren (nördlich des Kaukasus)? – 74,25 (korr.) (:*vlôz*) – vgl. Kunitzsch, Ländernamen, S. 166; Passage, S. 319f. – vgl. Komm. zu 74,4-25

Alamansurâ, Herrschaftsbereich des *Fausabrê* – Stadt im Indusdelta – 141,13 (korr.) (:*Skandinâvîâ*). 248,26 (:*aldâ*). 255,8 (:*Persîâ*). 344,9 (:*aldâ*). 371,8 (:*aldâ*). 447,17 (:*dâ*) – vgl. Dittrich, Datierung; Kunitzsch, Ländernamen, S. 167; Passage, S. 320; Decke-Cornill, S. 160

Alemâne, »Deutsche« – auch im Pz. – 350,7 (:*plâne*) – vgl. Schröder, Namen, S. 5 – vgl. Komm. zu 350,7

Alexandrîe, »Alexandria«, Stadt in Ägypten – auch im Pz. – 79,17 – vgl. Schröder, Namen, S. 5

Alezander, Sohn des *Purrel* – vgl Moisan I/1, S. 132f.: *Alexandre* (*Allissandre* u.ä.) – 427,8 (:*ander*) – vgl. Bacon, S. 156

Alimec, Herrschaftsbereich des *Embrons* – der Jemen – 74,24 (*Alimech*) (:*wec*) – vgl. Kunitzsch, Ländernamen, S. 165f. – vgl. Komm. zu 74,4-25

Alîs(e)/Alîze, Tochter des *Lâwîs* und seiner Gemahlin – Al.: *Aelis* (2812) / *Aaliz* (Ab 2812) – 154,2,20. 157,2. 160,3,17. 163,11,27. 174,14. 175,13,20. 187,7. 191,25. 213,15. 271,3. 284,11,21,23. 285,15,18,20. 418,15 – vgl. Knapp, Lautstand, S. 204, Anm. 59

Ali(t)schanz/Ali(t)schans / Aleschans, Ebene im Mündungsgebiet der Rhone, Schauplatz der beiden Schlachten – Al.: *Aliscans* (2)/*Alischans* (318) / *Aleschanz* (L 6901) – 10,17. 12,5 (:*ganz*). 12,19 (*Alyscanz*). 13,5,20. 16,8. 36,28. 38,1 (:*verbans*). 40,21 (:*Vîvîans*). 53,12 (:*Vîvîanz*). 55,9 (:*mans*). 58,4. 60,12 (:*Vîvîanz*). 65,18. 93,3. (:*Vîvîanz*). 94,7. 101,9. 120,20 (:*Vîvîanz*). 151,11 (:*Vîvîanz*). 162,15. 164,5. 164,27 (:*Vîvîanz*). 167,12. 168,28. 170,4. 171,14. 223,23 (*Aliscanz*) (:*Vîvîanz*). 235,13 (*Aliscanz*). 240,2 (*Alyscanz*). 254,4 (*Aliscanz*). 254,17 (*Aliscanz*). 254,30 (*Alitscanz*). 264,17 (*Aliscanz*). 266,19 (*Aliscanz*). 279,10 (*Alyscanz*). 279,29 (*Aliscanz*). 299,29 (*Aliscanz*). 302,13 (*Alyscans*) (:*dans*). 305,24 (*Aliscanz*). 305,27 306,21 (*Alishanz*) (:*Vîvîanz*). 319,14 (*Alishanz*). 329,23 (:*dans*). 334,11 (:*Vîvîans*). 338,4. 351,22. 354,5. 363,12 (:*Vîvîanz*). 374,15. 381,7 (:*Vîvîans*). 384,18. 392,27. 396,25 (:*Vîvîanz*). 398,16 (:*gans*). 401,7. 403,22. 420,6. 443,2 (:*Vîvîanz*). 450,6. 454,11 (:*Vîvîanz*). 460,2 (korr.) (:*Vîvîans*) – vgl. Komm. zu 10,17 und 259,9-12

Alîze s. *Alîse*

Alligues, Herrschaftsbereich des *Hastê* – Stadt und Landschaft in Persien – 74,21 (:*des*) – vgl. Kunitzsch, Ländernamen, S. 165 – vgl. Komm. zu 74,4-25

Altissimus, Name Gottes (lat. »der Höchste«) – 100,28 (:*alsus*). 216,5 (:*antarticus*). 434,23 (:*alsus*). 454,22 – vgl. Komm. zu 100,28-30

Amatiste/Ametiste, Land des *Josweiz* – Al.: *Matiste* (1854); vgl. M 489 (Holtus 565) *Damalthique* für *de Mautiste* – 28,30. 33,2 (:*vriste*). 387,1 (:*liste*) – vgl. Knapp, Lautstand, S. 213; Passage, S. 321

Amis, Heidenkönig – Al.: *Amis de Cordes* (1431) – 98,13

Ammirafel, Herrschaftsbereich des *Zernubilê* – aus dem RL: *Amurafel* [Personenname!] (4538)? – 360,6 (:*hel*). 407,20 (:*tropel*) – vgl. Kunitzsch, Ländernamen, S. 171f., Anm. 77; Graf, S. 15f.; Passage, S. 321; Kunitzsch, Anmerkungen, S. 265

Amor, der Liebesgott – auch im Pz. – 24,5. 25,14 – vgl. Schröder, Namen, S. 6

Anfortas, Gralskönig – aus dem Pz., auch im Tit. – 99,29 (:*genas*). 167,6. 279,13 (:*was*). 283,29 (:*was*) – vgl. Titurel-Kommentar, S. 21; Schröder, Namen, S. 7f. – vgl. Komm. zu 99,29f.; 279,12-23; 283,29f.

Ankî, Heidenkönig, Vater von *Poidwîz* (1) – Al.: *Ainquin* (adT 1410); Wolfram hat aus dem Vater-Sohn-Paar *Ainquin / Baudus* zwei gemacht: *Ankî/Poidwîz* (1) und *Oukîn/Poidwîz* (2) – 36,24 (*Anchi*) (:*bî*). 351,12 (*Anchi*) – vgl. Rasch, S. 3; Passage, S. 322; Knapp, Lautstand, S. 213; Kunitzsch, Anmerkungen, S. 258

Anschevîn, »d'Anjou«, wörtlich: »der Anjouer«, Beiname des *Feirafîz* – aus dem Pz., auch im Tit. – 45,15 (:*Ahkarîn*). 54,30 (:*sîn*) – vgl. Titurel-Kommentar, S. 69; Schröder, Namen, S. 8 – vgl. Komm. zu 45,15

Anshelm, Ritter aus *Poitouwe*, Sohn des *Hûc von Lunzel* – RL: *Anshelm* (125) – 428,27 (korr.)

Antikotê, Heidenkönig – Al.: *li rois d'antiquité* »der König aus dem Altertum« (1171[32]), Apposition zum Namen *Salatrez*

(Wolframs *Salatrê*), vielleicht ein Mißverständnis Wolframs (doch gibt es in Al. auch einen Waffenschmied mit Namen *Antiquités* [8004]) – 77,26 (:*Salatrê*) – vgl. Saltzmann, S. 10; Nassau Noordewier, S. 84; Knapp, Lautstand, S. 213; Passage, S. 322

Ap(p)olle/Apollo, Heidengott – Al.: *Apollin* (340); vgl. RL: *Apollo* (8137)/*Apolle* (SA 1039) / *Appolle* (308) – 17,20. 106,7. 291,23 (:*ervolle*). 339,11 (:*zolle*). 358,12. 399,6. 449,18 (:*zolle*) – vgl. Komm. zu 17,20

Arâb s. *Arâb(î)*

Arabel(e)/Arable, der erste (heidnische) Name der *Gîburc* (s.d.) – Al.: *Orable* (239) – 7,27. 9,13. 12,11. 30,21. 31,5. 43,13. 44,9,24. 47,13. 75,19. 80,12. 86,10. 87,11. 107,25. 108,20. 205,30. 221,29. 336,4. 351,2. 355,7. 355,21 (:*erzable*) – vgl. Knapp, Lautstand, S. 210

Arâb(î), Stadt in *Môrlant*, Residenz des *Tîbalt* (zu unterscheiden von dessen Land *Arâbîa*) – von Wolfram abgeleitet von dem Ländernamen *Arabîâ*? oder die Stadt *Ar(a)bis* in Äthiopien? – auch im Pz. – 28,23. 104,24. 125,12 (:*vrî*). 192,7 (:*kôatî*). 215,28 (:*sî*). 262,15 (:*vrî*). 294,21 (:*sî*). 310,15 (:*vrî*). 447,21 (:*drî*) – vgl. San Marte, Rittergedicht, S. 157; *Paulys Real-Encyclopädie der classischen Altertumswissenschaft*, Neue Bearbeitung, hg. von Georg Wissowa, III/1, Stuttgart 1895, Sp. 408; Kunitzsch, Arabica, S. 21, Anm. 49; Kunitzsch, Orient, S. 83f.; Schröder, Namen, S. 10

Arâbîâ, »Arabien«, Land des *Tîbalt* – Al.: *Arabie* (M 3741 [Holtus 3754]); in dieser Form auch im Pz. – 215,28. 262,15 – vgl. Kunitzsch, Arabica, S. 21, Anm. 49; Kunitzsch, Orient, S. 84; Schröder, Namen, S. 10

Ar(â)bois/Arbeis, »Araber« – vgl. Moisan I/1, S. 172: *Arabiois* – 36,15 (:*Sezileise*). 102,14. 153,18 (:*kurtois*). 205,21 (:*Seziljois*). 343,2 (:*kurtois*). 364,12 (:*Franzoise*). 366,18 (:*Tschampanois*). 388,12 (:*Franzoise*)

Arâboisinne, »Araberin« – 86,9 (:*minne*)

Arestemeiz, Heidenkönig – Al.: *Aristés* (1045) oder CR: *Astramariz* (64)? – 423,1 (:*Belestigweiz*) – vgl. Singer, S. 120; Knapp, Lautstand, S. 209; Passage, S. 324; Marly I, S. 240

Arfik(e)lant/Erfiklant, Heidenkönig, Bruder des *Turkant*, mit diesem Herrscher von *Turkânîe* – Al.: *Arfulant* (M 471[a] [Holtus 546]) – 29,1 (*Erficlant*) (:*Turkant*). 56,3 (:*Turkant*). 85,3 (korr.) (:*Torkanden*). 206,12. 255,24 (:*lant*). 344,15 (:*Turkant*). 371,12 (:*Turkandes*) – vgl. Bacon, S. 151f.; Knapp, Lautstand, S. 214

Arle, »Arles« – Stadt und Grafschaft in der Provence (Dépt. Bouches-du-Rhône) – auch im Pz. – 221,18 (:*Karle*) – vgl. Passage, S. 324f.; Schröder, Namen, S. 10 – vgl. Komm. zu 221,11-19

Arnalt/Ernalt, Graf von *Gerunde*, Sohn des *Heimrîch von Narbôn* und der *Irmschart*, Bruder des *Willehalm* – Al.: *Ernaus de Geronde* (2140f.)/*Hernalt* (e 2167)/*Arnaus* (d 2273[a] + 1) – 6,27. 115,7. 115,25 (:*gewalt*). 117,1,16,28. 118,2,9. 118,21 (:*gevalt*). 118,28. 119,19. 120,29. 123,5. 123,13 (:*balde*). 123,26. 124,14. 209,29. 238,22. 264,28. 328,13. 369,10,27 – vgl. Rasch, S. 16; Knapp, Lautstand, S. 203f.; Passage, S. 325

Arof(f)el, Heidenkönig, Herrscher von *Persîâ*, Bruder des *Terramêr* – Al.: *Arofle* (Ab 277) – 9,22. 29,13,26,30. 30,17 (korr.). 32,8. 33,28. 46,18. 76,13. 77,29. 78,3,18,23. 79,15. 80,27. 81,12. 82,4,7. 85,25. 89,14. 91,5. 105,23. 106,19. 125,25. 137,4. 151,8. 204,29. 206,18. 232,9. 255,7. 337,28. 345,18. 374,14,20,24 – vgl. Rasch, S. 2; Knapp, Lautstand, S. 204

Aropatîn, Heidenkönig, Herrscher von *Ganfassâsche* – Al.: *Alipantin* (1423)? – 348,2 (:*sîn*). 381,19 (:*sîn*). 381,23. 382,17 (:*sîn*). 382,27. 383,10. 384,1 (:*sîn*) – vgl. San Marte, Rittergedicht, S. 142; Bacon, S. 163f.; Knapp, Lautstand, S. 214; Passage, S. 325

Arraz, »Arras«, Schlachtruf – Stadt in Nordfrankreich (Dépt. Pas-de-Calais) – Al.: *Arras* (4642); auch im Pz. – 142,17 (:*gelâz*). 437,14 (:*vergaz*) – vgl. Lunzer, S. 51f.; Schröder, Namen, S. 11

Artûs, sagenhafter König der Briten – auch im Pz. – 356,8 – vgl. Schröder, Namen, S. 11f. – vgl. Komm. zu 356,8f.

Askalôn, Herrschaftsbereich des *Glôrîôn* (2) – Askalon in

Palästina? – aus dem Pz. – 348,27 (*Ascalon*) (:*Glôrîôn*). 382,29 (:*Narbôn*). 384,11 (:*dôn*) – vgl. Kunitzsch, Arabica, S. 14f., Anm. 22; Passage, S. 326; Schröder, Namen, S. 12f.

Assigarziunde, Herstellungsort von *Terramêrs* Helm – aus dem Pz. – 356,16 (:*kunde*) – vgl. Martin zu Pz. 736,16; Doubek, S. 327f.; Schröder, Namen, S. 13

Assim s. *Ahsim*

Azagouc, Herrschaftsbereich des *Rûbîûn* – Azaouac in der Sahara? – auch im Pz. und Tit. – 350,25 (*Azagŏch*). 392,17 (*Azzagŏch*) (:*louc*) – vgl. Titurel-Kommentar, S. 125; Schröder, Namen, S. 14; Kunitzsch, Orient, S. 93

Bailîe, Herrschaftsbereich des *Sînagûn* – mißverstanden aus Al. 5076f.: *Sinagon ... ot Guillame maint jor en sa baillie* »Sinagon hatte Guillaume viele Tage lang in seiner Gewalt«? – 344,1 (:*vrîe*). 369,1. 443,17 – vgl. E. Martin, *Zu Wolfram*, in: ZfdA 27 (1883), S. 144-146, hier S. 145; Saltzmann, S. 19; Singer, S. 104; Passage, S. 327

Baldac, »Bagdad«, Sitz des geistlichen Oberhaupts der Heiden (des *bâruc*); als *admirât* der Heiden trägt *Terramêr* den Titel *voget* (»Schirmherr«) *von B.* – Al.: *Baudas* (3756); auch im Pz. und Tit. – 73,23 (*Baldach* [auch sonst immer *-ch* für *-c*: im folgenden nicht mehr eigens vermerkt]) (:*mac*). 96,9 (:*pflac*). 413,3 (:*bewac*). 433,8 (:*lac*). 434,3 (:*pflac*). 439,21 (:*slac*). 466,26 – vgl. Titurel-Kommentar, S. 118; Passage, S. 327f.; Schröder, Namen, S. 14f.; Kunitzsch, Orient, S. 84 – vgl. Komm. zu 96,9

Bâligân, oberster Heidenherrscher, Gegner Karls des Großen im Rolandslied, Vater des *Malprimes*, als Bruder des *Kanabêus* (vgl. RL 8129) Onkel des *Terramêr* – aus dem RL: Paligan (7150) – 108,12 (:*hân*). 178,22 (:*getân*). 221,16 (:*hân*). 272,15. 338,23 (:*man*). 340,25 (:*gewan*). 428,9. 434,19 (:*undertân*). 441,6,12 – vgl. Kunitzsch, Anmerkungen, S. 259 – vgl. Komm. zu 108,12-15; 221,11-19; 410,25-27

Balthasân, »Balthasar«, einer der Heiligen Drei Könige – 307,9 (korr.) (:*hân*) – vgl. Komm. zu 307,7-11

Barberîe, Herrschaftsbereich des *Kursaus* – Al.: *Corsaus li*

Bern(h)art (*der flôrîs*), Herzog von *Brûbant*, Sohn des *Heimrîch von Narbôn* und der *Iremschart*, Bruder des *Willehalm*, Vater des *Berhtram* (2) – Al.: *Bernart li floris* (T 2600) bzw. *B. de Brubant* (4184) – 6,27 (:*vart*). 146,19. 169,6. 170,23. 179,14. 236,25. 260,11. 263,21. 301,1. 328,19. 329,10. 372,19. 373,3 (:*ungespart*). 373,11 (korr.). 409,13. 410,2,23,30. 433,3 (:*bewart*). 440,5 (:*vart*). 447,1. 456,28. 459,21 – vgl. Rasch, S. 8; Knapp, Lautstand, S. 202

Bertram s. *Berhtram*

Bertûn, »Bretone« – auch im Pz. – 126,8 (:*Munlêûn*). 269,24 (:*trumzûn*) – vgl. Schröder, Namen, S. 18f.

Blavî, »Blaye«, Heimat (Herrschaftsbereich?) der Brüder *Gêrhart*, *Witschart* (und *Sansôn*) – Stadt in Südwestfrankreich (Dépt. Gironde) – Al.: *Blaives* (6) / *Blaves* (C 6) – 13,16 (:*bî*). 25,11 (:*bî*). 93,13 (:*Komarzî*) – vgl. Rasch, S. 9; Kartschoke, S. 274f.; Knapp, Lautstand, S. 214

Boctân(e)/Boctânje, Herrschaftsbereich des *Talamôn* – die mazedonische Festung *Buc(h)inat(h)* / *Bofinat*? – Al. *Bocidant* (bBT 5700)? s. auch *Bozzidant* – 56,18 (*Poctan*) (:*plân*). 106,26 (*Poctanie*). 206,3 (*Bochthane*). 255,21 (*Bochdane*). 341,26 (*Poctane*). 363,15 (:*plâne*) – vgl. Kunitzsch, Ländernamen, S. 171, Anm. 77; Kunitzsch, Orientalia, S. 273

Bodemsê, der Bodensee – 377,5 (:*wê*)

Bohedân, Heidenkönig, Herrscher von *Schipelpunte* – Al.: *Boidant* (m 5447) – 356,29 (:*man*) – vgl. Kunitzsch, Orientalia, S. 273

Bohereiz, Heidenkönig, Herrscher von *Etnîse* – Al.: *Buherez* (490) – 33,14. 97,20. 349,24 (*Pohereyz*) (:*weiz*). 387,23 (*Pohereiz*) (:*puneiz*) – vgl. Knapp, Lautstand S. 215

Boitendroit, Herrschaftsbereich des *Samirant* (1) – Ort in Kappadokien? – Al.: *Boutentrot* (5783) – 356,19 (:*Schoit*) – vgl. Rolin, S. XXVIII; Bacon, S. 138; Knapp, Lautstand, S. 209; Kunitzsch, Orientalia, S. 270; Passage, S. 330f.

Bôtzen, »Bozen« – Stadt in Südtirol – 136,10

Bozzidant, Lande des *Margot* – die mazedonische Festung *Buc(h)inat(h)*/*Bofinat*? – Al.: *Bocidant* (bBT 5700), s. auch

Boctân – 35,3 (*Pozzidant*) (:*lant*). 94,11 (*Pozidant*) (:*lant*). 98,1 (*Pozzidant*) (:*Gorhant*). 351,13 (korr.) (:*benant*). 395,5 (*Pozzidant*) (:*vant*). 396,11 (*Pozidant*) (:*Gorhant*) – vgl. Knapp, Lautstand, S. 207; Kunitzsch, Ländernamen, S. 171, Anm. 77; Kunitzsch, Orientalia, S. 273

Brâbant, »Brabanter« – auch im Pz. – 126,14 (:*lande*). 269,26 – vgl. Schröder, Namen, S. 19f.

Brahâne, Pferd des *Terramêr* – afrz. *brahagne* »Wallach« (eigentlich: »der Unfruchtbare«), als Eigenname mißverstanden, vgl. Al. 28f.: *〈...〉 Desramé leur signour / Sor la brahagne 〈...〉* (»〈...〉 Desramé, ihr Herr, auf dem Wallach 〈...〉«) – 21,17 (:*plâne*). 353,30. 360,13. 398,21 (:*funtâne*). 436,3 (:*muntâne*). 441,30 (:*plâne*) – vgl. Knapp, Lautstand, S. 213

Bruanz, Heidenkönig – Al.: *Bruians* (m 4393[a]) – 438,28 – vgl. Knapp, Lautstand, S. 215

Brûbant, Herrschaftsbereich (Stadt?) des *Bernhart*, Schlachtruf – Al.: *Brubant* (2705); vgl. CG: *Bernard de Bruban la cité* (2257) – 169,6 (:*hant*). 170,23 (:*hant*). 179,14 (:*benant*). 236,25 (:*vant*). 260,11 (: *vant*). 263,21 (:*want*). 328,19 (:*erkant*). 329,9 (:*hant*). 372,19 (:*bekant*). 397,11 (:*benant*). 409,13 (:*vant*). 410,2,18. 433,11 (:*hant*). 447,1 (:*Olifant*). 456,28 (:*unbekant*) – vgl. Rasch, S. 10; Knapp, Lautstand, S. 205; Heinzle, Beiträge, S. 428; Kolb, Namen, S. 268

Buov(e)/Buovun, Landgraf von *Komarzî*, Sohn des *Heimrîch von Narbôn* und der *Iremschart*, Bruder des *Willehalm* – Al.: *Buevon*/*Buve* (d)/*Bueves* (C) *de Coumarcis* (2599) – 6,24 (korr.) (:*sun*). 146,18 (*Bvͦue*). 155,19 (*Bvͦue*). 160,9 (*Bvͦue*). 160,19 (*Bvͦe*). 163,28 (*Bvͦue*). 165,16 (*Bvͦue*). 169,7 (*Bvͦue*). 172,1 (*Bvͦue*). 235,26 (*Bvue*). 236,6 (*Bvͮuen*). 263,20 (*Bvͦue*). 304,1 (*Bvue*). 328,18 (*Bvͦe*). 372,21 (*Bvͦue*). 373,29 (*Bvͦuen*). 440,8 (*Bvͦue*) – vgl. Rasch, S. 10; Knapp, Lautstand, S.204, 206

Burgunjois/Burgunschois/Burgunzois, »Burgunder« – auch im Pz. – 14,20 (*Bvͤrgvnioys* [auch sonst immer *-i-* für *-j-* – im folgenden nicht mehr eigens vermerkt]). 15,27 (:*Franzois*). 126,10 (:*Engelloise*). 151,24. 269,24 – vgl. Schröder, Namen, S. 21

Buver, Heidenkönig, Herrscher von *Siglimessâ* – Al.: *Butors* (m 1018) oder *Buherez* (490)/*Buvreç* (M 490 [Holtus 566, App.]) – 74,15 (*Bvuer*) – vgl. Rasch, S. 11; Bacon, S. 164f.; Knapp, Lautstand, S. 215, Anm. 143; Passage, S. 331f.; Marly I, S. 163f.; Kunitzsch, Anmerkungen, S. 261; Kolb, Streiflichter, S. 125 – vgl. Kommentar zu 74,4-25; Variantenverzeichnis zu 74,15

Buovun s. *Buove*

Danjû, Heimat (Herrschaftsbereich?) des *Rêmôn* – eigentlich: *d'Anjou* »aus Anjou«; vgl. KAl.: *Reinier van Anjou* (445) – 428,23 (*Daniv*) – vgl. Bacon, S. 129ff.; Knapp, Lautstand,S. 210; Passage, S. 336

Dannjatâ, »Damiette«, Herrschaftsbereich des *Korsublê* – Stadt an der Mündung des östlichen Nilarms – 74,16 (*Danniata*) (:*Siglimessâ*) – vgl. Dittrich, Datierung; Kunitzsch, Ländernamen, S. 164; Kolb, Streiflichter, S. 119 – vgl. Komm. zu 74,4-25

Dâvît, biblischer König, Vater des *Absalôn* – auch im Pz. – 355,13 (:*strît*). 355,15 – vgl. Schröder, Namen, S. 28 – vgl. Komm. zu 355,13-17

Dedalûn/Tedalûn, Burggraf von *Tasmê*, Forstmeister von *Lingnâlôê* – 375,22 (:*sun*). 379,24 (:*tuon*). 380,1. 444,1 (:*sun*). 444,10,14,25 – vgl. Singer, S. 110; Passage, S. 391f.

Dîonîse, »Denis«, der heilige Dionysius von Paris – Al.: *saint Denis* (1959); vgl. RL: *sent Dionisie* (4011) – 330,20 – vgl. Komm. zu 330,20

diutsch s. *tiutsch*

Düringen, »Thüringen«, Herrschaftsbereich des Landgrafen *Herman* – auch im Pz. und Tit. – 3,8 (*Dvringen*). 417,22 (*Dvringen*) – vgl. Schröder, Namen, S. 28f.

Ector, Heidenkönig, Herrscher von *Salemîe* – Al.: *Ector de Salorie* (5071) – 353,1. 401,19 (*Ektor*) (:*enbor*). 401,26 (*Ektor*). 432,17 (*Ektor*) (:*vor*). 433,4 (*Ektor*). 433,9 (*Ektor*) (:*enbor*)

E(h)mereiz, Heidenkönig, Herrscher von *Arâbî* und *Tod-*

jerne, Sohn des *Tîbalt* und der *Gîburc* – Al.: *d'Odierne Esmerez* (491) – 28,25. 72,19. 73,18. 75,3,21. 98,5 (:*Passigweiz*). 206,29 (:*weiz*). 221,25,30. 256,18. 266,12. (korr.) (:*weiz*). 336,22. 342,22,24. 343,15 (:*weiz*). 343,25 (:*puneiz*). 347,23 (:*weiz*). 364,6,18,21. 365,9. 366,23 (:*puneiz*). 367,23,24. 368,4. 388,9,13. 389,10. 389,15 (:*puneiz*). 433,1. 435,20. 438,27 (:*Utreiz*) – vgl. Knapp, Lautstand, S. 206, Anm. 79

Elîas/Hêlîas, »Elias«, biblischer Prophet – 218,18. 307,1 – vgl. Komm. zu 218,18; 306,29-307,6

Embrons, Heidenkönig, Herrscher von *Alimec* – Al.: *Embrons* (ML 1046 [Holtus 1159]) – 74,24 (*Embrōs*) – vgl. Rasch, S. 15 – vgl. Komm. zu 74,4-25

Engel(l)ois, »Engländer« – 126,9 (:*Burgunschoise*). 269,25 (:*Franzois*)

Enoch, »Henoch«, biblischer Urvater – 218,18 (:*iedoch*). 307,1 (:*noch*) – vgl. Komm. zu 218,18; 306,29-307,6

Erfiklant s. Arfik(e)lant

Ermenrîch, Onkel und Widersacher Dietrichs von Bern – 384,21 (:*ungelîche*) – vgl. Komm. zu 384,20-30

Ernalt s. *Arnalt*

Eschenbach s. *Wolfram von Eschenbach*

Eskelabôn/Eskalibôn, Heidenkönig, Herrscher von *Sêres*, Bruder des *Galafrê* – Al. 358: *Esclavon* »Slave, Sarazene«? – 26,25 (:*lôn*). 46,19. 106,24. 341,25 (*Eschalibon*) (:*Talimôn*). 363,10 (korr.) (:*lôn*) – vgl. San Marte, Rittergedicht, S. 144; Singer, S. 14f.; Knapp, Lautstand, S. 213; Passage, S. 359

Esserê, Heidenfürst Al.: *Aceré* (1171[33]) / *Estiflé* (5537)/*Estelé* (bBTmM 5537 [Holtus 5506]) – 77,27. 417,29 (*Eszere*). 430,19 (:*ê*) – vgl. Nassau Noordewier, S. 87; Knapp, Lautstand, S. 207; Marly I, S. 183 mit S. 266, Anm. 174

Etampes, Pfalz des Königs *Lâwîs* – Stadt bei Paris (Dépt. Essonne) – Al.: *Estampes* (2152) – 148,4 (korr.) – vgl. Knapp, Lautstand, S. 212 – vgl. Komm. zu 148,4

Etnîse, Herrschaftsbereich des *Bohereiz* – aus dem Pz. – 349,25 (*Ethnise*) (:*prîse*). 387,25 (*Ethnise*) (:*prîse*) – vgl. Martin zu Pz. 374,26; Schröder, Namen, S. 31

Etzel, Hunnenkönig – 384,20 (*Ezzelen*) – vgl. Komm. zu 384,20-30

Eve, »Eva«, die erste Frau – auch im Pz. – 62,5. 218,4,15. 307,17. 461,13 – vgl. Schröder, Namen, S. 31

Fâbors, Heidenkönig, Herrscher von *Meckâ*, einer der Söhne des *Terramêr* – Al.: *Saburs* (M 4392 [Holtus 4394])? – 32,12. 97,12. 98,5. 176,22 (:*ors*). 226,17. 288,10. 372,23. 373,8. 373,15 (:*flôrsen*). 435,19 – vgl. Nassau Noordewier, S. 87; Bacon, S. 87, Anm. 2, und 154; Lofmark, S. 30ff., 93, Anm. 1; Knapp, Lautstand, S. 215; Knapp, Rez. Lofmark, S. 183; Passage, S. 339

Fâbûr, Heidenkönig – Al.: *Fabur* (d 5447) – 359,17 (korr.) (:*amazûr*). 413,27 – vgl. Nassau Noordewier, S. 87; Knapp, Lautstand, S. 215; Passage, S. 339

Faus(s)abrê, Heidenkönig, Herrscher von *Alamansurâ*, Schwestersohn des *Terramêr* – Al.: *Faussabre* (AbT 351/ CM 352 [Holtus 366 *Fausabré*]) – 27,7 (korr.) (:*Tampastê*). 255,8. 344,8 (:*Tampastê*). 371,7 (korr.) – vgl. Knapp, Lautstand, S. 203

Feirafîz/Feirefîz, Halbbruder des *Parzivâl*, Geliebter der *Sekundille* – aus dem Pz. – 45,15 (korr.). 54,30. 125,28 (:*vlîz*). 248,29 (:*vlîz*). 379,27 – vgl. Schröder, Namen, S. 32f. – vgl. Komm. zu 45,15; 379,26f.

Fîsôn, »Phison«, Paradiesfluß – auch im Pz. – 359,19 – vgl. Schröder, Namen, S. 34 – vgl. Komm. zu 359,19

Flaeminc, »Flame« – 126,14 (*Flaminge*). 269,25 (korr.). 437,15 (:*klinge*)

Francrîche, »Frankreich« – auch im Pz. – 3,25 (*Franchriche* [so auch sonst immer – im folgenden nicht mehr eigens vermerkt]). 29,5. 44,3 (:*rîterlîche*). 64,8. 68,5. 104,9. 120,16. 141,26. 213,17. 228,30 (:*genendeclîche*). 234,9 (:*rîterlîche*). 258,4. 263,23 (:*rîterlîche*). 298,7. 301,23 (:*krefteclîche*). 303,7. 319,26 (:*genendeclîche*). 321,9 (:*sumelîche*). 388,17 (:*gelîche*) – vgl. Schröder, Namen, S. 35

franze, »das Französische« (Sprache) – 415,15 (:*schanze*)

Franze, »France«, französisch für »Frankreich« – Al.: *France*

Galizîâ, »Galizien«, letzte Ruhestätte des Apostels *Jâkob* – Provinz in Nordwestspanien – Al. *Galitie* (M CLXXXIV[c] 37 [Holtus 7490]) – auch im Pz. – 275,25 (:*dâ*) – vgl. Schröder, Namen, S. 39

Gandalûz, Graf von *Schampâne* – 366,19. 437,10 (korr.). 444,17 (:*vluz*) – aus dem Pz.: *Gandilûz* (429,20)? – vgl. Bacon, S. 24f.; Passage, S. 342; Schröder, Namen, S. 40

Ganfas(s)âsche, Herrschaftsbereich des *Aropatîn* – aus dem Pz. – 63,17 (*Kanfassashe*). 348,2. 381,19 (*Ganfassashe*). 382,11 (*Ganfassashe*). 383,15 (*Ganfassashe*) (:*karrasche*). 383,28 (*Ganfassashe*). – vgl. Passage, S. 341f.; Schröder, Namen, S. 40

Ganjas, »Ganges« – Fluß in Indien, an dem das Land des *Gorhant* liegt (der 351,15 und 395,18 *von Ganjas* genannt wird, als sei *Ganjas* ein Ländername) – auch im Pz. – 35,12 (korr.). 351,15 (*Ganias*) (:*glas*). 395,18 (:*was*) – vgl. Martin zu Pz. 517,28; Schröder, Namen, S. 41; Kunitzsch, Orient, S. 89

Gaudiers/Gautiers, Graf von *Tolûs*, Neffe des *Willehalm* – Al.: *Gautiers li Tolosans* (6) – 15,3 (korr.) (:*mir's*). 45,5 (:*Halzibiers*). 47,4. 93,23. 151,19. 258,23 (*Kavdiers*) – vgl. Dittrich/Vorderstemann, S. 182; Knapp, Lautstand, S. 204 – vgl. Komm. zu 166,10f.

Gaudîn(s)/Gautîn (*der brûne* [15,1]), Graf, Neffe des *Willehalm* – Al.: *Gaudins li Bruns* (5) – 15,1 (korr.). 45,5. 47,3 (:*Giblîn*). 93,23 (:*Gibalîn*). 151,19 (:*Gibalîn*). 258,23 (*Kavdin*) (:*Gibalîn*). 374,4 (:*Gibelîn*). 415,28 (:*Gibelîn*). 416,11 (:*Gibelîn*) – vgl. Dittrich/Vorderstemann, S. 182; Knapp, Lautstand, S. 202 – vgl. Komm. zu 166,10f.

Gâwân, Artusritter – aus dem Pz. – 403,20 (:*plân*) – vgl. Schröder, Namen, S. 42ff. – vgl. Komm. zu 403,20f.

Gêôn, Paradiesfluß, begrenzt den Herrschaftsbereich des *Aropatîn* – auch im Pz. – 382,6 – vgl. Schröder, Namen, S. 46 – vgl. Komm. zu 359,19

Gêr(h)art, Graf von *Blavî*, Neffe des *Willehalm*, Bruder des *Witschart* (und des *Sansôn*?) – Al.: *Gerart de Blave* (2677) – 13,16. 45,3 (:*Witschart*). 47,5 (:*Witschart*). 93,12 (:*vart*).

151,21 (:*Witschart*). 258,25 (:*Witschart*). 416,9(:*Witschart*). 424,10 (:*Rennewart*) – vgl. Knapp, Lautstand, S. 204 – vgl. Komm. zu 25,11 und 166,10f.

Germân, der heilige »Germanus »(St. Germain) von Paris – Al.: *saint Germain* (824) – 68,10 (:*gewan*) – vgl. Komm. zu 68,9-11

Gerunde, »Gironde«, Herrschaftsbereich des Grafen *Arnalt* – Al.: *Geronde* (2141); vgl. auch RL: *Gerunde* (281) – 117,28 (:*stunde*). 238,22 (:*stunde*). 264,28 (:*begunde*). 328,13 (:*unde*). 369,10 (:*kunde*) – vgl. Passage, S. 343f.; Richter, S. 105f.

Gibalîn/Gibelîn/Giblîn(s) (*mit dem blanken hâr* [15,2]), Graf, Neffe des *Willehalm* – Al.: *Guiëlins, qui les cheveus ot blans* (210[a]) – 15,2 (*Kyblins*). 42,24 (*Qviblin*). 45,4 (*Qviblin*). 47,4 (*Kiblin*) (:*Gaudîn*). 93,24 (*Kybalin*) (:*Gautîn*). 151,20 (:*Gaudîn*). 258,24 (*Cybalin*) (:*Gaudîn*). 374,3 (:*Gaudîn*). 415,27 (:*Gaudîn*). 416,12 (:*Gaudîn*). 418,9 (:*Sarrazîn*). 430,18 (:*sîn*). 440,18 (:*Sarrazîn*) – vgl. Knapp, Lautstand, S. 205; Dittrich / Vorderstemann, S. 181f. – vgl. Komm. zu 15,2 und 166,10f.

Gîbert, Sohn des *Heimrîch von Narbôn* und der *Iremschart*, Bruder des *Willehalm* – Al.: *Guibert* (2600 [b]) – 6,29 (:*wert*). 146,19 (korr.). 169,8. 171,21 (:*wert*). 179,15 (:*wert*). 238,17 (:*wert*). 264,29 (:*wert*). 311,1 (:*wert*). 328,22. 379,9 (:*ungewert*). 380,23 (:*swert*). 433,21 (:*swert*). 467,21 (:*gewert*) – vgl. Dittrich; Dittrich / Vorderstemann, S. 182; Knapp, Lautstand, S. 206 und 207, Anm. 80

Giblîn(s) s. *Gibalîn*

Gîbôez/Gîbôiz, Burggraf von *Kler* – Al.: *Gibouë* (CLXXXIV[c] 19 [L])? – 365,1. 367,8. 432,26 – vgl. Rasch, S. 20; Bacon, S. 155; Dittrich/Vorderstemann, S. 182; Knapp, Lautstand, S. 205; Passage, S. 344

Gîbûê, Heidenkönig – Al.: *Guiboes* (m 6774) – 442,24 (:*ê*) – vgl. Dittrich/Vorderstemann, S. 182; Knapp, Lautstand, S. 205, Anm. 68

Gîburc/Gîburge, vor ihrer Taufe *Arabel* genannt, Tochter des *Terramêr*, Schwester des *Rennewart*, in erster Ehe mit *Tîbalt* verheiratet, aus dieser Ehe Mutter des *Ehmereiz*, in zweiter Ehe mit *Willehalm* verheiratet – Al.: *Guiborc* (125); vgl. auch CG: *Guiburc* (683) – 7,30 (*Gybvrch* [außer 14,29 auch sonst immer *-ch* für *-c*: im folgenden nicht mehr eigens vermerkt]). 9,13 (:*kurc*). 12,30. 14,3,29. 23,6 (:*murc*). 24,14. 30,21. 39,12,25. 41,10. 51,20. 52,17. 60,9. 62,25. 63,20. 66,13 (:*kurc*). 72,21. 74,27,30. 75,21,28. 76,15. 77,10. 78,19. 82,26. 83,4. 88,15. 90,2,17. 92,25. 93,1. 94,5. 97,18. 98,7. 99,9. 99,16 (korr.). 103,9. 104,1 (korr.). 105,15. 108,27. 109,5,8,14,17. 111,13,27. 119,7. 120,3. 121,5,11. 123,2. 129,27. 132,21. 139,7. 149,16. 153,26,30. 157,27. 162,11,17,19,25. 167,25. 170,22. 172,23. 174,29. 176,19,27. 178,16. 183,18. 184,30. 185,30. 186,28. 197,16. 214,9. 215,6. 217,15. 223,8,20. 224,17,27. 226,26. 227,12. 228,10. 228,20 (:*kurc*). 228,27. 229,3,12. 230,1 (korr.). 231,19. 235,14. 236,10. 238,5. 239,1,21. 243,29. 246,24. 249,26. 260,20. 269,5,16. 272,1. 278,14,22,25. 280,2,12. 290,14. 293,13. 296,15. 297,1. 306,1. 312,30. 313,6. 353,29. 362,16. 367,3,11. 369,7. 372,7. 378,9. 380,2. 403,1. 450,2. 453,12. 462,26 (korr.) – vgl. Dittrich/Vorderstemann; Knapp, Lautstand, S. 206 – vgl. Komm. zu 7,30

Giffleiz, Graf aus dem Land des *Arnalt* – nicht in Al., aber bei Chrestien de Troyes – 369,28 – vgl. Singer, S. 109f.; Passage, S. 345

Gint, »Gent« – auch im Pz. – 63,22 (:*kint*) – vgl. Schröder, Namen, S. 46

Gîrant, Herr aus (von?) *Purdel* – Al.: *Girart de Bordel* (6004) – 428,26 (:*hant*) – vgl. Rolin, S. XXXI; Knapp, Lautstand, S. 211

Glôrîax, Heidenkönig, Sohn des *Terramêr* – Al.: *Clariaux* (B 4393) – 32,15. 288,15. 372,25 – vgl. Rasch, S. 12; Knapp, Lautstand, S. 217; Kunitzsch, Dodekin, S. 43, Anm. 32

Glôrîôn (1), Heidenkönig (identisch mit *Glôrîôn* [2]? s. dazu) – Al.: *Glorion* (351) – 27,6 (:*krône*). 46,21 – vgl. Knapp, Lautstand, S. 202; Kunitzsch, Dodekin, S. 43, Anm. 32

Glôrîôn (2), Heidenkönig, Herrscher von *Askalôn* (vielleicht identisch mit *Glorion* [1], der dann irrtümlich unter die Gefallenen der ersten Schlacht geraten wäre; in Al. jeden-

Grôhier, Heidenkönig, Herrscher von *Nomadjentesîn* – Al.: *Grohier* (e 115); s. auch *Krôhir* – 356,4 (:*senftenier*). 411,26 (*Crohiere*) (:*schiere*). 412,23 (*Crohier*) (:*tehtier*) – vgl. Rasch, S. 21; Bacon, S. 154; Knapp, Lautstand, S. 211

Gruonlant, »Grönland«, einer der Herrschaftsbereiche des *Matribleiz* – auch im Pz. – 348,25 (*Grůnlant*) – vgl. Schröder, Namen, S. 49

Gwigrimanz, Herr aus Burgund, Neffe des *Willehalm* – Al.: *Guinemans* (5[a]) – 14,20 (:*ganz*). 93,10 (:*Vîvîanz*). 151,24 (:*Jozzeranz*) – vgl. Dittrich / Vorderstemann, S. 180; Knapp, Lautstand, S. 209 – vgl. Komm. zu 166,10f.

Gwillâms s. *Willehalm*

Halzebier/Halzibier, Heidenkönig, Herrscher von *Valfundê*, Verwandter (Schwestersohn?) des *Terramêr*, Mutterbruder des *Sînagûn* – Al.: *Haucebier* (154) – 9,23 (:*urssier*). 17,29 (:*soldier*). 18,10,14. 22,4. 27,14 (korr.). 27,18 (korr.). 28,5. 33,29 (korr.). 45,6 (:*Gaudiers*). 45,26 (:*schiere*). 46,1,14,24. 47,2. 98,11 (:*mir*). 220,16. 258,5 (*Halzebir*) (:*mir*). 294,24 (korr.). 341,4 (*Halzebir*). 342,1. 343,29. 347,29. 362,8,14. 363,2,17,27. 414,10. 418,1. 418,16 (:*soldier*). 432,19. 433,29 (:*soldier*) – vgl. Knapp, Lautstand, S. 207 – vgl. Komm. zu 258,5

Hap(pe), »Aleppo«, Land des *Terramêr* – Stadt in Syrien – Al.: *Halape* (6341); auch im Pz. – 34,15. 288,23 – vgl. Bacon, S. 160; Kunitzsch, Arabica, S. 17; Kunitzsch, Ländernamen, S. 171, Anm. 77; Schröder, Namen, S. 51

Haropîn, Heidenkönig, Vater des *Kliboris* – Al.: *Harpin* (AbTm 471)? – 359,20. 411,2 (korr.). 423,3 (:*sîn*). 424,12 (:*sîn*) – vgl. San Marte, Rittergedicht, S. 147; Passage, S. 348

Hastê, Heidenkönig, Herrscher von *Alligues* – 74,21 – Al.: *Aristés* (1045)? vgl. Moisan I/1, S. 561: *Hastes* – vgl. Komm. zu 74,4-25

Haukauus, Heidenkönig, Herrscher von *Nûbîâ* – Al. *Haiquins* (m 1779)? – 74,11 – vgl. Rolin, S. XXI; Rasch, S. 3; Passage, S. 348 – vgl. Komm. zu 74,4-25

Heimrîch/Heimrîs von Narbôn, Graf von *Narbôn*, Gemahl der *Iremschart*, Vater des *Willehalm* und seiner Geschwister (s. unter *Willehalm*), Schwiegervater des französischen Königs – Al.: *Aimeris* (8375) – 5,16 (:*wunderlîch*). 7,21 (:*ungelîch*). 14,1. 43,4 (korr.). 43,18. 48,5 (korr.). 121,20,27. 122,22,27. 137,8. 142,24 (:*unbescheidenlîch*). 143,13 (:*gelîch*). 143,25. 144,26. 149,2. 152,4,22. 167,20. 168,19. 169,1 (:*markîs*). 173,1 (:*gelîch*). 182,11. 185,4. 186,23. 194,24. 197,12. 212,25. 237,18. 238,11. 242,7 (:*manlîch*). 245,13. 248,18. 249,23,28. 251,3,10. 260,1. 262,1 (:*gelîch*). 265,5 (:*rîch*). 265,17. 266,3. 271,27 (:*manlîch*). 273,21. 274,2,8,28. 277,18. 278,15 (:*minneclîch*). 278,21. 300,1 (:*veterlîch*). 311,10. 312,6. 316,1. 328,15 (:*krefteclîch*). 329,6. 382,24 (:*gelîch*). 383,19 (:*wiserîch*). 383,30. 385,13. 403,11. 405,20. 406,6. 407,5 (:*gelîch*). 407,24 (:*rîche*). 408,5. 409,14. 411,30. 433,16 (:*gelîch*). 440,11. 451,8. 453,20. 457,3. 461,1 – vgl. Dittrich / Vorderstemann, S. 177; Knapp, Lautstand, S. 210

Heimrîch (*der schêtîs*), der jüngste Sohn des *Heimrîch von Narbôn* und der *Iremschart* – Al. *Aymeris li caitis* (M 2601 [Holtus 2820]) – 6,25. 241,16. 249,19 (:*gelîch*). 411,22 – vgl. Dittrich/Vorderstemann, S. 177; Knapp, Lautstand, S. 207; Passage, S. 348f. – vgl. Komm. zu 241,16

Hêlîas s. *Elîas*

Herman, Landgraf von *Düringen*, Wolframs Gönner – auch im Pz. und Tit. – 3,8 (:*gewan*). 417,22 (:*dan*) – vgl. Schröder, Namen, S. 52 – vgl. Komm. zu 3,8 und S. 792

Hildebrant, Waffenmeister Dietrichs von Bern, Gemahl der *Uote* – 439,16 – vgl. Komm. zu 439,16-19

Hip(p)ipotitikûn, Land im Herrschaftsbereich des *Josweiz* – aus dem Pz. – 349,12 (*Hippipotiticvn*) (:*sun*). 356,22 (*Hipipotiticvn*) (:*sun*). 386,10 (*Hippipotiticvn*) (:*sun*) – vgl. Passage, S. 349; Schröder, Namen, S. 55f.

Hûc, Herr aus (von?) *Lunzel*, Vater des *Anshelm* – CG: *Huges* (3217) – 428,29 (*Hvch*) – vgl. Bacon, S. 89, Anm.

Hûnas, Graf von *Sanctes*, Neffe des *Willehalm* – Al.: *Hunaus de Saintes* (7) – 15,4. 47,5. 93,19. 151,20. 258,26. 415,29.

416,12. 419,6 – vgl. Knapp, Lautstand, S. 205 – vgl. Komm. zu 166,10f.

Hû(w)es(e)/Hôwes, Graf von *Meilanz*, Neffe des *Willehalm* – Al.: *Huës de Melans* (7) – 14,26 (*Hŵsen*). 93,16. 151,22. 258,24. 416,10 – vgl. Knapp, Lautstand, S. 216 – vgl. Komm. zu 14,26 und 166,10f.

Imanzîe, Herrschaftsbereich des *Oquidant* – aus dem RL: *Imanzen* (8105)? – 356,11 (:*Barberîe*) – vgl. Kunitzsch, Orientalia, S. 270; Passage, S. 350

Indîâ/Indîant, »Indien«, Land des *Gorhant* (für dieses die nur 41,16 gebrauchte Bezeichnung *Indîant*) – Al. *Inde* (30) – auch im Pz. – 8,9 (:*dâ*). 41,16 (:*Gorhant*). 447,15 – vgl. Schröder, Namen, S. 55; Heinzle, Frabel – vgl. Komm. zu 8,8f.

indîâisch, »indisch« – 94,12 (korr.) – vgl. Kunitzsch, Orient, S. 87ff.

Indîant s. *Indîâ*

Ingalîe/Ingulîe, Land des *Poufameiz* – Al. *Urgallie* (MmTAb 466 [Holtus 538])? – 53,22 (:*vrîe*). 55,7 (:*amîe*). 206,7 (:*drîe*). 344,21. 371,17 – vgl. Saltzmann, S. 6; Rolin, S. XIX; Bacon, S. 150f.; Kunitzsch, Ländernamen, S. 171, Anm. 77; Marly II, S. 24

Iper, »Ypern«, Schlachtruf – Stadt in Flandern – vgl. Moisan I/2, S. 1470: *Ypre* – 437,14

Ir(e)mschart/Irmenschart, aus *Paveie* stammend, Gemahlin des *Heimrîch von Narbôn*, Mutter des *Willehalm* und seiner Geschwister (s. unter *Willehalm*), Schwiegermutter des französischen Königs – Al.: *Ermengart* (557) – 121,20 (:*zuovart*). 122,27 (*Irmenshart*) (:*art*). 142,24. 143,1 (:*vürvart*). 147,23 (:*gespart*). 152,11 (:*bewart*). 160,1. 160,23 (:*hervart*). 168,8 (:*art*). 168,20. 175,23 (:*bart*). 176,6. 183,15 (:*hervart*). 195,13 (:*hervart*). 323,3 (:*vart*) – vgl. Knapp, Lautstand, S. 210

Iseret, Heidenkönig – Al.: *Ysorez* (490)? – 438,29 – vgl. Knapp, Lautstand, S. 213

Israhêl, »Israelit« – 406,22

Josuez/Josueis (e) *de Mautiste* (488f.), dem vielleicht auch *Joswê* entspricht – 28,30 (:*Poufameiz*). 33,3 (:*sweiz*). 33,27. 98,15. 349,1 (:*geheiz*). 386,3 (:*puneiz*). 386,19 (*Josweizzen*). 386,21 (*Josweizzes*). 386,23 (korr.). 387,1,27. 388,1 (*Josweizzen*). 389,12,14. 436,21 – vgl. Rasch, S. 26; Knapp, Lautstand, S. 203

Jozzerans/Jozzeranz, Graf, Neffe des *Willehalm* – Al.: *Jocerans* (b 1846); vgl. RL: *Iocerans* (7843) – 14,25 (*Jozeranz*) (:*Meilanz*). 45,2 (*Schozerans*) (:*Vîvîans*). 93,15 (*Gozzeranz*) (:*Meilanz*). 151,23 (:*Gwigrimanz*) – vgl. Palgen, S. 212; Knapp, Lautstand, S. 202 – vgl. Komm. zu 166,10f.

Kâdor, Heidenkönig (identisch mit *Kâtor*, entsprechend Al.?) – Al.: *Cador* (BedM 24 [Holtus 27]); vgl. zu *Kâtor* – 442,28 (*Cador*) – vgl. Rasch, S. 11; Knapp, Lautstand, S. 202, Anm. 43

Kahûn, Heidengott – Al.: *Cahu* (1142) – 358,13 (*Kahůn*) (:*Kanlîûn*). 399,3 (:*tuon*). 441,4. 441,14 (:*sun*). 442,9 (:*sun*). 449,24. 463,17 – vgl. Knapp, Lautstand, S. 215 und 217f. – vgl. Komm. zu 358,13

kaldeis, »arabisch« – 192,8,23 (beidemal *chaldeis*) – vgl. Komm. zu 192,8

Kamille, Königin von *Volkân* – aus Heinrichs von Veldeke Eneide; auch im Pz. – 229,29 (*Camille*) – vgl. Frings / Schieb III, S. 885f.; Schröder, Namen, S. 21 – vgl. Komm. zu 229,27-30

Kanabêus, Bruder des *Bâligân*, Vater des *Terramêr* – aus dem RL: *Chanabeus* (8129) – 320,4 (*Chanabevs*). 353,8 (*Chanabevs*). 357,15 (korr.). 398,29 (*Chanabevs*). 434,16 (*Chanabevs*). 442,10 (*Chanabevs*). 464,5 (*Chanabevs*) – vgl. Komm. zu 108,12-15; 320,4

Kânach, »Ghana«, Herrschaftsbereich des *Galafrê* – 141,12 (*Chanach*). 255,13 (*Chanach*) (:*geschach*). 341,23 (:*geschach*). 363,1 (*Chanach*) (:*sach*). 447,18 – vgl. Kunitzsch, Ländernamen, S. 170

Kanlîûn, Heidenkönig, Herrscher von *Lanzesardîn*, Sohn des *Terramêr* – CG: *Canaloine* [Ländername!] (3170)? vgl. CR:

Caneliu [Völkername: »Kananeer«!] (3238) – 358,14 (*Kanlivn*) (:*Kahûn*). 404,19 (:*sun*). 435,19 (:*sun*). 442,16 (*Canlivn*). 442,21 (*Canlivn*) – vgl. Rolin, S. XXVIII; Bacon, S. 87, Anm. 2; Palgen, S. 212f.; Lofmark, S. 30f., 93, Anm. 1; Knapp, Rez. Lofmark, S. 183; Passage, S. 354

Kar(e)l, Karl der Große, Vater des *Lâwîs* – 3,30. 6,9. 51,12. 91,28. 108,13. 117,3. 158,24. 179,6. 180,28. 182,12,16. 184,28. 184,29 (korr.). 212,20 (*Charel*). 221,17 (:*Arle*). 256,22. 272,14. 340,16,26. 354,3. 410,26. 441,7. 455,11 – vgl. Komm. zu 221,11-19

Karkassûn, »Carcassonne«, Herrschaftsbereich des *Trohazzabê* – Stadt in Südfrankreich (Hauptstadt des Dépt. Aude) – CR: *Carcasonie* (385) – 365,8 (*Charchassvn*) (:*getuon*). 432,29 (*Karchassvn*)

Karnahkarnanz, Graf – aus dem Pz. – 271,20 (:*glanz*) – vgl. Schröder, Namen, S. 65; Yeandle zu Pz. 121,26 – vgl. Komm. zu 271,18-26

Karpîte, Kampfgefährtin der *Kamille* – aus Heinrichs von Veldeke Eneide – 229,27 (*Carpite*) (:*strîte*) – vgl. Frings / Schieb III, S. 886 – vgl. Komm. zu 229,27-30

Karrîax, Heidenkönig, Sohn des *Terramêr* – Al.: *Quarriax* (T 4393) – 32,14 (korr.). 288,16 (*Carriax*) – vgl. Rasch, S. 36; Knapp, Lautstand, S. 217

Kaspar, einer der Heiligen Drei Könige – 307,8 (:*war*) – vgl. Komm. zu 307,7-11

Kastablê, Heidenkönig, Herrscher von *Komîs* – Al.: *Gastablé* (M 1014 [Holtus 1090]) – 74,5 (*Castable*) – vgl. Dittrich/ Vorderstemann, S. 182 – vgl. Komm. zu 74,4-25

Kâtor, Heidenkönig, Herrscher von *Ahsim*, Vater des *Pînel* (identisch mit *Kâdor*, entsprechend Al.?) – Al.: *Cador* (BedM 24 [Holtus 27]); vgl. zu *Kâdor* – 21,1 (:*vor*). 45,11 (korr.) (:*embor*). 56,23 (:*vor*). 341,9 (*Cator*) – vgl. Rasch, S. 11; Knapp, Lautstand, S. 202, Anm. 43

Katus Erkules, die Stadt Cádiz in Südwestspanien – 141,18 (*Catvs Ercvles*) (:*des*). 359,11 (:*des*) – vgl. Kunitzsch, Ländernamen, S. 170f. – vgl. Komm. zu 141,18

Kerlinge, »Karlinge«, Bezeichnung für die christlichen

lône) (:*schône*) – vgl. Rasch, S. 5f.; Knapp, Lautstand, S. 211; Kunitzsch, Orientalia, S. 273

Komarzî/Kumarzî, »Commercy«, Herrschaftsbereich des *Buove* – Stadt in Lothringen (Dépt. Meuse) – Al.: *Commarci* (d 212)/*Coumarcis* (2599) – 93,14 (*Chomarzî*) (:*Blavî*). 146,18 (:*bî*). 155,19 (*Gomarzî*) (:*drî*). 160,9 (*Gomarzî*) (:*Pantalî*). 163,28 (:*bî*). 165,16 (korr.) (:*sî*). 169,7 (*Cvmarzî*) (:*drî*). 172,1 (:*vrî*). 235,26 (*Gvmarzî*) (:*bî*). 263,20 (:*bî*). 304,1 (*Cvmarzî*) (:*bî*). 328,18 (*Cvmarzî*) (:*sî*). 372,21 (*Cvmarzî*) (:*bî*). 440.9(*Comarzî*) (:*bî*) – vgl. Rasch, S. 12f.; Knapp, Lautstand, S. 206

Komîs, Herrschaftsbereich des *Kastablê* – Landschaft in Nordpersien – 74,5 (*Comis*) (:*wîs*) – vgl. Kunitzsch, Ländernamen, S. 161; Schröder, S. 627 – vgl. Komm. zu 74,4-25

Korâsen, Herrschaftsbereich des *Urabel* – Landschaft in Nordpersien – 74,19 (*Corasen*) (:*mâsen*) – vgl. Kunitzsch, Ländernamen, S. 164f. – vgl. Komm. zu 74,4-25

Kordeiz, Heidenkönig – Al.: *Amis de Cordes* (1431), »A. von C.« (s. *Kordes*), von Wolfram als Personennamen-Paar mißverstanden: *Amîs und Kordeiz* (98,13) – 98,13 (*Chordeiz*) (:*Matribleiz*) – vgl. Knapp, Lautstand, S. 212

Kordes, »Córdoba«, Land des *Terramêr*, Schlachtruf – Stadt, in arabischer Zeit auch Kalifat/Emirat in Südspanien – Al.: *Cordes* (1431) – 34,17 (*Gordes*) (:*hordes*). 38,19 (*Gordes*) (:*hordes*). 288,21 (:*hordes*). 401,29 (:*mordes*)

Kordîne, »Córdobaner«, die Bewohner von *Kordes* – 358,27 (:*Poytwine*)

Kordubin, Herrschaftsbereich des *Goriax* – Stadt in Persien – 74,9 (*Cordvbin*) (:*sin*) – vgl. Kunitzsch, Ländernamen, S. 162 – vgl. Komm. zu 74,4-25

Kor(he)sant, Heidenkönig, Herrscher von *Janfûse* – Al.: *Corsanç* (M 1017 [Holtus 1093])? – 97,20 (*Gorhesant*) (:*erkant*). 349,19 (*Gorsant*) (:*hant*). 387,19 (:*zehant*) – vgl. Knapp, Lautstand, S. 202, Anm. 44; Passage, S. 357

Korsâz, Heidenkönig – Al.: *Corsus* (490)/Corsueç (M 490 [Holtus 566])? s. auch *Korsudê* – 33,14 (*Chorsaz*) (:*gelâz*) – vgl. Knapp, Lautstand, S. 202, Anm. 44

Lanzesardîn, Herrschaftsbereich des *Kanlîûn* – aus dem Pz. – 358,15 (:*mîn*). 404,17 (:*sîn*). 442,15 (:*schîn*) – vgl. Martin zu Pz. 770,22; Passage, S. 358; Schröder, Namen, S. 73

Larkant, Fluß, der das Schlachtfeld von *Alischanz* teilt – Al.: *l'Arcant* (C 17) – 40,20 (:*entrant*). 41,3. 42,26. 49,2 (:*erkant*). 58,11. 59,22 (:*zehant*). 70,12. 178,5. 319,11. 398,26 (:*lant*). 403,19 (*Larcant*). 404,2 (*Larcant*). 423,12. 425,22 (:*Nûbîant*). 436,15 (:*hant*). 439,3 (:*lant*). 458,26 (:*pfant*). 463,23 – vgl. Knapp, Lautstand, S. 212 – vgl. Komm. zu 40,20

Latrisete (1), einer der Herrschaftsbereiche des *Tesereiz* – »Larisa in Thessalien oder in Syrien« (Schröder, S. 640)? – Al.: *Larise* (1477)? – 36,19 (:*bete*). 87,13 (:*bete*). 254,28 (:*bete*) – vgl. Rolin, S. XV; Passage, S. 358f.

Latrisete (2), Bewohner von *Latrisete* – 84,8 (:*gebeten*). 347,3 (:*erjeten*). 378,25 (:*geweten*)

Laurent, Stadt und Burg des Königs Latinus im Äneas-Roman – aus Heinrichs von Veldeke Eneide; auch im Pz. – 229,28 – vgl. Frings / Schieb III, S. 888f.; Schröder, Namen, S. 74 – vgl. Komm. zu 229,27-30

Lâwîs/Lôîs, »Louis«, König (Kaiser) Ludwig der Fromme, Sohn des *Karel* – Al.: *Loeïs* (555) – 103,13 (:*prîs*). 148,3 (:*Pârîs*). 179,3 (:*markîs*). 210,1. 272,12 (:*markîs*). 284,9 (:*prîs*). 321,1. 325,29 (:*prîs*). 337,16. 338,19. 354,3 (:*markîs*). 355,19. 357,21 (:*prîs*). 367,13 (:*markîs*). 421,9 (:*prîs*) – vgl. Komm. zu 95,23

Lebermer, »Lebermeer« – 141,20 (:*wer*) – vgl. Komm. zu 141,20

Lêô, Papst Leo III. – 92,2 (:*dô*) – vgl. Komm. zu 91,27-92,3

Leus Nugruns/Liwes Nugruns, Herrschaftsbereich des *Tenabruns* – 76,11 (:*Tenebruns*). 255,6 (:*Tenabruns*). 350,16 (:*Tenabruns*). 392,14 (:*Tenabruns*) – Faßte man die erste Variante des ersten Bestandteils als diphthongierte Form auf (vgl. Schröder, S. LXX), ließen sich die beiden Varianten auf die Ausgangsform *Liuwes* zurückführen. Daß der Name ungeklärt ist, verbietet indes jeden Herstellungsversuch. – vgl. Knapp, Lautstand, S. 216; Passage, S. 360

Malatras, Heidenkönig, Sohn des *Terramêr* – Al.: *Malatras* (demM 4394 [Holtus 4396] – Variante zu *Malatrous*: s. zu *Malakrons* und *Malatons*) – 32,13 (korr.) (:*was*). 288,11 (:*was*) – vgl. Rasch, S. 29; Knapp, Lautstand, S. 205f.; Kunitzsch, Orientalia, S. 271

Malokîn, Heidenkönig – Al.: *Malachin* (M 6748[e] [Holtus 6255]) – 442,27 (:*sîn*) – vgl. Graf, S. 23; Knapp, Lautstand, S. 216f.; Kunitzsch, Orientalia, S. 271; Kunitzsch, Anmerkungen, S. 259

Malprimes, Sohn des *Bâligân* – aus dem RL: *Malprimes* (7224) – 441,13 (korr.) – vgl. Komm. zu 441,13

Marabiax/Merabias, Heidenkönig, Sohn des *Terramêr* – Al.: *Mirabias* (e 4395) – 32,16. 288,17

Margoanz/Morg(o)wanz, Heidenkönig, Sohn des *Terramêr* – Al.: *Morgans* (4395) – 32,17 (:*ganz*). 98,6. 288,17 (:*ganz*) – vgl. Knapp, Lautstand, S. 216

Margot, Heidenkönig, Herrscher von *Orkeise* und *Bozzidant*, Verwandter des *Terramêr* – Al.: *Margot de Bocident* (5700) – 35,3,10. 35,29 (:*rotte*). 41,8. 98,1. 351,13. 395,5,15. 395,25 (:*rotte*). 395,29. 396,11 – vgl. Knapp, Lautstand, S. 203

Marjadox, Heidenkönig – Al.: *Miradaus* (4395)? – 438,30 (*Mariadox*) – vgl. Knapp, Lautstand, S. 209; Kunitzsch, Orientalia, S. 271

Marke, der heilige »Markus«, Schutzpatron Venedigs – Al.: *saint Marc de Venis* (4179) – 241,6 – vgl. Komm. zu 240,28-241,10

Marlanz, Heidenkönig, Herrscher von *Jerikôp* – Al.: *Malars* (4394)? s. auch *Mâlarz* – 351,5 (:*ganz*). 393,27 (:*glanz*). 394,7,25. 395,27 (:*ganz*). 396,4. 397,18 – vgl. Singer, S. 105; Knapp, Lautstand, S. 211

Marroch, »Marrakesch«, Residenz bzw. Herrschaftsbereich des *Akarîn* (2) – der Name steht nicht nur für die Stadt Marrakesch, sondern auch für das (nach ihr benannte) Land Marokko – vgl. Moisan I/2, S. 1239: *Maroc*, *Maroch* – 73,19. 94,13 (:*dannoch*). 96,7 (korr.). 236,19. 357,1 – vgl. Passage, S. 365f.; Kunitzsch, Orient, S. 85; Kolb, Streiflichter – vgl. Komm. zu 45,16f.

Marschibiez, Pferd des *Talimôn* – Al. *Marchepiere* (eML 598 [Holtus 649]) – 56,26 (:*hardiez*). 57,5 – vgl. Rasch, S. 29; Knapp, Lautstand, S. 208

Marsilie, »Marseille« – 300,26 – vgl. RL: *Marssilien* (2633)

Mars(s)ilje, Heidenkönig, Onkel des *Tîbalt* – aus dem RL: *Marsilie* (S 912)/*Marssilie* (763) – 221,12 (*Marsilie*) (:*Sibilje*). 455,7 (*Marssilien*) – vgl. Kunitzsch, Orientalia, S. 271 – vgl. Komm. zu 221,11-19

Matreiz, Heidenkönig, Sohn des *Terramêr* – Al. *Maurés* (4394)/*Marbrez* (L 4394)? – 32,16 (:*Utreiz*). 288,16 (:*Passigweiz*) – vgl. Knapp, Lautstand, S. 211

Matrib(e)leiz, Heidenkönig, Herrscher von *Skandinâvîâ*, *Gruonlant* und *Gaheviez*, Verwandter der *Gîburc* – Al.: *Matriblez* (L 1778) – 98,14 (:*Kordeiz*). 257,4 (:*weiz*). 348,22 (:*weiz*). 383,13 (:*puneiz*). 461,25 (:*weiz*). 463,2,11. 463,18 (:*weiz*). 466,29 (:*weiz*) – vgl. Knapp, Lautstand, S. 203 – vgl. Komm. zu 257,5

Mattabel, Heidenkönig, Herrscher von *Tafar* – Al.: *Matamars* (1014)? – 74,4 – vgl. Komm. zu 74,4-25

Matus(s)ales/Matusalez, Heidenkönig, Herrscher von *Amatiste*, Schwager (?) des *Terramêr*, Vater des *Josweiz* – Al.: *Matusalez* (489) – 33,9. 98,17. 349,7,9. 386,2,8,16 – vgl. Knapp, Lautstand, S. 205 – vgl. Komm. zu 349,11

Meckâ, »Mekka«, Herrschaftsbereich des *Fâbors*, Heimat des *Rennewart* – die (heute in Saudi-Arabien gelegene) heilige Stadt des Islam – vgl. Moisan I/2, S. 1244f.: *Meque*, *Mec* – 193,2 (*Mecha* [auch sonst immer so – im folgenden nicht mehr eigens vermerkt]) (:*dâ*). 226,17 (:*dâ*). 372,23 (:*dâ*)

Meilanz, »Mailand«, Herrschaftsbereich des *Hûwes* – Al.: s. unter *Hûwes* – 14,26 (:*Jozeranz*). 93,16 (:*Jozeranz*)

Melchîor, einer der Heiligen Drei Könige – 307,9 – vgl. Komm. zu 307,7-11

Merabias s. *Marabiax*

Mîle, Schwestersohn des *Willehalm* – Al.: *Miles* (d 5162 – Variante zu *Milon*: s. dort)? – 14,22. 21,24. 93,10. 120,19. 151,13,30. 171,12. 223,24. 254,8. 381,4 (:*wîle*). 396,27. 450,10 (:*wîle*). 454,12 – vgl. Nassau Noordewier, S. 96;

Bacon, S. 147f.; Lofmark, S. 54f.; Passage, S. 364; Knapp, Lautstand, S. 203

Mîlôn, Graf von *Nivers* – Al.: *Milon* (5162); s. auch *Mîle*; vgl. Moisan I/1, S. 706: *Milon, comte de Nevers* – 413,18. 414,4

Monschoi(*e*) / Munschoi(*e*)/Muntschoie, Schlachtruf des *Willehalm* und seiner Leute – Al.: *Monjoie* (5130); vgl. CG: *Munjoie* (440), RL: *Monsoy* (4668) – 19,1 (korr.). 39,11. 41,27 (*Mŏnschoy*). 42,3. 50,11. 54,1. 57,1. 90,24. 114,22. 116,10. 212,19 (*Mvnshoy*). 329,3 (*Mvnshoye*). 372,5. 397,21 (korr.) (:*boie*). 414,21,29. 415,1,13 – vgl. Komm. zu 19,1

Môrende, Heidenkönig von jenseits *Katus Erkules* – Al.: *Morindes* (5489) – 359,10 (korr.) (:*hende*). 414,1 (:*hende*) – vgl. Knapp, Lautstand, S. 213; Passage, S. 365

Morg(o)wanz, s. *Margoanz*

Môrhant, Heidenkönig – Al.: *Morant* (AbTM 352 [Holtus 366]) – 46,21 (:*zehant*) – vgl. Rasch, S. 32; Knapp, Lautstand, S. 204; Heinzle, Editionsprobleme, S. 230f.

Môrlant, »Mohrenland« – 125,13 (:*unbekant*) – vgl. Komm. zu 125,13

Munlêûn, »Laon«, Stadt bzw. Pfalz des Königs *Lâwîs* – Stadt in Nordostfrankreich (Dépt. Aisne) – Al.: *Munleun* (d 2263) – 115,6 (:*komûne*). 121,17. 125,21. 126,7 (:*Bertûn*). 186,2,21. 198,15. 199,15. 200,23. 212,1. 270,29. 281,30. 304,14. 429,28 – vgl. Rasch, S. 31 – vgl. Komm. zu 115,6

Munschoi s. *Monschoi*

Munsurel, Heimat (Herrschaftsbereich?) des *Kîôn* – Al.: *Guion de Montabel* (6003)? vgl. KAl.: *Guion van Monsorel* (444) – 428,21 (:*hel*) – vgl. Bacon, S. 129ff.; Knapp, Lautstand, S. 206

Muntespîr, Land des *Terramêr* – Al.: *Montespir* (CLXXXIV[b], 13) – 34,21 (:*eskelîr*). 207,13 (korr.) (:*eskelîr*). 226,20 (:*eskelîr*). 288,27 (:*eskelîr*). 434,26 (:*eskelîr*) – vgl. Passage, S. 366 und 389

Nanzei, »Nancy«, Schlachtruf – Stadt in Lothringen (Dépt. Meurthe-et-Moselle) – 437,18 (:*schrei*)

Nar(i)bôn/Nerbôn, »Narbonne«, Herrschaftsbereich des

(*Nŏpatris*) (:*prîs*). 255,15 (korr.) (:*rîs*). 266,25 (*Nŏpatris*)(:*prîs*). 267,3 (*Nŏpatris*). 267,17 (*Nŏpatrîs*). 337,25 (*Nŏpatrîs*) (:*prîs*). 341,17 (korr.) (:*prîs*). 362,20 (:*prîs*) – vgl. Saltzmann, S. 6; Nassau Noordewier, S. 97; Singer, S. 13; Mergell, Quellen, S. 14, Anm. 5; Passage, S. 368f.; Kunitzsch, Anmerkungen, S. 266

Nouriente, Herrschaftsbereich des *Rûbûâl* – aus dem Pz. – 349,21 (*Nŏriente*). 387,21 (*Nŏriente*) – vgl. Schröder, Namen, S. 88; Knapp, Lautstand, S. 212; Zimmermann zu Pz. 375,14

Nûbîâ, »Nubien«, Herrschaftsbereich des *Haukauus* – Landschaft in Nordostafrika – Al.: *Nubie* (C 5095) – 74,11 (:*dâ*) – vgl. Kunitzsch, Ländernamen, S. 162 – vgl. Komm. zu 74,4-25

Nûbîant, Herrschaftsbereich des *Purrel* – Al.: *Nubiant* »Nubier« (5404), als Ortsname mißverstanden? – 358,24 (:*bant*). 414,30 (:*bekant*). 415,21 (:*bant*). 416,5 (:*lant*). 425,7 (:*erkant*). 425,21 (:*Larkant*). 429,2. 432,5 (:*vant*) – vgl. Passage, S. 369

Olifant, Horn des *Ruolant* – aus dem RL: *Olivant* (6054) – 447,2 (:*Brûbant*) – vgl. Komm. zu 447,2

Olivier, Geselle des *Ruolant* – aus dem RL: *Oliuier* (A 1310); auch in Al.: *Olivier* (138) – 250,17. 455,8 – vgl. Komm. zu 250,17

Oquidant, Heidenkönig, Herrscher von *Imanzîe* – Al.: *Malquidant* (5446)? s. auch *Oukidant* – 356,10 (*Oqvidant*) (:*vant*) – vgl. Knapp, Lautstand, S. 213, Anm. 133

Orangis/Oransch(e), »Orange«, Residenz des Markgrafen *Willehalm* – Stadt in der Provence (Dépt. Vaucluse) – Al.: *Orenge*(447)/*Orainges* (d 447) – 3,11 (korr.) (:*gewis*). 14,23 (*Orangs*). 41,11. 52,23 (*Orangs*). 53,16 (*Orangs*). 59,5 (*Orangs*). 69,30 (*Orangs*). 77,9 (*Orangs*). 82,17 (*Orangs*). 82,27 (*Orangs*). 83,17 (*Orangs*). 84,18 (*Orangs*). 88,30 (*Orangs*). 95,1 (*[O] rangs*). 96,10 (*Orangs*). 96,14 (*Orangs*). 97,4 (*Orangs*). 99,1 (*[O] rangs*). 103,18 (*Orangs*). 106,1 (*Orangs*). 108,24 (*Orangs*). 109,10 (*Orangs*). 109,17 (*Orangs*).

Otte, Kaiser Otto IV. – 393,30 (:*rotte*) – vgl. Komm. zu 393,30-394,5

Oukidant, Heidenkönig, Herrscher von *Norûn* – Al.: Malquidant (5446)? s. auch *Oquidant* – 359,2 (*Ǒkidant*) (:*Samirant*). 413,28 (*Ǒkidant*) (:*Samirant*) – vgl. Knapp, Lautstand, S. 213

Oukîn, Heidenkönig, Herrscher von *Raabs*, Vater des *Poidwîz* (2) – Al.: *Auchin* (MCXX[a] 19 [Holtus 5930] – Variante zu *Ainquin*? vgl. Holtus, S. 229, gegen Rasch, S. 3 und 6); s. zu *Ankî* – 411,11 (*Ovchin*) (:*schîn*). 412,10 (*Ǒkin*) (:*sîn*). 420,25 (:*sîne*). 421,23. 422,26 (:*sîn*). 442,4 (:*sîn*) – vgl. Knapp, Lautstand, S. 213; Kunitzsch, Anmerkungen, S. 258

Oupatrîe, Herrschaftsbereich des Heidenkönigs *Krohir* – aus *aupatris* »Sarazenenfürst« (wie *Noupatrîs*)? vgl. Al. 5238: *Gohir ... l'Aupatris* – 359,5 (:*krîe*) – vgl. Saltzmann, S. 6; Passage, S. 371f.

Pâlaker, Insel im *Lebermer* – 141,21 – vgl. Komm. zu 141,21

Pâlerne, »Palermo«, Stadt des *Tesereiz* – Stadt auf Sizilien – Al.: *Palerne* (30[a]) – 84,11 (:*gerne*). 205,23 (:*ungerne*)

Palprimes, Sohn des *Purrel* – 428,14 (:*des*)

Pantalî, »Pontarlier«, Herrschaftsbereich des *Scherins* – Stadt in Ostfrankreich (Dépt. Doubs) – Al.: *Ponterlie* (2959) – 160,10 (:*Komarzî*) – vgl. Knapp, Lautstand, S. 213

Pantanor, Heidenkönig – Al.: *Pantamors* (e 1171[31])/*Plantanor(s)* (CT 1171[31]) – 77,24 (:*enbor*) – vgl. Rasch, S. 35; Knapp, Lautstand, S. 211

Pârîs, die Hauptstadt Frankreichs – Al.: *Paris* (1905); auch im Pz. – 68,11. 79,21 (:*prîs*). 148,4 (:*Lôîs*). 339,30 (:*prîs*) – vgl. Schröder, Namen, S. 91

Parzivâl, der Held von Wolframs erstem Roman – auch im Tit. – 4,20. 271,18 (:*mâl*) – vgl. Schröder, Namen, S. 92ff. – vgl. Komm. zu 271,18-26

Passigweiz, Sohn des *Terramêr* – Al.: *Passeguez* (L 4392) – 32,12 (:*kalopeiz*). 98,6 (*Bassigweiz*) (:*Ehmereiz*). 288,15 (korr.) (:*Matreiz*) – vgl. Dittrich / Vorderstemann, S. 180; Knapp, Lautstand, S. 216

Passilifrier, Pferd des *Sînagûn* – Al.: *Passelevriere* (CXXI[a] 11) – 368,22 (*Passilifrir*) (:*mir*). 369,25 (:*tier*) – vgl. Passage, S. 373; Knapp, Lautstand, S. 214 – Komm. zu 369,26

Pavei(e), »Pavia«, Heimat der *Iremschart* – Stadt und Provinz in der Lombardei – Al.: *Pavie* (1924) – 143,2. 152,11. 160,23. 168,8. 168,20 (:*zwei*). 323,3

Persân/Persen, »Perser« – Al.: *Persan* (d 404 + 18) – 29,13 (:*lân*). 77,21 (:*getân*). 78,2. 80,6 (:*getân*). 125,24 (:*wâne*). 191,13. 214,23 (:*getân*). 345,27 (:*hân*). 374,14 (:*getân*) – vgl. Rasch, S. 35

Persîâ, »Persien«, Land des *Arofel* – Al.: *Persie* (2084); vgl. RL: *Persia* (1873) – 30,17 (korr.) (:*dâ*). 32,8 (:*dâ*). 76,13 (:*dâ*). 78,18 (:*dâ*). 81,7 (:*aldâ*). 105,26 (:*dâ*). 106,19 (:*aldâ*). 125,9 (:*aldâ*). 151,8 (:*dâ*). 203,21 (:*dâ*). 204,20. 255,7 (:*Alamansurâ*). 345,17 (:*dâ*) – vgl. Kunitzsch, Orient, S. 86

Pêter, der heilige »Petrus« – 332,8 – vgl. Komm. zu 332,8 und 332,12-17

Pînel, Heidenkönig, Herrscher von *Ahsim*, Sohn des *Kâtor* – Al.: *Pinel, le fil Cadour* (24) – 21,1. 45,10. 45,20 (:*hel*). 45,28. 46,13 (:*snel*). 56,23. 85,2. 106,22. 255,4. 305,25. 337,23. 341,8,12. 362,9 – vgl. Knapp, Lautstand, S. 203

Pitit Punt, Brücke zwischen *Oransche* und *Alischanz* – Al.: *poncel* (4805, 4811) – 232,26 (*Bitit Bvnt*) (:*kunt*). 302,11 (:*stunt*). 323,13 (:*kunt*). 389,6 (:*kunt*) – vgl. Komm. zu 232,26

Plâtô, der griechische Philosoph – auch im Pz. – 218,13 (:*sô*) – vgl. Schröder, Namen, S. 97 – vgl. Komm. zu 218,13f.

Plimizoel, ein Fluß – aus dem Pz. – 356,8 (*Plimizol*) – vgl. Martin zu Pz. 273,10; Passage, S. 374f.; Schröder, Namen, S. 98 – vgl. Komm. zu 356,8f.

Poid(e)jus, Heidenkönig; Herrscher von *Griffâne*, *Oriende*, *Tasmê*, *Trîande*, *Koukesas*; Enkel (Tochtersohn) des *Terramêr* – Al.: *Baudus* (König von *Valfondee*, Sohn der Königin von *Oriende*: 5106ff.) – 36,8 (*Poidivs* [auch sonst immer *-i-* für *-j-* – im folgenden nicht mehr eigens vermerkt]). 82,29 (:*sus*). 84,1. 267,27. 282,19 (:*sus*). 346,22. 347,23. 375,14. 376,1,9,29. 377,7. 377,29. 379,4,28. 432,18. 444,3,9,28 –

vgl. Rolin, S. XXVIII; Nassau Noordewier, S. 98; Bacon, S. 153f.; Lofmark, S. 53f., 231ff.; Passage, S. 375f.; Knapp, Lautstand, S. 210f.; Kunitzsch, Orientalia, S. 271f.; Kunitzsch, Anmerkungen, S. 260

Poidwîz (1), Heidenkönig, Sohn des *Ankî* – Al.: *Baudus, li fix Aquin* (1410); s. zu *Ankî* – 36,24 (korr.) – vgl. Bernhardt, S. 46; Bacon, S. 153f.; Johnson, S. 74f.; Knapp, Lautstand, S. 210f.; Passage, S. 376; Kunitzsch, Orientalia, S. 271f.; Kunitzsch, Anmerkungen, S. 260

Poidwîz (2), Heidenkönig, Herrscher von *Raabs*, Sohn des *Oukîn* – Al.: *Baudus, li fix Aquin* (1410); s. zu *Ankî* – 350,12. 389,20 (:*wolkenrîz*). 390,9. 391,10,13. 392,11,23. 393,16. 394,17. 398,9 (:*glîz*). 411,12. 412,2,11. 420,27 (:*vlîz*). 433,29 – vgl. Lit. zu *Poidwîz* (1)

Poie, Land des *Terramêr* – die Stadt Le Puy in Südfrankreich (Dépt. Haute-Loire)? – vgl. Moisan I/2, S. 1332f.: *Pui* – 34,20. 288,25 (korr.) – vgl. Bacon, S. 62, 64; Passage, S. 375

Poinzaclins, ein Fluß, begrenzt den Herrschaftsbereich des *Aropatîn* – aus dem Pz. – 382,6 (:*zins*) – vgl. Schröder, Namen, S. 99 – vgl. Komm. zu 382,6

Poitouwe, »Poitou«, Herrschaftsbereich des *Anshelm* – Grafschaft in Westfrankreich – vgl. Moisan I/2, S. 1326: *Poitou*; auch im Pz. – 428,27 (korr.) – vgl. Schröder, Namen, S. 99

Poitwîne, heidnische Völkerschaft – 358,28 (: *Kordîne*) – vgl. Komm. zu 358,28

Pôlus antarticus, Südpolarstern, – 216,6 (:*Altissimus*) – vgl. Komm. zu 216,6

Pompêjus, römischer Staatsmann und Feldherr, Vorfahr des *Terramêr* – 338,26 (*Pompeivs*) (:*sus*) – vgl. Komm. zu 338,21-30

Poufameiz/Poufemeiz, Heidenkönig, Herrscher von *Ingulîe* – Al.: *Baufumés* (450)/*Bafumeis* (e 450) – 28,29 (*Pŏfameiz* [auch sonst immer *-ŏ-* für *-ou-* – im folgenden nicht mehr eigens vermerkt]) (:*Josweiz*). 53,22. 54,26 (:*weiz*). 54,29. 55,3 (:*Tesereiz*). 106,22 (korr.) (:*Tesereiz*). 206,6 (:*Tesereiz*). 344,20 (:*puneiz*). 371,17 (korr.) (:*weiz*) – vgl. Rasch, S. 8; Knapp, Lautstand, S. 214; Kunitzsch, Orientalia, S. 271

Prezjôse, Schwert des *Bernart* – aus dem RL: *Preciosa* (7991); vgl. CR: *Preciuse* (3146) – 410,25 (*Preciosen*) – vgl. Komm. zu 410,25-27

Provenzâl, »Provenzale« – vgl. Moisan I/2, S. 796: *Provencals*; auch im Pz. – 15,27. 422,12. 433,13. 439,4,30. 452,15. 455,26. 467,8 (*P-venzalen*) – vgl. Schröder, Namen, S. 100

Provenz(e), »Provence«, Herrschaft (Markgrafschaft) des *Willehalm* – vgl. Moisan II/2, S. 1332: *Provence*; auch im Pz. – 8,10 (*Prouenze*). 117,23. 135,16. 221,18. 293,14 – vgl. Schröder, Namen, S. 100

Prôvîs, »Provins«, Schlachtruf – Stadt in der Champagne (Dépt. Seine-et-Marne) – vgl. Moisan I/2, S. 1332: *Provins* – 437,11 (:*Sâlîs*)

Purdel, »Bordeaux«, Heimat (Herrschaftsbereich?) des *Gîrant* – Stadt (heute Dépt. Gironde) und Grafschaft in Südwestfrankreich – Al.: *Bordel* (6004); vgl. CG: *Burdel* (935) – 428,26

Purrel, Heidenkönig, Herrscher von *Nûbîant*, Schwiegersohn des *Bâligân*, Vater des *Alexander*, *Bargis*, *Palprimes* und *Tenebreiz* (sowie zehn weiterer, nicht genannter Söhne) – Al.: *Borrel* (1778)/*Bourel* (C 5987) – 358,26. 425,13 (:*snel*). 425,25. 426,12 (:*muntunzel*). 427,1 (:*hel*). 427,8,10,23. 428,10,19. 428,30 (:*Lunzel*). 429,9 (:*snel*). 429,27. 430,2,12. 431,3,13,21. 443,18 – vgl. Rasch, S. 9; Knapp, Lautstand, S. 207

Puttegân, Heidenkönig, Herrscher von *Ormaleriez* – Al.: *Puteçaingne* (5000) – 353,24 (:*plân*) – vgl. Knapp, Lautstand, S. 208, Anm. 92

Puzzât, Pferd des *Willehalm* – Al.: *Baucant* (T 525) – 37,11 (*Pvzat*) (:*getât*). 56,11 (:*sât*). 58,21 (:*rât*). 71,17. 77,17. 82,9. 84,28. 88,22. 89,15 – vgl. Rasch, S. 7; Knapp, Lautstand, S. 214

Raabs, Herrschaftsbereich des *Poidwîz* (2) – Al.: *Rames* (5080) oder *Rabie* (M 1329 [Holtus 1474], Variante zu *Arabie*)? – 350,12. 389,20 (*Raaps*). 390,9 (:*drabs*). 412,10 – vgl. Rolin, S. XXVIII; Kunitzsch, Orientalia, S. 272; Passage, S. 381

208,17. 210,1. 222,9. 224,22,23. 225,16. 230,21. 245,23. 263,25. 283,25. 287,3. 300,21. 302,4. 304,15. 306,18. 321,1. 323,1. 337,17. 338,22,25,29. 340,9. 396,24. 421,9. 434,6,7,9,11. 437,27. 443,28 (*rőmiscer*). 447,22. 453,21 – vgl. Schröder, Namen, S. 103 – vgl. Komm. zu 95,23

Rôems, »Rouen«, Heimat (Herrschaftsbereich?) des *Iwân* – Hauptstadt der Normandie (Dépt. Seine-Maritime) – vgl. Moisan I/2, S. 1358: *Roem* – auch im Pz. – 424,24 (*Rőms*) – vgl. Schröder, Namen, S. 103

Rôm, die Stadt Rom bzw. das römische Reich (im Titel des Königs *Lâwîs*) – Al.: *Rome* (1643[a]); auch im Pz. – 103,13. 284,9. 325,29. 340,5. 394,1. 396,28. 434,7. 443,29. 450,25 – vgl. Schröder, Namen, S. 104 – vgl. Komm. zu 95,23

Rômaere, »Römer«; Bezeichnung auch für König *Lâwîs* und seine Untertanen bzw. Gefolgsleute – 91,30. 338,19 (:*waere*). 357,21 – vgl. Komm. zu 95,23

Roten, die »Rhone« – 86,21 (*Rotten*) (:*goten*). 404,22 (:*goten*)

Rûb(b)ûâl, Heidenkönig, Herrscher von *Nouriente* – Al.: *Rodoal* (e 536)? – 33,15 (:*gemâl*). 43,2 (:*emeral*). 349,21 (:*mâl*). 387,21 (:*twâl*) – vgl. Rasch, S. 10; Singer, S. 15f.; Kunitzsch, Dodekin, S. 39

Rûbîant, Heidenherzog – vgl. Moisan I/2, S. 853f.: *Rubiant* – 27,9 (:*hant*) – vgl. Heinzle, Editionsprobleme, S. 230f.

Rûbîûn, Heidenkönig, Herrscher von *Azagouc* – Al.: *Rubion* (352) – 27,12. 46,20. 350,24 (:*tuon*). 392,19 (:*tuon*) – vgl. Knapp, Lautstand, S. 206

Runzevâl, »Roncesvals«, Ort der Rolandsschlacht – Tal in den westlichen Pyrenäen – aus dem RL: *Runzeual* (6952); auch in Al.: *Rainceval* (559) – 51,14 (:*mâle*). 410,27 (:*gemâl*). 441,6 (:*gemâl*) – vgl. Komm. zu 51,14

Ruolant, »Roland«, der Held des Rolandsliedes – aus dem RL: *Růlant* (109); auch in Al.: *Rollant* (138) – 221,13 (*Růlant*). 250,17 (*Růlant*) (:*vant*). 447,3 (*Růlands*). 455,6 (*Růlanden*) (:*handen*) – vgl. Komm. zu 221,11-19

Saigastin, Herrschaftsbereich des *Korsudê* – Landschaft in Persien – 74,17 (:*gewin*) – vgl. Kunitzsch, Ländernamen, S. 164 – vgl. Komm. zu 74,4-25

Salatrê, Heidenkönig – Al.: *Salatré* (1171[31]) – 77,25 (korr.) (:*Antikotê*) – vgl. Knapp, Lautstand, S. 203; Kunitzsch, Orientalia, S. 272; Kunitzsch, Anmerkungen, S. 262

Salemîe/Salenîe, Herrschaftsbereich des *Ektor* – Al.: *Salorie* (5071) – 353,1 (:*amîe*). 401,19. 401,27 (:*krîe*). 432,17 – vgl. Passage, S. 383

Sâlîs, »Senlis« – Stadt bei Paris (Dépt. Oise) – Heimat (Herrschaftsbereich?) des *Jofreit* – Al.: *Sanlis* (e 2624) – 437,12 (:*Provîs*) – vgl. Rasch, S. 39; Passage, S. 352

Salomôn, biblischer König – auch im Pz. – 448,13 – vgl. Schröder, Namen, S. 105 – vgl. Komm. zu 448,12f.

Samirant (1), Heidenkönig, Herrscher von *Boitendroit* – Al.: *Samiant* (b 5447); s. auch *Samirant* (2) – 356,19 – vgl. Rolin, S. XXVIII; Bacon, S. 135; Knapp, Lautstand, S. 214

Samirant (2), Heidenkönig, Herrscher von *Bêâterre* – Al.: *Samiant* (b 5447); s. auch *Samirant* (1) – 359,1 (:*Oukidant*). 413,27 (:*Oukidant*) – vgl. Lit. zu *Samirant* (1)

Sam(m)argône/Sarmargône, »Samarkand«, Hauptstadt von *Persîâ*, Residenz des *Arofel*, Schlachtruf – Stadt in Usbekistan – 125,8 (:*schône*). 204,19 (*Samarcone*) (:*krône*). 232,6 (*Sammarkone*) (:*schône*). 284,7 (:*schône*). 345,16 (:*schône*). 374,18 (:*dône*). 447,14 (:*schône*) – vgl. Kunitzsch, Ländernamen, S. 169; Kunitzsch, Orientalia, S. 273

Samsôn/Sansôn, Graf von *Blavî*, Neffe des *Willehalm* (Bruder des *Gêrhart* und des *Witschart*?) – Al.: *Sanson* (2351)/ *Sampson* (m 2351); vgl. RL: *Samson* (111) – 25,10 (korr.) (:*lôn*). 45,3. 47,6. 93,15. 151,25 (:*dôn*). 415,29 (:*lôn*). 416,11. 418,22 (:*lôn*) – vgl. Rasch, S. 38; Knapp, Lautstand, S. 203; Passage, S. 384 – vgl. Komm. zu 25,11 und 166,10f.

Sâmûêl, Heidenkönig – Al.: *Samuël* (5447) – 359,8. 413,28 – vgl. Passage, S. 384

Sanctes/Sanctis, »Saintes«, Herrschaftsbereich des *Hûnas* – Stadt in Südwestfrankreich (Dépt. Charente-Maritime) – vgl. Moisan I/2, S. 1390: *Saintes* – 15,4. 93,19 (:*gewanctes*). 258,26. 416,12. 419,6 (:*verhanctes*) – Al.: *Saintes* (7) / *Santes* (Mm 7 [Holtus 7]) – vgl. Rasch, S. 38; Passage, S. 384

Sansôn s. *Samsôn*

Sant, »Sand«, Stadtteil von Nürnberg? – 426,30 – vgl. Komm. zu 426,30

Sarrazîn, »Sarazene«, generell als Bezeichnung für die Heiden gebraucht – Al.: *Sarrasin* (46); auch im Pz. und Tit. – 10,9 (:*sîne*). 12,14 (:*sîn*). 23,26 (:*sînen*). 58,15 (:*swîn*). 64,2 (:*dîn*). 66,29 (:*dîn*). 78,11 (:*pînen*). 86,13 (:*dîn*). 110,21 (:*mîne*). 124,15 (:*sîne*). 170,5 (:*künegîn*). 192,28 (:*mîn*). 194,9 (:*sîn*). 214,14 (:*sînen*). 220,22 (:*sîne*). 224,4 (:*sîn*). 238,1 (:*pîne*). 283,11 (:*sîn*). 291,18 (:*künegîn*). 304,17 (:*sîn*). 324,1 (:*pînen*). 324,4. 331,15. 333,21 (:*sîn*). 333,28. 334,3. 351,27 (:*sîn*). 361,13 (:*pîne*). 364,18. 367,17. 367,29 (:*sîne*). 369,21 (:*pîne*). 373,14,27. 403,29. 416,15. 417,15 (:*mîne*). 418,10 (:*Gibelîn*). 420,5 (:*sîn*). 435,17 (:*schîn*). 436,29 (:*sîn*). 440,17 (:*Gibelîn*) – vgl. Schröder, S. 653; Schröder, Namen, S. 106; Kunitzsch, Orient, S. 86f.

Schampâne, »Champagne« – vgl. Moisan I/2, S. 1102: *Champagne* – auch im Pz. – 366,16 (:*plâne*). 437,10 (:*plâne*). 445,3 (*Scampane*) – vgl. Schröder, Namen, S. 106

Schampaneis/Tschampâneis/Tschampanois, »Champagneser« (Bewohner der Champagne) – vgl. Moisan I/1, S. 293: *Champenois* – auch im Pz. – 237,5 (:*franzeis*). 366,17 (:*Arâbois*). 444,21 – vgl. Schröder, Namen, S. 106f.

Scherins, Herr von *Pantalî*, Angehöriger der Sippe des *Heimrîch von Narbôn* (?) – vgl. Al.: *Garins de Lombardie* (2961) (Ritter am Hof des Königs Louis)/CG: *Garin d'Anseüne* (2560) (Sohn Aimeris) – 160,10 (korr.). 160,19 (*Scerins* (:*zins*). 163,28 (*Scerins*). 164,3 (*Scerins*) – vgl. Knapp, Lautstand, S. 207; Passage, S. 385

Schilbert, König aus oder von *Tandarnas* – Al.: *Guibert ... rois ... d'Andarnas* (4214), der Bruder Guillaumes, der bei Wolfram *Gîbert* heißt – 240,26. 249,29 (korr.) (:*wert*) – vgl. Bernhardt, S. 54; Nassau Noordewier, S. 27ff.; Dittrich; Knapp, Lautstand, S. 206, Anm. 80; Passage, S. 385; Unger, S. 276f. – vgl. Komm. zu 240,26

Schipelpunte, Herrschaftsbereich des *Bohedân* – aus dem Pz. – 356,30 (korr.) – vgl. Passage, S. 385; Schröder, Namen, S. 109

Schoit, Schmied, Sohn des *Trebuchet* – 356,20 (*Scoyt*) (:*Boitendroit*) – vgl. Passage, S. 385f.

Schoiûs(e), Schwert des *Willehalm* – Al.: *Joiiouse* (469) – 37,10. 40,17. 54,24. 72,30. 77,14. 85,26. 88,24. 90,26. 206,11 (*Tsoyivse*). 295,2 (korr.). 295,4 (korr.). 422,15. 442,12 (korr.) – vgl. Komm. zu 19,1

Sekundille, Königin von *Indîâ*, Geliebte des *Feirafîz* – aus dem Pz. – 55,1 (*Secvndille* [auch sonst immer -*c*- für -*k*- – im folgenden nicht mehr eigens vermerkt]). 125,29. 248,29. 279,17 (:*wille*). 279,25 – vgl. Kunitzsch, Arabica, S. 12, Anm. 17; Schröder, Namen, S. 111; Passage, S. 386; Graf, S. 17; Kunitzsch, Orient, S. 90 – vgl. Komm. zu 55,1; 279,12-23; 379,26f.

Semblî(e), Land des *Terramêr* – Al.: *Sebile* (bBT CLXXXIV^{c},16)? identisch mit Pz. 351,10 u.ö. *Semblidac*? – 34,21. 288,27 – vgl. Nassau Noordewier, S. 118; Passage, S. 386; Schröder, Namen, S. 112

Sêres, Land des *Eskalibôn* – lat. »Seidenhersteller«, Bezeichnung für die Chinesen, zum Ortsnamen umgedeutet – aus dem Pz. – 26,25 (korr.). 341,25. 363,10 – vgl. Schröder, Namen, S. 112; Kolb, Namen, S. 268; Kunitzsch, Orient, S. 91

Sezileis/Seziljois, »Sizilianer« – vgl. Moisan I/2, S. 889: *Sezillois* – 36,16 (*Setzileise*) (:*Arbeise*). 205,22 (*Secilioys*) (:*Arâbois*). 346,27 (*Secilioyse*) (:*Franzoise*)

Sibilje, »Sevilla« – die Hauptstadt von Andalusien – aus dem RL: *Sibilia* (2677)/*Sibiliæ* (3725)? auch im Pz. und Tit. – 221,11 (*Sybilie*) (:*Marsilje*) – vgl. Titurel-Kommentar, S. 131; Schröder, Namen, S. 113 – vgl. Komm. zu 221,11-19

Sibille, »Sibylle«, Seherin aus dem griechisch-römischen Altertum – auch im Pz. – 218,13 – vgl. Schröder, Namen, S. 113 – vgl. Komm. zu 218,13f.

Siglimessâ, Stadt des *Buver* – Stadt in Marokko – 74,15 (:*Dannjatâ*). 356,27 (:*klâ*). 452,28 (:*aldâ*) – vgl. Kunitzsch, Ländernamen, S. 163; Kolb, Streiflichter; Kolb, Marroch, S. 254f., Anm. 18 – vgl. Komm. zu 74,4-25

Sînagûn, Heidenkönig, Herrscher von *Bailîe*, Schwe-

Tahenmunt, ein roter Berg – 439,7 (:*wunt*) – vgl. Komm. zu 439,7

Talamôn/Talimôn, Heidenkönig, Herrscher von *Boctân* – Al.: *T(h)alamons* (ML 598 [Holtus 649]) – 33,15. 56,18,27. 57,4. 106,26 (:*lôn*). 206,3 (*Thalimon*) (:*lôn*). 255,21 (:*dôn*). 341,26 (*Thalimon*) (:*Eskalibôn*). 363,19 (*Thalamonen*) (:*schônen*) – vgl. Rasch, S. 40; Knapp, Lautstand, S. 213

Tampastê (1), Heidenkönig, Herrscher von *Naroclîn*, Vater von *Tampastê* (2) – 27,8 (korr.) (: *Faussabrê*). 46,20 (korr.) (:*Galafrê*). 344,7 (:*Fausabrê*). 371,3 (: *Valturmîê*) – Al.: *Tampestez* (d 1015) – vgl. Rasch, S. 40; Knapp, Lautstand, S. 203

Tampastê (2), Heidenkönig, Herrscher von *Tabrastên*, Sohn von *Tampastê* (1) – Al.: *Tempestés* (m 177 + 1) / *Tampatez* (d 177 + 1) – 74,8. 442,29 (:*wê*) – vgl. Bernhardt, Rez. Nassau Noordewier, S. 548; Rasch, S. 40; Knapp, Lautstand, S. 203; Passage, S. 390 – vgl. Komm. zu 74,4-25

Tananarke, Herrschaftsbereich des *Kliboris* bzw. des *Haropîn* – aus dem RL: *Tarmarche* (2619)? – 358,30 (*Tananarche*) (:*starke*). 409,19 (*Thananarche*) (:*barke*). 410,17 (*Tananarche*) – vgl. San Marte, Rittergedicht, S. 101; Passage, S. 390

Tananarkois, Mann aus *Tananarke* (von *Haropîn*) – 359,21 (korr.) (:*kurtois*). 424,13 (*Tananarchoys*) (:*Bêâvois*)

Tandarnas, Heimat (Herrschaftsbereich?) des *Schilbert*, Schlachtruf – mißverstanden aus Al. *d'Andernas* (4214), s. zu *Schilbert* – 240,26 (:*was*). 243,6 (:*was*). 245,6 (:*palas*). 249,18 (:*palas*). 263,15 (:*palas*). 328,24 (:*was*). 329,19 (:*was*). 334,30 (:*was*). 362,5 (:*was*). 363,25 (:*gras*). 397,16 (:*was*). 401,14 (:*was*). 433,17 (:*was*). 440,15 (:*was*) – vgl. Bernhardt, S. 54; Knapp, Lautstand, S. 212; Passage, S. 391 – vgl. Komm. zu 240,26

Tasmê, Stadt des *Poidjus* unter der Burggrafschaft des *Dedalûn* – aus dem Pz. – 63,16 (*Thasme*). 375,18. 375,23 (:*Lingnâlôê*). 444,16 (*Thasme*) (:*lignâlôê*). 452,29 (*Thasme*) (:*wê*) – vgl. Passage, S. 396f.; Schröder, Namen, S. 118; Kunitzsch, Orient, S. 91

Tedalûn s. *Dedalûn*

Tenabrî, Land des *Terramêr* – Al.: *Val Tenebré* (CLXXXIV[c], 16) – 34,20 (korr.) (:*vrî*). 219,1 (:*drî*). 223,3 (:*bî*). 226,16 (:*bî*). 284,18. 288,25 (:*vrî*). 300,23 (:*bî*). 337,13 (:*bî*). 360,19 (:*bî*). 400,13 (:*bî*) – vgl. Passage, S. 392

Tenabruns/Tenebruns, Heidenkönig, Herrscher von *Liwes Nugruns* – Al.: *Danebruns* (L 1087) – 76,12 (:*Nugruns*). 77,19. 214,23. 255,5 (:*Nugruns*). 350,15 (:*Nugruns*). 392,13 (:*Nugruns*) – vgl. Rasch, S. 14; Knapp, Lautstand, S. 216; Graf, S. 25

Tenebreiz, Sohn des *Purrel* – Al.: *Tenebrez* (d 6800) – 443,19 (:*sweiz*) – vgl. Knapp, Lautstand, S. 203; Passage, S. 392

Termis, Burg des *Willehalm* – die heutige Ortschaft Termes in Südostfrankreich, nahe Narbonne (Dépt. Aude)? – 41,11 (korr.). 63,5. 66,7,25. 75,8 – Al.: *Termes* (768) – vgl. J. Moreau, *Dictionnaire de Géographie Historique de la Gaule et de la France*, Paris 1972, S. 266; Passage, S. 392f.

Terramêr/Terremêr, der oberste Heidenherrscher; Sohn des *Kanabêus*; Neffe des *Bâligân*; Bruder des *Arofel*; Vater der *Gîburc* und einer zweiten Tochter sowie der Söhne *Bassigweiz*, *Fâbors*, *Glôrîax*, *Kanliûn*, *Karrîax*, *Mâlarz*, *Malatras*, *Matreiz*, *Merabias*, *Morgowanz*, *Rennewart*, *Utreiz*; Großvater des *Poidjus*; Schwager (?) des *Matusales*; König von *Gorgonzâne*, *Happe*, *Kordes*, *Lumpîn*, *Muntespîr*, *Poie*, *Semblîe*, *Suntîn*, *Tenabrî*; *vogt* von *Baldac* – Al.: *Desramé* (28) – 8,30 (korr.) (:*überkêr*). 9,21,27. 11,2 (:*wer*). 11,13 (:*hêr*). 11,19. 12,4,23. 13,6. 21,16. 21,25 (:*sêre*). 21,29. 28,3,21. 29,25. 30,2. 32,23. 34,9,13,25,29. 36,6 (korr.). 36,23. 37,2,14. 38,19. 39,15. 41,8. 43,21 (:*z'unêre*). 44,1. 47,21. 71,26. 78,16. 80,18 (:*sêr*). 82,24. 94,1 (:*herzesêr*). 96,9. 97,3,12,15. 100,14. 106,10. 107,4,10. 111,1. 120,22. 144,16. 149,8. 151,6. 156,7 (:*hêre*). 156,25. 160,6 (:*sêr*). 164,26 (:*entêre*). 166,12. 166,17 (:*kêr*). 166,22. 169,18 (:*êre*). 178,4,18. 182,24 (:*êre*). 183,21. 185,28. 197,28. 204,15 (:*herzesêr*). 205,1 (:*herzesêre*). 207,13. 208,18 (:*êre*). 217,11. 222,21 (:*dankêre*). 226,16. 240,12. 241,12 (:*überkêr*). 252,11. 261,13. 288,4,30. 297,21. 300,23. 314,10,18. 319,11 (:*hêr*). 320,5. 334,4 (:*kêre*). 334,9,18. 335,21. 337,1. 339,3,5.

340,4,14. 342,7 (korr.). 344,5. 345,1. 349,1. 351,2 (:*sêr*). 352,1 (:*hêr*). 352,10,29. 353,3 (:*umbekêr*). 353,22. 354,1. 357,12. 358,2. 360,1,29. 371,9. 372,9. 374,8 (:*sêre*). 375,3,21. 381,6 (:*sêr*). 388,2 (:*sêre*). 390,14. 396,23 (:*hêr*). 397,30. 399,11 (:*herzesêren*). 400,25. 401,28. 402,9. 404,16 (:*hêre*). 404,26. 413,14 (:*sêre*). 413,20. 418,26 (:*sêre*). 419,30. 432,13 (:*herzesêr*). 432,20. 433,24. 434,4. 440,29. 441,8,16,30. 443,27. 444,2. 450,21 (:*hêr*). 459,2. 466,5 (:*überkêre*) – vgl. Kunitzsch, Rez. Goetz, S. 197, Anm. 10; Knapp, Lautstand, S. 210; Passage, S. 393; Kunitzsch, Anmerkungen, S. 260

Tervagant/Tervigant, Heidengott, Schlachtruf – Al.: *Tervagant* (80) – 11,16 (:*erkant*). 17,20 (:*lant*). 18,28 (:*benant*). 20,11 (:*benant*). 44,25 (:*bant*). 71,25. 106,7 (:*geschant*). 110,29 (:*erkant*). 216,4. 291,22 (:*erkant*). 310,2 (:*hant*). 339,9 (:*erkant*). 351,30 (:*lant*). 358,12 (:*hant*). 399,6 (:*vant*). 449,23 (:*genant*) – vgl. Komm. zu 11,16

Tesereiz, Heidenkönig; Herrscher von *Grikulânje*, *Kollône*, *Latriset*, Sizilien, *Sotters*; Verwandter (*neve*) des *Terramêr* – Al.: *Desreés* (1399)/Desireç (M 1410 [Holtus 1576]) – 36,12 (:*pungeiz*). 36,22. 55,4 (:*Poufameiz*). 83,5 (:*weiz*). 83,8. 84,5,12. 86,3. 87,9 (:*weiz*). 87,28. 88,10. 106,21 (:*Poufameiz*). 151,9. 205,9,14 (beidemal *Thesereiz*). 206,5 (*Thesereyz*) (:*Poufemeiz*). 214,25 (korr.) (:*puneiz*). 254,28 (*Thesereyze*). 266,26 (*Thesereizes*). 267,18 (*Thesereizes*). 334,12 (korr.). 337,25 (*Thesereiz*). 346,26 (*Thesereizes*). 347,1 (*Thesereizes*). 347,18. 378,13 (*Thesereizes*) – vgl. Bacon, S. 153; Knapp, Lautstand, S. 214 – vgl. Komm. zu 346,26

Tetragramatôn, Bezeichnung Gottes – 309,9 (:*lôn*) – vgl. Komm. zu 309,9

Tîbalt, Heidenkönig; Herrscher von *Arâbî*, *Kler*, *Sibilje*, *Todjerne*; Nachkomme des *Marsilje*; erster Gemahl der *Arabel*/*Gîburc*; Vater des *Ehmereiz* – Al.: *Tiebaut* (238); vgl. auch CG: *Tedbalt* (668) – 8,2 (:*engalt*). 10,15 (korr.) (:*engalt*). 11,7 (:*gewalt*). 12,11. 26,2 (korr.). 28,25. 39,6,14. 43,8 (:*gewalt*). 44,14,22. 73,18. 75,7 (:*gevalt*). 80,12 (:*engalt*). 93,6 (:*gewalt*). 97,15 (:*gewalt*). 98,30. 100,16 (:*bezalt*). 102,20. 107,25.

(:*Erfiklant*). 56,4 (:*Erfiklant*). 85,4 (:*Erfiklanden*). 206,13 (:*lant*). 344,16 (:*Arfiklant*). 371,11 (:*Arfiklandes*) – vgl. Rolin, S. XIV; Knapp, Lautstand, S. 211

Tôtel, »Tudela« – Stadt in Nordspanien (Navarra) – Al.: *Tudelle* (M [Holtus] 850) – 37,8 (:*snel*) – vgl. Komm. zu 37,8

Trebuchet, Schmied, Vater des *Schoit* – aus dem Pz. – 356,21 – vgl. Passage, S. 396; Schröder, Namen, S. 120

Trîand(e)/Trîant, Land des *Poidjus* – aus dem Pz. – 36,9. 59,13 (:*vant*). 63,16 (:*bevant*). 282,23. 375,18. 444,13 (:*hant*). 447,15 (:*vant*) – vgl. Passage, S. 396f.; Schröder, Namen, S. 121; Kunitzsch, Orient, S. 91

Trînitât, »Trinität«, als Name gebrauchte Bezeichnung des dreieinigen Gottes – auch im Pz. (795,25 u.ö.) – 65,13 (:*rât*). 101,1 (:*hât*). 108,9 (:*hât*). 218,25 (:*hât*)

Trohazzabê, Herzog von *Karkassûn* – 365,8. 367,21 (korr.) (:*ê*). 388,8 (:*snê*). 432,29 (:*ê*) – vgl. Passage, S. 397

Tschampâneis/Tschampanois s. *Schampaneis*

türkisch, »türkisch« – 42,21 (korr.)

Tüwingen, »Tübingen« – 381,27 (*Tuwingen*) – vgl. Komm. zu 381,26-29

Turkânîe s. *Torkânîe*

Turkant s. *Torkant*

Turpîn, Bischof, Held der Rolandsschlacht – aus dem RL: *Turpin* (969) – 455,9 (:*mîn*) – vgl. Komm. zu 455,9

Turpîûn, Heidenkönig, Herrscher von *Valturmîê* – vgl. Moisan I/2, S. 945: *Turpiant* – 28,26 (:*sun*). 56,19 (*Tvrpivn*) (:*tuon*). 85,6. 106,28. 206,8. 255,10 (:*sun*). 344,12 (:*tuon*). 371,5 – vgl. Rolin, S. XX

Tûsîe, Stadt (?) des *Zernubilê* (?) – Stadt in Nordostpersien? – aus dem RL: *Tuse* (2659)? – 360,12 – vgl. Schröder, S. 658; Passage, S. 395 – vgl. Komm. zu 360,8f.

Uote, Gemahlin des *Hildebrant* – 439,16 (*Wte*) (:*muote*) – vgl. Komm. zu 439,16-19

Urabel, Heidenkönig, Herrscher von *Korâsen* – Al.: *Oribles* (1045) – 74,19 (*Vrabel*) – vgl. Heinzle, Frabel – vgl. Komm. zu 74,4-25

Uriende s. *Oriende*

Utreiz, Heidenkönig, Sohn des *Terramêr* – Al. *Outrés* (4393) – 32,15 (:*Matreiz*). 288,10 (*Vͦtreiz*) (:*weiz*). 372,25 (:*puneiz*). 438,28 (:*Ehmereiz*) – vgl. Knapp, Lautstand, S. 203

Valfundê, Herrschaftsbereich des *Halzebier* – eigentlich »Tal der Tiefe« als Höllenbezeichnung? – Al.: *Valfondee* (2020); vgl. RL: *Uallefunde* (3522) – 17,28 (*Falfvnde*) (:*ergê*). 45,29 (*Falfvnde*) (:*wê*). 46,5 (*Falfvnde*). 258,12. 362,7 (*Falfvnde*) (:*wê*). 414,7 (:*sê*). 419,3 (*Falfvnde*) (:*wê*) – vgl. Knapp, Lautstand, S. 206; Passage, S. 398

Valpinôse, Herrschaftsbereich des *Talimôn* – aus dem RL: *Uallepenuse* (8104)? – 349,27 (:*unlôse*). 387,16 (:*kôse*) – vgl. Bacon, S. 122; Passage, S. 398

Valturmîê/Valturmîe/Valturnîê, Herrschaftsbereich des *Turpîûn* – Al.: *Valturnie* (L 471) – 28,27 (*Falturmye* [außer 371,4 immer *F*- für *V*- – im folgenden nicht mehr eigens vermerkt]) (:*tremîe*). 56,21 (:*gestê*). 85,7 (:*stê*). 106,29 (:*wê*). 206,9 (:*wê*). 255,11 (:*Galafrê*). 344,13 (:*wê*). 371,4 (:*Tampastê*) – vgl. Knapp, Lautstand, S. 211; Heinzle, Editionsprobleme, S. 233

Veldekîn, »Veldeke«, der Dichter Heinrich von Veldeke – auch im Pz. – 76,25 (korr.) – vgl. Schröder, Namen, S. 124 – vgl. Komm. zu 76,24f.

Vênezjân, »Venezianer« – vgl. Moisan I/2, S. 955: *Venician* – 240,30 (*Venezian*) (:*man*). 241,7 (*Venezziane*). 242,28 (*Venezian*) (:*hân*) – vgl. Ganz, S. 28 – vgl. Komm. zu 240,28-241,10

Vermendois, Grafschaft in Nordfrankreich – auch im Pz. – Al.: *Vermendois* (2266) – 142,16 (korr.) (:*Franzois*). 440,4 (:*Franzois*) – vgl. Schröder, Namen, S. 125

Vinepopel, »Philippopel«, Herkunftsort von Wein – Stadt in Bulgarien (Plowdiw) – 448,8 (*Vinepoppel*) (:*siropel*) – vgl. Komm. zu 448,8

Virgunt, ein Wald zwischen Ellwangen und Ansbach – 390,2 (:*kunt*) – vgl. Komm. zu 389,28-390,3

Vîvîanz/Vîvîan(s), Schwestersohn des *Willehalm* – Al.: *Vi-*

vians (8)/*Viviän* (M 42 [Holtus 47]) – 13,21 (:*gans*). 22,30 (*Fivianz*) (:*glanz*). 24,26. 25,12,21. 27,28. 40,22 (:*Alischans*). 41,4,12,29. 42,5,11,20. 45,1 (:*Jozzerans*). 46,15,23,26. 47,1,25. 48,10. 48,22 (*Fivians*). 49,12,28. 53,11 (:*Alischanz*). 59,29. 60,11 (:*Alischanz*). 60,17. 61,23 (*Fivianzen*). 62,23 (:*gans*). 65,7. 65,17 (*Fivianz*) (:*Alischanz*). 70,21,27. 79,28. 89,3. 93,4 (:*Alischanz*). 93,9 (:*Gwigrimanz*). 93,28. 101,27. 120,19 (:*Alischanz*). 151,12 (:*Alischanz*). 151,30. 152,9. 164,28 (:*Alischanz*). 168,1 (:*ganz*). 171,13 (:*Alischanz*). 183,14. 184,9. 203,29. 206,17. 208,10. 214,19. 223,24 (:*Alischanz*). 236,28. 240,3. 253,25. 301,16. 304,8. 305,28. 306,22 (:*Alischanz*). 334,12 (:*Alitschans*). 363,5. 363,11 (:*Alitschanz*). 380,10. 380,15 (:*glanz*). 381,8 (:*Alischans*). 396,26 (:*Alitschanz*). 398,23. 408,25 (:*glanzen*). 418,24 (:*ganz*). 443,1 (:*Alischanz*). 450,7. 454,12 (:*Alitschanz*). 460,1 (:*Aleschans*) – vgl. Knapp, Lautstand, S. 203; Marly II, S. 6.

Vogelweide, der Dichter Walther von der Vogelweide – auch im Pz. (*her Walthêr*) – 286,19 – vgl. Schröder, Namen, S. 126 – vgl. Komm. zu 286,19-22

Volatîn, Pferd des *Arofel*, von *Willehalm* erbeutet – Al.: *Folatin* (1436[b]) – 81,1 (:*mîn*). 82,4 (:*schîn*). 85,25 (:*sîn*). 87,12 (:*künegîn*). 88,29 (:*sîn*). 89,14 (:*sîn*). 105,16 (:*künegîn*). 109,7 (:*sîn*). 112,10 (:*hiuselîn*). 114,21 (:*sîn*). 138,16 (:*sîn*). 200,21 (:*sîne*). 207,30 (:*schîn*). 225,8 (:*sîn*). 227,3 (:*sîn*). 228,11 (:*künegîn*). 232,2 (*în*). 329,27 (:*mîn*). 441,19 – vgl. Knapp, Lautstand, S. 203

Volkân, Land der *Kamille* – aus Heinrichs von Veldeke Eneide – 229,29 (*Volcan*) (:*getân*) – vgl. Frings/Schieb III, S. 910 – vgl. Komm. zu 229,27-30

Welf, Herzog Welf VII. – 381,26 (:*helfe*) – vgl. Komm. zu 381,26-29

Will(eh)alm/Willelm/Gwillâms, genannt *ehkurneis* (»mit der kurzen Nase«), Markgraf von *Provenze*; Sohn des *Heimrîch* und der *Iremschart*; Bruder des *Arnalt*, *Bertram*, *Buove*, *Heimrîch des schêtîs*, *Bernart*, *Gîbert*, der Gemahlin des Königs *Lâwîs* und der Mütter des *Mîle* und des *Vîvîanz*; zweiter Gemahl der *Gîburc* – Al.: *Guillaume au cort nes* (1048[a]) – 3,11. 4,13 (:*galm*). 6,21 (:*Bertram*). 7,15,27. 8,24. 11,3,25. 12,10. 13,8. 14,13. 17,23 (:*galm*). 31,21. 37,29. 40,8 (:*galm*). 45,9. 50,2. 83,24. 92,17. 96,20. 102,28. 118,24. 123,27. 129,21 (:*galm*). 135,17. 146,25. 152,24. 165,29 (:*galm*). 214,1 (korr.). 294,2. 310,21. 311,24. 335,10. 336,2. 346,9. 418,12 (korr.). 422,13. 440,1. 459,21. 461,3 – vgl. Dittrich/Vorderstemann, S. 179ff.; Knapp, Lautstand, S. 204f. – vgl. Komm. zu 11,25

Wîmar, Kaufmann zu *Munlêûn* – Al.: *Guimars* (2504) – 130,30 (:*jâr*). 132,11 (:*vâr*). 175,30. 176,9 – vgl. Dittrich/Vorderstemann, S. 180; Knapp, Lautstand, S. 205

Witege, Held aus dem Sagenkreis um Dietrich von Bern – 384,23 – vgl. Komm. zu 384,20-30

Wi(t)schart, Graf von *Blavî*, Neffe des *Willehalm*, Bruder des *Gêrhart* (und des *Sansôn*?) – Al.: *Guichars* (5) – 13,16. 25,10. 42,24 (:*wart*). 45,4 (:*Gêrhart*). 47,6 (:*Gêrart*). 93,12. 151,22 (:*Gêrart*). 258,26 (:*Gêrhart*). 416,10 (:*Gêrart*) – vgl. Dittrich/Vorderstemann, S. 180; Knapp, Lautstand, S. 207 – vgl. Komm. zu 25,11 und 166,10f.

Wîzsant, »Wissant« – Al.: *port de Vuisant* (2700); auch im Pz. – Stadt an der französischen Kanalküste (Dépt. Pas-de-Calais) – 366,28 – vgl. Schröder, Namen, S. 126 – vgl. Komm. zu 366,28

Wolfram von Eschenbach – auch im Pz. – 4,19 (*Wolfram uon Esschenbach*) (:*gesprach*) – vgl. Schröder, Namen, S. 31, 127

Zernubilê, Heidenkönig, Herrscher von *Ammirafel* und *Tûsîe* (?) – aus dem RL: *Zernubele* (2682) / *Cernubiles* (3759)? – 360,6 (*Cernvbile* – so immer). 407,20. 408,1 (:*snê*). 408,8,18,26. 409,7 (:*klê*). – vgl. Bacon, S. 122; Passage, S. 333 – vgl. Komm. zu 360,8f.

ABKÜRZUNGS- UND LITERATURVERZEICHNIS

Das Verzeichnis erfaßt die in abgekürzter Form zitierte Literatur und die für Zeitschriften- und Reihentitel verwendeten Siglen.

AfdA — Anzeiger für deutsches Altertum und deutsche Literatur.

Al. — *Aliscans*, hg. von Erich Wienbeck, Wilhelm Hartnacke, Paul Rasch, Halle 1903.

Amira — Karl von Amira, *Der Stab in der germanischen Rechtssymbolik* (Abhandlungen der Königlich Bayerischen Akademie der Wissenschaften. Philosophisch-philologische und historische Klasse, 25/1), München 1909.

Bacon — Susan Almira Bacon, *The Source of Wolfram's Willehalm* (Sprache und Dichtung, 4), Tübingen 1910.

Bauer — Georg-Karl Bauer, *Sternkunde und Sterndeutung der Deutschen im 9.-14. Jahrhundert unter Ausschluß der reinen Fachwissenschaft* (Germanische Studien, 186), Berlin 1937.

Behaghel — Otto Behaghel, *Deutsche Syntax*, Bde. 1-4 (Germanische Bibliothek, 1/10), Heidelberg 1923-32.

Beitr. — Beiträge zur Geschichte der deutschen Sprache und Literatur.

Bernhardt — Ernst Bernhardt, *Zum Willehalm Wolframs von Eschenbach*, in: ZfdPh 32 (1900), S. 36-57.

Bernhardt, Rez. Nassau Noordewier — Ernst Bernhardt, *Rez.*

Nassau Noordewier (s.d.), in: ZfdPh 34 (1902), S. 542-549.

Bertau, Literatur — Karl Bertau, *Deutsche Literatur im europäischen Mittelalter*, Bde. 1.2, München 1972. 1973.

Bertau, Literaturgeschichte — Karl Bertau, *Über Literaturgeschichte,* München 1983.

Bertau, Neidhart — Karl Bertau, *Neidharts »Bayerische Lieder« und Wolframs Willehalm*, in: ZfdA 100 (1971), S. 296-324.

Bertau, Recht — Karl Bertau, *Das Recht des Andern*, in: *Das heilige Land im Mittelalter,* hg. von Wolfdietrich Fischer und Jürgen Schneider (Schriften des Zentralinstituts für fränkische Landeskunde und allgemeine Regionalforschung an der Universität Erlangen-Nürnberg, 22), Neustadt a. d. Aisch 1982, S. 127-143, zitiert nach: K.B., *Wolfram von Eschenbach*, München 1983, S. 241-258.

Bertau, Versuch — Karl Bertau, *Versuch über Wolfram*, in: Jahrbuch für fränkische Landesforschung 37 (1977), S. 27-43, zitiert nach: K.B., *Wolfram von Eschenbach*, München 1983, S. 145-165.

Bertau, Witze — Karl Bertau, *Versuch über tote Witze bei Wolfram*, in: Acta Germanica 10 (1977), S. 87-137, zitiert nach: K.B., *Wolfram von Eschenbach*, München 1983, S. 60-109.

BMZ — Georg Friedrich Benecke, Wilhelm Müller, Friedrich Zarncke, *Mittelhochdeutsches Wörterbuch*, Bde. 1-3, Leipzig 1854-1866.

Bock — Ludwig Bock, *Wolframs von Eschenbach Bilder und Wörter für Freude und Leid* (Quellen und Forschungen zur Sprach-

	und Culturgeschichte der germanischen Völker, 33), Straßburg 1879.
Bock, Wolfram	Carl Bock, *Zu Wolfram von Eschenbach*, in: Beitr. 11 (1886), S. 184-197.
Bode	Friedrich Bode, *Die Kampfesschilderungen in den mittelhochdeutschen Epen*, Diss. Greifswald 1909.
Bötticher	Gotthold Bötticher, *Über die Eigenthümlichkeiten der Sprache Wolframs*, in: Germania 21 (1876), S. 257-332.
Bumke, Forschung	Joachim Bumke, *Die Wolfram von Eschenbach Forschung seit 1945*, München 1970.
Bumke, Kritisches	Joachim Bumke, *Kritisches zur neuen kritischen Willehalm-Ausgabe*, in: Euphorion 64 (1970), S. 423-432.
Bumke, Kultur	Joachim Bumke, *Höfische Kultur*, Bde. 1.2 (Deutscher Taschenbuch Verlag, 4442), München 1986.
Bumke, Ritterbegriff	Joachim Bumke, *Studien zum Ritterbegriff im 12. und 13. Jahrhundert* (Beihefte zum Euphorion, 1), Heidelberg [2]1977.
Bumke, Willehalm	Joachim Bumke, *Wolframs Willehalm* (Germanische Bibliothek, 3. Reihe), Heidelberg 1959.
Bushey	Betty C. Bushey, *Nachträge zur Willehalm-Überlieferung*, in: *Studien zu Wolfram von Eschenbach. Festschrift für Werner Schröder zum 75. Geburtstag*, hg. von Kurt Gärtner und Joachim Heinzle, Tübingen 1989, S. 359-380.
CG	*Chanson de Guillaume*, übers., eingeleitet und mit Anmerkungen versehen von Beate Schmolke-Hasselmann (Klassische Texte des Romanischen Mittelalters in zweisprachigen Ausgaben, 20), München 1983.

CR — *La Chanson de Roland*, übers. von Hans Wilhelm Klein (Klassische Texte des Romanischen Mittelalters in zweisprachigen Ausgaben), München 1963.

Csendes — Peter Csendes, *Die Orlens-Episode in Wolframs Willehalm*, in: ZfdA 97 (1968), S. 196-206.

Curschmann — Michael Curschmann, *The French, the Audience, and the Narrator in Wolfram's Willehalm*, in: Neophilologus 59 (1975), S. 548-562.

Dalby — David Dalby, *Lexicon of the mediaeval German hunt*, Berlin 1965.

Decke-Cornill — Renate Decke-Cornill, *Stellenkommentar zum III. Buch des Willehalm Wolframs von Eschenbach* (Marburger Studien zur Germanistik, 7), Marburg 1985.

Deinert — Wilhelm Deinert, *Ritter und Kosmos im Parzival* (Münchener Texte und Untersuchungen zur deutschen Literatur des Mittelalters, 2), München 1960.

Denecke — Ludwig Denecke, *Ritterdichter und Heidengötter (1150-1220)* (Form und Geist, 13), Leipzig 1930.

Désilles-Busch — Margrit Désilles-Busch, *›Doner un don‹ – ›Sicherheit nemen‹*, Diss. Berlin FU 1970.

Dittrich — Gunda Dittrich, *Gybert und Schilbert im ›Willehalm‹ (Zu Wh. 146,19)*, in: Wolfram-Studien 2 (1974), S. 185-192.

Dittrich, Datierung — Gunda und Erhard Dittrich, *Zur Datierung von Wolframs Willehalm*, in: Studi Medievali (3ª Serie) 12 (1971), S. 995-963.

Dittrich/Vorderstemann — Gunda Dittrich/Jürgen Vorderstemann, *Gyburc oder Kyburc*, in: Wolfram-Studien 2 (1974), S. 174-184.

Doubek — Fr. Doubek, *Studien zu den Waffennamen*

	in der höfischen Epik, in: ZfdPh 59 (1935), S. 313-353.
DRWb	*Deutsches Rechtswörterbuch*, Bde. 1ff., Weimar 1914ff.
Düwel	Klaus Düwel, *Werkbezeichnungen der mittelhochdeutschen Erzählliteratur (1050-1250)*, Göttingen 1983.
DVjs	Deutsche Vierteljahrsschrift für Literaturwissenschaft und Geistesgeschichte.
DWb	Jacob und Wilhelm Grimm, *Deutsches Wörterbuch*, Bde. 1-16, Leipzig 1854-1960.
Eichholz	Birgit Eichholz, *Kommentar zur Sigune- und Ither-Szene im 3. Buch von Wolframs Parzival (138,9-161,8)* (Helfant Studien, S 3), Stuttgart 1987.
Emrich-Müller	Gisela Emrich-Müller, *Der Schicksalsbegriff in den Dichtungen Wolframs von Eschenbach im Vergleich zu den Werken Hartmanns von Aue, Gottfrieds von Straßburg und dem Nibelungenlied*, Diss. Frankfurt 1978.
Eneide	Henric van Veldeken, *Eneide*, hg. von Gabriele Schieb und Theodor Frings (Bd. 3: von Gabriele Schieb mit Günter Kramer und Elisabeth Mager), Bde. 1-3 (Deutsche Texte des Mittelalters, 58.59. 62), Berlin 1964-1970.
Engelen	Ulrich Engelen, *Die Edelsteine in der deutschen Dichtung des 12. und 13. Jahrhunderts* (Münstersche Mittelalter-Schriften, 27), München 1978.
Erdmann	Carl Erdmann, *Die Entstehung des Kreuzzugsgedankens* (Forschungen zur Kirchen- und Geistesgeschichte, 6), Stuttgart 1935, Nachdr. Darmstadt 1965.

Fehr	Hans Fehr, *Das Recht in der Dichtung*, Bern 1931.
Fink/Knorr	Wolfram von Eschenbach, *Willehalm*, aus dem Mittelhochdeutschen übertragen von Reinhard Fink und Friedrich Knorr, Jena 1941.
Förster	Paulus Traugott Förster, *Zur Sprache und Poesie Wolframs von Eschenbach,* Diss. Leipzig 1874.
Francke, Reappraisal	Walter K. Francke, *A Reappraisal of the Character Willehalm*, in: GQu 48 (1975), S. 36-51.
Frank	Gerhard Frank, *Studien zur Bedeutungsgeschichte von ›Sünde‹ und sinnverwandten Wörtern in der mittelhochdeutschen Dichtung des 12. und 13. Jahrhunderts*, Diss. (Masch.) Freiburg 1949.
Frenzen	Wilhelm Frenzen, *Klagebilder und Klagegebärden in der deutschen Dichtung des höfischen Mittelalters* (Bonner Beiträge zur Deutschen Philologie, 1), Würzburg 1936.
Freytag	Hartmut Freytag, *Rez. Ochs* (s.d.), in: AfdA 81 (1970), S. 148-157.
Frings/Schieb	s. Eneide
Ganshof	François Louis Ganshof, *Was ist das Lehnswesen?*, Darmstadt ^{6}1983.
Ganz	Peter Ganz, *Rez. Schröder* (s.d.), in: AfdA 91 (1980), S. 26-32.
Ganz, Rez. Ochs	Peter Ganz, *Rez. Ochs* (s.d.), in: Beitr. (Tübingen) 91 (1969), S. 412-418.
Ganz, Rudolf	*Graf Rudolf*, hg. von Peter F. Ganz (Philologische Studien und Quellen, 19), Berlin 1964.
Gärtner, apo koinou	Kurt Gärtner, *Die constructio apo koinou bei Wolfram von Eschenbach*, in: Beitr. (Tübingen) 91 (1969), S. 121-259.

Gärtner, Numeruskongruenz Kurt Gärtner, *Numeruskongruenz bei Wolfram von Eschenbach*, in: Wolfram-Studien 1 (1970), S. 28-61.

Geith, Sarkophage Karl-Ernst Geith, *Die Sarkophage von Alyscamps in Wolframs Willehalm*, in: Amsterdamer Beiträge zur älteren Germanistik 12 (1977), S. 101-117.

Gerhardt, Adlerbild Christoph Gerhardt, *Wolframs Adlerbild. Willehalm 189,2-24*, in: ZfdA 99 (1970), S. 213-222.

Gerhardt, Salamander Christoph Gerhardt, *Daz werc von salamander bei Wolfram von Eschenbach und im Brief des Priesters Johannes*, in: *Ars et Ecclesia. Festschrift für Franz J. Ronig zum 60. Geburtstag*, hg. von Hans-Walter Stork, Christoph Gerhardt und Alois Thomas (Veröffentlichungen des Bistumsarchivs Trier, 26), Trier 1989, S. 135-160.

Gerhardt, Uote Christoph Gerhardt, *Vrou Uotes triuwe (Wolframs Willehalm 439,16f.)*, in: ZfdA 105 (1976), S. 1-11.

Gibbs/Johnson Wolfram von Eschenbach, *Willehalm*, transl. by Marion E. Gibbs and Sidney M. Johnson (Penguin Classics), Harmondsworth 1984.

Glossarium Artis *Burgen und feste Plätze* (Glossarium Artis, 1), Tübingen [2]1971.

GQu The German Quarterly.

Gottfried von Straßburg Gottfried von Straßburg, *Tristan und Isold*, hg. von Friedrich Ranke, Berlin, Zürich und Dublin [10]1966.

Graf Heinz-Joachim Graf, *Kleine Wolfram-Studien und Verwandtes*, Krefeld 1973.

Green Dennis H. Green, *Homicide and Parzival*, in: D.H.G., L. Peter Johnson, *Approaches to Wolfram von Eschenbach* (Mikrokosmos, 5), Bern, Frankfurt a. M. und Las Vegas 1978, S. 11-82.

Grégoire — Henri Grégoire, *Des dieux Cahu, Baraton, Tervagant ... et de maints autres dieux non moins extravagants*, in: Annuaire de l'Institut de Philologie et d'Histoire Orientales et Slaves 7 (1939-1944), S. 451-472.

Grimm/Lachmann — *Briefwechsel der Brüder Jacob und Wilhelm Grimm mit Karl Lachmann*, hg. von Albert Leitzmann, Bde. 1.2, Jena 1927.

GRM — Germanisch-romanische Monatsschrift

HA — *Handwörterbuch des deutschen Aberglaubens*, hg. von Hanns Bächtold-Stäubli, Bd. 1-10, Berlin/Leipzig 1927-1942.

Haacke — Diether Haacke, *Weltfeindliche Strömungen und die Heidenfrage in der deutschen Literatur von 1170-1230*, Diss. (Masch.) Berlin FU 1951.

Happ — Erich Happ, *Kommentar zum zweiten Buch von Wolframs Willehalm*, Diss. München 1966.

Hatto — Arthur T. Hatto, *Archery and chivalry: a noble prejudice*, in: MLR 35 (1940), S. 40-54.

Haug, Literaturtheorie — Walter Haug, *Literaturtheorie im deutschen Mittelalter* (Germanistische Einführungen), Darmstadt 1985.

Haug, zwîvel — Walter Haug, *Parzivals zwîvel und Willehalms zorn*, in: Wolfram-Studien 3 (1975), S. 217-231.

Haupt, Erec — Hartmann von Aue, *Erec*, hg. von Moriz Haupt, Leipzig [2]1871.

Heinzle, Beiträge — Joachim Heinzle, *Beiträge zur Erklärung des neunten Buches von Wolframs Willehalm*, in: Beitr. 103 (1981), S. 425-436.

Heinzle, Editionsprobleme Joachim Heinzle, *Editionsprobleme um den Willehalm*, in: Beitr. 111 (1989), S. 226-239.

Heinzle, Frabel Joachim Heinzle, *Frabel, Friende, Indiant*, in: *Uf der mâze pfat. Festschrift für Werner Hoffmann zum 60. Geburtstag*, hg. von Waltraut Fritsch-Rößler (Göppinger Arbeiten zur Germanistik, 555), Göppingen 1991, S. 171-182.

Heinzle, Stein Joachim Heinzle, *Stein und Banner. Zu Wolframs Willehalm 16,10-19*, in: *Textkritik und Interpretation. Festschrift für Karl Konrad Polheim zum 60. Geburtstag*, hg. von Heimo Reinitzer, Bern, Frankfurt, New York und Paris 1987, S. 69-84.

Hellmann Manfred W. Hellmann, *Fürst, Herrscher und Fürstengemeinschaft*, Diss. Bonn 1969.

Hepp Eva Hepp, *Die Fachsprache der mittelalterlichen Küche*, in: Hans Wiswe, *Kulturgeschichte der Kochkunst*, München 1970, S. 185-224.

Hilgers Heribert A. Hilgers, *Rez. Schröder* (s.d.), in: Beitr. 103 (1981), S. 297-309.

HRG *Handwörterbuch zur deutschen Rechtsgeschichte*, hg. von Adalbert Erler und Ekkehard Kaufmann, Bde. 1ff., Berlin 1971ff.

Holtus *La versione franco-italiana della ›Bataille d'Aliscans‹: Codex Marcianus fr. VIII [= 252]*, hg. von Günter Holtus (Beihefte zur Zeitschrift für romanische Philologie, 205), Tübingen 1985.

Huby-Marly, Willehalm Marie-Noël Huby-Marly, *Willehalm de Wolfram d'Eschenbach et la Chanson des Aliscans*, in: Etudes Germaniques 39 (1984), S. 388-411.

Johnson — Sidney Malcolm Johnson, *A Commentary to Wolfram von Eschenbach's Willehalm. Introduction and Notes to Books I and II*, Diss. (Masch.) Yale University 1952.

Jones — Martin H. Jones, *die tjostiure uz vünf scharn (Willehalm 362,3)*, in: *Studien zu Wolfram von Eschenbach. Festschrift für Werner Schröder zum 75. Geburtstag*, hg. von Kurt Gärtner und Joachim Heinzle, Tübingen 1989, S. 429-441.

KAl. — Albert Leitzmann, *Die Kitzinger bruchstücke der schlacht von Alischanz*, in: ZfdPh 48 (1920), S. 96-114.

Kartschoke — Wolfram von Eschenbach, *Willehalm*, Text der 6. Ausgabe von Karl Lachmann, Übersetzung und Anmerkungen von Dieter Kartschoke, Berlin 1968.

Kartschoke, Rez. Ochs — Dieter Kartschoke, *Rez. Ochs* (s.d.), in: Euphorion 62 (1968), S. 425-431.

Kartschoke, Signum Tau — Dieter Kartschoke, *Signum Tau. (Zu Wolframs Willehalm 406,17ff.)*, in: Euphorion 61 (1967), S. 245-266.

Kasten — Ingrid Kasten, *Rennewarts Stange*, in: ZfdPh 96 (1977), S. 394-410.

Kellermann-Haaf — Petra Kellermann-Haaf, *Frau und Politik im Mittelalter* (Göppinger Arbeiten zur Germanistik, 456), Göppingen 1986.

Kilian — Helga Kilian, *Studien zu Wolframs Willehalm*, Diss. (Masch.) Frankfurt 1969.

Klaaß — Eberhard Klaaß, *Die Schilderung des Sterbens im mittelhochdeutschen Epos*, Diss. Greifswald 1931.

Kleinschmidt — Erich Kleinschmidt, *Literarische Rezeption und Geschichte*, in: DVjs 48 (1974), S. 585-649.

Kleinschmidt, Prolog Erich Kleinschmidt, *Die lateinische Fassung von Wolframs Willehalm-Prolog und ihr Überlieferungswert*, in: ZfdA 103 (1974), S. 95-114.

Knapp, Heilsgewißheit Fritz Peter Knapp, *Heilsgewißheit oder Resignation? Rennewarts Schicksal und der Schluß des Willehalm*, in: DVjs 57 (1983), S. 593-612.

Knapp, Lautstand Fritz Peter Knapp, *Der Lautstand der Eigennamen im Willehalm und das Problem von Wolframs »Schriftlosigkeit«*, in: Wolfram-Studien 2 (1974), S. 193-218.

Knapp, Rennewart Fritz Peter Knapp, *Rennewart,* (Dissertationen der Universität Wien, 45), Wien 1970.

Knapp, Rez. Lofmark Fritz Peter Knapp, *Rez. Lofmark* (s.d.), in: AfdA 85 (1974), S. 179-192.

Knapp, Rez. W.J. Schröder Fritz Peter Knapp, *Rez. W.J. Schröder* (s.d.), in: Deutsche Literaturzeitung 94 (1973), S. 44-47.

Knapp, Schlacht Fritz Peter Knapp, *Die große Schlacht zwischen Orient und Okzident in der abendländischen Epik*, in: GRM 24 (1974), S. 129-152.

Kolb Herbert Kolb, *Entschuldigung des Longinus*, in: Euphorion 56 (1962), S. 185-190.

Kolb, Chanson Herbert Kolb, *Chanson-de-geste-Stil im Parzival*, in: Wolfram-Studien 3 (1975), S. 189-216.

Kolb, Etymologien Herbert Kolb, *Isidorsche ›Etymologien‹ im Parzival*, in: Wolfram-Studien 1 (1970), S. 117-135.

Kolb, Kreuz Herbert Kolb, *Ein Kreuz mit drei Enden. Zu Wolframs ›Willehalm‹ 406,1-407,7*, in: ZfdA 116 (1987), S. 268-279.

Kolb, Marroch Herbert Kolb, *Von Marroch der mah-*

mumelîn, in: Euphorion 82 (1988), S. 251-260.

Kolb, Namen — Herbert Kolb, *Rez. Schröder, Namen* (s.d.), in: Beiträge zur Namenforschung N.F. 17 (1982), S. 267-271.

Kolb, Streiflichter — Herbert Kolb, *Afrikanische Streiflichter*, in: Archiv für das Studium der neueren Sprachen und Literaturen 225 (1988), S. 117-128.

Koppitz — Hans-Joachim Koppitz, *Wolframs Religiosität* (Abhandlungen zur Kunst-, Musik- und Literaturwissenschaft, 7), Bonn 1959.

Kraus, Büchlein — Carl Kraus, *Das sogenannte II. Büchlein und Hartmanns Werke*, in: *Abhandlungen zur germanischen Philologie. Festgabe für Richard Heinzel,* Halle 1898, S. 111-172.

Kraus, Willehalm — Carl Kraus, *Zu Wolframs Willehalm*, in: Beitr. 21 (1896), S. 540-561.

Kühnemann — Wolfgang Kühnemann, *Soldatenausdrücke und Soldatensarkasmen in den mittelhochdeutschen Epen bei besonderer Berücksichtigung von Wolframs Willehalm*, Diss. Tübingen 1970.

Kunitzsch, Anmerkungen — Paul Kunitzsch, *Namenkundliche Anmerkungen zu P. Bancourt, Les Musulmans. . .*, in: Zeitschrift für romanische Philologie 103 (1987), S. 257-270.

Kunitzsch, Arabica — Paul Kunitzsch, *Die Arabica im Parzival Wolframs von Eschenbach*, in: Wolfram-Studien 2 (1974), S. 9-35.

Kunitzsch, Caldeis — Paul Kunitzsch, *Caldeis und Côatî (Wolfram, Willehalm 192,8)*, in: DVjs 49 (1975), S. 372-377.

Kunitzsch, Dodekin — Paul Kunitzsch, *+Dodekin und andere türkisch-arabische Namen in den Chansons* *de geste*, in: Zeitschrift für romanische Philologie 88 (1972), S. 34-44.

Kunitzsch, Ländernamen Paul Kunitzsch, *Die orientalischen Ländernamen bei Wolfram (Wh. 74,3ff.)*, in: Wolfram-Studien 2 (1974), S. 152-173.

Kunitzsch, Orient Paul Kunitzsch, *Erneut: Der Orient in Wolframs Parzival*, in: ZfdA 113 (1984), S. 79-111.

Kunitzsch, Orientalia Paul Kunitzsch, *Quellenkritische Bemerkungen zu einigen Wolframschen Orientalia*, in: Wolfram-Studien 3 (1975), S. 263-275.

Kunitzsch, Rez. Goetz Paul Kunitzsch, *Rez. Hermann Goetz, Der Orient der Kreuzzüge in Wolframs Parzival*, in: Zs. der Deutschen Morgenländischen Gesellschaft 119 (1970), S. 193-206.

La(chmann) Wolfram von Eschenbach, hg. von Karl Lachmann, Berlin 1833, ²1854.

Lecouteux Claude Lecouteux, *Der Drache*, in: ZfdA 108 (1979), S. 13-31.

Lei(tzmann) Wolfram von Eschenbach, hg. von Albert Leitzmann, 4. und 5. Heft (Altdeutsche Textbibliothek, 15. 16), Halle 1905. 1906.

Lexer Matthias Lexer, *Mittelhochdeutsches Handwörterbuch*, Bde. 1-3, Leipzig 1872-1878.

Lieres und Wilkau Marianne von Lieres und Wilkau, *Sprachformeln in der mittelhochdeutschen Lyrik bis zu Walther von der Vogelweide* (Münchener Texte und Untersuchungen zur deutschen Literatur des Mittelalters, 9), München 1965.

Lipton, Clues Wallace S. Lipton, *Clues for Readers of Wolfram von Eschenbach's Willehalm*, in: MLN 87 (1972), S. 753-758.

LMA *Lexikon des Mittelalters*, Bde. 1ff., München/Zürich 1980ff.

Lötscher Andreas Lötscher, *Semantische Strukturen im Bereich der alt- und mittelhochdeutschen Schallwörter* (Quellen und Forschungen zur Sprach- und Kulturgeschichte der germanischen Völker, N.F. 53), Berlin und New York 1973.

Lofmark Carl Lofmark, *Rennewart in Wolfram's Willehalm* (Anglica Germanica Series, 2), Cambridge 1972.

Lofmark, Unglauben Carl Lofmark, *Das Problem des Unglaubens im Willehalm*, in: *Studien zu Wolfram von Eschenbach. Festschrift für Werner Schröder zum 75. Geburtstag*, hg. von Kurt Gärtner und Joachim Heinzle, Tübingen 1989, S. 399-413.

Lomnitzer Helmut Lomnitzer, *Beobachtungen zu Wolframs Epenvers*, in: *Probleme mittelhochdeutscher Erzählformen*, hg. von Peter F. Ganz und Werner Schröder, Berlin 1972, S. 107-132.

LThK *Lexikon für Theologie und Kirche*, hg. von Josef Höfer und Karl Rahner, Bde. 1-10, Freiburg [2]1957-1965.

Lucae Karl Lucae, *De nonnullis locis Wolframianis*, Diss. Halle 1862.

Lugge Margret Lugge, *»Gallia« und »Francia« im Mittelalter* (Bonner historische Forschungen, 15), Bonn 1960.

Lunzer Justus Lunzer, *Arraz und Arias*, in: ZfdA 65 (1928), S. 51-62.

Lutz Eckart Conrad Lutz, *Rhetorica divina* (Quellen und Forschungen zur Sprach- und Kulturgeschichte der germanischen Völker, N.F. 82), Berlin und New York 1984.

Madsen — Rainer Madsen, *Die Gestaltung des Humors in den Werken Wolframs von Eschenbach*, Diss. Bochum 1970.

Marly — Marie-Noël Marly, *Traduction et Paraphrase dans Willehalm de Wolfram d' Eschenbach*, 2 Bde. (Göppinger Arbeiten zur Germanistik, 342/I.II), Göppingen 1982.

Marly, Schwächling — Marie-Noël Marly, *Vom verachtungswürdigen Schwächling zum vorbildlichen König. Zur Kennzeichnung von Wolframs Bearbeitungsmethode im Willehalm*, in: ZfdPh 100 (1981), S. 104-118.

Marquardt — Rosemarie Marquardt, *Das höfische Fest im Spiegel der mittelhochdeutschen Dichtung (1140-1240)* (Göppinger Arbeiten zur Germanistik, 449), Göppingen 1985.

Marti — Wolfram von Eschenbach, *Parzival und Titurel*, hg. von Karl Bartsch, Teile 1-3 (Deutsche Klassiker des Mittelalters, 9-11), Leipzig [4]1927-1932, bearb. von Marta Marti.

Martin — Wolfram von Eschenbach, *Parzival und Titurel*, hg. und erklärt von Ernst Martin, Teil 2 (Germanistische Handbibliothek, 9/2), Halle 1903.

Matthias — Wolfram von Eschenbach, *Die Werke*, im Geiste des Dichters erneuert von Theodor Matthias, Bd. 2, Hamburg 1925.

Maurer — Friedrich Maurer, *Leid* (Bibliotheca Germanica, 1), Bern und München [3]1964.

Meißner — R. Meißner, *Schiffsnamen bei Wolfram von Eschenbach*, in: ZfdA 64 (1927), S. 259-266.

Mergell, Quellen — Bodo Mergell, *Wolfram von Eschenbach*

und seine französischen Quellen, Teil 1 (Forschungen zur deutschen Sprache und Dichtung, 6), Münster 1936.

Mersmann — Walter Mersmann, *Der Besitzwechsel und seine Bedeutung in den Dichtungen Wolframs von Eschenbach und Gottfrieds von Straßburg* (Medium Aevum, 22), München 1971.

Mihm — Ahrend Mihm, *Rez. Schanze* (s.d.), in: AfdA 79 (1968), S. 61-74.

Minckwitz — Maria Johanna Minckwitz, *Encore le Willehalm de Wolfram d'Eschenbach*, in: Revue germanique 9 (1913), S. 36-65.

MLN — The Modern Language Notes.

MLR — The Modern Language Review.

Mohr — Wolfgang Mohr, *Wolframs Willehalm in neuhochdeutschen Versen*, in: Wolfram-Studien 4 (1977), S. 104-122, zitiert nach: W.M., *Wolfram von Eschenbach* (Göppinger Arbeiten zur Germanistik, 275), Göppingen 1979, S. 332*–349*.

Mohr, Ritter — Wolfgang Mohr, *»Arme Ritter«*, in: ZfdA 97 (1968), S. 127-134, zitiert nach: W.M., *Wolfram von Eschenbach* (Göppinger Arbeiten zur Germanistik, 275), Göppingen 1979, S. 351*–362* (erweiterte Fassung).

Mohr, Willehalm — Wolfgang Mohr, *Willehalm*, in: W.M., *Wolfram von Eschenbach* (Göppinger Arbeiten zur Germanistik, 275), Göppingen 1979, S. 266*–331*.

Moisan — André Moisan, *Répertoire des noms propres de personnes et de lieux cités dans les Chansons de geste françaises et les oeuvres étrangères dérivées* (Publications romanes et françaises, 173), Bde. 1/1.2, 2/3-5, Genf 1986.

Müller	Hedwig Müller, *Das Gebet in der mittelhochdeutschen erzählenden Dichtung*, Diss. (Masch.) Marburg 1924.
Nassau Noordewier	Johanna Maria Nassau Noordewier, *Bijdrage tot de beoordeeling van den Willehalm*, Diss. Groningen 1901.
Nellmann	Eberhard Nellmann, *Wolframs Erzähltechnik*, Wiesbaden 1973.
Nellmann, Kyot	Eberhard Nellmann, *Wolfram und Kyot als vindaere wilder maere*, in: ZfdA 117 (1988), S. 31-67.
Nellmann, Prolog	Eberhard Nellmann, *Wolframs Willehalm-Prolog*, in: ZfdPh 88 (1969), S. 401-409.
Nibelungenlied	*Das Nibelungenlied*, nach der Ausgabe von Karl Bartsch hg. von Helmut de Boor (Deutsche Klassiker des Mittelalters), Wiesbaden [21]1979.
Ochs	Ingrid Ochs, *Wolframs Willehalm-Eingang im Lichte der frühmittelhochdeutschen geistlichen Dichtung* (Medium Aevum, 14), München 1968.
Ohly	Friedrich Ohly, *Wolframs Gebet an den Heiligen Geist im Eingang des Willehalm*, in: ZfdA 91 (1961/62), S. 1-37, zitiert nach: *Wolfram von Eschenbach*, hg. von Heinz Rupp (Wege der Forschung, 57), Darmstadt 1966, S. 455-518.
Ohly, Süße Nägel	Friedrich Ohly, *Süße Nägel der Passion*, in: *Collectanea Philologica. Festschrift für Helmut Gipper zum 65. Geburtstag*, hg. v. Günther Heintz und Peter Schmitter, Bd. 2, Baden-Baden 1985, S. 403-613.
Palgen	Rudolf Palgen, *Willehalm, Rolandslied und Eneide*, in: Beitr. 44 (1920), S. 191-241.

Panzer, Willehalm — Friedrich Panzer, *Zu Wolframs Willehalm*, in: Beitr. 21 (1896), S. 225-240.

Passage — Wolfram von Eschenbach, *Willehalm*, translated by Charles E. Passage, New York 1977.

Paul, Parzival — Hermann Paul, *Zum Parzival*, in: Beitr. 2 (1876), S. 64-97

Paul, Willehalm — Hermann Paul, *Zu Wolframs Willehalm*, in: Beitr. 2 (1876), S. 318-338.

Paul, Wolfram — Hermann Paul, *Zu Wolfram*, in: Beitr. 12 (1887), S. 554-558.

Pellat — Charles Pellat, *Mahom, Tervagan, Apollin*, in: *Primer Congreso de Estudios Arabes e Islamicos Cordoba, 1962. Actas*, Madrid 1964, S. 265-269.

PMLA — Publications of the Modern Language Association of America.

PMS — Hermann Paul, Hugo Moser, Ingeborg Schröbler, *Mittelhochdeutsche Grammatik* (Sammlung kurzer Grammatiken germanischer Dialekte, A.2), Tübingen [21]1975.

Pörksen, Erzähler — Uwe Pörksen, *Der Erzähler im mittelhochdeutschen Epos* (Philologische Studien und Quellen, 58), Berlin 1971.

Pörksen/Schirok — Uwe Pörksen, Bernd Schirok, *Der Bauplan von Wolframs Willehalm* (Philologische Studien und Quellen, 83), Berlin 1976.

Pretzel — Ulrich Pretzel, *Mittelhochdeutsche Bedeutungskunde*, Heidelberg 1982.

Pütz — Hans Henning Pütz, *Die Darstellung der Schlacht in mittelhochdeutschen Erzähldichtungen von 1150 bis um 1250* (Hamburger philologische Studien, 15), Hamburg 1971.

Pz. — Wolfram von Eschenbach, *Parzival* (zitiert nach Lachmann).

RA	Jacob Grimm, *Deutsche Rechtsalterthümer*, Bde. 1.2, Göttingen ⁴1899.
Rasch	Paul Rasch, *Verzeichnis der Namen der altfranzösischen Chanson de Geste: Aliscans*, Programm Magdeburg (Königliches Domgymnasium) 1909, Nr. 328, Beilage.
Raudszus	Gabriele Raudszus, *Die Zeichensprache der Kleidung* (Ordo, 1), Hildesheim, Zürich und New York 1985.
Reichel	Jörn Reichel, *Willehalm und die höfische Welt*, in: Euphorion 69 (1975), S. 388-409.
Relleke	Walburga Relleke, *Ein Instrument spielen* (Monographien zur Sprachwissenschaft, 10), Heidelberg 1980.
Richter	Horst Richter, *Kommentar zum Rolandslied des Pfaffen Konrad*, Teil 1 (Kanadische Studien zur deutschen Sprache und Literatur, 6), Bern, Frankfurt 1972.
RL	Pfaffe Konrad, *Das Rolandslied*, hg. von Carl Wesle, Peter Wapnewski (Altdeutsche Textbibliothek, 69), Tübingen ³1985.
Röll	Walter Röll, *Zum Prolog von Wolframs Willehalm*, in: *Studien zu Wolfram von Eschenbach. Festschrift für Werner Schröder zum 75. Geburtstag*, hg. von Kurt Gärtner und Joachim Heinzle, Tübingen 1989, S. 415-428.
Rolandslied	s. RL
Rolin	*Aliscans*, hg. von Gustav Rolin (Altfranzösische Bibliothek, 15), Leipzig 1897.
Rosenau	Peter-Udo Rosenau, *Wehrverfassung und Kriegsrecht in der mittelhochdeutschen Epik*, Diss. jur. (Masch.) Bonn 1959.

Rolandslied — s. RL

Ruh, Epik — Kurt Ruh, *Höfische Epik des deutschen Mittelalters*, Teil 2 (Grundlagen der Germanistik, 25), Berlin 1980.

Ruh, Voten — Kurt Ruh, *Drei Voten zu Wolframs Willehalm*, in: *Kritische Bewahrung. Beiträge zur deutschen Philologie. Festschrift für Werner Schröder*, hg. von Ernst-Joachim Schmidt, Berlin 1974, S. 283-297.

Salmon — Paul Salmon, *Der zehnte Engelchor in deutschen Dichtungen und Predigten des Mittelalters*, in: Euphorion 57 (1963), S. 321-330.

Saltzmann — Hugo Saltzmann, *Wolframs von Eschenbach Willehalm und seine französische Quelle*, in: Programm des Realgymnasiums Pillau, Königsberg 1883, S. 3-24.

Salzer — Alois Salzer, *Der Schicksalsbegriff in der mittelhochdeutschen Dichtung*, Diss. (Masch.) Berlin FU 1953.

Sanders — Willy Sanders, *Glück* (Niederdeutsche Studien, 13), Köln und Graz 1965.

San Marte I — *Lieder, Wilhelm von Orange und Titurel von Wolfram von Eschenbach, und der jüngere Titurel von Albrecht in Uebersetzung und im Auszuge, nebst Abhandlungen über das Leben und Wirken Wolfram's von Eschenbach und die Sage vom heiligen Gral* (Leben und Dichten Wolfram's von Eschenbach, 2), hg. von San Marte, Magdeburg 1841.

San Marte II — Wolfram von Eschenbach, *Wilhelm von Orange*, übers. von San-Marte, Halle 1873.

San Marte, Gegensätze — San Marte, *Die Gegensätze des heiligen Grales und Von Ritters Orden* (San-Marte, Parcival=Studien, 3), Halle 1862.

San Marte, Rittergedicht San-Marte, *Ueber Wolfram's von Eschenbach Rittergedicht Wilhelm von Orange und sein Verhältniß zu den altfranzösischen Dichtungen gleiches Inhalts* (Bibliothek der gesammten deutschen National-Literatur, 2/5), Quedlinburg, Leipzig 1871.

Sattler Anton Sattler, *Die religiösen Anschauungen Wolframs von Eschenbach* (Grazer Studien zur deutschen Philologie, 1), Graz 1895.

Schade Oskar Schade, *Altdeutsches Wörterbuch*, Bde. 1.2, Halle [2]1872-1882.

Schäufele Eva Schäufele, *Normabweichendes Rollenverhalten: Die kämpfende Frau in der deutschen Literatur des 12. und 13. Jahrhunderts* (Göppinger Arbeiten zur Germanistik, 272), Göppingen 1979.

Schanze Heinz Schanze, *Die Überlieferung von Wolframs Willehalm* (Medium Aevum, 7), München 1966.

Schanze, Beobachtungen Heinz Schanze, *Beobachtungen zum Gebrauch der Dreißigerinitialen in der ›Willehalm‹-Handschrift G (Cod. Sang. 857)*, in: Wolfram-Studien 1 (1970), S. 170-187.

Schanze, Herstellung Heinz Schanze, *Zur Frage der Brauchbarkeit eines Handschriftenstemmas bei der Herstellung des kritischen Textes von Wolframs Willehalm*, in: *Probleme mittelalterlicher Überlieferung und Textkritik*, hg. von Peter F. Ganz und Werner Schröder, Berlin 1968, S. 31-48.

Schanze, Verhältnis Heinz Schanze, *Über das Verhältnis der St. Galler Willehalm-Handschrift zu ihren Vorstufen*, in: Beitr. (Tübingen) 89 (1967), S. 151-209.

Scharmann — Theo Scharmann, *Studien über die Saelde in der ritterlichen Dichtung des 12. und 13. Jahrhunderts*, Diss. Frankfurt a.M., Würzburg 1935.

Scheidweiler — Felix Scheidweiler, *Kunst und List*, in: ZfdA 78 (1941), S. 62-87.

Schirok — Wolfram von Eschenbach, *Parzival (Handschrift D)* (Litterae, 110), hg. von Bernd Schirok, Göppingen 1989.

Schleusener-Eichholz — Gudrun Schleusener-Eichholz, *Das Auge im Mittelalter*, Bde. 1.2 (Münstersche Mittelalter-Schriften, 35, I/II), München 1985.

Schmid — Elisabeth Schmid, *Enterbung, Ritterethos, Unrecht: Zu Wolframs Willehalm*, in: ZfdA 107 (1978), S. 259-275.

Schmidt — Ernst-Joachim Schmidt, *Stellenkommentar zum IX. Buch des Willehalm Wolframs von Eschenbach* (Bayreuther Beiträge zur Sprachwissenschaft, 3), Bayreuth 1979.

Schmolke-Hasselmann — s. CG

Schreiber — Albert Schreiber, *Neue Bausteine zu einer Lebensgeschichte Wolframs von Eschenbach* (Deutsche Forschungen, 7), Frankfurt 1922

Sch(röder) — Wolfram von Eschenbach, *Willehalm*, hg. von Werner Schröder, Berlin und New York 1978.

Schröder, Alterswerk — Werner Schröder, *Das epische Alterswerk Wolframs von Eschenbach*, in: Wolfram-Studien 1 (1970), S. 199-218.

Schröder, Armuot — Werner Schröder, *Armuot*, in: DVjs 34 (1960), S. 501-526.

Schröder, Ehebruch — Werner Schröder, *›Deswar ich liez ouch minne dort‹. Arabel-Gyburgs Ehebruch*, in: *An Arthurian Tapestry. Essays in Memory* *of Lewis Thorpe*, ed. by Kenneth Varty, Glasgow 1981, S. 308-327.

Schröder, Entwicklung Werner Schröder, *Zur Entwicklung des Helden in Wolframs Willehalm*, in: *Festschrift für Ludwig Wolff zum 70. Geburtstag*, hg. von Werner Schröder, Neumünster 1962, S. 265-276.

Schröder, Gyburc Werner Schröder, *Süeziu Gyburc*, in: Euphorion 54 (1960), S. 39-69.

Schröder, Heidenkönige Werner Schröder, *Der Markgraf und die gefallenen Heidenkönige in Wolframs Willehalm*, in: *Festschrift für Konstantin Reichardt*, Bern und München 1969, S. 135-167.

Schröder, Kritik Werner Schröder, *Zum gegenwärtigen Stande der Wolfram-Kritik*, in: ZfdA 96 (1967), S. 1-28.

Schröder, kunst Werner Schröder, *kunst und sin bei Wolfram von Eschenbach*, in: Euphorion 67 (1973), S. 219-243.

Schröder, maere Werner Schröder, *diz mære ist war, doch wunderlich. Zu Willehalm 5,15 und zum Gebrauch von mære, wâr und wunderlîch bei Wolfram*, in: *Verbum et Signum*, hg. von Hans Fromm, Wolfgang Harms, Uwe Ruberg, Bd. 2, München 1975, S. 277-298.

Schröder, Minne Werner Schröder, *Minne und ander klage. (Zu Willehalm 4,26)*, in: ZfdA 93 (1964), S. 300-313.

Schröder, mort Werner Schröder, *mort und riterschaft bei Wolfram. Zu Willehalm 10,18-20*, in: *Philologische Untersuchungen. Festschrift für Elfriede Stutz*, hg. von Alfred Ebenbauer (Philologica Germanica, 7), Wien 1984, S. 398-407.

Schröder, Namen Werner Schröder, *Die Namen im Par-*

zival und Titurel Wolframs von Eschenbach, Berlin und New York 1982.

Schröder, Oxymora Werner Schröder, *Religiöse und andere Oxymora in Wolframs Willehalm*, in: *Medium aevum deutsch. Festschrift für Kurt Ruh zum 65. Geburtstag*, hg. von Dietrich Huschenbett, Klaus Matzel, Georg Steer, Norbert Wagner, Tübingen 1979, S. 311-325.

Schröder, Rez. Lutz Werner Schröder, *Rez. Lutz* (s.d.), in: AfdA 98 (1987), S. 20-25.

Schröder, Text Werner Schröder, *Der Text von Wolframs ›Willehalm‹ vom 327. bis zum 343. Dreißiger* (Akademie der Wissenschaften und der Literatur [Mainz]. Abhandlungen der Geistes- und sozialwissenschaftlichen Klasse. Jahrgang 1977, Nr. 1), Wiesbaden 1977.

Schröder, Willehalm 306-310 Werner Schröder, *Willehalm 306-310. Neuer kritischer Text mit parallelem Abdruck der St. Galler Handschrift, vollständigem und reduziertem Variantenapparat*, in: Wolfram-Studien 1 (1970), S. 136-169.

Schröder, Zu Bumke Werner Schröder, *Zu Joachim Bumkes Kritik des kritischen Willehalm-Textes*, in: Euphorion 65 (1971), S. 409-418.

W.J. Schröder Wolfram von Eschenbach, *Willehalm. Titurel*, Text, Nacherzählung, Anmerkungen und Worterklärungen, hg. von Gisela Hollandt und Walter Johannes Schröder, Darmstadt 1971.

W.J. Schröder, Toleranzgedanke Walter Johannes Schröder, *Der Toleranzgedanke und der Begriff der »Gotteskindschaft« in Wolframs Willehalm*, in: *Festschrift für Karl Bischoff zum 70. Geburtstag*, hg. von Günter

Bellmann, Günter Eifler, Wolfgang Kleiber, Köln und Wien 1975, S. 400-415.

Schultz Alwin Schultz, *Das höfische Leben zur Zeit der Minnesinger*, Bde. 1.2, Leipzig ²1889.

Schumacher Marlis Schumacher, *Die Auffassung der Ehe in den Dichtungen Wolframs von Eschenbach* (Germanische Bibliothek, 3. Reihe), Heidelberg 1967.

Schwietering, Demutsformel Julius Schwietering, *Die Demutsformel mittelhochdeutscher Dichter* (Abhandlungen der Kgl. Gesellschaft der Wissenschaften zu Göttingen, phil.-hist. Klasse, N.F. XVII/3), Berlin 1921, zitiert nach: J. Sch., *Philologische Schriften*, hg. von Friedrich Ohly und Max Wehrli, München 1969, S. 140-215.

Schwietering, Natur Julius Schwietering, *Natur und art*, in: ZfdA91 (1961/62), S. 108-137, zitiert nach: J. Sch.,*Philologische Schriften*, hg. von Friedrich Ohly und Max Wehrli, München 1969, S. 450-478.

Schwietering, Speer Julius Schwietering, *Zur Geschichte von Speer und Schwert im 12. Jahrhundert* (Jahrbuch der Hamburgischen wissenschaftlichen Anstalten, 29, 1911, Beiheft 8,2 = Mitteilungen aus dem Museum für Hamburgische Geschichte, 3), Hamburg 1912), zitiert nach: J. Sch., *Philologische Schriften*, hg. von Friedrich Ohly und Max Wehrli, München 1969, S. 59-117.

Schwietering, Zimier Julius Schwietering, *Die Bedeutung des Zimiers bei Wolfram*, in: *Germanica. Eduard Sievers zum 75. Geburtstage*,

Halle 1925, S. 554-582, zitiert nach: J. Sch., *Philologische Schriften*, hg. von Friedrich Ohly und Max Wehrli, München 1969, S. 282-313.

Seeber — Josef Seeber, *Über Wolframs Willehalm*, in: IX. Programm des f. b. Privat-Gymnasiums am Seminarium Vincentinum in Brixen, Brixen 1884, S. 1-34.

Siebel — Günter Siebel, *Harnisch und Helm in den epischen Dichtungen des 12. Jahrhunderts bis zu Hartmanns Erek*, Diss. Hamburg 1969.

Singer — Samuel Singer, *Wolframs Willehalm*, Bern 1918.

Stackmann, vergiht — Karl Stackmann, *›min unschuldeclich vergiht‹. Ein lexikalisches Problem in Wolframs Willehalm*, in: *Philologische Untersuchungen. Festschrift für Elfriede Stutz*, hg. von Alfred Ebenbauer, Wien 1984, S. 462-468.

Steinhoff — Hans-Hugo Steinhoff, *Die Darstellung gleichzeitiger Geschehnisse im mittelhochdeutschen Epos* (Medium Aevum, 4), München 1964.

Stosch — Johannes Stosch, *Kleine Beiträge zur Erläuterung Wolframs*, in: ZfdA 38 (1894), S. 138-144.

Tauber — Walter Tauber, *Das Würfelspiel im Mittelalter und in der frühen Neuzeit* (Europäische Hochschulschriften, I/959), Frankfurt, Bern und New York 1987.

Thelen — Christian Thelen, *Das Dichtergebet in der deutschen Literatur des Mittelalters* (Arbeiten zur Frühmittelalterforschung, 18), Berlin und New York 1989.

Tit.	Wolfram von Eschenbach, *Titurel* (zitiert nach Lachmann).
Titurel-Kommentar	Joachim Heinzle, *Stellenkommentar zu Wolframs Titurel* (Hermaea, N.F. 30), Tübingen 1972.
Tobler/Lommatzsch	Adolf Tobler und Erhard Lommatzsch, *Altfranzösisches Wörterbuch*, Bde. 1ff., Greifswald (ab Bd. 3: Wiesbaden) 1925ff.
Treder	Dorothea Treder, *Die Musikinstrumente in den höfischen Epen der Blütezeit*, Diss. Greifswald 1933.
Trier, Wortschatz	Jost Trier, *Der deutsche Wortschatz im Sinnbezirk des Verstandes*, Bd. 1 (Germanische Bibliothek, 2/31), Heidelberg 1931.
Tristan	s. Gottfried von Straßburg
Tsukamoto	Nobuko Ohashi Tsukamoto, *Rennewart*, Diss. Washington University 1975.
Unger	Wolfram von Eschenbach, *Willehalm*, übertragen von Otto Unger (Göppinger Arbeiten zur Germanistik, 100), Göppingen 1973.
Unger, Bemerkungen	Otto Unger, *Bemerkungen zu einer neuen Willehalm-Übersetzung*, in: Wolfram-Studien 1 (1970), S. 194-198.
Unger, Prolog	Otto Unger, *Ein Beitrag zur Deutung des Wolframschen Willehalm-Prologs*, in: ZfdPh 93 (1974), S. 63-67.
Vorderstemann	Jürgen Vorderstemann, *Die Fremdwörter im Willehalm Wolframs von Eschenbach* (Göppinger Arbeiten zur Germanistik, 127), Göppingen 1974.
Waldmann	Bernhard Waldmann, *Natur und Kultur im höfischen Roman um 1200* (Erlanger Studien, 38), Erlangen 1983.

Walther (von der Vogelweide) Walther von der Vogelweide, *Die Gedichte*, hg. von Karl Lachmann, Berlin [13]1965.

Wenk Irene Wenk, *Der Tod in der deutschen Dichtung des Mittelalters*, Diss. (Masch.) Berlin FU 1956.

Wesle/Wapnewski s. RL

Wiener Leo Wiener, *French Words in Wolfram von Eschenbach*, in: American Journal of Philology 16 (1895), S. 326-361.

Wiesmann-Wiedemann FriederikeWiesmann-Wiedemann, *Le roman du Willehalm de Wolfram d'Eschenbach et l'épopée d'Aliscans* (Göppinger Arbeiten zur Germanistik, 190), Göppingen 1976.

Wiessner, Richtungsconstructionen Edmund Wiessner, *Ueber Ruhe- und Richtungsconstructionen mittelhochdeutscher Verba, untersucht in den Werken der drei grossen höfischen Epiker, im Nibelungenlied und in der Gudrun,* I, in: Beitr. 26 (1901), S. 367-556, II, in: Beitr. 27 (1902), S. 1-68.

Witte Maria Magdalena Witte, *Elias und Henoch als Exempel, typologische Figuren und apokalyptische Zeugen* (Mikrokosmos, 22), Frankfurt, Bern und New York 1987.

WMU *Wörterbuch der mittelhochdeutschen Urkundensprache*, unter Leitung von Bettina Kirschstein und Ursula Schulze erarbeitet von Sibylle Ohly und Peter Schmitt, Bde. 1ff., Berlin 1986ff.

Wolff Ludwig Wolff, *Der Willehalm Wolframs von Eschenbach*, in: DVjs 12 (1934), S. 504-539 (wieder in: *Wolfram von Eschenbach*, hg. von Heinz Rupp [Wege der Forschung, 57], Darmstadt 1966, S.

388-426, und in: L.W.: *Kleinere Schriften zur altdeutschen Philologie*, hg. von Werner Schröder, Berlin 1967, S. 217-245).

Yeandle — David N. Yeandle, *Commentary on the Soltane and Jeschute Episodes in Book III of Wolfram von Eschenbach's Parzival (116,5-138,8)*, Heidelberg 1984.

ZfdA — Zeitschrift für deutsches Altertum und deutsche Literatur.

ZfdPh — Zeitschrift für deutsche Philologie.

Zijlstra-Zweens — H. M. Zijlstra-Zweens, *Kostüm und Waffen*, in: Lambertus Okken, *Kommentar zum Tristan-Roman Gottfrieds von Strassburg*, Bd. 2 (Amsterdamer Publikationen zur Sprache und Literatur, 58), Amsterdam 1985, S. 225-342.

Zimmermann — Gisela Zimmermann, *Kommentar zum VII. Buch von Wolfram von Eschenbachs Parzival* (Göppinger Arbeiten zur Germanistik, 133), Göppingen 1974.

Zips — Manfred Zips, *Das Wappenwesen in der mittelhochdeutschen Epik bis 1250*, Diss. (Masch.) Wien 1966.

Zwierzina — Konrad Zwierzina, *Mittelhochdeutsche Studien*, in: ZfdA 44 (1900), S. 1-116.

REGISTER ZUM STELLENKOMMENTAR

Das Register erfaßt eine Auswahl der im Kommentar angesprochenen Wörter, Namen, Sachen, Probleme. Grundsätzlich ausgespart bleiben die im Wh. selbst vorkommenden Namen: die betreffenden Kommentarstellen sind im Namenverzeichnis vermerkt.

DANK

Die Arbeit an diesem Band hat mich von 1982 bis 1990 beschäftigt. Ohne die Hilfe vieler wäre er nicht fertig geworden. Sie alle anzuführen, ist nicht möglich. So nenne ich nur die, die am meisten geholfen haben: Walter Haug, den Herausgeber der Reihe, der unermüdlich das entstehende Manuskript mitlas und auf Verbesserungen drang, und von meinen Mitarbeitern, in deren Hand die technischen Abwicklungen lagen und die viele wertvolle Anregungen gaben: Heidrun Alex, Renate Decke-Cornill, Dorothea Heinig, Klaus Klein, Michael Redeker, Jürgen Schulz-Grobert, Beate Voß. Ihnen gilt, stellvertretend auch für die nicht Genannten, mein herzlicher Dank.

Ich widme das Buch L. Peter Johnson in Cambridge, dem Freund Wolframs, zum 3. Juli 1990.

[Für diese Taschenbuchausgabe habe ich den mittelhochdeutschen Text und die Übersetzung durchgesehen und an einigen Stellen korrigiert. Für die wertvollen Hinweise auf Fehler und Schwächen der Übersetzung möchte ich auch an dieser Stelle Lambertus Okken herzlich danken. Eine der Übersetzungskorrekturen erforderte auch einen Eingriff in den Kommentar (391,24). Im übrigen mußte die Ausgabe aus technischen Gründen unverändert bleiben. Hingewiesen sei auf den verbesserten Lesartenapparat in der kleinen Ausgabe (Tübingen 1994 = Altdeutsche Textbibliothek 108) und auf ein Verzeichnis der Lesarten der wieder zugänglichen Hamburger Handschrift Ha in den Wolfram-Studien 14 (1996), S. 423-429.]

INHALTSVERZEICHNIS

BIBLIOTHEK DES MITTELALTERS

Texte und Übersetzungen

Band 1
Frühe deutsche Literatur und lateinische Literatur
in Deutschland
800-1150

Band 2
Das St. Trudperter Hohelied

Band 3
Deutsche Lyrik des Frühen und Hohen Mittelalters

Band 4
Heinrich von Veldeke:
Eneasroman

Band 5
Hartmann von Aue:
Erec

Band 6
Hartmann von Aue:
Gregorius, Armer Heinrich, Iwein

Band 7/8
Wolfram von Eschenbach:
Parzival I/II

Band 9
Wolfram von Eschenbach:
Willehalm

Band 10
Gottfried von Straßburg:
Tristan I

Band 11
Gottfried von Straßburg:
Tristan II, Fragment des Thomas

Band 12
Nibelungenlied

Band 13
Carmina Burana

Band 14-18
Prosalancelot I-V

Band 19
Mechthild von Magdeburg

Band 20/21
Meister Eckhart:
Werke I/II

Band 22
Deutsche Lyrik des späten Mittelalters

Band 23
Mittelhochdeutsche Novellen

Band 24
Heinrich Wittenwiler, Johannes von Tepl

»Der Deutsche Klassiker Verlag:
ein gigantisches Vorhaben, ein Jahrhundertwerk«
Marcel Reich-Ranicki

DEUTSCHER KLASSIKER VERLAG
IM TASCHENBUCH

In dieser Reihe erschienen:

TB 1
Johann Wolfgang Goethe, Faust. Zwei Teilbände
Herausgegeben von Albrecht Schöne · 2016 Seiten
Band 1: Texte · Band 2: Kommentare

TB 2
Hans Jacob Christoffel von Grimmelshausen
Simplicissimus Teutsch
Herausgegeben von Dieter Breuer · 1136 Seiten

TB 3
Friedrich Schiller
Wallenstein
Herausgegeben von Frithjof Stock · 1280 Seiten

TB 4
Friedrich Hölderlin
Sämtliche Gedichte
Herausgegeben von Jochen Schmidt · 1152 Seiten

TB 5
Heinrich von Kleist
Sämtliche Erzählungen, Anekdoten,
Gedichte und Schriften
Herausgegeben von Klaus Müller-Salget · 1328 Seiten

TB 6
Deutsche Lyrik des frühen und hohen Mittelalters
Edition und Kommentare von Ingrid Kasten
Übersetzung von Margherita Kuhn · 1136 Seiten

TB 7
Wolfram von Eschenbach
Parzival
Zwei Teilbände
Herausgegeben von Eberhard Nellmann
Übertragen von Dieter Kühn · 1838 Seiten

TB 8
Karl Philipp Moritz
Anton Reiser. Dichtungen und Schriften
zur Erfahrungsseelenkunde
Herausgegeben von Heide Hollmer
und Albert Meier · 1365 Seiten

TB 9
Bettine von Arnim
Clemens Brentano's Frühlingskranz/
Die Günderode
Herausgegeben von Walter Schmitz · 1201 Seiten

TB 10
Gottfried Keller
Die Leute von Seldwyla
Herausgegeben von Thomas Böning · 869 Seiten

TB 11
Johann Wolfgang Goethe
Die Leiden des jungen Werthers / Die Wahlverwandtschaften
Herausgegeben von Waltraud Wiethölter unter Mitarbeit von
Christoph Brecht · 1245 Seiten

TB 12
Joseph von Eichendorff
Sämtliche Gedichte
Herausgegeben von Hartwig Schultz · 1292 Seiten

TB 13
Georg Büchner
Dichtungen, Schriften, Briefe und Dokumente
Zwei Bände
Herausgegeben von Henri Poschmann unter Mitarbeit von
Rosemarie Poschmann · 2301 Seiten

TB 14
E. T. A. Hoffmann
Fantasiestücke in Callot's Manier
Herausgegeben von Hartmut Steinecke unter Mitarbeit von Gerhard Allroggen und Wulf Segebrecht · 939 Seiten

TB 15
Johann Wolfgang Goethe
Dichtung und Wahrheit
Herausgegeben von Klaus-Detlef Müller · 1403 Seiten

TB 16
Grimms Märchen
Herausgegeben von Heinz Rölleke · 1302 Seiten

TB 17
E.T. A. Hoffmann
Die Elixiere des Teufels / Werke 1814-1816
Herausgegeben von Hartmut Steinecke und Gerhard Allroggen · 761 Seiten

TB 18
Joseph von Eichendorff
Ahnung und Gegenwart
Sämtliche Erzählungen I
Herausgegeben von Wolfgang Frühwald und Brigitte Schillbach · 840 Seiten

TB 19
Joseph von Eichendorff
Dichter und ihre Gesellen
Sämtliche Erzählungen II
Herausgegeben von Hartwig Schultz · 904 Seiten

TB 20
Hartmann von Aue
Erec
Herausgegeben von Manfred Günter Scholz
Übersetzt von Susanne Held · 1069 Seiten

TB 21
Hans Jacob Christoffel von Grimmelshausen
Courasche / Springinsfeld / Wunderbarliches Vogelnest I-II / Rathstübel Plutonis
Herausgegeben von Dieter Breuer · 1094 Seiten

TB 22
Gotthold Ephraim Lessing
Laokoon / Briefe, antiquarischen Inhalts
Herausgegeben von Wilfried Barner · 1216 Seiten

TB 23
Gottfried Keller
Der grüne Heinrich. Erste Fassung
Herausgegeben von Thomas Böning und Gerhard Kaiser · 1395 Seiten

TB 24
Meister Eckhart
Werke I: Predigten
Herausgegeben von Niklaus Largier · 1107 Seiten

TB 25
Meister Eckhart
Werke II: Traktate und lateinische Werke
Herausgegeben von Niklaus Largier · 1026 Seiten

TB 26
Friedrich Schiller
Klassische Dramen:
Maria Stuart / Die Jungfrau von Orleans / Die Braut von Messina / Wilhelm Tell
Herausgegeben von Matthias Luserke-Jaqui · 888 Seiten

TB 27
Friedrich Hölderlin
Hyperion / Empedokles / Aufsätze / Übersetzungen
Herausgegeben von Jochen Schmidt · 1514 Seiten

TB 28
E.T.A. Hoffmann
Die Serapions-Brüder
Herausgegeben von Wulf Segebrecht unter Mitarbeit von Ursula Segebrecht · 1687 Seiten

TB 29
Hartmann von Aue
Gregorius / Armer Heinrich / Iwein
Herausgegeben von Volker Mertens · 1110 Seiten

TB 30
Johann Wolfgang Goethe
Klassische Dramen:
Iphigenie auf Tauris / Egmont / Torquato Tasso
Herausgegeben von Dieter Borchmeyer unter Mitwirkung von Peter Huber · 1500 Seiten

TB 31
Friedrich Schiller
Sämtliche Gedichte
Herausgegeben von Georg Kurscheidt · 1532 Seiten

TB 32
Friedrich Schiller
Theoretische Schriften
Herausgegeben von Rolf-Peter Janz · 1617 Seiten

TB 33
Jacob Böhme
Werke
Herausgegeben von Ferdinand van Ingen · 1165 Seiten

TB 34
Friedrich Schiller
Die Räuber / Fiesko / Kabale und Liebe
Herausgegeben von Gerhard Kluge · 1569 Seiten

TB 35
Friedrich Schiller
Don Karlos
Herausgegeben von Gerhard Kluge
1369 Seiten

TB 36
E. T. A. Hoffmann
Nachtstücke / Werke 1816-1820
Herausgegeben von Hartmut Steinecke
und Gerhard Allroggen · 1206 Seiten

TB 37
Immanuel Kant
Kritik der Urteilskraft
Schriften zur Ästhetik und Naturphilosophie
Herausgegeben von Manfred Frank und
Véronique Zanetti · 1387 Seiten

TB 38
Johann Wolfgang Goethe
West-östlicher Divan
Zwei Teilbände
Herausgegeben von Hendrik Birus · ca. 2080 Seiten
Erscheint im Frühjahr 2010

TB 39
Wolfram von Eschenbach
Willehalm
Herausgegeben von Joachim Heinzle · 1287 Seiten

TB 40
Gottfried Keller
Züricher Novellen
Herausgegeben von Thomas Böning · 760 Seiten

TB 41
Geschichte der Ökonomie
Herausgegeben von Johannes Burkhardt
und Birger P. Priddat · 975 Seiten

Die Reihe wird fortgesetzt.